THE ORIGINS
OF GNOSTICISM

COLLOQUIUM OF MESSINA
13-18 APRIL 1966

TEXTS AND DISCUSSIONS
PUBLISHED BY UGO BIANCHI

Published with the help of the
Consiglio Nazionale delle Ricerche
della Repubblica Italiana

LEIDEN
E. J. BRILL
1970

STUD

IN THE HISTORY O

(SUPPLEMENTS TO

XII

LE ORIGINI DELLO GN
THE ORIGINS OF GN

LE ORIGINI DELLO GNOSTICISMO

COLLOQUIO DI MESSINA
13-18 APRILE 1966

TESTI E DISCUSSIONI
PUBBLICATI A CURA DI UGO BIANCHI

Opera pubblicata con il concorso del
Consiglio Nazionale delle Ricerche
della Repubblica Italiana

LEIDEN
E. J. BRILL
1970

First edition 1967
Reprinted 1970

Participants at the Congress

PREFAZIONE

L'attualità di un dibattito sopra la questione delle origini (e della definizione) dello gnosticismo è, crediamo, cosa accertata. Parimenti sicuro è, ci sembra, che questa problematica abbia superato ormai l'alternativa tra la teoria 'eresiologica' e quella 'religionsgeschichtlich': l'ha superata nel senso che la storia delle religioni si è vista attribuire dalle cose stesse questa medesima problematica, e ciò nella misura in cui essa storia delle religioni, fattasi più matura rispetto alle sue prime prove in questo campo, non si presenta più come un metodo che sia già implicita teoria, ma come una scienza storico-comparativa, vastamente fondata su una competenza filologica che non ignora la complessità e profondità dei processi storici, e che è pronta a registrare, nella comparazione, non meno le divergenze che le affinità; non tutta protesa a 'ridurre' o 'spiegare', più o meno evoluzionisticamente, un fatto con un altro, ma a individuare fatti e processi nella loro storica concretezza e, ove occorra, 'personalità'.

Questi sono i motivi che hanno condotto l'iniziativa di un Colloquio internazionale sulle origini dello gnosticismo, presa dalla Cattedra di storia delle religioni dell'Università di Messina, nell'alveo tematico della storia delle religioni, nella collaborazione con l'International Association for the History of Religions e con la Società italiana di storia delle religioni, che questa scienza degnamente promuovono.

Il ringraziamento dei promotori del Colloquio e della presente pubblicazione va alle autorità accademiche e ministeriali italiane, che hanno reso tecnicamente e finanziariamente possibile l'incontro di Messina, al Consiglio nazionale delle ricerche della Repubblica italiana, che ha reso possibile la pubblicazione di questo volume, alla I.A.H.R. e alla Società italiana di storia delle religioni, che hanno assicurato al Colloquio il loro appoggio, ai partecipanti tutti, e alla benemerita Casa editrice Brill, che ha assunto l'impegno di pubblicare il volume nella serie dei 'Supplementi a Numen'.

Se un augurio possiamo formulare, è che l'iniziativa messinese abbia giovato ad una migliore conoscenza reciproca tra gli studiosi della storia dello gnosticismo e, in genere, delle religioni del mondo antico; ad una migliore giustificazione (se ve ne fosse stato bisogno) della metodologia che — se non andiamo errati — ha costituito il punto di riferimento sicuro dei lavori; e, in definitiva, agli interessi della scienza storico-religiosa.

C. J. BLEEKER

Direttore dei 'Supplements to Numen'

U. BIANCHI

Responsabile dei lavori del Colloquio

SOMMARIO

DEFINIZIONE E ORIGINI DELLO GNOSTICISMO PROBLEMI E TESTI

GNOSTICISMO E BUDDISMO. PROBLEMI COMPARATIVI

ADDENDA ET POSTSCRIPTA

PARTECIPANTI AL COLLOQUIO

Prof. Dr. Alfred ADAM
  Bethelweg 42, D. 4813 *Bethel*
Prof. D. Kurt ALAND
  Am Stadtgraben 13-15, 44 *Münster* (Westf.)
Prof. Dr. Anton ANTWEILER
  Frauenstrasse 1, 44 *Münster* (Westf.)
Prof. Dr. Sasagu ARAI
  Toyoshiki-danchi 3/310, *Kashiwashi*/Chibaken (Japan)

Prof. Dr. Th. P. van BAAREN
  Hereweg 86 A, *Groningen*
Prof. Dr. Alessandro BAUSANI
  Via dei Carpazi 26 (Eur) *Roma*
Prof. Dr. Giuseppe BENTIVEGNA
  Ignatianum — Via Regina Margherita, *Messina*
Prof. Dr. Ugo BIANCHI
  Via S. Agnese 12, *Roma*
Prof. Dr. C. Jouco BLEEKER
  Churchill-laan 290^I, *Amsterdam*
Prof. Dr. Angelo BRELICH
  Via F. Cavallotti 69, *Roma*
Prof. Dr. Paolo BREZZI
  Via E. Turba 1, *Roma*
M. Gilbert BRUNET
  74 Tombe-Issoire, *Paris* XVe

Dr. Giorgio R. CARDONA
  Via G. Saliceto 1, *Roma*
Prof. Dr. Alois CLOSS
  Wickenburggasse 30, 8010 *Graz*
Prof. Dr. Carsten COLPE
  Ludwig-Beck-Strasse 5, 34 *Göttingen*
Prof. Dr. Edward CONZE
  Far Eastern and Russian Institute, University of Washington,
  Seattle, Wash. 98105
Prof. Dr. Salvatore COSTANZA
  Via Garibaldi 130, *Messina*

Prof. Dr. Roland CRAHAY
   3 Square Gramme, *Liège*
Herr G. DALLINGER
   Kirchenweg 1, 8521 *Uttenreuth* (Erlangen)
Prof. Dr. J. DANIÉLOU
   15 Rue Monsieur, *Paris*
Dr. H. J. DRIJVERS
   Bilderdijklaan 30, *Groningen*
Prof. Dr. J. H. FRICKEL
   Pontif. Istituto Orientale, P.zza S. Maria Maggiore 7, *Roma*
Dr. Annerose FRÖHLICH
   Immengarten 35, 32 *Hildesheim*
Prof. Dr. Robert W. FUNK
   Eugenstrasse 39, 74 *Tübingen*
Prof. Dr. Gherardo GNOLI
   Via della Pace 8, *Roma*
Prof. Dr. Robert M. GRANT
   5728 Harper Ave., *Chicago*, Ill. 60637
Drs. J. HELDERMAN
   Noordstraat 15, *Domburg* (Zl.)
Drs. J. P. HOOGMA
   Oostduinlaan 50, *Den Haag*
Dr. Yvonne JANSSENS
   36 Av. de Philippeville, *Marcinelle* (Hainaut), (Belgique)
Prof. Dr. Hans JONAS
   9 Meadow Lane, *New Rochelle*, N.Y. 10805
Dr. Giorgio JOSSA
   Corso Vitt. Emanuele 168, *Napoli*
Prof. Dr. Laszló KÁKOSY
   Csaba u. 34 a, *Budapest*
Dr. A. F. J. KLIJN
   Wichmannlaan 11, *Utrecht*
Frau Elisabeth Gräfin von KLINCKOWSTROEM
   Promenade 105, 638 *Bad Homburg*
Prof. Dr. Martin KRAUSE
   Domplatz 23, 44 *Münster* (Westf.)
Dr. Vincenzo LOI
   Ateneo Salesiano, Via dell'Ateneo Salesiano 11, *Roma*
Prof. Dr. Stanislas LYONNET
   Pontificio Istituto Biblico, Via della Pilotta 25 *Roma*

Dr. Violet MacDERMOT
  114 Richmond Hill, *Richmond*, Surrey (England)
Dr. George W. Mac RAE
  Weston College, *Weston*, Mass. 021193
Prof. Dr. Menahem MANSOOR
  The University of Wisconsin, 935 University Ave., *Madison*,
  Wisconsin 53706
Doc. Dr. Tadeusz MARGUL
  ul. Rayskiego 4/6 m. 9, *Lublin*
Prof. Dr. Henri I. MARROU
  19, Rue d'Antony, *Chatenay-Malabry* (Seine)
Dr. Luther MARTIN
  Auf der Lehmbünde 2, 34 *Göttingen-Geismar*
Dr. E. Michael MENDELSON
  Dpt. of Anthropol. and Sociol., School of Orient. a. Afr. Stu-
  dies, University of London, *London* W.C. 1
Dr. L. J. R. ORT
  Oost-Kinderdijk 181, *Alblasserdam*
Prof. Dr. Giuseppe G. PATTI
  Pontificio Istituto Biblico, Via della Pilotta 25, *Roma*
Prof. Dr. Francesco PERICOLI-RIDOLFINI
  Lungotevere Portuense 150, *Roma*
M.elle Madeleine PETIT
  60, Rue du Montparnasse, *Paris* XIVe
Dr. Simone PÉTREMENT
  37, Rue Jules-Ferry, *Enghien-les-Bains* (Seine et Oise)
Prof. Dr. Marc PHILONENKO
  20, Rue Geiler, *Strasbourg*
Dr. Giulia PICCALUGA
  Via Lucilio 47, *Roma*
Prof. Dr. Karl PRÜMM
  Pontificio Istituto Biblico, Via della Pilotta 25, *Roma*
Prof. Dr. H. QUECKE
  Pontificio Istituto Biblico, Via della Pilotta 25, *Roma*
Prof. Dr. Karl H. RENGSTORF
  Melcherstr. 23, 44 *Münster* Westf.
Dr. Julien RIES
  29, Grand-Rue, *Messancy* (Belgique)
Dr. Calogero RIGGI
  Ateneo Salesiano, Via dell'Ateneo Salesiano 11, *Roma*

Prof. Dr. Helmer RINGGREN
  St. Johannesgatan 21 A, *Uppsala*
Prof. Dr. James M. ROBINSON
  American School of Oriental Research, *Jerusalem* (Jordan)
Prof. Dr. Torgny SÄVE-SÖDERBERGH
  Victoria Museum, Gustavianum, *Uppsala*
Prof. Dr. Hans J. SCHOEPS
  Ebrardstrasse 11, 852 *Erlangen*
Dr. Christel Matthias SCHRÖDER
  Koenenkampstrasse 15, 28 *Bremen*
Prof. Dr. Kurt SCHUBERT
  Walfischgasse 10/IV/ 20, 1010 *Wien I*
Dr. Eric SEGELBERG
  Storgatan 26 B, *Uppsala*
Dr. Giulia SFAMENI-GASPARRO
  Via Protonotaro is. 204, *Messina*
Prof. Dr. Marcel SIMON
  11, rue de l'Observatoire, *Strasbourg*
Prof. Dr. Imre TRENCSÉNYI-WALDAPFEL
  Népstadion ut 57/a, *Budapest* XIV
Dr. U. Marina VESCI
  Hanumanghat B 4/19, *Varanasi* (India)
Prof. Dr. Geo WIDENGREN
  Luthagsesplanaden 16, *Uppsala*
Prof. Dr. R. McL. WILSON
  St. Mary's College, *St. Andrews*, Fife (Scotland)
Prof. Dr. J. ZANDEE
  Turandotdreef 5, *Utrecht*

ALTRI STUDIOSI

che hanno presentato una Comunicazione

Prof. Dr. M. ADRIANI
  Via Andrea del Castagno 32, *Firenze*
Prof. Dr. Alexander BÖHLIG
  Mörikestrasse 5, 7401 *Hirschau* bei Tübingen
Prof. Dr. P. BOYANCÉ
  Palazzo Farnese, Piazza Farnese, *Roma*
Prof. Dr. Erich FASCHER
  Hollstrasse 20, *Berlin-Adlershof*

Prof. Dr. A. J. FESTUGIÈRE
222 faubourg St. Honoré, *Paris*, VIIIe
Prof. Dr. Werner FOERSTER
Kapitelstrasse 49, 44 *Münster* Westf.
Prof. Dr. David FLUSSER
Hebrew University, *Jerusalem* (Israel)
Dr. Hans GOEDICKE
Dpt. Near Eastern Studies, The John Hopkins University, *Baltimore* 18, Maryland 21218
Dr. Robert HAARDT
Gusshausstrasse 49, *Wien* IV
Prof. Dr. Ernst HAENCHEN
Wüllnerstrasse 18, 44 *Münster* Westf.
Prof. Dr. Endre von IVÁNKA
Hernalser Hauptstrasse 49, *Wien* XVII
Doz. Dr. Günter LANCZKOWSKI
Liebermannstrasse 45, 69 *Heidelberg*
Prof. Dr. Gilles QUISPEL
Noord Houdringelaan 32, *Bilthoven*
Prof. Dr. Kurt RUDOLPH
Rel.-gesch. Institut. d. Karl-Marx-Univ., Petersssteinweg 8, 701 *Leipzig*
Prof. Dr. SUNG BUM YUN
Methodist Theological Seminary, 31 Naing Chung Dong, *Seoul*

CRONACA DEL COLLOQUIO

Il Colloquio internazionale sulle origini dello gnosticismo si è tenuto all'Università di Messina dal 13 al 18 aprile 1966, con la cooperazione della International Association for the History of Religions e della Società italiana di storia delle religioni, e grazie alle sovvenzioni finanziarie del Ministero italiano dell'Istruzione pubblica e dell'Università di Messina.

Sono stati presenti 69 studiosi, di diverse nazionalità. Le comunicazioni discusse (il cui testo era stato in precedenza diffuso) sono state 43, oltre la prolusione, 3 relazioni generali e la relazione introduttiva. Si aggiungono 15 comunicazioni inviate dai membri che non hanno partecipato personalmente (parimenti diffuse).

Un testo finale, presentato da un comitato *ad hoc*, fu parimenti discusso (cfr. *infra*). E' stato approvato e inviato all'UNESCO un voto concernente l'urgenza della pubblicazione definitiva di tutti i testi di Nag Hammadi, formulato da un comitato formato dai proff. T. Säve-Söderbergh, M. Krause e J. M. Robinson.

LAVORI DEL COLLOQUIO

Mercoledì, 13 aprile 1966

Inaugurazione del Colloquio, da parte di A. Attisani, Preside della Facoltà di Lettere e Filosofia.

Relazione, di U. Bianchi

Prolusione, di G. Widengren:

> Les origines du gnosticisme et l'histoire des religions.

Il problema e i testi

M. Krause, Der Stand der Veröffentlichung der Nag-Hammadi Texte.

J. Zandee, Die Person der Sophia in der vierten Schrift des Codex Jung.

H. I. Marrou, La théologie de l'histoire dans la gnose valentinienne.

T. Säve-Söderbergh, Gnostic and canonical gospel traditions (with special reference to the Gospel of Thomas).

J. Frickel, Die Apophasis Megale, eine Grundschrift der Gnosis?

Giovedì 14 aprile

Per una definizione dello gnosticismo

H. Jonas, Delimitation of the Gnostic phenomenon — typological and historical.

Th. P. Van Baaren, Towards a definition of Gnosticism.

S. Arai, Zur Definition der Gnosis — in Rücksicht auf die Frage nach ihrem Ursprung.

A. Brelich, La mitologia e gli gnostici.

Lo gnosticismo e l'Iran

A. Closs, Erlösendes Wissen als gnostisches Erbe aus Altiran?

G. Gnoli, La gnosi iranica. Per una impostazione nuova del problema.

A. Adam, Ist die Gnosis in aramäischen Weisheitschulen entstanden?

L. J. R. Ort, Mani's conception of gnosis.

G. R. Cardona, Note sullo gnosticismo in Armenia: i cosiddetti 'Libri di Adamo'.

Venerdì, 15 aprile

a) Lo gnosticismo, la Mesopotamia e l'Egitto

b) Lo gnosticismo e Qumrân

C. J. Bleeker, The Egyptian Background of Gnosticism.

L. Kákosy, Gnosis und ägyptische Religion.

J. Ries, La gnose dans les textes liturgiques manichéens coptes.

H. Ringgren, Qumran and Gnosticism.

M. Mansoor, Nature of gnosticism in Qumran writings.

Gnosticismo e giudaismo

R. M. Grant, Les êtres intermédiaires dans le judaïsme tardif.

K. Schubert, Gnosis aus dem Judentum oder jüdische Gnosis?

K. Prümm, Alttestamentliche sapientiale Bildlehre und paulinisch-philonisches Gnosisproblem. Versuch einer Übersicht.

G. Jossa, Alcune considerazioni sul problema delle origini della gnosi.

Sabato, 16 aprile

Gnosticismo, giudaismo e cristianesimo. Tipologie particolari

J. Daniélou, Le mauvais gouvernement du monde d'après le gnosticisme.

C. Colpe, Die Himmelsreise der Seele innerhalb und ausserhalb der Gnosis.

S. Pétrement, Le mythe des sept archontes créateurs peut-il s'expliquer à partir du christianisme?

Y. Janssens, Le thème de la fornication des anges.

G. Mac Rae, Sleep and awakening in gnostic texts.

GNOSTICISMO E CRISTIANESIMO

R. McL. Wilson, Gnosis, Gnosticism and New Testament.

H. J. Schoeps, Judenchristentum und Gnosis.

S. Lyonnet, St. Paul et le gnosticisme: la lettre aux Colossiens.

K. H. Rengstorf, Urchristliches Kerygma und „gnostische" Interpretation in einigen Sprüchen des Th. Ev.

F. Pericoli Ridolfini, Il salterio manicheo e la gnosi giudaico-cristiana.

H. J. Drijvers, Bardaïsan et les Bardaïsanites.

A. F. J. Klijn, Early Syriac Christianity—Gnostic?

Domenica, 17 aprile
GNOSTICISMO E ELLENISMO

M. Simon, Eléments gnostiques chez Philon.

M. Philonenko, Essénisme et gnose dans le Pseudo-Philon. Le symbolisme de la lumière dans le Liber Antiquitatum Biblicarum.

R. Crahay, Eléments d'une mythopée gnostique dans la Grèce classique.

I. Trencsényi-Waldapfel, Mythologie und Gnosis.

Lunedì, 18 aprile
PROBLEMI COMPARATIVI

E. Conze, Buddhism and Gnosis.

E. M. Mendelson, Burmese Messianic Buddhism: a Folk Gnosis?

G. Sfameni Gasparro, Il disordine del mondo e il grido degli esseri perseguitati.

G. Patti, Il valore soteriologico dello *jñāna* nei sistemi classici indiani.

G. Piccaluga, Caos e cosmo nella gnosi.

M. Vesci, *Tapas* e l'origine della gnosi.

M. Bausani, Letture iraniche per l'origine e la definizione tipologica di gnosi.

DISCUSSIONE RETROSPETTIVA. RELAZIONE DEL COMITATO. DISCUSSIONE DEL TESTO FINALE

ALTRE COMUNICAZIONI PRESENTATE AL COLLOQUIO

M. Adriani, Sull'idea di *gnōsis* in Filone.

A. Böhlig, Der jüdische und judenchristliche Hintergrund in gnostischen Texten von Nag-Hammadi.

P. Boyancé, Dieu cosmique et dualisme.

E. Fascher, Christologie und Gnosis im Vierten Evangelium (résumé).

A. J. Festugière, Contemplation philosophique et art théurgique chez Proclus.

W. Foerster, 1) Die „ersten Gnostiker" Simon und Menander. 2) Die Naassener.

D. Flusser, Ein gnostisches Motiv in Qumran.

H. Goedicke, The gnostic concept. Considerations about its origin.

R. Haardt, Marginalien zu den Methoden der Ursprungsbestimmung von Gnosis.

E. Haenchen, Neutestamentliche und gnostische Evangelien.

E. von Ivánka, Religion, Philosophie und Gnosis. Grenzfälle und Pseudomorphosen in der Spätantike.

G. Lanczkowski, Elemente gnostischer Religiosität in altamerikanischen Religionen.

G. Quispel, The Jewish origins of gnosticism (résumé).

K. Rudolph, Probleme einer Entwicklungsgeschichte der mandäischen Religion.

Sung Bum Yun, Das idealistisch-gnostische im Taoismus.

N.B. Tra i contributi presentati al Colloquio, sono qui pubblicati quelli più attinenti al tema, e appartenenti a studiosi che hanno partecipato, in qualunque forma, agli scambi e discussioni previsti dal programma dei lavori. Non sono qui contenuti i testi già pubblicati altrove (quello di K. Schubert è in "Wort und Wahrheit" XVIII [1963], S. 455-461; quello di K. PRÜMM appare ora in una «Studie zu 2Kor. 3, 18», Verlag Otto Müller, Salzburg).

DOCUMENTO FINALE

Un comitato *ad hoc*, formato sulla base di una proposta del Prof. C. J. Bleeker, e composto dai Proff. G. Widengren, H. Jonas, J. Daniélou, C. Colpe e U. Bianchi, ha discusso, con la collaborazione dei Proff. M. Simon, H. I. Marrou e di altri membri del Colloquio, un testo relativo a „Proposte concernenti l'uso scientifico dei termini *gnosi, gnosticismo* etc." e l'ha presentato alla discussione nella seduta finale.

La maggior parte dei membri del Colloquio si sono trovati d'accordo sul testo seguente. Altri hanno espresso delle riserve su alcuni punti, anche importanti, o delle obiezioni.

PROPOSTE

CONCERNENTI L'USO SCIENTIFICO DEI TERMINI GNOSI, GNOSTICISMO

A. Per evitare un uso indifferenziato dei termini *gnosi* e *gnosticismo*, sembra utile identificare, con la cooperazione dei metodi storico e tipologico, un fatto determinato, lo „gnosticismo", partendo metodologicamente da un certo gruppo di sistemi del II secolo d.C., che vengono comunemente così denominati. Si propone invece di concepire la „gnosi" come „conoscenza dei misteri divini riservata a una élite".

B. Come *ipotesi di lavoro* si propongono le formulazioni seguenti:

I. Lo gnosticismo delle sètte del II sec. implica una serie coerente di caratteristiche che si possono riassumere nella concezione della presenza nell'uomo di una scintilla divina, che proviene dal mondo divino, che è caduta in questo mondo sottomesso al destino, alla nascita e alla morte, e che deve essere risvegliata [1]) dalla controparte divina del suo Io interiore per essere finalmente reintegrata. Questa idea, di fronte ad altre concezioni di una „degradazione" [2]) del divino [3]), è fondata ontologicamente sulla concezione di una „degra-

---

[1]) [Sulla base di una Chiamata dall'alto o di una rivelazione: cfr. II, *in fine*.]
[2]) [Ci si è riferiti qui al termine di *devolution*, illustrato nella conferenza del Prof. Jonas, cfr. p. 92.]
[3]) Sembra che si possano distinguere, in ordine crescente di „degradazione" del divino, queste concezioni fondamentali:
a) il *neoplatonismo*, in cui la materia è solo l'ultima (e dunque infima) emanazione

dazione" del divino la cui periferia (spesso chiamata Sophia o Ennoia) doveva entrare fatalmente in crisi e produrre — benchè indirettamente — questo mondo, di cui essa ncn può d'altronde disinteressarsi perchè deve recuperarvi lo pneuma. (Concezione dualistica su un sottofondo monistico, la quale si esprime con un doppio movimento di degradazione e di reintegrazione) [1]).

II. Il tipo di gnosi implicato dallo gnosticismo è condizionato dai fondamenti ontologici, teologici e antropologici qui indicati: non ogni gnosi è lo gnosticismo, ma solo quella che implica, nel senso sopra chiarito, l'idea della connaturalità divina della scintilla che deve essere rianimata e reintegrata: questa gnosi dello gnosticismo implica l'identità divina del *conoscente* (lo gnostico), del *conosciuto* (la sostanza divina del suo Io trascendente) e del *mezzo per cui egli conosce* (la gnosi come facoltà divina implicita che deve essere risvegliata e attuata; questa gnosi è una rivelazione-tradizione. Questa rivelazione-tradizione è dunque di tipo diverso dalla rivelazione-tradizione biblica e islamica).

III. Si pone la questione se questo gnosticismo „classico" sia stato preceduto da un proto-gnosticismo, o solo da un pre-gnosticismo. Se si tratta di *pre-gnosticismo*, si può ricercare la preesistenza di temi e motivi varii che rappresentano un „pre-" che non costituisce ancora lo gnosticismo. Ma se si tratta di *proto-gnosticismo*, si può pensare di trovare già l'essenziale dello gnosticismo in secoli precedenti il II d.C., nonchè fuori dello gnosticismo cristiano di questo secolo.

In generale, gli studiosi che si riferiscono al pre-gnosticismo insistono volentieri sull'apocalittica giudaica, Qumrân, o il fariseismo, ovvero sull'atmosfera di crisi del giudaismo dopo il 70; oppure su certe correnti di pensiero cristiano; o, ancora, sull'importanza, sempre a proposito del „pre-", dell'Egitto della Mesopotamia.

---

della Divinità-Luce, senza rottura ontologica del cosmo (ottimismo cosmico graduato, ma anche antisomatismo moderato) [ma cfr. anche la *tolme* plotiniana, discussa da Jonas, pp. 213 ss.].

b) lo *gnosticismo*, in cui il male è presente già potenzialmente e poi in atto alla periferia del mondo divino (plērōma), la cui ultima emanazione è spesso un personaggio che causa una rottura dell'armonia del plērōma e una caduta, da cui derivano questo mondo e, eventualmente, il suo demiurgo.

V'è anche una teoria (p. es. presso alcuni degli *Zurvaniya* di Shahristāni) secondo la quale il male sarebbe implicito sin dall'inizio nel cuore stesso della Divinità, che, a quanto pare, deve esplicitarlo ed espellerlo.

[1]) [Cfr. a proposito di tutto ciò la concezione dell'ombra come „esterno" dell'„Eone di verità", nel „trattato senza titolo" 146, 26.]

Coloro invece che parlano di un proto-gnosticismo pensano soprattutto all'Iran, al mondo indo-iranico, all'India delle Upanishad, o alla Grecia platonica e orfica (e pitagorica). Su questi temi si sono manifestate nel corso del Colloquio opinioni svariate; alcuni studiosi si chiedono anche quale posto abbia avuto il cristianesimo nella preistoria o nella protostoria dello gnosticismo. A questo proposito, sembra agli autori di questo Rapporto che, se lo gnosticismo, come lo si è definito al punto I., implica la ,,degradazione" del divino, è impossibile di situarlo nello stesso tipo storico-religioso del giudaismo o del cristianesimo del Nuovo Testamento e della Grande Chiesa.

IV. Finalmente, per quanto riguarda una ,,storia mondiale" dello gnosticismo, sembra che questo problema sia legittimo; si consideri, nei secoli precedenti, il mondo delle Upanishad e il mondo (ad esso contemporaneo) dell',,orfismo", di Empedocle, di Pitagora. E, nei secoli seguenti, gli gnosticismi priscilliano, pauliciano, bogomilo, cataro, iezidi, ismailita etc. [1]) Resta però che questa questione è diversa dalla questione di una ,,storia mondiale" del concetto più generale di gnosi come ,,conoscenza dei misteri divini riservata a una élite" [2]).

V. Per quanto concerne un concetto che ricorre spesso nelle discussioni sullo gnosticismo — cioè il ,,dualismo" — si propone di riservare il termine ,,dualismo" alle dottrine [o ai miti, anche presso popolazioni primitive] che ammettano la ,,dicotomia" [cioé la drastica separazione, anzi l'opposizione] dei principii che, coeterni o no, fondano l'*esistenza* di ciò che, a un titolo o a un altro, si trova nel mondo.

Questo dualismo è un genere con più specie:

a) il dualismo anticosmico dello gnosticismo, per il quale il male è questo mondo [la cui sostanza tenebrosa non è stata creata dalla Divinità].

b) il dualismo zoroastriano, favorevole al cosmo, per il quale il male interviene dall'esterno in un mondo buono. (Nell'Iran, questi due dualismi hanno potuto talvolta combinarsi in maniere svariate e poco chiare).

---

[1]) [Non si è fatto menzione a questo punto del mandeismo e del manicheismo, in quanto più prossimi al fenomeno da cui si sono prese le mosse.]

[2]) L'aggettivo ,,gnostico" potrebbe essere ambiguo dal punto di vista scientifico, e in tal caso occorrerebbe chiarirlo in relazione ai sostantivi ,,gnosticismo" e ,,gnosi". [Nel suo uso assoluto, nella letteratura scientifica, esso si riferisce abitualmente, e, dal punto di vista storico, più legittimamente, allo gnosticismo].

c) il dualismo metafisico (l'aspetto dualista di Platone e del platonismo [etc.]): la costituzione del mondo risulta dalla dialettica di due principii irriducibili e complementari [per quanto caratterizzati spesso da disparità di valore] [1]).

VI. Il Colloquio esprime il voto che la ricerca futura approfondisca l'aspetto cultuale e sociologico dello gnosticismo [2]).

PROPOSITIONS

CONCERNANT L'USAGE SCIENTIFIQUE DES TERMES GNOSE, GNOSTICISME

A. Pour éviter un usage indifférencié des termes *gnose* et *gnosticisme*, il semble qu'il y ait tout intérêt à identifier par la coopération des méthodes historique et typologique un fait déterminé, le „gnosticisme", en partant méthodologiquement d'un certain groupe de systèmes du IIe siècle ap. J.-Chr. que tout le monde s'accorde à dénommer ainsi. On concevrait au contraire la „gnose" comme „connaissance des mystères divins réservée à une élite".

B. A titre d'*hypothèse de travail* on propose les formulations suivantes:

I. Le gnosticisme des sectes du IIe s. implique une série cohérente de caractéristiques qu'on peut résumer dans la conception de la présence dans l'homme d'une étincelle divine, qui provient du monde divin, qui est tombée dans ce monde soumis au destin, à la naissance et à la mort, et qui [3]) doit être réveillée par la contrepartie divine du Soi pour être finalement réintégrée. Cette idée, par rapport à d'autres conceptions d'une „dégradation" [4]) du divin [5]), est fondée onto-

---

[1]) [Quest'ultima forma di dualismo, che si trova, in Occidente, dai presocratici fino alla dottrina della monade e della diade, si riallaccia, attraverso la sua formula monistico-dualistica, alle speculazioni ofitiche. — Invece, sarebbe utile evitare il termine *dualismo* per indicare il puro principio 'binario', che è polivalente, e i „dualismi psicologico ed etico", che lo sono altrettanto, — salvo, naturalmente, il caso di implicazioni dualistiche reali].

[2]) I tratti posti tra [ ] sono aggiunti dal red., per maggiore chiarezza, nello spirito del testo o delle discussioni che l'hanno preparato.

[3]) [Sur la base d'un appel d'en haut ou d'une révélation: cfr. II., *in fine*.]

[4]) [On s'est référé ici au terme de *devolution* tel qu'il est illustré dans la conférence de M. Jonas, p. 92].

[5]) Il semble qu'on puisse distinguer ici dans un ordre de „dégradation" croissante du divin ces conceptions fondamentali:
a) le *néoplatonisme*, où la matière n'est que la dernière (et donc infime) émanation

logiquement sur la conception d'une 'dégradation' du divin dont la périphérie (souvent appelée Sophia ou Ennoia) devait entrer fatalement en crise et produire — bien que indirectement — ce monde, dont elle ne peut d'ailleurs se désintéresser en tant qu'elle doit récupérer le pneuma. (Conception dualiste sur un arrière-plan moniste, s'exprimant par un double mouvement de dégradation et de réintégration) [1]).

II. Le type de gnose impliqué par le gnosticisme est conditionné par les fondements ontologiques, théologiques et anthropologiques indiqués ci-dessus: toute gnose n'est pas le gnosticisme, mais seulement celle qui implique dans cette optique l'idée de la connaturalité divine de l'étincelle qui doit être ranimée et réintégrée: cette gnose du gnosticisme implique l'identité divine du *connaissant* (le gnostique), du *connu* (la substance divine de son Moi transcendant) et du *moyen par lequel* on connaît (la gnose en tant que faculté divine implicite qui doit être réveillée et actualisée; cette gnose est une révélation-tradition. Cette révélation-tradition est donc d'un type différent de la révélation-tradition biblique et islamique).

III. La question se pose, de savoir si ce gnosticisme 'classique' a été précédé par un proto-gnosticisme, ou simplement par un prégnosticisme. S'il s'agit de *pré-gnosticisme*, on peut rechercher la préexistence de différents thèmes et motifs constituant un „pré-" qui ne constitue pas encore le gnosticisme. Mais s'il s'agit de *proto-gnosticisme* on peut penser déjà trouver l'essentiel du gnosticisme dans des siècles précédant le IIe ap. J.-Chr. et d'autre part en dehors du gnosticisme chrétien de ce siècle.

En général, les savants qui se réfèrent au prégnosticisme insistent volontiers sur l'apocalyptique juive, Qumrân, voire le phariséisme et aussi sur l'atmosphère de crise du judaïsme après 70; sur certains

---

de la Divinité-Lumière, sans rupture ontologique du cosmos (optimisme cosmique gradué, mais aussi antisomatisme modéré) [mais cfr. aussi la *tolme* plotinienne, discutée par Jonas, pp. 213 ss.].

b) le *gnosticisme*, où le mal est présent d'abord potentiellement, puis actuellement à la périphérie du monde divin (plérôme), dont la dernière émanation est souvent un personnage qui cause une rupture d'harmonie et une chute, dont ce monde (et éventuellement son démiurge) dérivent.

Il y a même une théorie (p. ex une sous-secte des *Zurvaniya* de Shahristānī) selon laquelle le mal serait implicite dès le commencement dans le coeur même de la Divinité, qui, semble-t-il, doit l'expliciter et l'expulser.

[1]) [Cfr. à tout ce propos la conception de l'ombre comme „extérieur" de l'„Eon de vérité", illustrée par le *Traité sans titre*, 146, 26].

courants de pensée chrétienne; et sur l'importance, dans ce contexte du „pré-", de l'Egypte ou de la Mésopotamie.

Ceux qui parlent d'un protognosticisme pensent surtout à l'Iran, au monde indo-iranien, à l'Inde des Upanishads, ou à la Grèce platonicienne et orphique (et pythagoricienne). Sur ces thèmes des opinions variées se sont manifestées au cours des travaux du Colloque; quelques savants s'interrogent aussi sur le rôle à attribuer au christianisme dans la préhistoire ou dans la protohistoire du gnosticisme. A ce propos il semble aux auteurs de ce Rapport que, si le gnosticisme, comme on l'a défini au point I., implique la 'dégradation' du divin, il est impossible de le ranger dans le même type historico-religieux que le judaïsme ou le christianisme du Nouveau Testament et de la Grande Eglise.

IV. Finalement, pour ce qui est d'une *Weltgeschichte* du gnosticisme, il semble que poser cette question soit légitime: que l'on considère, dans les siècles précédents, le monde des Upanishads et le monde (contemporain à celui-ci) de l'„orphisme", Empédocle, Pythagore. Et, dans les siècles suivants, les gnosticismes priscillianiste, paulicien, bogomile, cathare, yézidi, ismailite etc. [1]) Il reste que cette question est différente de la question d'une *Weltgeschichte* du concept plus général de gnose comme „connaissance des mystères divins reservée a une élité" [2]).

V. Pour ce qui est d'un concept qui revient souvent dans les discussions sur le gnosticisme, à savoir le „dualisme", on propose de réserver le terme 'dualisme' aux doctrines [ou aux mythes, même chez les „primitifs"] admettant la „dichotomie" [c.-à-d. la séparation drastique, voire l'opposition] des principes qui — coëternels ou non — fondent l'*existence* de ce qui (à un titre ou à un autre) se trouve dans le monde.

Ce dualisme est un genre avec plusieurs espèces:

a) le dualisme anticosmique du gnosticisme, pour lequel le mal est ce monde [dont la substance ténébreuse n'est pas créée par la Divinité].

b) le dualisme zarathustrien, favorable au cosmos, pour lequel le mal intervient de l'extérieur dans un monde bon. (En Iran, ces deux

---

[1]) [On n'a pas fait mention dans ce contexte du mandéisme ni du manichéisme, du fait qu'ils sont plus proches du phénomène primairement considéré.]

[2]) L'adjectif „gnostique" pourrait être ambigu du point de vue scientifique, et il faudrait alors le clarifier par la référence aux substantifs „gnosticisme" et „gnose". [Dans son usage absolu, dans la littérature scientifique, il indique habituellement, et, du point de vue historique, plus légitimement, le gnosticisme].

dualismes ont pu parfois se combiner de façcns différentes et peu claires).

c) le dualisme métaphysique (le côté dualiste de Platon et du platonisme [etc.]): la constitution du monde résulte de la dialectique de deux principes irréductibles et complémentaires [bien que caractérisés souvent par la disparité des valeurs respectives] [1]).

VI. Le Colloque exprime le vœu que la recherche future approfondisse le côté cultuel et sociologique du gnosticisme [2]).

PROPOSAL

FOR A TERMINOLOGICAL AND CONCEPTUAL AGREEMENT WITH REGARD TO THE THEME OF THE COLLOQUIUM *

A. In order to avoid an undifferentiated use of the terms *gnosis* and Gnosticism, it seems to be advisable to identify, by the combined use of the historical and the typological methods, a concrete fact, "Gnosticism", beginning methodologically with a certain group of systems of the Second Century A.D. which everyone agrees are to be designated with this term. In distinction from this, *gnosis* is regarded as "knowledge of the divine mysteries reserved for an élite".

B. As a *working hypothesis* the following formulations are proposed:

I. The Gnosticism of the Second Century sects involves a coherent series of characteristics that can be summarized in the idea of a divine spark in man, deriving from the divine realm, fallen into this world of fate, birth and death, and needing to be awakened [3]) by the divine counterpart of the self in order to be finally reintegrated. Compared with other conceptions of a "devolution" [4]) of the divine [5]), this idea

---

[1]) [Ce dernier dualisme, qui se trouve, en Occident, depuis les présocratiques jusqu'à la doctrine monade-dyade, réjoint de par sa formule moniste-dualiste les spéculations ophitiques. — Par ailleurs, il serait utile d'éviter le terme *dualisme* pour indiquer le pur principe binaire, qui est polyvalent, et les „dualismes psychologique et éthique", qui sont polyvalents, — sauf naturellement le cas d'implications dualistes réelles].

[2]) Les traits mis entre [ ] sont ajoutés par le rédacteur, pour plus de clarté, dans l'esprit du texte et des discussions qui l'ont préparé.

* [Translated by dr. Robinson].

[3]) [On the ground of a call from Above, or a revelation: cp. II, *in fine*.]

[4]) [One refers here to this term as discussed by Prof. Jonas, p. 92.]

[5]) One can distinguish in an increasing order of the "devolution" of the divine the following basic conceptions:

a. *Neoplatonism*, where matter is only the last (viz. the lowest) emanation of the

is based ontologically on the conception of a downward movement
of the divine whose periphery (often called Sophia or Ennoia) had
to submit to the fate of entering into a crisis and producing—even if
only indirectly—this world, upon which it cannot turn its back,
since it is necessary for it to recover the *pneuma*—a dualistic conception
on a monistic background, expressed in a double movement of
devolution and reintegration [1]).

II. The type of *gnosis* involved in Gnosticism is conditioned by the
ontological, theological and anthropological foundations indicated
above. Not every *gnosis* is Gnosticism, but only that which involves
in this perspective the idea of the divine consubstantiality of the
spark that is in need of being awakened and reintegrated. This *gnosis*
of Gnosticism involves the divine identity of the *knower* (the Gnostic),
the *known* (the divine substance of one's transcendent self), and the
means by which one knows (*gnosis* as an implicit divine faculty is to be
awakened and actualized. This *gnosis* is a revelation-tradition of a
different type from the Biblical and Islamic revelation-tradition).

III. The question arises of whether this "classical" Gnosticism was
preceded by *proto-Gnosticim* or only by *pre-Gnosticism*. If it is a matter
of *pre-Gnosticism* one can investigate the pre-existence of different
themes and motifs constituting such a "pre-" but not yet involving
Gnosticism. But if it is a matter of *proto-Gnosticism*, one can think to
find the essence of Gnosticism already in the centuries preceding
the Second Century A.D., as well as outside the Christian Gnosticism
of the Second Century.

Generally speaking, scholars who speak of *pre-Gnosticism* usually
emphasize Jewish apocalypticism, Qumran, or Pharisaism, as well as
the atmosphere of crisis within Judaism following 70 A.D.; certain
currents of Christian thought; and the importance, in such a "pre-"
context, of Egypt or Mesopotamia.

---

light Divinity, without essential rupture in the *cosmos* (cosmic optimism with
gradations, but also moderate anti-somatism) [but cp. also the Plotinian *tolme*,
as discussed by Jonas, on p. 213 ff.].
b. *Gnosticism*, where evil is potentially and then actually present on the periphery
of the divine realm (the *plērōma*), of which the last emanation is often a personnage that causes a disharmony and a fall from which this world—and in
some cases the demiurge—is derived.
There is even the theory (e.g. some of the *Zurvaniya* of Shahristānī), according
to which evil is implicit from the beginning in the very heart of the divinity,
who—as it seems—must bring it forth and expel it.
[1]) [Cp. for all this the conception of the shade as the "external" of the "Aeon of
Truth", as exposed in the "Treatise without title", 146, 26.]

Those who speak of *proto-Gnosticism* point especially to Iran, or to the Indo-Iranian world, or to the India of the Upanishads, or to the Greece of Platonism and Orphism (and the Pythagoreans). On these topics various opinions have emerged from the Colloquium. Some scholars have also inquired as to the position of Christianity in relation to pre-Gnosticism or proto-Gnosticism. In this regard it seems to the authors of this report that, if Gnosticism as defined in I. above involves the "devolution" of the divine, it is impossible to classify it as belonging to the same historical and religious type as Judaism or the Christianity of the New Testament and the Grosskirche.

IV. Finally, with regard to the question of a *Weltgeschichte* of Gnosticism, it would seem that this question is quite legitimate. Cf. in earlier centuries the world of the Upanishads and the world (contemporary with it) of "Orphism", Empedocles, Pythagoras; and, in later centuries, e.g. Priscillianist, Paulician, Bogomil, Catharist, Yezidi and Ismaili Gnosticism [1]). It remains true that this question is different from the question of a history on a mondial scale of the more general concept of *gnosis* as "knowledge of the divine mysteries reserved for an élite" [2]).

V. With regard to the conception which often recurs in discussions of Gnosticism, namely "dualism", it is suggested that the term "dualism" be reserved for doctrines [or myths, also among illiterate societies] involving the "dichotomy" of [i.e. the drastic separation, or opposition between] the principles which—be they co-eternal or not—underlie the *existence* of what, in one way, or another, is found in the world. This dualism is a genus with several species:

a. The anticosmic dualism of Gnosticism, for which what is evil is this world [whose dark substance is not created by the Divinity].

b. Zoroastrian dualism, favorable to the *cosmos*, for which evil intervenes from outside into a good world. In Iran, these two dualisms have sometimes been able to enter into different and rather obscure combinations.

---

[1]) [Mandaeanism and Manichaeism are not mentioned in this context, because of their being in closer relation with the phenomenon here primarily considered.]

[2]) The adjective "gnostic" could be ambiguous from a strictly scholarly point of view, and in that case it would be necessary to clarify it in relation to the substantives "Gnosticism" and *"gnosis"* [though it points, in learned terminology, habitually and historically more legitimately at Gnosticism.]

c. Metaphysical dualism (the dualistic side of Plato and Platonism [etc.]): the constitution of the world consists in the dialectic of two irreducible and complementary principles [however often characterized by disparity of value] [1]).

VI. The Colloquium expresses the hope that further study will deepen also the cultic and sociological aspects of the movements of Gnosticism [2]).

VORSCHLAG

FÜR EINE TERMINOLOGISCHE UND BEGRIFFLICHE ÜBEREINKUNFT ZUM THEMA DES COLLOQUIUMS *

A. Um einen undifferenzierten Gebrauch der Ausdrücke *Gnosis* und *Gnostizismus* zu vermeiden, scheint es im Interesse aller zu liegen, durch gleichzeitige Anwendung der historischen und der typologischen Methode einen bestimmten Sachverhalt festzuhalten: den „Gnostizismus", d.h. methodisch von einer bestimmten Gruppe von Systemen des zweiten Jahrhunderts nach Christus auszugehen, die „Gnostizismus" nennen zu sollen man sich allgemein einig ist. Im Gegensatz dazu würde man unter „Gnosis" ein „Wissen um göttliche Geheimnisse, das einer Elite vorbehalten ist", verstehen.

B. Als *Arbeitshypothesen* werden folgende Formulierungen vorgeschlagen:

I. Der Gnostizismus der Sekten des zweiten Jahrhunderts enthält eine Reihe zusammenhängender Charakteristika, die man in die Vorstellung von der Gegenwart eines göttlichen „Funkens" im Menschen zusammenfassen kann, welcher aus der göttlichen Welt hervorgegangen und in diese Welt des Schicksals, der Geburt und des Todes gefallen ist, und der [3]) durch das göttliche Gegenstück seiner

---

[1]) [The latter form of dualism is found, in the West, from Presocratics down to the *monas-dyas* doctrine, and survives, with its monistic-dualistic formula, in the Ophitic speculations.—On the other hand, it would be useful to avoid the term *dualism* in order to indicate the purely dual principle, which is polyvalent, as well— for the same reason— the "psychological and ethical 'dualisms' ",—as far as these do not show actual dualistic implications.]

[2]) The passages between [ ] are added by the editor of this Report, for clarity's sake, and in the spirit of this text and of the discussions which led to it.

* [Übersetzt von Prof. Colpe].

[3]) [Unter der Voraussetzung eines Rufes vom Oben oder einer Offenbarung: vgl. unten, II, *in fine*.]

selbst wiedererweckt werden muß, um endgültig wiederhergestellt zu sein. Diese Vorstellung, neben der auch andere Anschauungen von einer „Abwärtsentwicklung" [1]) des Göttlichen [2]) zu berücksichtigen sind, gründet sich ontologisch auf die Anschauung von einer Abwärtsentwicklung des Göttlichen, dessen äußerster Rand (oftmals Sophia oder Ennoia genannt) schicksalhaft einer Krise anheimzufallen und — wenn auch nur indirekt — diese Welt hervorzubringen hatte, an welcher er dann insofern nicht desinteressiert sein kann, als er das Pneuma wieder herausholen muß (Dualismus auf monistischen Hintergrund, der sich in einer doppelten Bewegung — Abwärtsentwicklung und Wiederherstellung — ausdrückt).

II. Der Typ von Gnosis, um den es im Gnostizismus geht, unterliegt folgenden ontologischen, theologischen und anthropologischen Bedingungen: Nicht jede Gnosis ist Gnostizismus, sondern nur diejenige, welche in diesem Zusammenhang die Vorstellung von der Wesensgleichheit der Natur des Göttlichen mit der des wiederzubelebenden und wiederherzustellenden Funkens enthält; diese Gnosis des Gnostizismus enthält auch die göttliche Identität des *Erkennenden* (des Gnostikers), des *Erkannten* (der göttlichen Substanz seines transzendenten Ich) und des *Erkenntnismittels* (der Gnosis, insofern sie implizite göttliche Fähigkeit ist, die wiedererweckt und aktualisiert werden muß. Diese Gnosis ist Offenbarung und/oder Tradition. Diese Offenbarung und/oder Tradition ist von anderer Art als die biblische und islamische Offenbarung und Tradition) [3]).

III. Es erhebt sich die Frage, ob diesem „klassischen" Gnostizismus ein Protognostizismus oder nur ein Prägnostizismus voraus-

---

[1]) [Im Sinne von Professor Jonas' Terminus "devolution", S. 92].

[2]) Es scheint, daß man hier nach aufsteigender Anordnung der göttlichen Degradation diese Grundanschauungen unterscheiden muß:

a) den *Neuplatonismus*, wo die Materie nur die letzte und dementsprechend unterste Emanation der Gottheit bzw. der Lichtwelt ist, ohne ontischen Bruch im Kosmos (abgestufter kosmischer Optimismus, aber auch gewisse Leibfeindlichkeit) [vgl. aber die Plotinus' *tolme*, in Jonas' Diskussion, S. 213 ff.].

b) den *Gnostizismus*, wo das Böse zunächst potentiell und dann aktuell am Rande der göttlichen Welt (des (Plērōmas) gegenwärtig ist, deren letzte Emanation oft eine aktive Figur darstellt, welche die Harmonie zerbricht und schließlich einen Sturz verursacht, aus dem diese Welt (und evtl. ihr Demiurg) herstammt. Es gibt sogar eine Theorie (z.B. einige der Zurvaniya des Shahrastānī), nach welcher das Böse von Anfang an ins Herz der Gottheit eingeschlossen ist, die es selbst — wie es scheint — entfalten und hervortreiben muß.

[3]) [Vgl. darüber die Vorstellung des Schattens als des „Aussens" des Äons der Wahrheit, in der „Titellosen Schrift", 146, 26.]

gegangen ist. Wenn es sich um Prägnostizismus handelt, kann man die zeitlich frühere Bezeugung verschiedener Themen und Motive untersuchen, welche jenes „Prä" ausmachen, in welchem sich der eigentliche Gnostizismus noch nicht ausgebildet hat. Wenn es sich dagegen um Protognostizismus handelt, kann man denken, das Wesentliche des Gnostizismus auch anderswo zu finden, sowohl in den Jahrhunderten, die dem 2. Jh. n. Chr. vorausgehen, als auch außerhalb des christlichen Gnostizismus dieses Jahrhunderts.

Im allgemeinen unterstreichen diejenigen Gelehrten, die sich auf einen Prägnostizismus beziehen, gern die jüdische Apokalyptik, Qumrân, auch den Pharisäismus und allgemein die Krisenatmosphäre im Judentum nach 70 (oder selbst bestimmte Strömungen im christlichen Denken). Im Zusammenhang dieses „Prä" unterstreicht man auch die Bedeutung Ägyptens oder Mesopotamiens.

Diejenigen, die von einem Protognostizismus sprechen, weisen vor allem auf Iran oder die indoiranische Welt oder das Indien der Upanischaden oder auch auf das Griechenland des Platonismus, der Orphik (und des Pythagoräertums) hin. Zu diesen Themen ergaben sich im Laufe der Arbeit des Colloquiums verschiedene Meinungen; einige Gelehrte fragen sich auch, wie die Stellung des Christentums zum Prägnostizismus oder zum Protognostizismus gewesen sei. Deshalb scheint es den Verfassern dieses Berichts, daß es, wenn der Gnostizismus (wie unter I. definiert) die Abwärtsentwicklung des Göttlichen schon einschließt, unmöglich ist, ihn wie das Judentum oder das Christentum des NT's und der Großkirche unter demselben historisch-religiösen Typ einzureihen.

IV. Was schließlich die Frage einer Weltgeschichte des Gnostizismus anlangt, so erscheint diese durchaus legitim: man vergleiche in den voraufgehenden Jahrhunderten die upanischadische und die (ihr gleichzeitige) orphische Welt, Empedokles, Pythagoras, und in den späteren Jahrhunderten den Gnostizismus der Priscillianer, Paulikianer, Bogomilen, Katharer, Jeziden, Ismailiten u.s.w. [1]).

Diese Frage bleibt verschieden von der Frage einer Weltgeschichte des allgemeineren Begriffs von Gnosis als eines „Wissens um göttliche Geheimnisse, das einer Elite vorbehalten ist" [2]).

---

[1]) [Da der Mandäismus und der Manichäismus näher dem hier berücksichtigten Schaupunkt liegen, werden sie in diesem Zusammenhang nicht erwähnt].

[2]) Das Adjektiv „gnostisch" kann von dem wissenschaftlichen Gesichtspunkt aus mehrdeutig sein, und, in diesem Falle, es wäre durch Beziehung auf die Sub-

V. Was den Begriff anlangt, der in den Diskussionen über den Gnostizismus immer wiederkehrt, nämlich den des Dualismus, so wird vorgeschlagen, den Ausdruck „Dualismus" für solche Lehren [oder Mythen, auch bei Naturvölkern] zu reservieren, welche die zwei Prinzipien gelten lassen, d.h. die „Dichotomie" [d.h. die Spaltung oder die Entgegensetzung] der Prinzipien, die — cbgleich ewig oder nicht — die *Existenz* dessen begründen, was — unter einer Beziehung oder einer anderen — in der Welt besteht. Dieser Dualismus ist ein genus mit mehreren Formen:

a) der antikosmische Dualismus des Gnostizismus, nach welchem das Böse diese Welt ist [deren finstere Substanz von der Gottheit nicht geschaffen wurde].

b) der zarathustrische Dualismus, der den Kosmos bejaht, nach welchem das Böse von außen in diese gute Welt eindringt. (In Iran konnten sich diese beiden Dualismen manchmal auf verschiedene und wenig durchsichtige Weisen miteinander verbinden).

c) der metaphysische Dualismus (die dualistische Seite Platons und des Platonismus [usw.]): die Konstitution der Welt resultiert aus der Dialektik der beiden, nicht aufeinander zurückführbaren und sich ergänzenden [öfters aber sehr ungleichen Wertes] Prinzipien [1]).

VI. Der Wunsch wird von den Teilnehmern formuliert, daß die Forschung die Kenntnis der kultischen und soziologischen Aspekte des Gnostizismus vertiefen möge [2]).

---

stantive „Gnostizismus" und „Gnosis" zu klären [wenn auch es gewöhnlich und, vom konkret-historischen Standpunkt mehr legitim, in der Fachliteratur auf den Gnostizismus hinweist.]

[1]) [Diese Art des Dualismus findet man im Westen von den Vorsokratikern ab, bis an die *monas-dyas* Lehre, und lebt noch in der monistisch-dualistischen Formulierung der „spekulativen Ophiten" weiter. — Andererseits, es wäre angebracht den Terminus Dualismus zu vermeiden, falls das reine, vielerlei anwendbare Prinzip der Dualität, wie auch (aus denselben Gründen) der „psychologische" oder „ethische Dualismus", gemeint ist, — insofern alle diese den konkreten, echt dualistischen Voraussetzungen nicht entsprechen.]

[2]) Die mit [ ] gezeichnete Sätze sind vom Herausgeber im Sinne des Textes und der bezüglichen Gespräche für die Klarheit hinzugefügt.

LE PROBLÈME DES ORIGINES DU GNOSTICISME

PAR

UGO BIANCHI

Histoire, phénoménologie, terminologie: *à propos des origines du gnosticisme*

Les études qui ont été présentées au Colloque confirment, de par leur nombre même, et par la variété des sujets traités, la légitimité, l'actualité et en même temps la difficulté du thème des origines du gnosticisme. Par ailleurs, elles n'ont fait que souligner la connexion intime entre la question des origines et la question de l'essence (la ,,définition'' ou la ,,délimitation'') du gnosticisme. Ceci répond d'ailleurs aux exigences de la recherche historico-religieuse actuelle. Histoire et phénoménologie sont intéressées aux mêmes phénomènes, et le cas du gnosticisme montre la fécondité de tout projet méthodologique tendant à faire collaborer les deux approches, selon l'idéal d'une synthèse dont ce Colloque pourra peut-être indiquer certaines perspectives.

En effet, le Colloque de Messine a été un Colloque d'historiens des religions, ou, du moins, organisé par des historiens des religions, dans un contexte régi par les intérêts typiques de cette science, qui tendent à l'individuation et à la description des faits et des processus historiques et, par là-même, à leur comparaison: une comparaison qui, loin d'effacer les traits typiques, voire individuels des faits, veut les faire ressortir plus nets en les situant dans leurs contextes respectifs, et qui, loin d'ignorer la complexité des faits et des milieux, n'entend pas pourtant renoncer à se poser des problèmes d'affinité et de contact historique, qui ne cesseraient pas d'exister du seul fait qu'on chercherait de les dissimuler ou de les nier par un philologisme extrême, et seulement ,,analytique'' ou descriptif. Par ailleurs, la comparaison historique, visant à identifier les faits dans la perspective de l'étude de leur genèse, ne saurait se contenter de rapprochements vagues ou contestables, trop souvent utilisés par le vieux comparatisme, ni ne saurait s'identifier tout court avec la méthode de l'école *religions-geschichtlich*. Dans ce dernier cas, d'ailleurs, l'objection fondamentale ne viendrait pas seulement du côté des philologues anticomparatistes, mais bien aussi du côté de la méthode historico-comparative elle-même. En effet, comme on l'a remarqué depuis longtemps, c'est justement le concept même de „explication historique", de „Erklärung", qui est en crise. L'école *religionsgeschichtlich*, bien qu'elle ait reconnu en principe la nécessité de l'identification du propre spécifique de chaque phénomène étudié (Bousset, p. ex., a distingué en principe entre le gnosticisme et le christianisme), s'est contentée en pratique, trop souvent, et trop typiquement, d'identifier l'„explication" (historique) d'un fait avec la constatation, plus ou moins positive et définitive, de la préexistence de certains aspects ou éléments constitutifs de ce même fait.

Cette attitude méthodologique a porté à la découverte, ou du moins à la mise en lumière, d'aspects nouveaux qui avaient échappé à la recherche précédente, enfermée dans des contextes trop étroits; mais elle a souvent failli donner l'illusion de la découverte des „origines" d'un fait, qui pourtant n'en reste pas moins spécifique et „nouveau", et dont la spécificité ne ressort que mieux après la comparaison élargie et l'approfondissement du contexte historique. C'est d'ailleurs la *crux* typique de la recherche sur les origines du gnosticisme, que l'on est tenté du surmonter avec le recours à des mots tels que „pré-gnose", ou à des concepts méthodologiquement inexpliqués et donc inefficaces tels que „préparation" [1]. „Pré-" et „préparation" par rapport à quoi? Le décalage de la perspective ne sert à rien si l'on ne précise le point de vue. Comme nous le dirons sous peu, nous sommes loin de vouloir nier la légitimité, voire la fécondité de termes tels que „prégnosticisme", voire prégnose, étant donné le fait que des faits historiques ne naissent pas à l'improviste, armés et parfaits, de la tête d'un Jupiter: mais, justement, il s'agit de prendre au sérieux ces termes, et de ne pas en faire usage comme d'un passepartout.

Il faut mentionner ici un autre point, concernant la terminologie. Nul doute que la terminologie ne soit, dans certaines limites, purement conventionnelle; d'ailleurs, on ne peut s'empêcher de faire usage d'*une* terminologie. Le danger est que dans le cours de la démonstration historique on saute du conventionnel au réel, et qu'on subordonne celui-ci à celui-là avec des conséquences méthodologiques et des *backreadings* fâcheux. Étant donné que la recherche historique, et même la recherche typologique (qui ne peut se passer d'approcher les faits dans l'histoire), sont des recherches positives et inductives, on ne

---

[1] Pour ne rien dire du recours au „syncrétisme". Cfr. notre article *Le problème des origines du gnosticisme et l'histoire des religions*, in *Numen*, XII, 3 (1965), p. 175.

saurait donc partir que d'un fait spécifique, suffisamment clair dans son essence et pourvu d'une terminologie suffisamment reconnue, pour passer ensuite à l'identification de la situation concrète de ce fait dans un cadre historique, géo-culturel et chronologique plus vaste.

Gnose et gnosticisme

Le fait duquel nous nous sommes proposé de partir dans l'identification du problème qui nous occupe est l'existence, à partir du IIe siècle après J.-Chr., d'un complexe de doctrines et de sectes que tout le monde s'accorde à désigner par le terme de *gnosticisme*. (C'est pourquoi notre thème se réfère au gnosticisme, et non pas à la gnose).

En effet, nous proposons d'accepter le terme *gnosticisme* dans le sens de Daniélou et de Bausani, en le distinguant de *gnose*: mais les motifs et les circonstances de cette distinction sont pour nous différents de ceux impliqués par ces savants. *Le propre du gnosticisme* (nous acceptons ici la description de Jonas) *implique une certaine gnose, fondée sur le concept anthroposophique de la consubstantialité du pneuma qui est dans l'homme avec le pneuma divin, c.à.d. l'idée de la connaissance (salvatrice) par connaturalité congénitale avec le divin; il implique aussi, par conséquent, la polémique anti-cosmique et anti-démiurgique.* Le gnosticisme peut certainement être compris comme un phénomène historique „gnostique" du monde hellénistique-chrétien, à ranger, à *un titre analogue*, avec d'autres phénomènes d'autres régions dans un genre plus vaste, que Bausani propose d'appeler „gnose"; mais ce qui est grave est que ce dernier, chez Bausani, *reste non défini* du point de vue de son contenu religieux, conceptuel et existentiel. (Il nous reste alors, dans le cours de ce volume, à justifier l'utilisation, dans notre Colloque, de contributions scientifiques relatives aux religions asiatiques, voire américaines) [1]). Pour ce qui est de la terminologie du P. Daniélou, nous n'acceptons pas, pour les mêmes raisons, un „gnosticisme" qui, tout en étant reconnu comme un fait nouveau (vr. sa contribution à ce Colloque), ne serait qu',,un développement marginal et hétérodoxe" de la „gnose" judéochrétienne [2]), en fonction d'une insistance sur la γνῶσις comme

---

[1]) Nous acceptons au contraire que certains aspects de la spéculation iranienne donnent une impression „gnostique" ou „gnostisante": nous y reviendrons dans notre article final.

[2]) *Judéo-christianisme et gnose*, in *Aspects du judéo-christianisme*, Paris 1965, p. 146. Le P. DANIÉLOU valorise aussi, comme occasion possible de la naissance du gn., l'échec juif de 70.

telle — alors que la gnose du gnosticisme ne se comprend qu'à partir de la conception de la connaturalité de tout le *pneuma* (vr. *supra* [1]).

Par son suffixe même, le terme *gnosticisme* est bien indiqué pour dénommer un mouvement insistant sur la gnose comme *moyen de salut*, par un soulignement particulier *qui n'est pas sans implications idéologiques ultérieures, qui ne sont pas nécessairement explicites ni même implicites dans le pur mot* γνῶσις, tel qu'il pouvait être usité au IIe siècle ou aux siècles précédents [2]). D'ailleurs, on pourrait faire usage, pour indiquer le gnosticisme, ou la forme catégoriale de celui-ci, du terme allemand „die Gnostik", en analogie avec la „Orphik" proposée autrefois par Wilamowitz.

---

[1]) Pour les mêmes raisons, nous nous séparons de la terminologie „renversée" qui avait été proposée par Arai, dans ce même Colloque.

[2]) Nous nous séparons aussi de la terminologie de H.-M. SCHENKE, *Die Gnosis*, in *Umwelt des Urchristentums*, Bd. I, Berlin 1965, p. 375: „Nicht selten benutzt man übrigens in der Forschung anstelle von 'Gnosis' oder neben ‚Gnosis' auch den Begriff 'Gnostizismus'. Dabei versteht man gelegentlich unter Gnostizismus die christliche Gnosis im Unterschied zur vorchristlichen, heidnischen Gnosis. Der Begriff Gnostizismus ist jedenfalls abwertend und liegt im Grunde auf der Linie der Terminologie der Ketzerbestreiter". Nous reconnaissons volontiers que le terme gnosticisme, de par son suffixe, souligne l'aspect systématique, théologique, et évoque la polémique qui, dans les siècles, s'est concentrée sur la gnose „chrétienne" dans le milieu hérésiologique (les *-ismus* dans l'hérésiologie). Mais, dans la mesure où la recherche historico-religieuse, de son point de vue comparatif plus vaste que celui de l'hérésiologie, fait rentrer dans un même type religieux et doctrinal (et existentiel) aussi bien des mouvements non chrétiens que ceux qui se sont manifestés par rapport au christianisme (et SCHENKE se distingue là-dessus — cf. sa liste des *Erscheinungen* gnostiques, *ibid.*, p. 374), il y a tout intérêt à indiquer par le suffixe „systématique" (ou mieux: idéologique) toutes ces *Erscheinungen*, en les distinguant non seulement de la 'vraie' gnose établie par les orthodoxes en polémique avec les gnostiques (car SCHENKE pourrait dénoncer à juste titre le caractère sémasio-historique secondaire de l'usage 'orthodoxe' du terme ‚gnose'), mais en les distinguant aussi de la γνῶσις à laquelle tant d'auteurs anciens ont recours même au dehors de ce qui est proprement gnostique (dans le sens des sectes du gnosticisme et des conceptions qui y ressemblent). Nous sommes conscient qu'il s'agit après tout d'une question de convention terminologique; mais nous soulignons aussi les questions historico-comparatives qui peuvent y être impliquées et qui justifient peut-être l'élargissement de l'usage du terme 'gnosticisme' même pour les courants pré-chrétiens ou *simpliciter* extra-chrétiens qui se rattachent à la doctrine dualiste et anticosmique du *pneuma* déchu. Il est intéressant de noter que SCHENKE identifie le propre de la gnose (= gnosticisme) dans l'attitude anticosmique: selon nous, cette attitude ne peut pas être décrite ni résumée sans une référence explicite à la doctrine du *pneuma* divin déchu: or, c'est justement cette dernière idée qui qualifie la gnose (la 'connaissance') propre au gnosticisme et la différencie par rapport aux autres acceptions de γνῶσις: non seulement de celles qui ont été établies, dans la littérature biblique et patristique, en polémique parfois contre le gnosticisme (la 'vraie' gnose), mais bien aussi des autres, qui n'impliquent non plus ni le *pneuma* déchu ni l'anticosmisme.

Une définition du gnosticisme

La première chose à faire, quand on a devant soi ce complexe, je veux dire le gnosticisme du IIe-IIIe siècle, symbolisé *kat'exochèn* (bien qu'imparfaitement) par le complexe des textes de Khenoboskion, est, nous semble-t-il, de l'analyser pour en dégager un sens, une typologie, pour en dégager pour ainsi dire le visage et l'âme. Il va de soi que la tâche n'est pas facile, étant donné le danger du subjectivisme, et l'existence d'une quantité de faits, de problèmes et de préjugés qui pourraient fourvoyer l'attention du savant: quand-même, nous croyons que la tâche ne soit pas impossible, et l'analyse fine et savante de H. Jonas nous en a donné, nous semble-t-il, la preuve. Jonas, écartant toute possibile extrapolation, et imposant une discipline sévère à sa vocation de comparatiste, nous a donné un cadre difficilement contestable du gnosticisme, de sa *Weltanschauung*, de son essence, de sa voix, de son esprit, de son caractère dualiste et anticosmique, qui depuis longtemps a été identifié comme typique du gnosticisme, et qui, s'il m'est possible d'ajouter (ou mieux d'expliciter) par rapport à Jonas, est implicite dans le concept de gnose tel qu'il appartient au gnosticisme: une gnose fondée sur la connaturalité du *connaissant*, du *connu* et du moyen par lequel on *connaît* [1]): la substance divine qui se connaît elle-même par elle-même; une conception de la gnose *par connaturalité*, qui spécifie la gnose du gnosticisme (ou, si on préfère, qui spécifie l'*,-isme* "de celui-ci). Cette conception ne fait que confirmer que *le gnosticisme est une anthroposophie dualiste* (avec une cosmosophie), *consistant dans l'opposition de l'élément pneumatique par rapport au monde-corps: cette opposition se spécifie en même temps comme extranéité fontale (ontologique-spaciale) du monde pléromatique par rapport au monde ténébreux et matériel, et comme immanence-captivité de l'élément pléromatique ou de ses émanations dernières, dans les ténèbres et dans la matière, à la suite d'une crise, ou d'une série de crises du monde divin, qui ont causé l'existence de ce monde inférieur et qui ont ,,imprimé'' en lui, qui était tout à fait vide et ,,pauvre'', la présence précaire de la forme, de la vie, de l'âme* (les trois aspects homologues du divin et de la *sphragis* divine dans ce monde).

A. *Monisme-dualisme et ,dévolution' du divin*

A ce dernier propos, il est utile d'insérer ici quelques brèves remarques sur trois faits qui, peut-être, sont passés assez inaperçus dans

---

[1]) C'est le thème de la rencontre avec le Moi divin et céleste que PUECH (*Annuaire du Collège de France, Résumés des cours*, 1962-63 et ss.) et HAENCHEN (dans ce Colloque) ont si bien illustré.

a recherche. Le gnosticisme, tout foncièrement anticosmique qu'il soit, n'en insiste pas moins sur une certaine *liaison de type assez moniste entre le monde supérieur et le monde inférieur*, dans lequel le monde supérieur imprime des formes, des „cachets" (*sphragides*), qui lui donnent ce qu'il a de forme et de vie. Ces mêmes *sphragides*, qui oscillent entre la substantialité et la pure apparence (il s'agit parfois d'un „parfum" ou d'une „rosée" divine capturés ou accueillis par les ténèbres), doivent enfin libérer ce qu'elles ont de supérieur et de divin dans l'apocatastase finale. Cet aspect a été traité de façon plus évidente par les sectes ophites spéculatives [1]), dans lesquelles le moment cosmogonique s'unit de façon assez spécifique avec l'anticosmisme foncier (cfr. le mythe d'Adonis et d'Attis dans l'interprétation naassénienne: en descendant sur terre, ces dieux mâles y créent la vie, mais il doivent enfin réintegrer leur substance mâle-divine au monde supérieur [2]).

Que l'on considère de ce même point de vue le rôle complexe du Pneuma féminin („Première femme") chez les gnostiques d'Irénée I, 30, 1-14. Il est une entité divine et pléromatique, bien qu'inférieure au Père-„Premier Homme"-Lumière et au Fils de l'homme-Deuxième Homme; il laisse déborder une rosée lumineuse (Sophia Prunikos) dans les eaux chaotiques, où Sophia s'alourdit et s'incorpore: puis elle s'élève un peu et devient une sorte de firmament; enfin elle revient au ciel. Dans le *Traité sans titre* (146, 11) l'implication d'une évolution, ou plutôt d'une *dévolution fatale* du monde pléromatique, est plus claire encore: „*Als aber die Natur der Unsterblichen sich aus dem Grenzenlosen vollendet hatte, da floss ein Bild aus der Pistis . . . er wollte und wurde zu einem Werk* (ergon, le même terme qui dans l'*Hyp. des archontes* indique l'origine du firmament-rideau [*katapetasma*] et de l'ombreténèbre qui en suit) *das dem zuerst existierenden Lichte gleich* [3]), tandis que sa volonté (de Pistis) origine une „image du ciel", le *katapetasma*,

---

[1]) Hippolyte, *Réfut.* V, 7 ss. sur les Naassènes, les Pérates, les Séthiens, et sur le traité basilidien des „trois filialités"; mais cfr. déjà les gnostiques d'Irénée, I, 30, 1-14.

[2]) Cette utilisation des mythes d'Adonis, Endymion, Attis (Hipp., *Ref.*, V, 7, 11-15) n'est pas une invention pure et simple de l'auteur gnostique, mais au contraire se rattache en général à l'utilisation cosmosophique (ni dualiste ni anticosmique, et donc non-gnostique) du mythe chez Julien l'Empereur, „Sur la mère des dieux" (161 C e 170 C-171 D., cf. Leisegang, *La gnose*, p. 87 s.) et se rattache en particulier à l'utilisation mystériosophique des cultes à mystères (les spéculations orphiques sur la *kathodos* de Koré sont typiques là-dessus: vr. *infra*).

[3]) Trad. Böhlig. Cet A. remarque, dans ce Colloque, des influences ophites sur ce même Traité.

qui sépare les immortels de ceux qui, au dessous de lui, ,,sont nés selon le modèle divin''. La phrase qui suit (146, 26) est significative: l'*Eon de vérité n'a dans son intérieur* (scil. au dessus du rideau) *aucune ténèbre, mais son ,,extérieur''* (scil. le côté inférieur du rideau, qui le limite positivement) *,,est ombre''*. *Nous constatons ici l'essence théosophique de cette pensée impliquant une dévolution* [1]) *fatale du divin, qui est le coeur même du sentiment gnostique, fondé sur le sentiment du ,,péché antécédent'' qui établit cette existence et ce monde*, et sur l'expérience de cette existence comme prison [2]).

Tandis que dans le néoplatonisme la matière n'est que la dernière émanation de la Divinité-Lumière, sans rupture ni ambivalence centrées sur un personnage divin quelconque [3]), et tandis que la théosophie proprement dite (p. ex. une section de la secte iranienne des Zurvānīya) [4]) ait pu admettre que quelque chose de mal a été depuis toujours en Dieu, qui doit donc concrétiser ce mal pour l'expulser de soi [5]) —, dans le gnosticisme on a la position intermédiaire: le mal est présent (du moins implicitement, ou de façon potentielle) dans la dernière émanation du plérôme, Sophia, qui y cause un trouble (elle veut générer seule, ou veut connaître de trop près le Père), et par là une rupture-chute.

Ceci implique que le monde inférieur, tout inassimilable qu'il est au monde supérieur, n'en dépend pas moins dans son existence (cfr. aussi *infra*, pp. 12, 19, 24). D'où la nécessité pour Sophia de se soucier en quelque sorte de lui (elle ne pourrait l'ignorer, désormais, ni le détruire, même si elle le voulait — tout comme voudrait le faire Elohim du livre gnostique de *Baruch*). Elle devra au contraire donner au monde inférieur une *forme* quelconque (c'est-à-dire lui assurer une intervention divine, bien que *sui generis*): c'est pour cela qu'elle fait naître le Démiurge, qui, malgré son *agnōsia* foncière, a entendu la voix et vu

---

[1]) Pour le sens de ce terme, cfr. la contribution de JONAS dans ce même volume. Le terme français qui peut mieux le rendre est somme toute celui de 'dégradation', dans le sens ontologique-topographique et ontologique-éthique de ce mot, en cohérence avec le caractère dualiste de l'ontologie du gnosticisme.

[2]) Le péché antécédent s'oppose au péché originel chrétien en tant qu'il est le péché d'une entité divine, péché qui établit l'existence de ce monde et de l'homme. (Cf. U. BIANCHI, *Péché originel et péché antécédent*, in *Rev. de l'hist. des religions*, 1966).

[3]) Nonobstant l'existence chez Plotin du concept de *tolmē*, sur lequel cfr. JONAS, *infra*, pp. 213 s. et 106.

[4]) Mentionnée par Shahristāni (texte *ap.* ZAEHNER, *Zurvan, a Zoroastrian Dilemma*, p. 433).

[5]) U. BIANCHI, *Zamān i Ohrmazd*, Torino 1958, p. 158.

l'image de Sophia, reflétée sur les eaux (*Traité sans titre*, 148, 12-22) [1]. Or, il est très significatif à ce même propos que 'Sophia' (une Sophia inférieure, mais quand même partiellement homologue à Pistis-Sophia) est aussi le nom de la partie féminine du dernier fils du Démiurge, dans le même traité (149, 34-150, 1) [2].

En général, l'ambiguïté du Démiurge, et surtout l'ambiguïté du Logos-Serpent des Ophites spéculatifs, p.ex. des Pérates d'Hippolyte V, 17, 7-8 (qui résume en soi, descendant et remontant, les fonctions de Démiurge et de Sauveur), fait le pendant à cette ambiguïté de Sophia, comme on le verra plus bas, ou nous présenterons un aspect analogue de ce ,,déséquilibre du divin" et de cette spéculation dualiste sur le ,,Tout" qui est typique du gnosticisme (vr. p. 23 ss.).

Nous ajoutons que, selon notre opinion, il faut chercher justement ici, dans cette conception de la présence-absence de l'*ousia* divine dans ce monde (et dans le milieu moniste-dualiste que cette conception suppose) la source de la pensée docétiste. Car il ne faut pas chercher le docétisme seulement dans la christologie gnostique, mais bien aussi dans nombre d'autres cas, se rattachant tous — de façons différentes — à l'idée d'une présence d'êtres divins dans ce monde, conditionnée par l'ontologie gnostique [3]. Dans ce sens, le docétisme pourrait être défini comme une manière spéciale de la connexion et, en même temps, de l'opposition des deux mondes, pneumatique et psychique-hylique, en correspondance avec les présuppositions monistes-dualistes de l'ontologie du gnosticisme (vr. p. 13).

---

[1] Dans le texte cité d'Irénée, le Démiurge est la partie inférieure de Sophia.

[2] De même, la partie féminine de Jaldabaoth s'appelle ici *Pronoia* Sambathas. Elle a donc, de par son nom, des accointances 'pneumatiques' — vr. aussi la note précédente.

Les archontes de ce Traité sont, de par leurs accointances divines, mâles-femelles, ,,selon le type" des Immortels: BÖHLIG, op. cit., p. 45. Leurs contreparties féminines, en nombre de six comme les archontes, réalisent de façon assez curieuse un schéma 'fonctionnel' qui peut se résumer dans un schéma tripartite assez proche de celui étudié tant de fois par G. DUMÉZIL: elles s'appellent en effet ,,Seigneurie" et ,,Divinité", ,,Royauté" et ,,Courage", ,,Richesse" et ,,Sophie". Pour des considérations sur le rôle de cette dernière entité dans un schéma semblable, avec l'appui des théories de Platon sur le rôle d'une certaine sagesse pratique dans la tripartition fonctionnelle de la société idéale, cfr. notre article à paraître dans le volume jubilaire du *K. R. Oriental Cama Institute* de Bombay. Il va de soi que la totalité fonctionnelle évoquée dans ces entités archontiques du *Traité sans titre* ne concerne que le monde inférieur, le monde du démiurge. Cette Sophia inférieure, qui est contrepartie du dernier des archontes, garde quand même le caractère 'terminal' et périphérique que la Sophia divine a dans le plérôme.

[3] Cfr. là-dessus U. BIANCHI, *Zur Frage nach dem Gnostizismus und dem Doketismus im Th. Ev.* (Vortrag zu der Arbeitstagung ,,Häresien und Schismen", Kommiss. f. Spätantike Religionsgesch., Berlin November 1966).

B. *Le vitalisme gnostique. Pneuma-vie-sperme. Gnosticisme, mystériosophie et rites anciens de fécondité: pour la préhistoire et l'origine du gnosticisme*

La deuxième remarque est liée à la précédente: la gnosticisme, tout anticosmique qu'il soit, n'en connaît pas moins une forte composante *vitaliste*, voire, à sa façon, naturiste. Que l'on considère le long texte sur le principe générateur dans le traité naassénien (Hippol., *Ref*, V, 9, 25 [83, 22 W.]), un principe qui s'identifie au principe divin pneumatique, par l'intermédiaire de la symbologie la plus crue, dérivée des cultes de fécondité et des spéculations mystériosophiques qui s'y rattachaient. Que l'on considère encore les conceptions et les pratiques barbélognostiques, centrées sur la vicissitude du *pneuma identifié au sperme* [1]), et qui peut-être ne sont pas étrangères même à ces traités qui ont un aspect anticosmique et abstentionniste [2]). P. ex., la communauté partielle d'argument de l'*Hypostase des archontes* avec le ‚Livre de Norée' (cité par Epiphane *Pan.* 26, 1, 3-9 et se rattachant aux Barbélognostiques) pose des problèmes sur la composante vitaliste éventuelle même chez les sectaires qui ont utilisé un livre comme l'*Hypostase*, bien que dans celui-ci ni Barbélo ni ses rites ne soient mentionnés.

La doctrine du *pneuma*-sperme (qui commande sans doute — au moins pour une dc scs motivations possibles [3]) — l'amphibologie ascétique-libertine de tant de courants gnostiques) appartient sans doute à ce courant de pensée d'origine mystérique, qui est centré sur la vicissitude de l'élément divin vital (en bref: la „vie") et, qui, a son tour, a des attaches indubitables avec les anciens rites de fécondité, avec leurs grandes-déesses (desquelles Barbélo s'approche beaucoup, bien qu'en transcription gnostique), et avec leurs dieux mourants et inférisés, dont la vicissitude est finalement morne et lamentable, à travers la cyclicité de leur retour, qui ne se termine pas par une résurrection définitive, mais par un bref séjour sur terre, marqué par le *gamos*. En d'autres termes, les rites de fécondité (et en partie les mystères: vr. *infra*) mettent l'accent sur le cycle de la naissance, qui est bon et garantit la survie (collective) du pays, nonobstant la mélancolie profonde du singulier — et du dieu mourant — devant la perspective personnelle de l'Hadès; — tandis que la mystériosophie (pour ce

---

[1]) Même le manichéisme, qui rejette toute pratique cultuelle vitaliste, fait une place décisive aux vicissitudes de l'élément lumineux-élément vital-sperme dans sa mythologie de la création et de la libération. Vr. *infra*, p. 12 n. 1.

[2]) Cfr. *supra*, p. 6 n. 3, pour des influences ophites sur le *Traité sans titre*.

[3]) Cfr. *infra*, p. 12 n. 1.

concept cfr. *infra*: nous pensons p. ex. à l'„orphisme") [1]) et le gnosticisme renversent le jugement sur le cycle (le τροχὸς, ou κύκλος
τῆς γενέσεως) [2]) et visent à sa dissolution, qui conditionne la libération
de l'individu (ou mieux de son étincelle divine, de son âme divine)
hors de ce monde, qui est désormais parifié à l'Hadès [3]).

Nous avons traité en particulier ces connexions ailleurs (*Initiation,
mystères, gnose*, in *Initiation*, Actes du Colloque IAHR de Strasbourg,
éd. par C. J. Bleeker, Leiden 1965, p. 154 ss., auquel nous nous permettons de renvoyer pour le détail). Nous y avons distingué: a) les
mystères (type Eleusis), dans lesquels la finalité naturiste-collective,
continuant les anciens *rites de fécondité*, s'unit à une sotériologie individuelle concernant l'âme du myste, sans implications anti-cosmi-
ques, et *b*) une *mystériosophie*, entendue comme une réflexion postérieure sur la théologie embryonnaire des mystères, une réflexion qui
élimine (ou mieux repousse et condamne) l'aspect vitaliste et souligne,
en fonction désormais anticosmique et dualiste-„spiritualiste", la
vicissitude de l'âme (divine, consubstantielle aux dieux) au de là de ce
monde et du corps *et contre* ce monde et le corps (la vicissitude saison-
nière de la *vie* étant désormais la vicissitude métensomatique de
l'*âme*): et nous avons donné comme exemple de cette réconsidération
‚sophique'-dualiste des mystères l'ophisme grec, qui, déjà au VIe
siècle au moins, interprète en fonction animologique et anticosmique
l'ancienne mythologie vitaliste du dionysisme.

Selon notre opinion, le gnosticisme, pour ce qui est de *son anticosmisme et de sa doctrine dualiste de l'homme* (σῶμα-σῆμα, corps = tombeau),
qui le définit pour une bonne partie, ne fait que continuer dans la voie
indiquée par la mystériosophie (que l'on considère les formulations
d'Empédocle, citées *infra*, p. 21 s.), une voie empruntée *en partie* déjà
par Platon (*infra*, pp. 11, 13, 20 n. 3, 21) [4]).

---

[1]) Pour une justification de l'usage du terme et du concept d'"orphisme', cfr.
notre article *Orfeo e l'orfismo all'epoca classica*, in *Studi e mater. di storia delle relig.*,
28, 2 (1957) et *Rev. de l'hist. des relig.* 159 (1961), p. 1 ss.

[2]) KERN, *Orphic. fragm.* 229, cf. 32 c 6 et 224.

[3]) Les Naassènes, avec leur utilisation en fonction mystériosophique et gnostique
des mythes de la Grande Mère et d'Attis et d'Aphrodite et d'Adonis ont touché
un point réel de cette révolution religieuse. Leur spéculation touffue de mythologie
naturiste, sur la vicissitude de l'élément mâle se dégradant sur la terre, se rapproche
de ce chef des spéculations „encratites" de l'*Ev. Thomae* sur le „monachos" et du
dernier logion de cet évangile.

[4]) SCHENKE objecte, contre une parification des perspectives des mystères et du
gnosticisme, que dans les mystères l'initié accède à une vie qu'il ne possédait
pas, alors que le gnostique revient à son véritable Moi divin. Pour une réponse

En d'autres termes: le gnosticisme, se rattachant à l'esprit de la mystériosophie, parfois explicitement (interprétation naassénienne des mythes d'Adonis, Attis etc.), mais *en tout cas* insistant (p. ex. déjà dans l'*Ev.Th.*) sur le σῶμα-σῆμα [1]) et sur ses implications d'une idée dualiste de l'homme et de la vicissitude de l'élément divin déchu qui y est enfermé, a insisté sur la position révolutionnaire de la mystériosophie. Celle-ci, en contradiction avec le naturisme des mystères (et des rites de fécondité), avait renversé le sens de la vicissitude de l'*élément divin* dans le monde et dans le cycle qui le régit, en substituant à la vicissitude (somme toute positive pour le pays) de la vie divine féconde la vicissitude (négative) de cet autre aspect de l'élément divin qu'est l'âme divine (mortifiée justement par la γένεσις). Autrement dit, le cycle de la fécondité était désormais condamné, identifié au cycle de la naissance et de la mort, qui enferment dans la métensomatose le véritable principe divin, qui est maintenant l'âme. Le gnosticisme continue de frayer cette voie, en qualifiant plus expressément l'élément divin comme *pneuma*, esprit (dans le sens que ce terme a dans la théologie gnostique), *logos* et *nous*; et l'ophitisme garde aussi nombre d'aspects de la cosmologie et de la cosmogonie mystériosophiques (en insistant sur le parallélisme Homme-Totalité, au risque même d'atténuer l'anticosmisme foncier, un risque déjà connu par Empédocle et par l',,orphisme'', et escompté de façon originale par la cosmosophie plus optimiste de Platon [*Timée*], qui donc n'est pas — de ce chef — l'intermédiaire *unique* entre la mystique grecque et le gnosticisme).

Mais la révolution mystériosophique, assimilée par le gnosticisme, n'avait pas aboli le fond même de la vieille conception de la vicissitude de l'élément divin dans le monde: pour ce qui est du gnosticisme, il reste très significatif que le *pneuma* et la *vie-sperme* (et la *lumière divine*) restent solidaires ou identiques même dans le gnosticisme le plus

---

à cette position cfr., dans ce Colloque, la contribution de Von IVANKA. Nous ajoutons de notre part que la perspective mystérique connaît le thème de la *syngeneia* divine de l'âme: cfr. la phrase célèbre adressée par l'âme aux dieux de l'au-delà dans les lamelles (orp..iques, comme nous le croyons, ou éleusiniennes qu'elles soient) de la Grande-Grèce: 'Moi aussi je suis de votre race bienheureuse, mais je suis tombée sous les coups de la Moira et des autres dieux' (c.à.d. sous la roue de la naissance et de la mort): KERN, *Orphic. fragm.* 32 c. d etc. De plus, ce n'est pas surtout les mystères, *mais bien leur interprétation* 'spiritualiste' et *dualiste-anthroposophique*, qui est intéressée à la vicissitude de l'âme divine, tombée dans ce monde: et c'est bien à cette conception qu'il faut rattacher la conception gnostique analogue. Les lamelles sont déjà un exemple de cette pensée mystériosophique.

[1]) Cfr. les *logia* sur le cadavre.

anticosmique et antibiblique, soit dans le mythe (Manichéisme), soit dans le rite et l'idéologie entière des Barbélognostiques d'Épiphane, où cette identité *pneuma*-sperme est typique et déterminante [1]). Elle se retrouve en traces aussi dans les traités, p. ex. dans l'*Hypostase des archontes* où des interventions divines successives placent dans l'homme, façonné par les puissances inférieures, a) la vie (la possibilité de se dresser, sans laquelle l'homme aurait été impuissant comme un ver), b) le *pneuma* [2]). Elle explique aussi l'anthropologie de Satornil.

Quant à la spéculation ophitique, ses connexions avec la mystériosophie sont évidentes mêmes sur le plan de la doctrine mystique du cosmos, et non seulement sur le plan du σῶμα-σῆμα. Au contraire, le parallélisme Homme-Totalité a été exploité dans un cas et dans l'autre jusqu'au bout, au risque, comme nous le disions plus haut, d'atténuer l'anticosmisme foncier par une vision mystique du cosmos et de sa totalité (ceci arrive surtout dans la *Megale Apophasis*). Mais ce qui nous intéresse ici est que cette doctrine ophitique (p. ex. naassénienne) sur la Totalité, une Totalité dualiste centrée sur la vicissitude de l'âme identifiée au principe mâle, ,créateur' et vivifiant la nature inférieure (Hippol. *Ref.* V, 7 [81, 14 W.]), se rattache à la conception gnostique ,moniste' ou ,totalisante', soulignée au paragraphe précédent, selon laquelle le monde inférieur, tout inassimilable qu'il soit au monde supérieur, n'en dépend pas moins dans son existence, pour tout ce qu'il a (provisoirement ou apparemment) de vie, de forme, de substance, de masculin: (vr. *supra*, pp. 5, 6 et 11): c'est justement l'interprétation naassénienne de la vicissitude d'Adonis ou d'Attis (appelé explicitement l'élément mâle) qui créent la vie dans les niveaux inférieurs, se conjugant à Aphrodite (ou à une Nymphe inférieure), et qui doivent revenir, à travers leur 'punition' (κόλασις), au monde céleste (ou à la 'Mère des dieux', la Barbélo gnostique [v. art. final]). (Il est intéressant que le mythe devait recevoir une interprétation assez semblable par le néoplatonisme de Julien (*supra*, p. 6 n. 2., mais dans le contexte d'un dualisme plus mitigé et platonisant: la Mère des dieux avait autorisé la descente d'Attis).

---

[1]) Mais cfr. déjà les essentielles attaches naturistes du simonianisme (*Numen* XII, 3, p. 171). Le „libertinisme" gnostique s'explique, selon les cas, par des pratiques de „libération" de la lumière-sperme, qui doit être restituée à Barbélo, c'est-à-dire au monde divin qui en est la source, — ou bien par des pratiques tendant au contraire à donner au démiurge ce qui est sien (les passions), ou bien à contredire ses lois.

[2]) 136, 4 et 137, 13. Dans 136, 4 „il" doit nécessairement se référer à „Dieu". identique dans ce cas (comme ailleurs dans le même traité) à la Divinité suprême,

Mais nous ne voulons pas trop insister sur l'ophitisme attesté par Hippolyte: nous nous contentons de remarquer que le barbélisme est attesté déjà par Irénée (I, 29 s.) et que la vicissitude ophitique d'Adonis avait son pendant judaïsant chez le *Baruch* de Justin le gnostique et dans son couple Elohim-Eden. En tout cas, l'identification du céleste et du masculin, bien qu'elle s'insère dans la ligne de la supériorité du masculin sur le féminin affirmée par le *Timée* 42a, joue un rôle essentiel dans le gnosticisme, à partir de l'*Evangile de Thomas* (log. 114), et s'unit à l'amphibologie typique du gnosticisme à propos de la femme: femme divine, „mère des vivants" et „médecin", dans son rôle divin (*Hypostase des archontes* 137, 15, qui confirme par là ses attaches à une mentalité barbélite), et, à l'autre extrémité, symbole et moyen de la γένεσις et de la terrestréité (*Traité sans titre*, 157, 22-25) [1]).

C. *Le docétisme*

Nous avançons ici une remarque analogue à propos du *docétisme* gnostique, dont la signification anticosmique et dualiste ne se limite pas à une attitude antisomatique générale (d'ailleurs bien présente), mais implique plus spécifiquement l'idee que ce qui appartient au monde inférieur ne peut pas posséder, ou „saisir", ce qui est lumineux et divin: que l'on considère la vaine agression des archontes contre la femme céleste et contre Noréa sa fille dans l'*Hypostase des archontes*: ceux-ci sont déçus par la femme céleste, qui substitue à elle-même l'Eve terrestre, et rit de l'illusion des archontes, qui croient la posséder et lui imposer leur volonté [2]): ce thème de la substitution et du rire est typiquement docétique, dans le sens le plus légitimement gnostique de ce terme, et rappelle l'allusion simonienne (chez Irénée) à l'Hélène grecque et à la *Palinodie* de Stesichore, qui, comme on le sait, avait dû reconnaître que la déesse Hélène — qu'il est impie de blasphémer — n'avait envoyé à Troie que son apparence, tandis qu'elle en personne s'était cachée en Egypte (cette terre des dieux) [3]). Même le thème du Sauveur qui abandonne son corps immédiatement avant sa crucifixion, Simon le Cyrénée lui étant substitué, montre que la substance idéologique du docétisme réside plutôt dans une formule

---

[1]) Cf. aussi *supra*, p. 12 n. 1, et notre article final.
[2]) 137, 19-32.
[3]) Il est significatif que cette version du mythe d'Hélène soit citée dans la notice d'Irénée sur les Simoniens, et que cette Hélène soit identifiée, par ces sectaires, à l'Hélène simonienne.

qu'on pourrait résumer, avec l'*Hypostase des arch.* (135, 17 s.), par la phrase „les psychiques ne peuvent rejoindre le (n.) pneumatique" [1]).

Le judaïsme et le gnosticisme: remarques méthodologiques

Mais reprenons maintenant nos remarques méthodologiques, pour ce qui est de notre intérêt immédiat, de formuler la question des origines du gnosticisme.

Une fois le gnosticisme défini sur ces bases (référence initiale au gnosticisme du IIe siècle et suiv.), et une fois précisé le sens de la gnose du gnosticisme, la question se pose de l'„expliquer" génétiquement. Deux voies se présentent ici, qui ont été parcourues par les membres de notre Colloque (parfois les deux ensemble par le même savant): *a)* ou bien on insiste sur la communauté de thèmes, de concepts et de terminologies *particulières* entre les textes du gnosticisme et les textes d'autres milieux historico-religieux, surtout le judaïsme „tardif", voire le monde iranien, égyptien, ou le platonisme, *b)* ou bien on insiste sur l'analyse ci-dessus ébauchée de l'essence *indivisible* de la *Weltanschauung* gnostique, et on cherche des affinités à celle-ci dans des milieux pouvant être *plus* ou *moins* contigus au milieu du gnosticisme, sauf à chercher de justifier plus tard, historiquement, ces affinités.

Comme on le voit, notre distinction entre *a)* et *b)* ne coïncide nullement avec une distinction entre méthode philologique et méthode comparative, étant donné que *a)* implique justement la comparaison, bien que par l'insistance sur la thématique particulière et la terminologie, et *b)* implique une analyse qui ne saurait être nourrie que de philologie.

Ici un paradoxe se manifeste parfois dans les recherches les plus polémiques contre l'„Erklärung" *religionsgeschichtlich*, ou en général contre le comparatisme. Ces recherches auraient à s'orienter dans la première voie avec une très grande circonspection, p. ex. quand il s'agit de profiter des affinités thématiques, terminologiques et onomastiques des textes du gnosticisme avec les textes du judaïsme tardif. En effet, il est traditionnel, du côté philologique, de contester les

---

[1]) Ceci explique pourquoi Marcion — que, de ce chef, on n'hésitera pas à classer parmi les gnostiques — n'ait pas refusé la réalité de la Passion (bien qu'en relation, autrement contradictoire, à un corps d'apparence, comme celui des anges qui apparurent aux Patriarches), mais ait refusé la naissance de Jésus. Sur le gnosticisme de Marcion nous renvoyons à notre *Marcion: théologien biblique ou docteur gnostique?*, in *Vigiliae Christianae*, sous presse.

conclusions *religionsgeschichtlich*, qui croyaient identifier l'„origine" avec la découverte des „précédents" de telle doctrine ou système, même si le ton général des conceptions à comparer restait assez hétérogène par rapport au contexte de ces „précédents". Maintenant, au contraire, on assiste parfois à la tendance „philologique" à rapprocher le plus possible le gnosticisme et le judaïsme tardif sur la base de la présence dans les textes du gnosticisme d'une foule de thèmes et de termes typiques du judaïsme biblique ou apocalyptique. Il est vrai que Wilson, qui commence ses 'remarques' avec la phrase „if any lingering doubts remained as to the extent and significance of the Jewish contribution to gnosticism" (*infra*, p. 691), ajoute, très sensiblement, que le danger est maintenant de surestimer l'élément juif et de sousestimer l'élément grec dans le gnosticisme; et il est vrai aussi que Grant, auquel on doit la célèbre hypothèse d'une origine du gnosticisme dérivant d'une apocalyptique juive déçue, a eu une phrase qui dans sa nuance très délicate exprime bien le noyau final qui résiste à toute assimilation du gnosticisme à un phénomène d'origine juive: „although one cannot go all the way to gnosticism via speculative Judaism, if one moves forward in late Judaism and backward in some forms, at least, of early gnosticism one is forced toward the hypothesis that there was a point at which the two met" (*infra*, p. 151). Mais puisque nous avons mentionné l'hypothèse de Grant, nous ajouterons, dans l'intérêt de notre exposé, que la réponse de Jonas doit être considérée, à ce propos, quand il écrit: „Safer is the statement that Gnosticism originated in *close vicinity* and in partial reaction to Judaism ...(... ambivalent proximity ...)...: the Jewish presence in the contemporary world was ubiquitous and powerful, its „fringes" were everywhere, its claims exorbitant" (p. 102). Or, il faut noter dès maintenant que si le gnosticisme antibiblique est, *qua talis*, une protestation contre le Dieu-*Créateur* que la Bible avait enseigné aux païens [1]), il faut aussi se demander quelles ont pu être les présupposées idéologiques, et non seulement sociologiques, de ce refus, d'autant plus que l'hypothèse de Grant (qui après tout ne prétend pas à une explication universelle du gnosticisme) dépend aussi de la question si le gnosticisme, dans le sens du mot que nous avons emprunté ci-dessus, et qui commande toute notre argumentation, n'a pas existé déjà avant l'année 70 après J.-Chr. Mais à cette question nous réservons la dernière partie de notre exposé.

---

[1]) Vr. à ce propos la discussion de Jonas à l'occasion de la récente rencontre de New York.

Il nous faut revenir maintenant aux deux voies dont nous parlions tout à l'heure. Il nous semble à ce propos évident que si l'analyse idéologique (je ne dirai pas existentielle, pour ne pas m'exposer à des reproches telles que le ,,verheideggern" dénoncé par Schoeps nous ferait prévoir) du gnosticisme, ébauchée ci-dessus, est valable, la référence aux thèmes juifs (et iraniens) ne pourra qu'être subordonnée à elle: nul texte juif, ou judéo-chrétien, pas même l'*Ascension d'Isaïe*, ne pourra être assimilé, du point de vue de la typologie et de l'histoire religieuses, au gnosticisme (le cas du *livre de Baruch* de Justin le gnostique [Hipp. *Ref.* V, 26, 1 ss.] est différent, et pour cause) [1]; ni les similitudes thématiques et les identités (ou les dérivations) terminologiques et onomastiques juives ne sauraient ,,expliquer" (,,*erklären*") le gnosticisme.

Par ailleurs, le judaïsme apocalyptique, ou certaines de ses manifestations, ne sauraient être qualifiés de ,,prégnose" sans une délimitation qualifiante de ce dernier terme: mais cette délimitation coïncide simplement avec la question en objet, de savoir quelle a été la portée historique, ,,génétique", de certains thèmes et termes, qui ne sont pas encore le gnosticisme, pour le gnosticisme lui-même. Il nous semble donc que la voie la meilleure soit plutôt la deuxième (*b*), celle qui ,,fait force" sur l'analyse du gnosticisme tel que nous le connaissons dans le IIe siècle, pour voir si les milieux religieux matériellement proches du gnosticisme révèlent ou non l'existence de contextes idéologiques étant en affinité foncière avec le monde et la psychologie du gnosticisme. Il est évident que dans ce contexte toute une série de contributions présentées à ce Colloque sur des typologies spécifiques (le mauvais gouvernement du monde, le mariage des anges, les êtres intermédiaires, l'appel vers les hauteurs, etc.) s'avèrent autant de *Vorarbeiten* précieuses.

Des contributions très analytiques ont été présentées pour Qumrân: nous nous limitons ici a remarquer que toute référence aux deux esprits créés par Dieu ne réalise pas le propre du dualisme en général, tel qu'il est entendu dans la phénoménologie religieuse, et encore moins le dualisme anticosmique qui est propre au gnosticisme. L'idée de la présence dans l'homme d'un esprit ou d'une tendance plus ou moins substantielle au mal, qui est typique aussi de la tradition rabbinique, ne transcende pas véritablement le monothéisme et le créationnisme bibliques [2]; au contraire, elle les implique, bien qu'elle

---

[1] Vr. *infra*.
[2] RINGGREN le remarque aussi dans sa contribution. Pour Philon, cfr. *infra*.

aussi puisse être considérée dans le contexte d'une *Vorarbeit* concernant non pas la cosmologie, ni le dualisme cosmologique, mais le dualisme *anthropologique*, ou plus spécifiquement un *certain aspect* de celui-ci. Mais il faut ajouter que ce dualisme anthropologique qumranien et rabbinique (juif tardif) est très différent du dualisme *anthroposophique* du gnosticisme, — que nous définissons comme un antisomatisme qualifié par la théorie de la divinité du *pneuma*, par l'anticosmisme radical et par l'idée de la chute d'entités pléromatiques: c'est-à-dire, justement, le contraire de l'idée, juive tardive, qumranienne et rabbinique, que Dieu a créé les deux esprits dans l'homme.

On le voit: on revient à ces connexions typiques entre le monde supérieur et le monde inférieur, qui réalisent dans le gnosticisme une espèce étrange de cosmogonie anticosmique, de dualisme aux implications monistes, où nous inclinons à voir, sur la base de l'anthroposophie dualiste foncière et du pessimisme cosmique, le mot accompli de l'idéologie du gnosticisme: l'idée d'un ,,péché antécédent" commis (fatalement) par un être surhumain et supra-cosmique, et conditionnant l'existence (= donnant l'existence) à ce monde et à l'homme, dans lequel cet être subit la *kolasis*, par une sorte de ,,péché d'exister". Une idée, celle-ci, que nous avons développée dans l'Annexe à cette relation, publiée ailleurs [1]). Or, ce complexe anthroposophique est typique des courants mystériosophiques grecs qu'on appelle ,,orphisme", et qui ont puissamment conditionné Pythagore et Platon.

Le démiurge

Encore pour ce qui concerne le thème judaïsme-gnosticisme: Il semble qu'un aspect essentiel de la question, que Jonas souligne, et que j'avais souligné moi-même, concerne le *démiurge*, qui est un personnage-clé dans le drame et dans le scénario présentés par nos traités. Or, c'est justement le démiurge qui, dans ces mêmes traités, a affaire avec le judaïsme, étant donné qu'il n'est que la contrefaçon du Dieu créateur de la Bible, — et ses anges-archontes rappellent de leur côté les anges turbulents de la tradition apocalyptique (Hénoch etc.). Mais à ce même propos, du démiurge et de ses anges, il faut remarquer que: *a)* le démiurge n'est pas présent dans tous les systèmes gnostiques, ou du moins ne joue pas toujours son rôle dans les spéculations gnostiques relatives à l'origine de ce monde inférieur; *b)* la figure du démiurge dans le gnosticisme n'est pas unitaire et simple, étant donné

---

[1]) *Péché originel et péché antécédent*, in *Rev. de l'hist. des religions*, t. 170(1966).

qu'elle se dédouble parfois (*Hyp. des arch.* 143, 13 ss., *Traité s. titre* 151, 32-155, 17) entre les figures, foncièrement consubstantielles, mais pour le reste divergentes, de Jaldabaoth, superbe et aveugle, et de Sabaoth, allié de la lumière et disciple de celle-ci [1]).

Peut-être on n'a pas tiré tout le profit possible de ces deux faits.

Pour ce qui est de *a*), il faut remarquer que dans les textes les plus „gnosticistes" des *Hermetica* (une littérature qui, présente à Khenoboskion, peut être légitimement utilisée — avec circonspection — dans notre analyse du phénomène) le démiurge — en tant que rival du Dieu suprême — est absent: cela signifie que ce démiurge (qui dans le gn. est *le* démiurge) fait partie du gnosticisme le plus „judaïsant" (qui est d'ailleurs le plus représenté à Nag Hammadi), mais qu'il ne fait pas partie du gnosticisme hellénisant des *Hermetica* (c.à.d., précisément, des parties dualistes-anticosmiques de cette littérature, qui connaît aussi l'aspect moniste-cosmiciste que le néoplatonisme développera de préférence). Par ailleurs, le démiurge *typique* est absent aussi — ou incomplètement intégré — dans ces spéculations cosmogoniques ophites dont Hippolyte nous donne trois ou quatre exemples, et dans lesquelles sa fonction est parfois remplie par un Logos-Serpent dont le caractère est typiquement ambivalent (il imprime en descendant les formes divines dans la matière, en tant que démiurge, et il les relève et les réintègre au ciel en tant que sauveur — cf. *supra*, p. 8). Or, ce caractère ambivalent du Logos-Serpent, qui imprime les formes supérieures dans le monde inférieur et qui ensuite les en libère, se recoupe avec l'ambivalence monisme-dualisme que nous avons remarquée plus haut à propos de la vicissitude des entités pléromatiques, elles aussi ambivalentes, comme Sophia (ce Logos étant, plus précisément, un intermédiaire, tandis que Sophia est plutôt l'émanation dernière du monde pléromatique, source de la chute et du salut — *supra*, p. 7 —, et que l'Anthropos est plutôt la victime de l'incarnation-chute).

Si l'on tient compte du caractère cosmique — implicite dans la spéculation hermétique et ophite — et de l'intérêt cosmogonique propre à l'une et à l'autre, on dira que la spéculation cosmogonique

---

[1]) Ou bien, dans *l'Ap. Joh.*, de Eloai „le juste" et de Javai „l'injuste" (ou *vice versa*). Le démiurge reste toujours affecté (même quand il est „converti" ou 'instruit' au sujet de l'Ogdoade, comme Sabaoth dans l'*Hypost. d. arch.* 143, 15 et 33 et dans le *Traité s. titre* 154, 7) au niveau infra-pléromatique (cfr. aussi les démiurges-fils du traité basilidien chez Hippolyte). La seule exception est l'Elohim du livre gnostique de *Baruch*: cfr. *infra*, p. 19 n. 1.

moniste-dualiste centrée sur ce Logos-Serpent-Démiurge et inspirée de l'hellénisme est en *proportion inverse* — dans le gnosticisme — avec la spéculation judaïsante impliquant le démiurge type Jaldabaoth. L'ambivalence spéculative et ,,philosophique'' du Logos-Serpent et de sa vicissitude *contraste* avec le caractère plus dramatique, mythologique et passionné de la naissance de ce monde et de son Démiurge dans la version judaïsante, qui utilise tout le scénario biblique, bien que renversé selon les canons de l'anticosmisme et de l'antibiblisme.

Quelle est donc la version gnostique la plus ancienne? la version spéculative, hermétique et ophite, d'esprit hellénisant (bien que pourvue elle-aussi de références essentielles à la Genèse), ou la dramatique, judaïsante?[1] En tout cas, il ne faudra pas oublier que même dans les traités les moins ,,ophites'' et les plus judaïsants on trouve la spéculation cosmologique sur le Firmament-rideau-*horos*, sur les formes, les *sphragides*, la lumière de Sophia qui se manifeste sur les eaux inférieures, l'esprit (inférieur) qui plane sur les eaux, l'identification chaos-ténèbre-matière, dérivés de l'ombre produite par l'*ergon* causé par Sophia, et, *last but not least*, l'ambivalence de cette dernière, appartenant, comme dans le *Traité sans titre* 150, 1, au monde divin, mais présente aussi comme partie féminine du dernier des archontes (vr. *supra*).

De plus: comme nous l'avons mentionné plus haut: le démiurge du gnosticisme ,,judaïsant'' n'est pas, lui non plus, sans ambiguïté. Déjà la figure de Jaldabaoth est parfois plus complexe que la tartarisation de ce personnage dans l'*Hypostase des Archontes* ne le ferait soupçonner. Il est intéressant de remarquer, d'ailleurs, l'usage ambigu du terme ,,dieu'' dans l'*Apocryphe de Jean* (tandis que dans l'*Hypostase des Archontes* ce terme indique plutôt la Divinité suprême, qui, entre autres choses, infuse le souffle et l'âme dans le *plasma* formé par les archontes)[2]. Mais, comme nous le disions plus haut, il arrive que dans l'*Hypostase* et dans le *Traité sans titre* le démiurge se dédouble entre un Jaldabaoth négatif et un Sabaoth positif.

---

[1] Il faut remarquer que l'Elohim du livre gnostique de *Baruch* transcende le démiurge habituel des traités gnostiques biblisants, étant donné qu'il constitue le IIe élément d'une formule ,,ternaire'' (qui n'est pas sans rappeler les traités ophites spéculatifs) et qu'il est accueilli finalement dans le niveau supérieur du ,,Bon''. Il a une fonction en quelque sorte analogue à celle du Logos intermédiaire des mêmes spéculations: il'crée'le monde inférieur, en y imprimant l'esprit-vie-forme, puis il se rachète et se dirige vers le haut, en frayant en quelque sorte la route à ce qui est sien et est resté dans la terre-matière Eden.

[2] 136, 3-4 et 14-16.

Böhlig [1]) a remarqué que le passage relatif à Sabaoth fait dans le *Traité sans titre* figure d'une claire interpolation. Cette remarque, précieuse, n'élimine pourtant pas la possibilité que Sabaoth, avec sa fonction assez positive, ait constitué dans le gnosticisme une figure assez primaire. Le problème se reproduit ici : peut-on admettre qu'un gnosticisme connaissant aussi la figure d'un démiurge terrestre, mais somme toute doué d'une fonction positive et 'instruit' (bien qu'imparfaitement) sur l'existence des choses célestes, soit le pont de passage à un gnosticisme plus radicalement et absolument anti-démiurgique et antibiblique, ou *vice-versa*, cette dernière position est-elle originaire et primaire dans le gnosticisme, tandis que l'autre ne serait qu'une complication ou une adaptation ?

L'alternative se reproduit, comme dans le cas de l'ophitisme et de l'hermétisme spéculatifs, qui théorisent sur le cosmos, en tant qu'opposés à un gnosticisme plus drastiquement et immédiatement anti-cosmique et anti-biblique.

Pour une perspective historique dans le thème des origines du gn. — Le gnosticisme et la Grèce.

A notre sens, ces alternatives ne sauraient être surmontées qu'avec l'extension de la recherche historico-comparative au monde grec. Jonas a remarqué que le gnosticisme doit se séparer non seulement du néoplatonisme (qui polémisa contre le dualisme anticosmique) mais aussi du platonisme, qui ne connaît pas la figure d'un démiurge de ce monde, visé sous une perspective négative. Pour ce qui est du néoplatonisme en général, nous nous sommes déjà exprimé sur la possibilité d'une comparaison pertinente avec le gnosticisme [2]). Pour ce qui est de l'absence du démiurge dans le platonisme, d'un démiurge *pleinement comparable à celui du gnosticisme*, il faut admettre que la remarque de Jonas est pertinente [3]). Mais la possibilité d'une comparaison fructu-

---

[1]) *Die kopt.-gn. Schrift ohne Titel*, p. 49 s.

[2]) *Supra*, p. 7.

[3]) Il faut considérer les *theoi*, ou démiurges inférieurs, du *Timée* (42 D-E), qui façonnent les âmes inférieures (ou les niveaux inférieurs de l'âme) et le corps de l'homme ; mais ils le font sur l'instruction du Grand Démiurge, qui ne peut pas se rendre responsable des misères de la matière (cf. U. BIANCHI, RHR 159 (1961) p. 34 ; ID., *Paideuma*, VII, 8 (1961), p. 424 et 427, et la contribution de P. BOYANCÉ dans ce Colloque). La même idée se trouve dans l'anthropogonie de Philon (cf. la contribution de M. SIMON). Le *Timée* et Philon admettent donc un dualisme anthropologique, qui ne réalise pourtant pas le dualisme théologique du gnosti-

euse reste, si l'on néglige pour un moment l'aspect cosmique de la spéculation platonicienne (aspect positif, en dépit de la théorie du renversement périodique de la rotation cosmique dans le *Politique*, et de la théorie d'une âme mauvaise dans le monde, selon les *Lois*) [1]), et si l'on considère l'anticosmisme sous le profil de l'anti-somatisme. Nul ne pourrait contester en effet que ce dernier aspect est fondamental dans le platonisme, de Platon à Plotin (et à Philon, qui parle aussi de la χαχία du corps): c'est d'ailleurs l'aspect que Platon hérita de l'orphisme: la mort libère l'âme et sa faculté de connaître (*Phédon*); le corps est le tombeau, ou la geôle où l'âme est enfermée, ou, si l'on préfère, dans le texte fameux [2]), ,,sauvée'': sauvée de quoi, sinon de l'ignorance, des maux et des dangers de cette vie inférieure, et des vicissitudes mortelles? [3]).

Or, si l'on considère que le gnosticisme a pu lui-même osciller dans sa théorie du cosmos (logos-serpent ou démiurge anti-biblique; démiurge ignorant et démiurge instruit), mais que l'anti-somatisme est toujours son aspect essentiel (bien que fondé souvent sur une attitude plus philosophique et ,,harmoniste'', et la conception du logos ambivalent ophite le démontre) [4]), il faut remarquer que l'attitude anticosmique passionnée, dramatique, mythologique, que Platon n'a pas partagée dans son olympique sérénité de philosophe, résonne déjà clairement dans la spéculation et dans la pratique de l'orphisme, et de l'orphisme le plus ancien: que l'on songe à Empédocle, *daimon* exilé dans ce monde et dans l',,étrangère tunique de la chair'', à l'issue d'une vicissitude de 30.000 ans (B 115 et 126 D); et que l'on se rappelle le *sphairos* dramatiquement fractionné par la Discorde, mère de toutes les déchirures de ce monde. De ce point de vue, le mythe de Dionysos

---

cisme, bien que la doctrine de Platon sur l'âme supérieure ait des connexions essentielles avec l'animologie orphique, et donc avec l'idée anthroposophique qui sera du gnosticisme (*supra*, p. 10).

[1]) Voilà qui explique le texte philonien *Q. in Ex.* I, 23, dont M. SIMON fait état dans sa relation; les accointances juives et ,,qumraniennes'' de ce texte, pour ce qui est des deux ,,puissances'' dans l'homme, ne font que souligner l'ascendance platonicienne du même texte pour ce qui est de la fonction de ces puissances dans la cosmogonie. Cfr. à tout ce propos les considérations précieuses de M. BOYANCÉ sur le *Timée* et Philon. Sur la formule binaire (et ternaire) pour l'essence et l'origine de l'âme et pour les catégories humaines, depuis le *Timée* et la *République*, jusqu'au gnosticisme et à l',,orphisme'' des néoplatoniciens, cfr. notre article *Razza aurea, mito delle cinque razze, Elisio*, in *Studi e materiali di storia delle religioni*, 34 (1963), 2, p. 163 ss.

[2]) *Cratil.* 400 C.

[3]) Il ne faut pas oublier le pouvoir limitatif de *chōra* et *anankē* dans l'ontologie (et l'anthropologie) dualistes platoniciennes.

[4]) Cf. aussi la *Megale Apophasis*.

et des Titans (quelle que soit la chronologie de ce mythe et l'histoire de ses significations dualistes anthroposophiques) n'a rien à envier aux crudités de la mythologie du gnosticisme et de son anthropogonie.

Pour le reste, à propos de la comparaison du contenu et de la forme (y compris le style et le ton, dont Jonas souligne l'importance) entre le gnosticisme et l'orphisme, nous ne pouvons que renvoyer à notre article cité de ,,Numen'' [1]). Cette comparaison comprend une série impressionnante de coïncidences. Le démiurge inférieur du gnosticisme — il est vrai — n'y est compris que de façon embryonnaire, bien que sa fonction nous apparaisse déjà anticipée de quelque façon par la fonction accomplie par la Discorde chez Empédocle, ou par les Titans du mythe de Dionysos. (D'ailleurs, des textes comme Hippolyte, Diels[7] B 115, devraient être considérés comme preuve d'une disposition, à la fin de l'antiquité, pour retrouver une mythologie ,,gnostisante'' dans l',,orphisme'' ou dans le philosophe d'Agrigente) [2]).

En tout cas, on n'aura nulle difficulté à admettre que, sur le plan de la cosmogonie, le gnosticisme ait reconnu au Dieu créateur-façonneur de la Bible une place spécifique, d'autant plus que la mythologie païenne n'avant rien de pareil à offrir, et que le Dieu des Juifs était

---

[1]) XII, 3 (1965) p. 164 ss., avec la bibl. que nous y citons. Vr. aussi, dans ce Colloque, les contributions de von IVÁNKA et CRAHAY.

[2]) Il faut remarquer que, en dehors de l'orphisme, mais bien déjà au sein d'une mythologie démiurgique-dualiste, Prométhée a toutes les attributions du démiurge-rival: cfr. notre *Prometheus, der titanische Trickster*, in *Paideumo* VII, 8 (1961), p. 414-437, et *Péché originel et péché antécédent*, in *Rev. d'hist. des relig.*, 170, p. 121. Que l'on compare, et il s'agit seulement d'un particulier, le démiurge gnostique, qui (dans l'*Hyp. des arch.*) rend Adam et Eve βιωτικοί, c'est-à-dire, ,,soumis à la contrainte de cette vie inférieure'', et qui chez Platon, *Protag.* 320 C, donne la περὶ τὸν βίον σοφία, alors que Zeus, par l'intermédiaire d'Hermès, donne aux hommes les facultés supérieures. Cfr. aussi Prométhée qui subit les βιωτικαὶ μέριμναι καὶ ἐφημεριν*αί, ou est substitué dans son rôle de façonneur du corps de l'homme par Cura, alors que Jupiter donne l'esprit, resp. chez *Schol. Hes. Theog.* 522 et Hygin. 220 (ce texte est repris par un texte fameux de Jaspers); comme le démiurge gnostique, Prométhée ne réussit pas à infuser la vie ou l'âme dans l'homme (ou dans la femme) qu'il vient de façonner: elle est infusée par l'Athéna de Zeus (les textes sont dans l'article cité de *Paideuma*). Il est vrai, le cycle prométhéen n'est ni gnostique ni proto-gnostique, mais il intègre des thèmes qui s'y rapprochent assez, même sur le point important du ,,péché antécédent'' d'un être divin, péché qui fonde l'existence humaine. Plus généralement, ce thème comportant l'identification âme-vie, toutes deux devant être ajoutées à l'oeuvre incomplète d'un démiurge fripon façonneur du corps de l'homme et borné dans ses perspectives et très matériel dans ses idéaux, se retrouvent dans la mythologie dualiste au dehors du gnosticisme et bien avant lui, comme nous le remarquons *Numen* XII, 3, p. 168, n. 14, et RHR, 159, p. 13.

déjà bien connu — et, on peut penser, passionnément discuté — dans le monde hellénistique [1]). On peut même penser que cette discussion ait profité des conceptions hellénistiques sur la destinée et la providence, et réalisé cette alliance „créateur (ou plutôt démiurge)-destinée" qui est typique du gnosticisme [2]).

Mais ce qui constitue le coeur même du gnosticisme, l'antisomatisme et l'anthroposophie dualiste, ne permet pas de tout concentrer, dans la recherche des origines du gnosticisme, sur les distances que celui-ci a prises par rapport au judaïsme et à son Dieu.

Par ailleurs, on le voit, ce n'est pas justement au platonisme comme tel, mais bien plutôt à sa composante orphique, qu'il faut se référer dans cette recherche d'un gnosticisme *ante litteram*. Or, il se fait que l'orphisme (pour une définition et „situation" duquel nous renvoyons aux articles cités) réalise en même temps ces connexions anthroposophie/cosmosophie et dualisme/monisme que nous avons remarquées comme typiques dans la vision du monde et de l'homme de la spéculation du gnosticisme. Cela peut ressortir, nous semble-t-il, des considérations que nous avions ajoutées dans une „Annexe" sur le „péché antécédent", qui paraît maintenant dans la „Rev. de l'hist. des relig." 1966, à laquelle nous nous permettons de renvoyer.

Gnosticisme syro-égyptien ou gnosticisme iranien? Le dualisme gnostique comme „déséquilibre dans le Tout"

Nous nous sommes énoncé plus haut sur le thème du monisme/dualisme gnostique. Il nous a semblé que seulement l'évaluation de ce délicat équilibre, ou plutôt *déséquilibre du divin primordial*, donnant le branle au mouvement de l'histoire [3]) dans la formule dualiste-moniste, exprime, au delà de toute spécification ultérieure, le propre et le coeur de l'expérience gnostique, sur la base de l'intuition anthroposophique, c.à.d. de l'idée que l'homme est ce petit tout dans lequel se terminent de façon emblématique la vicissitude et la tragédie du divin. A ce même propos l'usage gnostique du terme „Tout", depuis le traité naassénien jusqu'à l'*Hypostase des Archontes* („le Père du Tout") [4])

---

[1]) Cfr. les remarques sus-citées de Jonas.

[2]) De ce point de vue, les spéculations esséniennes sur la destinée pourraient en révéler une „préparation", ou plutôt en constituer un écho.

[3]) Nous nous séparons, de ce chef, de certains aspects de la relation de M. MARROU.

[4]) Dans l'*Hyp. d. arch.* 136, 10 s. le „Père du Tout" a une supervision et une efficacité providentielle sur ce qui arrive dans le monde d'en bas, en fonction

et à l'*Evangile de Thomas* (*logion* 77), est significatif et typique. Ce Tout
ne saurait être en principe que le Tout pléromatique, le plérôme, la
,plénitude', donc le Tout dans le sens du *plein*, du *riche*, du *mâle*, du
divin, du *pneumatique*, en opposition aux concepts contraires: une
série conceptuelle qui est typique dans l'*Ev. de Thomas*, et qui a été si
bien étudiée par Puech et d'autres: une série qui est la garantie
fondamentale (avec le concept de la rencontre avec le Moi divin) du
caractère gnostique de cet évangile. D'ailleurs, on ne saurait éliminer
du ,,Tout" gnostique toute référence moniste: non pas seulement dans
le sens accusé par les Pères de l'Eglise, d'un monisme impliquant la
consubstantialité du *pneuma* qui est dans l'homme avec la Divinité,
mais bien aussi d'un monisme s'exprimant dans le fait que le monde
inférieur, tout matériel, provisoire, négatif qu'il est, n'en doit pas
moins son origine et surtout ce qu'il a de *forme* et de *vie* au monde divin.
Par ailleurs, ce monisme ,,cosmogonique" ne cesse de souligner son
caractère dualiste, qui le distingue de toute pensée grecque impliquant
le concept de la pure et simple *materia prima*. Celle-ci est vide et morte,
passivité totale (elle est, d'un certain point de vue, non-existence
,,résignée"); le monde inférieur ténébreux du gnosticisme implique
au contraire un vide ,,ouvert", réceptif, une pauvreté qui implique
l'envie, tel un estomac ou une hystéra qui désirent ce qui n'est pas fait
pour appartenir définitivement à eux. Ce n'est pas par hasard que la
lumière enfermée dans ce monde, et qui lui donne ce qu'il a de vie et
de forme, est l'élément mâle, qui seul est divin [1]), et qui se conjugue
avec une nature inférieure, en y descendant ou tombant (depuis
l'Anthropos du *Poimandres* jusqu'à l'Attis des Naasséniens); ce n'est
pas par hasard, d'ailleurs, que dans le Manichéisme la vicissitude de la
lumière dans ce grand corps inférieur est conçue comme une digestion,
une grande machine à ,,digérer" (à ,,séparer"), dont les grands lumi-
naires ne sont que les dernières stations. Une digestion qui arrive
selon l'activité du gnostique, mais qui, comme l'a bien remarqué
G. Gnoli, est déjà implicite dans cette grande machine qu'est le cosmos
matériel, qui travaille à se vider, dans son inconscience foncière, tout
comme, dans son envie et sa pauvreté attirante et agressive, il a travaillé
à se remplir — tout comme le font ses inconscients archontes.

---

spécifique de la vicissitude du *pneuma* qui, soumis à la vaine outrecuidance des
archontes, voit s'ouvrir par l'improvide stupidité de ceux-ci la voie providentielle
de sa libération.
  [1]) L'interprétation de RENGSTORF pour le *logion* final de l'*Ev. Th.* est différente.
Cfr. *infra*, p. 563 ss.

Voici alors se poser la question abordée par le Prof. Widengren. Tout en admettant la distinction proposée par les travaux précédents de Jonas, entre un gnosticisme à type syro-égyptien et un gnosticisme à type iranien, le savant suédois se pose la question: quel a été le type le plus ancien, voire le type original du gnosticisme? Il opte en faveur du gnosticisme iranien: selon Widengren, „le Démiurge ... représente un affaiblissement du dualisme strict"; or, comme „Jonas veut définir 'la tension et polarité' comme le dynamisme nécessaire dans la conception gnostique de l'existence", Widengren se refuse à accepter l'idée de Jonas que „le type iranien fut seulement *adapté* comme gnostique". Le savant suédois se refuse en somme à accepter qu'un type „gnostique" (celui de la gnose iranienne) ait pu exister avant le gnosticisme, et ait continué d'exister en dehors de lui (dans le mazdéisme postérieur).

S'il nous est permis d'intervenir dans cette discussion, nous remarquons qu'il y a équivoque dans l'usage du terme „type gnostique": il faudrait substituer au terme „gnostique" le terme „dualiste". Tout le dualisme n'est pas gnostique, mais seulement le dualisme anticosmique. La formule dualiste iranienne (dualisme absolu entre 'vie' et ,non-vie' (*gâthâs*) et — plus tard — lumière-vie/ténèbres-mort, qui d'ailleurs n'identifie pas les ténèbres-mort au monde matériel) a pu donner au gnosticisme, au gnosticisme syro-égyptien (impliquant le principe que nous appelons de „dévolution" du divin, principe unitaire), le schéma dualiste absolu, symétrique, des deux principes coéternels.

Ce serait justement ce qui est arrivé avec le manichéisme; mais il faut se rappeler que déjà Basilide, c'est-à-dire un docteur très engagé dans un gnosticisme de type très „harmoniste" (bien que foncièrement dualiste, comme tout gnosticisme) [1]), avait fait référence (comme un nouveau Plutarque) au dualisme des 'barbares' (iraniens), pour justifier son principe, qui était caractéristique de sa pensée, de l'origine du mal et du monde consistant dans le désir du niveau inférieur, la ténèbre, de se mêler avec le principe supérieur, la lumière. Ce mélange n'est pas réellement analogue au *gumēčišn* mazdéen, étant donné que celui-ci — bien que occasionné lui-aussi par l'envie et la pauvreté de la ténèbre — reste toujours le mélange entre ce qui est vie et ce qui attaque et mortifie la vie, tandis que le mélange basilidien s'identifie plutôt avec le mélange des niveaux ontologiques, pneumatique et matériel, mélange qui porte atteinte au principe du „unicuique suum".

---

[1]) Vr. *Basilide, o del tragico*, in *Studi Pincherle*, Roma 1967.

Nous nous hâtons d'ajouter que ces considérations ne tendent nullement à mettre en parenthèse les autres considérations de Widengren
concernant d'autres possibilités d'identifier des connexions gnostiques
dans la littérature mazdéenne et dans les théories mazdéennes (par
ailleurs difficilement datables) relatives au *gētīk* et au mélange (sur
lesquelles cfr. *infra*, notre article final).

Revenant à l'argumentation de Widengren et à son utilisation du
critère de la ''polarité dualiste'': Widengren en déduit que ''plus le
dualisme est conséquent, plus le dualisme est originel et pur; car plus
grande est la polarité entre Dieu et Monde — polarité caractéristique
du gnosticisme d'après Jonas, ce qui est tout a fait juste''. Et Widengren de continuer: „Où trouve-t-on ce dualisme conséquent? C'est
justement dans le type iranien . . . Le Kosmos est créé en tant que
créé par le Mal . . .''; au contraire, la gnose valentinienne et la gnose
syro-égyptienne en général ne seraient qu'une interprétation platonicienne du gnosticisme, une interprétation qui aurait le but de „pon-
ter'' le dualisme.

Il est évident que nos considérations sur le principe dualiste-moniste
qui régit, selon nous, l'expérience et la vision gnostique du monde
nous empêchent d'accepter cette interprétation du savant suédois. A
notre avis, le démiurge ne représente pas un affaiblissement du principe
gnostique, mais au contraire il est le symbole vivant de ce *délicat
équilibre* (ou *déséquilibre*), de cette ambivalence, qui est typique de la
vision du monde gnostique [1]); et non seulement le démiurge, mais
aussi, bien que sur un niveau différent, Sophia (la double!), le Logos-
Serpent et le Saint-Esprit du gnosticisme [2]): même dans le manichéisme, le monde (et la création) ne sont pas entièrement mauvais (Widengren le note aussi); ni le Démiurge gnostique, en général, n'est *simpliciter* diabolique: pas même chez le plus dualiste et le plus tranchant
des gnostiques „syro-égyptiens'' (ou, du moins, „occidentaux''),
Marcion, qui distingue le dieu inférieur du diable. Marcion, d'ailleurs,
accouple de façon significative le principe de la *polarité la plus stricte*
entre les deux dieux avec une évaluation *très balancée* du dieu „juste'',
dont l'ambivalence (bien que dans le respect du principe fondamental
anticosmique) est justement soulignée par son opposition au diable.

M. Widengren critique l'attribution de Plotin au gnosticisme, étant

---

[1]) Cfr. *supra*, pp. 8, 23. Ceci n'implique pas que le démiurge soit toujours
nécessaire dans un système ou une conception gnostiques.

[2]) Sur l'ambiguïté foncière de tous ces êtres dans le gn., cfr. *supra*, pp.
6, 8, 18 s.

donné que Plotin, dans sa célèbre polémique antignostique, considère l'anticosmisme gnostique comme un blasphème. En réalité, le dualisme anticosmique n'appartient pas en propre à Plotin, et l'objection nous semble valable; comme nous le remarquions plus haut (p. 7), l'émanatisme néoplatonicien se différencie de celui du gnosticisme par le fait que la ténèbre et la matière sont pour lui la dernière émanation d'une série suffisamment homogène et positive [1]), et seulement le fait que la matière est l'extrême (et ambiguë) périphérie de la lumière justifie dans le néoplatonisme une certaine polarité lumière-ténèbre; ceci le différencie par rapport à l'anticosmisme gnostique, étant donnée la place privilégiée qui revient aux astres (qui n'appartiennent pas à la matière inférieure) et en général au cosmos dans la pensée néoplatonicienne. Dans le gnosticisme, il y au contraire rupture et drame dans le monde divin, et précisément dans la dernière émanation de celui-ci: *ce qui se dit dans le néoplatonisme de l'extrême et ambiguë périphérie cosmique qu'est la matière, se dit dans le gnosticisme de cette extrême et ambiguë périphérie divine qu'est Sophie*, le dernier des éons, qui cause par une chute et une rupture l'existence du monde matériel, et qui donc réalise *entre le monde supérieur et l'inférieur cette ambivalente connexion-opposition qui fonde le monisme-dualisme gnostique* dont nous parlions [2]).

Mais il faut se rappeler aussi que l'anticosmisme, dans Plotin, réapparaît (sur une base authentiquement platonicienne) sous la forme de l'antisomatisme, qui relie donc essentiellement — bien qu'incomplètement — Plotin au monde du gnosticisme (et il ne faut pas oublier non plus le rôle de *chōra* et *anankē* dans la ligne platonicienne, pour la cosmologie et pour la doctrine de l'homme).

La connexion de Plotin avec le gnosticisme — à part une certaine atmosphère dualiste-„spiritualiste" commune à tout son temps — se fonde donc sur le platonisme de Plotin et remonte, par l'intermédiaire de Platon, à cette source de tout anti-somatisme et spiritualisme dualiste grec qu'est l'orphisme (avec sa forme le pythagorisme). Il faut se rappeler que Plotin, dans sa critique des gnostiques, leur reproche de blasphémer les astres, mais aussi de favoriser les passions humaines, ce qui doit se comprendre par la référence à l'aspect vitaliste (et „libertin") du gnosticisme, dont nous parlions plus haut.

---

[1]) Il y a, il est vrai, la conception de la *tolmē*, qui introduit une rupture dans le processus de l'émanation (cfr., dans ce volume, pp. 213 s. et 106).

[2]) Vr. par ailleurs la n. précédente.

LES ORIGINES DU GNOSTICISME ET L'HISTOIRE DES RELIGIONS

PAR

GEO WIDENGREN

1. A l'université de Goettingue il existait à l'epoque „wilhelmienne" un petit cercle de jeunes savants théologiens unis par des idées communes et des liens d'amitié. C'étaient des hommes tels que Eichhorn, Gunkel, Bousset, J. Weiss, Wrede, Wernle et Heitmüller. Sous l'influence d'Eichhorn le jeune Gressmann s'affilia à ce cercle. Les influences de ce cercle, appelé „die religionsgeschichtliche Schule", se sont répandues et ses répercussions ont aussi atteint des savants tels que Dibelius et Bultmann, de même que les élèves de M. Bultmann, Schlier, Käsemann, Bornkamm et Vielhauer. Nous parlerons plus tard d'un autre élève, M. Hans Jonas. D'un autre côté certains philologues classiques ainsi que des orientalistes ont collaboré avec cette école, surtout Wendland, Norden, Reitzenstein, Zimmern, Lidzbarski et Andreas. La méthode et le but scientifiques de l'école sont définis par son nom. Avant tout on a voulu donner une analyse des religions juive et chrétienne d'un point de vue dominé par l'histoire des religions.

Or, il va sans dire que les membres de cette école se sont occupés assez tôt des problèmes liés au gnosticisme et tout spécialement à son origine.

Ce problème n'est pas récent. Le gnosticisme en tant que mouvement religieux a été connu et analysé au cours du XIXe siècle, mais surtout comme phénomène chrétien, c.à.d. en tant qu' „hérésie chrétienne" qui doit son existence à l'église chrétienne. Les noms de Neander, Baur, Hilgenfeld et Harnack sont liés à ces recherches.

Le premier savant qui ait rompu d'une façon radicale avec ce point de vue, tout à fait dominant, est Anz (à la suite de quelques indications de Kessler, d'ailleurs en partie assez fantaisistes) qui a essayé d'analyser le gnosticisme comme un phénomène appartenant plutôt à l'histoire des religions qu'à l'histoire de l'église. Anz a voulu trouver l'origine de ce gnosticisme général grâce à une analyse de l'idée qu'il considère comme le dogme central gnostique. Ce dogme central il le retrouve dans l'idée d'une ascension de l'âme jusqu'au ciel le plus haut dans l'univers. A l'aide de documents babyloniens, Anz — chose vraiment étonnante — peut situer le gnosticisme dans un contexte mésopotamien, pensant que la Mésopotamie en a été le pays natal.

Il serait superflu d'entrer dans une critique de cet ouvrage, intitulé „Der Ursprung des Gnosticismus". Si méritoire qu'il soit à maints égards, le livre d'Anz est aujourd'hui totalement dépassé et ne peut jouer aucun rôle dans la discussion. Anz a inauguré une nouvelle méthode dans l'analyse du gnosticisme, c'est là son mérite incontestable. Après lui, impossible de traiter le gnosticisme comme un phénomène exclusivement chrétien.

2. Cependant le véritable innovateur a été Wilhelm Bousset. Le savant exégète et historien des religions reste incontestablement un des plus grands noms de l'école allemande dite „religionsgeschichtlich". Son ouvrage „Hauptprobleme der Gnosis", très typique de cette école, en a les qualités et les défauts. Pourtant les qualités l'emportent et le livre de Bousset est encore de nos jours un ouvrage classique qu'on consulte toujours avec profit.

Bousset s'est intéressé surtout aux origines des divers thèmes gnostiques et avec une érudition admirable il les a poursuivis dans la littérature religieuse, du Proche Orient jusqu'à l'Inde. Les thèmes les plus importants qu'il examine sont à notre avis les suivants: le dualisme, le Sauveur, l'ascension de l'âme.

Ses resultats peuvent se résumer ainsi: le dualisme est un produit des conceptions iraniennes, mais en combinaison avec la pensée grecque. L'Iran connaît bien un dualisme radical entre le bon et le mauvais, la lumière et les ténèbres etc., mais jamais la religion iranienne n'a identifié ce dualisme à l'opposition qu'a établi le gnosticisme entre le monde spirituel et céleste et le monde matériel et terrestre, entre l'esprit et le corps. Ici le gnosticisme a dû recourir au dualisme platonicien, dualisme entre le monde des idées et le monde des corps.

Cependant, à l'avis de Bousset, c'est l'Iran qui a apporté aux systèmes gnostiques leur attitude dualiste essentielle.

En effet, Bousset a montré que les systèmes radicalement dualistes, surtout celui de Basilide et celui de Mani, reçoivent leur contenu de la religion iranienne [1]). Quant au manichéisme Bousset mentionne les traits suivants:

---

[1]) Voir *Hauptprobleme der Gnosis*, Goettingue 1907, p. 116.

1. Le roi de la lumière se trouve en opposition avec le Prince des Ténèbres *comme* Ōhrmazd se trouve en opposition avec Ahriman.

2. Le monde de la lumière se trouve en opposition avec le monde des Ténèbres *comme* la création d'Ōhrmazd, bonne et lumineuse, se trouve en opposition avec celle d'Ahriman, mauvaise et ténébreuse.

3. L'assaut du Prince des Ténèbres contre le monde de la lumière *çomme* l'assaut d'Ahriman avant la création contre le monde d'Ōhrmazd.

4. L'Homme Primordial est vaincu, fait prisonnier et corrompu par les puissances mauvaises *comme* Gayōmart, l'Homme Primordial, est vaincu par Ahriman.

5. Ce monde-ci dans le système de Mani est un mélange de bon et de mauvais *comme* le monde *gētīk* est un *gumēčišn* de bon et mauvais.

6. La séparation du bon et du mauvais se passe *comme* le *vičārišn* entre le bon et le mauvais [1]).

Le deuxième complexe d'idées, d'une importance toute spéciale pour notre investigation, est la notion gnostique d'un Sauveur céleste, descendu dans le monde matériel pour libérer les âmes après quoi il remonte vers le ciel.

Dans ce cas Bousset s'occupe d'abord du Sauveur mandéen, comme il apparaît dans le Ginzā de droite [2]). Derrière ce personnage Bousset suppose un mythe qui raconte comment un dieu lumineux descend dans les enfers pour dérober les puissances infernales de leur force mystérieuse. Dans ce mythe il suppose le modèle du mythe gnostique d'un sauveur qui descend pour délivrer les âmes et qui remonte vers le ciel le plus haut, sa mission remplie. Bousset souligne le fait que le salut en principe est un fait qui se situe dans l'état primordial. A cause de cela il montre que le mythe gnostique est complètement indépendant du système chrétien.

Or, si l'on peut accepter avec quelques modifications le tableau du dualisme gnostique dans sa relation avec le dualisme iranien que Bousset a présenté, il faut au contraire corriger considérablement ses idées sur le Sauveur et le Salut.

Certes, il voit juste quand il souligne l'indépendance du mythe gnostique vis-à-vis du Christianisme. D'un point de vue phénoménologique il s'agit d'un mythe d'une autre structure que l'idée chrétienne

---

[1]) J'ai corrigé un peu l'exposé de BOUSSET d'après les analyses modernes. Voir p. ex. NYBERG, *J.A.* 1931, p. 29.

[2]) Voir *Hauptprobleme der Gnosis*, p. 60.

originale. Mais le savant exégète se méprend sur le vrai caractère du salut, opéré par le sauveur gnostique, quand il voit dans sa descente exclusivement une mission permettant de dérober aux puissances infernales leur force mystérieuse [1]). Il a prêté trop exclusivement son attention à Marduk qui combat le monstre primordial Ti'āmat et — victorieux — arrache les tablettes du destin de la poitrine de Kingu, époux de Ti'āmat. On ne conteste pas l'arrière-plan mésopotamien pour de nombreux points dans les descriptions des textes mandéens. En effet, l'association étroite entre le mythe que dépeint en des couleurs si vives le poème babylonien de la création et le mythe mandéen a été noté déjà par Brandt et démontré avec plus de détails par M. Kroll dans son remarquable et puissant ouvrage „Gott und Hölle". Mais Bousset n'a pas vu qu'il existe de ce mythe de salut une version plus originale dans „le Chant de la Perle", bien qu'il se soit occupé de ce poème gnostique — fondamental pour l'étude du gnosticisme. Il n'a pas compris le symbole de la perle et pour cette raison il n'a pas compris non plus ce que signifie réellement la descente du Sauveur pour gagner la Perle, symbole souvent mentionné aussi dans la littérature mandéenne.

Il a fallu la sagacité d'un Reitzenstein pour résoudre cette énigme, comme nous le verrons plus loin.

Bousset a aussi traité la figure de l'Homme Primordial, mais il l'a vue isolée du Sauveur. Il pense qu'un mythe indo-iranien, au centre duquel se trouve l'Homme Primordial, s'est uni à la spéculation grecque et que l'idée gnostique est un produit de cette union.

Dans son livre Bousset n'a pas analysé la notion d'une ascension de l'âme, mais il avait déjà consacré auparavant une petite monographie à ce thème [2]). Il y avait prêté attention aux textes iraniens ou reprenant des idées iraniennes. Dans son ouvrage sur le gnosticisme il a résumé en quelques mots ses résultats [3]). Il faut ajouter que Bousset s'occupe aussi — après Brandt [4]) — de la religion mandéenne, mais qu'il a laissé le manichéisme un peu de côté — sauf en ce qui concerne le dualisme, comme nous l'avons noté.

3. En même temps que Bousset, Paul Wendland, dans son ouvrage

---

[1]) A comparer p. 246: „das geheimnisvolle Mittel"; p. 248: „das Zaubermittel an dem ihre Herrschaft hängt"; p. 249: „ihre geheimnisvollen Machtmittel".

[2]) Voir „Die Himmelsreise der Seele" (1901) dans ARW IV), nouvelle impr. 1960.

[3]) Voir *Hauptprobleme*, p. 248: „Die ursprünglich rein eranische Anschauung."

[4]) Voir BRANDT, „Das Schicksal der Seele nach dem Tode", *Jahrb. f. prot. Theol.* XVIII.

„Die hellenistisch-römische Kultur”, 2e et 3e éd. 1912, a donné un exposé du gnosticisme qui est caractérisé par un jugement équilibré et bien informé. Il tente avec succès de situer le gnosticisme dans le climat spirituel de la période romaine impériale[1]). Ce chapitre s'intitule „Synkretismus und Gnosticismus”, ce qui en indique clairement le thème. Comme Wendland l'observe très justement, auparavant on avait par trop isolé l'étude du gnosticisme de l'histoire générale de la religion hellénistico-romaine. Il ne faut pas enfermer le gnosticisme dans les frontières de l'histoire ecclésiastique, car le gnosticisme est un produit pré-chrétien, un résultat du phénomène culturel qu'on appelle „hellénisme”. L'auteur s'efforce ensuite de montrer que les tendances et idées qui dominent la vie religieuse de la période impériale se retrouvent aussi dans le gnosticisme. Les gnostiques n'ont pas du tout été des philosophes de la religion, ils ont été des visionnaires qui par la vision de Dieu et la révélation qui en dépend ont interprété la religion chrétienne d'après leur propre religion de salut. L'auteur essaie de prouver en détail que les cultes orientaux et les systèmes gnostiques manifestent les mêmes idées, les mêmes tendances. Il renvoie à la conception dualiste du monde, la dissolution spéculative des faits historiques, l'invocation des révélations, souvent propagées sous de faux noms. Wendland passe aussi en revue des notions concrètes qui se retrouvent un peu partout dans les cultes syncrétistes, p. ex. la doctrine d'une ascension des âmes, un thème bien connu. Il en souligne le caractère purement païen et n'oublie pas de noter que le salut de l'âme individuelle se comprend comme un élément d'un processus cosmique.

A la fin de son exposé succinct mais clair, Wendland attire l'attention sur quelques documents qui illuminent l'origine orientale du gnosticisme, c'est-à-dire les textes de Naasséniens ainsi que le Chant de la Perle.

Le temps et l'espace qui nous sont impartis ne nous permettent pas d'analyser la contribution que le grand philologue classique et historien des religions Eduard Norden a donnée aux recherches sur le gnosticisme et tout spécialement sur son origine. Il n'a pas traité cependant ce problème *expressis verbis*. Mais son attitude générale n'est pas équivoque. Nous renvoyons à ce qu'il a écrit dans son livre classique „Agnostos Theos”, p. 65 et suivantes, où il considère comme acquise l'existence d'un gnosticisme préchrétien. Il invoque

---

[1]) Voir *ouvr. cit.*, pp. 163-187.

ici surtout le corpus hermétique dont il considère prouvée par les recherches de Reitzenstein l'origine préchrétienne. C'est l'écrit „Kore Kosmou" qu'il veut tout spécialement considérer comme un témoignage. Et il définit son thème spécial, le Dieu inconnu, „l'Agnostos Theos", comme étant d'origine non hellénique. C'est le Dieu suprême du gnosticisme, — très typique d'ailleurs, comme nous le verrons plus loin —, et ce dieu est tout à fait „unhellenisch", comme il s'exprime.

4. Eugène de Faye, spécialiste français de patristique, a consacré un volume substantiel au gnosticisme chrétien: „Gnostiques et Gnosticisme" [1]).

De Faye s'oppose en tous points aux méthodes et résultats de Bousset. On peut résumer sa position principale en trois points:

1. Il a exigé une critique essentielle des sources [2]).
2. Il a exigé une analyse des systèmes et caractéristiques individuelles des gnostiques.
3. Il a affirmé que la gnose mythologique date d'une époque postérieure à celle de la gnose philosophique [3]).

Il faut accepter sans réserve les principes exprimés dans les points 1 et 2. Mais il faut noter qu'il échoue lui-même sur ces deux points quand il s'agit de donner une analyse convaincante [4]).

Plus important est le point 3. Ici l'auteur a complètement bouleversé le développement que les recherches modernes ont prouvé.

Une remarque concernant la méthode! Il est très curieux qu'on n'ait pas observé que De Faye, d'après le sous titre, se propose seulement d'étudier le gnosticisme chrétien. Néanmoins, il tire des conclusions qui concernent le gnosticisme dans sa totalité. Faute inexcusable! De Faye par exemple ne tient aucun compte du mandéisme, dont les textes les plus importants furent publiés quand la 2e édition de son livre parut. Pour cette raison entre autres le livre de De Faye ne peut contribuer à la solution de notre problème [5]).

---

[1]) La 2e éd. a paru en 1925.
[2]) P. ex. dans le cas d'Epiphane.
[3]) C'est aussi la position prise par Burkitt, *Church and Gnosis*, Cambridge 1932, ouvrage d'une médiocrité et superficialité qui étonnent chez ce grand savant.
[4]) A comparer les critiques de M. Foerster, *Von Valentin zu Herakleon*, et du P. Sagnard, *La gnose valentinienne*.
[5]) On s'étonne de lire chez M. Giversen dans son édition et traduction d'un apocryphe copte gnostique une approbation sans aucune réserve du livre publié par de Faye, voir Giversen, Apocryphon Johannis, Copenhague 1963, p. 14 et suiv.

5. Comme nous l'avons déjà indiqué, Bousset n'avait pas réussi à résoudre le problème de la signification du symbole de la perle, l'objet gagné par le Sauveur, descendu dans le monde matériel. Nous avons aussi noté que ce fut Reitzenstein qui en présenta une solution définitive. Il le fit dans son livre fondamental „Das iranische Erlösungsmysterium", paru en 1921 [1]).

L'auteur observe qu'avec le mandéisme ainsi qu'avec le manichéisme on est en présence de religions de salut où la doctrine de l'âme a un rôle central. Pour le manichéisme Reitzenstein part du texte M 7, ou „Fragment de Zarathustra". Dans ce texte Zarathustra, descendu du monde de la lumière et envoyé à son „esprit", le trouve mêlé à la matière, plongé dans un sommeil d'ivresse. Il l'éveille en récitant sur lui la formule vivifiante qui donne le salut à l'âme et l'accompagne après dans le monde supérieur.

Reitzenstein compare à ce texte un passage tiré du „Livre de Baruch" du gnostique Justin, où il est dit que Baruch, le Troisième Messager, envoyé dans le monde terrestre, réussit à libérer le *pneuma*, emprisonné dans la matière et laissé par le dieu Elohim au temps de son ascension au ciel (Hippolyte, Elenchos V 26 et suiv.) L'auteur souligne le fait que la libération de cet être divin — dieu ou âme — constitue le noyau de la religion manichéenne. Il est appelé tantôt Ōhrmazd, tantôt l'Homme Primordial, tantôt la grande âme, Manvahmēd vazurg [2]), etc. Mais puisque le macrocosme et le microcosme sont des équivalents cet être est aussi l'âme humaine individuelle.

A ce propos, Reitzenstein rappelle la description donnée par le Fihrist (ed. Flügel, p. 335) de la rencontre après la mort: la Vierge qui ressemble à l'âme du parfait va à la rencontre du défunt. L'explication en est donnée — comme il l'observe — par le Yašt 22 (le fameux Hādōxt Nask): remontant vers la divinité suprême, Ahura Mazdā, l'âme du juste défunt rencontre son Ego, la *daēnā*, symbolisé par la figure d'une belle vierge qui le conduit jusqu'aux lumières illimitées. Dans le „Fragment de Zarathustra" le personnage qui parle est donc le Sauveur, mais c'est en même temps l'âme sauvée. Les textes mandéens (du livre 2. du Ginzā de gauche) nous dépeignent la même situation: un être divin, éveillé de son sommeil dans la matière, est abordé par un messager céleste qui est venu, accompagné de deux compagnons, pour le conduire à son domicile dans les hau-

---

[1]) L'auteur en a donné un compte rendu, admirablement clair, dans *ZNW* XX/1921.
[2]) Plutôt le Grand Nous, voir plus bas p. 50.

teurs. La correspondance dans les descriptions mandéennes et manichéennes est frappante et indique une origine commune [1]).

Reitzenstein analyse ensuite quelques textes manichéens qu'il appelle un „office des morts", où il retrouve une correspondance parfaite avec „le Fragment de Zarathustra". Derrière ces textes il suppose une conception iranienne où l'âme et l'Homme Primordial sont identiques, une conception dont il avait révélé le vrai caractère dans son livre „Die Göttin Psyche" (1917), livre d'ailleurs un peu confus.

Cette âme est nécessairement l'âme du monde, mais représente en même temps l'âme individuelle. Après l'ascension de cet être la fin du monde viendra. Ici aussi Reitzenstein renvoie aux idées mandéennes correspondantes ou plutôt identiques. Le salut dépend ainsi de l'arrivée du Messager et de sa proclamation aussi bien que de son retour qui a pour conséquence la fin du monde.

Reitzenstein a combiné ces recherches sur l'office des morts — qu'il considère comme un mystère sacré — à une analyse des idées sur l'Aion. L'homme intérieur, l'esprit ou l'âme individuelle, au temps de son ascension, devra se revêtir de 12 vêtements célestes pendant une durée de 12 heures pour devenir un être divin parfait, l'Aion, dont les membres sont justement ces 12 heures avec lesquelles les 12 vêtements sont identiques, c'est-à-dire qu'on a eu de l'Aion une notion qui vise à la fois l'espace et le temps.

Cet homme intérieur qui doit devenir l'Aion n'est autre, d'après l'auteur, que l'Homme Primordial. Derrière ces idées il retrouve le Zervanisme iranien.

La notion centrale dans le gnosticisme est donc pour Reitzenstein l'idée d'un „Sauveur sauvé". Le Messager — l'Homme Primordial qui descend dans la matière pour libérer l'âme collective est en fin de compte l'âme collective qui se sauve elle-même parce que l'Homme Primordial englobe en lui toutes les âmes individuelles.

Reitzenstein a supposé derrière M 7 une tradition iranienne attachée au prophète Zarathustra et comme telle indépendante du manichéisme. Que cette hypothèse soit fausse tout le monde le pense aujourd'hui. Le „Fragment de Zarathustra" n'est rien d'autre qu'un texte manichéen dont on ne peut supposer qu'il ait comme base un texte authentiquement iranien [2]). Mais on ne peut nier que Reitzenstein ait vu juste

---

[1]) Les deux compagnons, le vêtement, la couronne, *zākūṭā* la „justice".
[2]) Voir en dernier lieu MARY BOYCE, *The Manichaean Hymn-Cycles in Parthian*, Oxford 1954, p. 1 n. 6 et les références.

quand il a considéré la notion centrale du „Sauveur Sauvé" comme
une conception nettement iranienne. Cette idée est tout-à-fait conforme à la spéculation du macrocosme-microcosme qui est si caractéristique de la religion indo-iranienne.

Après la mort prématurée de Bousset en 1920, Reitzenstein a avant
tout collaboré avec les orientalistes Mark Lidzbarski, Andreas et
F. W. K. Müller, et plus tard avec H. H. Schaeder, collaboration qui,
dans ce dernier cas, devait finir sur une rupture définitive.

Or, ces savants, Schaeder excepté, n'ont pas énoncé d'opinion sur
l'origine des idées gnostiques contenues dans les textes mandéens et
manichéens auxquels ils se sont intéressés, sauf Lidzbarski, toutefois,
qui a défendu très énergiquement l'origine préchrétienne des Mandéens en les situant dans un milieu occidental [1]).

6. Déjà avant que cette discussion ait lieu M. Bultmann avait
montré l'importance des nouveaux textes pour l'exégèse du Nouveau
Testament et tout spécialement l'exégèse du 4 ème évangile. Prenant
son point de départ dans les travaux publiés par Bousset et Reitzenstein
et dans les traductions des textes mandéens de Lidzbarski, il souligne
le fait que derrière la conception johannique de Jésus comme Messager
céleste, descendu pour donner la révélation aux hommes, se cache le
mythe gnostique d'origine iranienne, analysé surtout par Reitzenstein.
M. Bultmann souligne le fait que, même si les textes qui attestent ce
mythe sont plus récents que le 4 ème évangile, le mythe en soi est
néanmoins beaucoup plus ancien que l'évangile chrétien [2]). L'évangile
a utilisé un mythe — mais seulement en partie — et pour cette raison le
mythe reste originel en comparaison avec le 4 ème évangile. Il trouve
dans le mandéisme l'arrière-plan de la conception johannique et, tout
en donnant son adhésion aux théories de Reitzenstein et de Lidzbarski
sur l'origine du mouvement mandéen, il explique la religion mandéenne comme un mouvement baptiste de caractère gnostique — qui constitue un phénomène parallèle au christianisme et qui a pris naissance —
comme l'a fait le christianisme — dans un milieu juif [3]).

M. Bultmann se trouve ici en opposition à Gressmann, qui avait
contesté certaines conclusions de Reitzenstein — en partie de bon
droit — mais s'était mépris sur la relation entre liturgie et conte, ce
qui n'est pas sans importance pour le problème qui nous occupe, en

---

[1]) Voir *ZNW* XXVII/1928, pp. 321-327.
[2]) A comparer *ZNW* XXIV/1925, p. 139 et suiv.
[3]) Voir *ZNW* XXV/1925, p. 142 et suiv.

raison de la position centrale qu'occupe le Chant de la Perle dans le type iranien du gnosticisme [1]).

Comme nous l'avons indiqué dans notre introduction, certains élèves de M. Bultmann (qui comptent parmi les plus remarquables spécialistes de l'exégèse du Nouveau Testament), inspirés par leur maître, se sont occupés de la relation du gnosticisme avec le christianisme. De ce fait ils se sont prononcés sur le problème de l'origine du gnosticisme — soit d'une façon directe soit indirectement. Signalons ici les travaux de MM. Schlier, Käsemann, Bornkamm et Vielhauer. Pour le problème qui nous concerne ici l'article important de M. Schlier sur le problème mandéen tel qu'il se présentait il y a 30 ans, nous donne un aperçu sur ses vues quant à l'origine de la gnose mandéenne [2]).

7. M. Hans Jonas — qui a publié la première édition de son célèbre ouvrage, ,,Gnosis und spätantiker Geist" en 1934 [3]) — est aussi un élève de Bultmann, en tant qu'historien des religions.

M. Jonas a été qualifié de champion de la théorie de l'origine iranienne du gnosticisme [4]). Cela n'est pas exact, comme nous le verrons dans ce qui suit.

Pour comprendre la position de Jonas il faut se rappeler la situation quand il a publié son travail. En effet le livre de Bousset constituait une réaction contre les vues de Harnack qui avait caractérisé le gnosticisme comme ,,eine akute Hellenisierung des Christentums". Contre Harnack Bousset a souligné deux faits:

1. Le gnosticisme est un phénomène surtout préchrétien et non-chrétien qui a englobé aussi le christianisme.

2. Le gnosticisme est en général un mouvement religieux oriental, inspiré de la religion iranienne.

Les livres de Reitzenstein, en suivant les voies ouvertes par Bousset, ont provoqué une réaction analogue. Schaeder, ancien collaborateur de Reitzenstein, qui avait publié avec lui les ,,Studien zum antiken Synkretismus aus Iran und Griechenland" (1926) où il avait donné entre autres choses un article sur l'Homme Primordial dans le Manichéisme et son arrière-plan iranien [5]), s'était tourné contre Reitzenstein

---

[1]) A comparer REITZENSTEIN, *Das iranische Erlösungsmysterium*, pp. 251-268
[2]) Voir *ThR* NF 5/1933, p. 1-34; 69-92 ,,Zur Mandäerfrage".
[3]) Voir aussi JONAS, *The Gnostic Religion* (plusieurs éditions).
[4]) Voir SCHOEPS, *Urgemeinde, Judenchristentum, Gnosis*, Tübingen 1956, p. 31.
[5]) Voir *Studien zum antiken Synkretismus*, p. 240-305.

et, dans sa monographie substantielle „Urform und Fortbildungen des manichäischen Systems" (1928) et son article-programme „Der Orient und das griechische Erbe" (1928)[1]), il avait soutenu la thèse qui voit dans le gnosticisme la combinaison de deux traditions dont l'une en a essentiellement fourni la substance et dont l'autre en a donné la forme: les religions orientales et la pensée grecque [2]).

Le caractère insoutenable de cette position a été démontré par M. Jonas [3]) dont nous essayons maintenant d'indiquer les thèses principales. Quant à sa position générale, l'auteur lui-même se place dans la tradition de Bousset et Reitzenstein. Il appartient sans aucun doute à l'école de l'Histoire des Religions [4]).

Jonas critique Schaeder qui, d'après lui, n'a pas suffisamment prêté attention au contenu et au caractère du gnosticisme. On ne saurait nier qu'après cette critique on s'attend à ce que l'auteur concentre son effort sur le contenu des divers systèmes gnostiques, lorsqu'il s'agit de résoudre le problème de l'origine du gnosticisme. Cela ne se produit qu'en partie. Jonas, au contraire, part de ce qu'il appelle „das Prinzip der Konstruktion" (p. 329) [5]) ou le nouveau principe spirituel (p. 131), qu'il trouve dans le type gnostique syro-égyptien, auquel il rattache la plupart de la gnose chrétienne, telle qu'elle est décrite dans la littérature hérésiologique, la tradition copte telle qu'on pouvait la connaître avant les découvertes de Nag-Hamâdi, le traité du Poimandres et les gnostiques combattus par Plotin.

Le type iranien en revanche, avec ses deux pôles contraires, est d'après l'auteur le résultat de la transformation – par le moyen du principe gnostique – d'un schéma déjà existant.

Le problème évidemment se pose de savoir comment trouver ce principe gnostique de construction.

M. Jonas parle d'une attitude du gnosticisme comme constituant un facteur nouveau et radicalement décisif (p. 140 et suiv.).

Le *kosmos* considéré comme le mal duquel il faut se libérer, Dieu est celui qui sauve les hommes du *kosmos*. La relation entre Dieu et le

---

[1]) Voir *Die Antike* IV/1928, pp. 248 et suiv.
[2]) Voir *Urform und Fortbildungen*, p. 121.
[3]) Voir *ouvr. cit.*, p. 53 et suiv.
[4]) Voir *Gnosis und spätantiker Geist*, p. 24 n. 1, „Man wird bemerkt haben, dass nur Vertreter der 'orientalisierenden Gruppe der Forschung' zitiert werden. Nach allem Vorangegangenen braucht kaum noch gesagt zu werden, dass sich der Verf. durchaus diesem Lager zugehörig fühlt und eben deswegen in ihm den Ort der relevantesten Auseinandersetzung gegeben sieht".
[5]) A comparer p. 140 „le principe constructif".

kosmos s'articule en des antithèses cosmologiques (p. 146) et psychologiques:

Lumière — Ténèbres

Pneuma — Psyche

Jonas souligne la structure dualiste dans le schéma:

Dieu — Kosmos

Pneuma — Psyche

Kosmos — Psyche — Pneuma — Dieu ne sont pas une série ascendante mais constituent deux couples opposés. Relevons aussi une autre opposition importante:

Vie — Mort

Le monde terrestre possède *son* prince, *son* dieu. Les ténèbres sont une substance réelle, la Mort en constitue la puissance. La réalité du monde en soi est intégrée en une polarité à cause de laquelle le monde devient ce qu'il est du point de vue gnostique: un pôle contraire à Dieu (p. 150).

Le souverain du monde devient ainsi l'opposé de Dieu — le Diable. Entre ces deux pôles il existe toujours une tension.

La notion gnostique de Dieu est définie de plus près comme une négation absolue du monde: Dieu est une négation du tout qui est contenu dans l'idée d'un *monde*.

Pour le sentiment antique cette conception du monde est ressentie comme un blasphème, ce qui est confirmé par le traité de Plotin contre les gnostiques (Ennéades II 9). Pour le problème de l'origine du gnosticisme ce fait est essentiel. Un penseur comme Plotin, dont le système à maints égards est tout proche du gnosticisme à cause de son héritage platonicien, ne peut accepter cette attitude fondamentale du gnosticisme. Cette circonstance montre la résistance de l'esprit grec à la conception gnostique de Kosmos. Pour cette raison — c'est ce que nous pouvons déjà faire observer maintenant — il est impossible de supposer que l'origine du gnosticisme soit à rechercher dans la spéculation platonicienne.

Il est aussi d'une importance décisive pour notre thème que l'église chrétienne élève la même protestation contre la conception gnostique de l'univers, par exemple Irénée, Adv. haeres. II 3.2. Il est impossible pour cela de faire dériver le gnosticisme de l'église chrétienne.

D'une grande importance est également la conception gnostique de la Heimarmenē, qui suppose que le gnosticisme a pris possession des éléments divers de la religion astrale, surtout des planètes dans leur rôle de souverains de l'univers, en même temps qu'il suppose l'idée d'une régularité stricte de l'histoire cosmique tout en fournissant à ces souverains planétaires des signes de sens contraire. De plus, comme l'observe Jonas, le gnosticisme a eu tendance à concentrer et à condenser les dieux planétaires en une seule figure, le Démiurge, le créateur et dieu de ce monde-ci. Cette figure, le Démiurge, correspond cependant aussi — en dehors de sa qualité astrale — à l'être du monde en tant que séparé de l'être du Dieu suprême élevé sur le monde. Il faut noter que le Démiurge ne coïncide pas avec la polarité de Dieu que nous avons déjà mentionnée. Le Démiurge n'est pas identique au Diable: sa figure provient d'autres milieux: la doctrine platonicienne ainsi que celle de la religion juive sur la création (p. 167).

Ajoutons ici l'observation que le Démiurge par conséquent représente un affaiblissement du dualisme strict. Jonas veut définir (p. 261) „la tension et polarité" comme le dynamisme nécessaire dans la conception gnostique de l'existence. Et pourtant il soutient l'opinion que le type iranien du gnosticisme fut seulement *adapté* comme gnostique: „von denen der iranische . . . gnostisch erst adaptiert wurde und daneben ja hauptsächlich aussergnostisch weiterbestand" (p. 329).

L'auteur affirme donc que le type iranien du gnostisme „anderwärts vorgegeben" a existé à côté du gnosticisme, mais „hauptsächlich aussergnostisch".

Cette affirmation implique que le type iranien a existé comme tel avant de recevoir une adaptation gnostique et qu'il a continué son existence en dehors du gnosticisme *après* avoir été adapté à celui-ci. Ainsi ce type exista avant d'être gnostique et continua son existence comme phénomène extragnostique après être devenu gnostique.

Mon but ici n'est pas de discuter mais de noter seulement la contradiction logique: un type gnostique existe en tant que type avant d'être gnostique. Ce qui nous intéresse ici c'est plutôt l'intention de l'auteur. A notre avis l'observation fondamentale de M. Jonas est juste, plus juste qu'il ne l'avait soupçonné.

M. Jonas, qui voit ainsi dans le type syro-égyptien, tel qu'il apparaît plus clairement dans le valentinianisme, l'idée générale exprimée de la façon la plus claire, s'oppose à l'opinion qui affirme que la théorie émanatiste propre au type syro-égyptien pourrait constituer un essai visant à surmonter dans l'esprit du monisme grec le schéma strictement dualiste. Jonas pense au contraire que „le principe de faute et de chute" dans les systèmes émanatistes développe la forme la plus caractéristique et indépendante du dualisme gnostique.

L'auteur nous doit toutefois la démonstration de la vérité de sa thèse. Cependant il paraît que la formule un peu vague „d'un principe de la spéculation" a en vue justement „le principe de faute et chute". La conséquence en est que Plotin est rangé par Jonas parmi les systèmes gnostiques (p. 375).

Tout d'abord on peut soumettre cette hypothèse à une critique immanente et commencer avec la notion de Kosmos. L'analyse de l'attitude du gnostique au Kosmos que donne Jonas est excellente — on trouve ici dans le gnosticisme quelque chose de radicalement nouveau. Le Kosmos est le principe du monde qui est l'ennemi de Dieu. Jonas lui-même observe (p. 154) que Plotin attaque avec indignation les blasphèmes gnostiques sur le Kosmos, qui montrent le Créateur comme mauvais. Malgré cela Jonas range Plotin parmi les gnostiques, ce qui est évidemment une contradiction: si l'idée du Kosmos comme une entité mauvaise est une caractéristique du gnosticisme, Plotin qui juge alors le Kosmos bon ne peut être un gnostique. Mais incontestablement l'analyse de l'idée gnostique de Kosmos est juste — et pour cette raison Plotin n'est pas à classer comme un gnostique.

De là certaines conclusions pour l'analyse du type syro-égyptien. Plotin explique le développement du monde par la supposition d'un système d'émanations tout en considérant le Kosmos comme bon. Le type syro-égyptien gnostique explique le dévoloppement du monde par la supposition d'un système d'émanations tout en considérant le Kosmos comme mauvais [1]).

Il faut donc trouver la raison pour laquelle ce type gnostique considère le Kosmos comme mauvais. Or, la raison provient évidemment de la polarité dualiste, telle qu'elle a été analysée par Jonas.

Jonas lui-même souligne (p. 261) la tension dualiste, la polarité, et la dynamique qui en résulte pour l'image gnostique de l'être. La conséquence doit être que *plus* le dualisme est conséquent, *plus* le gnosticisme est originel et pur, car *plus* grande est la polarité entre Dieu et Monde: polarité qui est bien une caractéristique du gnosticisme, comme le souligne Jonas.

Où trouve-t-on ce dualisme conséquent? C'est justement dans le type iranien! C'est ce type qui seul répond d'une façon satisfaisante à

---

[1]) Il en est ainsi même dans la gnose valentinienne pour le **Kosmokrator**.

la question suivante: *pourquoi* le Kosmos constitue-t-il *le Mal* par excellence? Le Kosmos est mauvais en tant que créé par le Mal, c'est -à-dire par le mauvais principe du monde, l'ennemi de Dieu, qu'il soit appelé Diable, Kosmokrator, le Prince de ce Monde-ci, ou de tout autre nom.

Une critique immanente des positions de Jonas nous renvoie ainsi à l'interprétation, donnée déjà par le grand F. C. Baur, que la gnose valentinienne, donc le type syro-égyptien, n'est qu'une interprétation platonicienne du gnosticisme. Le système valentinien, comme le type syro-égyptien en général, est donc un essai de ,,ponter'' pour relier par une serie d'émanations les deux pôles opposés.

Le type iranien au contraire représente la gnose pure et en montre les motifs essentiels.

8. 1. Il faut maintenant considérer de plus près les problèmes dont l'école appelée ,,Religionsgeschichtlich'' s'est occupée et auxquels les recherches plus modernes, orientées dans la même direction, ont consacré beaucoup de temps.

Ces problèmes peuvent être classés sous deux rubriques:

I: le complexe phénoménologique.

II: le complexe historique.

Dans le complexe phénoménologique on peut avant tout énumérer les problèmes suivants:

1. Le dualisme et la conception du monde.
2. Le Sauveur — Homme Primordial — Messager
3. Le Sauveur-Sauvé
4. L'ascension au ciel

Quant au complexe historique nous ne mentionnons que quatre problèmes:

1. Le Chant de la Perle, arrière-plan et date
2. Les textes mandéens, origine et date
3. Les textes de Qumran
4. Les textes de Nag Hammadi, l'influence juive et le gnosticisme.

Le dualisme, comme nous l'avons vu, est la marque distinctive du gnosticisme. Le gnosticisme fait toujours preuve d'une attitude très particulière à l'endroit du monde visible, qu'il considère comme entièrement mauvais, sauf en ce qui concerne les éléments.

Dans l'histoire des religions, c'est dans les religions indo-iraniennes que l'on trouve une pareille attitude.

Dans l'Inde les Upanishads témoignent d'une attitude très pessimiste envers le monde des phénomènes. On y trouve ce monde-ci en opposition avec le monde céleste. Il existe toute une série d'antithèses entre les deux mondes, antithèses qu'on peut formuler ainsi:

Vie — Mort
Lumière — Ténèbres
Existence — Non Existence
Le Bien — Le Mal

L'âme de l'homme est emprisonnée dans ce monde-ci, mais, étant une part de l'âme universelle, elle sera libérée, sauvée, et se rendra dans le monde supérieur. L'âme individuelle, *ātman*, est, au fond, identique à l'âme cosmique, *mahātman*. „Ātman se repose dans mon Ātman". *L'ātman* est incorporel et immortel, mais enchaîné dans le corps qui est voué au désir, à la douleur et à la mort.

Dans les Upanishads le moyen de libération de *l'ātman* c'est le chemin de connaissance, disons simplement la gnose, *jñāna-mārga*. Le mot *jñāna* est d'ailleurs un dérivé de la même racine de *gnosis*, *jñā*: *gnō-*; il y a là une correspondance qui n'est pas seulement étymologique.

Ce qui manque, cependant, c'est une polarité personnelle de Brahman, l'être suprême, ce qui s'explique par le fait que Brahman lui-même est plutôt un principe qu'une personne. Le Mal c'est d'être attaché au monde visible, au monde des phénomènes. On ne se trouve pas dans ce monde-ci sous la domination tyrannique d'un être mauvais qui soit le souverain du monde temporel.

Dans la religion iranienne la conception dualiste, on le sait, a abouti à une polarité stricte entre le bon Ahura Mazdā (> Ōhrmazd) soit le mauvais Ahra Mainyu (> Ahriman).

Nous trouvons dans les Gathas, les poèmes de Zarathustra, toute une série de polarités qui sont les expressions du dualisme iranien. Ahura Mazdā et Ahra Mainyu sont engagés dans une lutte acharnée. La lumière fait la guerre contre les ténèbres, le bon contre le mauvais, la vie se trouve en opposition avec la mort, la vérité avec le mensonge. Mais nous trouvons dans le Zoroastrisme aussi une polarité céleste — terrestre, *mēnōk-gētīk*. Ce monde-ci est un mélange de bon et de mauvais, un *gumēčišn*. Cependant, la polarité céleste—terrestre ne coïncide pas avec les autres polarités, car *le mēnōk* est déjà un mélange de bon et de mauvais. Néanmoins, il y a des affirmations où l'on sent une opposition entre le monde terrestre et le monde céleste comme identique à la polarité bon — mauvais. Le catéchisme pahlavi Pandnāmak i Zartušt § 3 pose également les questions suivantes:

Qui suis-je?
A qui est-ce que j'appartiens?
D'où suis-je venu?
Où dois-je retourner?

A ces questions le paragraphe 5 répond de la façon suivante:

Je suis venu du *mēnōk*,
Je n'ai pas reçu une existence du *gētīk*.
J'appartiens à Ōhrmazd, non à Ahriman,
aux anges, non aux démons,
aux bons, non aux mauvais.

L'homme va revenir au paradis, au Garōtmān, s'il veut pratiquer la vertu, voilà ce que le paragraphe 31 explique. C'est là qu'il va recevoir „le corps futur", *tan i pasēn*, qui est immortel. Ici, cependant, c'est l'âme qui va être sauvée, sauvée de l'enfer pour gagner le paradis. Mais il faut souligner que la libération de l'âme dans le zoroastrisme n'implique pas que ce monde terrestre soit considéré comme quelque chose de mauvais. Le zoroastrisme garde toujours une vue optimiste de l'existence terrestre.

Or, dans les textes zervanites une tout autre attitude se présente.

Dans la religion zervanite, c'est Ahriman qui est le souverain de ce monde-ci. Ōhrmazd n'en est pas le roi, mais Ahriman, qui a créé toute une série de fléaux pour maltraiter les hommes.

Mais il y a plus. Nous rencontrons une antipathie marquée contre le sexe féminin, qui pour le zervanisme n'est en rien le beau sexe. La procréation est aussi condamnée. A cet égard les textes sont assez explicites.

Il y a avant tout deux groupes de textes, un groupe parlant du désir sexuel des femmes à l'aide duquel elles corrompent l'Homme Juste, et un autre groupe diffamant le sexe féminin en disant qu'il est en effet représenté par l'être démoniaque Jēh, personification de la prostituée, et prototype, pour ainsi dire, de la femme dissolue. Ces deux groupes appartiennent au mouvement zervanite.

Deux textes sont d'une importance capitale dans le premier groupe, l'un d'eux étant le chapitre IV du Grand Bundahišn et l'autre un texte syriaque, tiré du Livre des Scholies de Théodore bar Kōnai. Ces deux textes ont été analysés d'une façon excellente par E. Benveniste il y a presque 35 ans [1]). Les deux textes se complètent tout en montrant des variantes intéressantes.

„Ōhrmazd quand il créa la femme lui dit: 'Je t'ai créée, toi, dont l'adversaire est la catégorie des prostituées et tu as été créée avec ton postérieur et ta bouche tout proches, toi pour qui la cohabitation apparaît comme le goût de la nourriture la plus douce à la bouche. Toi, qui m'es une aide, de laquelle l'homme est né, tu m'affliges cependant, moi, qui suis Ōhrmazd. Au contraire, si j'avais trouvé un vase me permettant de créer l'homme, jamais je ne t'aurais créée, toi, qui as comme adversaire la catégorie de prostituées. Mais j'ai cherché dans l'eau, la terre, les plantes et le bétail, les montagnes les plus hautes et les profondes demeures. Je n'ai pas trouvé de vase duquel l'Homme Juste puisse tirer son origine sauf la femme dont la prostituée est l'adversaire."

Bundahišn 107:14 — Zaehner, *ZZZ* p. 188 (trad.), 195 (texte) [2]).

Comme Zaehner l'a justement observé, ce passage doit être considéré comme zervanite [3]).

Un fait est d'une importance capitale: *Le Mauvais Esprit et ses démons sont rendus impuissants à cause de „L'Homme Juste".*

Il faut noter que „l'Homme Juste" n'est qu'un autre nom de l'Homme Primitif, Gayōmart, ce qui est évident de Bundahišn Chap. I § 42 comparé au § 50. Au § 42 l'Homme Primitif est appelé *mart i ahrav*, mais au § 50 Gayōmart. l'Homme Primitif est donc „l'Homme Juste". Cela veut dire que l'Homme Primordial est exposé aux attaques des femmes [4]).

C'est donc *l'Homme Primordial* qui, en quelque sorte, *vainc le Mauvais Esprit*.

L'Homme Primordial joue là le rôle *d'un Sauveur de l'humanité* [5]). Mais en même temps il est exposé aux attaques du Principe Mauvais.

---

[1]) A comparer *MO* XXVI-XXVII/1932-33, pp. 170-215.

[2]) A comparer aussi ZAEHNER, *ZZZ*, pp. 183 et suiv. Il y a aussi un troisième texte, Zātspr. §§ 30-31, suiv., ZAEHNER, p. 345, 350 et suiv.

[3]) p. 188. Mieux, une partie avestique se trouve à la base de ce texte, comme je veux démontrer très prochainement dans la Festschrift Scholem.

[4]) A comparer Bdhn éd. A. p. 21: 4-6, ZAEHNER, *ZZZ*. p 283 (trad p. 318) et Bdhn éd. A. p. 17: 11-13, ZAEHNER, *ZZZ*, p. 284 (trad. p. 319). Le passage § 42: *šašom mart i ahrav dāt*, „en sixième lieu il créa l'Homme Juste", § 50: „en sixième lieu il créa GAYŌMART", *6-om Gayōmart brihēnīt*; à comparer aussi ZAEHNER, p. 185.

[5]) Il faut noter l'expression suivante, employée dans le texte Bdhn éd. A, p. 17: 11-13: *šašom mart i ahrav dāt ō zatārih ut akāsīh i gannāk mēnōk hamist dēvān*. L'Homme Juste est donc créé pour combattre le Mauvais Esprit et le rendre impuissant (avec les démons).

La tradition pehlevie raconte comment Gayōmart est tué par Ahriman [1]).

2. Le complexe des problèmes ayant trait à la figure du Sauveur qui est en même temps l'Homme Primordial et le Messager, apportant la révélation aux hommes, englobe des problèmes qui sont parmi les plus difficiles du domaine phénoménologique [2]).

Les faits iraniens sont d'une importance capitale, mais malheureusement ils se situent sur des plans différents, ce qui implique un caractère un peu fragmentaire de notre dossier iranien, et s'explique par la nature fragmentaire des textes zervanites [3]).

Au centre des traditions qui en relèvent se trouve la figure de l'Homme Primordial, qui reçoit d'habitude dans la littérature zoroastrienne le nom de *Gayōmart*, forme savante pehlevie du nom avestique *Gayōmarta* [4]). Cependant nous rencontrons aussi une figure appelée l'Homme Juste.

Le fait le plus important est certainement que le Mauvais Esprit et ses démons soient rendus impuissants à cause de cet „Homme Juste" [5]).

Derrière l'expression „l'Homme Juste", *mart i ahrav*, nous devons voir le terme *gayō martā ašaya*, terme trouvé en Y. 13:7; (23:2; 26:5); Yt. 13 : 87. Pourtant on s'attendrait comme équivalent pehlevi *Gayōmart i ahrav*, et il est curieux que nous ne trouvions que le seul *mart* au lieu de Gayōmart. On sait cependant qu'il y a dans le Bundahišn un syncrétisme frappant, qui constitue un héritage d'une époque antérieure [6]).

Le résultat de la lutte de l'Homme Primitif contre Ahriman et ses démons est en fin de compte malheureux pour Gayōmart, qui succombe aux attaques. Gayōmart meurt, mais Ōhrmazd, le Dieu bon, sauve sa substance lumineuse et la confie au soleil [7]).

---

[1]) Voir *Bundahišn* VI, texte et trad. chez SCHAEDER, *Studien zum antiken Synkretismus aus Iran und Griechenland*, Leipzig-Berlin 1926, pp. 221-223; ZAEHNER, *ZZZ*, p. 247 (en partie); WIDENGREN, *Iranische Geisteswelt*, Baden-Baden 1961, p. 74 et suiv. (traduction allemande).

[2]) Pour le Messager voir WIDENGREN, *The Great Vohu Manah*, Uppsala 1945, où la relation Messager — Homme Primordial n'est pas cependant traitée.

[3]) Il ne faut pas oublier que les textes zervanites ont été modifiés, épurés, ou bien éliminés de l'Avesta sassanide, à comparer WIDENGREN, *Die Religionen Irans*, Stuttgart 1965, p. 255 et suiv., 258, 268, 293.

[4]) A comparer, en général, S. HARTMAN, *Gayōmart*, Upsal 1953.

[5]) Voir *Bundahišn* I § 42, cité ci-dessus.

[6]) A comparer HARTMAN, *ouvr. cité.*, p. 32 et suiv.

[7]) A comparer Bdhn éd. A., p. 100: 14 et suiv.: *hān tōhm pat rōšnīh i xvaršēt bē pārūt hēnd*, voir HARTMAN, *ouvr. cité*, p. 55. C'est le sperme donc, qui est sauvé, mais le sperme est conçu comme une substance lumineuse.

3. Dans le Manichéisme le Sauveur est en effet une série d'incarnations de l'Homme Primitif; en principe, trois: l'Homme Primordial, l'Esprit Vivant, et le Troisième Messager — pour employer les appellations connues par la tradition syriaque [1]).

La tradition iranienne du manichéisme pour ces trois incarnations se sert des noms d'Ōhrmizd, de Mihr, et de Narisah-Narisaf.

Or la figure de Narisah-Narisaf nous intéresse tout spécialement, parce que nous l'avons trouvée, dans les textes zervanites, en tant qu'objet du désir sexuel des femmes [2]).

Ce Narisah-Narisaf dans les textes manichéens est *frēstag-frēštag*, le Messager, comme son équivalent Nēryōsang (< Nairya Saha > Narisah ~ Narisaf) dans les textes zoroastriens est *ašta*, le Messager d'Ahura Mazdā (*frēštag < fra+išta+ka*), Vd. 19:34. D'ailleurs Nēryōsang est toujours le Messager d'Ahura Mazdā et des dieux [3]). Il reçoit deux tiers de la semence de Gayōmart (Bdhn, p. 100:15) et pour cette raison il existe évidemment une relation étroite entre l'Homme Primitif Gayōmart et le Messager Nēryōsang. On pourrait même supposer une espèce d'incarnation chez Nēryōsang — mais il va de soi qu'une telle supposition reste incertaine. Le mythe zervanite où figure Narse (= Nēryōsang) implique qu'il contribue effectivement à la défaite des puissances mauvaises (représentées par les femmes). La relation entre Nēryōsang-Narse dans les textes zoroastriens-zervanites et Narisah-Narisaf dans les textes manichéens a déjà été observée par divers auteurs [4]).

Nous concluons donc que la figure du Troisième Messager dans le Manichéisme est, au fond, la même que celle du dieu Nēryōsang, où les textes zervanites n'attestent que très faiblement l'incarnation de l'Homme Primitif.

Une autre figure divine de la littérature zoroastrienne, qui appelle la comparaison avec certains êtres divins dans le Manichéisme, est bien Airyaman, qui figure dans les textes manichéens comme Išō 'Aryaman [5]).

---

[1]) Voir PUECH, *Le manichéisme*, Paris 1949, p. 76 et suiv., 79 et WIDENGREN, *Mani und der Manichäismus*, Stuttgart 1961, p. 53, 55, 59.

[2]) Voir ZAEHNER, *ZZZ*, pp. 183-192.

[3]) Voir Vd. 19:34. M. ZAEHNER, *ZZZ*, p. 186 n. 6 renvoie aussi au *Bundahišn*, ed. A., p. 177:8.

[4]) A comparer p. ex. ZAEHNER, *ZZZ*, p. 186 et HARTMAN, *ouvr. cité*, p. 64 M. HARTMAN, à juste titre, souligne le fait que dans le manichéisme Narisah est un sauveur des éléments de lumière, comme Nēryosang dans le mazdéisme sauve le sperme de Gayōmart.

[5]) Voir *MirM* II, p. 34 [325], M 36 V 7; W.L. I, p. 38. Dans le texte M 324 on s'adresse seulement à *aryāmān*.

Airyaman se trouve aussi dans les textes zervanites (Zātspram XXXIV 17, 38, 48). [1]) Dans cette littérature il est également un Messager, *frēstak*. Il est le compagnon, *parvānak*, du sauveur eschatologique, Sōšyans (§ 48), il apporte la consommation du monde (§ 48), étant le *spurrgar*. En effet, il met en scène la fin du monde en exécutant la résurrection, car il apporte les 5 éléments de Gayōmart et de Mišyē et Mišyānē (§ 17). Il est engagé dans le combat contre la puissance mauvaise Āz, l'aide d'Ahriman (§ 38).

Or, le dieu Airyaman représente la société iranienne ainsi que la communauté religieuse zoroastrienne [2]). En descendant comme Messager, *frēstāk*, sur la terre, pour ressusciter Gayōmart et pour apporter la fin du monde il est donc le représentant de la communauté iranienne, qui va resusciter l'Homme Primordial, le représentant de l'humanité iranienne.

Quant à Gayōmart lui-même il est plutôt une figure passive, mais il existe des indices qui montrent que Gayōmart a joué aussi un rôle plus actif. Dans le récit du Bundahišn, on trouve une expression curieuse: „Et ceci fut le premier combat que fit Gayōmart contre Gannāk Mēnōk". Comme on l'a justement observé „le texte n'a pas auparavant décrit de lutte; Gayōmart ə été tué pər Gannāk Mēnōk sans sɛ défendre, c'est à dire sans combat. De plus, l'expression: le *premier* combat que fit Gayōmart présuppose que Gayōmart a survécu à ce combat — mais ce n'est pas le cas dans le texte — et qu'il a au moins livré un combat, un combat ultérieur, contre Gannāk Mēnōk — mais cela ne se produit pas non plus dans le texte, car il y trouve la mort [3]).

Il est évident que Gayōmart a joué un rôle plus considérable dans le

---

[1]) Voir ZAEHNER, *ZZZ*, pp. 344, 346 et suiv. A comparer mes remarques sur les textes zervanites dans le volume jubilaire publié par le Cama Oriental Institute, où j'ai proposé quelques corrections dans les traductions de M. ZAEHNER. J'ai indiqué dans la Festschrift W. EILERS, où j'ai essayé de reconstruire la partie avestique qui se trouve à la base du premier chapitre du Bundahisn et de Zātspram la raison pour laquelle j'ai utilisé certains textes pehlevis. Dans le même article j'ai aussi examiné les critères grâce auxquels on peut établir l'origine avestique d'un texte pehlevi zoroastrien. Au cours de notre colloque à Messine j'ai résumé brièvement l'essentiel de ma contribution à la Festschrift EILERS, parce que de tels principes sont évidemment restés inconnus en dehors du petit cercle des pahlavisants. [Voir, dans ce volume, p. 263].

[2]) Sur les différents aspects du dieu *Airyaman* voir NYBERG, *Die Religionen Irans*, Leipzig 1938, p. 90, 271, et surtout le livre de DUMÉZIL, *Le troisième Souverain*, Paris 1949 (à comparer le résumé dans *Les dieux des Indo-Européens*, Paris 1952, pp. 49-52). Un fait important est à noter: *Aryaman,* dans l'épopée indienne, représente des ancêtres morts, il est leur roi, p. 51.

[3]) HARTMAN, *ouvr. cité*, p. 33.

combat contre le Mauvais Esprit qu'on ne peut le deviner en lisant les textes tels qu'ils sont conservés aujourd'hui. Somme toute, l'Homme Primitif est un Sauveur, qui lutte contre le Prince de ce monde-ci, qui apporte en tant que Messager la révélation céleste, et qui joue un rôle eschatologique. Mais cette activité se trouve un peu dispersée sur divers personnages: Gayōmart, Narse et Aryaman. La tradition zoroastrienne a perdu beaucoup.

3. 4. L'idée de „Sauveur Sauvé", comme nous l'avons vu, a été caractérisée comme le dogme central du gnosticisme. L'examen critique de l'analyse des textes fait par l'Ecole de l'Histoire des Religions et surtout par Reitzenstein a été entrepris. Cependant cet essai n'est pas encore très avancé et la première partie qui en a été publiée n'inspire pas toujours la confiance nécessaire [1]).

Ce dogme central est intimement lié à une autre conception importante, l'idée d'une ascension du Sauveur au ciel — l'Âme collective ainsi que l'âme individuelle, conformément à la correspondance de l'âme collective et de l'âme individuelle. Cette conception d'une ascension du Sauveur-Sauvé, étant, en fait, le retour de l'âme collective à son origine céleste, se trouve dans toute une série de documents gnostiques. Pour l'arrière-plan iranien le poème eschatologique Hādōxt Nask, appelé aussi le 22. Yašt, est d'une importance capitale. Il faut donc résumer en quelques mots ce qu'on peut dire actuellement de ce texte avestique [2]).

Tout d'abord il n'est pas besoin de dire qu'il s'agit d'un texte très ancien possédant une très bonne tradition textuelle et une langue absolument correcte [3]). La forme en est métrique et montre des concordances avec l'office des morts Aogemadaēčā et certains Yašts, mais surtout avec le Vendidad. La description de la *daēnā* a une grande ressemblance avec celle de la déesse Anāhitā dans le Yašt 5. L'ascension de l'âme telle que le Hādōxt Nask la donne a beaucoup de rapports avec Vd. 19:27-32, mais n'est pas sans ressemblance avec Y. 49:11.

---

[1]) Voir Colpe, *Die religionsgeschichtliche Schule*, Goettingue 1961, I, et mon compte rendu (qui est aussi une contribution indépendante au problème, qui sera mise à profit dans ce qui suit) *OLZ* 1963, col. 533-548.

[2]) Voir Widengren, *OLZ* 1963, col. 533-548, „Die Religionsgeschichtliche Schüle und der iranische Erlösungsglaube". Je résume ici ce que j'ai dit col. 539-544 dans une forme plus technique.

[3]) M. Colpe, sur la base de références linguistiques pas toujours suffisantes, a voulu contester ces deux faits essentiels. On lira avec quelque profit les remarques données *OLZ* 1963, col. 539, 543, surtout col. 539 avec la note 1, ainsi que col. 540 sur *avavaṭ šātōiš* et col. 543 sur *kaθa tē darǝγǝm ušta abavat.*

La ressemblance linguistique avec le Vendidad, qui est en effet très remarquable, atteste une rédaction dans les mêmes cercles d'où le Vendidad tire son origine, c'est à dire les mages médiques; si les mages médiques ne sont pas les auteurs de cette pièce remarquable ils ont utilisé des formules plus anciennes, émanant de l'est de l'Iran. Ici on pense surtout à l'Aogemadaēčā [1]).

Il y a maintenant plus de vingt ans que M. Wikander a heureusement rapproché l'ascension de Vd. 19:31-32 d'une part de la description indienne de l'ascension de l'âme humaine jusqu'au *brahmaloka*, — le monde où le dieu suprême Brahma réside —, et d'autre part des détails que l'on trouve dans les descriptions manichéennes correspondantes, p. ex. M 33, M 77, T II D 79. Ici des traits comme ceux du portique, du trône, des vêtements et la formule de salutation viennent originairement de la tradition indo-iranienne ancienne [2]).

Discuter sur l'origine du gnosticisme sans tenir compte de ces faits fondamentaux n'a guère de sens.

Le vêtement, donné à l'âme ascendante à l'occasion de son entrée au ciel, est déjà un symbole dans les textes en vieil et moyen iranien de cette part de l'âme qui est restée dans le ciel, ce que nous avons démontré en détails il y a plus de vingt ans [3]). Cette robe, dans les livres pehlevis, reçoit le nom de (*hān i*) *vohuman(īk*) *vastrag* et représente donc le Vohu Manah, ou Manvahmēd vazurg, c.-à.-d. le Grand Nous, le *Vahman vazurg* des textes manichéens en moyen-iranien. Si l'on veut être exact, la part de l'âme qui reste dans le monde céleste n'est pas exactement de l'âme, *gyān*, mais bien le nous, *vahman* ou *manvahmēd*, c.à.d. Vohu Manah, ce qui ressort d'un dialogue entre le Grand Manvahmēd et l'âme, *gyān* (T II D 178) [4]).

Or, Vohu Manah, qui vient à la rencontre de Zarathustra selon des textes avestiques perdus, dont un résumé se trouve actuellement dans le Dēnkart VII 2.60-61, est appelé *aštak*, ce que nous désignons par le Messager et qui correspond au terme avestique *ašta* [5]).

---

[1]) Voir *OLZ* 1963, col. 544 et les comparaisons avec des formules correspondantes dans mon analyse du YAŠT 22. A comparer WIKANDER, *Vayu* I, Lund 1941,. p. 47 et suiv.

[2]) Voir WIKANDER, *ouvr. cité*, pp 26-50, et la conclusion, p. 43, sur la formule de salutation.

[3]) Voir WIDENGREN, *The Great Vohu Manah*, pp 49 et suiv.

[4]) Voir le texte chez *W.-L.*, I, p. 112 et suiv. et le commentaire WIDENGREN, *ouvr. cité*. Il faut tenir compte des corrections proposées par HENNING, *BSOS* 9/1937-1939, pp. 81, 83, 87, 89, et chez BOYCE, *The Manichaean Hymn-Cycles in Parthian*, Oxford 1954, p. 187 s.v. *frmnywg*.

[5]) Voir WIDENGREN, *ouvr. cité* pp. 60 et suiv. 66 et suiv. Le terme moyen-parthe

Dans ce texte, Zarathustra dépose son vêtement terrestre pour se rendre à Ahura Mazdā et avoir une ,,délibération" [1]) avec lui. La rencontre entre Vohu Manah et le prophète Zarathustra, c'est la rencontre entre le Messager céleste et son correspondant terrestre, qui tous deux reçoivent l'appellation ,,Messager", *frēstak* ou *aštak*. C'est là un modèle qui se perpétue dans le manichéisme, le gnosticisme en général, et même dans l'islam [2]). On peut considérer cette rencontre, qui résulte de l'ascension au ciel du Messager Terrestre, comme une rencontre entre le Grand Noûs et le *noûs* individuel, la part céleste de l'âme et la part terrestre. C'est comme un ,,type" de l'ascension définitive et constitue la condition nécessaire pour la vocation prophétique comme ,,Messager". Le vêtement du Sauveur - le Grand Noûs - n'est rien d'autre que ,,le Manteau de Monde" qui est donné à l'âme ascendante — (le prophète).

Nous avons vu que dans le Hādōxt Nask c'est la *daēnā* qui symbolise la part supérieure de l'âme; c'est un tout autre symbolisme qui se base sur la rencontre entre une part céleste, vue en des catégories féminines, et la part terrestre qui est un être masculin. Nous avons indiqué les rapports entre les descriptions de la *dāenā* et de la déesse Anāhitā. Mais la *dāenā* en tant que déesse n'est pas seulement la *dāenā* de l'individu, mais aussi la somme totale des *dāenā*s [3]). En outre, Vd. 19:30 décrit comment une divinité féminine reçoit l'âme humaine, une divinité qui correspond à la *daēnā*, mentionnée en d'autres passages [4]). Et M. Wikander a ajouté à cette observation exacte la remarque que cette divinité zoroastrienne n'est qu'une transformation de la déesse-mère de la religion pré-zoroastrienne [5]). Que la *daēnā* représente en effet la déesse Anāhitā, voilà ce qui ressort d'un passage comme Yt. 13:99-100 où Vištāspa libère la *daēnā* enchaînée. Ici la *daēnā* est la représentante zoroastrienne de la déesse Anāhita, car la situation en question se place dans le contexte rituel de la fête de

---

frēstag (moyen-perse *frēstag*) possède aussi un modèle avestique Y. 49:8 en le mot *fraēšta-*, WIDENGREN, p. 66 (*frēštag* < *fraēšta-ka*).

[1]) Le verbe moyen-perse *hampursītan* correspond au verbe avestique *fras,ā-fras-*, et *ham-fras-*, voir WIDENGREN, p. 71 (nous avons aussi le substantif *hampursakîh*, ,,consultation").

[2]) A comparer mes ouvrages *The Great Vohu Manah* et *Muhammad, the Apostle of God and his Ascension*, Uppsala 1955.

[3]) Voir NYBERG, *ouvr. cité*, p. 119 et suiv.

[4]) Observation de M. WIKANDER, *ouvr. cité*, p. 43: ,,Vd. 19,30 ist ein vereinzeltes Fragment, in dem eine weibliche Gottheit die Seele empfängt. Sie entspricht offenbar der in anderen Texten genannten Daēnā".

[5]) Voir WIKANDER, *ouvr. cité*, p. 43, vr. la n. préc.

l'an où la déesse Anāhitā joue un rôle central [1]). Nous comprenons mieux cette équivalence, *daēnā*, comme somme totale des âmes supérieures, = Anāhitā, en nous rappelant le fait que la déesse Anāhitā en tant que représentante de la troisième fonction de la société est vraiment une divinité collective, et représente bien l'ensemble des âmes [2]).

Dans le manichéisme également l'aspect collectif de la notion *dēn* < *daēnā* est parfaitement clair, *dēn* étant non seulement la religion, mais aussi la somme totale de ceux qui confessent cette religion [3]).

Dans le manichéisme on trouve aussi la rencontre de l'âme qui rejoint l'être divin féminin, tout spécialement dans le texte moyen parthe M 33 où „la Mère" salue et reçoit dans le ciel le Fils (le Sauveur) qui revient de son séjour dans l'existence matérielle.

9. 1. Cette scène de réunion est une scène qu'on pourrait aussi rencontrer dans le Chant de la Perle où le fils, le jeune prince, retourne chez ses parents. Cette dernière observation nous conduit insensiblement aux problèmes historiques, en premier lieu à ceux qui ont trait au Chant de la Perle; ce poème prend une place centrale dans la discussion sur l'origine du gnosticisme. La datation en a été discutée, mais toute une série de circonstances invitent à le placer non seulement à l'époque parthe, mais aussi à une époque préchrétienne. Il s'agit ici non pas du poème syriaque dans son état actuel, mais de sa substance iranienne [4]):

1. Le Chant présuppose l'existence de l'empire parthe.
2. La perspective géographique est celle de l'empire parthe, mais d'un empire qui possède son centre de gravité dans l'est, dans le Xvarāsān. La capitale y est toujours dans l'est —, ce sont les conditions *avant* $\pm$ 150 av J.-C.
3. Le milieu social est aussi celui de l'empire des Arsacides, avec ses institutions féodales.
4. Même pour l'articulation des idées gnostiques il existe une certaine concordance avec l'épopée parthe „Wīs u Rāmīn", où nous

---

[1]) Voir WIDENGREN, *Die Religionen Irans*, Stuttgart 1965, p. 45 et suiv.

[2]) A comparer Dumézil, *Les dieux des Indo-Européens*, p. 13 et pour toute la démonstration WIDENGREN, *OLZ* 1963, col. 545 et suiv.

[3]) Voir WIDENGREN, *OLZ* 1963, col. 545 et *The Great Vohu Manah*, p. 39 et suiv.

[4]) Voir WIDENGREN, *ZRGG* 1952, pp. 97-114, avec les suppléments présentés dans *Iranisch-semitische Kulturbegegnung in parthischer Zeit*, Köln-Opladen 1960, pp. 27-30, *Iranische Geisteswelt*, p. 255 et suiv. Mes conclusions se trouvent aussi *OLZ* 1963, col. 546 et suiv.

rencontrons la même série d'associations, — Mer — Perle — Dragon — Prince —, que dans le Chant de la Perle.

5. La proportion des mots empruntés à l'iranien et des expressions iraniennes est beaucoup plus grande dans ce texte syriaque que dans toute autre pièce de la littérature syriaque.

6. Ici le langage symbolique gnostique nous renvoie toujours à l'Iran. Le vêtement est apporté au prince des hauteurs de la Hyrcanie (à noter la forme parthe Wirkān, et non la forme sassanide Gurgān).

Somme toute le Chant de la Perle présuppose les conditions qui sont celles de l'empire parthe avant que Seleukia-Ktesiphon ait été choisie comme capitale.

Du fait que les idées gnostiques présentes dans ce poème sont indissolublement liées à ce milieu parthe et à son atmosphère, notre conclusion sera donc que nous possédons dans le Chant de la Perle un point de départ pour nôtre tâche, nous permettant de fixer la date et le milieu géographique de la propagation des idées gnostiques du type iranien [1]).

9. 2. Ce type iranien, comme l'a démontré M. Jonas, a trouvé un écho aussi dans la littérature mandéenne [2]). Dans le cas des textes mandéens aussi bien que dans celui du Chant de la Perle, l'école de l'histoire des religions a vu juste, car elle a défendu avec succès, grâce à ses représentants Lidzbarski, Reitzenstein et Bultmann, contre les attaques de Peterson et de Lietzmann, l'origine occidentale des mandéens et le caractère essentiellement pré-chrétien de leur gnose. La discussion moderne leur a donné raison. M. Schlier et M. Puech ont pu hésiter à adhérer pleinement aux vues de l'école pour laquelle ils manifestent une sympathie réelle [3]), mais l'état des problèmes est maintenant radicalement changé.

Le coup de grâce aux théories d'une origine tardive du mouvement mandéen a été donné avec éclat par M. Säve-Söderbergh. Dans son

---

[1]) Il est curieux de constater comment la discussion néglige parfois les faits concrets pour se perdre dans des spéculations un peu fantaisistes. Jusqu'à maintenant je n'ai entendu aucune discussion sérieuse sur la date du Chant de la Perle que j'ai proposée. Cependant il faut soit réfuter mes arguments, soit les accepter. Quant à M. JONAS il a peut-être un peut sousestimé le caractère iranien de ce fameux poème, voir son ouvrage pp. 320 et suiv., se fondant sur une analyse tout-à-fait insuffisante des faits iraniens. L'édition anglaise à cet égard me semble avoir un caractère plus positif.

[2]) Voir JONAS, *ouvr. cité*, pp. 267-270, 280 et suiv.

[3]) Voir SCHLIER, *Zur Mandäerfrage* (voir ci-dessus p. 37 n. 2) et PUECH, Le Mandéisme, *Histoire Générale des Religions*, III, Paris, 1945, p. 82 et suiv.

ouvrage „Studies in the Manichean Coptic Psalm-Book" (1950) il a démontré d'une façon décisive que les manichéens avant la fin du 3 ème siècle après J.-C. avaient abondamment utilisé des textes mandéens, dans lesquels on trouve des idées centrales [1]. En effet M. Baumgartner, avec un jugement très sûr, avait réagi contre la dépréciation du problème mandéen [2]), comme M. Puech d'ailleurs. Mais ce sont seulement les recherches patientes et savantes de M. Säve-Söderbergh qui nous ont donné un point d'appui. Après lui quelques savants ont voulu faire un grand pas. En observant des rapports avec une catégorie de textes juifs de date pré-chrétienne, ils ont essayé de renouveler — un peu vaguement il est vrai — l'ancienne hypothèse d'une origine pré-chrétienne du mouvement mandéen dans l'ouest. M. Gärtner a montré ainsi l'affinité entre les mandéens et les esséniens (la communauté de Qumran) dans l'usage du verbe „observer", *nāṣar* en hébreu, et de la désignation „observants", *nāṣōrāyē*, dans la littérature mandéenne [3]).

On a aussi relevé d'autres points de contact entre la terminologie mandéenne et celle de la communauté de Qumran. M. Scholem par exemple a attiré l'attention sur l'expression „le Seigneur de la Grandeur", *mara drabuta*, comme désignation du Dieu Suprême [4]) et nous avons nous-mêmes observé l'accord entre l'expression mandéenne *bhīrē ẓidqā* et celle de Qumran *beḥīrē saedaeq*. De même nous avons souligné le rôle joué dans les liturgies mandéennes par le *rēš yōmayyā*, et par le terme *re'sa mawā'el*, „la tête des jours", dans le livre éthiopien d'Hénoch [5]).

---

[1]) Voir SÄVE-SÖDERBERGH, *ouvr. cité*, pp. 85 et suiv., les conclusions pp. 155 et suiv. Nous ne suivons pourtant pas l'opinion de M. SÄVE-SÖDERBERGH quand il veut placer cette prise de possession de textes mandéens non en Mésopotamie, mais dans l'ouest, en supposant que les mandéens occupaient encore leur habitat occidental vers le milieu du 3ième siècle. Cette dernière hypothèse nous semble tout spécialement inadmissible en raison du fait que Mani a reçu sa formation dans un milieu mandéen, voir WIDENGREN, *Mani und der Manichäismus*, Stuttgart 1961, p. 31 et suiv.

[2]) Voir BAUMGARTNER, Zur Mandäerfrage, *HUCA* XXIII 1/1950-51, pp. 41-71, tout spécialement pp. 49 et suiv., article plein d'observations utiles.

[3]) Voir GÄRTNER, *HS* IV/1957, pp. 30 et suiv. Quant au terme *nāṣōrā* — que traite M. GÄRTNER — j'ai montré qu'il se retrouve en effet dans l'araméen de l'ouest dans une inscription palmyrénienne de Dura, voir *JSS* X/1965, p. 298. On sait que LIDZBARSKI avait, à bon droit d'ailleurs, trouvé la forme très suspecte, voir *Mandäische Liturgien*, Berlin 1920, pp. XVI et suiv.

[4]) Voir SCHOLEM, *Jewish Gnosticism, Merkabah Mysticism, and Talmudic Tradition*. New York 1960, p. 67 n. 8.

[5]) Voir WIDENGREN, *JRAS* 1961, p. 125 et suiv. Pour les influences iraniennes dans le livre d'Hénoch voir WIDENGREN, *Temenos* II/1966 p. 139-177.

9. 3. Les dernières observations ont déjà attiré notre attention sur les textes de Qumran. Cette littérature revendique une place centrale dans toute étude sur l'origine du gnosticisme, qui soit orientée d'un point de vue déterminé par l'histoire des religions. La cause en est l'influence très marquée exercée par les idées iraniennes, surtout celles concernant le dualisme et l'eschatologie, comme l'a si bien démontré M. Dupont-Sommer [1]). Nous avons plus d'une fois insisté ici sur l'importance du dualisme iranien pour la genèse du gnosticisme.

Il va donc sans dire que les textes qumraniens prendraient pour notre problème une importance particuliére, si l'on pouvait y démontrer l'existence d'une gnose développée. Plusieurs savants ont abordé ce problème, avant tout M. Ringgren, qui dernièrement en tant que possesseur d'une formation d'historien des religions et d'exégète autant que d'orientaliste a soumis le problème en question à une analyse détaillée [2]). Ses conclusions sont à la fois positives et négatives. Positivement on peut dire que la parenté entre les idées gnostiques et celles de Qumran est incontestable. Négativement il faut admettre qu'il existe ici une série de déviations du gnosticisme classique. Nous ajoutons ci-après quelques observations qui tendent à diminuer un peu la force de ces déviations.

1. Même le dualisme n'est pas du tout radical, car tout ce qui se passe est réglé par Dieu, en dernière instance. C'est lui qui a créé les deux esprits le bon esprit de la lumière et de la vérité et le mauvais esprit des ténèbres et de la perversité. Toutefois il existe ici un accord marqué avec le zervanisme, comme on l'a dûment observé [3]).
2. Le dualisme n'est pas de nature physique; la matière en soi n'étant pas mauvaise, on ne connaît pas une opposition entre esprit et corps. Toutefois il existe un passage vraiment remarquable où l'on s'exprime sur la nature de l'homme d'une façon qui est étonnante

---

[1]) Voir Dupont-Sommer, *RHR*, CXLII/1952, pp. 5-35 M. Brownlee avait déjà attiré l'attention sur les éléments iraniens. Les essais proposés pendant le colloque d'expliquer le dualisme dans les Rouleaux de la Mer Morte par un renvoi au Deutéro-Isaïe ne s'imposent pas. Ils sont en effet inadmissibles par le seul fait qu'on ne trouve pas dans l'Ancien Testament une conception strictement dualiste où le bien et le mal soient représentés comme deux adversaires personnels chacun entouré de son armée. Sur le problème général voir mes remarques dans ,,Quelques rapports entre Juifs et Iraniens à l'époque des Parthes", *Vetus Testamentum*, Suppl. IV, p. 197-241.

[2]) Voir *SEÅ* XXIV/1959, pp. 41-53, où sont nommés quelques devanciers, p. 41.

[3]) Voir Michaud *VT* 5/1955, pp. 137 et suiv., dont les résultats sont acceptés par M. Ringgren, *ouvr. cité*, p. 45.

d'un point de vue juif: „Mais moi, je ne suis que la créature d'argile et ce qu'on pétrit avec de l'eau, / le fondement de honte et la source de souillure, / le creuset d'iniquité et la batisse de péché, / l'esprit d'égarement et pervers, dépourvu d'intelligence / et qu'épouvantent les jugements de justice". Hodayot I 21-23 [1])

Ceci rappelle l'attitude zervanite envers la femme en tant qu'être sexuel.

3. Le langage symbolique, si typique du gnosticisme, manque partout. Toutefois le gnosticisme juif postérieur semble être assez pauvre à cet égard, sans qu'on conteste pourtant son caractère gnostique.

4. La prédestination est typique de la littérature qumranienne. On ne trouve pas là l'idée d'une libération de la tyrannie de la *heimarmenē*, pourtant si dominante dans le gnosticisme, comme nous l'avons vu. Toutefois l'idee d'une prédestination s'accorde bien avec le zervanisme.

Notre conclusion sera donc à peu près la même que celle de M. Ringgren: dans la secte de Qumran on ne trouve *pas encore* de gnosticisme mûr, mais par contre des influences dualistes d'origine iranienne. On pourrait avec Ringgren parler d'un „proto-gnosticisme" [2]). Il faut souligner l'importance de termes tels que „les fils de lumière" et „les fils de ténèbres" [3]). Par exemple dans le „Rouleau de la guerre", où se trouvent de telles expressions, et qui donne une description du combat eschatologique rappelant le grand combat final de l'eschatologie iranienne. Ce sont là des expressions bien connues dans la littérature mandéenne [4]).

9. 4. Les textes de Nag Hammadi ont fait beaucoup de bruit, mais jusqu'à maintenant il n'existe encore aucun texte qui apporte beaucoup de matériaux nouveaux permettant de mieux comprendre le gnosticisme. Il est évident que les textes les plus importants du

---

[1]) On peut discuter certains détails de la traduction. J'ai accepté celle de DUPONT-SOMMER, *Semitica* VII/1957, p. 28.

[2]) Voir *SEÅ* XXIV/1959, p. 51 et suiv.

[3]) Les termes hébreux dans les textes de Qumran sont: בני חושך et בני אור.

[4]) A comparer *Ginzā*, trad. LIDZBARSKI, Leipzig 1925, Index s.v. Söhne des Lichtes, et *Mandäische Liturgien*, Index s.v. Söhne des Lichtes, le terme mandéen étant *bnia nhura*. Pour le terme mandéen „les enfants des ténèbres" voir *Ginzā*, trad. LIDZBARSKI, Index s.v. Kinder der Finsternis. Ces passages ne sont pas enregistrés chez DROWER-MACUCH, *A Mandaic Dictionary*, Oxford 1963.

point de vue gnostique n'ont pas encore été édités. Cependant il y a à cet égard des communications préliminaires qu'on peut utiliser. Vu que certains savants — qui se placent pourtant en dehors de l'école de l'histoire des religions — s'occupant de textes coptes gnostiques ont montré une tendance marquée à attribuer aux textes d'origine juive une importance très grande quand il s'agit d'évaluer les facteurs qui ont contribué à la genèse du gnosticisme [1]), nous examinerons ici quelques documents appartenant à un gnosticisme qui évidemment s'inspire de l'Ancien Testament et des textes juifs post-testamentaires. (Je renvoie aussi à la communication importante de M. Böhlig) [2]).

En premier lieu on peut analyser les documents de la gnose des Séthiens, groupe judaïsant parmi les Ophites.

Ici nous ne donnons que quelques observations qui concernent notre thème général. Tout d'abord on peut utiliser ce que dit M. Doresse sur la cosmologie séthienne [3]). Il souligne la concordance entre les notices données par Hippolyte dans ses Philosophoumena V 19-22 et le commencement du traité copte intitulé ,,Paraphrase de Seth'' [4]).

Cette cosmologie se fonde sur trois principes: la Lumière, les Ténèbres, et (au milieu d'eux) un Souffle pur ou un Esprit, *pneuma*. Les Ténèbres, voulant s'élever vers la lumière, montent en haut et un mélange (subst. *mixis*, verbe *mignumi*) commence, ,,prémisses de la création''.

Comme M. Doresse l'a noté très correctement, [5]) W. Bousset avait déjà signalé dans ses *Hauptprobleme* la parenté de cette cosmologie séthienne avec le mythe iranien que nous décrit le Bundahišn [6]). La

---

[1]) Je pense à des savants comme Quispel, Daniélou et Betz.

[2]) Certains textes de Nag Hammadi se révèlent comme assez secondaires si l'on les examine du point de vue des thèmes gnostiques les plus dominants. On trouve p. ex. le motif de l'éveil du sommeil dans le texte publié par BÖHLIG et LABIB, *Die koptisch-gnostische Schrift ohne Titel aus Codex II von Nag Hammadi*, Berlin 1962, Pl. 158:24-28 et dans l'*Apocryphon Johannis*, éd. GIVERSEN, Copenhague 1963, Pl. 75:9-10, mais déjà — ce qui est important — comme un motif tout à fait conventionnel, pour ainsi dire banal, qui ne possède point le rôle central qu'il a dans le type iranien (à comparer aussi Pl. 75:9-10).

[3]) Voir DORESSE, *Les livres secrets des gnostiques d'Egypte*, Paris 1958, pp. 170 et suiv.

[4]) Un autre nom est ,,la Paraphrase de Seem'' où le nom ,,Seem'' pourrait être une erreur de scribe, voir DORESSE, *ouvr. cité*, p. 177. ,,Pourtant, il se peut que cet écrit ait bien été, à l'origine, attribué à Sem'', ib. avec un renvoi au Livre des Jubilés, X 10, 15.

[5]) Voir DORESSE, *ouvr. cité*, p. 265 n. 6.

[6]) Voir BOUSSET, *Hauptprobleme der Gnosis*, pp. 121-123.

cosmologie du premier chapitre de ce texte en effet énumère trois principes: la Lumière, *rōšnīh*, les Ténèbres, *tārīkīh*, et l'atmosphère ou le vent, *vāi* [1]). Les deux principes, Lumière et Ténèbres, possèdent des représentants personnels: Ōhrmazd et Ahriman, mais il est évident qu'il existe une consubstantialité entre le dieu et son substrat physique.

Ainsi dans la cosmologie iranienne, comme nous l'avons vu dans ce qui précède, une guerre commence entre les deux principes adverses et cette guerre est la cause d'un mélange, *gumēčišn*, du bien et du mal. Il faut aussi noter l'emploi du terme *bun* comme la désignation d'un principe cosmique. Ce mot signifie ,,racine'' et on le trouve souvent dans la littérature zoroastrienne en tant que terme technique pour désigner le principe primordial [2]). On sait quel rôle la notion de ,,deux racines'', *dō bun*, joue dans les écrits manichéens. Il est d'un intéret tout spécial que la version copte de la ,,Paraphrase de Sem'' emploie ce terme de ,,racine'' [3]).

Il y a un autre accord remarquable entre les écrits séthiens et la littérature zoroastrienne, c'est-à-dire la manière dont est décrite la communication de la révélation au prophète. Ecoutons ce que dit le prophète dans le traité copte:

> ,,Je suis Séem. Ces choses m'ont été révélées par Derdekea conformément à la volonté de la Grandeur. Mon intellect qui est dans mon corps m'a enlevé de ma génération; il m'a emporté vers les hauteurs de la Création en pénétrant la lumière qui émane sur tout l'univers. Dans ce lieu-là, je ne vis nulle apparence terrestre: mais il est lumière. Alors, mon âme se sépara de mon corps de ténèbres: comme si c'était dans un songe, j'entendis une voix qui me disait: Séem, puisque tu es issu d'une puissance pure et que tu es le premier qui a existé sur terre, écoute et comprends les choses que je vais te dire pour la première fois sur les grandes Puissances. Celles-ci ont existé dans les commencements avant que je sois apparu. Il y avait une Lumière et une Ténèbre, et il y avait, entre elles, un Esprit. . .''

Après cette expérience extatique le prophète s'éveille:

> ,,Moi, Séem, le jour où je sortis de mon corps tandis que mon

---

[1]) Voir Bdhn éd. A., p. 3 = ZAEHNER, *ZZZ*, p. 278 texte, 312 et suiv. trad.
[2]) Voir p. ex. ZAEHNER, *ouvr. cité*, Glossaire p. 466 b et suiv.
[3]) Voir DORESSE, *ouvr. cité*, p. 264 n. 1 a avec un renvoi à PUECH, *Le Manichéisme*, Paris 1949, p. 160.

intellect demeurait dans ce corps, je m'éveillai comme après un grand sommeil . . ." [1]).

Nous laissons de côté les détails de cette description et ne soulignons que deux faits importants: 1. la description de cette expérience extatique rappelle à la fois quelques descriptions analogues trouvées dans la littérature juive [2]) et celle de la vision extatique de Zarathustra dans l'apocalypse sassanide Bahman Yašt (avec des parallèles) [3]), 2. la rencontre entre une „Mère suprême" appelée Derdekea, nom énigmatique [4]), et le prophète s'accorde non seulement avec le dossier séthien (Epiphane XL 7 [5]), mais aussi avec la rencontre entre Mère et Fils dans les textes iraniens et gnostiques du type iranien. Certes, nous avons là une dernière rencontre, rencontre eschatologique, et ici une première rencontre, rencontre impliquant une revélation, mais on sait comment s'accordent dans le gnosticisme ces deux aspects de l'ascension du Sauveur [6]).

Une dernière observation avant de quitter les Séthiens. Il faut tout spécialement noter le terme „Grandeur" employé pour désigner l'Etre Suprême. Le terme greque *mégethos* correspond au mot syriaque *rabbūṭā*, tous deux employés dans les écrits manichéens et possédant leur équivalent dans le terme *rabuta* des textes mandéens. On ne peut douter que le terme moyen-iranien correspondant ne soit le mot *vazurgīh* qu'on présume être le terme zervanite, comme le suppose avec bonne raison M. Zaehner [7]).

Or, il y a un texte curieux en langue syriaque, constituant un mélange d'éléments iraniens et juifs, où l'on trouve toute une série d'expressions et de notions gnostiques: la „Chronique de Zuqnin",

[1]) Voir Doresse, *ouvr. cité*, pp. 170, 172.

[2]) Voir p. ex. Bousset-Gressmann, *Die Religion des Judentums im späthellenistischen Zeitalter*, Tübingen 1926, pp. 395 et suiv.

[3]) Voir Widengren, *Die Religionen Irans*, p. 69. Le passage en question est *Bahman Yašt* II 5 et suiv.

[4]) Voir Doresse, *ouvr. cité*, p. 264 n. 1 (où cependant l'étymologie proposée — de la racine *drdg*, „tomber en gouttes" — ne s'impose pas). La „goutte" en puissance céleste se trouve dans la religion mandéenne, où elle reçoit le nom de Niṭufta, de la racine *nṭp*, d'ailleurs très faiblement attestée dans la littérature mandéenne, voir *A Mandaic Dictionary*, s.v. p. 295 b, à comparer p. 298 a s.v. *niṭupta*

[5]) Doresse, *ouvr. cité*, p. 150 compare à bon droit ce passage chez Epiphane.

[6]) C'est parce que l'action exécutée à l'origine de l'histoire constitue le modèle de toute évolution ultérieure.

[7]) Voir Zaehner, *ZZZ*, p. 60.

ouvrage que nous avons utilisé avec profit plus d'une fois [1]). Là, l'expression „la Grandeur", *rabbūṭā*, occupe une place centrale [2]). Ce document doit être comparé et analysé en même temps que les documents séthiens parce qu'il est le temoin important d'une gnose judéo-iranienne. Cependant, il va sans dire qu'il faut soumettre tous les écrits judéo-gnostiques à un examen attentif pour y relever les éléments iraniens ou du type gnostique-iranien. Cela sera une tâche utile [3]). Dans notre contribution nous n'avons voulu qu'indiquer quelques idées et expressions qui à notre avis montrent que même dans les textes judéo-gnostiques l'influence iranienne reste non seulement importante mais décisive.

10. On pourrait ajouter certaines remarques sur le langage gnostique symbolique, mais ayant déjà considérablement dépassé les limites que nous nous étions fixées nous soulignons seulement le fait qu'il est possible de situer quelques expressions symboliques dans un milieu féodal, dans la société iranienne de l'époque parthe [4]), tandis que d'autres expressions révèlent un milieu manifestement mésopotamien [5]). Il se peut qu'on puisse poursuivre ces recherches d'une façon plus détaillée et plus systématique.

Pour conclure: les problèmes auxquels l'Ecole de l'Histoire des Religions a travaillé se sont montrés d'une richesse qui n'est pas épuisée. Elle a indiqué pour les recherches futures une orientation. Il faudrait naturellement tenir compte d'autres vues et d'autres hypothèses. Mais c'est là un autre sujet qu'il n'est pas de notre propos d'aborder ici [6]).

---

[1]) Voir WIDENGREN, *Iranisch-semitische Kulturbegegnung*, pp. 71 et suiv.
[2]) Voir WIDENGREN, *ouvr. cité*, p. 74.
[3]) Nous attendons d'une jeune élève, Mlle Drynjeff, une telle analyse. Pour le livre de *Baruch* voir p. ex. HAENCHEN, *ZfThK* 50/1953, p. 123-158 et WIDENGREN, *The Saviour God*, Studies presented to E. O. JAMES, Manchester 1963, p. 208 et suiv.
[4]) A comparer WIDENGREN, *ouvr. cité*, pp. 58-60 et „Le Symbolisme de la ceinture", *Iranica Antica* 1967 (volume offert à M. R. GHIRSHMAN).
[5]) A comparer notre ouvrage *Mesopotamian Elements in Manichaeism*, Uppsala 1946.
[6]) Voir p. ex. l'article de U. BIANCHI, „Le problème des origines du gnosticisme et l'Histoire des Religions", *Numen* XII 3/1965.

DER STAND DER VERÖFFENTLICHUNG DER
NAG HAMMADI-TEXTE

VON

MARTIN KRAUSE

Die im Jahre 1945/46 bei Nag Hammadi gefundenen 13 Codices mit ehemals etwa 1400 Seiten, von denen rund 1130 Seiten und 15 Fragmente erhalten sind [1]), leiten eine neue Phase der Gnosisforschung ein. Der Fund umfasst mindestens 51 Schriften, die von 8 Schreibern geschrieben wurden [2]). Vier Texte sind doppelt [3]) bzw. dreifach [4]) in den Codices enthalten, zwei Schriften [5]) kennen wir auch aus dem 1955 veröffentlichten Berliner gnostischen Codex [6]), sodass sich die Anzahl der bisher unbekannten gnostischen Texte, die dieser Fund enthält, auf 44 reduziert. Doch auch die Dubletten sind für uns von grosser Wichtigkeit. Bei schlecht erhaltenen Texten helfen sie, den Text zu restituieren und Lücken zu ergänzen [7]), ausserdem bieten sie Varianten und zeigen, wie manche Schriften im Laufe der Zeit an Umfang zunahmen [8]). Der Einladung und dem Wunsch von Herrn

---

[1]) M. Krause, *Der koptische Handschriftenfund bei Nag Hammadi. Umfang und Inhalt.* in: *Mitteilungen des Deutschen Archäologischen Instituts Kairo* (= MDIK) Bd. 18, 1962, 121-132, 131.

[2]) M. Krause, *Zum koptischen Handschriftenfund bei Nag Hammadi,* in: *Mitteilungen des Deutschen Archäologischen Instituts Kairo* Bd. 19, 1963, 106-113, 110.

[3]) Zwei Versionen sind von folgenden drei Texten erhalten: der „titellosen Schrift" in Codex II und XIII, dem Ägypterevangelium in Codex III und IV, dem Eugnostosbrief in Codex III und V.

[4]) Drei Versionen sind vom Apokryphon des Johannes erhalten: in Codex II und IV die Langfassung, in Codex III die Kurzfassung.

[5]) Eine Kurzfassung des Apokryphon des Johannes und die Schrift „Sophia Jesu Christi", die auch in Codex III von Nag Hammadi enthalten ist.

[6]) W. C. Till, *Die gnostischen Schriften des koptischen Papyrus Berolinensis* 8502, Berlin 1955 = TU Bd. 60.

[7]) Die Seitenfragmente des am schlechtesten erhaltenen Codex IV konnten und können nach den Paralleltexten in Codex II (Apokryphon des Johannes) und Codex III (Ägypterevangelium) geordnet und Textlücken ergänzt werden.

[8]) In meiner Untersuchung der vier Versionen des Apokrypon des Johannes (M. Krause, *Literarkritische Untersuchung des Apokryphon des Johannes.* Habil.-Schrift Münster 1965) bin ich — im Gegensatz zu S. Giversen — zu dem Ergebnis gekommen, daß die Langfassung aus der Kurzfassung durch Einschübe entstanden ist. Ausserdem versucht die Langfassung, Widersprüche in der Kurzfassung zu

Professor Bianchi folgend, möchte ich Ihnen über den Stand der Veröffentlichung dieser Texte nach Umfang und Inhalt und dabei auch kurz über den Inhalt der hermetischen Texte berichten.

I.

Im Hinblick auf den Stand der Veröffentlichung der Schriften dieses Fundes können wir vier Gruppen bilden:

1. Veröffentlichte Texte,
2. im Druck befindliche Textausgaben,
3. in Vorbereitung befindliche Ausgaben,
4. noch nicht vergebene Schriften.

1. Von den 51 Traktaten sind bisher 13 [1]) veröffentlicht worden, die 303 der 1130 Seiten einnehmen. Das ist ein reichliches Viertel

---

beseitigen. Die Widersprüche in der Kurzfassung sind die Folgen der Zusammenarbeitung dieser Schrift aus mehreren Teilen, die durch die Rahmenhandlung verchristlicht wurden.

[1]) Die Textausgaben werden nicht chronologisch nach ihrem Erscheinen, sondern nach ihrer Reihenfolge in den Codices geordnet:

Von *Codex I*: sind veröffentlicht;

1) Evangelium veritatis ediderunt M. MALININE, H.-CH. PUECH, G. QUISPEL, Zürich 1956; dazu: *Supplementum* 1961 (von denselben Herausgebern und W. Till und R. McL. Wilson).

2) De resurrectione (Epistula ad Rheginum) ediderunt M. MALININE, H.-CH. PUECH, G. QUISPEL, W. TILL, adiuvantibus R. McL. WILSON, J. ZANDEE, Zürich 1963.

Von *Codex II*:

3) das Apokryphon des Johannes in: M. KRAUSE und P. LABIB, *Die drei Versionen des Apokryphon des Johannes im Koptischen Museum zu Alt-Kairo*, Wiesbaden 1962 = *Abhandlungen des Deutschen Archäologischen Instituts Kairo*, Kopt. Reihe Bd. 1 (im folg. abgekürzt: ADIK Kopt. Reihe I) S. 109-199 und S. GIVERSEN, *Apocryphon Johannis. The Coptic Text of the Apocryphon Johannis in the Nag Hammadi Codex II, with Translation, Introduction and Commentary*, Copenhagen 1963 = *Acta Theologica Danica V.*

4) das Thomasevangelium: *Evangelium nach Thomas. Koptischer Text herausgegeben und übersetzt von* A. GUILLAUMONT, H.-CH.PUECH, G. QUISPEL, W. TILL u. YASSA ABD EL MASIH, Leiden 1959.

5) das Philippusevangelium: W. C. TILL, *Das Evangelium nach Philippos*, Berlin 1963 = *Patristische Texte und Studien* 2; vgl. dazu M. KRAUSE in: *Zeitschrift für Kirchengeschichte* 75, 1964, 169-182.

6) die „titellose Schrift": *Die koptisch-gnostische Schrift ohne Titel aus Codex II von Nag Hammadi im Koptischen Museum zu Alt-Kairo herausgegeben, übersetzt und bearbeitet* von A. BÖHLIG und P. LABIB, Berlin 1962 = *Deutsche Akademie der Wissenschaften zu Berlin. Institut für Orientforschung, Veröffentlichung* Nr. 58.

Von *Codex III*:

7) das Apokryphon des Johannes: M. KRAUSE und P. LABIB, ADIK Kopt. Reihe I, 55-108.

des Fundes. Es mag scheinen, dass bisher wenig publiziert worden ist, wenn man vom Fundjahr 1945/46 an rechnet. Das kann man aber nicht tun, weil die Texte ja erst viel später zugänglich wurden: Codex III wurde zwar schon im Oktober 1946 vom Koptischen Museum in Kairo angekauft und der Codex Jung (Codex I der Zählung des Koptischen Museums) gelangte im Mai 1952 ins Jung-Institut, aber es gelang dem Koptischen Museum in Kairo erst im Herbst 1956, die Hauptmasse des Fundes zu erwerben. Die Veröffentlichung der Texte konnte aber erst nach der Konservierung und Verglasung der Papyri beginnen. Während Codex III, der grössere Teil von Codex II und der Codex Jung schon 1957 konserviert wurden, wurde die Hauptmasse des Fundes erst zwischen 1959 und Sommer 1961 verglast, nachdem dem Koptischen Museum in Kairo vom Deutschen Archäologischen Institut Plexiglas zur Verfügung gestellt worden war [1]). Somit verkürzt sich der Zeitraum, seitdem an der Hauptmasse dieser Texte in Kairo gearbeitet werden kann, beträchtlich, nämlich von 1946 auf 1959/61.

Pahor Labib, der ehemalige Direktor des Koptischen Museums in Kairo, war um eine rasche Publikation der Texte bemüht. Es gelang ihm, vom ägyptischen Kultusminister die Zustimmung zur Bildung eines neuen internationalen Komitees für die Publikation dieser Texte durch die UNESCO zu erhalten, nachdem das erste nicht mehr existierte. Im Oktober 1961 tagte in Kairo unter seinem Vorsitz ein Vorkomitee, dem Professor Malinine—Paris und ich angehörten. Der UNESCO wurden damals genaue Unterlagen über die Handschriften und die Kosten für Textpublikationen und Tafelbände übermittelt. Wir schlugen vor, den gesamten Fund sofort in Licht-

---

Von *Codex IV*:
8) das Apokryphon des Johannes: M. KRAUSE und P. LABIB, ADIK Kopt. Reihe I, 201-255.

Von *Codex V*.
9-12) die Paulusapokalypse, die beiden Jakobusapokalypsen und die Apokalypse des Adam in: A. BÖHLIG und P. LABIB, *Koptisch-gnostische Apokalypsen aus Codex V von Nag Hammadi im Koptischen Museum zu Alt-Kairo = Sonderband der Wissenschaftlichen Zeitschrift der Martin-Luther-Universität*, Halle-Wittenberg 1963; vgl. dazu die Ergänzungsvorschläge von R. KASSER, *Textes gnostiques. Nouvelles remarques à propos des apocalypses de Paul, Jacques et Adam* in: *Le Muséon* 78, 1965, 299-306. Hierin verbessert R. KASSER teilweise seine in *Le Muséon* 78, 1965, 71-98 gemachten Vorschläge.

Von *Codex XIII*:
13) die „titellose Schrift" vgl. A. BÖHLIG und P. LABIB (vgl. Codex II) S. 36.
[1]) vgl. M. KRAUSE, MDIK 18, 1962, 121.

drucktafelbänden ausserhalb Ägyptens zu veröffentlichen. Dadurch
sollte der gesamte Handschriftenfund in kürzester Zeit allen Interessierten zugänglich gemacht werden. Die noch nicht für eine
Publikation vergebenen Texte sollten von einem internationalen
Komitee an möglichst viele Wissenschaftler verteilt werden, damit
auch die Textpublikationen bald vorlägen. Die Lichtdrucktafelbände
sollten die von Pahor Labib geplanten, in Ägypten herzustellenden
Tafelbände ersetzen, weil mit den dort vorhandenen Maschinen
selbst beste Vorlagen nur schlecht wiedergegeben werden können,
wie Sie am ersten, 1956 erschienenen Tafelband [1]) sehen können.
Die schlechte Qualität dieser Tafeln hatte zu Fehlern in Arbeiten [2])
geführt, die nur nach diesem Tafelband ausgeführt worden waren.
Unsere 1961 gemachten Vorschläge sind leider von der UNESCO
bisher nicht verwirklicht worden. Es wurde meines Wissens nur
damit begonnen, die Handschriften zu fotografieren [3]). Ob wenigstens
die geplanten Tafelbände noch erscheinen werden, entzieht sich
meiner Kenntnis.

2. Zu den 13 bisher veröffentlichen Texten werden in absehbarer
Zeit 11 weitere hinzukommen, deren Ausgaben sich im Druck
befinden. Sie nehmen 113 Handschriftenseiten ein. Es handelt sich
um das Apokryphon des Jakobus in Codex I [4]), die „Exegese über

---

[1]) P. Labib, *Coptic Gnostic Papyri in the Coptic Museum at Old Cairo*, Vol. I.,
Cairo 1956.

[2]) Das gilt für die erste Übersetzung des Philippusevangeliums von H.-M.
Schenke (*Das Evangelium nach Philippus*, in: ThLZ 84, 1959, 1-26, wieder abgedruckt in: J. Leipoldt u. H.-M. Schenke, *Koptisch-gnostische Schriften aus den
Papyrus-Codices von Nag Hamadi*, Hamburg 1960, 31-65, 81-82; jetzt verbessert
in: *Die Arbeit am Philippus-Evangelium* in: ThLZ 90, 1965, 321-332—auch einige
seiner neuen Ergänzungsvorschläge lassen sich nicht mit den noch erkennbaren
Buchstabenresten in Übereinstimmung bringen —), für die Ausgabe des Philip-
pusevangeliums von W. C. Till (vgl. S. 62 A. 1) und auch für die Übersetzung der
„Hypostase der Archonten" von H.-M. Schenke (*Das Wesen der Archonten* in:
ThLZ 83, 1958, 661-670, wieder abgedruckt in: J. Leipoldt und H.-M. Schenke,
Koptisch-gnostische Schriften 67-78), wie ich in *Zeitschrift für Kirchengeschichte* 1967
zeigen werde.

[3]) Die Codices I, IV, V, VIII-XIII müssten vor dem Fotografieren noch von
einem Papyrusrestaurator und einem Koptologen umgeglast und geordnet werden,
weil die ungeordneten Seiten dieser Codices in der vorgefundenen Reihenfolge
verglast wurden (vgl. M. Krause, MDIK 18, 1962, 123). Nur die Codices II, III,
VI und VII, deren Seiten mit wenigen Ausnahmen (die ersten Seiten von Codex II)
in der richtigen Reihenfolge erhalten und verglast sind, müssen vor dem Fotografieren nicht geordnet werden.

[4]) Dieser Text wird von den auf S. 62 A. 1 genannten Bearbeitern des Codex I
herausgegeben.

die Seele" und das „Buch des Athleten Thomas" aus Codex II sowie alle 8 Schriften in Codex VI [1]). Unter diesen Traktaten befinden sich auch die hermetischen Texte, über deren Inhalt ich Ihnen kurz berichten werde. Mit dem Erscheinen dieser beiden Publikationen werden 24 der mindestens 51 Traktate auf 416 von 1130 Seiten, also weit mehr als ein Drittel des Fundes, veröffentlicht sein.

3. Die Ausgaben weiterer 13 Schriften befinden sich in Vorbereitung. Diese Texte nehmen 342 Seiten ein. Es handelt sich um das „Gebet eines Apostels" und den „Traktat über die drei Naturen" aus Codex I [2]), die „Hypostase der Archonten" aus Codex II [3]), das „Ägypterevangelium" aus Codex III und IV [4]), den „Eugnostosbrief" aus Codex III und V, die „Sophia Jesu Christi" [5]) und den „Dialog des Soter" aus Codex III und die „Paraphrase des Sêem", den „zweiten Logos des grossen Seth" [6]), die „Petrusapokalypse" und die „Offenbarung des Dositheos" aus Codex VII [7]). Wenn diese 13 Schriften publiziert sein werden, womit wohl innerhalb der nächsten 5 Jahre gerechnet werden kann, werden zusammen 37 der 51 Texte auf 758 der 1130 Seiten allen Interessierten zugänglich sein, also etwa drei Viertel des Fundes.

4. Es bleiben dann noch 14 Schriften auf 382 Seiten übrig, über deren Publikation meines Wissens noch keine Entscheidung gefallen ist. Es handelt sich um Texte aus den Codices VII-XIII: die „Lehren des Silvanus" aus Codex VII [8]), um die „Abhandlung über die Wahrheit des Zostrianus" und den „Brief des Petrus, den er an

---

[1]) M. KRAUSE und P. LABIB, *Gnostische und hermetische Schriften aus Codex II und VI*, Wiesbaden 1967 = ADIK Kopt. Reihe II (im Druck).

[2]) Die Ausgabe dieses Textes wird von den auf S. 62 A. 1 genannten Bearbeitern des Codex I vorbereitet.

[3]) Diesen Text wird R. Bullard, ein Schüler von K. Grobel, voraussichtlich im Laufe des nächsten Jahres mit einem Kommentar in den Patristischen Texten und Studien herausgeben. Auch V. MacDermot plant eine Ausgabe dieses Textes, nachdem J. M. Plumley sein Vorhaben, diesen Text zu edieren, aufgegeben hat.

[4]) Die Ausgabe der beiden Versionen des Ägypterevangeliums wird von A. Böhlig vorbereitet, nachdem P. Labib und ich auf eine solche verzichtet haben.

[5]) Die beiden Versionen des „Eugnostosbriefes" und der „Sophia Jesu Christi" werden als Synopse von mir veröffentlicht werden (vgl. M. KRAUSE, *Das literarische Verhältnis des Eugnostosbriefes zur Sophia Jesu Christi* in: *Mullus. Festschrift Theodor Klauser* 1964 = *Jahrbuch für Antike und Christentum*, Ergänzungsband 1, 217 A. 28), weil sich daraus fast augenfällig das Verhältnis der beiden Schriften zueinander ergibt.

[6]) Auch die Ausgabe dieser Schriften wird von mir vorbereitet.

[7]) Viktor Girgis bereitet seit längerem diese Textausgaben vor.

[8]) Es ist zu hoffen, daß J. Zandee mit der Ausgabe dieses sehr interessanten Textes betraut wird.

Philippus sandte" in Codex VIII, die drei titellosen Schriften in
Codex IX, die Reste der beiden Traktate in Codex X, die vier Schriften
des Codex XI: „die Deutung der Gnosis", die titellose Schrift, den
„Allogenes" und den „Höchsten", die Reste einer Weisheitslehre in
Codex XII und die Schrift über die „dreigestaltige Protennoia" in
Codex XIII.

Der Erhaltungszustand dieser zuletzt genannten Schriften ist sehr
unterschiedlich. Am besten erhalten sind die 35 Seiten der „Lehren
des Silvanus", die 9 Seiten des „Petrusbriefes an Philippus", die zweite
und dritte der 3 titellosen Schriften in Codex IX und die 16 Seiten
der Schrift über die „dreigestaltige Protennoia" in Codex XIII.
Diese Traktate könnten sofort veröffentlicht werden, weil die Reihenfolge ihrer Seiten gesichert ist [1]). Dagegen muss vor ihrer Veröffentlichung erst noch die Reihenfolge vieler Seiten der ersten titellosen
Schrift in Codex IX, der meisten Seiten in Codex XI und einiger
Seiten und Fragmente von Codex VIII ermittelt werden. Dasselbe
gilt für die wenigen Seiten der Codices X und XII, die erhalten
geblieben sind. Die meisten Seiten dieser genannten Texte sind
ausserdem in schlechtem Erhaltungszustand. Sie sind z.T. in mehrere
Stücke zerbrochen und ergeben auch nach ihrer Zusammensetzung
keinen lückenlosen Text. Es ist daher sinnvoll, diese Schriften erst
nach den besser erhaltenen zu edieren, weil man dann in Kenntnis
der gut erhaltenen Texte eventuell die eine oder andere Textlücke
mit grösserer Wahrscheinlichkeit ergänzen kann.

Wann mit der Publikation dieser z.T. noch ungeordneten [2]) und
fragmentarischen Reste gerechnet werden kann, steht noch nicht
fest. Ich möchte vorschlagen, dass die Teilnehmer an diesem Kolloquium oder die internationale Vereinigung für Religionsgeschichte
bei der UNESCO anfragen, ob sie bereit ist, Tafelbände heraus-
zugeben und an der Ausgabe der Texte mitzuarbeiten.

II.

Nach diesem kurzen Überblick über den Stand der Veröffentlichung
der Nag Hammadi-Schriften wollen wir — der Fragestellung dieses
Kolloquiums folgend — auf den Inhalt der Texte eingehen. Lassen

---

[1]) Die Reihenfolge der Seiten von Codex XIII konnte von mir bestimmt werden
(vgl. MDIK 18, 1962, 130).

[2]) Soweit es schon gelungen ist, die Reihenfolge von Seiten dieser Codices zu
bestimmen oder Fragmente zu joinen, wird das in der Beschreibung der Codices
VII-XIII in ADIK Kopt. Reihe II verzeichnet.

sich die Texte nach ihrem *Inhalt* in Gruppen einteilen? J. Doresse hat, obwohl er nur kurze Zeit den Textfund studieren konnte, das Wagnis unternommen, die Schriften nach ihrem Inhalt in vier Gruppen zu unterteilen, in:

1. Offenbarungsschriften der Propheten der Gnosis von Seth bis Zoroaster [1]). Zu dieser Gruppe, die nach ihm reine gnostische Offenbarungsschriften sind, z.T. mit Kommentaren, die die in ihnen enthaltenen Mythen erklären, rechnet er 21 Texte. Erst zwei dieser Texte [2]) sind bisher veröffentlicht worden, zwei weitere Texte [3]) werden bald veröffentlicht sein, die Ausgabe von sechs Schriften [4]) befindet sich in Vorbereitung. Die Zahl erhöht sich auf acht, weil von zwei dieser Schriften je zwei Versionen [5]) erhalten sind. Elf Traktate [6])

---

[1]) J. Doresse, *The Secret Books of the Egyptian Gnostics*, London 1960, 146-197. Ich beziehe mich im folgenden immer auf diese Publikation, weil sie nicht nur eine erweiterte, sondern auch eine verbesserte Auflage der französischen Ausgabe von 1958 ist (vgl. J. Doresse, aO. Rückseite des Titelblattes). Teilweise ist die englische Übersetzung allerdings auch ein Rückschritt gegenüber der französischen Ausgabe wie mich R. McL. Wilson belehrt.

[2]) Die „titellose Schrift" in Codex II (vgl. J. Doresse, aO. 165-177) und die „Adamapokalypse" in Codex V (vgl. J. Doresse, aO. 182-187), vgl. S. 62 A. 1.

[3]) Die „Exegese über die Seele" in Codex II (vgl. J. Doresse, aO. 190-192) und Text Nr. 24 der Zählung von J. Doresse in Codex VI (vgl. J. Doresse, aO. 187-188). Dieser Text trägt aber einen Titel (vgl. S. 73 A. 3), vgl. S. 65 A. 1.

[4]) Es handelt sich um die „Hypostase der Archonten" aus Codex II (vgl. J. Doresse, aO. 159-165), vgl. S. 65 A. 3; das „Ägypterevangelium" in Codex III und IV (vgl. J. Doresse, aO. 177-181), vgl. S. 65 A. 4; den „Eugnostosbrief" in Codex III und V (vgl. J. Doresse, aO. 192-197), vgl. S. 65 A. 5; die „Paraphrase des Seêm" und den „Zweiten Logos des grossen Seth" in Codex VII (vgl. J. Doresse, aO. 146-155), vgl. S. 65 A. 6; und die „Offenbarung des Dositheos" in Codex VII (vgl. J. Doresse, aO. 156-157), vgl. S. 65 A. 7.

[5]) Je zwei Versionen des „Ägypterevangeliums" und des „Eugnostosbriefes" sind erhalten, vgl. A. 3.

[6]) Es sind

1) aus *Codex VIII* eine Offenbarungsschrift, deren Titel nicht erhalten ist (Nr. 13 der Zählung von J. Doresse, vgl. aO. 197), vgl. jedoch S. 73 A. 7.

2) die Abhandlung über die Wahrheit des Zostrianus (vgl. J. Doresse, aO. 156-157).

3-5) aus *Codex IX* drei titellose Schriften, Nr. 16, 17 und 18 der Zählung von J. Doresse (vgl. aO. 197).

6) aus *Codex X* Schrift Nr. 43 der Zählung von J. Doresse (vgl. aO. 197).

7-9) aus *Codex XI* die „Deutung der Gnosis" (vgl. J. Doresse, aO. 197), „Messos" (vgl. J. Doresse, aO. 157), der „höchste Allogenes" (vgl. J. Doresse, aO. 157).

10) der Traktat in *Codex XII*, Nr. 43 der Zählung von J. Doresse (vgl. aO. 197).

11) aus *Codex XIII*: die dreigestaltige Protennoia (vgl. J. Doresse, aO. 181 und 329-332).

dieser Gruppe sind noch nicht zur Veröffentlichung vergeben worden.

2. Gnostische Schriften, die christlich verkleidet sind [1]). Hierzu rechnet er zwei Schriften: das Apokryphon des Johannes [2]), von dem drei Versionen in den Nag Hammadi-Texten erhalten und veröffentlicht sind [3]), und die „Sophia Jesus Christi" [4]), die schon bekannt ist, weil W. C. Till sie in den textkritischen Apparat der Berliner Version [5]) aufnehmen konnte, und deren Ausgabe sich in Vorbereitung befindet [6]).

3. Evangelien verchristlichter Gnosis [7]). Sechzehn Texte rechnet J. Doresse zu dieser Gruppe, die aus christlich-apokryphen Schriften mit gnostischen Spekulationen bestehen sollen. Von dieser Gruppe sind sieben Schriften [8]) veröffentlicht, drei Textausgaben [9]) befinden sich im Druck, die Ausgabe von drei Texten [10]) wird vorbereitet, sodass nur drei Schriften [11]) noch nicht zur Publikation vergeben sind.

4. Hermes Trismegistos als Bundesgenosse der Gnosis [12]). Fünf Schriften [13]) weist er in diese Gruppe, deren Ausgabe sich im Druck [14]) befindet.

---

[1]) vgl. J. Doresse, aO. 197-218.
[2]) vgl. J. Doresse, aO. 201-218.
[3]) vgl. S. 62 A. 1.
[4]) vgl. J. Doresse, aO. 198-200.
[5]) vgl. S. 65 A. 6.
[6]) vgl. S. 65 A. 5.
[7]) vgl. J. Doresse, aO. 218-241.
[8]) Es sind
1-2) aus *Codex I*: Das Evangelium Veritatis (vgl. J. Doresse, aO. 239-241), vgl. S. 62 A. 1; der Traktat über die Auferstehung (vgl. J. Doresse, aO. 239), *ib.*
3-4) aus *Codex II*: das Thomasevangelium (vgl. J. Doresse, aO. 227-235), vgl. S. 62 A. 1; das Philippusevangelium (vgl. J. Doresse, aO. 221-225), *ib.*
5-7) aus *Codex V*: die Paulusapokalypse (vgl. J. Doresse, aO. 237-238) und die beiden Jakobusapokalypsen (vgl. J. Doresse, aO. 237), vgl. S. 62 A. 1.
[9]) Das Apokryphon des Jakobus aus Codex I (vgl. J. Doresse, aO. 239), vgl. S. 64 A. 1; das Thomasbuch aus Codex II (vgl. J. Doresse, aO. 225-227) und die „Taten des Petrus und der zwölf Apostel" aus Codex VI (vgl. J. Doresse, aO. 235-236), vgl. S. 65 A. 1.
[10]) Das Gebet eines Apostels aus Codex I (vgl. J. Doresse, aO. 236), vgl. S. 65 A. 2; der „Dialog des Soter" in Codex III (vgl. J. Doresse, aO. 220-221), vgl. S. 65 A. 6; die Petrusapokalypse aus Codex VII (vgl. J. Doresse, aO. 236), vgl. S. 65 A. 7.
[11]) Die Lehren des Silvanus aus Codex VII (vgl. J. Doresse, aO. 219) vgl. S. 65 A. 8; der Brief des Petrus an Philippus aus Codex VIII (vgl. J. Doresse, aO. 236) und eine titellose Schrift aus Codex IX (= Nr. 19 der Zählung von J. Doresse, aO. 219-220).
[12]) J. Doresse, aO. 241-248 und 331 f.
[13]) Nr. 21-26 seiner Zählung.
[14]) Vgl. S. 65 A. 1.

Betrachtet man diese 4 Gruppen im Hinblick auf den Stand ihrer Veröffentlichung, dann muss man sagen, dass die Veröffentlichung der letzten Gruppe mit den hermetischen Texten als nächste Publikation zu erwarten ist, gefolgt von der zweiten Gruppe, den verchristlichten gnostischen Schriften. Etwas länger wird es dauern, bis die dritte Textgruppe publiziert sein wird, weil drei Texte noch nicht vergeben sind. Die für die Fragestellung dieses Kolloquiums wichtigste Gruppe, die erste der Zählung von J. Doresse, wird am spätesten veröffentlicht sein, weil die Publikation von elf Schriften noch nicht in Angriff genommen worden ist.

Wie kommt es nun, dass von dieser Gruppe bisher so wenige Texte veröffentlicht worden sind? Das liegt daran, dass für die Vergabe von Texten zur Veröffentlichung nicht ihr Inhalt entscheidend war. Entscheidend war vielmehr, in welchem Codex sich die Schriften befinden. Es wurden bisher und werden vorläufig — wie sie schon gesehen haben — nur Texte der Codices I-VII mit einer Ausnahme [1]) publiziert. Diese Texte haben — bis auf den schlecht erhaltenen Codex IV — den Vorzug, am besten erhalten zu sein, während die schlechter erhaltenen Texte in Codex VIII-XIII die für die Frage nach dem Ursprung der Gnosis vielleicht wichtigeren Schriften enthalten. Auf alle Fälle kann man sagen, dass die bisher veröffentlichten Texte aus den genannten Gründen keinen repräsentativen Querschnitt durch den Handschriftenfund darstellen. Zufällig überwiegen die Schriften mit christlich-gnostischem und alttestamentlich-jüdischem Inhalt. Wären stattdessen bisher etwa nur die Codices VI-VIII veröffentlicht worden, hätten wir einen anderen Eindruck vom Inhalt dieses Handschriftenfundes. Dabei ist ausserdem fraglich, ob die in diesem Fund erhaltenen Schriften ihrerseits den Anspruch erheben können, die Vielzahl der gnostischen Schulen adäquat zu vertreten. Das sollten wir bei unseren Diskussionen — soweit es sich um Texte aus diesem Fund handelt — bedenken. Vielleicht können wir nach einigen Jahren, wenn die Veröffentlichung der koptisch-gnostischen Texte weiter vorangeschritten ist, wieder zusammenkommen und dann die Ergebnisse, zu denen wir auf diesem Kolloquium gekommen sind, an den in der Zwischenzeit veröffentlichten Texten überprüfen.

Nun könnte man darauf hinweisen, dass wir schon jetzt den Inhalt

---

[1]) Die „titellose Schrift" in Codex XIII, weil ihr Paralleltext in Codex II veröffentlicht wurde (vgl. S. 62 A. 1).

der noch nicht veröffentlichten Schriften aus den Inhaltsangaben von J. Doresse kennen. Hinsichtlich der Inhaltsangaben von J. Doresse müssen wir aber bedenken, dass ihm für die Durchsicht des Textfundes nur verhältnismässig wenig Zeit zur Verfügung stand. Er konnte daher nicht alle Texte abschreiben oder fotografieren, sondern sich oft nur kurze Notizen machen [1]). Wenn wir uns nun seine Inhaltsangaben der 11 noch nicht zur Publikation vergebenen Schriften der 1. Textgruppe ansehen, müssen wir feststellen, dass von sechs Schriften seiner Zählung Inhaltsangaben völlig fehlen [2]). Von fünf Schriften macht er Angaben über ihren Inhalt, aber in verschiedener Ausführlichkeit. Am ausführlichsten sind die Angaben über die „dreigestaltige Protennoia" in Codex XIII. Von den 16 Seiten dieser Schrift finden sich Zitate von jeweils einigen Zeilen von sieben Seiten [3]), von den zehn Seiten der Offenbarung des Dositheus werden einige Zeilen von zwei Seiten [4]) zitiert. Aus der ersten Schrift von Codex IX, die 27 Seiten umfasst, werden nur die letzten sieben Zeilen der letzten Seite [5]) wiedergegeben. Die Abhandlung über die Wahrheit des Zostrianus in Codex VIII umfasst 132 Seiten. Zitiert werden aber nur sechs Zeilen von Seite 130 [6]). Aus der Schrift betitelt „Allogenes" in Codex XI teilt J. Doresse nur mit, dass in ihr Barbelo vorkommt [7]).

Diese wenigen Angaben von J. Doresse reichen natürlich nicht aus, sich eine klare Vorstellung vom Inhalt der betreffenden Schriften zu verschaffen. Hinzu kommt, dass er meist nicht angibt, wo die von ihm mitgeteilten Zitate zu finden sind, ob am Anfang, in der Mitte oder am Schluss der jeweiligen Schrift. Bei den Zitaten wird ausserdem oft Text ausgelassen. Diese Auslassungen werden manchmal [8]) durch Punkte kenntlich gemacht, trotzdem weiss man nicht, wieviel Text

---

[1]) J. DORESSE, aO. 146.

[2]) Von einer titellosen Schrift in Codex VIII (vgl. S. 73 A. 6 u. S. 73), zwei titellosen Schriften in Codex IX, je einer Schrift in Codex X und XII und der „Deutung der Gnosis" in Codex XI, vgl. S. 67 A. 6.

[3]) Plexiglasseite 14, 21-31 und 1, 7-15 ist auf S. 181 übersetzt, S. 11, 4-5 auf S. 329, S. 11, 5-6; 6, 14-18; 5, 10-18; 15, 21-24; 16, 8; 16, 9-20; 16, 20-29 auf S. 330 und S. 1, 7-15 auf S. 331.

[4]) VIII 124, 17-23 und 127, 28-31 auf S. 188.

[5]) IX 27, 3-10 auf S. 197.

[6]) VIII 130, 1-6 auf S. 157.

[7]) J. DORESSE, aO. 157. Die Barbelo wird auf Plexiglasseite 42 genannt.

[8]) z.B. auf den oben in A. 3 genannten Seiten.

ausgelassen wurde. Oftmals werden Textauslassungen in Zitaten überhaupt nicht kenntlich [1]) gemacht.

Bei der Bestimmung der von J. Doresse mitgeteilten Zitate wurde ausserdem festgestellt, dass bei mehreren Zitaten aus derselben Schrift die Zitate nicht in der richtigen Reihenfolge wiedergegeben sind [2]).

Weil noch nicht abzusehen ist, wann die noch nicht für eine Publikation vergebenen Texte einmal publiziert werden und die Inhaltsangaben von J. Doresse die genannten Mängel aufweisen, falls überhaupt etwas über den Inhalt gesagt wird, werden in unserem 2. Bande [3]) von allen Schriften der Codices VII-XIII ausführliche Inhaltsangaben veröffentlicht und dabei auch die von J. Doresse mitgeteilten Zitate bestimmt.

Wir müssen ferner die Frage stellen, ob die von J. Doresse vorgenommene Einteilung des Fundes in die vier genannten Gruppen auch nach längerem Studium der Texte noch aufrecht zu halten ist. Es hat sich gezeigt, dass die Einteilung als solche dem Stoff angemessen ist, dass man aber einzelne Schriften anderen Gruppen zuweisen muss. Wir können tatsächlich gnostische Schriften feststellen, die keinen christlichen Einfluss zeigen. Damit ist freilich noch nicht erwiesen, dass diese Texte vorchristlichen Ursprungs sind. Sie können ebenso alt wie die christlich-gnostischen Texte sein. Die Gruppe der nichtchristlich-gnostischen Texte liesse sich in mehrere Untergruppen untergliedern. So bilden beispielsweise Texte, in denen nur alttestamentliches und jüdisches Gedankengut feststellbar ist, eine Untergruppe neben Schriften, in denen philosophisch-gnostische Gedanken vorherrschen, ohne dass man alttestamentlichen, jüdischen oder christlichen Einfluss feststellen kann. Es erscheint mir wenig sinnvoll, schon jetzt, vor der Publikation und Bearbeitung dieser Texte, neue Unterteilungen dieser vier Gruppen vorzunehmen. Bereits jetzt aber kann man von den 21 Schriften, die J. Doresse zur ersten Gruppe zählt, acht aus ihr ausschliessen, und zwar alle diejenigen Schriften, in denen christliches Gedankengut

---

[1]) z.B. auf S. 148 im letzten Abschnitt. Dort wird VII 47, 7-13 und 47, 16-32 übersetzt, ohne daß die Auslassung von Zeile 14-15 kenntlich gemacht wird.

[2]) Das ist beispielsweise der Fall in der Schrift „die dreigestaltige Protennoia" in Codex XIII, die aus 3 Teilen besteht. Die auf S. 70 A. 3 genannten Zitate stammen in dieser Reihenfolge aus dem 1., 3., 1., 3., 2., und 3. Teil, ohne daß darauf verwiesen wird, aus welchem Teil sie stammen.

[3]) vgl. S. 65 A. 1.

oder Personen, die wir aus dem NT kennen, nachweisbar sind. Ihr
Vorkommen weist diese Texte in die zweite oder dritte von J.
Doresse gebildete Gruppe. Ich richte mich wieder nach dem
Vorkommen der Texte in den Codices und nenne daher als erste
Schrift die „Hypostase der Archonten" aus Codex II. Sie beginnt
mit einem Zitat aus dem NT: Epheser 6, 12 [1]). Auch im zweiten Teil
dieser Schrift [2]) finden sich Anklänge an das NT: Joh. 14, 2 [3]); Joh.
14, 17, 26 [4]); 1. Joh. 2, 20, 27 [5]); Eph. 4, 6 [6]). Auch 2. die „Titellose
Schrift" in Codex Il ist aus dieser Gruppe auszuscheiden. Nicht nur
das Vorkommen des Namens Jesu Christi [7]), wenn auch nur als unter-
geordneter Grösse, sondern vor allem die vielen Anspielungen an
das NT, die A. Böhlig [8]) nachgewiesen hat, beweisen das. Aus Codex
II gehört auch 3. die „Exegese über die Seele" nicht in diese Gruppe.
Der Verfasser dieser Abhandlung versucht, die weit verbreitete
Lehre vom Fall der Seele und ihrer Rettung im biblischen Schrifttum
des Alten und Neuen Testaments nachzuweisen, bemüht dazu auch
Homer [9]). Fast ein Drittel der Schrift besteht aus wörtlichen Zitaten
und Anspielungen, meist aus dem AT [10]), doch auch aus dem NT,
und zwar aus den Synoptikern [11]), Johannes [12]), den paulinischen
Briefen [13]), ebenso Anspielungen an die Synoptiker [14]), Johannes [15])
und Acta [16]). Aus Codex VI scheidet auch 4. die Schrift Nr. 24 der

---

[1]) II 86, (= Taf. 134) 23-25.
[2]) Er beginnt II 93 (= Taf. 141), 13.
[3]) II 93, (= Taf. 141) 29 f.
[4]) II 96, (= Taf. 144) 35 ff.
[5]) II 97, (= Taf. 145) 2 ff.
[6]) II 97, (=Taf. 145) 18 f.
[7]) II 105, (= Taf. 153) 26.
[8]) vgl. den Index S. 128.
[9]) II 136, 27 ff. S. 127 u. 137 sind abgebildet in: ADIK Kopt. Reihe II Tafel
18-19.
[10]) Zitate (nach LXX): Jeremia 3, 1-4 (II 129, 8-22); Hosea 2, 4-9 (II 129, 23-130,
11); Ezechiel 16, 23-26 a (II 130, 11-20); Genesis 2, 24 b (II 133, 3); Genesis
1, 16 b (II 133, 9-10); Psalm 44, 11-12 (II 133, 16-20); Genesis 12, 3 b (II 133,
29-31); Psalm 102, 1-5 (II 134, 16-25); Jesaja 30, 15 (II 136, 6-8); Jesaja 30, 19-20
(II 136, 9-16); Psalm 6, 6-10a (II 137, 16-22). Anspielung: Deuteronomium 5, 6
(II 137, 11-13). Hinzu kommt ein Zitat, das in 1. Clemens 8, 3 erhalten ist (II 135,
31-136, 4).
[11]) Matthäus 5, 4 und 5, 6 (= Lukas 6, 21; II 135, 16-19); Lukas 14, 26 (II 135,
19-21).
[12]) Johannes 6, 44 (II 135, 1-4).
[13]) 1. Korinther 5, 9-10 (II 131, 3-8); Epheser 6, 12 (II 131, 9-13).
[14]) Markus 1, 4; Lukas 3, 3; Acta 13, 24 (II 135, 21-24).
[15]) Johannes 6, 63; 2. Korinther 3, 6 (II 134, 1-2).
[16]) Acta 15, 20.29 (II 130, 30).

Zählung von J. Doresse [1]) aus dieser Gruppe aus. Es handelt sich nicht um eine titellose Schrift, wie J. Doresse [2]) annimmt. Sowohl am Anfang (36, 1-2) als auch am Ende (48, 14-15) ist der Titel des Traktates erhalten [3]. In dieser Schrift werden drei Äonen beschrieben. Der erste ist der fleischliche Äon Noahs, der zweite der seelische Äon (39, 16 ff.) auf den ein dritter, der kommende Äon folgt. Im zweiten Äon, dem seelischen Äon, werden Geschehnisse des NTs beschrieben, ohne dass ausdrücklich darauf verwiesen wird. Es heisst: „der Mensch (das ist Jesus) wird erstehen" (40, 25-26). „Er wird in Gleichnissen sprechen, er wird den kommenden Äon verkünden" (40, 30-41, 1). Es heisst von ihm „er hat die Toten auferweckt" (41, 10-11), „die Archonten erhoben sich gegen ihn. In ihrem Zorn wollten sie ihn dem Herrscher der Unterwelt übergeben. Da erkannten sie einen von denen, die ihm nachfolgten (das ist Judas). Ein Feuer ergriff seine Seele, er lieferte ihn aus" (41, 14-22). „Die Sonne tötete den Tag, der Tag wurde finster. Die Dämonen wurden verwirrt. Und danach wird er sich offenbaren, wenn er hinaufgeht. Und das Zeichen des kommenden Äons wird sichtbar werden" (42, 15-22). Auch 5. der „zweite Logos des grossen Seth" [4]) in Codex VII scheidet aus, weil auch in dieser Schrift christlicher Einfluss nachweisbar ist. S. 63, 32 ff. lesen wir: „Von Adam bis Moses und Johannes dem Täufer hat mich keiner von ihnen erkannt". Nach 69, 20 ff. hat Jesus Christus selbst die Worte dieser Schrift verkündigt [5]). 6. Die von J. Doresse als Nr. 13 gezählte Schrift in Codex VIII [6]) scheidet ebenso wie 7. die Schrift Nr. 17 oder 18 [7]) seiner Zählung in Codex IX aus, weil diese garnicht existieren, wie ich bei der Durchsicht der Codices feststellen musste.

Von den 21 Texten dieser Gruppe bleiben also nur 13 übrig, von denen acht noch nicht vergeben sind. Wahrscheinlich lassen sich bei

---

[1]) J. Doresse zitiert daraus folgende Stellen: VI 44, 2-12; 44, 13-19; 44, 29-45, 3; 45, 4-6 auf S. 187; VI 45, 6-35 auf S. 188.

[2]) J. DORESSE, aO. 187.

[3]) Er lautet am Anfang: „die Erfahrungsgesinnung, der Gedanke der grossen Kraft" (VI 36, 1-2), am Ende: „der Gedanke unserer grossen Kraft" (VI 48, 14-15), vgl. ADIK Kopt. Reihe I, 26. S. 36 ist abgebildet in: ADIK Kopt. Reihe II Tafel 27, S. 48 aO. Tafel 28.

[4]) Von dieser Schrift zitiert J. DORESSE auf S. 149: VII 53, 30-31; 69, 20-24 und 69, 29-70, 10.

[5]) vgl. die Übersetzung von 69, 29-70, 10 bei J. DORESSE, aO. 149.

[6]) vgl. S. 67 A. 6 und S. 70 A. 2

[7]) vgl. S. 67 A. 6. Da J. Doresse von beiden Schriften keine Angaben zum Inhalt macht (vgl. S. 70 A. 2), wissen wir nicht, welche der beiden Schriften gemeint ist.

eingehender Bearbeitung dieser Texte noch weitere aus dieser Gruppe
ausschliessen, wenn sich christlicher Einfluss [1]) in ihnen nachweisen
lässt.

Die Texte mit nachweisbar christlichem Gedankengut hat J.
Doresse in zwei Gruppen unterteilt: in die zweite Gruppe seiner
Zählung: die gnostischen Texte mit christlicher Verkleidung [2]), und
in die dritte Gruppe: Evangelien verchristlichter Gnosis [3]). Diese
Einteilung ist wiederum den Quellen angemessen. Allerdings wird
nicht immer Einigkeit darüber zu erzielen sein, ob man einen Text in
die zweite oder dritte Gruppe weisen soll.

Christlich überarbeitete, ursprünglich aber nichtchristlich-gnostische Texte sind m.E. diejenigen Schriften, in denen das gnostische
Gut das christliche an Umfang übertrifft und das wenige christliche
Material den Eindruck späterer Zufügung macht. Wir finden es meist
nur in der Rahmenhandlung. R. McL. Wilson [4]) hat als Beispiel auf
das „Evangelium der Maria" im Berliner gnostischen Codex verwiesen, das offensichtlich aus zwei Teilen zusammengesetzt und
durch eine christliche Rahmenhandlung verchristlicht worden ist.
J. Doresse weist in diese Gruppe die „Sophia Jesu Christi" [5]) und das
Apokryphon des Johannes [6]). Beide Zuweisungen sind richtig, wie
ich in zwei Untersuchungen festgestellt habe. Im Falle der „Sophia
Jesu Christi" ist uns sogar die nichtchristlich-gnostische Schrift
erhalten geblieben, aus der die christlich-gnostische Schrift durch
Überarbeitung entstanden ist: der Eugnostosbrief. Der Vergleich
beider Werke, die sogar noch in je zwei Versionen auf uns gekommen
sind, zeigt deutlich, wie diese Überarbeitung vorgenommen wurde [7]).
Der Text wurde in Abschnitte zerlegt. Zwischen diese wurden neu
formulierte Fragen und Bitten der Jünger und Marias und Formulierungen wie „der Soter sprach" [8]) eingeschoben, wodurch aus dem

---

[1]) In Codex XI Plexiglasseite 32 wird z.B. Jesus genannt. Die Seite gehört wahr-
scheinlich nicht zur „Deutung der Gnosis", sondern zur folgenden „Titellosen
Schrift" (vgl. MDIK 18, 1962, 129). Auch im Ägypterevangelium ist christlicher
Einfluß nachweisbar, besonders klar am Ende der Schrift (III 69, 14 f.)

[2]) J. DORESSE, aO. 197-218.

[3]) J. DORESSE, aO. 218-241.

[4]) R. McL. WILSON, *The New Testament in the Gospel of Mary*, in: NTS 3, 1957,
236 f.

[5]) J. DORESSE, aO. 198-200.

[6]) J. DORESSE, aO. 201-218.

[7]) M. KRAUSE, *Das literarische Verhältnis des Eugnostosbriefes zur Sophia Jesu
Christi* (vgl. S. 65 A. 5) 222 f.

[8]) M. KRAUSE, aO. 218 f.

Brief ein Gespräch zwischen den Jüngern und dem Soter wurde. Eine Rahmenhandlung wurde um dieses Gespräch gelegt, die Angaben über Zeit, Ort und Teilnehmer des Gespräches enthält: es findet in Galiläa zwischen dem auferstandenen Jesus und seinen Jüngern und Jüngerinnen statt [1]). In diese Rahmenhandlung werden weitere Anklänge an das NT eingebaut [2]), sodass aus dem nicht-christlich-gnostischen Brief eine christliche Offenbarungsschrift entstanden ist. Diese Überarbeitung ist allerdings nicht vollständig gelungen. Zwischen manchen Fragen und Antworten, zwischen Rahmenhandlung und dem Corpus der Schrift bestehen Widersprüche [3]).

Dieselben Ergebnisse brachte die Untersuchung der vier Versionen des Apokryphon des Johannes [4]). Da diese Schrift ausserdem noch aus mehreren Teilen zusammengesetzt worden ist, mussten die verschiedenen, in den einzelnen Teilen vorkommenden Personen zur Harmonisierung miteinander gleichgesetzt werden. Die zuerst Genannten dürften jeweils die Ursprünglichen sein. Dabei fällt auf, dass bei solchen Gleichsetzungen das christliche Gut erst an zweiter Stelle steht. So wird z.B. das Licht mit Christus gleichgesetzt [5]).

Von einem ursprünglich christlichen Text, der gnostisches Gedankengut später aufgenommen hat, kann man m.E. dann sprechen, wenn das gnostische Material an zweiter Stelle steht. Wenn es bei Gleichsetzungen — um das oben genannte Beispiel zu verwenden — hiesse: ,,Christus — das ist das Licht''. In diesen Texten überwiegt das christliche Gedankengut bei weitem das gnostische. Letzteres erscheint oft nur als Zusatz zum christlichen, wie z.B. viele Sprüche des Thomasevangeliums lehren, das ich zu den christlich-gnostischen Texten der dritten Gruppe von J. Doresse zähle.

Weil damit zu rechnen ist, dass die genannten christlich überarbeiteten, ursprünglich nichtchristlich-gnostischen Schriften nicht die einzigen überarbeiteten Texte sind, müssen alle christlich-gnostischen Schriften auf ihre literarische Einheitlichkeit untersucht werden. Zeigen sich dabei die bei der Untersuchung des ,,Evangeliums der Maria'', der ,,Sophia Jesu Christi'' und des ,,Apokryphon des

---

[1]) BG 77, 8-80, 4 u. Par.
[2]) M. KRAUSE, aO. 220.
[3]) M. KRAUSE, aO. 220 f.
[4]) M. KRAUSE, *Literarkritische Untersuchung des Apokryphon des Johannes*, Habil. Schrift, Münster 1965 (Masch.-Schrift).
[5]) BG 32, 20 u. Par.

Johannes" gewonnenen Kriteria, sind diese Schriften in die zweite Gruppe der Zählung von J. Doresse zu verweisen. Als Ergebnis solcher Untersuchungen möchte ich vorläufig drei weitere Schriften, die J. Doresse anderen Gruppen zuordnet, hier einreihen:

1. die „Hypostase der Archonten" [1]). Sie besteht — wie das „Evangelium der Maria" — aus zwei Teilen. Ihr Inhalt ist gnostisch. Christliches Gedankengut findet sich nur in der Rahmenhandlung, wie wir bereits gesehen haben [2]).

2. das „Buch des Athleten Thomas" aus Codex II [3]). Nach der Rahmenhandlung (II 138, 1-4) spricht Jesus nur mit Judas Thomas. Zwischen der Rahmenhandlung und dem Corpus des Buches besteht eine Reihe von Widersprüchen: von den zwölf Reden Jesu sind nur vier an Thomas gerichtet, die Mehrzahl wendet sich an einen grösseren Kreis. In II 144, 37 heisst es beispielweise: „er (Jesus) sagte *ihnen*". Auch Thomas erscheint als Wortführer namentlich nicht genannter Personen und spricht von „wir" und „uns", obwohl er nach der Rahmenhandlung allein mit Jesus spricht. Die Themen des Gesprächs wechseln ausserdem häufig und werden nicht erschöpfend behandelt [4]).

3. die „Akten des Petrus und der zwölf Apostel" [5]). Die Petrusakten bestehen aus drei Teilen: einer Rahmenhandlung und zwei selbständigen Erzählungen, die künstlich miteinander verbunden sind und sich z.T. widersprechen. In der Rahmenhandlung erzählen die Apostel in der 1. Person pluralis. In der ersten Erzählung tritt Petrus auf, der in der 1. Person singularis berichtet. In der zweiten Erzählung sprechen — wie in der Rahmenhandlung — die Apostel in der 1. Person pluralis. Von Petrus als Wortführer der Apostel wird in der 3. Person singularis erzählt. In der zweiten Erzählung wird oft auf die erste verwiesen. Dabei wird vieles aus der ersten Erzählung in der zweiten christlich umgedeutet. Doch dabei finden sich auch Widersprüche zwischen den Aussagen der ersten und zweiten Erzählung. In der zweiten Erzählung wird beispielweise den Aposteln etwas verheissen, was ihnen in der ersten Erzählung in Aussicht

---

[1]) J. Doresse rechnet sie zur 1. Gruppe (vgl. oben S. 72 und S. 65 A. 3 und S. 67 A. 4)

[2]) vgl. oben S. 72 und S. 72, AA. 1.3-6.

[3]) J. DORESSE, aO. 225-227 rechnet diese Schrift zur 3. Gruppe; Seite 138 und 145 sind abgebildet in: ADIK Kopt. Reihe II Tafel 20 und 21.

[4]) Näheres in der Textpublikation, vgl. 65 A. 1.

[5]) J. DORESSE, aO. 235-236 rechnet auch diesen Text zur 3. Gruppe. Seite 12 ist abgebildet in: ADIK Kopt. Reihe II Tafel 22.

gestellt worden sein soll. Tatsächlich galt diese Verheissung in der ersten Erzählung, in der die Apostel überhaupt nicht auftreten, aber den Armen der Stadt. Die Verweise der zweiten Erzählung auf die erste wird man wohl als den Versuch interpretieren müssen, beide Teile miteinander zu verbinden. Das christliche Gedankengut findet sich fast nur in der Rahmenhandlung [1]).

Es ist wahrscheinlich, dass auch noch andere christlich-gnostische Schriften, die J. Doresse der dritten Gruppe zuweist, zu den christlich überarbeiteten Texten der zweiten Gruppe gehören. Die Untersuchung der Traktate der dritten Gruppe im Hinblick auf ihre literarische Einheitlichkeit, auf Widersprüche zwischen der Rahmenhandlung und dem Corpus und weitere Widersprüche innerhalb der Schriften wird darüber Auskunft geben. Sie muss durchgeführt werden, weil es für die Auswertung der Texte von grosser Wichtigkeit ist, ob die Schriften immer christlich-gnostische Traktate waren, oder ob es sich um genuin gnostische handelt, die nur christlich überarbeitet worden sind.

III.

Wenden wir uns nun der vierten Gruppe, den hermetischen Texten, zu, deren Ausgabe bald zu erwarten ist [2]). Die Inhaltsangaben dieser Schriften von J. Doresse [3]) sind leider überwiegend nicht richtig, weil er die vor- und nachgesetzten Titel oft nicht auf die zugehörigen Texte bezogen hat [4]). Einmal wird auch der Inhalt eines Traktates zwei verschiedenen Schriften zugewiesen [5]). Eindeutig hermetische Schriften sind drei, die 6.-8. Schrift in Codex VI:

1. die 6. Schrift des Codex VI 52, 1-63, 32 [6]). Der Titel dieser Schrift auf Zeile 1 von Seite 52 ist leider nicht erhalten geblieben.

---

[1]) vgl. S. 76 A. 4.

[2]) vgl. S. 65 A. 1.

[3]) J. Doresse, aO. 241-248 u. S. 331 f.; vgl. auch seinen Aufsatz: *Hermès et la gnose. A propos de l'Asclepius copte*, in: *Novum Testamentum* I, 1956, 54-69.

[4]) vgl. ADIK Kopt. Reihe I 26 f. und die auf S. 65 A. 1 genannte, im Druck befindliche Textpublikation.

[5]) Was J. Doresse, aO. 243 ff. als Inhalt der Schriften Nr. 23 und 25 seiner Zählung mitteilt, steht in Wirklichkeit in demselben Traktat, der 6. Schrift des Codex; vgl. A. 6.

[6]) Von dieser Schrift übersetzt J. Doresse (aO. 243) VI 56, 22-26 (= Nr. 23 seiner Zählung), VI 58, 14-21 (aO. 243-244) (= Nr. 25 seiner Zählung), VI 55, 24-30 (aO. 244), VI 63, 17-24 (aO. 244). Für mehrere Stellen schlage ich anderslautende Übersetzungen vor. S. 52 und 63 sind abgebildet in: ADIK Kopt. Reihe II Tafel 30 und 31.

Sichtbar ist nur noch ein waagerechter Strich [1]). Diese Striche trennen auch in anderen Schriften dieses Codex [2]) den Titel vom Corpus des Traktates. Dieser Traktat ist im erhaltenen hermetischen Schrifttum nicht enthalten. Es handelt sich um einen Dialog zwischen Vater und Sohn. S. 59, 11 wird der Name des Vaters genannt: er heisst Hermes. Zweimal [3]) wird er als τρισμέγιστος angesprochen. Der Name des Sohnes wird zwar nicht genannt, dennoch dürfen wir annehmen, dass es, wie in anderen hermetischen Schriften [4]), Thot ⲦⲀⲦ ist. Er erhält den Auftrag, dieses Buch für den Tempel von Diospolis [5]) aufzuschreiben [6]), ja, die Reden dieses Buches sollen sogar auf Stelen aus Edelstein geschrieben werden, wobei der Nus als Aufseher fungiert und acht Wächter wachen [7]). Auf den hohen Rang der in diesem Traktat geschriebenen Reden wird nochmals [8]) hinge-wiesen. Zu ihrem Schutz soll auch ein Eid aufgeschrieben werden, den der, der das Buch liest, leisten soll [9]). Der Wortlaut des Eides wird am Schluss der Abhandlung mitgeteilt [10]). Diese Schutzmass-nahmen sind gerechtfertigt, wenn wir den Inhalt des Dialoges betrachten: er handelt von den höchsten Stufen der hermetischen Frömmigkeit, der Achtheit und Neunheit, und wie man zu ihrer Schau gelangt. Wir hören, dass die Reihenfolge der Stufen einge-halten werden muss [11]). Nachdem die „Söhne" schon zur Siebenheit gelangt sind, weil, wies es wörtlich heisst: „wir fromm sind, weil wir in deinem Gesetze wandeln und wir deinen Willen jederzeit

[1]) vgl. ADIK Kopt Reihe II Tafel 30.
[2]) vgl. aO. Tafel 22 ff.
[3]) VI 59, 15.24-25.
[4]) z.B. im V. und XIII. Traktat, vgl. auch das Gespräch des Hermes mit Tat bei Stob I p. 273 (Wachsmuth); ⲦⲀⲦ wird auch in der koptischen Version des Asclepius (VI 72, 30) genannt.
[5]) Zwei ägyptische Städte trugen in griechisch-römischer Zeit den Namen Diospolis: Luxor-Theben (vgl. Porter-Moss, *Topographical Bibliography of Ancient Egyptian Hieroglyphic Texts, Reliefs and Paintings* Vol. II 1929), das südlich des Fundortes liegt, und Hôu (Diospolis parva) (vgl. Porter-Moss, aO. V, 1937, 107-109). Letzteres liegt nur 5 Kilometer von Nag Hammadi und dem angeblichen Fundort der Handschriften entfernt! Vielleicht würde eine Ausgrabung der Ruinen von Diospolis parva Aufschluß darüber geben, wie lange der dortige Tempel in Betrieb war.
[6]) VI 61, 18 ff.
[7]) VI 61, 25 ff.
[8]) VI 63, 2 ff.
[9]) VI 62, 22 ff.
[10]) VI 63, 15 ff.
[11]) VI 53, 24 ff.

vollenden"[1]), und dabei auf vieles verzichtet haben[2]), bitten sie nun Gott: „Herr, gib uns Weisheit aus deiner Kraft, die zu uns reicht, dass wir uns das Schauspiel der Achtheit und der Neunheit sagen"[3]). Schon vorher[4]) war Hermes gebeten worden, mit der Rede über die Achtheit und die Neunheit zu beginnen. Voraussetzung hierfür war — nach den Worten des Hermes — ein Gebet zu Gott mit dem ganzen Denken, dem ganzen Herzen und der ganzen Seele um das Geschenk der Achtheit[5]). Dieses Gebet wird S. 55, 23 ff. in vollem Wortlaut mitgeteilt. Das Gebet wird erhört: die Kraft, die Licht ist, kommt. Der Sohn ruft aus: „ich sehe nämlich, ich sehe unaussprechliche Stufen"[6]). Doch er sieht noch nicht die Achtheit. Diese sieht vorläufig nur Hermes. Er schaut Dinge, die er nicht beschreiben kann, „denn die ganze Achtheit, o mein Sohn, und die Seelen in ihr und die Engel, sie preisen schweigend"[7]). Schliesslich sieht auch der Sohn dasselbe Schauspiel: „ich sehe dasselbe Schauspiel in dir. Und ich sehe die Achtheit und die Seelen in ihr und die Engel, wie sie die Neunheit und ihre Kräfte preisen"[8]). Danach wird der Sohn aufgefordert, von nun an nicht mehr zur Neunheit zu sprechen, dafür den Vater bis zum Tode zu preisen[9]), denn er hat gefunden, wonach er verlangt hat[10]).

2. Die 7. Schrift aus Codex VI 63, 33-65, 7[11]). Ihr Titel ist erhalten, er lautet: „Das ist das Gebet, das sie sprachen"[12]). Dieses Gebet kennen wir bereits. Es steht am Ende des Asclepius (§ 41) und ist auch griechisch im P. Mimaut[13]) erhalten. Der Vergleich des koptischen Textes mit dem lateinischen und griechischen hat ergeben[14]), dass der koptische Text dem griechischen am nächsten steht. Der koptische Text hilft auch bei der Ergänzung der Textlücken im

---

[1]) VI 56, 27-32.
[2]) VI 57, 1 ff.
[3]) VI 56, 22-26. Die Übersetzung von J. Doresse (aO. 243) weicht von unserer etwas ab. Er übersetzt ϪⲰ ⲚⲀⲚ mit „show forth".
[4]) VI 55, 24 ff.
[5]) VI 55, 11 ff.
[6]) VI 57, 31 f.
[6]) VI 58, 17-21.
[8]) VI 59, 27 ff.
[9]) VI 60, 3 ff.
[10]) VI 60, 10 f.
[11]) Von diesem Gebet übersetzt J. Doresse (aO. 245) VI 65, 2-7. Seite 63 und 65 sind abgebildet in: ADIK Kopt. Reihe II Tafel 31 und 32.
[12]) VI 63, 33.
[13]) A. D. Nock u. A. J. Festugière, *Hermès Trismégiste* II 353 ff.
[14]) Näheres in der auf S. 65 A. 1 genannten Publikation.

P. Mimaut, die bisher bekanntlich verschieden ergänzt wurden. Beide
Texte weichen nur an wenigen Stellen geringfügig voneinander ab.
Der lateinische Text ist offensichtlich jünger und mit Zusätzen
versehen. Die bisher nur lateinisch erhaltene Notiz am Ende des
Gebetes: haec optantes convertimus nos ad puram et sine animalibus
cenam [1]) ist — sogar in etwas erweiterter und abweichender Form —
im koptischen Text erhalten: „Als sie das gesagt hatten, indem sie
beteten, küssten sie einander und gingen, um ihre heilige Nahrung
zu essen, in der kein Blut ist" [2]).

3. Die 8. Schrift von Codex VI 65, 8-78 Ende [3]). Diese Schrift
trug früher einen Titel, der aber wohl vom Schreiber ausradiert und
durch eine Bemerkung [4]) ersetzt wurde. Inhaltlich entspricht die
Schrift § 21 Mitte bis § 29 des Asclepius. Der koptische Text ist —
wie schon der der vorangehenden Schrift — von grosser Wichtigkeit
für die Textgeschichte dieses Teiles des Asclepius. Bekanntlich sind
von der griechischen Version einige Stellen als Zitate bei Lactantius,
Stobaios und Johannes Lydos erhalten [5]). Der Vergleich des koptischen Textes mit diesen Zitaten hat eine grössere Übereinstimmung
mit den bei Lactantius und Stobaios erhaltenen Zitaten als bei
Johannes Lydos [6]) ergeben. Aufs Ganze gesehen [7]) zeigen die griechischen Zitate eine grössere Übereinstimmung mit dem koptischen
Text als dieser mit dem lateinischen aufweist. Die lateinische Version
ist im allgemeinen umfangreicher als die koptische und ist an einzelnen
Stellen nachweislich sekundär erweitert worden. Aber auch der
koptische Text weist vereinzelt mehr Text auf als der griechische und
lateinische. Die Handschrift dürfte etwa aus der Mitte oder zweiten
Hälfte des 4. Jh.s [8]) stammen und somit mehrere Jahrhunderte älter

---

[1]) NOCK-FESTUGIÈRE, aO. II 355.

[2]) VI 65, 2-7, vgl. auch J. DORESSE, aO. 245.

[3]) J. DORESSE übersetzt aO. 245: VI 65, 15-24; 65, 26-30; 70, 3-7; 70, 8-10;
70, 11-19; S. 246: 70, 21-23; 71, 17- 21; 72, 29-33; 73, 20-22; 75, 28-30; 76, 21-33;
S. 248: 65, 8-10.

[4]) VI 65, 8-14, vgl. ADIK Kopt. Reihe I 26 und A. 10, S. 65 ist abgebildet in
ADIK Kopt. Reihe II Tafel 32.

[5]) abgedruckt bei NOCK-FESTUGIÈRE aO. II 330, 333, 334, 336.

[6]) J. DORESSE, aO. 247 A. 160 hat nur die Zitate von Johannes Lydos mit dem
lateinischen Text verglichen.

[7]) Näheres in der auf S. 65 A. 1 genannten Publikation.

[8]) In die 2. Hälfte des 4. Jh.s datiert jetzt auch J. DORESSE, aO. 248 den Text,
nachdem er ihn früher (VC 3, 1949, 137) schon in die Mitte des 3. Jh.s gesetzt hatte.
Die zu frühe Ansetzung noch bei M. P. NILSSON, *Geschichte der griechischen Religion*
II ²1961, 583 A. 2.

als die lateinische sein. Die Textfolge im koptischen ist dieselbe wie im lateinischen und zeigt somit, dass die von W. Scott [1]) vorgenommenen Textumstellungen nicht berechtigt sind. Sehr interessant ist die an Stelle des Titels vom Schreiber geschriebene Notiz am Anfang des Textes: ,,Diese eine Abhandlung zwar habe ich geschrieben. Sehr zahlreich sind die, die in meine Hand gelangt sind. Ich habe sie nicht abgeschrieben, weil ich annehme, dass sie in eure Hände gelangt sind. Ich zweifle nämlich auch, während ich diese für euch abschreibe, ob sie vielleicht (schon) in eure Hände gelangt sind und die Sache euch ermüdet; denn zahlreich sind die Abhandlungen des H[ermes(?)], die in meine Hände gelangt sind" [2]). Darf man aus diesen Worten schliessen, dass zu der Zeit, als diese Schrift abgeschrieben wurde, noch nicht der ,,Asclepius" existierte, sondern nur einzelne Schriften, die erst später zum Asclepius vereinigt wurden? Dafür spricht m.E. auch, dass das am Ende der lateinischen Version des Asclepius (§ 41) stehende Gebet in Codex VI 63, 33-65, 7 noch eine gesonderte Schrift war, die daher auch vor unsere Schrift, also *vor* § 21-29 des Asclepius, geschrieben werden konnte.

Ausser diesen drei eindeutig hermetischen Schriften enthält Codex VI noch weitere fünf Schriften. Zwei davon sind christlich-gnostische Schriften [3]): die erste Schrift, betitelt ,,die Taten des Petrus und der zwölf Apostel" (VI 1, 1-12, 22) und die vierte Schrift ,,die Erfahrungsgesinnung, der Gedanke der grossen Kraft" (VI 36, 1-48, 15), in der nach meiner Ansicht christlicher Einfluss nachweisbar ist, wie ich zu zeigen versucht habe.

Es verbleiben noch drei Schriften in Codex VI, die man nicht eindeutig zu den hermetischen Schriften weisen kann. In den erhaltenen hermetischen Schriften sind sie nicht enthalten. Weder Hermes noch Thot werden in diesen Texten genannt. Inhaltlich könnte man sie sowohl zu den hermetischen als auch zu den gnostischen Schriften rechnen, denn aus beiden Textgruppen lassen sich Parallelen beibringen [4]). J. Doresse meinte, sie zeigen ,,a curious transition between Hermetism and Gnosticism" [5]). Es handelt sich um:

---

[1]) W. SCOTT, *Hermetica* I, 1924, 334 ff.
[2]) VI 65, 8-14. Die Ergänzung der Lücke zu H[ermes] ist allerdings unsicher.
[3]) ,,Die Taten des Petrus und der zwölf Apostel" halte ich aus den oben S. 76 f. genannten Gründen für eine christlich überarbeitete gnostische Schrift. ,,Der Gedanke der grossen Kraft" dagegen ist m.E. eine späte gnostische Schrift, in der christliche Gedanken mit verarbeitet werden, ohne dass das ausdrücklich gesagt wird.   [4]) Sie sind gesammelt in der auf S. 65 A. 1 genannten Textpublikation.
[5]) J. DORESSE, aO. 146.

1. die zweite Schrift von Codex VI, betitelt „der Donner, der vollkommene Nus" [1]) (13, 1-21, 32). Diese Schrift hat J. Doresse übersehen. Sie besteht überwiegend aus Selbstprädikationen eines vielgestaltigen Wesens in antithetischer Form. Es sagt von zich z.B.: „Ich bin das Schweigen, das man nicht erfassen kann, und die Epinoia, deren Gedanken zahlreich sind. Ich bin die Stimme, deren Klang vielstimmig ist, und der Logos, dessen Aussehen verschieden ist" [2]), „Weshalb habt ihr mich gehasst, ihr Griechen? Weil ich ein Barbar unter den Barbaren bin? Ich bin nämlich die Sophia der Griechen und die Erkenntnis (γνῶσις) der Barbaren" [3]).

Interessant ist, dass sich am Anfang der Antithesen eine Parallele zu den Antithesen in der „Titellosen Schrift" in Codex II S. 114 (= Taf. 162), 7-15 befindet [4]). Sie werden dort Eva, der ersten Jungfrau, zugeschrieben. Es heisst in Codex VI [5]): „Ich bin die erste und die letzte. Ich bin die Geehrte und die Verachtete. Ich bin die Dirne und die Ehrbare. Ich bin die Frau und die Jungfrau. Ich bin die Mutter und die Tochter. Ich bin die Glieder meiner Mutter. Ich bin die Unfruchtbare, und zahlreich sind ihre Kinder. Ich bin die, deren Hochzeiten zahlreich sind, und ich habe nicht geheiratet. Ich bin die Amme und die, die nicht gebiert. Ich bin der Trost meiner Geburtsschmerzen. Ich bin die Braut und der Bräutigam. Und mein Mann ist es, der mich erzeugt hat. Ich bin die Mutter meines Vaters und die Schwester meines Mannes, und er ist mein Abkömmling. Ich bin die Sklavin dessen, der mich bereitet hat. Ich bin die Herrin meines Abkömmlings. Er aber ist es, der mich vor der Zeit gezeugt hat [   ] und er ist mein früherer Abkömmling, und meine Kraft stammt aus ihm." Diese Antithesen werden mehrfach durch Anreden an die Hörer unterbrochen. Mit einer solchen endet auch die Schrift [6]): „Erkennt nun, Hörer, und auch ihr Engel und die, die man gesandt hat, und die Geister, die von den Toten auferstanden sind, dass ich es bin, der allein existiert, und dass ich keinen habe, der mich richten wird. Viele angenehme Erscheinungen nämlich sind in zahlreichen Sünden, und Zügellosigkeiten und schlechten Eigenschaften und

---

[1]) Der Titel steht am Anfang des Traktates: VI 13, 1. Diese Seite ist abgebildet in: ADIK Kopt. Reihe II Tafel 23, Seite 21 aO. Tafel 24.

[2]) VI 14, 9-13.

[3]) VI 16, 1-5.

[4]) A. Böhlig und P. Labib, *Die koptisch-gnostische Schrift ohne Titel aus Codex II von Nag Hammadi* 74.

[5]) VI 13, 16-14, 5.

[6]) VI 21, 14-32. Seite 21 ist abgebildet in: ADIK Kopt. Reihe II Tafel 24.

Vergnügungen bis zu dem Zeitpunkt an dem man sie ergreift, bis sie nüchtern werden und zu ihrem Begräbnisplatz hinabeilen. Und sie werden mich an jenem Ort finden und leben und nicht wieder sterben".

2. Die dritte Schrift, betitelt „die authentische Lehre" (22, 1-35, 24) [1]). Auch der Inhalt dieser Schrift ist bisher unbekannt, weil das, was J. Doresse [2]) als Inhalt dieser Schrift angibt, in der nächsten Schrift, dem „Gedanken der grossen Kraft" steht. Es ist eine Abhandlung über die Herkunft, den Fall und die Rettung der Seele. Nach der Schilderung der Ursachen, die zum Fall der Seele führten, werden die Leser aufgefordert, daraus die Lehren zu ziehen und diese Welt und ihre Verführungen zu verachten und nach dem wahren Wohnort Ausschau zu halten. Es lassen sich viele Parallelen aus dem gnostischen Schrifttum, vor allem der „Exegese über die Seele" und dem „Philippusevangelium", beibringen, ebenso aber auch aus den hermetischen Schriften [3]). Der Hauptunterschied zwischen der „Exegese über die Seele" und dieser Schrift besteht darin, dass in ersterer versucht wird, den Fall der Seele aus dem biblischen Schrifttum [4]) zu beweisen, während in dieser Schrift keine Bibelstelle zitiert wird.

Die unsichtbare Seele der Gerechtigkeit kam aus den unsichtbaren, unaussprechlichen Welten [5]). Als man die pneumatische Seele in den Körper warf, wurde sie Bruder der Begierde, des Hasses und der Eifersucht und materielle Seele. Daher kam der Körper aus der Begierde und die Begierde aus dem materiellen Sein [6]). Die Seele denkt nicht mehr an ihre Brüder und ihren Vater, weil das Vergnügen und die angenehmen Vorteile sie täuschen. Als sie die Erkenntnis hinter sich liess, geriet sie in ein Tiersein [7]). Sie vermischte sich, wohl mit der Materie. Dies wird nicht deutlich, weil drei Zeilen nicht erhalten sind [8]), in denen das wohl berichtet wurde. Wir erfahren, dass

---

[1]) Der Titel steht am Ende des Traktates VI 35, 23-24; vgl. ADIK Kopt. Reihe I 26 u. A. 4. Seite 22 und 35 sind abgebildet in: ADIK Kopt. Reihe II Tafel 25 und 26. Ob der Titel auch am Anfang der Schrift stand, wissen wir nicht, weil die ersten Zeilen nicht erhalten sind.

[2]) J. Doresse, aO. 242 (= Nr. 21 seiner Zählung).

[3]) Näheres in der auf S. 65 A. 1 genannten Publikation.

[4]) vgl. oben S. 72 und S. 72 A. 10.

[5]) VI 22, 11-15.

[6]) VI 23, 12-15.

[7]) VI 24, 20-22.

[8]) VI 25, 1-3.

der Vater allein existiert und zwar schon bevor die Welten, die im Himmel sind, und die Welt auf Erden sich offenbarten [1]). Alles geschah nach seinem Befehl. Ohne sein Wollen konnte nichts entstehen. Er wollte seinen Reichtum und seine Herrlichkeit offenbaren. Er machte diesen grossen Kampf in dieser Welt, weil er wollte, dass die Kämpfer und alle Kämpfenden offenbar werden und alles, was entstanden ist, hinter sich lassen und es in einem erhabenen, unerreichbaren Wissen verachten und zu dem, was existiert, hineineilen [2]). Ab 26, 20 wird in der 1. Person pluralis berichtet: ,,die mit uns kämpfen, die feindlich sind, die gegen uns kämpfen, wir besiegen ihre Unkenntnis durch unser Wissen, da wir schon das Unentdeckbare erkannt haben, aus dem wir hervorgegangen sind. Wir haben nichts in dieser Welt, damit nicht die Macht der Welt, die entstanden ist, uns zurückhält in den Welten, die im Himmel sind" [3]). Es wird dann breit ausgeführt, dass die Welt immer wieder versucht, die Menschen zu umgarnen. Die Seele ,,ist krank, weil sie in einem Armenhaus ist" [4]). Die Materie verwundet ihre Augen, weil sie sie blind machen will. Daher folgt die Seele dem Logos ,,und gibt ihn ihren Augen wie ein Heilmittel" [5]), ,,damit sie sieht und ihr Licht die Streitigkeiten verbirgt, die mit ihr geführt werden" [6]). Die Versuchungen werden dann [7]) in einem Gleichnis dargestellt: wie ein Fischer verschiedene Köder ins Wasser wirft und dadurch mit Netz und Angelhaken Fische fängt, ,,so sind auch wir in dieser Welt wie die Fische" [8]). Der Widersacher legt viel Nahrung dieser Welt vor unsere Augen, damit wir nur ein wenig davon kosten und er uns ergreift und uns aus der Freiheit in die Sklaverei bringt. Diese Speise führt zum Tode. Die Speisen, mit denen uns der Teufel jagt, sind: Leid wegen einer kleinen Sache dieses Lebens, Begierde nach einem Gewande, Geldgier, Prahlerei, Hochmut, Eifer, Körperschönheit, Unwissenheit, Unbekümmertheit [9]). Diese breitet der Widersacher vor dem Körper aus und wünscht, dass sich das Herz der Seele zu einer von diesen wendet. Wie mit einem Netz zieht er sie gewaltsam in Un-

---

[1]) VI 25, 27-23.
[2]) VI 26, 6-20.
[3]) VI 26, 20-30.
[4]) VI 27, 25-27.
[5]) VI 27, 31-32.
[6]) VI 28, 13-16.
[7]) VI 29, 7 ff.
[8]) VI 30, 4-6.
[9]) VI 30, 6-31, 7.

wissenheit und täuscht sie, bis sie vom Bösen schwanger wird und
Früchte der Materie gebiert und in der Befleckung wandelt und
vielen Begierden nachläuft, z.B. der Habsucht. Das fleischliche
Ergötzen zieht sie in Unwissenheit [1]). Die Seele hat erkannt, dass
diese Leidenschaften zwar süss, aber nur zeitlich begrenzt sind. Sie
hat über die Schlechtigkeit Belehrung empfangen, daher verachtet
sie dieses Leben, weil es zeitlich begrenzt ist. Sie fragt nach der
Nahrung, die sie zum Leben führt. Sie gibt die falschen Speisen auf
und empfängt Belehrung über ihr Licht. Sie wandelt, von dieser Welt
entkleidet, mit angelegtem Brautgewand, empfängt Belehrung über
ihre Tiefe, eilt in ihren Hof. Ihr Hirte steht an ihrer Tür [2]). „Für alle
Schändlichkeiten und Unehren, die sie in dieser Welt erlitten hat,
empfängt sie 10000mal mehr Gnade und Ehre" [3]). Ihren Körper
übergibt sie denen, die ihn ihr gegeben hatten. Diese sind traurig,
weil sie mit diesem Körper keinen Handel treiben konnten. Sie
wussten nicht, dass die Seele einen unsichtbaren, geistigen Körper
hat, dass sie einen anderen Weg kennt, den ihr wahrer Hirte sie durch
Wissen gelehrt hat [4]). „Diese aber, die unwissend sind, fragen nicht
nach Gott. Sie erkundigen sich auch nicht nach ihrem Wohnort,
wenn sie an einem Ruheplatz sind, sondern sie wandeln in einem
Tiersein. Jene sind schlechter als die Heiden" [5]). Sie sind Kinder des
Teufels. „Auch die Heiden nämlich geben Almosen und wissen, dass
Gott im Himmel der Vater des Alls ist und erhabener ist als ihre
Götzen, die sie verehren. Sie haben nicht das Wort (λόγος) gehört,
dass sie sich nach seinen Wegen erkundigen" [6]). „So verhält es sich
auch mit dem unverständigen Menschen. Er hört zwar die Einladung,
kennt aber nicht den Ort, zu dem man ihn eingeladen hat. Und bei
der Verkündigung hat er nicht gefragt: 'An welchem Ort ist der
Tempel, zu dem ich gehen und anbeten muss, an dem meine Hoffnung
ist?' Wegen seines Unverstandes ist er schlechter als ein Heide, denn
die Heiden kennen den Weg zu ihrem Steintempel, der zugrunde
gehen wird, und sie verehren ihren Götzen, auf dem ihr Herz ruht,
denn er ist ihre Hoffnung. Diesem Unverständigen hat man das Wort
(λόγος) verkündet, indem man ihn belehrte: 'Frage und erkundige

---

[1]) VI 31, 8-24.
[2]) VI 31, 24-32, 11.
[3]) VI 32, 12-16.
[4]) VI 32, 17-33, 3.
[5]) VI 33, 4-11.
[6]) VI 33, 26-34, 2.

Dich nach den Wegen, auf denen Du gehen kannst, es gibt nämlich keine Sache, die so gut ist wie diese Sache' " [1]. „Die geistige Seele aber mühte sich ab, indem sie fragte. Sie empfing Belehrung über Gott" [2]. „Sie fand ihren Aufgang. Sie ging zur Ruhe ein in dem, was ruht. Sie liess sich im Brautgemach nieder. Sie ass vom Mahle, nach dem man hungerte. Sie empfing von der unsterblichen Speise. Sie fand das, was sie suchte. Sie erlangte Ruhe von ihren Mühen, während das Licht, das auf sie scheint, nicht untergeht. Ihm gebührt die Ehre und die Macht und die Offenbarung bis in alle Ewigkeit. Amen" [3].

3. Die 5. Schrift in Codex VI (48, 16-51, 23) [4]. Es ist eine kurze Schrift ohne Titel. Man kann sogar fragen, ob es überhaupt eine selbständige Schrift ist oder nur eine Art Zusatz zu der vorangehenden Schrift, dem „Gedanken der grossen Kraft", in der wir christliches Gedankengut festgestellt haben.

J. Doresse betrachtete den nachgesetzten Titel des vorangehenden Traktates [5] als voranstehenden Titel dieser Schrift und teilt daraus den Inhalt einiger Zeilen von zwei Seiten mit [6]. Auch für diesen Text kann man wieder gnostische und hermetische Parallelen beibringen [7]. Im Anschluss an eine Wortverkündigung werden die Hörer aufgefordert, sich die gehörten Worte anzueignen [8]. Einige Aussprüche [9] einer nicht näher bezeichneten Person [10] werden zitiert von einer anderen, ebenfalls nicht näher bezeichneten Person und im Ich-Stil [11] besprochen. Themen sind Gewaltanwendung [12] und das Aussehen des Logos der Seele [13].

Ich hoffe, dass es einem Hermetikspezialisten gelingen wird, die drei letztgenannten Schriften nach ihrer Veröffentlichung überzeugend entweder als hermetische oder als gnostische Schriften zu bestimmen. Ihr Inhalt, von dem ich Ihnen einige Proben bieten

---

[1]) VI 34, 3-23.
[2]) VI 34, 32-35, 2.
[3]) VI 35, 8-22.
[4]) Seite 48 und 51 sind abgebildet in: ADIK Kopt. Reihe II Tafel 28 und 29.
[5]) VI 48, 14-15.
[6]) J. Doresse, aO. 242-243. Auf S. 242: VI 48, 16-24; 48, 26-32; S. 243: VI 51, 19-21.
[7]) Näheres in der auf S. 65 A. 1 genannten Publikation.
[8]) VI, 48, 16 ff. Ich übersetze anders als J. Doresse, aO. 242; VI 51, 8 ff.
[9]) VI 48, 20 ff; 48, 30 ff.; 50, 20 ff.
[10]) Vielleicht des Hermes.
[11]) ⲡⲉϫⲁⲓ̈ „ich sprach" (VI 48, 25 ff.; 50, 19 f.).
[12]) VI 48, 20 ff.; 50, 20 ff.
[13]) VI 48, 31 ff.

konnte, ist für viele Fragenkomplexe wichtig. Ich möchte nur zwei herausgreifen, die m.E. auf Grund des neuen Materials neu überdacht werden müssen: 1) gab es hermetische Gemeinden?; und 2) kannten die Hermetiker sakrale oder mystische Handlungen?

Zu 1. Durch den Nachweis von J. Festugière[1]), dass die hermetischen Schriften ihre Entstehung dem Schulbetrieb verdanken, in dem ein Lehrer einem sehr kleinen Kreis von Schülern diese Lehren vortrug, ist die von R. Reitzenstein u.a. vertretene Ansicht, die Hermetiker hätten Gemeinden gebildet[2]), in Frage gestellt worden[3]). Der Nachweis von Mysteriengemeinden in Ägypten, die den höchsten Gott, den Schöpfer und Herrn der Welt, verehrten, fordert — falls aus diesen Gemeinden die Hermetik entstanden ist[4]) — zur erneuten Prüfung des Quellenmaterials auf. Hinzu kommen nun noch die neuen hermetischen Traktate. Vor allem die „Titellose Schrift" in Codex VI 52, 1- 63, 32 bietet weiteres Material. Auch diese Schrift ist als Dialog gestaltet, und Hermes weist seinen Sohn darauf hin, er möge sich „erinnern an den Fortschritt im Verständnis der Bücher", der ihm zuteil wurde[5]). Jedoch zur Belehrung tritt das Gebet, und zwar offensichtlich mit einer grösseren Anzahl von Mitgläubigen[6]). Dieses Gebet findet statt „wenn sie sich zu den Büchern versammelt haben"[7]). Auf dieses Gebet folgt ein Kuss[8]). Diese Aussagen stellen die Frage, ob man 1. noch von einem Schulbetrieb sprechen kann oder schon von Versammlungen einer Gemeinde und 2. von sakralen oder mystischen Handlungen. M. P. Nilsson[9]) hat die Durchführung letzterer für unwahrscheinlich erklärt. Er meint damit die Aussagen im 4. Traktat über das Herabsenden eines Krater, die er zur geistigen Sphäre rechnet. Die neuen Quellen

---

[1]) J. Festugière, Le „logos" hermétique d'enseignement in: Rev. ét. gr., LV, 1942, 77 ff.

[2]) vgl. die alte Literatur bei M. P. Nilsson, aO. II 609.

[3]) vgl. auch. J. Festugière, Révélation I 81 f.

[4]) vgl. M. P. Nilsson, aO. II 610. Neuerdings hat Ph. Derchain (L'authenticité de l'inspiration égyptienne dans le „Corpus Hermeticum" in: RHR 161, 1962, 175-198) den ägyptischen Ursprung einzelner im hermetischen Schrifttum enthaltener Gedanken, die in griechischer Terminologie wiedergegeben sind, nachgewiesen. Er schlägt daher eine zwischen den einander entgegengesetzten Interpretationen von Stricker und Festugière-Nock vermittelnde Lösung vor.

[5]) VI 54, 7-9. Weiteres Material vor allem auf S. 54.

[6]) VI 53, 27-30: „lasst uns beten, o mein Sohn, zum Vater des Alls mit deinen Brüdern, die meine Söhne sind".

[7]) VI 53, 33.

[8]) VI 57, 26 f.: „lasst uns einander küssen (ἀσπάζεσθαι).

[9]) Opusc. sel., III 332 ff.; u. M. P. Nilsson, aO. II 609.

sprechen, und zwar übereinstimmend, von einem Kuss nach dem
Gebet [1]) und vom Essen heiliger, unblutiger Speise [2]). Auch im
„Authentikos Logos", dessen Zuweisung noch nicht gesichert
ist [3]), finden wir ähnliche Aussagen [4]): nachdem die Seele Belehrung
über Gott empfangen hatte, liess sie sich im Brautgemach nieder, ass
vom Mahle, nach dem man hungerte, und empfing von der unsterblichen Speise. Es fragt sich, ob alle diese Aussagen oder ein Teil von
ihnen zur geistigen Sphäre gehören oder sich auf sakramentale
Handlungen beziehen. Selbst wenn letzteres zutreffend wäre, bedeutet
das noch nicht, dass die Hermetik Sakramente kannte. Wir müssen
bedenken, dass diese hermetischen Texte sich in einem Codex mit
gnostischen Texten befinden und dieser Codex zu einer Bibliothek
gehörte, die ausser diesem einen Buch zwölf weitere mit ausschliesslich gnostischen Schriften enthielt. Daher hat J. Doresse [5]) bereits
die Frage gestellt, ob die hermetischen Schriften vielleicht gnostisch
abgewandelt worden sind. Selbst innerhalb der gnostischen Schulen
sind Sakramente selten bezeugt. Bisher finden sich vor allem in zwei
Schriften von Codex II [6]) Sakramente, ebenso bei den Marcosianern [7]).

Ich hoffe, die kurzen Inhaltsangaben einiger noch nicht veröffent-
lichter Schriften haben Ihnen einen Eindruck davon vermittelt, dass
auch die noch nicht publizierten Texte des Handschriftenfundes von
Nag Hammadi, ebenso wie die schon bekannten, neues Material
liefern, das noch intensive Arbeit von vielen Wissenschaftlern
erfordern wird, um alle Probleme, vor die uns die neuen Texte stellen,
zu lösen, falls das überhaupt möglich ist. Ob als Ergebnis dann immer
neue Erkenntnisse zu verzeichnen sein werden, ist fraglich. Sicher
ist aber, dass die neuen Quellen dazu zwingen, auch alte Hypothesen erneut zu überdenken. Dazu gehört auch die Frage nach dem
Ursprung der Gnosis, deren Beantwortung das Anliegen dieses Kolloquiums ist.

---

[1]) VI 57, 26 f.; VI 65, 3 f.
[2]) VI 65, 5-7; vgl. oben S. 80.
[3]) vgl. oben S. 83.
[4]) vgl. oben S. 86.
[5]) J. DORESSE, aO. 248.
[6]) im Philippusevangelium (vgl. E. SEGELBERG, *The Coptic-Gnostic Gospel
according to Philip and its Sacramental System* in: *Numen* 7, 1960, 189-200) und in der
„Exegese über die Seele" (vgl. die auf S. 65 A. 1 genannte Publikation). Weiteres
Material bei E. SEGELBERG, *The Baptismal Rite according to some of the Coptic-
Gnostic Texts of Nag Hammadi* in: *Studia Patristica* 5, Berlin 1962, 111-128.
[7]) vgl. H.-M. Schenke bei J. LEIPOLDT und H.-M.SCHENKE, aO. 37 f.

DISKUSSION

ADAM: In der Veröffentlichung über das Apokryphon des Johannes hat Dr. Krause geschrieben, daß er selbst sämtliche Abschriften der Kodizes in der Hand hat, so daß er wohl der einzige in Europa ist, der diese Handschriften jetzt kennt, und in Abschriften jetzt zur Hand hat. Die Frage wäre zu stellen, was er selbst beabsichtigt in der Herausgabe dieser Schriften.

Die Zweite Frage: Warum schon jetzt eine vorläufige Einteilung gemacht wird, anstatt die Schriften in der Reihenfolge der Kodizes zu veröffentlichen?

KRAUSE: Ich kann dazu folgendes sagen: ich bin von berufswegen 5 Jahre am Deutschen Archäologischen Institut in Kairo gewesen und die Aufgabe, die ich dort bekam, war, an koptischen Texten zu arbeiten. Ich habe mich für die gnostischen Texte entschieden und habe erreicht, daß das Deutsche Archäologische Institut Plexiglas zur Verfügung gestellt hat, damit die Texte, die bisher mit wenigen Ausnahmen in einem Lederkoffer lagen und an denen nichts geschah, überhaupt erst einmal verglast wurden. Und zwar wurden sie alle in der vorgefundenen Reihenfolge verglast, und beim Verglasen habe ich sämtliche Texte abgeschrieben. Ich hatte nie die Absicht, alle Texte zu veröffentlichen, denn das würde für einen einzelnen eine Arbeit von vielleicht 100 Jahren erfordern. Ich beabsichtige daher, nur einige Texte zu veröffentlichen. Welche es sind, habe ich in meinen Referat ausgeführt. Damit habe ich noch die nächsten Jahre zu tun. Ich würde es sehr unterstützen, wenn auch andere an der Publikation der Texte mitarbeiten würden.

Die andere Frage, nach der Reihenfolge: Sie haben gesehen, daß bisher nur Texte von Kodex I bis VI veröffentlicht worden sind, insofern hat man sich an die Reihenfolge gehalten; natürlich nicht in der Art, daß man erst einmal Kodex I ganz veröffentlicht hat, dann Kodex II, sondern alle veröffentlichten Texte stammen aus Kodex I bis VI. Und dazu wird noch der Kodex VII kommen.

DELIMITATION OF THE GNOSTIC PHENOMENON — TYPOLOGICAL AND HISTORICAL

BY

HANS JONAS

Delimiting a phenomenon that exists as a manifold of diverse individuals involves the wellknown circle of using the presumed unity of the many for the designation of a common name, and then using the meaning of that name to define the unity of the manifold— and hence to decide over the inclusion or exclusion of individuals. It is the paradox of, first, the evidence prescribing to us—persuasively; and, then, our concept prescribing to the evidence—normatively. In our case, this means that we must have some historical delimitation first so as to arrive at a typological one, and again the typological so as to re-assess the historical one. I shall not dwell here on the methodological problems of this hermeneutical circle—from felt unity to postulated principle of unity, and back to critically re-assigned unity: it is, with all its pitfalls, the necessity and creative risk of historical understanding, confronted as it is with the endless shadings and interpenetrations of historic phenomena. (The situation is different in other logical spheres which either permit the free fiat of definition, or offer such clearcut divisions that questions of delimitations are marginal.) Nor shall I defend here the employment, along the circle, of the "ideal type" construct which the historian, at least for heuristic purposes, cannot do without. Waiving these preliminaries, I will, among this gathering, simply assume a measure of consensus on the existence of such an entity as the gnostic phenomenon, on the spatiotemporal area in which it is located, on the body of evidence by which it is represented, and on the presence of certain pervading features which at least constitute a prima facie case for a unity of essence. On the other hand, we must be prepared to find this essence to consist in a spectrum rather than in one uniform hue, or perhaps in a nucleus surrounded by a less definite halo; and some of these shadings may well have genetic implications. Even so, phenomenology takes pride of place over genealogy, and since the historical locus is provisionally agreed upon, however subject to refinement, let me begin with, and dwell mainly on, the typological task.

A natural starting point is the term '*gnosis*' itself. Its verbal meaning, 'knowledge', is in our context specified as secret, revealed, and saving knowledge. This is to say that it is of mysteries, that it is not come by in a natural manner, and that its possession decisively alters the condition of the knower. In addition, however, it is specified by a particular *theoretical content*, the object-world of this knowledge, and this object-world significantly includes the role of knowledge itself within its scheme: The "what" of the knowledge contains the explanation of its own origin, communication, and promised effect. Indeed, the system of *universal being* which gnosis on its theoretical side expounds, is centered around the concept of gnosis itself and has thereby in its very constitution a reference to its becoming known by the individual knower. This broad metaphysical, theologico-cosmological underpinning of the saving power of 'knowledge', signalized by the appearance of the term on both the subject and object side of the system, is the first distinctive feature of gnostic speculation.

What system of reality, then, is it that thus provides for its knowledge as an intrinsic theme of itself? With this question we are inquiring into the objective content of the gnosis.

It is, first of all, a *transcendental genesis*, narrating the spiritual history of creation as a history of the upper worlds, i.e., ultimately of the Deity itself: beginning with the first beginnings, it unfolds the inner-divine drama in whose course the lower world originates.

There is, secondly, the outcome of this transcendental genesis: the existing system of the universe as a power structure which determines the actual condition of man. The emphasis here is on its stratification along a vertical axis, on the antithesis of the heights and the depths, on the distance between the terrestrial and the divine world, and the plurality of worlds in between.

The third theme, prepared by the first two and implicit in their logic, is man—his nature, and his place in both that past history and this present system: his origin 'beyond' in connection with the precosmic divine drama; his composite and sunken condition here; his true destination.

Finally, the doctrine of salvation, individual and universal: the last things answering to the first, the reversal of the fall, the return of all things to God.

Now, these themes, formally classifiable as theology, cosmology, anthropology, and eschatology, are as such shared by Gnosticism with other religious systems. What makes them uniquely gnostic in the cases where we feel moved to classify them as such?

One factor, already named, is the peculiar status of knowledge in everyone of the stages through which the metaphysical argument moves. A loss of knowledge is suffered by divinity in the primordial drama that affects part of it and modifies the condition of the whole. A lack of knowledge is at work in the arrogance and delusion of demiurgical creation and is permanently embodied in the resulting world. A want of knowledge, inflicted by the world and actively maintained by its powers, characterizes man's innerwordly existence; and a restoration of knowledge is the vehicle of salvation. Since each of these conditions follows from the preceding one, the whole can be considered as one grand *movement* of 'knowledge', in its positive and its privative moods, from the beginning of things to their end. This progressive movement consitutes the *time* axis of the gnostic world, as the vertical order of aeons and spheres constitutes its space axis. Time, in other words, is actuated by the onward thrust of a mental life: and in this thoroughly *dynamic* character which makes every episode productive of the next, and all of them phases of one total evolution, we must see another distinctive feature of Gnosticism. It is a metaphysic of pure movement and event, the most determinedly "historical" conception of universal being prior to Hegel (with whom it also shares the axiom—implicit in the ontological status of knowledge—that "substance is subject").

The dynamism is visible already in the doctrine of divinity itself which, from the repose of eternal preëxistence, is stirred into what becomes the "inward" history of creation, unfolding in a series of spiritual states of the Absolute whose primarily subjective, mental qualities become objectified, or hypostatized, in external realities— such that their succession marks the gradual progressus of the hierarchy of worlds out of the original deity. Thus, the history of creation—a history of the divine self—is *emanationist*; and, as the movement is inevitably downward, it is a history of "devolution". What is lower is later: this ontological axiom, so contrary to Hegel and any modern evolutionism, Gnosticism shares with all the "vertical" schemes of later antiquity—with what has sometimes been called the "Alexandrian" scheme of speculation which, on the philosophical side, culminated in Plotinus. It must be noted, however, that gnostic emanationism, unlike the harmonistic one of the Neoplatonists, has a catastrophic character. The form of its progress is *crisis*, and there occur failure and miscarriage. A disturbance in the heights starts off the downward motion which continues as a drama of fall and alienation. The corporeal world is the terminal product of this epic of decline.

The pathomorphic form of gnostic emanationism directly implies another trait: its irresolubly *mythological* character. For tragedy and drama, crisis and fall, require concrete and personal agents, individual divinities—in short, mythical figures, however symbolically they may be conceived. The Plotinian descensus of Being, in some respects an analogy to the gnostic one, proceeds through the autonomous movement of impersonal concept, by an inner necessity that is its own justification. The gnostic descensus cannot do without the contingency of subjective affect and will. (This, of course, is among the major reproaches leveled by Plotinus himself against the Gnostics.) The mythological—and thus nonphilosophical—form belongs to the nature of Gnosticism: a difference not of form only but of substance. We shall see later that the mythology itself is of a peculiar type within its own genus.

The purpose of the first, precosmic and cosmogonic stage of the myth (and to have a definite purpose is characteristic of gnostic myth) is to derive from beginnings that may themselves be monistic, a dualistic result, viz., the given state of things, represented by the world and reflected in man.

It is therefore only at the cosmic stage of the universal history, and thus in gnostic cosmology, i.e., in the view of the lower universe as established by those antecedents, that dualism comes to its unequivocal expression, while it may be equivocal in the original stages of the metaphysical genealogy. Whatever the beginning, whether one, two, or three 'roots', the crisis history of original being issues into a divided state of things. With the 'cosmos', reality is clearly polarized; the towering, many-storied structure of the spheres and aeons images the width of the rift between the poles, its very multiplicity serves to express the separative power of the antidivine and thus, for the earthbound view, the remoteness from God. To 'this world', as the nethermost boundary of being, there applies the verdict of cosmic pessimism. Pronounced by man, it means that the divided state is at the same time a mixed state of things in which he himself is profoundly displaced.

With *dualism* we have touched upon a central theme in the symphony of Gnosticism. Its doctrinal elaboration is multiform and, as indicated, admits of subtle combinations with a unitarian first principle, but it is omnipresent in all Gnosticism as, first and foremost, a radical mood that dominates the gnostic attitude and unites its widely diversified expressions. The dualism is between man and world, and again between the world and God. In either case, it is a dualism of antithetical, not complementary terms, and it is basically one: that of man and world mirrors on the plane of experience the primordial one of God and world and is in gnostic theory deduced from it. The interpreter may hold conversely that the transcendent doctrine of a world-*God* opposition sprang from the immanent experience of a disunion of *man* and world, i.e., that it reflects a human condition of alienation. In this sense, one may regard dualism as an invariant, *existential* "first principle" of Gnosticism, as distinct from a variable, *speculative* first principle employed in its representation.

In the three-term configuration, man and God belong in essence together over against the world, but are in fact separated by the world which is the alienating, divisive agency in the gnostic view. The object of gnostic speculation, then, is to derive these basic and experienced polarities—the primary datum of gnostic existence— by way of genetic myths from things that are first in theory; but also, through such genealogy, and beyond mere theory to point the way to their eventual resolution. The myth, a conscious symbolical construction, is thus predictive by being genetic, eschatological by being explanatory, and it takes itself to be instrumental in the salvation which its doctrine projects. This predetermined purpose of gnostic myth dictates its conception and actual course.

In the light of the purpose so defined, let us review once more the successive stages of the myth and look for further revealing aspects in their typology. The typical gnostic myth, as we have seen, starts with a doctrine of divine transcendence in its original purity; it then traces the genesis of the world from some primordial disruption of this blessed state, a loss of divine integrity which leads to the emergence of lower powers who become the makers and rulers of this world; then, as a crucial episode in the drama, the myth recounts the creation and early fate of man, in whom the further conflict becomes centered; the final theme, in fact the implied theme throughout, is man's salvation, which is more than man's as it involves the overcoming and eventual dissolving of the cosmic system and is thus the instrument of reïntegration for the impaired godhead itself, or, the selfsaving of God.

This typified abstract of gnostic myth offers the terms for our further attention: divine transcendence, lower powers, man, salvation. Let us briefly review them.

The transcendence of the supreme deity is stressed to the utmost degree in all gnostic theology. Topologically, he is transmundane, dwelling in his own realm entirely outside the physical universe, at immeasurable distance from man's terrestrial abode; ontologically, he is acosmic, even anticosmic: to 'this world' and whatever belongs to it he is the essentially 'other' and 'alien' (Marcion), the 'alien Life' (Mandaeans), also called the 'depth' or 'abyss' (Valentinians), even the 'not-being' (Basilides); epistemologically, because of this transcendence and otherness of his being, and since nature neither reveals nor even indicates him, he is naturally unknown (*naturaliter ignotus*), ineffable, defying predication, surpassing comprehension, and strictly unknowable. Some positive attributes and metaphors do apply to him: Light, Life, Spirit, Father, the Good—but not Creator, Ruler, Judge. Significantly, in some systems, one of his secret names is 'Man'. Mainly, the discourse about him must move in negations, and historically Gnosticism is one of the fountainheads of negative theology.

However, the Absolute is not alone, but is surrounded by an aura of eternal, graded expressions of his infinitude, partial aspects of his perfection, hypostatized into quasi-personal beings with highly abstract names and all together forming the hierarchy of the divine realm (the Pleroma). The progressus, or emanation, of this inner manifold from the primal ground, a kind of self-differentiation of the Absolute, is sometimes described in terms of subtle, spiritual dialectics, more often in rather naturalistic, e.g., sexual, terms. Among the tenuously mythological entities which thus arise, some more concrete ones stand out with definite roles in the further evolution of the transcendental drama: 'Man' as an eternal, precosmic principle (sometimes even identified with the First Being himself); 'Sophia', usually the 'youngest' of the Aeons; and 'Christ' or some similar restoring and saving agency. An extensive Pleroma speculation of this kind is the mark of advanced systems, but some degree of manifold on the upper reaches of being is requisite for all gnostic metaphysics as it provides the condition for divine passibility and failure on which the movement into creation and alienation depends.

The paradoxical combination of extreme transcendence with partial fallibility is one of the characteristics of gnostic theology and explains its readiness, or rather its need, to make use of the forms of polytheistic myth in the service of a preponderantly monotheistic conception.

The downward movement that breaches the self-containment of the divine world may be occasioned by the action of dark forces from without (implying a preëxistent dualism) or, more typically, by an internal crisis and transgression in the divine realm itself (thus providing the cause for an evolving dualism). Protagonist of the fall is female Sophia or male Anthropos: either can personify the affected part of divinity and thus become chief *dramatis persona*. On the whole, the Sophia line seems the more richly developed one. What matters is that the descensus set in motion by either agency must run its course even while the upper powers try to reverse it; and the counterplay of these two trends throughout the further process, making for a prolonged sequence of moves and countermoves, constitutes a main theme of gnostic narrative. In its imaginative elaboration, we observe a vivid sense for the use of stratagems on both sides: there is an element of cunning and outsmarting even in the strategy of salvation. With this trait again, Gnosticism stays unblushingly in the tradition of pagan polytheism which blends curiously with the Jewish-Christian conception of divine sublimity.

Passing to the lower powers (whatever their origin), their eminent personification is the *Demiurge*. This figure of an imperfect, blind, or evil creator is a gnostic symbol of the first order. In his general conception he reflects the gnostic contempt for the world; in his concrete description he often is a clearly recognizable caricature of the Old Testament God: of this we shall have to say something later. Pride, ignorance, and malevolence of the Creator are recurring themes in gnostic tales, as are his humbling and outwitting by the higher powers bent on thwarting his designs. However, over the whole range of gnostic mythologizing, his image varies, and there are milder versions in which he is more misguided than evil, thus open to correction and remorse, even to final redemption. But he is always *a problematical and never a venerable* figure. His place may be taken by a plurality of powers (e.g., the collective 'Seven'); but the complete absence of any such symbol for an inferior or degraded cause of the world, or of its particular order, or of its matter, would make one greatly hesitate to accept a doctrine as gnostic.

The Valentinian version, the subtlest of all, depicts the Demiurge as trying vainly to imitate the perfect order of the Pleroma with his physical one, and its eternity with the counterfeit substitute of time—thus adding to the parody of the Biblical creator that of the Platonic demiurge.

With the term "imitation" we have touched on another significant gnostic theme. It occurs first (somewhat faintly) in the cosmic planning at large, but its chief place is in the creation of man. The copying of ideal archetypes by the demiurge was a Platonic teaching, and like the whole doctrine of 'forms' it meant to confer upon the 'copy' a measure of validity together with its necessary imperfection: its likeness, "as far as possible", to the original is its share in perfection and justifies its being. In Gnosticism, on the contrary, the motif is turned into that of illicit imitation (counterfeiting) which is at once presumptuous and bungling. Homage is turned into opprobrium. Thus when the archons say "Come, let us make a man after the image we have seen", Biblical and Platonic lore are perverted at the same time, and the resulting *imago Dei*-character of created man, far from being a straight metaphysical honor, assumes a dubious, if not outright sinister, meaning. The motive for the archontic resolve is either simple envy and ambition, or the more calculating one of entrapping divine substance in their lower world by the lure of a seemingly congenial receptacle that will become its most secure bond. At any rate, the final composition of man, though in the main an archontic product, includes a 'spiritual' element from beyond.

This presence of transcendent spirit in psychophysical man, variously explained in gnostic speculation (either as a success of the nether powers, or a ruse of the upper ones), but always in itself a paradoxical, "unnatural" fact, becomes henceforth the fulcrum of the soteriological drama. The spirit's innerworldly existence is as such a state of exile, the result of primeval divine tragedy, and the immersion in soul and body is the terminal form of that exile—but at the same time the chance for its retrieval. For the archons, on the other hand, the inclusion of this transmundane element is vital to their system: hence they must resist at all cost its extrication from cosmic captivity which the upper powers seek for the regaining of divine wholeness.

Some important points here entailed should be made explicit. One is the identity, or consubstantiality, of man's innermost self with the supreme and transmundane God, himself often called 'Man':

utter metaphysical elevation coincides, in the acosmic essence of man, with utter cosmic alienation. Another point is the conception of the created world as a power system directed at the enslavement of this transmundane self: everything from the grand cosmic design down to man's psychophysical constitution serves this fearful purpose—such is the uniquely gnostic *Weltanschauung*. A third point is that the chief means of that enslavement is 'ignorance' actively inflicted and maintained, i.e., the alienation of the self from itself as its prevailing "natural" condition; and the fourth point, consequently, is that the chief means of extrication, the counteraction to the power of the world, is the communication of knowledge.

With the last point we have returned to our first theme, that of 'knowledge', now considered in its soteriological aspect, and thus in its bearing on the fortunes of mankind. The soteriological function of knowledge, which is rooted in the general ontology of the system, leads—in continuation of transcendent prehistory—to a conception of *human history* as the growing ingression of knowledge in the generations of man, and this requires *revelation* as a necessary vehicle of its progress. The need for revelation is inherent in the paralyzed innercosmic condition of the captive spirit, and its occurrence alters that condition in its decisive respect, that of 'ignorance'. Ignorance, to the Gnostics, is not a neutral state, nor simply a privation, the mere absence of knowledge, but a positive affect of the spirit, a force of its own, operative in the very terms of man's existence and preventing his discovering the truth for himself, even his realizing his state of ignorance as such. I need only mention the whole image-cycle of sleep, drunkenness, self-forgetfulness of the soul. Divine revelation, then, or the 'call', breaking through this power of ignorance, is itself already part of salvation. Beginning with Adam, thwarted time and again by the resistance of the worldly powers, it continues in a series of messengers through the course of history to a final consummation. Gnosticism indeed conceived of one pervading pattern and meaning of world history, with a definite goal and a particular mode of progress. Contrary to Jewish apocalyptics, kingdoms and nations have no place in it, only souls. Yet the stake is all mankind, and beyond mankind the total order of things, even the relief of suffering deity. The 'knowing ones', to be sure, are always a minority, but the scope of the process is truly ecumenical in space and time.

But note that mankind is not responsible for its plight and for the necessity of divine intervention. There is no fall or original sin of Adam: where he is the first recipient of revelation (as is often the case), he is this not as transgressor but as victim—directly of archontic oppression, and ultimately of the primordial fall to which the world's existence and his own are due. Insofar as guilt is involved, it is not his but that of the Aeons who caused the disruption of the higher order; it is not human but divine, arising before, and not in creation. This difference from the Jewish and Christian position goes to the heart of the gnostic phenomenon. Among other things, it made Gnosticism unable to assimilate any serious meaning of the incarnation and the cross.

And the content of the saving knowledge? Fundamentally it is nothing else but the transcendent history itself, because this either displays or implies all the enlightening truth that the world withholds and salvation requires: "the knowledge who we were, what we have become; where we were, wherein we have been thrown; whereto we speed, wherefrom we are redeemed; what is birth, and what rebirth," (Exc. Theod. 78.2). Gnostic myth is always, and essentially, the argument for the importance of its own communication, and also an account of its supranatural source. By virtue of both revealed content and revelatory source, it claims saving power for itself *qua known*: it *is*, in short, the *gnosis*.

However, although this knowledge of truth is as such held to be liberating as it restores the awakened spirit to its native powers, it usually also includes a body of more practical—we might say, technical—information, an instruction on what to do: the 'knowledge of the way', i.e., of the sacraments to be performed now, of the 'names' to be employed later when the ascending spirit meets the powers after leaving the body at death, and whatever ritual or ethical preparation may assure this future passage. The Naassene psalm even defines 'gnosis' in this instrumental sense, pure and simple, as 'the secrets of the way'. This is an adequate definition only when the 'secrets' are understood to epitomize the theoretical totality of the system as well, as indeed they do: the ascent doctrine in its details, wherever such are given, spells out once more the topography and theological meaning of the gnostic universe, as the itinerary and adventures of the soul on this occasion lead through the complete order in reversal of the primordial fall.

At this point we break off the typefied abstract of gnostic thought, incomplete as it necessarily is. Yet something, we feel, is missing which not even the most complete morphology of objective content can catch and which yet belongs to the typology of the gnostic phenomenon. I am thinking of such situationally determined things as the mood or tone of gnostic statement; the style of gnostic mythologizing as distinct from the content thereof; and the relation to other positions insofar as such relation is not an extraneous consideration but an element in the intrinsic meaning of the gnostic position itself. Let me make a few remarks on these points.

The gnostic mood, apart from the deadly earnest befitting a doctrine of salvation, has an element of rebellion and protest about it. Its rejection of the world, far from the serenity or resignation of other nonworldly creeds, is of peculiar, sometimes vituperative violence, and we generally note a tendency to extremism, to excess in fantasy and feeling. We suspect that the dislocated metaphysical situation of which gnostic myth tells had its counterpart in a dislocated real situation: that the crisis-form of its symbolism reflects a historical crisis of man himself. Such a crisis, to be sure, shows in other phenomena of the period as well, Jewish, Christian, and pagan, many of which betray a deeply agitated state of mind, a great tension of the soul, a disposition toward radicalism, hyperbolic expectations, and total solutions. But the gnostic temper is of all the least restrained by the power of traditions which it rather treats with peculiar *impietas* in the cavalier use it makes of them: this lack of piety, so curiously blended with avid interest in ancient lore, must be counted among the physiognomic traits of Gnosticism. I refer to what I have written many years ago about the revolutionary and angry element in Gnosticism. A subtraction of this element, though it might leave conceptual doctrine unaffected, would not leave the gnostic essence what it is: historical or ethnological parallels to particular gnostic concepts, lacking that element, are to that extent less compelling than the mere propositional likeness might suggest.

On the other hand, against this immoderate emotionalism, we must observe the non-naïveté of gnostic myth: with all its crudities it is a work of sophistication, consciously constructed to convey a message, even to present an argument, and deliberately made up of the pirated elements of earlier myth. It is, in short, secondary and derivative mythology, its artificiality somehow belonging to its character. Some speculative intention, explanatory or other, is intrinsic already in primary myth, where the mythical language is the natural and only medium of thought as well as of its expression: already Aristotle remarked that mythology is the first form of theory, a precursor of philosophy. But original myth had no choice in the matter, thought and its mode of expression being then inseparably one, with no alternative of independent abstraction open to it. Also, imagination there originally determines the concatenation of thought (the "reasoning") rather than that prior thought would enlist imagination in its service. In the gnostic case, on the other hand, one has the feeling that myth is a chosen style of speculation, vying with—perhaps even reactive to—that of philosophy, which is in the field as another possible choice: both philosophy *and* earlier, naïve myth are presupposed as ready-made materials. As a result, in using the latter to *express* its own, preconceived *idea*, gnostic myth is often contrivedly allegorical rather than authentically "symbolical" (in the primary, nondeliberate sense of symbol). Hence the easy shifting of images for the same motif, the many variations on a common theme. Genuinely original as this gnostic theme itself is, with its disturbing interpretation of a disturbed reality, there is something unmistakeably "second-hand" about the means of its representation. But then again, there is great ingenuity in adapting the borrowed detail to the grand gnostic design which in all the extravagance of embroidery is never lost sight of. All this is possible only in a historically "late", distinctly literate, and thoroughly syncretistic situation, which thus belongs to the phenomenology of Gnosticism, over and above its doxography. This situation includes the freefloating availability of traditions that are no longer binding, but pregnant with redefinable meaning; and those who availed themselves of them in the gnostic manner were "intellectuals" (half-educated, perhaps) who knew what they were about.

From this free and on the whole dispassionate, if high-handed, use of tradition we must distinguish the heavily polemical and at the same time most extensive use made of Jewish material. Its outstanding example, of course, is the degradation of the Old Testament God to the inferior, obtuse, and repulsive Demiurge, or the distribution of his names among the even lower archons—a truly unique demotion in the history of religions, and performed with considerable venom and obvious relish. This downgrading is matched by the upgrading of whatever came to hand for this purpose in the Biblical tale—notably the serpent which, as the first bringer of 'knowledge' in defiance of the creator, turns from seducer to a revered symbol of the acosmic, spiritual power that works for the awakening of its captive kin in the world. The continuation of the revelatory line thus started may include such Biblically rejected figures as Cain, Esau, and others, who as bearers of the pneumatic heritage down the ages form a secret lineage of gnosis and are therefore persecuted by the world-God, whereas his favorites, Abel, Jacob, etc., represent the unenlightened majority. The same value-reversal is practiced with regard to the Law, the prophets, the status of the chosen people—all along the line, one might say, with a very few exceptions, such as the misty figure of Seth. No tolerant eclecticism here.

What we are to make of this remarkable mixture of intimacy and antipathy, from which only a few gnostic voices are free, has become a major issue in the determination of the nature and origin of the whole movement. If it means inner-Jewish origin, as many nowadays hold, it implies a major revolt within Judaism. This cannot be ruled out a priori, but it lacks support in independent evidence and, to my mind, also psychological verisimilitude—considering the antagonism to the Jewish people as a whole, a kind of metaphysical antisemitism, which precisely the sources most lavish in the use of Jewish motifs (at the same time the most archaic ones) evince. Safer is the statement that Gnosticism originated in *close vicinity* and in partial reaction to Judaism. This is in accord not only with the evidence (the new sources strongly reinforce the impression of ambivalent proximity to Judaism) but also with general historical circumstances: the Jewish presence in the contemporary world was ubiquitous and powerful, its "fringes" were everywhere, its claims exorbitant; it was the only religion with an extensive, codified literature, parts of which were well known, and with continuing literary activity—indeed the only religious force in the cultural space worth taking issue with. Surely no new religious movement in the Semitic world could ignore this towering and unique fact. Also the this-worldly spirit of the Hebrew religion made it the natural target of gnostic dislike; the anti-Judaism is one form of expression of the anti-cosmic spirit as such, i.e., of the gnostic revolt against the world and its gods. [1])

---

[1]) Incidentally, the Jewish information of most Gnostics seems not to extend beyond the book of Genesis, usually not even beyond the flood. This would be what interested outsiders, or half-converts, would read or hear of first. Jews there certainly were amongst the Gnostics. The author of the Book of Baruch most probably was one: significantly, he counts Moses (and 'the prophets') among the historic messengers of truth, contrary to most systems, which exclude Moses from their prophetology.

It was inevitable that in our quest for a gnostic typology we passed from definable doctrine to the less definable but nonetheless obtrusive matters of mood, style, and attitudinal relation to other thought. These involve in one way or another the factual situation in which gnostic thought was born and carried on—in other words: its unique historical *locus* which, it turns out, injects itself into the typology itself. Typological delimitation, though it may set out as a mere synthesis of thought content (of objective theory), would miss its own goal in complete abstraction from the historical reference. It is the irreducible situational factor which makes Gnosticism the essentially *dialectical* phenomenon that it is, and which qualifies all comparison with "doxographically" similar mythologumena and theologumena from other spaces and times.[1]) The situation is that of the hellenistic-oriental world of the first Christian centuries: can one imagine the phenomenon anywhere else? Classical, fifth century Orphicism, e.g., certainly anticipates important facets of Gnosticism, perhaps bequeathed them to it, but it lacks, among other things, the *temper* and the comprehensiveness of cosmic derogation (projected in the figure of the Demiurge) which Gnosticism breathes. Who can doubt that it is in part the freshness of rediscovery, and the ruthlessness of deployment, of such milder antecedents that give Gnosticism its individuality?

As to the much debated question of "pre-Christian Gnosticism"—undecidable on the present evidence—I personally consider its importance overrated. What matters is that Gnosticism is roughly contemporaneous with the infancy of Christianity (certainly not later, witness Simon Magus; possibly earlier); that it is different and independent from it, but with natural points of contact, answering to the same human situation; and that from the start there was vigorous interpenetration of the two which provoked the wellknown reactions in the Church.

Needless to say, our typology is an ideal construct and covers a whole spectrum of possible choices for the gnostic mind. Not all of its differentiae are found in all instances of the genus. How many and what combinations of them *must* be found to class the instance within the genus, must be determined from case to case, and often more "by ear", musically as it were, than by abstract rule. The

---

[1]) These, of course, will still be valuable. Professor Bianchi's extremely interesting ethnological findings come under this head.

schema I have here drawn is, I believe, represented in fair complete-
ness and unambiguity by most of the "heresies" from Simon Magus
to Mani, as also by the Mandaeans. But there are borderline cases
where the record is ambiguous and classification can become contro-
versial. To name an outstanding example: Marcion has no 'transcendental genesis', no divine, precosmic drama, no mythology of the
upper worlds, no speculation in general, no consubstantiality of soul
and God—and not even the concept of a saving gnosis (he is a
pistikos, not a *gnostikos*). The last fact alone would seem to put him
squarely outside the gnostic sphere, considering the central role we
ourselves accorded this element in its definition. Yet I would claim
him for Gnosticism, "in spirit" if not "in letter": his contraposition,
in its uncompromising vigor, of the unknown, otherwordly Father
and the contemptible Creator, and the rebelliously ascetic refusal
to comply with a wholly ungodly nature, are *in this milieu* of so unmistakeably gnostic vintage that we must regard him as a product
of the gnostic spirit, its classic expression even in what he accepts,
though completely sovereign in what he ignores of it, more determined than any of them to be a Christian of the Book: a gnostic
maverick, if you wish.

Similar flexibility should be applied to other marginal cases, such
as the Hermetic literature where, e.g., the polemical venom is absent
and the dualism, even in the dualistic parts, is toned down, but where
a sufficiently significant cluster of ideas (Anthropos, gnosis, ascent
doctrine) argues for admittance into the fold. On the other hand,
I do not think that any of the Qumran texts, even with what there
is of dualism in them, qualifies for inclusion in the gnostic category.

However, my time has run out, and all I wish to say in conclusion
is that, once we move beyond the "hard core" of gnostic thinkers
and into the region of the half-tones which surrounds all historic
phenomena (in our case extending into parts of the New Testament),
everything is up to such impalpable things as morphological sensitiv-
ity, empathy, and what I have before referred to, with great liberty,
as a musical ear.

DISCUSSION

DANIÉLOU: Est-ce que cette importance de la connaissance peut venir d'un
milieu juif aussi?

JONAS: First of all, I think it must be agreed that the idea of Knowledge as a
religious category has a long history prior to Gnosticism. I am thinking of its

meaning in Oriental and Hebrew religion, as distinct from 'knowledge' in the Greek context, philosophical or scientific. I further realize that the Biblical tale of the Tree of Knowledge was an eminently inviting one for the Gnostics to lay hold of, which they very forcefully did.

Now, the original meaning of the Genesis story is rather cryptic. For its accepted Jewish understanding (if there was one) we must consult the history of rabbinical interpretation, especially the midrashic record of the Tree of Knowledge. Actually what the Gnostics did was to make, in their peculiar style of highhanded arbitrariness, their own 'midrashic' use of this story, which for obvious reasons appealed to them.

Now, was it your suggestion, that this gnostic interpretation might itself be one of those which evolved within Judaism—that it was one of the, let's say, quasirabbinical midrashim of the Genesis story? The possibility cannot be denied. It is not impossible that some such bold and even scandalizing exegesis of the story was originated in certain Jewish circles. Some veiled allusions in the rabbinical tradition about people who engaged in speculations which man should better leave alone, point at least in the general direction of such heterodox thought. Unfortunately (for us, not for them), the Jews had a very different strategy in dealing with heresy from the Christian one. It was the wisdom of the rabbis that the less said about it the better. To the Fathers of the Church we owe the transmission of the whole gnostic lore, because they were in that respect heirs to a great intellectual and literary tradition, viz., to the Hellenic tradition of argument, controversy, and the listing of the *doxai*, the opinions even of opponents: and so we have these faithful reports and long excerpts. In this manner they in a way conserved what they fought against.

The rabbis' policy was silence, and the measure of their success is that we hardly know anything about what went on heretically in Judaism at that time. Still, we do have the famous saying that "he who speculates on four things would better not have been born: what is above and what is below, what was before and what comes after"—in other words, the gnostic themes. And the sequence reads: "And he who does not spare the honour of his Creator, for him it were better he were not born".

Clearly, then, there were Gnostics among the Jews, or else we would not have these rabbinical warnings. The question of whether the Jews had it from sources on their fringes, or whether the fringe people had it from heretics within Judaism, I think we must leave undecided. I don't see, in the present state of evidence, any means of coming to a valid conclusion about this.

GRANT: When we speak of Judaism, we always mean fringe Judaism. And this, I think, would clear up things quite a bit. We are not talking about the main stream of Judaism, because from the main stream of Judaism to gnosticism it is extremely difficult to trace connections.

You have been able to define and typologise gnostic thought very clearly; and I wonder if it would be possible to do the same thing for Jewish apocalyptic thought.

ZANDEE: Do you think that for the idea of the divided state of things there is also a parallel in Neo-Platonism, possibly in Platonism (e.g.*merismos* in Plotin)?— In the 4th Treatise of the Codex Jung there are two groups of persons, *napimewe* (those of the thought, or of the intelligence) and *napitontn* (those of the likeness). The 2nd category are the *hylici*, those who belong to "imitation". In Neo-Platonism too we have terms such as *mimēma*, *eidōlon*, which have a depreciative meaning, whereas *eikōn* has a positive meaning. Does something similar exist in Platonism too?

JONAS: Both your remarks refer to Platonism, that is, the relation of Gnosticism to Platonism. This is indeed one of the major themes one has to discuss in the whole assessment, not only of the genesis, but also of the essential nature of Gnosticism. In this respect, I am still in default, because my third volume (of *Gnosis und spätantiker Geist*) which is to deal with this problem, viz., the interpretation of Plotinus and the tracing of what I would call the gnostic aspects of Plotinus' Platonism, is still to come. And of course I cannot now seek protection behind a work promised but not yet delivered.

I will try in a few words to indicate what my reasoning in the matter is.

a) I see an important difference between the original Plato and what Platonism became.

b) I think I can observe that, in the revival of Platonism which takes place from the 1st century A.D. on—or perhaps starting a bit earlier, roughly coincidental with the rise of the general transcendental mood in the spirit of later antiquity, of which Gnosticism is one manifestation: I can observe that in this revival of Platonism certain features are evolved out of the original doctrine of Plato which lead into a close neighborhood to gnostic ideas. This is not to say that those thinkers must have had knowledge of gnostic writings and were influenced by them. It is not a matter of influence: what I assume is a certain climate of thought which was favorable to the emergence and emphasis of certain ideas and would thus account for a spontaneous convergence of thought from different points of departure.

Now, in Plotinian metaphysics, we do have a whole series of 'mirrorings', as it were, of repeated reflexions of the 'One' in successive media of dispersal, so that the *eidōlon*-status of the lower world has indeed a certain derogatory or depreciative sense—not to be compared, however, with the ruthless derogation (Plotinus calls it 'slanderous') which the 'counterfeit spirit' and the imitation of the divine image express in the truly gnostic context. But it is something halfway between the original Platonic and the extreme gnostic position.

In my comment on your paper yesterday,[1]) I pointed out another trait in Plotinus that denotes a departure from original Platonism, namely that when Plotinus describes the progressus or egressus of the Soul from the Nous, then for this particular step in the general descensus of Being he cannot make do with his otherwise strictly dialectical scheme of deduction but is compelled to introduce certain subjective, psychological terms, such as *tolma* (forwardness, audacity): he speaks of a restless force (*physis polypragmōn, dynamis ouch hesychos*, Enn. III 7, 11) that stirs within the Nous and wishes to be "her" own master; who lacks the contemplative repose, craves creativity, and, stepping outside the intelligible world, becomes the imitative cause of the sensible and temporal world, i.e., of ceaseless becoming. Thus an element of personal willfulness is at this point injected into what otherwise is with Plotinus a system of rational necessity: the language becomes mythological; and we get the story, somewhat inorganic in this context, of a Fall of the universal Soul qua cosmogonic agency,[2]) where Plato had only the old Orphic story of the fall of individual souls into bodies.

Observations like these, to which you have now added the very valuable (related) one concerning the *eidōlon*, point in the direction in which I think a certain community of traits between Gnostics and Neoplatonists lies. In fact, e.g., the Soul-Nous relation just gleaned from Plotinus bears a certain analogy with the

---

[1]) See on p. 213 s.

[2]) Indeed, Plotinus literally asks "How did Time first fall out (*exepese*) of eternity?" (loc. cit.).

Sophia-Pleroma relation in Valentinianism. I am not suggesting that particular gnostic doctrines were appropriated by particular Platonists, or vice versa, but rather that there prevailed such a community of spirit and of basic premises that it was possible for thinkers who thought in very different terms—the ones in the terms of ancient philosophy, and the others in the terms of Oriental mythology and Judeo-Christian doctrine—nevertheless to evolve spontaneously converging doctrines.

BIANCHI: Was there a quietistic trend in Gnosticism?

JONAS: First of all, I completely agree that one can and should regard the story of the primordial, inner-divine drama (as I have called it) as a kind of projection from human psychology. The adventures of the Sophia, for instance, the motivations of her Fall, etc., have a human significance; and consequently, what is said about restoration in the divine realm can be considered to apply to man's own goal-setting, to his striving for consummation. If so, it is quite plausible to assume a quietistic ideal behind the objectified gnostic myth.

But then comes the different question: Is this implicit meaning of the universal myth made the program of some determinate human conduct designed to bring about the ultimate state in and by the subject? This would be the case if the Gnostics had been mystics, and the question is: were the classical Gnostics, i.e. those of the second century, also practizing mystics? That is to say: was the schema of the ascent of the soul, which in the myth is an objective, external event expected for the soul after its separation from the body in death, also made a schema for an inner evolution of the soul in this life, experienceable in a progressive sequence of qualitative states, such as the Plotinian ascent of the mind toward a supreme unio mystica with the Absolute?

I have in the past given much thought to this question [1]) because I am convinced that what in the myth, e.g. in the Poimandres and in certain Ophitic systems, is described as an objective, spatial journey of the soul, could eventually transform into the structural model for an innerpersonal process; and I believe that later mysticism in effect represents an internalization of this schema, just as this schema itself is originally an externalization of an existential will. However, I have not found evidence that would justify our assuming that already Valentinians, Ophites, etc., were mystics in that sense.[2])

One way of going about this question might be to ask: Do we know of ecstasy being cultivated among the Gnostics? This would be quite a good criterion. We know it of the Dionysian practices in early Orphism; and we know it of later monastic mystics. I think Evagrius Ponticus offers a complete doctrine of how the *psyche* can turn into *pneuma* and even become merged with the eternal summit of being. But is there evidence of ecstasy as the culmination of gnostic experience? It would surely be in keeping with the whole gnostic attitude if there were. But my own impression is on the whole negative.

In the XIIIth Treatise of the Hermetic Corpus we have indeed a description of such a mystical process. And I just remembered that this Hermetic case is part of the gnostic evidence.

ORT: How is the cultic and sacramental climate in gnosticism?

JONAS: We have sufficient information on the sacramental life of a number of gnostic sects and groups (e.g., Ophites and Marcosians) so that even in the absence of explicit reports I think we can reasonably assume some sacramental practice

---

[1]) Cf. *Gnosis und spätantiker Geist*, II, 1, passim.
[2]) [Cf. on this Festugière's paper presented to this Colloquium. Ed.]

as the general rule. Perhaps the only exception that comes to mind are the Hermetics, because it may be that this was a literature rather than an actual congregation, a real community of believers. But the Ophites certainly had their sacraments.

Mlle Pétrement: M. Jonas dit que la question du gn. préchrétien n'a pas une importance aussi grande qu'on l'a cru. Or je crois que la seule preuve certaine de l'origine du gn. en dehors du christianisme serait de trouver un texte préchrétien, un texte suivi, contenant non seulement quelques symboles isolés, mais des idées de la doctrine gnostique que vous avez décrite. Par ailleurs, on a pu affirmer, je crois avec raison, qu'il n'est pas sûr que Simon le Mage ait été déjà gnostique; il était plutôt un magicien.

Jonas: When I said that I thought the question of a pre-Christian Gnosticism overrated, I did not mean to underrate it either. If a clearly gnostic and clearly pre-Christian document came to light, then of course the question of Gnosticism versus Christianity would be settled: temporal priority would prove the independence of Gnosticism from Christianity. Since I believe that the latter question can be settled on other grounds even with the sources that we have, namely, that an independence of gnostic from Christian thought can phenomenologically be established from its content, I would regard such a discovery merely as a confirmation. In any case, *post hoc* and *propter hoc* are not the same. Meanwhile we are not too badly off. When we have evidence of Gnosticism contemporaneous with early Christianity, and evidence of such a sort that it cannot very well be derived from the known beliefs of the original Jesus community, then I think even with chronological obscurity we have sufficient knowledge to assert the heterogeneity of gnostic and original Christian thought. But I grant you of course that it would be very important if we discovered a document clearly pre-Christian and clearly gnostic.

Mlle Pétrement: Que savons-nous du premier christianisme? Les distinctions d'essence sont difficiles à une certaine époque et c'est justement à la fin du Ier siècle, au moment où le christianisme devient très anti-judaïque, que le gn. apparaît clairement dans les sources.

Jonas: I am inclined to put some trust in the sayings of the early Fathers, who declared Simon to be the heresiarch, and the story of Simon Magus has for me a certain vividness which rings true. But if this is doubted, then let's start with Menander and Cerinthus. We would still be in the first century, and that would mean that we cannot in these cases suppose that this was a development of Christian thinking.

Finally, as regards the anti-Judaism: if I understood your argument properly, you argue as follows: we have after all a revolt against Judaism called Christianity. Why should we not also ascribe Gnosticism, as another revolt against Judaism, to an inner-Jewish origin or to an inner-Christian, in extension of the first?

Now, there is that much to it: We would not regard the disciples of Jesus as the bearers of an anti-Judaic revolt; but in Paul we do have something of the kind: there is a turning against certain aspects of Judaism in his re-assessment of the meaning of the Law. There is, therefore, a well attested case which shows that it was not impossible at the time for an orthodox Jew, which Paul had been, to go through this kind of mental evolution.

Now, from this you can argue, as a possibility, that there were other "Christian" Jews who went all the way in such a self-repudiating revolt, viz., to the extreme of degrading the Lord of Creation and of the Law, the God of their fathers, to a completely unholy and odious status, thus originating Gnosticism, or this aspect of Gnosticism. As I have said before, nothing is impossible in human psychology; so this is not impossible either. But this is all I can say.

DER JÜDISCHE UND JUDENCHRISTLICHE HINTERGRUND
IN GNOSTISCHEN TEXTEN VON NAG HAMMADI *

VON

ALEXANDER BÖHLIG

Wie das Programm des Kongresses zeigt, hat das Verhältnis Judentum-Gnosis ein reges Interesse gefunden; doch kann und soll dieses Referat nicht die grundsätzlichen Fragen behandeln. Ich möchte mich darauf beschränken, an markanten Beispielen darzustellen, was für jüdische Vorstellungen, Theologumena oder Mythologumena, in den koptisch-gnostischen Texten begegnen und wie sie verarbeitet werden. Dass ich gerade zu dieser Untersuchung insbesondere durch Texte veranlasst wurde, an deren Edition ich gearbeitet habe und noch arbeite, wird jeder verstehen, der die titellose Schrift

---

* Abkürzungen:
Neben den ohne weiteres verständlichen Abkürzungen für die biblischen Bücher, Apokryphen und Pseudepigraphen werden verwendet:

Qumran-Texte:
1 QS   Ordensregel

Weitere jüdische Schriften:
3 Hen, Sanh, Chag, Gn R, Lv R, Nu R, Dt R, Pesiq, Pesiq R, B B, Pirqe R El, Pirqe Maschiach, Midr Ps

Gnostische Schriften:

AJ	Apocryphon Johannis	(in BG, cod. II, III, IV)
Ap Ad	Apocalypsis Adami	(in cod. V)
Ap Jc I	Apocalypsis Jacobi prima	(in cod. V)
Ap Jc II	Apocalypsis Jacobi secuna	(in cod. V)
Ap P	Apocalypsis Pauli	(in cod. V)
Ep Eug	Epistula Eugnosti	(in cod. III, V)
Ev Aeg	Evangelium Aegyptiacum	(in cod. III, IV)
Ev Phil	Evangelium Philippi	(in cod. II)
Ev Thom	Evangelium Thomae	(in cod. II)
Ev Ver	Evangelium Veritatis	(in cod. I)
HA	Hypostasis Archontium	(in cod. II)
PS	Pistis Sophia	
Res	De resurrectione	(in cod. I)
Sst	Scriptura sine titulo	(in cod. II)
BG	codex Berolinensis Gnosticus 8502	

Die in der Bibliothek von Nag Hammadi erhaltenen koptisch-gnostischen Schriften sind mit der Codexnummer versehen, wie sie die neue Zählung des Koptischen Museums in Alt-Kairo festgelegt hat.

des Codex II und die Adamapokalypse des Codex V kennt. Es wird aber zweckmässig sein, das Thema auch auf die möglichen judenchristlichen Einflüsse auszudehnen, für die die Jakobusapokalypsen des Codex V und auch das Thomasevangelium Material bieten [1]).

Dabei gehe ich davon aus, dass die Gnosis nicht mit dem Synkretismus identifiziert werden darf; vielmehr ist sie eine religiöse Bewegung, die auf der Grundlage von Hellenismus und Synkretismus ihre mannigfaltigen Systeme errichten konnte, die letztlich eine neue Glaubensrichtung präsentierten. Auch das Judentum als eine der aktivsten und markantesten Religionen war in das synkretistische Denken einbezogen worden, ja der Synkretismus hatte durchaus Spuren in ihm hinterlassen. Auch Talmud und Midrasch geben uns eindeutig Einblick, dass nicht nur das Diasporajudentum griechischer Zunge dem Einfluss griechischer Kultur und Sprache unterworfen war. Aber nicht angerührt werden konnte die wichtigste Eigenart des Judentums, sein Monotheismus. Hier liegt auch der grosse Unterschied gegenüber der Gnosis. Denn für das Judentum gab es keinen gnostischen Dualismus. Gerade die berühmte Stelle aus der Ordensregel von Qumran zeigt, dass wie im Zervanismus *ein* Gott über den streitenden Engelmächten steht [2]). Wie schwer mancherorts der Kampf um die Orthodoxie gewesen sein muss, das zeigen die im Traktat Chagīgah erhaltenen Vorschriften [3]): „Man trage nicht Inzestgesetze vor dreien vor, noch über das Schöpfungswerk vor zweien, noch über den Wagen vor einem, es sei denn, dass er ein Weiser ist und es aus eigener Erkenntnis versteht. Wer über vier Dinge, was oben, was unten, was vorn und was hinten sich befindet, grübelt, für den wäre es besser, er wäre gar nicht zur Welt gekommen. Wer die Ehre seines Schöpfers nicht schont, für den wäre es besser, er wäre gar nicht zur Welt gekommen".

Der Zusammenhang zeigt bereits, wie scharf hier die Absage an ein Denken erteilt wird, in dem das gnostische zu erkennen ist. Denn dass die Inzestgesetze ja nicht durch lässigen Unterricht missverstanden werden sollen, ist ein dringendes Gebot. Aber genauso, wie hier die äussere Unzucht bekämpft wird, soll auch durch ent-

---

[1]) Ich muss allerdings von vornherein darauf hinweisen, dass ich im Gegensatz zu Herrn Dr. Krause nur zu den noch nicht edierten Texten Zugang erhalten habe, mit deren Edition ich selbst beauftragt worden bin, d.h. allein dem Ägypterevangelium in Codex III und IV.

[2]) 1 QS III, 16 ff.

[3]) Chag 11 b ff.

sprechend zurückhaltende Behandlung im Unterricht der Irrglaube verhütet werden; ja, gewisse Fragen sollen aus dem Unterricht ausgeschlossen bleiben. Es handelt sich dabei, um mit dem letzten zu beginnen, um die Ablehnung jeder Vorstellung, die irgendwie die Monarchie Gottes in Frage stellen könnte. Die Ehre Gottes ist besonders bedroht, wenn man ihm dualistisch einen Gegengott entgegenstellt, wenn man ihm die Macht als Schöpfer und Heilsökonom abspricht. Nun tut das die Gnosis durchaus nicht in dem Masse, wie Laien sich das manchmal vorstellen. Denn sie glaubt ja optimistisch an den Sieg des Geistes und des Lichtes. Aber ihre Gegenüberstellung eines ewigen Gottes und eines vergänglichen, rebellierenden Gottes, dem die Schaffung des Menschen zugeschrieben wird, rüttelt an dem Glauben, der den Gott, der Himmel und Erde gemacht hat, zugleich als den höchsten Gott ansieht. Dieser Glaube wird durch Spekulationen kosmologischer und kosmogonischer Art nur beeinträchtigt. Dass also das Schöpfungswerk mit grosser Zurückhaltung behandelt werden muss, ist eine klare Folge dieser Auffassung. Denn gerade dieser Gegenstand, der Maʿasē bereschith, erfreute sich bei den Gnostikern besonderen Interesses. Bei ihnen fand aber auch der andere genannte Gegenstand, der Maʿasē merkabah, lebendige Anteilnahme. Gewisse gnostische Schriften haben sich in weiten Teilen oder vollständig der Welt, wie sie vor der Schöpfung des Menschen entstanden ist, gewidmet. Dass dabei auch die angeführte Vorstellung vom Thronwagen Gottes in diese Vorstellungswelt einging und ganz verschiedenartig angewendet wurde, ist nicht verwunderlich. Zugleich bildete diese Schilderung Anhaltspunkte für eine mystische Frömmigkeit, die von der Entrückung einzelner Frommer und Lehrer berichtet. Chagīgah erkennt solch mystisches Erleben, das auch die Hekhalothliteratur [1]) breit ausführt, durchaus an. Aber der Talmud zeigt an vier grossen Lehrern, in was für Fährnisse sie dadurch gekommen sind. Ben Azaj, Ben Zoma, Acher und R. Aqiba traten in das Paradies ein, d.h. sie hatten mystische Erlebnisse. Ben Azaj starb darüber, Ben Zoma wurde wahnsinnig, Acher wurde, wie sein geänderter Name zeigt, zum Irrlehrer. Nur „R. Aqiba stieg in Frieden auf und kam in Frieden herunter" [2]).

Auch Hellenismus und Gnosis berichten von visionären Erleb-

---

[1]) Vgl. hierzu insbesondere G. SCHOLEM, *Jewish Gnosticism, Merkabah Mysticism and Talmudic Tradition* (New York 1960), der dieser Literatur erst die ihr zukommende Beachtung für unsere Probleme geschenkt hat.

[2]) Chag 14 b.

nissen. Man möchte geneigt sein, in der gnostischen Form Vorstellungen zu sehen, die aus dem hellenisierten Judentum kamen. Aber die Gnosis begnügte sich nicht mit der Betrachtung dieser beiden Problemkreise. Zumindest hat sie sie wesentlich erweitert. Sie verbindet beide in ihrem Mythos. Sie zeigt, wie die himmlische und die untere Welt getrennt, aber auch verbunden sind. Aus der Weisheitsvorstellung entwickelte sie ein eigenes, aber in den verschiedenen gnostischen Richtungen auch andersgestaltetes Sophiabild. Sie arbeitete eine spezielle Geist-Seele-Spekulation heraus und nicht zuletzt führte sie die Urgeschichte weiter zur Heilsgeschichte. Im Gegensatz zur jüdischen und später zur christlichen Lehre ist dabei aber nicht Abraham unser Vater, sondern bei gewissen Kreisen ist der Vater weiter in die Urzeit zurückverlegt - Seth ist ihr Vater. Er wird zugleich metaphysisch verstanden und regiert in einem Teil des Himmels. Auch das Judentum hatte mit Abraham eine Übersteigerung vorgenommen [1]). Denn Abraham ist der grosse Mensch, der dazu dient, die Verderbnis Adams in Ordnung zu bringen. Eigentlich war er bestimmt, vor Adam geschaffen zu werden. Ganz deutlich tritt durch solche konkurrierende Deutung einer Person die Methode zutage, mit der die Gnostiker das jüdische Material gebrauchen. Die Personen und ihre Handlungen werden in der gnostischen Interpretation dem Wortsinn entgegengesetzt gedeutet. Auf diese Methode hat bereits H. Jonas [2]) hingewiesen. Wenn man mit ihm der Gnosis eine „neue Sinngebung" zuspricht, so trifft das natürlich auch für ihr Verhältnis zum Judentum zu. Mögen die Traditionsstücke vom Judentum ebenso wie auch vom Judenchristentum her noch so zahlreich in sie eingedrungen sein, sie schafft etwas ganz Neues; von jüdischer Gnosis zu sprechen, kann nur bedeuten, dass das hier verbreitete Material jüdisch ist, aber nicht, dass diese Kreise noch darauf Anspruch machen konnten oder wollten, Juden zu sein. Beim Judenchristentum und seinem Verhältnis zur Gnosis ist das ebenso. Ohne Zweifel lässt sich jetzt eindeutig nachweisen, dass jüdisch gebildete Kreise bei der Gestaltung gnostischer Schriften beteiligt waren. Der Umstand, dass in der titellosen Schrift des Codex II westaramäische Wortspiele zu finden sind [3]), lässt

---

[1]) Gn R 14 (10c).

[2]) H. JONAS, *Gnosis und spätantiker Geist* I. *Die mythologische Gnosis* (Göttingen 1936), 216 ff.

[3]) Vgl. Sst 148, 12 f.; 149, 27; 151, 18; 161, 1 ff. (A. BÖHLIG-P. LABIB, *Die koptisch-gnostische Schrift ohne Titel des Codex II von Nag Hammadi im Koptischen Museum zu Alt-Kairo.* Berlin 1962).

darauf schliessen, dass dieses Traditionsgut aus Syrien-Palästina stammt. Für diesen Raum sprechen auch die nachweislichen iranischen Einflüsse in der sonst stark jüdisch beeinflussten Adamapokalypse [1]).

Die Umdeutung von jüdischen Traditionsgut in gnostische Gedankengänge, wird besonders deutlich an der Neuinterpretation von Bibelstellen und heilsgeschichtlichen Grössen. Es seien zunächst nur aufgezählt: der über den Wassern schwebende Geist, der Baum im Paradies, die Schlange, das Weib Eva, die Beurteilung des Menstruationsblutes, die Stellung der Archonten bei der Erschaffung des Menschen, die schon erwähnte Stellung des Seth, die Beurteilung von Sodom und Gomorrha, die Deutung der Tradition von den Gesetzestafeln und die Spiritualisierung der Taufe [2]).

Dort, wo jüdische Einflüsse vorliegen, müssen ausser der biblischen Tradition besonders die Apokryphen und Pseudepigraphen herangezogen werden, aber auch die aus Talmud und Midrasch erhaltene Tradition gibt vielerlei aus. Will man geeignete Parallelen zwischen gnostischem Schrifttum und jüdischer Tradition herausstellen, so wird man sich am zweckmässigsten an die Darstellung der Probleme der Welt im gnostischen Kunstmythos halten. Bei der Betrachtung des Gottesbegriffes tritt allerdings sogleich die Eigenart des Gnostischen hervor. Gott ist so unendlich erhaben, dass eigentlich nur in negativen Prädikaten von ihm gesprochen werden kann. Dieser unpersönliche Charakter, der ihm im Gegensatz zum Judentum zuerkannt wird, dürfte auf das naturwissenschaftliche Weltbild der Griechen zurückgehen. Gewiss hat das synkretistische, hellenistische Weltbild auch auf die Juden gewirkt und zu einer räumlichen Erweiterung und zu einer manchmal phantastischen Ausgestaltung der Angelologie geführt, doch die Einheit Gottes und der Glaube an seine persönliche Beziehung zum Menschen als seinem Geschöpf blieb erhalten. Aber

---

[1]) Ausser der Einleitung in die Textausgabe (A. Böhlig-P. Labib, *Koptisch-gnostische Apokalypsen aus Codex V von Nag Hammadi im Koptischen Museum zu Alt-Kairo.* Halle 1963) vgl. A. Böhlig, *Die Adamapokalypse aus Codex V von Nag Hammadi als Zeugnis jüdisch-iranischer Gnosis,* in Oriens Christ. 48 (1964) 44-49 sowie ders., *Jüdisches und Iranisches in der Adamapokalypse des Codex V von Nag Hammadi* (in: *Mysterion und Wahrheit* [*Arbeiten zur Geschichte des späteren Judentums und Urchristentums* Bd. 6]).

[2]) Die verschiedenen Grössen werden im einzelnen weiter unten behandelt, wo auch die entsprechenden Nachweise gegeben werden. Nur die Rolle des Blutes, das die weibliche Partnerin des Oberarchon aus Konkupiszenz vergiesst, soll hier schon besprochen werden (Cod. II von Nag Hammadi Sst 156, 25 ff.). Die Unreinheit, die durch das Menstruationsblut entsteht, soll durch die Betonung der Tatsache, dass die Erde durch das Blut der Jungfrau gereinigt wurde, aufgehoben werden.

die Ausmalung dieses Gottes, seiner himmlischen Hallen und seines
Thronwagens kommt im Judentum in den Apokryphen und Pseudepigraphen, ganz besonders aber in der Hekhalothliteratur formal
in die Nähe der gnostischen Phantasiegebilde von der himmlischen
Welt. Der grosse Unterschied ist der, dass in der Gnosis Gott der
Schöpfer der Lichtwelt, aber nicht der des Kosmos ist. Die Gnosis
hat dem Gott des Judentums nur eine untergeordnete Stellung
einzuräumen vermocht. Dadurch dass der kosmischen Welt eine
Lichtwelt übergeordnet wurde, in der präexistent u.a. Adam [1]),
Seth [2]), der Soter [3]), die Sophia [4]) und Jesus [5]) wohnten, wurde das
Weltbild gesprengt und ein Vorstoss in die Metaphysik mit Hilfe des
Mythos und der Analogie gewagt. Auch hier hat die Gnosis in der
Ausgestaltung mancherlei vom Judentum übernommen. Man denke
ausser den schon genannten Grössen auch an die vier Lichtengel
des Johannesapokryphons [6]), die Erwähnung des Kindes [7]) sowie
die Figur des Domiel [8]), einer synkretistischen Grösse, die mit
Domedon [9]) im Ägypterevangelium zu identifizieren ist. Domedon
bedeutet „Hausherr" und ist im Gnostischen weiterentwickelt zu
Doxomedon [10]), so dass diese Form „Glanzherr" überwiegt. Auch die
Vorstellung von der Ogdoas oder Ogdoaden kann auf synkretistisches Gut zurückgehen, das im Judentum bekannt war [11]). Besonders fruchtbar scheint aber die jüdische Vorstellung von der
Weisheit zu sein [12]). Bereits in der alttestamentlichen Überlieferung
scheint sie immer stärker als mythologische Grösse hervorzutreten

---

[1]) AJ in BG 35, 5 ff (W. C. TILL, *Die gnostischen Schriften des koptischen Papyrus
Berolinensis* 8502. Berlin 1955) = Nag Hammadi cod III 13, 3 ff (M. KRAUSE-
P. LABIB, *Die drei Versionen des Apokryphon des Johannes im Koptischen Museum zu
Alt-Kairo.* Wiesbaden 1962) = II 8, 34 ff. Den Charakter des Uradam hebt cod. II
durch die Bezeichnung als ⲡⲓ-ⲅⲉⲣⲁ-ⲁⲇⲁⲙⲁⲛ ausdrücklich hervor.

[2]) AJ in BG 35, 21 = Nag Hammadi III 13, 18 = II 9, 12.

[3]) Sst 153, 26, Ep Eug (cod. III) 81, 21 ff.

[4]) Ep Eug (cod. III) 81, 21 ff.

[5]) Z.B. Ev Aeg (cod. III) 65, 17. AJ in BG 35, 8 = Nag Hammadi III 13, 6 =
II 9, 2.

[6]) BG 33, 8 ff. = Nag Hammadi III 11, 24 ff. = II 8, 5 ff. = IV 12 ff. Vgl.
dazu Pesiq R 46 (188a): „Wie Gott vier Himmelsrichtungen geschaffen hat, so
hat er seinen Thron mit vier Engeln umgeben".

[7]) H. ODEBERG, 3. *Enoch or the Hebrew Book of Enoch* (Cambridge 1928) 188 ff.
Vgl. SCHOLEM, l.c. 49.

[8]) SCHOLEM, l.c. 33.

[9]) Nag Hammadi III 41, 14; 43, 9.

[10]) Nag Hammadi III 41, 14; 43, 9; 44, 19; 50, 5; 53, 19; 56, 1; 62, 8.

[11]) SCHOLEM, l.c. 69 ff.

[12]) Vgl. FOHRER-WILCKENS in ThWB VII 465 ff.; dort auch weitere Literatur.

und im Judentum wird es sogar zum Problem, wo sie ihren Platz einnehmen soll. Sie verlässt den Himmel, um auf die Erde zu gehen, aber die Menschen nehmen sie nicht auf. So kehrt sie wieder zurück [1]). Es gibt auch die versöhnlichere Nachricht, dass sie in Israel eine Heimstätte gefunden habe [2]). Aus der problematischeren Tradition haben die Gnostiker mancher Richtungen den Grund für die Geschichte unserer niederen Welt zu konstruieren vermocht. Das Herabsteigen und Zurückkehren der Sophia wird in Fall und Heimkehr umgeprägt. Aber Texte wie der Eugnostosbrief [3]), die Gebete beim Aufstieg der Seele [4]) und die titellose Schrift des Codex II berichten auch von einer machtvollen Sophia. Die titellose Schrift aus Codex II und ihre stark ophitische Tradition macht uns klar, dass der Fall, so wie er im Johannesapokryphon und breit ausgemalt in der Pistis Sophia geschildert wird, erst eine spätere Vorstellung sein dürfte, die ganz vom Problem Sünde und Gnade beherrscht ist [5]). Denn im Codex II wird nur davon gesprochen, dass die Pistis überläuft und dass dieser Überschwang und die daran anschliessenden πάθη zum Beginn unserer Geschichte führen, weil aus ihr der Weltschöpfer hervorgeht [6]). Im Johannesapokryphon residiert der Jaldabaoth wie der Gott Israels in einer Wolke, und zwar in einer Lichtwolke [7]). Sein Name ist umstritten. Die Deutung der titellosen Schrift ist eine für den Zusammenhang zurechtgemachte Interpretation [8]). יַלְדָּא בְּעוֹט =

„Jüngling, setze über (zu diesen Orten)". Doch klingt an anderer Stelle die Deutung an, die von Hilgenfeld und Leisegang angenommen, von Scholem aber verworfen wurde [9]): „Und du wirst zu den Deinigen zu deiner Mutter, dem Abgrund, hinabgehen"[10]).

---

[1]) Hen 42.

[2]) Sir 24, 8-12. Man sollte aber nicht mit FOHRER (l.c. 490) nach einem gnostischen Mythos bereits im Alten Testament suchen. Mythos ist noch nicht mit Gnosis gleichzusetzen.

[3]) S. o. S. 114. Anm. 4.

[4]) Ap Jc I (cod. V von Nag Hammadi) 33, 16 ff., Iren I 21, 5 (Epiph Pan 36, 3, 2-6).

[5]) Sonst wäre es undenkbar, dass der Überheblichkeit des Jaldabaoth gegenüber die Sophia gerade die Ermahnung zur Busse ausspricht (Sst 151, 17 ff.).

[6]) Sst 146, 13 ff.

[7]) BG 38, 6 ff. = Nag Hammadi III 15, 16 ff. = II 10, 14 ff. = IV 16, 2 ff.

[8]) Sst 148, 12 f.

[9]) יַלְדָּא בָּהוּת „Sohn des Chaos". בָּהוּת wäre dann abzuleiten: בְּהָה, בְּהָא, בְּהֵי „in Unordnung sein"; vgl. בָּהוּתָא Prov 26, 21. (Vgl. M. JASTROW, Dictionary of Talmud, 142 a). Zu einer neuen Interpretation kommt A. Adam in seinem Beitrag: „Ist die Gnosis in aramäischen Weisheitsschulen entstanden?" Vgl. S. 291 ff.

[10]) Sst 151, 23.

Er wird auch noch mit zwei anderen Namen bezeichnet: Saklas und Sammael. Saklas ist das aramäische סָכְלָא mit griechischer Endung, „der Dumme", Sammael ist eine Komposition von סָמֵי ,סָמָא „blind sein" mit „Gott", bedeutet also „der blinde Gott", in der „Hypostasis der Archonten" auch gedeutet als „der Gott der Blinden" [1]). Diese letztere Erklärung ist wiederum aus dem Zusammenhang gegeben, weil die ganze Menge der Archonten als blind bezeichnet werden soll. Sammael ist auch im Judentum geläufig [2]); er ist auch dort als Engelfürst bekannt, der andere unter seiner Botmässigkeit hat. „Der Engel Sammael, der Bösewicht, ist das Haupt aller Satane" [3]). Manchmal macht es den Eindruck, als sei er seit frühester Zeit vorhanden. Da sieht man Ansätze zu einem für das Judentum unmöglichen Gedanken eines Urdualismus [4]). Aber auch die Selbstüberhebung, die von den Gnostikern immer wieder als seine besondere Eigenschaft angeführt wird, findet sich in den Pseudepigraphen; slav. Henoch 29, 4 berichtet, dass einer der Erzengel, der sich von der Ordnung abgewandt hatte, den frevelhaften Gedanken hatte, seinen Thron höher als die Wolken über der Erde zu setzen, um im Range der Kraft Gottes gleich zu werden [5]). Gott aber stürzte ihn hinab. „Und er war fliegend in der Luft beständig über dem Abgrund". Man vergleiche dazu die titellose Schrift des Codex II [6]): „Er offenbarte sich in einem Geist, der sich auf dem Wasser hin und her bewegte". In anderer Interpretation begegnet die Bibelstelle auf die Schwester des Sabaoth, den Gedanken des Archigenetor, bezogen, „der sich auf dem Wasser hin und her bewegte" [7]). Wahrscheinlich sind hier eine biblische und eine vom Judentum aufgenommene hellenistische Vorstellung kombiniert. Die biblische Vorstellung von dem Geist, der über den Wassern schwebt, ist verbunden mit dem ruhelos im All fliegenden bösen Geist. Im Johannesapokryphon [8]) ist die Stelle aus Gn noch auf die weibliche Gottheit Sophia bezogen, von der Jaldabaoth abstammt: „Die Mutter begann sich zu

---

[1]) HA 142, 23-26; 135, 1-4 (P. Labib, *Coptic Gnostic Papyri in the Coptic Museum at Old Cairo*. Cairo 1956). Dagegen Sst 151, 18 gedeutet als „der blinde Gott".

[2]) Vgl. H. L. Strack-P. Billerbeck, *Kommentar zum NT aus Talmud und Midrasch* I (2. Aufl. München 1956), S. 136 ff.

[3]) Dt R 11 (207c).

[4]) Strack-Billerbeck I 137, Anm. 1.

[5]) Vgl. vita Ad 11-17.

[6]) Sst 148, 34 f.

[7]) Sst 152, 13.

[8]) BG 44, 19 f. = Nag Hammadi II 13, 13 f. = IV 20, 29 f.

bewegen", nämlich aus Aufregung über ihres Sohnes Frevel. Eine besondere Eigenschaft Sammaels ist der Neid. Es sei daran erinnert, dass Sap 2, 24: „durch den Neid des Teufels aber kam der Tod in die Welt" fast wörtlich auch in der titellosen Schrift [1]) begegnet, doch hier nicht auf den Oberarchon, sondern den Schatten, die noch ungeformte negative Grösse gedeutet wird. Wenn Jaldabaoth löwengestaltig gedacht wird, so mag darauf verwiesen werden, dass auch Ariel aus der jüdischen Vorstellungswelt bekannt ist [2]). Der Oberarchon hat eine weibliche Entsprechung [3]). Auch im Judentum kennt man das Weib des Oberdämon [4]). In der Adamapokalypse ist vom Fürsten dieser Welt als dem Pantokrator die Rede [5]). Man vergleiche damit die Stellung des Todesengels, dem Gott die Macht eines Kosmokrator über die Menschen eingeräumt hat [6]).

Dieser Welt- und Menschenschöpfer schafft sich ein Reich. Als er aber im Übermut sich Gott gleich machen will, wird er aus der Höhe zurechtgewiesen [7]). Dieser Hinweis führt seinen Sohn Sabaoth zur Busse [8]). Ihm wird im 7. Himmel ein Hofstaat zugeteilt [9]). Durch die Lichtgabe, die er von der Pistis Sophia erhält, wird er zu dem, was sein Name besagt: „Von jenem Tage an wurde er 'der Herr der Mächte' (d.i. Jahve Zebaoth) genannt" [10]). Besonders markant ist die Lichtmenge, die ihn den Archonten gegenüber auszeichnet. Das bietet eine Parallele zu dem Alten, der den Paulus im 7. Himmel empfängt [11]). Der Gott des Alten Testamentes ist also in gewissen Zweigen der Gnosis in doppelter Form eingegliedert worden. Er ist einerseits der niedere Gott, der den Widerstand gegen den höchsten Gott organisiert, und anderseits der niedere Gott, der infolge seiner guten Gesinnung zu einer Art Untergott des Lichtes gemacht wird. Diese letztere Grösse findet sich in verschiedener Form auch in der Pistis Sophia. Dort ist Sabaoth dem Jaldabaoth gleich, aber neben ihm steht Jabraoth, der an die Mysterien des Lichtes glaubt [12]); er wird

[1]) Sst 147, 4.
[2]) SCHOLEM, l.c. 71 f. Die Deutung von Ariel findet sich auch Sst 148, 25 f.
[3]) Sst 149, 27.
[4]) Vgl. STRACK-BILLERBECK IV 513.
[5]) Ap Ad 69, 5.7; 72, 25   73, 9.
[6]) Lv R 18 (118a).
[7]) Sst 151, 17 ff.
[8]) Sst 151, 32 ff.
[9]) Sst 152, 6 ff.
[10]) Sst 152, 9 ff.
[11]) Ap P 22, 23 ff.
[12]) C. SCHMIDT-W. TILL, *Koptisch-gnostische Schriften I* (Nachdr. d. 3. Aufl. Berlin 1962), 234.

deshalb, so wie in der titellosen Schrift Sabaoth, aus der Sphäre in die gereinigte Luft entrückt. An anderer Stelle hat der grosse Jao [1]) die gleiche Funktion, an wieder anderer der kleine Jao [2]). Die Vorstellung von einem „kleinen Jahve" begegnet übrigens auch in dem jüdischen 3. Henoch. Auch dort steht sie in einem ähnlichen Zusammenhang. Denn der in den Himmel entrückte Henoch wird dort zum Metatron gemacht und als „kleiner Jahve" bezeichnet [3]). Es ist nur allzu verständlich, wenn Acher als ketzerische Konsequenz den Schluss zieht, dass es zwei Götter gäbe [4]).

Der Thron des erhöhten Sabaoth wird in der titellosen Schrift des Codex II [5]) ausführlich in einer Weise geschildert, die der jüdischen Merkabahvorstellung entspricht. An jeder Ecke des Thrones befinden sich vier Gestalten, eine Löwengestalt, eine Menschengestalt, eine Stiergestalt und eine Adlergestalt, entsprechend den Gestalten bei Ezechiel [6]). Sie werden zweifach an jeder Ecke gedacht und dazu doppelgeschlechtlich; so kommt man zur Zahl 64. Dazu werden noch die sieben Erzengel gerechnet und schliesslich wird Sabaoth selbst hinzugezählt, so dass sich die Zahl 72 ergibt. Auch die rabbinische Tradition kennt die Engel, die Gott besonders nahe stehen: „Ein Vorhang ist vor Gott ausgebreitet und sieben Engel, die zuerst geschaffen wurden, dienen vor ihm innerhalb des Vorhangs" [7]). Dass der Vorhang in der Gnosis seinen Platz wechseln musste, nimmt nicht wunder. Im Judentum sind die Erzengel Gottes engste Umgebung, in der Gnosis ist es das Lichtreich, das eigentlich noch der Leib Gottes ist. In Analogie zu den 72 sind die 72 Engel der Völker geschaffen worden, von denen wir auch aus jüdischer Tradition wissen [8]).

Auch die Mystik, die im Jüdischen gewisse Seher der Vergangenheit und auch gewisse Lehrer und im Gnostischen den Visionär hinauf zum höchsten Gott führt, muss als bereits unter dem Einfluss des Synkretismus stehend angesehen werden. Die Paulusapokalypse des Codex V weist hier eine enge Verwandtschaft mit der Hermetik auf: „Befreit von den Wirkungen der Planetensphären gelangt die Seele, ihre eigene Kraft habend, in die 8. Sphäre und besingt mit dem

---

[1]) PS 126; 241 (C. Schmidt-W. Till, *Koptisch-gnostische Schriften I*).
[2]) PS 7.
[3]) Vgl. Odeberg l.c.
[4]) 3. Hen 16.
[5]) Sst 152, 33 ff.
[6]) Ez 1.
[7]) Pirqe R El 4.
[8]) Strack-Billerbeck III 48 ff.

Seienden den Vater. Die Anwesenden freuen sich mit ihr über ihre Anwesenheit, und den Anwesenden gleich gemacht, hört sie Kräfte, die oberhalb der 8. Sphäre sind, mit süsser Stimme den Gott preisen. Dann steigen die Seelen in Ordnung hinauf zum Vater, übertragen sich in Kräfte und, Kräfte geworden, sind sie in Gott. „Dies ist das gute Ziel derer, die Gnosis besitzen, vergöttlicht zu werden" [1]). Der Weg der Seele zu Gott ist ein der hellenistischen Welt vertrautes Phänomen [2]). Ihm sind die Sprüche gewidmet, die als markosisch galten und in der 1. Jakobusapokalypse des Codex V auftauchen [3]). Einem Weg durch die Himmel, wie wir ihn in Judentum und Hermetik finden, begegnen wir in der Paulusapokalypse [4]). Natürlich kann für den Gnostiker das jüdische Schema der sieben Himmel nicht ausreichen. Aber im 7. Himmel trifft der emporsteigende Paulus eine Person, die ganz dem Alten der Tage des Henochbuches oder auch der Zaubertexte gleicht [5]). Er entspricht dem hellenistischen Kronos. Dann erst steigt der Mystiker zur Ogdoas, die nur der Reine betreten kann, wie die Zurückweisung des befleckten Urmenschen in der titellosen Schrift des Codex II zeigt [6]). Dem Aufbau des Poimandres entsprechen vollends die zehn Himmel der Paulusapokalypse. Bedeutsam ist, dass diese Zahl bereits in dem jüdischen slav. Henoch [7]) begegnet [8]).

Wenden wir uns nun aber hinab zu unserer Welt, zur Schöpfungsgeschichte! Über sie bieten die Gnostiker mehrere ausführliche Berichte: 1. in der titellosen Schrift des Codex II, 2. in dem diesem Text sehr nahestehenden Bericht der „Hypostasis der Archonten", 3. im Apokryphon des Johannes; 4. auch in der Adamapokalypse und 5. dem Ägypterevangelium sind Aussagen dazu vorhanden. Da die Gnosis ihr Augenmerk besonders auf die Stellung des Menschen in der Welt richtet, nimmt in der Schöpfungsgeschichte die Erschaffung des Menschen einen besonders betonten Raum ein. Der Text, in dem die Schöpfungsgeschichte am ausführlichsten dargestellt wird, ist die titellose Schrift des Codex II.

---

[1]) *Poimandres* I 26.
[2]) Vgl. M. P. NILSSON, *Geschichte der griechischen Religion* II (2. Aufl. München 1961), 594 f.
[3]) S. o. S. 115, Anm. 4.
[4]) Ap P 17 unten — 24, 9.
[5]) Hen 46, 1; A. KROPP, *Ausgewählte koptische Zaubertexte* III (Bruxelles 1930), 41 und Belege.
[6]) Sst 160, 10 ff.
[7]) Slav Hen 22.
[8]) Scholem hat bereits die Achtheit in 'Azbogah und die Zehnheit in Aṭbaḥ nachgewiesen (l.c. 69 ff.).

Man kann aus ihr ein ganzes Sechstagewerk herausarbeiten. Selbstverständlich muss man dabei die gnostischen Umgestaltungen berücksichtigen, deren Interpretation uns aber gerade zeigt, wie die jüdische Tradition dahinter steht. Die erste Tat Gottes ist die Erschaffung des Urlichtes am ersten Tage; es wurde nach jüdischer Tradition von Gott alsbald zurückgezogen und für die verstorbenen Gerechten im Garten Eden aufbewahrt oder für die kommende Welt [1]). Im gnostischen Text erscheint der Urmensch voll Glanz und verschwindet wieder [2]). Diese Handlung des ersten Tages wird zweimal dargestellt, mit dem Kommen des Lichtadam und dem schon vorher wirkenden Urlicht. Es heisst, dass aus der Pistis ein Licht hervorkommt, das dem Urlicht entspricht, und dass das Chaos wüst und leer war. Zwischen Himmels- und Chaoswelt entsteht der Vorhang, so dass dadurch am ersten Tage die Trennung von Licht und Finsternis erfolgt ist [3]). Die Erschaffung des irdischen Adam findet in Bibel bzw. Judentum und im Gnostizismus am 6. Tage statt. Wenn zwischen diese beiden Menschentypen ein dritter eingeschaltet wird, so ist das eine Folge der theologischen Konstruktion, die in verschiedenen Menschentypen Geist-Seele-Materie verkörpert sehen will. Freilich sieht der seelische Mensch des Johannesapokryphons wesentlich anders aus als der der titellosen Schrift. Während im Johannesapokryphon [4]) die Erschaffung des 3. Menschen nur die Folge dessen ist, dass der 2. Mensch den Archonten überlegen ist, bietet der 2. Mensch der titellosen Schrift eine eigenständige charakteristische Grösse [5]). Er ist der androgyne Adam, der in der Gestalt der höheren Eva den 3. Adam belehrt und aufrichtet. Die jüdische Tradition kennt durchaus die Erschaffung des Adam als אנדדגינוס [6]). Ja, man geht so weit, zu sagen: „Gott erschuf ihn als Doppelmenschen (mit zwei Angesichtern), dann zersägte er ihn und machte ihm zwei Rücken." Diese Auffassung von Adam findet sich in der Adamapokalypse, wenn es dort heisst: „Da trennte uns (Adam und Eva) der Gott, der Archon der Äonen und der Kräfte, im Zorn. Da wurden wir zu zwei Äonen" [7]). Auch das Streben zur Monas, das wir

---

[1]) STRACK-BILLERBECK IV 891 nebst Belegen.

[2]) Sst 159, 29 ff.

[3]) Sst 147, 13 ff.

[4]) BG 48, 14 = Nag Hammadi III 22, 6 ff. = II 15, 5 ff. = IV 23, 20 ff.

[5]) Sst 161, 5 ff.

[6]) Gn R 8 (6a). Vgl. zum Gesamtproblem im Judentum STRACK-BILLERBECK IV 405 ff.

[7]) Ap Ad 64, 20 f.

in judenchristlich beeinflussten Texten finden, gehört in diese Gedankengänge [1]). Der vorhin genannte 2. Mensch gehört übrigens wahrscheinlich nur wegen eines Schematismus zum 4. Schöpfungstag [2]). Mythologisch gehört er ja zum 5. Tag, zumal das grundlegende Ereignis des 4. Tages, die Einsetzung der Leuchter, auch schon erwähnt ist [3]). Denn dieser 2. Mensch entsteht aus dem Wasser und wird ein „Tier". Vielleicht geht die gnostische Spielerei, die חַוָּא‎ חַוְיָא‎, חִוְיָא‎, und חַיְוָא‎ zusammenbringt, nicht nur auf die Bemühung um eine Umschreibung des Wortes „Schlange" zurück, sondern zugleich auf die Erinnerung an die Meeresschlange Leviathan und die Behemoth. Nach den älteren Traditionen wurden nämlich Leviathan und Behemoth am 5. Tage geschaffen und galten deshalb als Wassertiere [4]). Es ist bei der stark ophitisch beeinflussten Gedankenbildung des Textes der titellosen Schrift nicht uninteressant, dass Leviathan im ophitischen Diagramm als *Seele* des Alls bezeichnet wird [5]). Ja, auch im Judentum hat der Leviathan eine ähnliche Aufgabe wie bei den Ophiten, wenn er deshalb über der Urtiefe lagert, damit diese nicht aufsteigen und die Welt vernichten kann [6]). Auch im gnostischen Text ist die Erschaffung des 2. Menschen ein Stoss gegen den Angriff der Finsternis [7]).

Somit ist das Programm des 1., 4., 5. und 6. Tages des Hexahemeron verwendet, aber auch das der anderen Tage lässt sich nachweisen. Zwischen der Erscheinung des Lichtadam und der Einsetzung der Leuchter steht die Erschaffung der Pflanzen und des Paradieses. Dazu ist aus jüdischen Pseudepigraphen z.B. zu vergleichen: „An diesem (dem 3.) Tage schuf er .... die fruchttragenden Bäume [8]) und die Haine und den Garten Eden zur Wonne und alle

---

[1]) S.u. S. 134.

[2]) In einem Schema, das die titellose Schrift des Codex II gibt (Sst 165, 28-166, 2), wird am 1. Tage der Lichtadam offenbar, am 4. der mannweibliche psychische Mensch, am 8. der choische (dessen Gestaltung aber schon am 6. Tage vorgenommen worden ist).

[3]) Sst 160, 3 ff. Vgl. Gn 1, 14 ff.

[4]) STRACK-BILLERBEC IV 1159 f.

[5]) Wenn auch mit negativer Tendenz. Man muss aber auch beachten, dass Hipp Ref V 12, 7 ff. von den Gnostikern die Schlange mit dem Logos identifiziert werden lässt.

[6]) B B 74 a, 32.

[7]) Sst 161, 12 ff.

[8]) In der titellosen Schrift des Codex II von Nag Hammadi sind der Weinstock, der Feigenbaum, der Granatapfelbaum, der Baum des Lebens und der Baum der Erkenntnis genannt sowie der Ölbaum. Dass unter den genannten Bäumen der

Pflanzen nach ihrer Art" [1]). In rabbinischer Literatur heisst es, dass am 3. Tage die Bäume, die Kräuter und der Garten Eden geschaffen wurden [2]). Die räumliche Verlegung des Paradieses in der titellosen Schrift in den Osten entspricht der des Henochbuches [3]); hier sieht Henoch auf dem Wege nach dem Osten besonders schöne Bäume stehen und findet schliesslich den Garten der Gerechtigkeit mit dem Baum der Weisheit. Die gnostische Schilderung der Bäume des Paradieses erinnert gerade in ihrer Ausführlichkeit an die Sprache des Judentums [4]); man denke an die Schilderung des himmlischen Paradieses [5]). Eine Parallele zum Judentum stellt auch die kultische Erwähnung des Ölbaumes [6]) dar. Im Anschluss an die speziellen Ausführungen geht der gnostische Text zur allgemeinen Blumenwelt über, wobei er die Rose besonders als ein Gewächs bezeichnet, das zur Freude des Lichtes dient, „das sich im Dornbusch offenbaren wird" [7]). Hier ist die Erzählung vom brennenden Dornbusch [8]) so interpretiert, dass der höchste Gott, das Licht, in ihm erscheint.

Es fehlt nun nur noch der 2. Schöpfungstag, an dem Gott eine Feste inmitten der Wasser entstehen lässt [9]). Sie wird geschaffen bei der Machtübernahme des Jaldabaoth im gnostischen Text [10]). Er schafft den Unterschied zwischen Feste und Wasser, insofern er den Himmel zu seinem Wohnort macht. Dabei kombiniert der Gnostiker die Trennung von Wasser und festem Land, die am Anfang des 3. Tages erfolgt, mit dem Geschehen des 2. Tages und dem Geschehen des 1. Tages. Die Schwierigkeit für die Vergleichung zwischen Schöpfungsgeschichte und gnostischer Vorstellung des Gesamtablaufes dieser Handlung liegt in der Vielfältigkeit der handelnden

---

Weinstock als ein Anlass zur Sünde Gnosis und Judentum gemeinsam ist, kann kaum als Zufälligkeit betrachtet werden. (Vgl. Nu R 10 [158a]).

[1]) Jub 2, 7.

[2]) Gn R 11 (8c, 39).

[3]) Sst 158, 2 ff., Hen 28-32.

[4]) Sst 158, 6 ff. Wenn im Johannesapokryphon der Baum des Lebens negativ gedeutet wird, so liegt das am Zusammenhang, der einen Dualismus zwischen dem Baum des Lebens und dem der Erkenntnis herausarbeiten soll. Von der gnostischen Schau her wird die biblische Mythologie umgedeutet. (BG 55, 18 ff. = Nag Hammadi III 27, 14 ff. = II 22, 17 ff. = IV 33, 1 ff.).

[5]) Slav Hen 8, 1 ff.

[6]) Sst 159, 6. Die Deutung dürfte auf die jüdische Interpretation von Ps 45, 8 zurückgehen. Die Verbindung von König und Hoherpriester stammt aus Gn 14, 18 (vgl. Hb 7, 1).

[7]) Sst 159, 11 ffff.

[8]) Ex 3, 2-5.

[9]) Gn 1, 6.

[10]) Sst 149, 3 ff.

Personen, die in dem gnostischen Mythos an die Stelle des Gottes von Gn 1 treten. Gewisse Handlungen werden auf die Existenz des Lichtes selber zurückgeführt, andere auf das Handeln der Pistis Sophia, wieder andere auf Jaldabaoth.

Dieser Archon, der Gott Widerstand leistet, schafft sich nach dem Bilde Gottes den Menschen. Sein Hauptargument dafür ist, dass Gott ein ihm gleichgestaltetes Wesen nicht angreifen würde. Der Mensch wäre dann eine Art Schutzschild für die Archonten. Dem entspricht die Handlung der biblischen Aussage [1]): „Nach dem Bilde Gottes schuf er ihn". Bei der Anfertigung dieses Wesens bedient sich der Oberarchon seiner Engelmächte. Das wird in gewissen Teilen des gnostischen Schöpfungsberichtes ganz breit ausgeführt. Jeder der sieben Archonten gibt einen Teil dazu. In der titellosen Schrift wird nur das Gehirn und das Mark als Beitrag des Oberarchon hervorgehoben [2]). Im Johannesapokryphon (kürzere Fassung) werden die sieben Beiträge der Hauptarchonten im einzelnen beschrieben [3]); in der längeren Fassung wird noch jeder einzelne Körperteil auf einen von 365 Engeln zurückgeführt [4]). In jüdischer Tradition werden die Körperteile aus verschiedenen Ländern zusammengeholt, ebenso der Erdstaub aus verschiedenen Ecken mit verschiedenen Farben [5]). Auch in der jüdischen Tradition bespricht sich Gott vor der Erschaffung des Menschen mit seinen Dienstengeln [6]); diese raten ihm aber von der Erschaffung ab oder weigern sich sogar mitzuwirken und müssen erst gezwungen werden [7]). Im Jüdischen wird also der Zwiespalt zwischen Gott und den Engeln zur Menschenerschaffung verlegt, während im Gnostischen diese überhaupt als ein Werk wider Gott aufgefasst wird. Die Erschaffung des Menschen durch den Willen Gottes schliesst in der jüdischen Vorstellung ein, dass Gott dem Menschen bereits einen Ausblick in die Zukunft gibt, als er noch als rohe Masse vor Gott dalag [8]). In der Gnosis wird hier entsprechend der Teilung in zwei Schöpfungspersonen auch diese Handlung geteilt. Auch hier liegt Adam zunächst als unbeweg-

---

[1]) Gn 1, 27.
[2]) Sst 162, 34 f.
[3]) BG 49, 11 ff. = Nag Hammadi III 22, 19 ff.
[4]) Nag Hammadi II 15, 14 ff. = IV 24, 3 ff.
[5]) Vgl. STRACK-BILLERBECK III 478 f.
[6]) Pesiq 34a; Midr Ps 8 § 2 (37b); Pesiq R 25 (128a). Gott weiss im voraus von der Weisheit des Menschen.
[7]) Sanh 38b. Sie halten dann aber Gott die Sündigkeit der Menschen des Sintflutzeitalters vor.
[8]) STRACK-BILLERBECK II 173.

liches Gemächte da, das weder die Archonten noch ihr Meister aufrichten kann. Die Roheit dieses Zustandes wird deutlich durch die Worte gekennzeichnet: „wie die Fehlgeburten, da kein Geist in ihm war" [1]). Der Oberarchon lässt seinen Menschen aus Sorge vor himmlischer Hilfe 40 Tage lang so liegen [2]). In dieser Zeit erhält Adam denn auch von oben einen Hauch eingeflösst und wird danach von den Archonten in das Paradies gesetzt. Auch die jüdischen Pseudepigraphen kennen die Auffassung, dass Adam 40 Tage nach seiner Erschaffung ins Paradies gebracht wurde [3]). Die Geschichte vom Sündenfall wird insofern in die Schöpfungsgeschichte einbezogen, als die Qualität der Schlange und Evas umgedeutet wird. Die beiden Figuren werden auch volksetymologisch in enge Beziehung zueinander gesetzt (חַוָּה חִוְיָא). Als חִוְיָא, Lehrer(in), wird Eva die Aufgabe zuteil, Adam zu belehren und ihm Weisheit zu schenken [4]). Dass gerade Eva es ist, die dem Adam Weisheit vermittelt, wird in der Adamapokalypse gleichfalls ausgesprochen: „Sie lehrte mich ein Wort der Gnosis" [5]). Auch im Johannesapokryphon ist ein ähnlicher Gedanke zu finden, wenn „die ἐπίνοια des Lichts, die von ihm ζωή genannt wurde", zu Adam kam [6]). Von der besonderen Weisheit Adams weiss auch das Judentum. So verleiht Gott am Ausgang des Schöpfungssabbats dem ersten Menschen Einsicht nach Art der oberen (also der göttlichen) Einsicht [7]). Das passt dazu, dass in der titellosen Schrift die Belehrung Adams am 8. Tage stattfindet, der ἡμέρα ἡλίου [8]). Am 7. Tage ruhten wie Gott auch die schaffenden Archonten; man darf wohl in der Aussage, dass sie diesen Tag ἀνάπαυσις nannten, eine Übersetzung von Sabbat sehen [9]). Bei der Bezeichnung des 8. Tages als „Ruhe vom Mangel" [10]) mag man an den Umstand denken, dass an diesem Tage die Beschneidung stattfand[11]).

[1]) Sst 163, 5.
[2]) Sst 163, 6 ff.
[3]) Jub 3, 8-13.
[4]) Sst 163, 30 ff.
[5]) Ap Ad 64, 12.
[6]) BG 53, 8 ff. = Nag Hammadi III 25, 10 ff. = II 20, 17 ff. Die besondere Erwähnung der Schlange als Lehrer ist in der „Hypostasis der Archonten" zu finden (HA 138, 6). Dagegen ist im Johannesapokryphon die Schlange negativ gedeutet: BG 58, 4 ff. = Nag Hammadi III 28, 20 ff. = II 22, 10 ff. = IV 34, 14 ff.
[7]) Pesiq 54a Bar.
[8]) Sst 166, 2.
[9]) Sst 163, 25 ff.
[10]) Sst 165, 36 f.
[11]) STRACK-BILLERBECK IV 23.

Wenn wir an die Spiritualisierungstendenzen auch bei Paulus denken (Beschneidung des Herzens) [1]), so verstehen wir zugleich, dass für Adam diese Erhebung über die Welt umso notwendiger ist, als er ja in der titellosen Schrift als „gesetzlich" bezeichnet wird [2]). Der Gedanke, dass durch eine mythologische Handlung der erste Mensch erwacht und sich erhebt, entspricht ganz der Vorstellung der jüdischen Tradition, die den Messias zum ersten Menschen sagen lässt: „Genug ist deines Schlafes" [3]). Für die christlichen Gnostiker konnte deshalb auch Jesus, der Messias, der Erwecker Adams sein [4]). Denn die Erweckung erfolgt für sie nicht am Ende, für das sie allerdings auch eine Vollendung des Alls kennen, sondern von Adam an in jedem Gnostiker [5]).

Die Benennnung der Tiere durch Adam wird in Gnosis und Judentum als ein Beweis für Adams Weisheit hingestellt [6]). In der titellosen Schrift wird daran die durch das verbotene Essen gewonnene Erkenntnis erwiesen. Die Archonten sagen: „Siehe, Adam ist wie einer von uns geworden" [7]). Nach jüdischer Tradition zeigt Gott dadurch den Dienstengeln, dass Adam ihnen überlegen ist. Darauf sagen die Engel zueinander: „Wenn wir nicht mit dem Plan über Adam kommen, dass er vor seinem Schöpfer sündigt, so werden wir ihn nicht übermögen" [8]). In Gnosis und Judentum wird ein Dualismus Gott-Engelwelt sichtbar, der sich am Verhalten Adam gegenüber zeigt. Die jüdische Vorstellung, dass die Engel und ihr Fürst sich dazu der Schlange bedient haben, ist aus dem Johannesapokryphon noch erkennbar [9]). Die Adamapokalypse weist darüber hinaus noch einen Zug auf, der dem Judentum entstammt, die Vorstellung vom Glanze Adams [10]). „Ich wandelte mit ihr (Eva) in einer Herrlichkeit, die sie gesehen hatte durch den Äon, aus dem wir entstanden waren. . . . Und wir glichen den grossen ewigen Engeln. Denn wir waren

---

[1]) Rom 2, 29.
[2]) Sst 165, 35.
[3]) *Pirqe Maschiach* (Beth 2a Midr 3, 73, 17).
[4]) Ev Ver 30, 14 ff. (M. MALININE-H. CH. PUECH-G. QUISPEL, — *Evangelium Veritatis*. Zürich 1956).
[5]) Vgl. hierzu besonders die Schrift „De Resurrectione" aus Codex I von Nag Hammadi: M. MALININE-H. CH. PUECH-G. QUISPEL-W. TILL-R. MCL. WILSON-J. ZANDEE, *De resurrectione* (*Epistula ad Rheginum*). Zürich 1963.
[6]) Sst 168, 19 ff.
[7]) Sst 168, 26 f.
[8]) Pirqe R El 13 Anf.
[9]) S.o. S. 124, Anm. 6.
[10]) Ap Ad 64, 9 ff.

höher als der Gott, der uns geschaffen hatte, und die Kräfte, die mit ihm waren". Der Glanz Adams wird in der jüdischen Tradition als Abglanz der göttlichen Doxa (כָּבוֹד) angesehen [1]. In der Adamapokalypse ist allerdings von der Herrlichkeit im Herzen und von der Gnosis die Rede. In beiden Traditionen wird dieser Glanz aber wieder entzogen, im Judentum wegen der Sünde, in der Gnosis wegen der überragenden Qualität. Adams Vertreibung aus dem Paradies ist ebenfalls in beiden Überlieferungen vorhanden. Sie geht in der titellosen Schrift parallel mit der auch im Jüdischen anzutreffenden Tradition von der Verstossung des Sammael und seiner Scharen aus dem Himmel [2]. Die Sünde führt zu einem Schrumpfungsprozess. Rabbinische Tradition weiss davon, dass Adam bis zum Himmel ragte. „Als er aber gesündigt hatte, legte Gott seine Hand auf ihn und verkleinerte ihn" [3]. Darüberhinaus wirkt dieser Prozess auf das ganze Dasein [4]. Adams Lebenszeit wird auch bei den Gnostikern verkürzt, von 1000 auf 930 Jahre; die Zeit der Archonten wird ebenfalls verkürzt [5]. Parallel zur jüdischen Tradition findet sich übrigens auch in der Gnosis der paradiesische Charakter des Phönix als eines Lebewesens, das nicht unter die Sünde Adams und damit auch nicht unter den Tod geraten ist [6].

Wichtig ist es auch zu erfahren, wie Adams Nachkommen oder genauer die weitere Menschheit entsteht. Bei den Gnostikern wird eine Szene geschildert, die von der Vergewaltigung Evas durch die Archonten berichtet [7]. Auch im Judentum ist eine ähnliche Szene bekannt. „Alle jene 130 Jahre, die sich Eva (nach dem Sündenfall) von Adam fernhielt, hatten sich die männlichen Geister and ihr erhitzt und sie hatte von ihnen geboren" [8].

---

[1] STRACK-BILLERBECK IV 887.

[2] Verstossung Adams: Sst 169, 4 ff.; HA 139, 3 ff. AJ in BG 61, 19 ff. = Nag Hammadi III 31, 4 ff. = II 24, 6 ff. = IV 37, 15 ff. Verstossung der Engel: Sst 169, 30 ff. Diese Verstossung muss durchaus getrennt werden von dem bekannten Fall der Erzengel. Vgl. zu ihr Pirqe R El 14 (7d 7).

[3] STRACK-BILLERBECK IV 888.

[4] STRACK-BILLERBECK IV 887.

[5] Sst 169, 13 ff.; vgl. Hen 80, 2. Aus dem Schrumpfungsprozess der Archonten darf wohl auf Adam zurückgeschlossen werden, zumal auch er traditionell 930 Jahre lebt. Insbesondere hat dann der Bericht vom Phönix wegen der Erfüllung der 1000 Jahre umso besseren Sinn.

[6] Sst 170, 1 ff. Gn R 19 (12d).

[7] Sst 165, 3 ff.; HA 137, 29 f. Im Johannesapokryphon erfolgt die Schändung durch Jaldabaoth: BG 62, 5 ff. = Nag Hammadi III 31, 7 ff. = II 24, 12 ff. = IV 37, 21 ff.

[8] Gn R 20 (14a).

Umgekehrt wird allerdings das Gleiche auch von Adam gesagt, was in der Gnosis nicht bekannt ist. Ebenso wie im Judentum wird die Verführung der Frauen durch gefallene Engel geschildert und die damit verbundene Unterrichtung in mancherlei Kunstgriffen, Handwerken und Fähigkeiten [1]).

Das weitere Schicksal der Menschheit ist bei den Gnostikern nicht uninteressant. Man kann zwar nicht sagen, dass sie dieses in ihrer Tradition so stark an die Kinder Abrahams angeknüpft haben wie das Christentum. Für die Gnosis war auch gegenüber der griechischen Welt eine Durchbrechung des irdischen Bereichs hin zum kosmischen erfolgt; um wieviel mehr musste dies gerade gegenüber einer völkisch organisierten Religion wie dem Judentum geschehen! Deshalb wird die Heilsgeschichte auch, soweit sie sich findet, spiritualisiert. Eine zentrale Figur dabei ist Seth, in dem man den spiritualisierten Abraham sehen kann. Er ist als Ersatz für Abel der gegebene Nachfolger Adams. Ihm teilt darum Adam auch in der Adamapokalypse die ihm zuteil gewordenen Offenbarungen mit [2]). Ja, an ihm scheiden sich die Menschen. Denn er hat nach der Verstossung seines Vaters die γνῶσις an sich gezogen. Nicht weil die Welt böse war, sondern weil gute Sethmenschen in ihr lebten, wurde die Sintflut über sie gebracht [3]). Hieran sieht man, wie die Gnosis eine Umwertung der Ereignisse in der Heilsgeschichte vollzieht. Dass Seth im hellenistischen Judentum eine beachtliche Rolle spielt, ist allein schon daraus zu sehen, dass er mit Zoroaster gleichgesetzt wird [4]). Ihm wird die Erfindung der Astrologie zugeschrieben [5]). Adam hatte vorausgesagt, dass die Welt nacheinander durch Wasser und Feuer vernichtet würde. Wie bei Josephus [6]) findet sich diese Lehre auch in der gnostischen Adamapokalypse [7]). Darum weiss Seth, dass er seine Lehren gegen diese Naturkatastrophen schützen muss. Er hat deshalb das, was er mitteilen wollte, auf zwei Stelen

---

[1]) Der Bericht der titellosen Schrift des Codex II (Sst 171, 2 ff.) schildert diese Engel als Dämonen, die von den aus den Himmeln verstossenen Archonten dazu geschaffen wurden, um die Menschen zu verführen. Das entspricht dem Gedanken der zweiten Verführung durch den Teufel in Vita Ad 9 ff. In ihrem Wesen entsprechen diese Dämonen ganz den gefallenen Engeln Hen 6-11, 12-16, 18, 11-19, 3.

[2]) Ap Ad 64, 2 f.

[3]) Ap Ad 69, 11 ff.

[4]) J. Bidez-F. Cumont, *Les Mages hellénisés* I (Paris 1938), 41 ff.

[5]) Bidez-Cumont, l.c. 45.

[6]) Antiqu I 2, 3 § 68-70.

[7]) Sintflut: Ap Ad 67, 22 ff.; Vernichtung durch Feuer: Ap Ad 73, 25 ff.

niedergelegt, von denen die eine aus Ziegeln, die andere aus Stein ist. Im Fund von Nag Hammadi ist bezeichnenderweise auch eine Schrift „Die Stelen des Seth" erhalten [1]). Die heilsgeschichtlichen Daten bietet im Augenblick am besten die Adamapokalypse, die die Geschichte des Sethvolkes schildert. Allerdings bedarf für die Gnostiker das Sethvolk nicht der Arche; es wird für die Zeit der Gefahr entrückt [2]). Aber Noahs Werk wird auch bei den Gnostikern genügend gewürdigt [3]). Das Johannesapokryphon geht bereits soweit, Noah ein ähnliches Schicksal wie dem Sethvolk zuzuteilen [4]). Der Verfasser wendet sich gegen Moses und seinen Bericht von der Arche; die Menschheit hörte ja nicht auf Noah; dieser aber und mehrere andere Menschen aus dem nicht wankenden Geschlecht umhüllten sich mit einer Lichtwolke. Als nach der Sintflut die Lichtmenschen auf die Erde zurückkehren, wird ihnen ein Land zugewiesen, in dem ihnen auch ein heiliger Wohnsitz gebaut wird [5]). Das entspricht der Überlassung des heiligen Landes an Israel. Noah verteilt die Erde unter seine Söhne; zunächst werden alle drei genannt [6]), später wird aber nur noch von Ham und Japhet [7]) gesprochen. Das deckt sich mit der jüdischen Tradition, dass Sem der fromme Sohn Noahs gewesen sei [8]). Bedeutet die Aufteilung der Söhne Hams und Japhets auf zwölf Königreiche, dass die zwölf Stämme Israels als nichtgeistlich nach den Gnostikern in der Sünde bleiben? [9]) Weil sie die Sethmenschen beim Oberarchon Saklas anschwärzen, bringt er Feuer über die Menschen. Wieder werden die Sethmenschen entrückt. Wieder bringt die gnostische Tradition eine Umdeutung ins Gegenteil. Denn nach jüdischer Vorstellung klagen die Söhne Noahs über die Dämonen [10]). Die durch Pech und Schwefel zerstörten Städte Sodom und Gomorrha werden von den Gnostikern in Stätten des guten Samens umgedeutet [11]).

---

[1]) Nag Hammadi cod. VII 118, 10-127, 27. Allerdings handelt es sich dabei um drei Stelen.
[2]) Ap Ad 69, 19 ff.; 75, 17 ff.
[3]) Ap Ad 70, 10 ff., HA 140, 8 ff.
[4]) BG 72, 17 ff. = Nag Hammadi III 37, 18 ff. = II 29, 1 ff. = IV 44, 25 ff.
[5]) Ap Ad 72, 3 ff.
[6]) Ap Ad 72, 16 f.
[7]) Ap Ad 72, 14 f.; 73, 25; 74, 11; 76, 13.
[8]) STRACK-BILLERBECK III 692 f. Sem wird mit Melchisedeq gleichgesetzt.
[9]) Ap Ad 73, 25.
[10]) Jub 10, 2.
[11]) Ev Aeg (cod. III) 56, 10 f. 60, 12.13.18 (Sodom), 56, 10. 12; 60, 14.16 (Gomorrha).

Es gibt auch eine Erwähnung Abrahams [1]). Als Vertreter der
Juden schliesst er hier einen Pakt mit Jaldabaoth. In der Pistis
Sophia sagt Jesus, er habe Abraham, Isaak und Jakob ihre Sünden
vergeben [2]). Auch Moses [3]) und die Gesetzgebung ist nicht unbekannt. Das Gesetz im traditionellen Sinne wird abgelehnt [4]). Die
Worte des Gottes der Äonen sind nicht auf materiellen Tafeln ein-
geschrieben, sondern sind durch engelartige Wesen auf den Felsen
der Wahrheit gebracht worden. Dass das Gesetz von Engeln übermittelt worden ist, ist freilich auch jüdische Tradition [5]). Aber das
Gesetz selbst wird in der Gnosis spiritualisiert [6]). Ja, selbst die Taufe
wird umgedeutet, wenn die Gnosis als die eigentliche Taufe bezeichnet wird [7]). Der jüdischen Lehre vom guten und bösen Trieb [8])
nachgebildet scheint die Seelenlehre der Gnostiker zu sein; nur ist sie,
wie besonders das Johannesapokryphon zeigt, auf der Basis des
Dualismus aufgebaut. Im Judentum ist Gott selber Schöpfer der
beiden Regungen. Die Ordensregel vom Toten Meer bedient sich
wahrscheinlich der Mythologumena des zervanitischen Denkens, in
dem ja trotz allem Widerstreit ein oberster Gott die höchste Stellung
einnimmt [9]). In der Gnosis des Johannesapokryphons stehen dagegen
Gott und Widergott gegeneinander. Immerhin erinnert sehr stark
an die Ordensregel der Satz: „Die zwei Archonten (Jahve und
Elohim) aber setzte er über die ἀρχαί, damit sie über das Grab
herrschen" [10]). Merkwürdigerweise werden also hier die wider-
streitenden Geister vom bösen Archon Jaldabaoth eingesetzt. Doch
weil er sie durch Schändung der Eva erzeugt hat, sind sie eben nicht
nur negativ, sondern entsprechen dem Gegensatz von gerecht und
ungerecht. Ebenso steht dem Geist des Lebens das Antimimon

---

[1]) Iren I 30. Israel ist in himmlischer Form durchaus eine anerkannte Grösse.
In der titellosen Schrift des Codex II (Sst 153 ff.) steht neben der Engelkirche
und Christus noch der „Erstgeborene Israel".
[2]) PS 230, 16.
[3]) AJ vgl. Index s.v.
[4]) Ap Ad 85, 3.
[5]) Dt 33, 2 LXX, Ps 67, 18, Pesiq R 21 (104a).
[6]) Ap Ad 85, 12 ff.
[7]) Ap Ad 85, 22 ff.
[8]) Vgl. Exkurs 19 bei STRACK-BILLERBECK IV 466-483.
[9]) 1 QS III 17 ff.; vgl. A. BÖHLIG, *Mysterion und Wahrheit*, in: *Wiss. Ztschr. d.
Martin-Luther-Univ. Halle-Wittenberg* 4 (1955) 368 ff. und in: *Arbeiten zur Geschichte
des späteren Judentums und Urchristentums* Bd. 6.
[10]) AJ in BG 63, 9 ff. = Nag Hammadi III 32, 3 ff. = II 24, 32 ff. = IV 38, 20 ff.

Pneuma gegenüber [1]). Es kommt nun darauf an, welches Pneuma die
Oberhand gewinnt, damit die Erlösung sofort, auf Umwegen oder
nur überhaupt erfolgen kann. Im Gnostischen wird freilich auch
diese Frage, die ja stark ethische Bedeutung hat, unter dem Gesichtspunkt des Gerichts behandelt. Doch das Gericht hat eine doppelte
Form. Einmal wird das Gericht bzw. die Erlösung gleich auf Erden
vollzogen, anderseits kennt auch die Gnosis die Vorstellung der
Endzeit, wie sie Judentum und Christentum gepflegt haben. Die
Wiederherstellung des paradiesischen Zustandes im Judentum ist
dabei als fester Bestandteil in die Gnosis übernommen worden [2]). In
abgewandelter Form ist der Gedanke der Restitutio omnium Ge-
meingut aller Gnostiker. Bis in den Manichäismus hat sich dieser
Gedanke des Sieges der Lichtwelt durchgesetzt [3]). Wir können
daraus ersehen, wie nahe die gnostische Theologie doch dem jüdischen Gedanken vom Siege Gottes steht, trotz aller Abwandlungen
durch mythologische Konstruktionen, die durch hellenistische
Gedankengänge angeregt wurden.

Die einzelnen religionsgeschichtlichen Einflüsse zu untersuchen,
aus denen die Gnosis oder auch das spätere Judentum zu ihren
jeweiligen Auffassungen geführt wurden, kann hier nicht meine
Aufgabe sein.

Wesentlich für die Abrundung des Bildes von den Quellen der
Texte von Nag Hammadi scheint mir noch ein Blick auf die Bedeutung des Judenchristentums für diese Texte zu sein. Im Codex V
der Schriften von Nag Hammadi sind uns zwei Jakobusapokalypsen
erhalten, die vollkommen verschieden voneinander sind. Infolge ihres
schlechten Erhaltungszustandes war von den Forschern, die sum-
marisch über den Gesamtfund berichtet hatten, bis zum Zeitpunkt
ihrer Edition wenig mitgeteilt worden. Sie erwiesen sich aber nun als

---

[1]) Wie der Baum des Lebens und der Baum der Erkenntnis des Guten und
Bösen miteinander konfrontiert werden, so auch das ἀντίμιμον πνεῦμα und die
ἐπίνοια des Lichts: AJ in BG 56, 10 ff. = Nag Hammadi III 27, 14 ff., vgl. II
21, 24 ff. = IV 33, 11 ff. Der Geist des Lebens als Sendung der Mutter: AJ in BG
63, 14 ff. = Nag Hammadi III 32, 8 ff. = II 25, 2 ff. = IV 38, 29 ff., Konfron-
tierung: BG 65, 2 ff. = Nag Hammadi III 34, 4 ff. = II 26, 10 ff. = IV 40, 25 ff.
   [2]) Nur wird auch hierbei die biblische Geschichte von der Gnosis überboten.
Denn nicht das alte geschaffene Paradies ist das Ziel, sondern die Heimkehr in
die himmlische Welt. Aber auch das Judentum hatte solche Gedanken angenommen. Dadurch dass man z.B. das Paradies auch als präexistent betrachtete
(4 Esr 3, 5 f.), bot man der Gnosis Anhaltspunkte. Zur Restitutio bei den Gnostikern vgl. z.B. titellose Schrift des Codex II 175, 4 ff.
   [3]) Vgl. G. WIDENGREN, *Mani und der Manichäismus* (Stuttgart 1961), 71.

sehr interessant sowohl für eine literar- und formgeschichtliche wie auch eine religionsgeschichtliche Betrachtung [1]). Die 1. Jakobusapokalypse bietet Gespräche zwischen dem Rabbi Jesus und Jakobus, der sein Nachfolger werden soll. Diese Gespräche finden nicht nur nach, sondern auch vor der Auferstehung des Herrn statt und zeigen dadurch, dass Jakobus im Bewusstsein des Verfassers zur weiteren Jüngerschar gehörte. Ausser der Beauftragung des Jakobus gehört noch seine Belehrung über seinen Weg zum Himmel zu den Hauptthemen der Schrift. Die 2. Jakobusapokalypse führt im Rahmen eines sehr kunstvollen Aufbaues ein Auftreten des Jakobus im Tempel vor dem Volk und vor den Priestern vor, das mit seinem Martyrium endet. Hauptthema dieses Werkes ist es, die Stellung des Jakobus als Jesu Nachfolger sogar in soteriologischer Hinsicht herauszustellen.

Die betonte Hervorhebung des Jakobus als einer Autorität ist von den Texten von Nag Hammadi aus dem Logion 12 des Thomasevangeliums bekannt: „Woher ihr auch kommt, ihr sollt zu Jakobus gehen" [2]). Dieser Ausspruch lässt vermuten, dass unter den Gnostikern Leute waren, die einen Primat des Herrenbruders anerkannten. Anderseits hat, wie die gnostische Bibliothek auch zeigt, ein friedlicher Ausgleich der verschiedenen Traditionen unter gnostischer Tendenz stattgefunden. Man bedenke nur, was es bedeutet, wenn den beiden Jakobusapokalypsen im Codex V eine Paulusapokalypse unmittelbar vorausgeht.

Die betonte Bedeutung der Person und des Werkes des Jakobus lässt auf judenchristliche Einflüsse schliessen. Vielleicht rühren die Schriften von Verfassern her, die aus dem Judenchristentum stammen und als Gnostiker ihr Erbgut miteingearbeitet haben. Denn der gnostische Charakter der Schriften ist eindeutig. Die Art, in der judenchristliche Traditionen in jeder der beiden Schriften zum Ausdruck kommen, ist gänzlich verschieden. In der 1. Apokalypse spürt man sie in den Gedanken, die geäussert werden, sehr stark, in der 2. ist das Traditionsgut über die sich um Jakobus abspielenden Ereignisse besonders auffällig.

Weil in beiden Apokalypsen die Stellung des Jakobus zu Jesus

---

[1]) Die als Apokryphon des Jakobus oder als Brief des Jakobus bezeichnete Schrift des Codex I von Nag Hammadi wird in diesem Zusammenhang ausser acht gelassen, weil nur Schriften, die in extenso herausgegeben worden sind, wirklich erfolgreich für solche Untersuchungen herangezogen werden können.

[2]) So muss die Stelle übersetzt werden.

besonders eindringlich behandelt wird, kann von diesem Phänomen aus ein etwaiger Zusammenhang mit dem Judenchristentum am eindeutigsten erschlossen werden. Ergeben sich dann noch weitere Vergleichspunkte, so dürfte die Beziehung gesichert sein.

Suchen wir danach in der 1. Jakobusapokalypse:

1. Die Lehre von Jesus als dem wahren Propheten ist allerdings nicht besonders hervorgehoben, doch könnte sie in dem leider sehr zerstörten Abschnitt 39, 18 ff. zu finden sein, wo Jesus sagt: „Und dann, bevor ich erschien an diesem Ort, warf ich sie (pl.) in dieses Volk. Von dem Himmelsort (?) die Propheten..." Da sich auch sonst in der Gnosis, z.B. bei den Manichäern, der Gedanke findet, dass Jesus Vorläufer gehabt habe, könnte man annehmen, dass dieser Gedanke überhaupt aus dem Judenchristentum in die Gnosis übernommen worden ist. Es wird sich aber wohl um die Entwicklung eines Gedankenganges handeln, der aus der synkretistischen Vorstellungswelt stammt und sowohl von Judenchristen wie auch Gnostikern in verschiedener Deutung aufgenommen wurde. Das erleichterte aber die Übernahme des judenchristlichen Gutes in die Gnosis ausserordentlich.

2. Wenn Jakobus in unserem Text als der „Gerechte" bezeichnet wird, so bewegt sich unser Verfasser in einer bekannten Tradition (Hegesipp). Die Mitteilung, dass Jakobus diesen Ehrentitel erhalten wird, macht ihm Jesus nach der Auferstehung, zusammen mit einer Leidensverkündigung[1]). Macht man sich klar, dass Jakobus somit vollständig in die Nachfolge Jesu eintreten soll, so passt die Bezeichnung „der Gerechte" dazu ausgezeichnet. Nach judenchristlicher Auffassung ist ja Jesus der Saddīq, der das Gesetz wirklich erfüllt. Die Bezeichnung des Jakobus als δίκαιος ist also der höchste Ehrentitel, der ihm verliehen werden kann. Durch die Bemühung um die Erfüllung des Gesetzes ist Jesus aber zum wirklichen „Gottesknecht" geworden; auch hierin ist Jakobus sein Nachfolger[2]). Denn Jesus weist auf die Ruhe und das Schweigen hin, mit dem er die Verurteilung durch die feindlichen Kräfte hinnehmen wird[3]).

3. Demgegenüber verwerfen die Judenchristen die Lehre vom stellvertretenden blutigen Leiden Jesu, weil sie sich ja auch gegen die

---

[1]) Ap Jc I, 32, 1 ff.
[2]) Ap Jc I, 32, 1.
[3]) Ap Jc I, 28, 1 f.

Tieropfer wenden. Darauf scheint unsere Stelle 41, 7 ff. hinzuweisen, wo die Brandopfer mit Adonaios, also dem niederen Gott, zusammengebracht werden.

4. Die Auferstehung Jesu hängt eng mit der Lehre von seiner zweifachen Parusie zusammen. Das erste Mal kommt Jesus „in humilitate", das zweite Mal als „Menschensohn". Vielleicht erleichtert uns das auch das Verständnis für die Verwendung von „Knecht Gottes" als Messiastitel in der Urgemeinde. In dem Hymnus, mit dem Jakobus den dem Leiden entgegengehenden Herrn anspricht, wird in immer neuen Wendungen dargetan, wie der Herr in einer Welt des Schmutzes wandelt, ohne allerdings seine eigentliche Existenz zu verlieren. Auch Jakobus äussert voller Selbstbewusstsein, dass er ebenfalls nur in eine andersartige Welt gekommen sei, aber er hat doch Sorge um den Ausweg. Dieser wird ihm aber durch die Parusie des Herrn nach der Auferstehung zuteil. Auf diese Parusie wartet die Gemeinde [1]): „Da erwarteten sie das Bild seines Kommens" („Kommen" ist Übersetzung von παρουσία!). Auf dem Berg „Gaugela"-wohl Galgala bei Jericho in Anbetracht der Rolle, die Jericho für die Judenchristen spielt-erscheint Jesus seinen Jüngern [2]). Dabei wird die 2. Parusie als das Kommen des Parakleten angesehen [3]): „Und er (Jakobus) war unwissend, dass es einen Beistand gab, in dem man sagt: 'Dieser ist es, der zum zweiten Mal zur Menge gesprochen hat (und) sich ausgebreitet hat' ". Seine Erscheinung „in gloria" ist gnostisiert als Überwindung der Archonten [4]).

5. Die persönliche Erscheinung, in der Jesus in den beiden Apokalypsen sich dem Jakobus offenbart, kann auch als ein Zug speziell judenchristlicher Tradition angesehen werden. Vielleicht ist gerade der persönliche Umgang des Küssens und Umarmens der Rest antipaulinischer Tendenztradition. Vergleiche dazu Ps.-Clem. Hom. 17, 14-19: „Der persönliche Umgang, die persönliche Belehrung des wahren Propheten gibt Gewissheit, die Vision lässt in Ungewissheit". Diese Anforderungen sind in unseren Texten erfüllt, während Paulus den Herrn nur in einer Vision erlebt haben soll. Es geht ja um die Autorität des Paulus als Apostel, die schon früh angegriffen wurde, wie seine heftige Verteidigung im Galaterbrief zeigt.

---

[1]) Ap Jc I, 30, 16.
[2]) Ap Jc I, 30, 17 ff.
[3]) Ap Jc I, 30, 23 ff.
[4]) Ap Jc I, 40, 1 ff.

6. Die Vorstellung von einer Geheimtradition, mittels deren Jakobus die Belehrungen des Herrn weitergibt, kann vielleicht mit der judenchristlichen Lehre von den echten Perikopen zusammengebracht werden, obgleich die Geheimtradition auch sonst in der gnostischen Literatur begegnet. Die Korrektur einer Aussage ἐν ταῖς γραφαῖς hat vielleicht eine ähnliche Tendenz [1]).

7. Auch die Syzygienlehre der Ps.-Clem. begegnet in unseren Texten. So werden am Ende eines evident gnostischen Abschnittes plötzlich gegenübergestellt "der Typ der zwölf Jünger und der zwölf Paargenossen, der Söhne der Achamoth, die verdolmetscht wird die Sophia" [2]). Bereits 25, 26 ff. ist von zwölf Archonten die Rede, auf die hier Bezug genommen sein dürfte. Es wurden also zwölf positiven zwölf negative Grössen gegenübergestellt. Die negativen gehen den positiven auch in unserem Falle zeitlich voran. Das entspricht dem Geheimnis der Syzygie, nach dem durch den Sündenfall die Ordnung der Syzygie, männlich-weiblich, verkehrt worden ist. Dass die Abwertung des Weiblichen zum einfachen Gegensatz hochwertig-minderwertig geführt hat, bei dem man schliesslich auf das Geschlecht gar nicht mehr achtete, entspricht ganz der Stelle in unserer Jakobusapokalypse. Noch auffälliger aber ist es, dass die ursprüngliche, in den Κηρύγματα Πέτρου entwickelte Lehre von der Minderwertigkeit des Weiblichen [3]) zu einem Grundgesetz der 1. Jakobusapokalypse erhoben wird. Gleich am Anfang wird sein sekundärer Charakter betont [4]). Die eschatologische Erwartung erhofft [5]): „Das Vergängliche ging hinauf zum Unvergänglichen. Und das Werk der Weiblichkeit gelangte empor zum Werk dieser Männlichkeit". Wir haben hier die Parallele zum Ägypterevangelium vor uns: „Der Heiland sprach: 'Ich bin gekommen, die Werke des Weiblichen aufzulösen' " [6]). An anderer Stelle heisst es dort: „Wenn die zwei eins sein werden und das Äussere wie das Innere und das Männliche mit dem Weiblichen (und) weder Männliches noch Weibliches" [7]). Die Abwertung des weiblichen Prinzips hat wohl auch den judenchristlichen Gnostiker den Sünden-

---

[1]) Ap Jc I, 26, 2 ff.
[2]) Ap Jc I, 36, 2-6.
[2]) Ps. - Clem. Hom. 20, 2.
[4]) Ap Jc I, 24, 25 ff.
[5]) Ap Jc I, 41, 15-19.
[6]) Clem Al Strom III 13, 92 (2 Cl 12, 2).
[7]) Clem Al Strom III 9, 63. Vgl. dazu auch Ps. - Clem. Hom 16, 12 μονὰς οὖσα τῷ γένει δυάς ἐστιν. Der Gedanke begegnet auch Ep Eug (cod. III) 78, 17.

fall der Sophia-Achamoth besonders gut verstehen lassen. Beachtenswert ist aber, dass auch der Zervanismus und von ihm der Manichäismus diese Abwertung des Weiblichen vollzogen hat. Aber auch der klassische syrische Theologe Afrahat hat sich diesen Gedanken zu eigen gemacht. Wir haben es dabei mit einer Einstellung zum Weiblichen zu tun, die über ganz Syrien-Palästina verbreitet war und besonders auch die christliche Sexualethik dieses Raumes vielleicht durch den Einfluss von Judenchristen bestimmt hat [1]).

8. Für eine judenchristliche Herkunft spricht auch die Anwendung der Spiritualisierung zugunsten der Juden. Den Jakobus, der über die Gewalttat der Juden an Christus empört ist, beruhigt Jesus damit, dass er das jüdische Volk für unschuldig erklärt. Nicht die Juden, sondern die bösen Archonten haben Jesus umgebracht. Damit ist sein Leiden in einen höheren, kosmischen Zusammenhang gestellt [2]).

9. Weil Jerusalem aber ein Wohnort der Archonten ist, wird Jakobus aufgefordert, diese Stadt zu verlassen. Man kann hierin eine Anspielung auf die Auswanderung der Gemeinde nach Pella sehen [3]).

10. Als Nachfolger Jesu fällt dem Jakobus die besondere Aufgabe der Seelsorge und Betreuung der Urgemeinde zu. „Und er ging sogleich und wies die Zwölf zurecht", heisst es in unserer Schrift [4]). Zugleich übernimmt Jakobus die Leitung der Mission [5]), die dem Willen Jesu entspricht [6]). Die ebionitischen Gemeinden haben ja durchaus Mission getrieben.

Für die 2. Jakobusapokalypse sind folgende Berührungen mit dem Judenchristentum herauszuheben:

1. Die Stellung des Jakobus als Nachfolger Jesu kann kaum eindrucksvoller geschildert werden. In gewissen Selbstaussagen meint man nicht Jakobus, sondern Jesus selber sprechen zu hören. Js 53, 12 „Man wird mich richten mit den Übeltätern; der gelebt hat

---

[1]) Vgl. auch H. J. SCHOEPS, *Iranisches in den Pseudoklementinen*, in: *Ztschr. f. d. neutestamentliche Wissenschaft* 51 (1960) 7-10, der vielleicht mit Recht diese Tendenzen im Judenchristentum auf iranische Einflüsse zurück führt. Bei Afrahat vgl. *de monachis* 3: *Patrol. Syr.* I 256, 25 ff.

[2]) Ap Jc I, 31, 10 ff. Von einer Judenfeindlichkeit kann in dieser Schrift keine Rede sein (entgegen R. KASSER, *Textes gnostiques. Remarques à propos des éditions récentes du livre secret de Jean et des apocalypses de Paul, Jacques et Adam*, in: *Le Muséon* 78 [1965] 78-81).

[3]) Ap Jc I, 25, 13 ff.

[4]) Ap Jc I, 42, 20-22.

[5]) Ap Jc I, 42, 14-19.

[6]) Ap Jc I, 29, 19 ff.

ohne Fluch, ist gestorben im Fluch . . ." ist auf Jakobus gedeutet [1]).
Wenn Jakobus sich als Gerechten, aber zugleich als ersten Sohn des
Vaters bezeichnet, so kann man annehmen, dass an dieser Stelle
ein rhythmisches Traditionsstück, das dem Herrn galt, auf Jakobus
übertragen wurde. Das erweist aber nur den hohen Rang, den man
dem Jakobus einräumt. Die Christologie ist in dieser 2. Apokalypse
freilich ganz gnostisch. Die Vorstellung des adoptianischen Denkens,
wie sie im Ebionitismus auf Jesus angewandt wird, ist hier in der
apokalyptischen Rede auf Jakobus übertragen, ein geeignetes Mittel,
um die dynastische Folge zu sanktionieren. Jakobus ist, wie Jesus
sagt, „ein Erleuchter und Erlöser der Meinigen, jetzt aber der
Deinigen" [2]). Ihm wird also soteriologische Kraft zugesprochen.
Damit wird Jakobus zum echten Nachfolger eines gnostischen
Heilands. Ja, sogar der Schlüsselbewahrer des Himmelreichs ist er,
wenn er hilft die Tür zu öffnen [3]): „Und sie werden die gute Tür
öffnen durch dich". Jesus ist ja die Tür [4]). Euseb [5]) spricht von der
„Tür Jesu" in judenchristlicher Tradition. Auch die Bemerkung, er
tue das für die, welche hineingehen wollen und suchen, dass sie auf
dem Weg wandeln, der vor der Tür ist [6]), kann an die urchristliche
Bezeichnung „der Weg" für den Heils- und Lebensweg der Christen
erinnern [7]). Ein bezeichnender Unterschied zwischen Jakobus und
Jesus wird aber 59, 21-24 gemacht. Jakobus nimmt nicht die Rechte
in Anspruch, die dem Menschensohn bei seiner Wiederkunft zu-
kommen: „Ich bin der Gerechte und ich richte nicht. Nicht bin ich
ein Herr, sondern ich bin ein Helfer." Der Verfasser war also der
Meinung, Jesus der Saddîq habe als Nachfolger Jakobus den Saddîq;
doch nur für Jesus gibt es eine zweite Parusie.

2. Von grösstem Vergleichswert für die urchristliche Tradition
ist die Rahmenhandlung, in die die 2. Jakobusapokalypse eingebettet
ist [8]). Der in ihr gegebene Bestand an Reden ist zum grossen Teil
metrisch und strophisch geformt, bietet also auch zum Teil wohl
Traditionsgut, das dem Verfasser schon gestaltet vorlag. Der ganze

---

[1]) Ap Jc II, 47, 23.
[2]) Ap Jc II, 55, 17-20.
[3]) Ap Jc II, 55, 6 f.
[4]) Ps. - Clem. Hom 3, 52: „Ich bin die πύλη des Lebens". Vgl. Joh 10, 7.9.
[5]) Eus Hist eccl II 23, 8-18.
[6]) Ap Jc II, 55, 8-11.
[7]) Act 9, 2; vgl. Joh 14, 6: „Ich bin der Weg".
[8]) Vgl. A. BÖHLIG-P. LABIB, *Koptisch-gnostische Apokalypsen* 56 ff.

Bericht wird auf einen Priester zurückgefühıt, der an allen Ereig-
nissen teilnahm und seinem Verwandten, dem Vater des Jakobus,
darüber genau berichtete. Die Handlung besteht aus dem Auftreten
des Jakobus im Tempel, seiner Rede an das Volk, in der er auch von
der ihm zuteil gewordenen Erscheinung Jesu berichtet und dessen
Worte in extenso wiedergibt, einer Rede an die Priester und seinem
Martyrium. Der Umstand, dass dieses Martyrium durch Steinigung
so ausführlich geschildert ist — es werden alle in der jüdischen Ordnung des Sanhedrin vorgeschriebenen Anweisungen genauestens
befolgt —, berechtigt dazu, auch für die anderen Teile der Rahmenhandlung nach derartigen Hintergründen zu suchen. Haben wir ja ausserdem noch für das Martyrium eine enge Verwandtschaft mit dem
Bericht des Hegesipp zu berücksichtigen [1]. Je nachdem, ob man vom
Anfang oder vom Ende der Handlung ausgeht, fühlt man sich an
zwei Berichte erinnert, deren eventuellen Zusammenhang miteinander H. I. Schoeps [2] hervorgehoben hat, die Stephanusgeschichte
in Act 6-7 und den Bericht über die ἀναβαθμοὶ ᾽Ιακώβου in den Ps.-
Clem. Recogn. I 66-71. Unser vorliegender Bericht kann als eine
Kombination der in den Ps.-Clem. gegebenen Schilderung von der
Predigt des Jakobus auf den Stufen des Tempels und seinem Sterben
als Märtyrer nach Art des Stephanus angesehen werden [3]. Besonders
zu beachten ist dabei, dass wie Stephanus so auch Jakobus sich an
die Hohenpriester wendet. Ja, im Gegensatz zum ersten Teil seiner
Rede, der ausgesprochen gnostisches Gut enthält, erinnert dieser
Abschnitt durchaus an Gedanken der Stephanusrede. In Act 7, 47 ff.
wird gegen den Tempel polemisiert und die Halsstarrigkeit der
Priester betont. Auch in unserer Apokalypse wird von dem Tempel
und seinem Kult gesprochen und Busse gepredigt; ja, der Untergang
des Tempels wird angekündigt [4]. Ganz gleich, wie man zur Historizität des Stephanus steht, mit unserem Text taucht eine weitere Parallele
auf. Welche der Überlieferungen ist aber die ursprünglichere? Weil
in unserem Text ein Inhalt mit einer Rahmenhandlung umgeben ist,
könnte man deren Mitteilungen als sekundär ansehen; das ist aber

---

[1] Vgl. A. Böhlig, *Das Martyrium des Jakobus*, in: *Novum Testamentum* 5 (1962)
207-213 sowie in: *Mysterion und Wahrheit* (*Arbeiten zur Geschichte des späteren
Judentums und Urchristentums* Bd. 6).

[2] H. J. Schoeps, *Theologie und Geschichte des Judenchristentums* (Tübingen 1949),
440 f.

[3] Zur „5. Stufe" (Ap Jc II, 45, 24) vgl. in Ps.-Clem. Recogn I 73, 3 „stans in
summis gradibus".

[4] Ap Jc II 60, 20 ff.

nicht möglich, nachdem im Martyrium so detaillierte Einzelheiten gegeben sind. Vielmehr erhält die Tradition von den ἀναβαθμοὶ Ἰακώβου eine erneute Bestätigung. Der Verfasser hat zwei ihm bekannte Berichte, 1. die Predigt des Jakobus, sein Auftreten vor den Priestern sowie seine Herabstürzung von den Tempelstufen, und 2. das Martyrium miteinander gekoppelt. Da der gnostische Verfasser aber judenchristliche Gedanken nicht in einer militanten Form des Antipaulinismus pflegte, legte er keinen Wert darauf, die Misshandlung des Jakobus durch Paulus beizubehalten. Ausserdem passte das nicht in den Rahmen der Handlung. Doch der Hinweis von Schoeps, dass das Herabstürzen von der Zinne im Bericht des Hegesipp bereits eine Kombination dieses Inhaltes sei, wird m.E. durch unsere Jakobusapokalypse nur bestätigt. Wenn Stephanus nach seiner Rede eine Vision des Menschensohnes erlebt [1]), so entspricht dem in unserer Apokalypse die ausführliche Schilderung der körperlichen Erscheinung Jesu. Nur ist in unserem Text die gesamte Handlung aufs beste symmetrisch gestaltet. Ganz gleich, welcher Tradition man die Priorität geben will, dass die Traditionen von Jakobus und Stephanus zusammengehören, dürfte das Auftauchen dieser Apokalypse erwiesen haben.

Man darf freilich nicht denken, hier sei Gnosis auf judenchristliche Texte aufgepfropft worden. Gewisse ebionitische Vorstellungen erlauben vielmehr ihre Umbildung ins Gnostische. Hingewiesen wurde bereits auf die Vorstellungen von der Sophia-Achamoth bei der Behandlung der Abwertung des Weiblichen in der 1. Jakobusapokalypse. Die beiden langen Formulare, die dem Toten auf seiner Reise in den Himmel den Eintritt verschaffen sollen und die wir aus Irenäus kennen, finden sich hier in etwas variierter Form [2]). Man kann vielleicht aus diesem Grunde den Text einer valentinianischen Gruppe zuschreiben. Die Abstammung Jesu aus dem Seienden passt sehr gut zur judenchristlichen Lehre von der wandernden Schechina (Gottesherrlichkeit). Die starke Hervorhebung der Archonten und die Erwähnung des Adonaios als des unteren Gottes sind ebenfalls typisch gnostische Züge [3]). Das gleiche gilt für die Aufgabe des Adoptianismus, wenn Jakobus ausdrücklich als nicht materieller

---

[1]) Act 7, 55 ff.
[2]) Ap Jc I, 33, 16 ff.; vgl. Iren I 21, 5 (Epiph Pan 36, 3, 2-6).
[3]) Archonten: Ap Jc I, 25, 19.25.29; 26, 23; 30, 2 u.ö.; Adonaios: Ap Jc I, 39, 11; 41, 7.

Bruder Jesu bezeichnet wird [1]). Auch in der 2. Apokalypse steht die gnostische Weltschau im Mittelpunkt. Der Dualismus zwischen Berufenen und Bösen wird durch die abwertende Schilderung herausgestellt, die dem Jakobus durch Jesus vom Demiurgen gegeben wird [2]). Auch auf die übliche Selbstanmassung dieses Herrschers, der höchste Gott zu sein, wird nicht versäumt hinzuweisen [3]). Sein Gewaltakt, die vom Vater Stammenden in körperliche Gestalten zu bannen, ist der Anlass für das Werk Jesu, der durch das Ausscheiden der zu ihm Gehörigen das Gericht vollzieht. Jakobus wird dabei zum Offenbarungsmittler.

Auch im Thomasevangelium, das ja, wie schon erwähnt, den Jakobus ehrenvoll nennt, lassen sich gewisse Züge nachweisen, die aus judenchristlichen Vorstellungen stammen mögen. Vom Weg von der Doppelgeschlechtlichkeit zur Einheit ist mehrfach die Rede [4]). Ja, Petrus möchte wegen der Missachtung des weiblichen Geschlechts Maria aus dem Kreise der Jünger vertreiben. Doch Jesus sagt zu, dass er sie durch den Geist zum Manne machen wird, so dass auch sie ins Himmelreich eingehen kann [5]). Auch die Voraussage der Tempelzerstörung kann aus judenchristlichem Gut hier kommen [6]). Ebionitisch kann ferner die Aussage sein, dass Adam trotz seiner grossen Macht und seines grossen Reichtums nicht der Jünger würdig ist [7]). Wenn auch die synoptischen Evangelien die Betonung der Armen aufweisen, so dürfte das schon aus dem gleichen Fundus stammen, der im Judenchristentum zu so starker Entfaltung kommt[8]). Das können freilich nur Anklänge sein, wenn man sich klarmacht, dass die zentrale Tendenz eines gnostischen Werkes immer die gnostische Verarbeitung aller verwendeten Traditionen und Gedanken ist.

Es ist ganz eindeutig festzustellen, dass die Gnosis mit der Umwertung der religiösen Traditionen aus Judentum und Judenchristen-

---

[1]) Ap Jc I, 24, 13 ff.
[2]) Ap Jc II, 53, 5 ff.
[3]) Ap Jc II, 56, 21 ff.
[4]) Ev Thom Logion 22. 106.
[5]) Ev Thom Logion 114.
[6]) Ev Thom Logion 71. Dass dem gnostischen Charakter eine Spiritualisierung — Umdeutung auf die Welt — zu verdanken war, spricht noch nicht gegen judenchristlichen Einfluss. Das Gleiche gilt für die Stellung zum Sabbat in Logion 27.
[7]) Ev Thom Logion 85.
[8]) Vgl. Ev Thom Logion 54. 64.

tum zwar Vorstellungen übernommen, aber aus ihnen Neues geschaffen hat. Es darf dabei aber nicht unterschätzt werden, wieviele
Anhaltspunkte gerade diese beiden Religionsformen der Gnosis
gegeben haben.

LES ÊTRES INTERMÉDIAIRES
DANS LE JUDAÏSME TARDIF

PAR

ROBERT M. GRANT

Le sujet de ma conférence doit être compris dans le contexte du sujet général de notre colloque: les origines du gnosticisme. C'est pourquoi je ne donnerai pas une configuration complète, ni des êtres intermédiaires ni du judaïsme tardif, et je me contenterai de présenter quelques aspects seulement au sujet des idées qui se trouveront à la fois dans ce judaïsme et dans le gnosticisme.

J'essaierai de résister à la tentation d'expliquer le gnosticisme comme un développement. Le développement, c'est une hypothèse très valable, même précieuse, sans doute, mais une hypothèse qui doit suivre les faits de l'histoire, et non pas les anticiper. Il nous faut regarder, contempler, méditer ces faits avant d'être capable de les assimiler les uns aux autres. Quelle est la situation religieuse du judaïsme tardif? Pourquoi la multiplication des êtres intermédiaires? Pourquoi la découverte (pour ainsi dire) des êtres intermédiaires mais mauvais? Avant de répondre à ces questions, il faut décrire la situation.

I. La Sagesse et les anges

A. *La Sagesse*

L'être intermédiaire le plus important dans le judaïsme tardif est sans doute la Sagesse. Sans elle, on peut dire qu'il aurait été très difficile aux spéculations de Philon, de saint Paul, de saint Jean, et des gnostiques d'être développées. On trouvait en elle l'occasion de penser à un principe en relation avec lequel on pouvait méditer de façon mythologique, ou de façon philosophique — ou les deux à la fois. En général, la façon philonienne et chrétienne est plus philosophique, et la façon apocalyptique et gnostique plus mythologique; mais nous trouvons souvent un mélange des deux. Dans le judaïsme tardif une place prépondérante est souvent occupée par la Sagesse personnifiée de Dieu. Nous la rencontrons comme l'assistant de Dieu dans la création, dans Proverbes 8, peut-être dans Hiob 28, et Sirach 24 et 51, et aussi dans le „livre apocalyptique de la sagesse" attribué à Salomon.

Dans les Proverbes elle est décrite comme créée par Dieu, comme „le commencement de ses voies"; d'après le Livre de la Sagesse (7, 15) elle émane de lui. Ce qu'on a dit à son sujet est très proche de ce qu'on a dit de la Loi. Dans le livre de Deutéronome (30, 14) c'est le commandement de Dieu qui est très proche des hommes; dans Sirach (51, 26) la Sagesse, et dans Baruch (3, 28) l'Intelligence [1]). D'ordinaire les rabbins essayaient d'éviter des interprétations mythologiques de la nature de la Sagesse. Selon Proverbes (9, 1) elle édifia sa maison sur sept colonnes. Quelles colonnes? Selon les rabbins elles sont les sept livres de la Loi (il faut compter les Nombres comme trois livres!) ou les sept jours de la création, ou les sept pays du monde [2]). Selon l'exégèse juive qu'on trouve dans les *Homélies clémentines*, ces colonnes sont les trois patriarches, avec Adam, Hénoch, Noah et Moïse [3]).

Mais dans le littérature apocalyptique et dans l'arrière-fond de la pensée de Philon il y a plus de mythologie. Dans le premier livre d'Hénoch, 42 nous trouvons que la vraie demeure de la Sagesse est au ciel avec les anges; quand elle a quitté ces lieux pour demeurer avec les fils des hommes, elle n'a pas trouvé une demeure; donc elle est retournée au ciel. Même dans le livre des Proverbes (3, 18) elle est appelée „arbre de vie"; sans doute ce texte a permis à Philon de l'identifier au jardin d'Eden (*Leg. all.* 1, 64-65). Les spéculations de Philon cependant vont plus loin. Selon lui elle était la mère et la nourrice du monde. Le Logos était le fils de Dieu, elle était sa fille. De plus, Philon pouvait dire que Dieu était le père, la Sagesse la mère, et le monde leur „seul et bien-aimé fils" (*Ebr.* 30) [4]).

Il semble qu'il n'y ait pas de raison de penser que les exégètes juifs ont interprété le rôle de la Sagesse de manière gnostique. Mais la méthode d'exégèse gnostique est identique. Nous avons déjà vu que les exégètes rabbiniques ont parlé des sept colonnes. Les exégètes gnostiques, étonnés par le fait que dans Proverbes 9, 7 le nom de Sagesse est donné au pluriel (*chakmoth*), découvrirent non seulement une Sagesse céleste mais aussi une *Achamoth* qui serait tombée du ciel, et enfin sept pouvoirs dérivés d'elle [5]). De plus, le gnostique

---

[1]) Pour l'apôtre Paul (Rom. 10, 8), c'est le verbe de la foi.
[2]) Cf. L. Ginzberg, *The Legends of the Jews* V (Philadelphia, 1925), 12 n. 8; A. Wünsche, *Der Midrasch Mischle* (Leipzig, 1885), 24; J. H. Greenstone, *Proverbs* (Philadelphia, 1950), 90.
[3]) *Clém. hom.* 18, 14; cf. G. Boström, *Proverbiastudien* (Lund, 1935), 5.
[4]) Cf. H. Leisegang dans Pauly-Wissowa, *Realencyclopädie der classischen Altertumswissenschaft* III A, 1032-33.
[5]) Irénée, *Adv. haer.* 1, 5, 2 (p. 44 Harvey).

Justin a enseigné que le paradis (Eden) était la femme d'Elohim, quoique pour lui Achamoth n'ait été que le deuxième „ange maternel" produit par Eden [1]). Il semble que l'exégèse scrupuleuse du livre des Proverbes continue dans *l'Evangile de Philippe*, où nous trouvons que le mot *Echamoth* est différent d'*Echmoth*. Selon „Philippe", *Echamoth* est la Sagesse, mais *Echmoth* est la Sagesse du mort (avec une allusion au mot hébreu *maweth*) ou „la petite Sagesse". Cette spéculation est, semble-t-il, d'origine juive. En tout cas elle est fondée sur l'Ancien Testament en hébreu, quoique le judaïsme qui apparaît ici, s'il apparaît, soit certainement hétérodoxe.

B. *Les anges*

Dans le livre d'Hénoch, au Ier siècle av. J.-C., nous trouvons déjà une prolifération, un peu confuse, des anges. En premier lieu, il y en a quatre qui se tiennent près du trône de Dieu: Michaël, Ouriel, Raphaël et Gabriel (Hén. 9, 1). Dans la section que nous appelons les „similitudes", la situation est un peu différente. Michaël est compatissant et miséricordieux; Raphael guérit les maladies des hommes; Gabriel a tous les pouvoirs; Phanuel (qui prend la place d'Ouriel) préside a la repentance, pour l'espoir de ceux qui vont hériter la vie éternelle (40,9). Ces quatre archanges sont inclus dans une liste des sept „anges des pouvoirs" dans Hénoch 20. On arrive au nombre de sept par l'addition de Ragouel (un nom propre dans Tobit 3, 7), Sariel (nommé dans le livre de guerre de Qumran, 9, 16) et Iérémiel (un archange dans 2 Esdras 4, 36).

Il y a aussi des anges mauvais qui ont été séduits par leur désir des filles des hommes (Gen. 6, 1-4) et, tombés du ciel, se sont éloignés de Dieu. Ces anges sont nommés dans le sixième chapitre du livre d'Hénoch; leur nombre est de 21 (dans le texte grec) ou 19 (dans le texte éthiopique). Nous n'avons pas besoin d'en reproduire la liste, il suffit de dire que leur chef se nomme Sémiazes, et que parmi eux nous trouvons les noms de deux prophètes de l'Ancien Testament, Daniel et Hézékiel. La chose est intéressante, parce que plus tard les gnostiques ont enseigné que l'inspiration des prophètes a été derivée de quelques anges.

C'est un fait bien connu que dans le judaïsme tardif on se préoccupe des noms et du nombre des anges — jusqu'à un point presque inconcevable. En fait, des écrivains chrétiens ont pu dire que les Juifs

---

[1]) HIPPOLYTE, *Réf.* 5, 26, 4.

rendent culte aux anges. Le fait que cette pratique ait été attaquée dans les écrits rabbiniques suggère qu'elle était réelle, au moins aux frontières du judaïsme. Origène dit que c'est une „violation du judaïsme" [1]). Mais nous ne pouvons pas trouver ici le commencement du gnosticisme, car dans l'*Apologie Première* de Justin — écrivain évidemment orthodoxe — nous rencontrons les anges, nommés comme objets du culte, avec le Fils de Dieu et l'Esprit prophétique (*Appl.* 6, 2).

En général, non seulement dans le judaïsme mais aussi dans le christianisme les anges sont considérés comme de bons ministres de Dieu, quoique l'apôtre Paul parle d'un „ange de Satan" (2 Cor. 12, 7) ou de Satan se déguisant comme un ange de lumière (11, 14). C'est dans les parties les plus apocalyptiques du Nouveau Testament que nous trouvons les anges déchus (Jude 6; Révélation *passim*).

Ce n'est que dans les textes les plus abstrus sur ce sujet que nous pouvons trouver des spéculations au sujet des anges mauvais. Dans le deuxième livre des *Oracles sibyllins* (2, 214-15), il y a deux listes de noms des anges éternels du Dieu immortel, ceux qui emportent les âmes des hommes jusqu'au jugement dernier. L'une de ces listes donne les noms ordinaires: Michaël, Gabriel, Raphaël et Ouriel. Dans l'autre liste les noms des cinq anges déchus (nous les connaissons de par le livre d'Hénoch) leur ont été substitués. A ce qu'il paraît, un interpolateur dualiste les a placés ici. Ce procès de substitution reflète le processus par lequel les anges ont été „démonisés", quand la pensée apocalyptique est devenue de plus en plus dualiste, comme nous le verrons en considérant le livre des Jubilés.

C. *Le chef des anges mauvais*

Dans l'Ancien Testament, nous trouvons un personnage qui s'appelle (le) Satan. C'est manifestement un être sans visage, sans un profil bien délinée, car „satan" n'est pas un nom individuel ou personnel; „satan" veut dire seulement „adversaire". C'est lui que nous rencontrons dans les livres de Hiob et Zacharie, et dans quelques passages isolés. Ce Satan n'est point un adversaire d'espèce dualiste, un grand adversaire de Dieu. Au contraire, il est seulement un adversaire de l'homme; le bon Dieu lui donne sa permission pour tenter Hiob. Il est strictement subordonné à Dieu. Mais dans la spéculation du judaïsme tardif on commence à réfléchir au sujet de l'origine du

---

[1]) *Contre Celse* 5, 8; cf. W. LUEKEN, *Michael* (Göttingen, 1898), 5.

mal et de Satan. N'est-ce pas vrai qu'on le trouve dans l'histoire de la création? Quelle origine doit-on donner au serpent mystérieux du troisième chapitre de la Genèse? Le serpent était la plus sagace des creatures [1]). Pourquoi? D'où venait ce serpent — et sa sagesse?

Il semble que quand le pouvoir de Satan est représenté comme cosmique, et quand il devient un adversaire — ou l'Adversaire — de Dieu „par nature", nous sommes au delà des frontières de la pensée de l'Ancien Testament; nous sommes dans le monde des apocalypses et dans le judaïsme tardif. St. Paul, pour prendre une exemple, est influencé par le mouvement apocalyptique quand il parle de Satan comme „le Dieu de cet âge" (2 Cor. 4, 4). Mais „l'ange de Satan" (2 Cor. 12, 7-9) lui a été donné conformément au plan de Dieu, et finalement pour les chrétiens il n'y a qu'un seul Dieu (1 Cor. 8, 6, etc.). Le „prince de ce monde" dans l'Evangile de St. Jean est vaincu par le Christ. Dans les évangiles synoptiques nous trouvons la même situation.

Dans l'Ancien Testament et dans la littérature apocryphe on trouve aussi le nom Béliar ou Bélial. Les hommes de Qumran croyaient que les fils d'Israël étaient sous la domination de Béliar (*Manuel de Discipline*), et qu'on doit les appeler „fils de Béliar" (Jub. 15, 33; voir 1 Sam. 2, 12). Moïse prie Dieu, „que l'esprit de Béliar ne règne pas sur eux" (Jub. 1, 20). Béliar, dont le nom veut dire tout simplement „mal" (Dalman 57a), est opposé dans 2 Corinthiens 6, 14-15 à Dieu et associé à ce qui est contraire à la Loi. Les versets 2 Cor. 6, 14-7, 1 sont qumraniens en pensée et peut-être aussi en dérivation [2]). Dans les *Testaments des Douze Patriarches* aussi on trouve Béliar presque partout. Dans l'*Ascension d'Isaïe* il est le grand Archonte, le roi du monde; il dira: „Moi je suis Dieu, et avant moi il n'y a eu personne", et les hommes diront „il est Dieu, il n'y a personne auprès de lui". Mais avec tout cela, il n'est pas dit que Béliar participait à la création du monde. La pensée apocalyptique juive admettait que le monde est maintenant mauvais. Elle ne pouvait pas admettre qu'il était mauvais d'origine.

Un autre nom que nous rencontrons est celui d'un ange qu'on appelle le destructeur (Exod. 12, 23), *ha-mashchith*. Il est mentionné par St. Paul dans 1 Corinth. 10, 10, et à Qumran on trouve qu'il est nommé Mastéma. Dans le *Livre des Jubilés* il est le chef des esprits opposés à Dieu. Il encourage l'idolatrie et le meurtre; il envoie des

---

[1]) Gen. 3, 1; cf. TATIEN, *Orat.* 7 (p. 5, ligne 24 Schwartz).
[2]) J. A. FITZMYER, *Catholic Biblical Quarterly* 23 (1961), 271-80.

oiseaux pour manger les grains que les hommes sèment. Plus important, il demande à Dieu qu'Abraham sacrifie son fils Isaac; il attaque
Moïse; il aide les magiciens égyptiens et pousse l'armée égyptienne
à suivre les Israëlites, et il endurcit les coeurs des Egyptiens.

Mastéma est figuré dans un contexte liturgique. Pendant que les
Israëlites mangeaient le repas pascal, il était prisonnier des anges bons;
puis, il était libre de les attaquer avec les Egyptiens.

Cependant, Mastéma n'est pas un créateur non plus. Comme le
satan de l'Ancien Testament (avec lequel il est identifié dans les
Actes de Philippe) il est subordonné à Dieu, qui lui donne la permission
d'agir contre les homme.

Même dans le livre apocryphe d'Adam, que Preuschen appellait
„apocryphe-gnostique" [1]), l'oeuvre de Satan se trouve placée après la
création. „Quand le Seigneur Dieu eut créé le ciel et la terre, pour la
première fois il fit les archanges pour servir sa déité. Le mauvais
Sadaël et Béliar, chefs de l'armée satanique et plus grands que tous les
anges et archanges, louaient Dieu. Mais l'impur Satan ne voulait pas
que Dieu fût loué. Il s'enorgueillit et voulut que son trône fût élevé
comme celui de Dieu" [2]). La chute se place après la création du ciel
et de la terre.

Dans les spéculations au sujet des anges on trouve aussi le thème
du mariage avec les filles des hommes (sujet discuté par Mlle Janssens),
et la conception aussi que les anges, ayant reçu le pouvoir administratif
sur le monde, en ont fait mauvais usage. Ces idées sont exprimées
dans la littérature apocalyptique [3]) et même dans le Nouveau Testament. Dans le livre de Jude (vs. 6) nous lisons que le Seigneur „a tenu
dans des chaines éternelles dans les ténèbres, pour le jugement du
grand jour, les anges qui ne tenaient pas à leur ordre originel, mais qui
ont abandonné l'habitation qui leur était propre". Il est possible
qu'ici l'auteur pensait à la fornication des anges; mais il a pu penser
aussi à une chute avant la création des hommes. Dans les fragments du
judéo-chrétien Papias nous lisons que Dieu avait donné à quelques
anges la domination sur la création, et qu'il leur avait commandé de
bien le régir, mais que leur *taxis* n'avait pas donné de bons résultats [4]).
Le cas des filles des hommes? Peut-être; mais on peut penser aussi que
les anges aient voulu agir indépendemment de Dieu et régner par
eux-mêmes.

---

[1]) E. PREUSCHEN, *Die apokryphen-gnostischen Adamschriften* (Giessen, 1900).
[2]) *Ibid.*, p. 27.   [3]) 1 Hén. 60, 12-21; 75; 80; Jub. 2, 2.
[4]) Frag. 4 Funk-Bihlmeyer (MIGNE, PG 106, 325 C-D).

En tout cas, dans la gnose nous trouvons que les anges qui ont créé le monde ont mal administré ce monde, parce que chacun d'entre eux désirait la primauté [1]). C'est finalement la conception gnostique. Peut-on dire qu'elle est juive? Il me semble qu'on ne peut pas le dire tout court. Il faut donner une explication un peu plus nuancée. Les ingrédients de la pensée gnostique sont la plupart juifs, mais dans la gnose on trouve ces ingrédients, pour ainsi dire, transposés. Pour considérer l'analogie cuisinière que suggère le mot „ingrédient": il fallait que les gnostiques eurent pris les motifs juifs et leur eurent appliqué la force thermique — l'attitude gnostique dualiste envers Dieu, le monde, et eux-mêmes — pour que nous trouvions le plat gnostique.

C'est dire, enfin, que le judaïsme, même hétérodoxe, n'est pas le gnosticisme et que le gnosticisme n'est pas le judaïsme. Plus encore: même si quelques gnostiques ont été juifs d'origine, ils ont abandonné leur judaïsme quand ils sont devenus gnostiques. C'est la question de la conversion. Quand l'apôtre Paul devint apôtre de Jésus-Christ, et qu'il cessa d'être *shaliach* du grand-prêtre, il continua à penser en bon élève des rabbins. Il faut admettre que sa pensée est, au fond, juive à l'origine. Mais maintenant elle est autre chose. De façon analogue, plusieurs gnostiques continuèrant à faire usage des idées spéculatives qu'ils avaient derivées du judaïsme; mais leur pensée ne peut pas être appelée juive. Il faut admettre qu'ils ont rencontré ces idées avant qu'ils ne soient devenus gnostiques, car il me semble que la pensée gnostique s'explique mieux si on la regarde comme une transposition d'idées auxquelles les gnostiques donnaient une autorité difficile à expliquer s'ils ne les avaient pas reconnues au commencement.

II. LA CRÉATION DU MONDE

Si nous cherchons les sources de l'idée d'un mauvais créateur, spécialement d'un mauvais créateur angélique (comme nous le trouvons dans la littérature gnostique), il faut l'admettre: nous ne la trouvons pas dans les documents qui nous dérivent des premiers siècles. Quoique nous trouvions sans doute des anges mauvais dans la littérature apocalyptique juive, ils ne sont jamais décrits comme originellement mauvais. Ils ont péché et ils sont tombés comme l'homme lui-même. Et plusieurs textes juifs rabbiniques ont rejeté l'idée qu'il

---

[1]) Irénée, *Adv. haer.* 1, 23, 3 (p. 193).

y ait des anges mauvais. Le juif Tryphon, discutant avec l'apologiste chrétien Justin, prétend qu'il est blasphématoire de dire que les anges ont péché et sont devenus apostats de Dieu (*Dial.* 79). De plus, les écrivains juifs disent souvent que les anges, bons ou mauvais, n'avaient rien à faire avec la création du monde. Dans le livre des *Jubilés* (2, 2) il est dit que le premier jour Il a fait les cieux, la terre, les eaux et tous les esprits qui lui rendent hommage — les divers genres des anges. Dans quelques autres écrits juifs la création des anges est soigneusement mise au deuxième jour et non pas au premier. Si nous nous tournons vers la littérature judéo-chrétienne du deuxième siècle, nous trouvons dans le *Pasteur* d'Hermas (Vis. 3, 4, 1) „les anges créés les premiers, auxquels le Seigneur donna toute sa création, pour l'augmenter et l'édifier et pour dominer toute la création". Evidemment, dans la trandition que l'auteur a rapportée, on a „angélisé" ce qui était dit au sujet de l'homme dans les Genèse (1, 28); mais il reste que la création a été créée avant les anges — qui en tout cas sont des serviteurs du Dieu unique. On pourrait aussi mentionner Clément d'Alexandrie. Il sait beaucoup au sujet des sept anges d'abord créés, et une fois il les identifie aux sept cieux (*Ecl. proph.* 51, 1); mais ici il donne l'exégèse du Psaume 18 (= 19), 2: „Les cieux proclament la gloire de Dieu". Peut-être a-t-il en vue la tradition fondée sur Hiob 38, 7: à la création „les astres du matin chantaient ensemble, et tous les fils de Dieu exultaient de joie". Certainement tout cela n'a rien à voir avec le gnosticisme. C'est l'attitude orthodoxe juive — et chrétienne.

Il est vraiment impossible de trouver dans la littérature juive quelque donnée qui favorise l'idée que le monde a été créé par des pouvoirs angéliques ou par leur intermédiaire. Il est vrai: Philon nous enseigne que l'âme irrationnelle de l'homme, et son corps, ont été faits par les anges [1]), et Justin décrit des doctrines juives, quand il dit que les mots „Faisons l'homme" (Gen 1, 26) ont été adressés par Dieu à lui-même, en meditation, ou aux éléments (*stoicheia*) — c'est à dire à la terre et aux autres éléments d'où (nous le savons) l'homme vint à l'existence—, ou aux anges, parce que le corps humain est la création des anges. Pour défendre la troisième position, dit Justin, on allègue les mots de Genèse 3, 22: „Voici, l'homme est devenu comme un de nous" [2]). Des idées semblables à celles-ci sont exprimées dans les écrits apocalyptiques et dans la gnose [3]).

---

[1]) H. A. WOLFSON, *Philo I* (Cambridge, Mass., 1947), 387.
[2]) JUSTIN, *Dial.* 62, 2-3.
[3]) E.g., selon Saturninus (cf. p. 150 n. 2).

Mais, dire que les anges ont participé à la création de l'homme, ce n'est pas dire qu'ils ont pris part à la création du monde ou (ce qui est plus important) qu'ils l'ont créé. Les mots de Genèse 1, 26 pouvaient mener à la conclusion qu'ils ont pris part à la création de l'homme, mais l'histoire hébraïque de la création ne peut pas impliquer que quelqu'un d'autre, qui ne soit pas Dieu, ait créé l'univers. Quoique dans le livre des Jubilés quelques actions de Dieu soient transferées à Mastéma, la création n'est pas parmi elles. Si nous cherchons une secte juive selon laquelle un ange aurait créé le monde, il semble que nous en trouverions une seule — celle des mystérieux Magariya. Ils ont appliqués des textes anthropomorphiques de l'Ancien Testament à cet ange créateur. Le professeur Norman Golb a étudié la notice de Qirqisani (Xᵉ siècle) qui les concerne, et il a conclu qu'ils étaient ,,des gnostiques juifs de caractère ascétique, qui ont vécu en Egypte pendant les premiers quelques siècles de l'ère présente, et qui ont eu accès aux écrits ou idées philoniennes" [1]). Malheureusement pour ceux qui désirent trouver une gnose judaïque, ce que Qirqisani dit au sujet de leur doctrine de la lune montre qu'ils n'ont pas pu être des gnostiques. ,,Ils affirment que toutes choses ont dû être créées complètes et parfaites; ainsi, quand les corps célestes ont été créés, ils ont dû être complets et parfaits. Donc, puisque le premier mois de la création commençait par une pleine lune, tous les mois lunaires subséquents doivent commencer quand la lune est pleine" [2]). Des spéculations calendaires comme celles-ci sont fréquentes dans les écrits apocalyptiques, en particulier dans ceux de Qumran. Mais si tout a été créé complet et parfait, l'ange créateur devait lui-même être complet et parfait; il n'etait pas mauvais. Chez les Magariya nous trouvons donc réalisée la possibilité, pour l'hétérodoxie juive, qu'on ange ait créé le monde, mais aussi nous y trouvons confirmée l'impossibilité, pour la pensée juive, qu'il soit mauvais.

Mais quand nous trouvons Mastéma si évidemment actif dans le rôle de Dieu, quand nous trouvons les anges créant ce qui est imparfait dans l'homme, quand nous trouvons que Béliar disait: ,,Moi je suis Dieu", — nous nous demandons s'il n'est pas possible qu'aux limites du judaïsme, ou plutôt un tout petit peu au delà des limites, il y ait eu des spéculations sur un thème comme celui-là.

---

[1]) N. GOLB, *Journal of the American Oriental Society* 80 (1960), 347 ff.
[2]) *Ibid.*, 348-49.

III. Les êtres intermédiaires dans le judaïsme
et dans le gnosticisme

Certainement — il faut l'admettre — dans les systèmes gnostiques les plus anciens il y a des éléments dérivés non seulement du judaïsme mais aussi d'autres milieux religieux. Si on prend les Simoniens de St. Irenée, on y trouve une doctrine qui est un mélange d'idées. Du Pouvoir suprême dériva l'*Ennoia*, qui ressemble à la Sagesse du livre des Proverbes. Par son intermédiaire il fit les anges, qui, a leur tour, créèrent ce monde. Ils firent prisonnière l'*Ennoia* — parce qu'ils ne voulaient pas être considérés comme les fils de quelqu'un — et ils administrèrent mal le monde, parce que chacun desirait la primauté [1]). N'avons-nous pas ici une perversion de l'histoire de la création dans le livre de la Genèse?

Dans le système de Saturninus nous rencontrons le Père inconnu qui a fait les anges, les archanges, les pouvoirs et les souverainetés. Sept parmi les anges ont fait le monde et l'homme; et Saturninus cite la Genèse, 1, 26. Un de ces anges qui ont fait le monde est le dieu des Juifs; opposé aux sept, et spécialement au dieu des Juifs, est Satan, qui instaura le mariage et la réproduction [2]).

Ce curieux mélange d'idées n'est point juif; mais les idées elles mêmes sont juives d'origine. Si on va un peu plus loin dans le livre d'Irénée, on trouve les mystérieux Caïnites, et nous nous expliquons leur doctrine si nous lisons l'Ancien Testament par des yeux gnostiques. Les Caïnites nomment le créateur du ciel et de la terre, ,,hystera'' [3]). Pourquoi cette appellation? Dans le livre de l'Exode on trouve un texte dans lequel Jahveh se nomme ,,Jahveh, Jahveh, *el rachum*'' — le Dieu misericordieux [4]). Mais pour un gnostique, constamment préoccupé des mots plus que de leur sens, et faisant également usage d'un livre sans vocalisation, le mot *rechem* se trouverait en relation avec Jahveh et les matrices de la maison d'Abimélech (Gen. 20, 18), de Leah (Gen. 29, 31), et de Rachel (Gen. 30, 22). Si ce que j'ai dit est juste, les spéculations des Caïnites étaient plus que rabbiniques. Elles sont fondées sur un littéralisme très forcé. (Mais il faut admettre, d'après les observations de M. Crahay et M. Jonas, que les Caïnites (a) ont essayé un jeu de mots volontaire, et (b) n'ont pas trouvé leur doctrine dans l'Ancien Testament, mais l'y ont mise.)

---

[1]) Irénée, *Adv. haer.* 1, 23, 2-3 (pp. 191-93); pour Menander. *ibid.* 1, 23, 4 (195).
[2]) *Ibid.*, 1, 24, 1-2 (pp. 196-98).
[3]) *Ibid.*, 1, 31, 1 (p. 242).
[4]) Ex. 34, 6; cf. J. Scharbert, *Biblica* 38 (1957), 130-150.

Ces examples invitent à penser que, bien qu'il soit impossible de réjoindre le gnosticisme par la voie du Judaïsme tardif, si l'on procède en avant dans le Judaïsme tardif et l'on revient en arrière du gnosticisme primitif, au moins pour certaines formes de celui-ci, on se sent forcé vers l'hypothèse qu'il y ait eu un point où les deux se seraient rencontrés. Dans un hymne enseigné à Abraham par un ange, dans l'*Apocalypse d'Abraham* (Chap. 17), on trouve les mots du livre de l'Exode en quelque sort transposés: ,,Eli l'éternel, le puissant, Sabaoth le saint, le très glorieux El, El, El, El, Jaoël!" Il est assez évident que nous trouvons ici des spéculations sur les noms mystérieux de Dieu; mais il faut dire que dans ce livre le dernier nom, Jaoël, est *aussi* et ordinairement le nom d'un ange bon, un ange qui s'appelle ,,un pouvoir à cause du Nom ineffable qui demeure en moi" (ch. 10). Mais si on pouvait diviser Dieu (si on peut dire), on pouvait aussi marcher vers la Gnose.

Nous devons admettre, au contraire, que les Caïnites n'ont pu comprendre l'hebreu. Quelqu'un qui comprenait *rachem* comme l'equivalent de *rechem* ne savait pas beaucoup. Il n'a pas pu lire son Ancien Testament en hébreu, car le mot *rachum* contient un *waw* absent de *rechem*. Peut-être a-t-il entendu les mots dans quelques discussions rabbiniques dans lesquelles on parlait de Dieu comme le *Rachum* [1]). On ne peut rien affirmer avec certitude. (Mais, comme M. Widengren et d'autres ont observé, j'ai essayé de dire (a) que les Caïnites ont lu l'hébreu et (b) qu'ils ne l'ont pas lu. Peut-être on pourrait dire qu'ils l'ont entendu en passant!).

Finalement, il y a un document dans lequel des spéculations juives et des spéculations gnostiques sont melangées. C'est le livre de Baruch, écrit par un certain Justin, qui n'est pas l'apologiste chrétien. Ici nous trouvons deux principes nommés Elohim et Eden (il ne faut pas mentionner Priape, qui ne fait rein dans cette histoire). Après l'union d'Elohim avec Eden (qui est aussi nommée Israël — motif juif), Eden produit vint-quatre nges, identifiés aux arbres du jardin d'Eden [2]).

Douze de ces anges étaient ,,paternels"; ils ressemblaient à leur père Elohim. Le manuscrit d'Hippolyte, d'où nous dérivons notre connaissance de ces événements, ne contient malheureusement que les noms de cinq: Michaël, Amen, Baruch, Gabriel, et Essadaios. Michaël et Gabriel — nous les connaissons. Amen est ,,le commencement de

---

[1]) A. MARMORSTEIN, *The Old Rabbinic Doctrine of God I* (London, 1927), 101-2.
[2]) Pour vingt-quatre cf. les douze de Rév. 22, 5 (Ezech. 47, 12).

la création de Dieu" dans le livre de la Révélation (3, 14), et dans Esaïe 65, 16 on trouve ce que nous appelons „le Dieu de la vérité — en hébreu, l'Elohim d'Amen [1]). Selon St. Irénée, Baruch est le nom en hébreu de Dieu [2]); sans doute, comme l'écrivain gnostique, il méconnaissait la formule liturgique „Baruch Elohim". Essadaios, enfin, doit être El-Shaddai, un nom de Dieu dans l'Ancien Testament.

Les douze anges „maternels" sont également interessants. Ils semblent dériver des noms juifs des pouvoirs hostiles à Dieu. Babel et Bel representent le pouvoir chaldéen hostile à Dieu; le nom Bel suggère le nom Bélias, une forme variante de Béliar que nous trouvons dans l'*Apocryphon Johannis* [3]). Bélias, a son tour, suggère Satan et aussi Saël, probablement identique à Semiel ou Sammaël, selon l'*Ascension d'Esaïe* un ange mauvais qui suit Béliar. Dans un système judéo-gnostique nous pensons rencontrer Achamoth et Adonaios (Adonai), et nous les rencontrons ici, avec Naas, le serpent, dans le jardin d'Eden. Voici huit des douze noms.

Les quatres qui restent sont plus difficiles à expliquer. Ce sont Kauithan, Pharaoth, Karkaménos et Lathen. Mais si nous nous souvenons que nous sommes dans un terrain occupé par une exégèse très littérale, nous pouvons chercher ces noms dans l'Ancien Testament et parmi les arbres du jardin. Kauithan est peut-être Leviathan, à moins que Lathen ne soit pas cet animal merveilleux. Mais l'est quand nous considérons les noms de Pharaoth et de Karkaménos que nous trouvons quelque raison dans les choix gnostiques. Selon l'exégèse allégorique d'Origène, le prince des Tyriens dans Ezéchièl [3]) est un ange; il faut noter qu'il a été précisément dans le jardin de Dieu (Ezech. 28, 13) [4]). Plus précisément encore, selon Ezéchiel 31, 8-9, les arbres dans le jardin de Dieu ont envie de l'arbre auquel *Pharaoh* est comparé. Le nom de Pharaoth, donc, est choisi à cause d'une exégèse élaborée et allégorique de l'Ancien Testament. Nous pourrions dire la même chose au sujet du nom Karkaménos, qui semble venir du mot hebreu *karkum* („safran") — un fruit du jardin du Cantique des Cantiques (4, 14).

---

[1]) Cf. les „Amen" de *Pistis Sophia*; aussi H. POGNON, *Inscriptions mandaïtes des coupes de Khouabir* (Paris, 1898), 213.

[2]) IRÉNÉE, *Adv. haer.*, 2, 24, 2 (p. 336).

[3]) W. TILL, *Die gnostischen Schriften des koptischen Papyrus Berolinensis* 8502 (*Texte und Untersuchungen* 60, Berlin, 1955), p. 40, lignes 18-19.

[4]) ORIGÈNE, *De princ.*, 1, 5, 4 (pp. 73-75 Koetschau).

IV. Conclusion

Nous avons vu que pour les Juifs, même dans le monde gréco-romain, le créateur est toujours un bon créateur, qui a créé un monde en principe bon. Il l'a fait par l'intermédiaire de sa Sagesse ou, selon Philon, par l'intermédiaire de son Verbe, intermédiaires qui sont bons parce qu'ils sont derivés du bon Dieu. L'ange créateur des Magariya est bon. Si on parle des anges et des archanges, ceux-ci aussi sont créés bons - bons mais sujets aux passions ou à l'orgueil. Si on dit que maintenant il y a des anges mauvais, on explique le mal de ces anges de façon morale. Ils ont péché, et par conséquent sont *devenus* mauvais. C'est dire que, parmi les Juifs, le monde spirituel est consideré d'un point de vue profondément optimiste. C'est le bon Dieu qui l'a créé; c'est le bon Dieu qui (pour les écrivains apocalyptiques) finalement le recréera.

Mais des spéculations au sujet des mauvais anges et de leur chef, Satan ou Béliar ou Mastéma (on pourrait mentionner aussi Sammaël et Naas, etc.), se sont multipliées surtout à l'occasion des conflits entre les sectes et des conflits des Juifs avec le pouvoir romain, auquel on a identifié quelquefois Béliar, et le pouvoir satanique a été élevé presque à celui de Dieu même. Le motif optimiste est en tension avec un motif pessimiste et dualiste.

Dans quelques écrits apocalyptiques on trouve une révision de l'histoire de l'Ancien Testament. Ce qui dans l'Ancien Testament se dit au sujet de Dieu, est considéré comme dit de son adversaire, spécialement ce qui se dit au sujet des tentations de l'homme. L'exégèse par laquelle on trouvait l'adversaire presque partout est littérale et rabbinique, et nous croyons que cette exégèse a donné aux gnostiques l'occasion de trouver leurs gnoses dans l'Ancien Testament.

Quoique dans la plupart des écrits juifs nous trouvions l'attitude que nous appelons optimiste, il nous faut noter aussi que les rabbins des premiers siècles ont fait mention des „minim", hérétiques qui ont rejeté l'unité de Dieu et ont souvent parlé de „deux pouvoirs". Dans ce milieu hérétique on trouvera l'occasion de la gnose [1]. Il faut dire que si la gnose est en quelque sorte juive, elle n'est point derivée du judaïsme „normalisé"; elle fait usage de motifs juifs, de façon juive, mais elle n'est pas précisément juive. Des idées nouvelles sont entrées dans la pensée juive et l'ont déformée.

---

[1] R. Travers Herford, *Christianity in Talmud and Midrash* (London, 1903), 204-6, 239-46, 255-66, 275-76, 285-301.

Ces nouveautés peuvent s'expliquer historiquement, je le soutiens, en relation aux évènements tragiques autour de la double chute de Jerusalem, dans les deux premiers siècles de notre ère, quand on commençait à douter de la bonté de la providence, et même de Dieu. Elle peut s'expliquer aussi en relation à l'histoire des idées, si on pense à l'influence du dualisme, non seulement grec mais aussi oriental. Il nous faut nous souvenir que la gnose est surtout un mélange. Toutes sortes de motifs ont été combinées. Mais d'une transposition des idées juives au sujet des êtres intermédiaires les gnostiques, me semble-t-il, ont créé leur configuration du monde spirituel. C'est pourquoi nous y trouvons la Sagesse et les anges mauvais, et enfin la création du monde par les anges. Ce n'est pas que ce dernier motif soit juif, mais il est établi sur la fondation d'idées de l'Ancien Testament et de la littérature apocalyptique juive.

DISCUSSION

WILSON: One point about the two wisdoms. You mentioned in Prov. the use of the plur. hochmoth. Isn't there in that Book the figure of the strange woman against whom warning is given? Now you have hochmoth a fem. plur., therefore you have two female beings involved, one of whom is wisdom, the other of whom must also be a wisdom, but an inferior.

GRANT: Even if she is not exactly called that, an imaginative exegete would have been able to find it.

COLPE: Points to -oth in this word as possibly an Abstraktbildung, not as a plural (Beer, Hebr. Gr. I, p. 111 in the new ed. by R. Meyer; this could be confirmed by the transcription Achamōth).

GRANT: A gnostic might not have understood it that way.

CRAHAY: Dans leur exégèse de la création, les Caïnites substituent au terme *raḫoum* (miséricordieux), celui de *reḥem* (matrice). Cela suppose évidemment, comme le dit M. GRANT, que ces exégètes ne pratiquaient pas l'écriture hébraïque, vu que rahoum contient un waw de plus. Mais la confusion étant tout aussi impossible pour l'oreille, je me demande s'il n'y a pas là un jeu de mots volontaire, comme il y en a tant dans la gnose.

MACRAE: I don't think we would dispute the fact that anticosmicism cannot be derived from Judaism. But given the presence of this element, someone familiar with Jewish apocalyptic tradition and with the O.T. could then take into consideration two separate factors: (1) wisdom came down and made her dwelling among men, and therefore somehow came from the world of the perfect into this world of evil; she could in a sense be regarded as 'fallen'; and (2) wisdom is associated with the creation of the world in Jewish tradition, although not regarded as the creator. It is easy to imagine how a Gnostic type of exegesis could have moved towards putting these two factors together to develop the picture of the role of wisdom as in some way the progenitor of the creator, and as fallen in the sense that she had become contaminated with this evil world.

GRANT: I like this thought; but the trouble is that in Enoch 42, where the author is describing the descent of Sophia, he says that she came to take her place among the Sons of Man—or something like that—but found no place there; so she hadn't fallen enough to find herself at home in the world, at least at this point. But, again, of course, one could say that a gnostic could disregard this point.

MAC RAE: This too could be taken as Gnostic exegesis of the Enoch passage.

MARROU: Le gn., comme nous commençons à le définir dans ce colloque, apparaît comme une *autre* religion, aussi différente du judaïsme qu'il peut l'être par ailleurs du christianisme historique, bien qu'il ait pu y lire (c.à.d. y introduire) ses doctrines. Par ailleurs je crois, et je tiens à le dire ici, que les recherches du Prof. GRANT éclairent beaucoup les origines du gnosticisme, non pas à proprement parler sur le plan métaphysique, — celui de ce pessimisme anti-cosmique dont nous avons tant parlé, mais sur celui du climat littéraire, disons mieux du climat de sensibilité dans lequel s'est formé, développé et exprimé le gnosticisme.

CRAHAY: M. GRANT signale qu'une seule secte juive, celle des Magariya, enseigne comme certains gnostiques qu'un ange a créé le monde. Or certains auteurs (Is. Lévy) assimilent les Magariya aux Qumraniens. Même si l'hypothèse, comme je le crois, n'est pas vraisemblable, il faudrait peut-être la mentionner, surtout que, dans la suite, M. GRANT relève un point commun entre les Magariya et Qumran, les spéculations calendaires.

JONAS: Exegesis in itself is not the source of new ideas, but it can be used to give expression and authority to new ideas. Exegesis in the rabbinical pattern has a number of levels, acrostically indicated in the word *Pardes*: *P'shat*, *Remes*, *D'rash*, *Sod*. *P'shat* is the simple, literal explanation, and the series leads by steps of ever more penetrating interpretation to that of ,,mystery" (*sod*). Little, of course, is known of the actual practice of the last category; but we may take it that, in this progression of levels of interpretation, the more advanced never contradicted or annulled the preceding ones. The higher one opened up a new dimension of understanding, perhaps an unsuspected and surprising one, but not one which would turn against the original and literal meaning: the mystery behind the text is not a contradiction of the text.

Now, gnostic exegesis is really of a different kind. It is allegorical interpretation in a manner in which the *all-egoria*, i.e., saying something *different*, in the sense of clashing meanings, is the conscious purpose. Here the interpretation is put *in contrast* with the accepted and prima facie understanding of the text. The Apocr. Joh. repeatedly has the phrase: ,,not as Moses" says". Quoting his 'Gnosis u. spätant. Geist' I, 216 ff. ('Gnostische Allegorie'), prof. JONAS continues: The use of allegory here, in a vein of opposition, shows quite clearly that the ideas were there beforehand, and that the texts are exploited in their service in a masterful manner, and actually in a spirit of disrespect. So that we could say with the gnostic interpreter: what the demiurge here revealed involves something which he did not mean to reveal, but which we—the gnostics—are able to bring out.

GRANT: Is not this the same thing that you find in the Book of the Jubilees when they are re-writing the O.T. story? We find it said that Mastema did this or that, where in the O.T. the action is ascribed to God. Yet in Jub. there was no explanation.

JONAS: The mass of evidence for this kind of interpretation is gnostic.

GRANT: Then we have the same problem in just about the whole of the history of exegesis, as well as in your four rabbinic ways. This is not unlike what Origen does in dealing with, say, the Gospel of St. John. I think—and I am going to choose the most extreme example—he says that we start historically before we give the allegory; and we deal with the cleansing of the Temple. Now, we will examine this text very carefully and compare it with the synoptics and so on; and the historical point of the cleansing of the Temple turns out to be that there was a city called Jerusalem and there once was a Temple in it—that is the historical fact. And then, from that, we go and discuss theological questions, such as the stories' disagreeing between the synoptic Gospels and John. What does this show? This points to the fact that God cannot be localised or placed in time. But this is exactly your point now, isn't it? Because this is to say that the Platonic world view, for ex., is the true one, and we are led back to it. And therefore, in discussing this particular passage of Origen, one might have to say: here he speaks as a Platonist, not as a Christian. There are other examples.

JONAS: I would add to this that, in the case of the gnostics, we have the phenomenon of an allegory which consciously sets itself against the literal meaning, not just supplementating it with the given deeper meaning, but turning it into its contrary. And this is something which, I think, your example from Origen would not cover.

GRANT: Well, it is really pretty contrary in Origen before you get through, because nothing really happened. But, again, if one takes: „It is not as Moses said"—do you really find this kind of allegorization apart from the Apocryphon? It seems to me it is not so much allegorising as trying to start with the text as it is. Take the gnostic exegesis of the parables. I can't claim that exegesis really starts this, but I will claim that you aren't necessarily always reading in something arbitrarily, because if you take parables in the synoptic gospels, they are not as clear to me as to a form-critic, let us say; and I think they are very mysterious. And one would seize the opportunity to start from a mysterious stage and then go on out, sometimes at least.

KRAUSE: Zur gnostischen Exegese: ich glaube ich habe in den ganzen Texten nichts gefunden was so ist wie im Apokryphon des Johannes: Also wo ausdrücklich gesagt wird „nicht so wie Moses gesagt hat". Sondern es ist ein einziger Fall in der ganzen gnostischen Bibliothek und dann kommt noch hinzu dass ich derselben Ansicht bin wie Professor JONAS, dass man nämlich eine vorgefasste Meinung hat und diese Meinung findet man immerwieder; als das beste Beispiel dafür ist die Schrift „Exegese über die Seele". Da haben sie eben auch den Fall der Seele, die Seele war gut solange sie beim Vater war und als sie dann fiel wurde sie schlecht und diese Vorstellung sucht man nun in allen möglichen Zitaten des Alten und Neuen Testamentes wiederzufinden. Also da liegt wieder die Idee vor und diese wird nun exemplifiziert an verschiedenen Schriften die im Grunde genommen, garnicht dazu gehören. Aber sie werden eben alle angeführt als ein Beweis für die Richtigkeit dieser Ideen.

DANIÉLOU: Je voudrais vous demander si, dans votre comparaison entre l'angélologie gnosticiste et l'angélologie commune juive du temps, vous n'avez pas surtout montré les analogies. Mais il y a aussi des différences. Celles-ci ne consistent pas dans le fait qu'il y a des anges bons et des anges mauvais; ceci se trouve partout. Mais elles consistent dans le fait que pour les gnostiques les anges des sept cieux sont devenus les mauvais „cosmocratores" planétaires. Je crois que c'est là la vraie différence et que cette différence est considérable parce qu'elle exprime l'anticosmisme des gnostiques, pour qui le monde des anges et Jahweh qui le couronne font partie du cosmos qu'ils condamnent.

GRANT: J'accepte cette précision, mais d'où vient dans le judaïsme l'esprit anticosmique? J'ai essayé de l'ascrire aux ruines du Temple. Mais je suis sceptique.

DANIÉLOU: Je pense que dans le judaïsme l'anticosmisme est l'expression d'une révolte juive contre le judaïsme lui-même, c'est-à-dire d'une révolution avant tout intérieure au judaïsme, car je ne vois pourquoi des grecs ou des iraniens se seraient intéressés à Jahweh au point de se révolter contre lui. C'est uniquement des juifs qui ont pu se révolter contre Jahweh et contre les anges de Jahweh et c'est pourquoi je défends M. GRANT contre M. GRANT.

BIANCHI: A ce dernier propos je voudrais aider M. GRANT contre M. GRANT. Je crois que, comme M. JONAS l'a dit très bien, il se peut qu'à cet âge, au premier siècle après Jésus, le Dieu juif créateur était le seul Dieu auquel on pouvait attribuer le mérite ou le démérite de la création. Dans ce cas *tous* ceux qui dans le judaïsme ou au dehors du judaïsme ont voulu protester contre la création et éventuellement contre le destin n'ont trouvé de mieux que de protester contre ce Dieu des Juifs qui était bien connu a tous, juifs et non juifs.

Il faut aussi considérer la question du „double démiurge", mauvais et bon (Jaltabaoth, le père, ignorant, le fils, Sabaoth, „converti" et instruit: HA, Traité sans titre), ou bien (qui est assez différent) „juste" et „injuste" (Apocr. Joh.), et ses implications pour l'histoire du démiurge gnostique et du gn. [Ce point de l'intervention est traité, *supra*, pp. 17-20].

KRAUSE: Es musst erinnert werden, dass die Hypostase der Archonten aus zwei Teilen besteht. Sie haben im ersten Teil einen Demiurgen und dann, im hinteren Teil, wandelt sich das ganze Bild in den Anfang einer Kosmologie und im zweiten Teil haben sie ein Gespräch. Und da im zweiten Teil, kommt dann der zweite Demiurg, der sich als Sohn des ersten ausgibt, der gut ist. Also, ich glaube das ist eine Quellenfrage, dass man hier zwei Teile zusammengearbeitet hat und deshalb gibt es zwei Demiurgen.

FRICKEL: Es scheint mir nicht, dass der doppelte Demiurg durch eine zufällige Kombination von zwei verschiedenen Texten erklärt werden kann. Und zwar weil wir das Dokument von Basilides haben,wo entsprechend den drei Zonen, in die das Pleroma eingeteilt ist, auch drei Demiurgen unterschieden werden. Und diese Demiurgen sind ein Spiegelbild zur oberen Welt, wie auch nachher der irdische Kosmos wieder dreigeteilt ist und innerhalb dieser drei Demiurgen wird jeweils wieder ein Sohn des Demiurgen. Wir haben also jeweils zwei Demiurgen in jeder Zone und nun ist sehr interessant, dass diese beiden sich gegenüberstehen, der Vater ist das äussere, aktive, handelnde Prinzip und der Sohn des Demiurgen ist das inspirierende Prinzip; dasjenige was also den eigentlichen Schöpfungsplan versteht, warhend sein Vater, der ignorante, der Demiurg ist, der das nicht versteht. Mir scheint, dass hier bei Basilides etwas durch die zwei Demiurgen, erklärt ist, was wir auch in der valentinianischen Gnosis finden: die beiden Prinzipien sind Sophia als das inspirierende Prinzip und ihr Sohn der Demiurg, als das ignorante aber ausführende Prinzip. Mir scheint eine Verbindung da zu sein, zwischen der basilidianischen und der valentinianischen Gnosis, insofern dieser Text des Basilides bei Hippolyt etwas später zu sein scheint und er scheint diese Frage der Sophia und des Demiurgen zu lösen durch die Einführung eines doppelten Demiurgen: Eines einsichtigen und eines nur ausführenden Prinzips.

DEFINIZIONE E ORIGINI
DELLO GNOSTICISMO.
PROBLEMI E TESTI

BEMERKUNGEN ZU DEN METHODEN
DER URSPRUNGSBESTIMMUNG VON GNOSIS

VON

ROBERT HAARDT

In der modernen Gnosisforschung werden mannigfaltige Bestrebungen sichtbar, die Genesis dessen aufzuzeigen, was man
gemeiniglich mit dem Terminus Gnosis belegt. Es ist allgemein
bekannt, daß in der Forschung kein einheitlicher Begriff von Gnosis
anzutreffen ist, und daß damit auch der Begriff vom Ursprung von
Gnosis der Einheitlichkeit entbehren muß, sind doch die Begriffsbestimmung von Gnosis und die Bestimmung ihres Ursprungs
einander wechselseitig vorausgesetzt: der Begriff der Gnosis wird
nach vollzogener Ursprungsbestimmung von dieser her illuminiert
und andererseits wird die Begriffsbestimmung der Gnosis weg-
weisend für die Konstruktion des jeweiligen Ursprungsmodells.
Diese Komplementarität der Begriffe werden wir im Auge behalten,
wenn wir im folgenden einige exemplarische Untersuchungen im
Hinblick auf die thematisierte Problematik betrachten.

Schematisiert zeigen die Ableitungsversuche folgende für unsere
Ausführungen relevante Unterteilung.

Nach den zunächst sich einstellenden Aporien unterscheiden wir
e r s t e n s vorwiegend motivgeschichtlich argumentierende Ableitungen, welche zu einem regressus in infinitum tendieren. Wir
konstatieren hier die Ableitung eines entsprechenden Gnosistypos
aus ebenfalls typisierten zeitlichen Antezedentien, welche hellenistische, orientalische, jüdische bzw. jüdisch-heterodoxe und christliche
zu sein pflegen. Entsprechende Typen werden aber auch als aus
diesen Einzeltypen zusammengesetzte Mischtypen postuliert. Unter
dieses Schema fallen auch Operationen mit dem Begriff einer Prägnosis. Prägnosis oder auch frühe Gnosis bestimmt sich komplementär
zu einem „eigentlichen" Gnosisbegriff. Dieser Sachverhalt fordert
aber ein höheres Allgemeines, unter das die „eigentliche" Gnosis
(Gnosis im engeren Sinne) und die Prägnosis subsummiert werden
können. Durch Manipulation der aufgezeigten Typen wird durch
eine Typenstaffelung die Gnosis zu einer prä-typischen Gnosis.

Hinzuweisen ist in diesem Schema nicht zuletzt auf Versuche, die ihren Typos von Gnosis mit einer bestimmten vorliegenden literarischen realen Manifestation kongruieren lassen, deren System oder deren „Hintergrund" sie als realen Ursprung in Anspruch nehmen.

Z w e i t e n s unterscheiden wir reduktiv argumentierende Ableitungen, welche den Ursprung der Gnosis durch ein Phänomen zu erklären suchen, welches selber keiner Genese mehr bedürftig sein soll oder dessen Genese nicht erklärbar sein soll. Der Konstitutionsprozess, der die Gnosis herauftrug, wird hier psychologisch oder soziologisch oder aber auch existenzial-ontologisch erklärt, obwohl Hans Jonas, der zuerst sich der existenzial-ontologischen Interpretation bediente, diese keineswegs reduktiv konzipiert hat.

D r i t t e n s werden bisweilen in der Literatur Gnosistypen dargestellt, ohne daß zugleich die e x p l i z i t e Erörterung ihres Ursprungs versucht würde.

Alle diese Ableitungsversuche sind nun in mannigfachen Kombinationen anzutreffen, aber auch in Polemiken gegeneinander, ja, zuweilen liegen Polemik und Kombination beieinander. Jetzt aber sollen die eingangs skizzierten Schemata an einigen konkreten Forschungsarbeiten verdeutlicht werden.

Wenden wir uns zunächst dem hellenistischen Ableitungsschema zu. C. Schneider bezeichnet den „Geist" der Gnosis als „nur griechisch, und zwar vorwiegend platonisch" [1]. Nach ihm gehört die Gnosis „in die Geschichte des Spätplatonismus als eine seiner Abzweigungen, allerdings eine sehr merkwürdige" [2]. Dabei ist für Schneider eine iranische Motivunterwanderung nicht ausgeschlossen. Wird hier die Kombination von interpretatio graeca mit einer Degenerationsvorstellung noch nicht so deutlich, so bildet eine solche Degenerationsvorstellung ein wichtiges Moment in der Ableitung der Gnosis aus dem Hellenismus durch H. Leisegang. Bei ihm lesen wir: „Der tiefere Grund für die unerquicklichen Auswüchse gnostischer Spekulation liegt jedoch in dem Umstand, daß hier zwei Gedankenwelten und zwei Denkarten miteinander verbunden werden, die sich ihrem innersten Wesen nach gegenseitig fremd sind, und von denen jede ein klares Verstehen ihrer Eigenart

---

[1] C. SCHNEIDER, *Geistesgeschichte des antiken Christentums*, Bd. 1, München 1954, 268.
[2] C. SCHNEIDER, ib.

und der aus ihr folgenden Unverträglichkeit mit der anderen verlangt. Das mythisch-mystische Denken wird hier gewaltsam rationalisiert und auf eine Ebene des Bewußtseins gezerrt, auf der es nicht gedeihen, sondern nur entstellt und mißverstanden werden kann" [1]. Und ferner: „Die ganze Art des Denkens und Schauens, des Kombinierens und Spekulierens, die innere Form und die geistige Struktur der Systeme werden sich hierbei als griechisch, das verarbeitete Material zum Teil als orientalisch herausstellen" [2].

R. McL. Wilson sieht die Gnosis als ein Verschmelzungsprodukt „of Christianity and Hellenistic thought" [3]. Man vergleiche damit weitere Definitionen des Autors: Gnosis ist „an assimilation of Christianity and contemporary thought..." [4] und: „... the accomodation of Christianity and Hellenistic culture" [5] und: „... Gnosticism is not Christian, but a phase of heathenism" [6].

Hier erfolgt also keine Differenzierung im Hinblick auf Struktur und Material, wie bei Leisegang, der diesen Begriffen entsprechend zwei Ursprünge von Gnosis auseinanderhält. Während Wilson innerhalb seines Verschmelzungsmodelles, wie wir sahen, nicht zwischen Inhalt und Form (Material und Struktur) der Gnosis differenziert, bestimmt er die eine der beiden Komponenten, durch deren Vereinigung die Gnosis entstanden sei, insoferne diese Komponente vorchristlich ist, als „Jewish speculation of a more or less unorthodox character" [7]. Diese aus unorthodoxer jüdischer Spekulation abgeleitete vorchristliche Gnosis wird als „Jewish or (sic!) pagan" bezeichnet und für sie die Klassifikation „pregnosis" anstelle von „Gnosticism" vorgeschlagen, wobei die Ursprünge als „obscure" anzusehen sind [8].

Die meisten motivgeschichtlich orientierten Forscher tendieren in der Nachfolge von Bousset und Reitzenstein zum orientalischen

---

[1]) H. LEISEGANG, *Die Gnosis*, Stuttgart, 4. Aufl., 1955, 51.
[2]) H. LEISEGANG, op. cit., 5 f. — Vgl. auch den Standpunkt Schaeders, der das gnostische Denken aus dem Zusammenwirken zweier Traditionen verschiedenen Ursprungs begreift, „einer wesentlich stoffgebenden und einer formenden: der der altorientalischen Religionen und der des griechischen begrifflichen Denkens". (H. H. SCHAEDER, *Urform und Fortbildungen des manichäischen Systems*, Vorträge der Bibliothek Warburg, Vorträge 1924-1925, Leipzig-Berlin 1927, 121).
[3]) R. McL. WILSON, *Gnostic Origins*, in *Vigiliae Christianae*, IX (1955) 199.
[4]) R. McL. WILSON, *The Gnostic Problem*, London 1958, VII.
[5]) R. McL. WILSON, op. cit., 265.
[6]) R. McL. WILSON, ib.
[7]) R. McL. WILSON, in *Vigiliae Christianae*, IX (1955), 211.
[8]) R. McL. WILSON, ib.

Ableitungsmodell. Orientalische Ableitung impliziert dabei lediglich
die Präponderanz orientalischer — was immer dieser weitgefaßte
Terminus bezeichnen mag — Einflüsse, zu denen natürlich im
Rahmen des hellenistischen Synkretismus griechischer Einfluß tritt,
da ja erst durch das Zusammentreffen dieser beiden Faktoren das
Produkt Gnosis fundiert werde. So lesen wir bei W. Bousset: „Es
scheint, als wenn die Grundanschauung der Gnosis erst infolge einer
Vermischung der genuin persischen Annahme zweier feindlicher,
wider einander streitender Gottheiten (Prinzipien) und der griechischen Anschauung von der Überlegenheit der geistigen idealen
gegenüber der sinnlichen materiellen Welt zustande gekommen ist.
Erst durch das Zusammenfluten zweier pessimistischer Weltanschauungen entstand der gesteigerte, absolut trostlose Dualismus
und Pessimismus der Gnosis" [1]. Wer die eingangs angedeutete
Komplementarität von Wesen und Ursprung im Auge hat, wird in
diesem Beispiel besonders deutlich sehen, wie die Bestimmung von
Gnosis als Verbindung verschiedener in Typen aufweisbarer Elemente
derart vorgenommen wird, daß eines der den jeweiligen Typos
„Gnosis" konstituierenden Elemente auf eine bestimmte Kultur zurückgeführt wird und als das jeweils entscheidende Element bei
der Konstitution von Gnosis betrachtet wird, zu dem dann andere
Elemente treten, die jedoch je nach Ableitung nicht eine fundierende
Rolle spielen, sondern von dem jeweils bevorzugten Element fundiert
erscheinen bzw. das Hauptelement in seiner Ausprägung unterstützen.

Sieht man dagegen z.B. Individualismus und Universalismus als
wichtige Konstituentien der orientalischen Religionen an, so wird
man mit R. Reitzenstein folgendes feststellen können: „Sie (scil.
die Gnosis) zeigt die notwendige Fortbildung der orientalischen
Religionen in der Diaspora, den Höhepunkt ihrer individualistischen
und zugleich universalistischen Entwicklung, die in gewissem Sinne
letzte Stufe des Hellenismus ist und daher so allgemein, wie dieser
selbst" [2].

Wurden bei den hauptsächlich orientalischen und hellenistischen
Ableitungen der Gnosis auch bisweilen jüdische Komponenten
festgestellt, so finden wir immer wieder Arbeiten, in denen der
Begriff einer Gnosis wesentlich konstituiert wird durch jüdische

---

[1] W. Bousset, in *Pauly-Wissowa*, *RE*, Sp. 1501.
[2] R. Reitzenstein, *Die Hellenistischen Mysterienreligionen*, Stuttgart, 3. Aufl.,
1927, 69.

Elemente, welche meist aus dem Rande des Judentums, also aus dem Typos eines heterodoxen Judentums erwachsen, wobei hellenistische und orientalische Einflüsse eine sekundäre Rolle spielen sollen.

Bei G. Quispel, der das Anthroposschema in der Gnosis aus jüdischen Adamspekulationen herleitet, finden wir folgende Feststellung: „Der manichäische Urmensch, so schien es uns, ist eine Fortsetzung der gnostischen Anschauungen über den Anthropos oder über die Sophia und ihr Eidolon, welche wir im valentinianischen Schrifttum und in den ältesten Quellen einer judaisierenden Gnosis antrafen. So müssen wir schließen, daß die Hypothese eines iranischen Urmenschen, welche die gnostischen Vorstellungen ursprünglich beeinflußt haben sollte, unnötig ist und in den gnostischen Quellen keine Stütze findet" [1]. Wir sehen, daß hier ein wichtiges Element der Gnosis, das vom Iranischen her fundiert zu werden pflegte, jetzt durch Steigerung bestimmter Gesichtspunkte im jüdischen Bereich etabliert wird.

Vorsichtig bringt auch K. Stürmer eine maßgebliche Beteiligung jüdischer Elemente beim Zustandekommen der Gnosis in Anschlag, wenn er schreibt: „Trotz der schwierigen Erklärbarkeit der Werde-Bedingungen muß also ernstlich die Möglichkeit in Betracht gezogen werden, daß sich in der Gnosis die Späterscheinungen zweier völlig verschiedener Kulturen miteinander verbunden haben; und zwar nicht nur zu einer Pseudomorphose, zu welcher die eine Kultur lediglich die Hohlformen und Begriffe, die andere aber den Inhalt geliefert hätte, sondern es scheint hier wirklich eine Alchimie der Weltanschauungen vorzuliegen, durch die aus zwei gegebenen Formen (scil. Judentum und Griechentum) ein neues drittes zur Darstellung gebracht wurde" [2].

Der Schwierigkeit, der man sich gegenüber sieht, wenn man gemäß einem aus vielen divergenten gnostischen Manifestationen extrapolierten Wesensbegriff den Ursprung möglichst universal ansetzt, oder aber einer der konstitutiven Komponenten den Vorrang zugesteht, gegenüber der die anderen nur akzessorisch in Erscheinung treten, entgeht man, wenn man den Wesensbegriff der Gnosis in einer einheitlichen literarischen Manifestation vorzufinden glaubt, welche den Ursprung dadurch einheitlich zu sehen

---

[1] G. QUISPEL, *Der gnostische Anthropos und die jüdische Tradition*, in *Eranos-Jahrbuch* XXII, Zürich 1954, 234.
[2] K. STÜRMER, *ThLZ* 1948, 581 f.

erlaubt, daß die kulturelle Zuordenbarkeit dieses einen Dokumentes zur Fundierung des Ursprungsbegriffs für die gesamte Gnosis herangezogen wird, wenn ein solches Dokument nur alt genug ist, eine Forderung, die jene Texte zu erfüllen scheinen, die sowohl G. Widengren als auch H.-J. Schoeps heranziehen, wenn sie sich dieser Methode bedienen.

Widengren sieht als ein solches Dokument das sogenannte Lied von der Perle an, wenn er von ihm sagt: „Ein farbenreiches orientalisches Märchen, das zugleich eine hochpoetische Allegorie aller wesentlichen (gesperrt von mir, R. H.) Themen der gnostischen Frömmigkeit bietet!" Und für den Ursprung heißt es dementsprechend: „Als geschichtliches Phänomen aber ist sie (scil. die Gnosis) hauptsächlich eine indo-iranische Bewegung, in Vorderasien von den Iraniern vermittelt; das bestätigt eine Analyse der gnostischen Leitmotive und Symbole der Kunstsprache" [1]).

Auch Schoeps ist sich über die Schwierigkeit im klaren, von der Vielfalt der Wesensbestimmungen der Gnosis zu einem eindeutigen Ursprungsbegriff zu gelangen: „Über das Wesen der Gnosis lassen sich leichter Aussagen gewinnen, als daß man ihre religionsgeschichtliche Genesis im ganzen wie in den Einzelheiten unwiderleglich feststellen könnte" [2]). Ausgehend von dieser Schwierigkeit sucht er in ähnlicher Weise wie Widengren mit der Komplementarität möglichst eindeutig fertig zu werden, nur findet er die Kongruenz von Wesen und Ursprung in einer anderen Manifestation, die aber ebenfalls das Postulat eines möglichst hohen Alters erfüllt: „Die uni sono aufgestellte Behauptung der Kirchenväter, daß Simon Magus aus Samaria, einem Grenzgebiet, wo semitische und griechische Geistesströme ineinanderflossen, der Vater der Gnosis gewesen sei, bestätigt sich insofern, als wir den gnostischen Mythos bei Simon in seiner relativ einfachsten (gesperrt von mit, R. H.) Form ausgeprägt finden. Von Simon und Menander bzw. den synkretistischen Kreisen Samariens gehen dann die Verzweigungen aus . . ." [3]). Schoeps findet es „daher durchaus berechtigt, . . . die Urform des gnostischen Systems in dem simonianischen Mythos zu finden" [4]).

Hatten wir es bisher mit motivgeschichtlich-religionsgeschichtlichen Ableitungsschemata zu tun, so wenden wir uns nun den Re-

---

[1]) G. WIDENGREN, *ZRGG* 1952, 106.
[2]) H. J. SCHOEPS, *Urgemeinde, Judenchristentum, Gnosis*, Tübingen 1956, 35.
[3]) H. J. SCHOEPS, op. cit. 36.
[4]) H. J. SCHOEPS, ib.

duktionsmodellen zu. Wir beginnen mit der psychologischen Reduktion.

Während die Religionsgeschichte das Verstehen eines religiösen Phänomens durch den Aufweis historischer Affiliationen zu fundieren bemüht ist, wird die phänomenologische Methode nicht beim bloßen Nachweis der Ähnlichkeit oder Gleichheit religiöser Vorstellungen stehenbleiben können, sondern das Verständnis dieser Ähnlichkeit oder Gleichheit durch den Rekurs auf eine im Menschen angelegte Struktur begründen müssen. Quispel, der „die Forschung von den falschen Prinzipien der religionsgeschichtlichen Schule zu reinigen" wünscht, und sich dafür ausspricht „anzuerkennen, daß Ähnlichkeit, Verwandschaft, Gleichheit religiöser Phänomene auch vorliegen kann, wenn keine historische Abhängigkeit besteht", sieht eine solche Struktur in der Projektion der Selbsterfahrung, sodaß er definieren kann: „Gnosis ist mythische Projektion der Selbsterfahrung" [1]). Zur Stärkung seiner These zitiert Quispel [2]) aus dem Werke von H.-Ch. Puech (Le Manichéisme, Paris 1949, 73): „ . . . les grandes lignes et l'articulation générale du mythe nous apparaîtront fort simples (gesperrt von mir, R. H.) si nous y voyons la projection de l'expérience du gnostique (gesperrt von G. Quispel) . . . .". Zum Beweis dessen, daß diese Erklärung von Gnosis nicht „eine moderne Mode" sei, führt Quispel folgende Charakterisierung der Gnostiker durch Origenes (De Princip., IV, 2, 8) an: „Sie haben sich den Imaginationen ergeben und sich mythische Hypothesen erfunden, aus denen sie die sichtbare Welt herleiten, und auch einige unsichtbare Dinge, welche ihre Seele bildhaft geschaffen hat" [3]). Betraf das Gesagte nach Quispel die Projektion, so wird die Selbsterfahrung darin gesehen, daß gnostische Texte hervorheben, „daß die Erlösung darin besteht, daß der Mensch sich seines Ursprunges erinnert und sich der Göttlichkeit seines in Dunkel gehüllten Selbst bewußt wird" [4]).

Die psychologische (und auch motivgeschichtliche) Analyse kann

---

[1]) G. QUISPEL, *Gnosis als Weltreligion*, Zürich 1951, 17.

[2]) G. QUISPEL, op. cit. 18. Warum und woraus projiziert wird, sagt H.-CH. PUECH an anderer Stelle: „Comme tous les gnosticismes, le Manichéisme est né de l'angoisse inhérente à la condition humaine." (H.-CH. PUECH, *Le Manichéisme*, Paris 1949, 70). Der Begriff der „angoisse" ist bei PUECH nicht existenzial-ontologisch systematisiert wie bei Jonas, sondern dürfte eher als psychologisches Phänomen reduktiv verstanden sein.

[3]) G. QUISPEL, ib.

[4]) G. QUISPEL, ib.

durch soziologische Analysen gestützt und ergänzt werden, wie z.B. ebenfalls bei Quispel: „Staunend und gebannt stand der Mensch vor der Tiefe in sich. Seine Einordnung in das Universum ging ihm abhanden: der Kosmos wurde mehr und mehr entgöttlicht und dämonisiert. Die Polis, das Imperium waren keine organischen Verbände mehr: der Staat war eine dirigierte Bürokratie, die den Einzelnen nicht beanspruchte, die Großstädte machten den Menschen unsagbar einsam. Da blieb nur die Flucht in die Erotik und die Flucht in sich selbst; das heißt, diese Kultur war sterbend und dem Untergang gewidmet, weil sie nicht mehr exzentrisch war" [1]).

Ein kombiniertes psychologisch-soziologisches Modell legt R. M. Grant in seinem Buche „Gnosticism and Early Christianity", New York, 1959, vor, und zwar sieht er in einem mit dem Fall von Jerusalem im Jahre 70 verbundenen Zusammenbruch apokalyptischer Hoffnungen im Judentum „the impetus toward Gnostic ways of thinking . . ." [2]). Hiermit wäre zu vergleichen: „The impetus for Gnostic thinking came from the debris of shattered eschatological hopes" [3]).

Die existenzial-ontologische Analyse der Gnosis, mit der H. Jonas Epoche gemacht hat, diente ihm nicht zur Kausalanalyse des Ursprungs von Gnosis. Im Streit der Ursprungsfragen entschied sich Jonas für das „orientalisierende" Lager, da er die orientalische Form der Gnosis als „ursprünglichsten Ausdruck der in Frage stehenden Daseinsverfassung" ansieht [4]). Diese Feststellung zum Ursprungsproblem gehört jedoch weder zu den Voraussetzungen noch zu den Ergebnissen seiner existenzial-ontologischen Interpretation.

---

[1]) G. Quispel, op. cit., 20. Soziologische Analyse (zusammen mit Motivgeschichte) wird neuerdings von K. Rudolph programmatisch für die Gnosisforschung gefordert (vgl. K. Rudolph, *Stand und Aufgaben in der Erforschung des Gnostizismus*, in *Tagung für allgemeine Religionsgeschichte* 1963, Sonderheft der wissenschaftlichen Zeitschrift der Friedrich-Schiller-Universität, Jena, 98). Er spricht in diesem Zusammenhang von den zu erforschenden „sozial-ökonomischen Ursachen" des Gnostizismus (ib.). — Trotz minutiöser vorbildlicher motivgeschichtlicher Arbeit (man vgl. nur K. Rudolph, *Die Mandäer*, Bd. 1 und 2, Göttingen 1960 bzw. 1961) macht sich bei Rudolph ein Ungenügen an der Relevanz dieser Methode für eine umfassende genetische Erklärung der Gnosis bemerkbar. Vergleiche in diesem Zusammenhang auch die Methode bei O. Klíma, *Manis Zeit und Leben*, Prag 1962.

[2]) R. M. Grant, *Gnosticism and Early Christianity*, New York 1959, 34.

[3]) R. M. Grant, op. cit. 41.

[4]) H. Jonas, *Gnosis und Spätantiker Geist*, Teil 1, *Die mythologische Gnosis*, Göttingen 3. Aufl., 1964, 8.

In diesem Sinne wendet auch R. Bultmann die existenzial-ontologische Analyse an, ohne damit die Frage nach dem Ursprung von Gnosis entscheiden zu wollen, so, wenn er z.B. sagt: „Sie (scil. seine Darstellung in: Das Urchristentum, Zürich 1963) will also nicht historische Forschung in dem Sinne sein, daß sie neues religionsgeschichtliches Material bringt oder neue Kombinationen religionsgeschichtlicher Zusammenhänge vorträgt. Solche Forschung ist in ihr vorausgesetzt. Die Aufgabe ist vielmehr die der Interpretation. Gefragt wird nach dem Existenzverständnis, das im Urchristentum als neue Möglichkeit menschlichen Existenzverständnisses zutage getreten ist, — oder vorsichtiger: ob oder inwiefern das der Fall ist" [1]).

Während bei den beiden genannten Forschern der existenzial-ontologische Gesichtspunkt ein heuristischer in Bezug auf das ist, was sich in den Texten objektiviert, wird er bei anderen Forschern — in einer gewissen Verfremdung — zur Sistierung des gnostischen Konstitutionsprozesses benützt.

So folgert H.-M. Schenke aus der „Bejahung der Hauptidee des Werkes von Hans Jonas", von der eine Ursprungstheorie „in positiver Hinsicht auszugehen" habe: „Der Ursprung der Gnosis ist demnach zu bestimmen als der Ursprung der der Gnosis eigentümlichen nicht ableitbaren Daseinshaltung" [2]). Und ferner: „Die Gnosis ist überhaupt nicht ableitbar!" Gemeint dürfte sein: nicht motivgeschichtlich ableitbar [3]).

Auch W. Schmithals läßt Gnosis konstituiert sein durch das existenzial-ontologische Modell, das heißt, die aufbrechende gnostische Grundhaltung expliziert sich in einer Objektivationsschicht, wobei sie sich der zuhandenen nichtgnostischen Motive bedient, die natürlich ihre eigene Geschichte haben. Schmithals, für den Gnosis ebenfalls nicht „ableitbar" ist, nimmt weiters an, daß der indo-iranische Urmensch-Mythos seine gnostische Wendung durch diesen Konstitutionsakt erhalten habe [4]).

Als Vertreter der nichtexpliziten Erörterung des Ursprungsproblems von Gnosis mag uns C. Colpe genügen. Er charakterisiert Gnosis als „eine religiöse Bewegung der Spätantike, die nicht mehr

---

[1]) R. BULTMANN, *Das Urchristentum*, Zürich 1963, 8.
[2]) H.-M. SCHENKE, in *Kairos*, 1965, Heft 2, 118.
[3]) H.-M. SCHENKE, op. cit. 125.
[4]) Vgl. W. SCHMITHALS, *Die Gnosis in Korinth*, Göttingen 2. Aufl., 1965, 29; 72, Anm. 5.

als die jeweils kontinuierliche Fortsetzung der in den Mittelmeer-
ländern, in Mesopotamien und Iran originären Religionen verstanden
werden kann, sondern ihnen allen gegenüber etwas im zentralen
religiösen Impuls Neues darstellt" [1]). Ferner stellt er fest: „Lassen
sich Geschichte und Verknüpfung von Einzelmotiven oft philo-
logisch ermitteln, so ist die Entstehung der eigentlichen Gnosis nicht
erklärbar" [2]). Man sieht, daß hier der Ursprungsbegriff durch die
Wesensbestimmung negativ vermittelt ist, und zwar insofern, als
„die jeweils kontinuierliche Fortsetzung der . . . Religionen" für die
Bestimmung von Gnosis nicht zureichend ist und somit auch für die
Bestimmung ihres Ursprungs nicht in Anschlag gebracht werden
kann. Aus dieser negativen Ansetzung des Wesens von Gnosis geht
auch hervor, daß motivgeschichtlich der Ursprung nicht in den Griff
zu bekommen sei.

Um nun noch einiges bemerken zu können zu der eingangs ange-
deuteten Komplementarität von Wesen und Ursprung, und damit
allererst zum Ursprung, müssen wir uns fragen, wie denn das,
was wir — reichlich schlagwortartig noch — als Wesensbegriff
eingeführt haben, bei den einzelnen Forschern näher gehandhabt
wird. Festzustellen ist, daß darüber Klarheit — explizit wenigstens —
meist nicht zu bestehen scheint. Wenden wir uns zunächst drei
Autoren zu, bei denen wir bereits gesehen haben, daß sie mit religionsgeschichtlichen Kriterien über den Ursprung von Gnosis nichts
Verbindliches aussagen zu können glaubten. Und zwar wollen wir
untersuchen, wie sich ihnen der Wesensbegriff darstellt.

In seinem Buch „Die Gnosis in Korinth" sagt Schmithals: „Die
entscheidende Wendung zur Gnosis lag darin, daß der Mensch sein
eigentliches Selbst, seine Seele, als einen Teil des Gottes 'Mensch'
erkannte. Dieser Wendung liegt ein ursprüngliches gnostisches
'Grunderlebnis' zugrunde, das aus keinerlei vorgegebenen mythischen Motiven abzuleiten ist. So aber wie die Gnosis sich anscheinend des anthropologischen Schemas bediente, das das
Griechentum ihr zur Verfügung stellte, ohne deshalb aus dem
griechischen Daseinsverständnis erklärt werden zu können, so
benutzte sie auch Motive orientalischer Urmensch-Mythen, um ihr
Daseinsverständnis mythologisch zu objektivieren, ohne doch
deshalb aus den iranischen Urmensch-Spekulationen ableitbar zu

---

[1]) C. COLPE, RGG, 3. Aufl., Bd. 2, 1958, 1649.
[2]) C. COLPE, ib.

sein" [1]). „ 'Christliche Gnosis' " und „ 'Heidnische Gnosis' " sind
für Schmithals „eine Gnosis, die sich mit dem Gewand" der entsprechenden „Begriffe und Vorstellungen" bekleiden, „um in
diesem Gewand Gnosis zu sein" [2]). Der Autor, der nicht mehr die
„Motive" für das Wesen von Gnosis als konstitutiv ansieht und diese
zu bloßen „Gewändern" degradiert, sieht als reale Kraft hinter
den in Motive sich einhüllenden Erscheinungen das gnostische
„Grunderlebnis", durch das sich der vielfältig verschlungene Gegenstand aus dem Wirklichkeitszusammenhang als Gnosis expliziert,
deren wahre Erkenntnis nicht länger geleistet werden kann durch
Komponentendefinition und Affiliationsaufweis, die vielmehr eine
Einsicht in die Substanz des Gegenstandes besitzen muß, welche
als solche Substanz den Grund der Möglichkeit aller ihrer Akzidenzen, nämlich der „Motive" als „Gewänder" enthält.

Wird eine solche Substanz bei Schmithals durch das „Grunderlebnis" vindiziert, so bei Schenke durch die „Daseinshaltung",
deren Ursprung zugleich der Ursprung von Gnosis sein soll. Daseinshaltung aber ist nicht ableitbar: denn wäre sie es für das Problem
der Gnosis, müßte sie historisch aus Akzidenzen abgeleitet werden,
was aber für eine Substanz inadäquat wäre.

Bei Quispel nun brauchen wir einen Substanzbegriff nicht erst im
Rückgriff zu erschließen, er bekennt sich selber ausdrücklich zu ihm,
wenn er schreibt: „ . . . grâce à une tendance qui se révèle dans tous
les domaines de la science historique, le point de vue moderne est
assez différent de celui de la génération précédente. Autrefois on
s'efforçait surtout de découvrir l'origine d'une conception ou de
déterminer les influences qu'un penseur ou un auteur avait subies:
maintenant on voudrait saisir l'essence (gesperrt von mir, R. H.)
même d'une doctrine... Nous voudrions savoir non seulement
si le gnosticisme est d'origine grecque ou orientale, mais aussi ce
qu'il est par lui-même" [3]). Hier spricht sich das Ungenügen an der
motivgeschichtlichen Methode aus und der Wunsch, das Wesen von
Gnosis zu fassen. Dazu muß — wir erinnern uns an das Zitat
Quispels [4])—„die Forschung von den falschen Voraussetzungen der
religionsgeschichtlichen Schule" gereinigt werden, nur daß jetzt die

---

[1]) W. Schmithals, *Die Gnosis in Korinth*, Göttingen 2. Aufl., 1965, 29.
[2]) W. Schmithals, op. cit. 72, Anm. 5.
[3]) G. Quispel, *La conception de l'homme dans la Gnose Valentinienne*, in *Eranos-Jahrbuch* 1947, 251 f.
[4]) Vgl. G. Quispel, *Gnosis als Weltreligion*, 17.

Methode, um der gnostischen „essence" inne zu werden, nicht die existenzial-ontologische Analyse ist, sondern die Phänomenologie [1]) in Zusammenarbeit mit der Tiefenpsychologie. Hier ist Gnosis zwar ableitbar, soweit es ihre Motive betrifft, will man aber ihre Substanz erfassen, bedarf es der genannten Methoden.

In der motivgeschichtlich-religionsgeschichtlichen Methode werden die Motive nicht als akzessorisch angesehen, sondern werden k o n - s t i t u t i v für die Bestimmung des Wesensbegriffes, der nicht h i n t e r den Objektivationen, sondern i n n e r h a l b dieser gefunden wird, und sind dementsprechend relevant für die Ableitung von Gnosis. Die motivgeschichtliche Forschung hält im allgemeinen ein historisches Phänomen für erklärt, wenn die Motive der Zeugnisschicht den Kulturen zugewiesen werden können, denen sie entstammen. Ihr so und nicht anders Kombiniertsein in einem bestimmten Text erklärt sich durch Verbindungsmodelle wie „Zusammenprall" [2]), „Zusammenfluten", „Verschmelzung" etc. Diese Vorgangsweise, die von Jonas „Alchemie der Ideen" genannt wurde, ist ein problematischer Versuch, dem regressus in infinitum zu entgehen, dem unweigerlich das Weiterfragen verfiele, so es nicht sich selbst sistierte.

Der fragwürdigen „Ideenchemie" versucht sich mancher Forscher durch die Konzeption eines anderen Modells zu entziehen. So spricht z.B. Schoeps von der „Tatsache, daß es innerhalb des Judentums eine h o m o l o g e Begriffsbildung gibt, die der Gnosis entgegenzukommen oder voranzulaufen (Quispel: Prägnosis) scheint, in Wirklichkeit mit ihr aber überhaupt nichts zu tun hat, sondern im g e s c h l o s s e n e n R a h m e n (gesperrt von mir, R. H.) der jüdischen Religions- und Geistesgeschichte als eine unterirdische (heterodoxe). . . Strömung verlaufen ist" [3]). Entsprechend ist ihm Gnosis „nie etwas anderes als pagane Gnosis" [4]). Auch unter d i e s e m Gesichtspunkt der Eindeutigkeit wird sein vorhin angedeutetes Ursprungsmodell einleuchtend. Jedoch ist der „geschlossene Rahmen" nicht soweit von der Ideenchemie entfernt, wie man

---

[1]) Außer der Tendenz, mit Hilfe der Psychologie die phänomenologische Methode reduktiv anzuwenden, bestehen Bestrebungen, diese Methode mit historischer Motivforschung zu verbinden. Daß dies zu interessanten Ergebnissen führen kann, beweisen u.a. die Arbeiten U. Bianchis (vgl zuletzt U. BIANCHI, *Le problème des origines du gnosticisme et l'histoire des religions*, in Numen XII, 3, 1965, 161-178).

[2]) K. PRÜMM, LThK 4. Bd. 1960 Sp. 1024.

[3]) H. J. SCHOEPS, *Urgemeinde, Judenchristentum, Gnosis*, Tübingen 1956, 40.

[4]) H. J. SCHOEPS, op. cit. 39.

vielleicht denken mag. Wie soll man sich Veränderungen im „ge-schlossenen Rahmen" vorstellen? Es drängt sich uns jetzt das eben-falls chemische Bild auf, daß von den Rändern dieses geschlossenen Rahmens her katalytische Kräfte gewirkt hätten, die zu inneren Spannungen und Veränderungen führten [1]).

Wenn wir jetzt zu einem Schluß kommen, so dürfte klar geworden sein, daß wir es nicht als unsere Aufgabe betrachtet hatten, diese oder jene Ursprungsbestimmung als richtig oder falsch hinzustellen. Ebenso können wir nicht alternativ behaupten, die Gnosis sei ableitbar oder nicht ableitbar, wie es jene Forscher tun zu müssen glauben, die den existenzial-ontologischen Gesichtspunkt reduktiv handhaben. Man darf ja nie aus dem Auge verlieren, daß dieser Gesichtspunkt von Jonas „mit Überzeugung und Ironie zugleich" [2]) gebraucht wurde. Daseinshaltung ist ein Begriff, der zur Erkenntnis von Gnosis nicht im Sine einer Substanzerkenntnis führen kann, und gnostische Daseinshaltung darf nicht mit Gnosis verwechselt werden. Von gewissen Wesensbestimmungen her sind gewisse Ursprungs-bestimmungen sinnvoll. Die Ursprungsbestimmung von Gnosis hat das Moment ihrer Wahrheit darin, daß sie treu bleibt dem ihr komplementären Wesensbegriff.

---

[1]) Vgl. H. BLUMENBERG, *Epochenschwelle und Rezeption*, in *Philosophische Rund-schau*, 6, Heft 1/2, Tübingen 1958, 98, der dieses Bild dort analog gebraucht.

[2]) H. JONAS, *Gnosis und Spätantiker Geist*, Teil 1, *Die mythologische Gnosis*, Göttingen 3. Aufl., 1964, 90.

TOWARDS A DEFINITION OF GNOSTICISM [1]

BY

TH. P. VAN BAAREN

The Groningen working-group for the study of gnosticism, which was founded on my initiative, spent a few years trying to find a definition of gnosticism, or, at least, a description that could be theoretically valid and practically useful. In this it only partly succeeded; the most the members could agree upon was a list of characteristics to be found in most gnostic systems. For this purpose we found the list given by Heussi in his 'Kompendium der Kirchengeschichte' [2] extremely useful. The difficult question where exactly gnosticism begins and ends was not solved by the labours of this group. [3] Only afterwards has it occurred to me that the basis of our discussions was insufficiently clarified, i.e. the question whether gnosticism is a phenomenological or a historic complex. I personally am now convinced that all attempts to define gnosticism as a phenomenological complex must be doomed to failure; the only way of coming to a satisfactory definition is that of considering gnosticism as a historic complex belonging to a certain age and a certain place and forming part of a certain culture. This, of course, does not exclude foreign influences nor later modifications after the main stream had died out.

A. It is not possible to isolate one or a few elements as constituting *the* essentials of gnosticism. [4] Gnosticism as such is an organic

---

[1] The text has been rewritten to take account of the discussions and findings of the congress.

[2] K. HEUSSI, *Kompendium der Kirchengeschichte*, 10. Aufl. 1949, p. 51 s.

[3] Although the following is based on the discussions of the Groningen working-group for the study of gnosticism, the form in which it is given here and the extent to which various points are stressed, as well as the basic point whether gnosticism is to be considered as a phenomenological or a historic complex are my own personal responsibility and do not necessarily bind other scholars who formed part of this group.

[4] This has been demonstrated by Mr. Jonas in his paper. He rightly stressed the importance of the conception of knowledge in the gnostic sense, but nevertheless he accepts Marcion as a gnostic, although, as he says quite rightly again, Marcion did not share this concept. The congress has moreover made abundantly clear that about the question of the one essential element there is no communis opinio.

historic complex that cannot be satisfactorily analyzed simply by resolving it into its elements. The method of addition and subtraction does not work in the history of religions. A religion cannot be compared to a collection of coins to which one can add a few, or from which one can take some without causing some essential change. A religion, like a molecule, has a structure in which every element has only one possible place; add one, subtract one, or, even only change the place of some of the elements, and the result can be a decided and essential transformation. Gnosticism is what it is, because of the manner in which a considerable number of elements form together an organic whole, and because of the way in which every one of these elements functions in the whole complex. As such gnosticism is a unique historic phenomenon and can only be described as such.

The word gnosis may be used, as proposed by the congress, as a phenomenological or typological term to indicate a certain conception of knowledge, i.e. that conception which is found in gnosticism: gnosis is a concept, gnosticism is a historic form of religion. It does, however, not follow that anywhere where we encounter this conception of knowledge we have found a form of gnosticism. It is, moreover, a fallacy to speak of gnostic elements in describing elements found elsewhere which are found in gnosticism too, unless there is a demonstrable, or, at least, probable, historic relation, because, as said before, gnosticism is only partly determined by the elements it contains, but mostly by the way in which they function together forming an integrated whole.[1])

Phenomenology of religion has contributed much to the understanding of religion but it has also brought many misunderstandings in its wake; to mention one, it has tended to underestimate the extent to which religious complexes are culturally determined and as such not open for the phenomenological approach. This has led to many misunderstandings and even to completely mistaken views. So it has tended in the case of gnosticism to isolate the element of knowledge-that-brings-salvation as the essential characteristic and to speak of gnosticism everywhere where we encounter this element.

---

[1]) It is clear from this that the admirably learned contribution of Mr. LANCZ-KOWSKI, *Elemente gnostischer Religiosität in altmexikanischen Religionen*, in my opinion suffers from this confusion. The Polynesian religions, to give another example, show a well developed system of aeons (the gnostic term very well fits the matter), but this does not allow us to consider this a gnostic element in Polynesian religions.

This makes no sense whatever. The same goes for all elements encountered in gnosticism. Not all elements, if any, to be found in gnosticism can rightly be called gnostic elements.

Gnosticism is a historic development of the last centuries before and the first centuries after the beginning of our era, taking place in the countries surrounding the Mediterranean, roughly coinciding with the Roman Empire, and forming part of the syncretistic religious situation in this time and this place. It is, of course, of great importance to discover the historic sources of gnosticism, but not always, perhaps not very often, is this knowledge essential for our understanding of gnosticism as it is found in our sources, because history of religion teaches us that in many cases foreign elements are accepted only to be treated as part of the borrower's own religion with complete disregard or misunderstanding of their original significance and function. This then is a matter in which each instance has to be judged on its own merits and where no sweeping generalizations are feasible. Historically considered, gnosticism has many roots. I am not yet convinced by any theory deriving gnosticism mainly or even exclusively from one source. Iranian, Near Eastern, Greek, Judaic and Christian influences have all cooperated in the formation of gnosticism. Whether shamanism has any place in the 'Ahnengalerie' of gnosticism is, in my opinion, extremely doubtful. The differences between shamanism and gnosticism are too many and too essential to make this connection probable. Shamanism is rightly called after the person of the shaman without whom shamanism would not exist; no such person, comparable to the shaman, exists in gnosticism. The myth of the 'Himmelsreise der Seele' has been pointed out as related to the gnostic myth of the ascension of the soul. There is no doubt that there are resemblances, but again the differences are so fundamental as to exclude a fruitful comparison. To mention only two points: in shamanism the ascension of the soul (that is to say of one of the souls of the shaman) is an ecstatic experience. In gnosticism ecstatic experiences are extremely rare. In shamanism the soul ascends during the lifetime of the shaman and returns again, and the ascension serves a specialized purpose, e.g. to heal someone who is ill or to receive some item of useful knowledge about the prospects of hunting and fishing etc.; in gnosticism the ascension of the soul is placed after death and it forms a symbolic expression of the liberation of the spiritual part of man from the shackles of this material world.

As is often the case terminology is called in to assist in solving the remaining problems by finding words behind which we can hide our lack of knowledge. Three terms were mentioned during the congress: pregnosticism, protognosticism and gnosticoid. [1]) I doubt whether it is advisable to speak of pregnosticism, because on the one hand the first half of this term indicates that the phenomena thus described do not belong to gnosticism, while the second half of the term on the other hand suggests that they do. Protognosticism, on the contrary, is a convenient term to describe those early forms of gnosticism which have not yet arrived at the fully matured classic forms of the second century. A. D. Gnosticoid is quite frankly a word to hide our ignorance whether something is gnostic or not.

Some more confusion in the views on gnosticism is engendered by the uncertainty of purpose. It is of importance to realize clearly what question we want to put to the sources. In the main there are three different questions which can be put:

1. What did the gnostics believe?

2. Why did they believe this and how did they arrive at the views held?

3. What consequences did they draw from their beliefs in the fields of ritual, ethics and social life? Here we encounter a serious gap in our knowledge: the almost complete ignorance of the sociological aspects of the gnostic communities and of the social standing of the gnostics in their own surroundings.

The findings of the congress have also concentrated on the question of dualism. Here again I should like to offer a somewhat different point of view, thought it may be partly a question of a different terminology. The main points on which we ought to be clear on this point are, in my opinion, the following:

1. The difference between dualism and polarity.

2. The difference between psychological and ontological dualism.

3. The difference between dualism as occurring within the conception of the divine, and dualism as the opposition between the divine or the holy and the world and/or the anti-divine principle.

4. The difference between dualism as theodicy and dualism as an expression of 'taedium mundi', 'Weltverachtung'.

---

[1]) If my memory serves me rightly I was the first to coin this term at the congress.

It is clear, of course, that historic reality often shows us mixed types, but for purposes of analysis the points enumerated ought to be kept in mind.

B. If it is not possible, as I have tried to show, to reduce gnosticism to a short definition, the only thing we can do is to give a shorter or a longer list of characteristics of this religious complex. The following list, open to corrections and additions, may serve as an example:

1. Gnosis considered as knowledge is not primarily intellectual, but is based upon revelation and is necessary for the attainment of full salvation.

2. There is an essential connection between the concept of gnosis as it appears in gnosticism and the concept of time and space that is found there. It is probably permissible to say that gnosticism tends more to symbolization in space than to that in time (Frick).

3. Gnosticism claims to have a revelation of its own which is essentially secret. It has its own traditions and its literature which are generally secret too. In so far as it feels itself to be part of Christianity it also makes use of the christian revelation, tradition and literature, although in most cases the interpretation given differs from that of the church.

4. The Old Testament is usually rejected with more or less force. If not fully rejected it is interpreted allegorically. The same method of exegesis is as a rule chosen for the New Testament.

5. God is conceived as transcendent (here some difference of opinion is likely in so far as the term transcendent may be defined in different ways; but generally speaking, I think, this statement is valid). God is conceived as beyond the comprehension of human thought and at the same time as the invariably good. In some systems, at least, God is defined as the Divine Stranger. Usually, but not always, matter is conceived as opposed to God and as something uncreated by him and independent of him. Nearly always evil is inherent in matter in the manner of a physical quality. The cosmological opposition between God and matter is correlated with the ethical opposition of good and evil. God's transcendence may be qualified by the appearance of various beings intermediate between God and the Cosmos, usually called aeons. These beings are as a rule conceived as divine emanations.

6. The world is regarded with a completely pessimistic view. The cosmos was not created by God, but, at most, it is the work of a demiurge who made the world either against God's will, or in ignorance of it. The material world is the result of either sinful desires or of an unfortunate accident. In some cases the demiurge, who belongs to the already mentioned intermediate beings, can acquire the character of a devil.

7. In the world and in mankind pneumatic and material elements are mixed. The pneumatic elements have their origin in God and are the cause of the desire to return to God. Gnostic pessimism is never so extreme as to exclude the desire for and the possibility of salvation.

8. Human beings are divided into three classes, according to whether they have gnosis or not. The pneumatics, who possess full gnosis, are by their nature admitted to full salvation. Those who have only pistis, may at least attain a certain degree of salvation. Those who are fully taken up with the material world have no chance of salvation at all.

9. Gnosticism makes a clear difference between pistis and gnosis.

10. The essentially dualistic world-view leads as a rule to an extremely ascetic system of ethics, but in some cases we find an 'Umwertung aller Werte' expressed in complete libertinism.

11. Gnosticism is a religion of revolt. [1]

12. Gnosticism appeals to the desire to belong to an elite.

13. In connection with the basic dualism there is a strong tendency to differentiate between the Heavenly Saviour and the human shape of Jesus of Nazareth. This has led to varying solutions of which docetism is the most prominent one.

14. In most systems Christ is regarded as the great point of reversal in the cosmic process. As evil has come into existence by the fall of a former aeon, so Christ ushers in salvation because he proclaims the unknown God, the good God who had remained a stranger until that moment.

15. In connection with the person of the saviour we often find the conception of the salvator salvatus or salvandus. [2]

---

[1] This point was very much stressed by Mr. Jonas.
[2] This point was raised by Mr. Colpe who considers it essential.

16. In connection with the basic dualism salvation is usually conceived as a complete severing of all ties between the world and the spiritual part of man. This is exemplified in the myth of the ascension of the soul.

DISCUSSION

Colpe: Indique sur la sociologie gnostique une diss. inédite d'Heidelberg, par H. Kaft, et un essai sur la communauté chrétienne de Rome [les valentiniens aussi] par H. Langerbeck.

Ringgren: Your definition is to a certain extent phenomenological and not strictly historical. For what we know historically is but a great number of gnostic groups, which we might perhaps define as manifestations of a gnostic mood, or attitude.

Van Baaren: I personally am not very keen on using the word „phenomenological", but that does not mean that it is not possible and feasible to come to certain conclusions by the way of comparison between more or less related groups; and I think that is the way these points were assembled, not phenomenologically viewing gnosticism as a whole.

Bianchi: Une définition du gnosticisme, brève et dont les éléments s'impliquent, est-elle possible?

Van Baaren: A short definition is not really possible, in my opinion; we will have to give a rather long description of what gnosticism, even 2nd cent. gnosticism is.

Prümm: Wenn es um die Frage der Soziologie der Gnosis geht, da müsste sehr das Verhältnis von Gnosis und Mysterien herangezogen werden. Wir haben das interessante Phänomen aus der Blütezeit der Gnosis selbst als Seitenstück, mit der Orphik.

Es gibt eine wirklich numerisch relativ stark besetzte Orphische Klasse in der klassischen Zeit des Griechentums, zur Zeit Platos und kurz vorher noch mehr, und dann läuft die Orphik unterirdisch weiter, und was wir haben an Resten orphischer Schriften, das sind mehr individuelle Erzeugnisse als von einer Gemeinschaft getragene Religionsbekenntnisse. Und wenn wir ein solches Analogon haben, dann stellt sich für die Gnosis ein ganz ähnliches Problem. Und so dürfen wir uns nicht dupieren lassen als ob hinter allen diesen Schriften, wenn sie sich auch als Träger einer besonderen Sekte einführen, sich eine besondere Gruppe nachweisen laße. Soweit die Kirchenväter uns das bestätigen, haben wir eine Kontrollinstanz.

Eines der ganz wenigen archäologischen orphischen Überreste ist die sogenannte „Orphic Bowl". Ich habe mit Delbrück selbst darüber gesprochen. Er hielt diese Schale für vielleicht gnostisch, und zwar „ophitisch". Es ist eine so eigenartige Szene: sämtliche Kultteilnehmer nackt und in der Mitte eine Schlange als Kultzentrum. Und hier haben wir also ein Dokument daß es einen solchen orphischen Kult gegeben hat, vielleicht orphisch-gnostisch. (Leider sind die Erwerbsumstände dieser Schale sehr geheimnisvoll.)

Bianchi: On doit aussi considérer les sectes gnostiques du Moyen Age, qui pourraient donner un bon analogon pour ce qui est des sectes gnostiques du monde antique. On aurait là des documents plus spécifiques pour la sociologie.

ZUR DEFINITION DER GNOSIS

in Rücksicht auf die Frage nach ihrem Ursprung

VON

SASAGU ARAI

Unsere Frage nach dem Ursprung der Gnosis hängt m.E. von der Definition des Begriffs „Gnosis" ab. Ich möchte im folgenden versuchen, diesen Begriff näher zu bestimmen, um somit unsere Frage an einigen Punkten zu erhellen.

I

Für die Gnosis sind folgende drei Wesenszüge kennzeichnend:

1. Die Erlösung als Selbsterkenntnis, in der sich die Vereinigung des Selbst mit dem Göttlichen substanziell vollzieht. Der berühmten Formel „Woher man gekommen sei und wohin man gehe" ist die Selbsterkenntnis der Konsubstanzialität zugrundezulegen, da die Formel als solche auch ohne diese Selbsterkenntnis vorhanden sein kann, wie es z.B. in den Qumran-Schriften der Fall ist [1]. Das Motiv der substanziellen Selbsterkenntnis ist aber sowohl in der Gestalt unserer Formel als auch in der Wendung von der „Sammlung der Seele" oder des „eigentlichen Selbst" schon in vorchristlicher Zeit weit verbreitet, und kann nicht nur in der mythischen Form, sondern auch philosophisch dargestellt, sogar auf Platon zurückgeführt werden [2]. „Platonisch" heißt jedoch noch nicht „gnostisch". Unter „Gnosis" verstehe ich eine Frömmigkeit, deren Hauptziel zwar Selbsterkenntnis ist, die aber durch eine streng substanziell-dualistische Denkweise gekennzeichnet ist.

2. Der strenge Dualismus mit substanziellem Gepräge. Der strenge Dualismus als solcher stammt aus der iranischen, bzw. zoroastrischen Religion. Das kann man heute umso sicherer mittels der Nag-

---

[1] Siehe z.B. 1QS 11, 21 f.; 1QH 4, 29 ff.; 10, 3 f.; 12, 24 ff. 31; 1QHFr 2, 4; 3, 14; 4, 11.

[2] Vgl. H.-Ch. Puech, in: Hennecke-Schneemelcher, *Neutestamentliche Apokryphen*, 3. Aufl., Tübingen 1956, S. 196. Vgl. Auch A. Wlosok, *Laktanz und die philosophische Gnosis*, Heidelberg 1960, S. 33 ff.

Hammadi-Schriften bestätigen, da sich darin „Zoroaster" großer Beliebtheit erfreut [1]). Die iranische Denkweise hat sowohl die jüdische, bzw. die qumranische beeinflußt. Außerdem spielt ausgerechnet im Qumran-Text das Motiv der Erkenntnis eine große Rolle [2]). Doch dürfen wir daraus noch nicht allzu schnell schließen, daß die Qumran-Texte gnostisch sind, da hier weder das Motiv der Selbsterkenntnis im Sinne des oben angeführten ersten Wesenszuges noch der substanzielle Dualismus vorhanden sind. Der qumranische Dualismus ist zwar sehr scharf ausgeprägt, hat aber keine substanziell-materiellen, sondern ausgesprochen ethische Züge [3]). Jedenfalls kann aus dem scharf substanziellen Dualismus eine mythische Kosmogonie und Anthropogonie folgen, z.B. die unbekannte Gottheit, die Präexistenz der Seele, der Bruch in der Gottheit, der Fall der Seele, die Lüsternheit der Materie und die Weltverneinung. Der Gnostiker will also — im Unterschied zu Platon — unter Verzicht auf seine menschliche Verstandesarbeit von der Gottheit durch einen „Offenbarer" oder „Erlöser" sein eigentliches und sogar göttliches Selbst als „gerufen", „gesammelt" und sich mit diesem „vereinigt" verstehen.

3. Enthüllung der Gottheit durch einen Offenbarer oder Erlöser. Was den von Gott gesandten Offenbarer betrifft, können wir diesen sowohl im iranischen als auch im jüdischen Bereich leicht ausfindig machen. Aber die Frage, ob es eine vorchristliche Erlösergestalt gegeben hat oder nicht, ist heute sehr umstritten. Ich habe schon festgestellt, daß die Erlösergestalt Christi im Evangelium Veritatis sekundär ist [4]). Das gilt m.E. auch für das Apocryphon Johannis und die titellose Schrift aus Codex II [5]). Das bedeutet aber nicht —

---

[1]) Der „Zoroaster" kommt in den Nag-Hammadi-Schriften nicht nur im Titel einer Schrift (nämlich Codex IX nach der Klassifizierung von Puech) vor, sondern der Verfasser des Apocr. Joh. nennt den Titel „ΛΟΓΟϹ ΖΩΡΟΑϹΤΡ[ΟΥ]" (II: 19, 10; IV: 29, 19).

[2]) Vgl. W. D. DAVIES, „Knowledge" in the Dead Sea Scrolls and Mt. 11, 20-30, HThR 46, 1953, S. 113 ff. F. NÖTSCHER, Zur theologischen Terminologie der Qumran-Texte, Bonn 1956, z. St. Vgl. jetzt auch die Beiträge zum ICOG (Abkürzung von Colloquio Internazionale sulle Origini dello Gnosticismo) von H. Ringgren und M. Mansoor.

[3]) Zum ethischen Dualismus der Qumran-Schrift im Unterschied zum materiellen Dualismus der Gnosis vgl. K. G. KUHN, Die Sektenschrift und die iranische Religion, ZThK 49, 1952, S. 296 ff. DERS., Johannesevangelium und Qumran-Texte, in: Neutestamentica et Patristica, Leiden 1962, S. 116 f.

[4]) S. ARAI, Die Christologie des Evangelium Veritatis, Leiden 1964, S. 120 f.

[5]) Die Belege dafür sind folgende: Zum Apocr. Joh.: (1) Sehr auffallend ist II: 30, 11 ff., wo σωτήρ (= Christus) plötzlich erscheint und sich der πρόνοια gleichsetzt, die aber im Hauptteil des Apocr. Joh. (2, 26-30, 11) die Bezeichnung

wie G. Quispel meint [1]) —, daß die Erlösergestalt in der Gnosis erst unter dem Einfluß des Christentums entstanden sei. Gerade in den ebengenannten beiden Schriften, in denen σωτήρ oder λόγος sekundär erscheinen, können wir diejenigen Gestalten, die auch die Rolle eines Erlösers spielen, ausfindig machen, wie z.B. σωτήρ-Barbelo (II: 19, 14 ff.; 29, 1 ff.), bzw. ἐπίνοια-Helfer-ζωή (20, 14-28; 28, 1-5) im Apocr. Joh., oder den Licht-Menschen, bzw. Sophia-ζωή, den Unterweiser (163, 30 ff.; 165, 28-166, 2) [2]). Diese Gestalten könnten vorchristlich sein, zumal sie gerade in denjenigen Stellen, die wir für einen christlichen Einschub hielten, dem σωτήρ oder λόγος funktionell gleichgestellt worden sind. In diesem Zusammenhang müssen wir jetzt die Apokalypse des Adam aus Codex V in Betracht ziehen, da φωστήρ, der dort als Erlöser vorkommt, mit Christus nichts zu tun zu haben scheint [3]). Außerdem wird es klar, daß die

---

für den „ersten Menschen" Barbelo war (5, 16-18; 6, 3-5). Vgl. dazu jetzt die Beiträge zum CIOG von G. MacRae, S. 2, S. 26 (Anm. 6) und von M. Krause, S. 42 (Anm. 8). (2) II: 30, 11-31, 25 scheint eine christliche Bearbeitung von BG 75, 10-13 zu sein. Gegen S. Giversen, *Apocryphon Johannis*, Copenhagen 1963, S. 272 f. (3) Nach III: 24, 2-3 hat „Großvater" „vier Lichter", aber nach II: 19, 19 und IV: 30, 1 „fünf Lichter", und nach BG 51, 9 den „Autogênes und vier Lichter" gesandt. III: 29, 23 scheint dann ursprünglicher zu sein als II: 19, 19; IV: 30, 1 und BG 51, 9, in denen „Autogênes" genannt, oder wenigstens vorausgesetzt worden ist. (4) III: 7, 9-11, wo unerwartet das „Wort" vorkommt, durch das Christus Autogênes das All geschaffen hat, kann christlicher Einschub sein. Vgl. S. Giversen, a.a.O. S. 174. Meine These, die Christologie des Apocr. Joh. sei sekundär, wird voraussichtlich in der Festschrift für E. Stauffer, die im Frühjahr 1967 erscheinen wird, ausführlich behandelt werden. Zur titellosen Schrift aus Codex II: Die Abschnitte 151, 32-152, 6 und 171, 24-173, 32 stören die literarische Einheit, da hier Christus oder Logos wider Erwarten erscheint. Diese Stelle wäre dann auch eine christliche Interpolation. Vgl. dazu Böhlig-Labib, *Die koptische-gnostische Schrift ohne Titel aus Codex II von Nag-Hammadi*, Berlin 1962, S. 30, 49 f.

[1]) G. Quispel, *Der gnostische Anthropos und jüdische Tradition*, Eranos Jahrb. XXII, 1953, S. 223 f. Ders., *The Jung Codex and its Significance*, in: The Jung Codex, London 1955, S 78, angenommen von E. Schweitzer, *Erniedrigung und Erhöhung bei Jesus und seinen Nachfolgern*, Zürich 1955, S, 157, 161 f. R. McL. Wilson, *The Gnostic Problem*, London 1958, S. 78, 218 ff., 254, 256.

[2]) Zur Sophia als Erlöserin vgl. die Beiträge zum ICOG von J. Zandee und U. Bianchi, III, S. 9 f. Vgl. dazu auch C. Colpe, *Die religionsgeschichtliche Schule*, Göttingen 1961, S. 207, Anm. 2: „die Verbindung des Erlösers mit der Sophia". Zum ganzen vgl. M. Krause, *Das literarische Verhältnis des Eugnostosbriefes zur Sophia Jesu Christi. Zur Auseinandersetzung der Gnosis mit dem Christentum*, in: *Mullus*, Münster 1964, S. 223.

[3]) Vgl. Böhlig-Labib, *Koptisch-gnostische Apokalypsen aus Codex V von Nag-Hammadi*, Halle-Wittenberg 1963, S. 90 ff. A. Böhlig, *Die Adamapokalypse aus Codex V von Nag-Hammadi als Zeugnis jüdisch-iranischer Gnosis*, OrChr 48, 1964, S. 44-49.

Erlösergestalten nicht nur im Mandäismus sondern auch im Manichäismus vor- oder wenigstens nicht-christlich sind [1]). Hier ist die
Frage weiter zu diskutieren, ob die Idee des iranischen „salvator
salvatus" als das Zentraldogma der Gnosis charakterisiert werden
darf (G. Widengren) [2]) oder ob die Bezeichnung für gnostische
Erlösergestalt „salvator salvandus" sachgemäßer als „salvator salvatus" ist und der erstere mit dem letzteren, bzw. dem iranischen,
nicht zu tun hat (C. Colpe) [3]). Wenn die Meinung von Widengren
richtig wäre, müßten wir ohne weiteres in vorchristlicher Zeit die
gnostische Erlösergestalt, also einen „erlösten Erlöser" annehmen [4]).
Jedenfalls dürfte eine sachgemäße Entscheidung der Frage, ob die
gnostische Erlösergestallt vor- oder nachchristlich ist, erst mit der
Edition sämtlicher Nag-Hammadi-Schriften möglich sein.

II

Unter dem Begriff „Gnosis" verstehe ich also einige Gruppen und
deren Lehrsystem in der spätantiken Religionsgeschichte, die inhaltlich von den obengenannten drei Wesenszügen bestimmt sind. Und
diese können wir von den anderen Religion ableiten, also von den
griechischen, iranischen und jüdisch-christlichen Religionen. Die
Gnosis ist deshalb eine ausgesprochen synkretistische Religion, deren
Wesenszüge im einzelnen von den anderen Religionen ableitbar sind.

Das ganz „Neue" in der Gnosis ist aber das, was ihre verschiedenen
Wesenszüge miteinander verschmelzen ließ, nämlich eine dahinter-
liegende anthroposophische und antikosmische „Daseinshaltung"
(H. Jonas) oder „Geisteshaltung" (U. Bianchi) [5]). Diese gnostische
Haltung bringt eine Seinsdeutung hervor, die notwendigerweise eine
transzendente Gottheit und den von dieser gesandten Erlöser postu-

---

[1]) Vgl. K. RUDOLPH, *Die Mandäer I*, Göttingen 1960, S. 167 ff. C. COLPE, *Die
Thomaspsalmen als chronologischer Fixpunkt in der Geschichte orientalischer Gnosis, JAC*
7, 1964, S. 92 f.

[2]) Vgl. den Beitrag zum ICOG [= diesem Colloquium] von G. WIDENGREN,
S. 45 ff.

[3]) C. COLPE, *Die religionsgeschichtliche Schule*, die von Widengren, a.a.O., angeführten Stellen. Vgl. auch den Beitrag zum ICOG von COLPE, S. 16.

[4]) Hierzu sei bemerkt, daß K. Rudolph in seinem jüngst erschienen Buch
„*Theogonie, Kosmogonie und Anthropogonie in den mandäischen Schriften*", Göttingen
1965, bes. S. 278, Anm. 2, nicht mehr den Ausdruck „salvator salvatus", sondern,
die Terminologie von Colpe annehmend, „salvator salvandus" gebraucht,
obwohl der erstere, *nicht* wie der letzter, die Verbindung zwischen der gnostischen,
bzw. mandäischen Erlösergestalt und dem iranischen Anthropos-Mythos ablehnt.

[5]) H. JONAS, *Gnosis und spätantiker Geist I*, 3. Aufl., Göttingen 1964, S. 80.
U. BIANCHI, *Probleme der Religionsgeschichte*, Göttingen 1964, S. 38.

liert, durch dessen „Ruf" der Mensch seine Konsubstanzialität mit
der Gottheit erkennt und somit sich von der Welt erlöst weiß. Diese
objektivierende Seinsdeutung läßt damit einen gnostischen Kunstmythos entstehen, der im ganzen — im Unterschied vom archaischen
Mythos — keine eigene Traditionskette hinter sich hat [1]). Diese
gnostische Daseins- oder Geisteshaltung an sich ist nicht religionsgeschichtlich ableitbar [2]); sie ist vielmehr dazu geneigt, in den
verschiedenen Religionen und Philosophien, die ihre eignen „Denkstrukturen" haben [3]), in Erscheinung zu treten, ihre Texte zu interpretieren, und somit eine gnostisierende Seinsdeutung, Weltanschauung oder Ideologie zu vertreten, die man z.B. außer der Gnosis in
unserem Sinne in gewissen Stadien der Geschichte des Zoroa-
strismus, des Hinduismus, des Buddhismus [4]) und vielleicht auch des
Taoismus [5]) ausfindig machen kann. Diese gnostisierende Ideologie
möchte ich — im Unterschied von der Gnosis — den „Gnostizismus"
nennen, da dieser zwar vom ersten Wesenszug der Gnosis, nämlich
von der Selbsterkenntnis als Heilsmittel, bestimmt ist, aber wegen
der verschiedenen Denkstrukturen nicht immer von den anderen zwei
Wesenszügen mitbestimmt werden kann. Außerdem ist der Gnostizismus eine nicht an Zeit und Ort gebundene religiöse Ideologie, die
eine gnostisierende Bewegung hervorruft, während die Gnosis eine an
Zeit und Ort der Spätantike gebundene religiöse Erscheinung ist [6])

---

[1]) Vgl. den Beitrag zum ICOG von A. BRELICH, S. 12-14.

[2]) Vgl. den Beitrag zum ICOG von R. HAARDT, S. 12 ff.

[3]) Vgl. den Beitrag zum ICOG von E. v. IVANKA, S. 5.

[4]) Vgl. die Beiträge zum ICOG von A. BAUSANI, G. PATTI und E. CONZE.

[5]) Z.B. im Chen Kao des Tao Hung-Chin im 5. Jahrhundert. Vgl. NEEDHAM-
LING, *Science and Civilization in China* II, Cambridge 1962, S. 158. Wir müssen aber
mit Vorsicht vom „Gnostizismus" im Taoismus reden, zumal die Kenner wie
NEEDHAM und LING, a.a.O., S. 162, den Taoismus im allgemeinen „agnostic
naturalism" nennen.

[6]) Nach WILSON, *Postscripta* zu seinem Beitrag zum ICOG, S. 12 und BIANCHI,
Beitrag zum ICOG, I S. 5, Anm. 1 sind meine Termini „Gnosis" und
„Gnostizismus" gerade „umgekehrt". Diese Hinweise sind insofern völlig richtig,
als man die Gnosis für erlösende Erkenntnis und den Gnostizismus für deren
Lehrsystem hält. Ich glaube aber, daß wenigstens auf dem deutschsprachigen
Gebiet die Terminologie „Gnosis" heute noch fließender ist, als eben genannte
Professoren meinen. Ich darf hier einige Beispiele anführen: (1) Wenn einige
Gnosisforscher wie z.B. W. FOERSTER und H.-M. SCHENKE vom „Ursprung der
Gnosis" (in: *Christentum im Niltal*, Recklinghausen 1964, S. 124-130) oder von den
„Hauptproblemen der Gnosis" (in: *Kairos* VII, 1965, S. 114-123) reden, verstehen
sie unter dem Begriff „Gnosis" einige bestimmte Gestalten, Gruppen und An-
schauungen der spätantiken Religionsgeschichte, nämlich den „gnosticism"
im Sinne von Wilson und Bianchi. (2) In der deutschen Übersetzung des Buches
„Problemi di storia delle religioni" von Bianchi scheint mir, das italienische Wort

Erst mit der obengenannten Definition der Gnosis dürften wir auf die Frage nach ihrem Ursprung eine klarere Antwort geben können.

Was eine gnostisierende Bewegung in spätantiker Zeit betrifft, so können wir als sicher feststellen, daß diese vor dem Christentum schon weit verbreitet war, etwa in der griechischen, iranischen und jüdischen Religion. Aber eine religiöse Athmosphäre, in der die drei Merkmale zusammenzutreffen beginnen, wäre am klarsten im hellenistischen heterodoxen Judentum, bzw. im Bereich der pseudo-epigraphischen, mystischen Apokalyptik zu finden, wie es schon von G. G. Scholem festgestellt und auch von G. Quispel, R. M. Grant, R. Mcl. Wilson, H.-M. Schenke u.a. mutatis mutandis behauptet worden ist [1]).

Aber das Problem des Ursprungs der gnostischen Religion hängt von der Frage ab, wo und wann die drei oben genannten Merkmale in einer bestimmten Religion miteinander verschmolzen erscheinen. Diese Religion hätte wohl am Rande des Judentums entstehen können, da Gnostisches ausgerechnet dort vorhanden war. In der Tat sind die Urmandäer am Jordanufer [2]) und die Simonianer in Samalien die ältesten Gnostiker gewesen [3]) .Dann wäre es schwer zu

---

„gnosticismo" auf den deutschen Begriff „Gnosis" übertragen worden zu sein; so zum Beispiel in dem Satz: „Die Gnosis war eine Bewegung von universaler Aufgeschlossenheit" (S. 40) u.a. In diesem Buch kommt außerdem das Wort „Gnostizismus" überhaupt nicht vor. (3) Wilson schreibt in seinem Buch „The Gnostic Problem" folgendes: „Gnosticism is an atmosphere, not a system; it is a general atmosphere of the period and affects to some extent all the religions and philosophies of the time" (S. 261). Müßte Wilson selber hier anstatt des Wortes „gnosticism" „gnosis" schreiben, wenn er eine gnostische „atmosphere" mit dem Terminus „gnosis", nicht „gnosticism" bezeichnen möchte? — Ich habe also eine bestimmte Gestalt des Gnostizismus — im Unterschied zu Bianchi — „Gnosis" genannt, um somit zu vermeiden, die gnostische „Daseins —" oder „Geisteshaltung", die *allein* nicht die „Gnosis" ausmacht, mit dieser zu verwechseln (Vgl. den Beitrag von HAARDT zum ICOG, S. 17) und in den nicht-gnostischen Texten — deren Kontext abstrahierend — eine „Gnosis" zu postulieren (vgl. die Beiträge zum ICOG von Wilson, S. 18 f.; A. J. Klijn, S. 4 f.; H.-J. Schoeps, S. 10).

[1]) G. G. SCHOLEM, *Major Trend in Jewish Mysticism*, New York, 2. Aufl. 1946, 3. Aufl. 1954. DERS., *Jewish Gnosticism, Merkabah Mysticism and Talmudic tradition*, New York, 1960. G. QUISPEL, a.a.O. R. M. GRANT, *Gnosticism and Early Christianity*, Oxford 1959. H.-M. SCHENKE, *Das Problem der Beziehung zwischen Judentum und Gnosis*, Kairos II, 1955, S. 133: „Dieser ganze nicht offizielle Bereich des Judentums dürfte der Boden sein, auf dem die Gnosis Fuß fassen konnte und Fuß gefaßt hat".

[2]) Vgl. K. RUDOLPH, *Die Mandäer I*, S. 62-66.

[3]) Die These von K. ADAM, *Die Psalmen des Thomas und das Perlenlied als Zeugnisse vorchristlicher Gnosis*, Berlin 1959, daß die manichäischen Thomas-Psalmen als Zeugnisse vorchristlicher Gnosis gelten, wurde vor allem durch A. F. KLIJN,

behaupten, daß es die gnostische Religion schon vor Entstehung des Christentums gegeben habe, da weder Urmandäer noch Simonianer vor der Mitte des ersten Jahrhunderts nach Christi Geburt irgendwo Spuren hinterlassen haben. Allerdings wäre es auch irreführend zu sagen, daß die Gnosis erst nach dem Christentum, und zwar unter dessen Einfluß entstanden sei, weil mir scheint, daß wenigstens die Urmandäer und ihre Mythologie mit dem Christentum nichts zu tun haben [1]).

Wenn es sich so verhält, dann dürften wir die These vertreten, daß es gnostisierende Atmosphäre schon *vor* dem Christentum im Bereich des hellenistischen Spätjudentums gegeben hat, aber die gnostische Religion *neben* dem Christentum an Rande des heterodoxen Spätjudentums entstanden ist.

DISKUSSION

Colpe: Ich möchte auf die Fragen, die Herr Arai gestellt hat, folgendes antworten:

Ich meine nicht, daß der „salvator salvandus" und der „salvator salvatus" nichts miteinander zu tun haben; ich glaube, daß der „salvator salvatus", wenn man den Begriff genau nimmt, nur in einem Mythus möglich ist, allerdings aufgrund einer vorausgehenden „Salvator-salvandus-Konzeption". „Salvator salvatus": der „Erlöser, der erlöst worden ist" — das setzt eine Geschichte voraus, wie sie in einem gnostischen Mythus erzählt wird, wo es ein Stadium gibt, wo der Erlöser erst erlöst werden muß, und wo dann der Mythus erzählt, wie er tatsächlich erlöst worden ist. Ich glaube deswegen, daß die „Salvator-salvatus-Vorstellung", die überdies noch in mehrfachem Sinne verstanden werden kann, jünger ist als die „Salvator-salvandus-Vorstellung". „Salvator salvandus" bedeutet einfach einen Erlöser, der erlöst werden muß; das ist eine Spannung innerhalb eines Geistbegriffes [2]). Es ist aber vorauszusetzen, daß dieser Geistbegriff in sich gespalten ist. Es handelt sich also bei dem Dualismus, von dem wir sprechen, nicht um einen Dualismus Geist-Materie, oder Licht-Finsternis — zwar auch um all dieses — aber doch primär um einen Dualismus Geist-Geist oder Selbst-Selbst, bei dem die eine Hälfte in der lichten Geistwelt ist und die andere in der finsteren materiellen Welt.

Wenn man diesen Begriff voraussetzt, kann man auch die beiden Wörter benutzen. Ich möchte mich von den Arbeiten von Professor Widengren auf diejenige beziehen, die „The Great Vohu Manah and the Apostel of God" behandelt. Diese scheint mir dem hier angeschnittenen Problem wesentlich näher zu kommen als das, was er über Gajōmart ausgeführt hat. Es handelt sich bei Vohu Manah ganz ohne Zweifel um einen solchen Selbst- oder Geistbegriff, der ja auch im manichäischen Begriff Manuhmed seine Nachgeschichte hat. Ich weiß nur nicht, ob Vohu Manah bereits in sich so gespalten ist, daß man hier von einem „salvator

---

The Acts of Thomas, Leiden 1962, S. 274 ff., bestritten. Vgl. auch H.-M. Schenke, *Kairos* II, S. 121.

[1]) Rudolph, a.a.O., S. 101-118. Ders., *Theogonie, Kosmogonie und Anthropogonie. . .*, S. 273 f., bes. 275 f. Anm. 4.

[2]) Den man sehr oft „Selbst" genannt hat.

salvandus" reden kann; das wäre eine Frage, um deren Beantwortung ich Herrn Professor Widengren bitten würde. Was nun die Chronologie dieser Dinge anbelangt, so ist sowohl „salvator salvandus", als auch „salvator salvatus" grundsätzlich natürlich vorchristlich möglich. Es gibt keinen Grund, warum man das Christentum dafür in Anspruch nehmen soll, um aus der „Salvator-salvandus" Konstruktion eine „Salvator-salvatus" Konzeption zu machen. Ich möchte sogar soweit gehen zu sagen, daß das im Falle des Simon Magus bereits geschehen ist. Das ist vom Christentum ganz unabhängig; zufällig ist es in der Zeit geschehen, in der die Apg. ihre Redaktion erhielt. Es konnte aber auch eher geschehen sein, womit gesagt ist, daß die Frage, ob vorchristlich oder nachchristlich, prinzipiell ohne Belang ist. Genauso habe ich es gesagt in meinem Aufsatz über die Thomaspsalmen als chronologischen Fixpunkt in der Geschichte der orientalischen Gnosis; in der komplexen Bewegung des Manichäismus und des Mandäismus, die ich in diesem Zusammenhang einmal als eine nehmen darf, sind Erlösergestalten aufgrund von wirklich historischen Propheten entstanden.

KÁKOSY: Ich bin einverstanden mit dem ersten Punkt des Vortrages, daß die Idee der Vereinigung der Seele auf Platon zurückgeführt werden muß; ich muß aber auch hinzufügen, daß diese Vereinigung nicht nur im Platonismus und Neuplatonismus, sondern auch in den hermetischen Schriften eine hervorragende Rolle spielt. Das Endziel der Menschen ist hier θεωθῆναι: Gott zu werden. Das wird zum Beispiel im „Poimandres" ausgesprochen. Diese Gedanken werden im berühmten Seelenhymnus ausgearbeitet, wo die menschliche Seele Raum und Zeit durchfliegen und alles erkennen kann.

ARAI: Ich möchte Herrn Professor Widengren bitten, über seine These vom Erlöser in Bezug auf die These von Professor Colpe zu sprechen.

WIDENGREN: Also, ich habe den Terminus „erlöster Erlöser" gebraucht, weil es sozusagen ein eingebürgerter Terminus ist. Aber natürlich hat Professor Colpe an sich vollkommen recht, das Finale der Erlösung steht noch aus, darum habe ich gar nichts dagegen, daß, wenn man es wünscht, also anstatt „der erlöste Erlöser" — „der erlöste und der zu erlösende Erlöser" sagt.

COLPE: Inwiefern ist Vohu Manah ein erlöster Erlöser?

WIDENGREN: Wenn man von dem Begriff „vahman vazurg" und „manvahmed vazurg" im Manichäismus ausgeht, dann ist natürlich Vohu Manah, d.h. also in mittelpersischer Sprache „vahman vazurg", eine Erlösergestalt, die immer noch erlöst werden muß. Vohu Manah benütze ich sozusagen als Hintergrund dieses manichäischen Begriffes und habe also Vohu Manah mit dem Mahātman, also dem großen Hauptmann in den oberen Scharen verglichen. Aber wir wissen immer noch ziemlich wenig über Vohu Manah, und Ihre Frage hat mir sozusagen ein Problem gestellt.

CLOSS: Ich habe die Ennoia mit der Sophia zusammengestellt, ohne zu meinen, daß sie sich in jeder Hinsicht entsprechen. Ich bin nicht einmal der Ansicht, daß die Ennoia nur nachträglich historisiert sei, was manche vermutet haben. Doch die Deutung, die die Helena des Simon Magus durch diesen Namen erfährt, erfolgt im Sinne des Mythus der erlösungsbedürftigen und erlösten Frau, mithin der Vorstellung vom Erlöser, wie sie für die synkretistische Gnosis charakteristisch ist. Sie gehört zum weiblichen Typ, den Jonas als das Gegenstück der männlichen Erlösergestalt des Gnostizismus dem erlösten oder zu erlösenden Erlöser kategorial zugeordnet hat.
Von solchen Lichtjungfrauen, die nicht in die Finsternis verstrickt sind und

denen in gewisser Hinsicht in Alt-iran die Čistay und die Ašay (Ṛtiš) im Mazdaismus entsprechen, unterscheidet sich die Ennoia durch ihre dämonische Einkerkerung. Eine Wurzelform für einen solchen Typ, wie er sonst am deutlichsten
durch die Sophia repräsentiert wird, gibt es in Altiran nicht, allerdings auch nicht
unmittelbar, wie Prof. Colpe in der Kritik der religionsgeschichtlichen Schule,
am deutlichsten bei der Auseinandersetzung über den Urmensch Gayōmart
bewiesen hat, für den männlichen Typ. Auch er läßt sich nicht aus einer bloßen
Weiterbildung, sondern höchstens aus einer Umgestaltung erklären, für die die
Entstehung eines dem Mazdaismus geradezu entgegengesetzten Weltgefühls,
nämlich dem Weltpessimismus, die Voraussetzung gewesen wäre. Diese war zwar
im Zerwanismus, wenigstens in der Partherzeit, schon gegeben, jedoch zeigen sich
auch in den spätesten Quellen dieser Richtung noch keine Spuren einer solchen
Umwandlung der Vorstellung vom Urmenschen und auch sonst nicht im Sinne
eines Erlösungsdenkens.

DIE „ERSTEN GNOSTIKER" SIMON UND MENANDER

WERNER FOERSTER

Simon von Gitta und Menander von Kapparetaia werden von den Kirchenvätern als die ersten Gnostiker bezeichnet, von denen alle anderen Gnostiker sich ableiteten [1]. Haben sie etwas, was diese Qualifizierung rechtfertigt?

Nun ist die Gestalt Simons so umstritten, die Quellen so fragwürdig, dass es fast aussichtslos erscheint, zu sicheren Schlüssen zu gelangen [2]. R. M. Grant hält den historischen Simon vielleicht für den Ta'eb der Samaritaner [3]. Oder war er ein Magier mit besonderen Praktiken? [4]. Er treibt ja Nekromantie [5], fliegt zum Himmel [6] oder läßt sich selbst lebendig begraben [7], und das Hauptmerkmal gnostischer Bestimmtheit, die Verbindung Simons mit Helena, läßt sich religionsgeschichtlich als Hinzufügung späterer Simonianer verstehen [8]; so fällt es auch auf, dass in den Pseudo-Clementinen die Gestalt der Helena erwähnt wird, ohne dass sie im weiteren Bericht eine Rolle spielt [9]. Aber diese Beschränkung des Bildes Simons auf ungnostische Züge scheint mir unmöglich. Denn es ist ganz unerklärlich, wie Simon zum Vater der (christlichen) Gnostiker gewor-

---

[1] Z.B. Justin, *Apol.* 1 26, 6; Irenäus, *Haer.* I 23, 2.4; Euseb., *hist. eccl.* II 13, 6.

[2] Das ist die Ansicht von E. de Faye, *Gnostiques et gnosticisme* 1925, S. 429-432 und von H. Leisegang, *Die Gnosis* ⁴1955, S. 83: „Alle geschichtlichen Angaben (über Simon) sind unsicher. . .".

[3] R. M. Grant, *Gnosticism and Early Christianity*, 1959, S. 70-96: der Bericht des Irenäus und Hippolyt ist ein späteres Stadium.

[4] In den Pseudo-Clementinen sind sie besonders beschrieben: *Recogn.* II 9; III 46.

[5] Pseud.-Clemens, *Hom.* II 96; Rec. II 13; Tertullian, *de anima* 57.

[6] Ps.-Clem., *Rec.* III 46; *Act. Vercellenses* 31 f.

[7] Hippolyt, *Refut.* VI, 20.

[8] Grant, *Gnosticism* S. 76 ff. Schon vorher ist die These, Helena sei Isis und Selene, von W. Bousset vertreten worden, *Hauptprobleme der Gnosis*, 1907, S. 77-83; neuerdings wird aufgrund von Funden in Samaria die Identification von Helena mit Kore oder besser mit der Helena des Mythus vertreten: L.-H. Vincent, *Le culte d'Hélène à Samarie*, in: *Revue biblique* 45, 1936, S. 221-232; G. Quispel, *Gnosis als Weltreligion* (1951) S. 61-70; Ders., *Simon en Helena*, in: *Nederlands Theologisch Tijdschrift* 5 (1950/51) S. 339/45 vgl. L. Cerfaux, *La gnose simonienne*, in: *Recherches de science religieuse* 15 (1925) 489-511; Ders., ebd. 27 (1937) S. 615/7.

[9] Ps.-Clemens, *Hom.* II 25; Rec. II 9.12.

den ist. Wären nicht Barjesus [1]) oder besonders Nikolaos, einer der „Sieben", auf den die Kirchenväter die Nikolaiten zurückführen [2]), geeigneter gewesen als der Mann aus Samaria, der im N.T. kaum Züge eines Gnostikers an sich trägt?

Einen gewissen Anhaltspunkt in den Texten hat die Auffassung, die in Simon den Leiter einer Mysterienreligion sieht. Aber man kann sich schlecht vorstellen, dass der, der sich für Gott oder für seine „grosse Kraft" ausgab, Leiter einer solchen Gemeinde gewesen sein soll: wir hätten doch wohl deutlichere Spuren eines Sakraments.

Aber zwischen dem ältesten Bericht über Simon in der Apostelgeschichte und der folgenden Nachricht über ihn bei Justin liegen wenigstens zwei Generationen. Wir können nur dann hoffen, einigermassen sichere Schritte zu tun, wenn wir bei Simon — und für Menander gilt dasselbe — Züge entdecken, die charakteristisch von dem, was die Kirchenväter über die christlichen Gnostiker berichten, verschieden sind.

Gut über Simon wären wir dann allerdings unterrichtet, wenn Schmithals im Recht ist, der die Megale Apophasis, die uns Hippolyt im Auszug mit teilweise wörtlichen Zitaten mitteilt, für ein echtes Werk von Simon selbst hält [3]): Simon sei die „grosse Kraft Gottes", die, von einem unteilbaren Punkt ausgehend, unendlich groß wird, was nicht nur Simon, sondern jeder Gnostiker in der Ekstase erleben und demonstrieren kann [4]). Aber die Megale Apophasis spricht nicht von einer Ekstase, sondern von einer διδασκαλία, von einem λόγος προσήκων (16, 5), deren Empfang zum Gnostiker macht. Überhaupt scheitert diese Annahme daran, daß sich von da aus kein Weg zu den ältesten Zeugnissen von Simon finden läßt [5]). Es finden sich aber

---

[1]) *Apg.* 13, 6-11.

[2]) Der „Armenpfleger" Nikolaus und der Namensvetter aus der *Apokalypse* (2, 15) werden von den Kirchenvätern, ob mit Recht oder Unrecht, bleibe dahingestellt, mit dem, nach dem die Nikolaiten den Namen haben, ineinsgesetzt, IRENÄUS I 26, 3; HIPPOLYT, *Refut.* VII 36, 3; CLEMENS ALEX., *Strom.* II 4, 25 f.; EPIPHANIUS, *Panarion* 25, 1-6.

[3]) W. SCHMITHALS, *Das kirchliche Apostelamt* 1961, S. 146-153.

[4]) SCHMITHALS, *Das kirchliche Apostelamt* S. 151 f.

[5]) W. SCHULTZ, *Dokumente der Gnosis*, 1910 S. LVII f. und 126-38 geht von der Megale Apophasis aus, das „Paar Simon-Helene" sei ... „unter sehr äusserlicher Beziehung zur Lehre der Apophasis von der Gemeinde verehrt" worden, S. 138. Die Megale Apophasis ist nach ihm vielleicht vorchristlich. — Auch Leisegang S. 88 hält sich im Wesentlichen an die Apophasis. — H. JONAS, *Gnosis und spätantiker Geist* 1934, S. 353/58 verwendet die Megale Apophasis, jedenfalls § 18, als „sublime Anfangslehre" (S. 355), die die älteren Quellen noch nicht kannten. —

einige charakteristische Züge in den ältesten Berichten über Simon, die in der späteren Gnosis nicht mehr auftauchen. Bei ihnen wollen wir einsetzen und sehen, ob sie zusammen passen.

Da ist zunächst die „Göttlichkeit" des Simon. Kein anderer Gnostiker — bis auf Mani — hat den Anspruch erhoben, selbst Gott zu sein, keiner spielt im gnostischen Erlösungsdrama selbst eine Rolle als nur Simon und Menander. Das trifft auch für Helena zu. Diese Ἔννοια hat Engel und Mächte geboren, aber es wird nicht gesagt, dass das ein Fall gewesen sei. „Im Wissen darum, was der Vater wollte, sei sie nach unten gestiegen". Es ist eine Verfehlung der Mächte, die bei Irenäus noch „Engel und Erzengel" heissen, wenn sie nun „aus Neid, da sie nicht für das Erzeugnis irgend eines anderen gehalten werden wollten", die Ἔννοια hier unten festhalten [1]). Demgegenüber erscheinen die anderen Versionen über sie als sekundär, da sie Motive anführen, die sich auch bei den späteren Gnostikern finden: sie habe durch ihre aussergewöhnliche Schönheit die Mächte in Verwirrung gebracht [2]), sie sei dem Ratschluss des Vaters zuvorgekommen [3]), die Engel hätten ein Bild von ihr gesehen, sie selbst sei bei dem Vater geblieben [4]), sie sei die Lichtjungfrau, die im Anfang den Archonten der Finsternis das Urlicht gezeigt hätte [5]) — das sind alles Varianten, die in der *ausgebildeten* Gnosis ihren Platz haben; nur die Version, daß die Einkerkerung der Ἔννοια einzig und allein dem Neid der von ihr geschaffenen „Engel" zu danken ist, hat m.W. keine Parallele.

Nun ist diese Idee, dass die weltschöpferische Potenz in Person hier unten erscheint, überhaupt merkwürdig. Die Bemerkung Haenchens [6]) die Ἔννοια, das Lichtprinzip, sei doch in *den Menschen*, nicht in einer Einzelperson, eingekerkert, ist richtig, richtig ist auch, daß sie und die Gnostiker, genauer ihr Wesenskern, identisch sind, — aber hier eben nicht! Das ist das Entscheidende. Dass die „Mutter", die „Weisheit", die „Achamoth", „Prunikos" oder wie sie auch heissen mag, als Mensch erscheint, ist für die Gnosis eigentlich

---

Zur Gnosis der Megale Apophasis siehe auch meinen Aufsatz „Das Wesen der Gnosis" in *Die Welt als Geschichte* XV 1955, S. 100 ff., unter II.

[1]) IRENÄUS, I 23, 2 — Vgl. dazu HAENCHEN (s. Anm. 6) S. 340.

[2]) HIPPOLYT, *Ref.* VI 19, 2 f.; vgl. PHILASTRIUS 29.

[3]) TERTULLIAN, *de anima* 34.

[4]) PS.-CLEMENS, *Hom.* 25.

[5]) G. QUISPEL, *Simon en Helena* (S. 190 Anm. 8) 341 f.

[6]) E. HAENCHEN, *Gab es eine vorchristliche Gnosis?* in: ZThK 49 (1952) S. 316-349, hier: S. 340 f.

unmöglich. Wie Gnostiker die Helena historisiert haben könnten, erscheint unerfindlich [1]). Ferner ist es wohl Angleichung an spätere gnostische Systeme, wenn Simon gesagt haben soll, er sei nur zum Scheine ein Mensch geworden [2]). Origenes sagt, dass es zur Zeit der Apostel nur Dositheos und Simon gewesen seien, die von sich behaupteten, sie seien Christus oder die „grosse Kraft” Gottes [3]): das zeigt, wie unerhört diese Behauptung eines Gnostikers gewesen ist.

Wie aber ist die Befreiung Helenas und die Erlösung der Menschen zu denken? Bei Irenäus steht beides nebeneinander. Eine gewisse Verbindung zeigt Hippolyt, der sagt: nachdem Simon die Ἔννοια erlöst hatte, gewährte er den Menschen Rettung durch seine Anerkenntnis, seine ἐπίγνωσις [4]). Die Ἔννοια wird befreit und dadurch die Möglichkeit für die Menschen geschaffen, auch ihrerseits frei zu werden; dieses ist aber an die Anerkenntnis Simons gebunden [5]). Wenn Simon sich selbst einmal als (oberster) Gott ausgegeben hatte, konnte er auch Helena als Ἔννοια mit sich führen.

Wie ist aber über die Selbstvergöttlichung Simons zu denken? Er hat sich für den ἑστώς ausgegeben; dagegen nach Hippolyt VI 9, 1 für den ἑστώς, στάς, στησόμενος. Diese letztere Selbstbezeichnung ist aber offenbar von der Megale Apophasis aus eingedrungen. Ursprünglicher ist die Selbstbezeichnung als ἑστώς.

---

[1]) Hippolyt berichtet wohl, daß die Schönheit der Helena die Mächte in Verwirrung gebracht hätte, sodaß sie Krieg anfingen, aber die Archonten erschaffen daraufhin nicht den Menschen, sondern dieser Gedanke soll die Verwirrung in der Welt und unter den Menschen begründen. — Helena zeigte mit der Fackel den Griechen „den Anschlag gegen die Phryger”; die Griechen sind Symbol für Simon; die „Phryger” ziehen, indem sie das hölzerne Pferd in die Stadt hereinbringen, sich selbst durch ihre Unwissenheit das Verderben herbei. — Daß Helena von einem Turm aus allen Fenstern gleichzeitig sich vorzubeugen und herauszuschauen schien, ist in Ps.-Clemens., *Rec.* II 12 ein gewöhnliches Wunder, das nur sekundär in Verbindung mit dem Helenamythus gebracht wurde.

[2]) Irenäus, I 30, 3; Hippolyt, *Refut.* VI 19, 6; Epiphanius, *Panarion* 21, 2, 4; Ps.-Clemens, *Rec.* II 14 f.

[3]) Origenes, *Comm. in Matth.* 23; *Contra Celsum* VI 11.

[4]) Ohne Verbindung der zwei „Erlösungen” auch schon bei Irenäus I 23, 3. Ἐπίγνωσις ist nicht gleich γνῶσις. Die Anerkennung Simons verschafft den Menschen die Rettung. Diese Anerkennung stößt sich aber mit einem anderen Grundsatz der Gnosis, nämlich dem der Selbsterkenntnis. Von ihr ist bei Simon nicht die Rede, ebensowenig wie bei den Leuten, von denen nach Origenes, *contra Celsum* VII 9 Celsus berichtet, daß sie auch Rettung versprachen durch Verbindung mit ihnen, ebenfalls nicht durch Selbsterkenntnis.

[5]) Darum ist das Argument von Haenchen nicht zwingend, daß Helena als Ἔννοια ein früheres System voraussetzt, nach dem sie mit dem Selbst der Gnostiker identisch sein müßte.

Diese findet sich auch bei Clemens Al.[1]), ausserdem bei den Ps.-Clementinen[2]). Dort ist diese Selbstbezeichnung nicht Abkürzung für die dreiteilige Formel, sondern führt auf etwas anderes: er heißt stans tamquam qui non possit ulla corruptione decidere[3]): das bedeutet, dass Simon sich stans nennt in dem Sinne, dass er unsterblich sein wollte. Freilich erwähnen die ältesten Berichte beide Selbstbezeichnungen nicht, weder die als ἑστώς noch die als ἑστώς στάς στησόμενος. Aber die Parallele mit Menander gibt eine gewisse Unterstützung für die Annahme, dass die Bezeichnung als ἑστώς auf Simon selbst zurückgeht: Menander behauptete, dass er durch eine Taufe die Unsterblichkeit verleihe[4]): dann wird die Unsterblichkeit eine Rolle in seinem Gedankensystem gespielt haben und er selbst sich auch für unsterblich gehalten haben[5]). Wenn die Simonianer dem ἑστώς gleich zu werden wünschten, dann auch, indem sie gleichfalls unsterblich würden[6]).

Simon trat also auf mit dem Anspruch, Gott zu sein und nicht zu sterben[7]). Diesen Anspruch suchte er wahrscheinlich durch mancherlei Kunststücke zu erhärten. Eine gewisse Helena, wahrscheinlich aus einem Bordell zu Tyrus, führte er mit sich und behauptete, in ihr sei der erste Gedanke Gottes, Mächte und Engel zu schaffen, verkörpert. Er habe sie diesen Mächten entrissen und dadurch sei es möglich, auch Menschen unter Anerkennung Simons aus ihrer Gefangenschaft zu befreien. Es ist noch keine Verbindung der Ἔννοια mit den Menschen vollzogen; der gnostische Mythus ist in einer „vorläufigen" Form da. Die Macht, die die Weltschöpfer-Engel geboren hat, heisst nicht Σοφία, weil damit der Gott des Alten Testamentes positiv aufgefasst sein würde, was der Gesamtauffassung des Simon widersprach.

---

[1]) CLEMENS ALEX., *Strom.* II 52, 2.

[2]) Ps.-CLEMENS, *Hom.* II 22, 2.4; *Rec.* I 72, II 7, III 47.

[3]) Ps.-CLEMENS, *Rec.* II 7: . . . ut possit in aeternum durare. Hinc ergo Stans appellatur.

[4]) Die älteste Quelle, JUSTIN, *Apol.* I 26, 4 spricht allerdings nicht von der Taufe, doch wird das der Kürze seines Berichtes zuzuschreiben sein. — Ob hier Einfluß der christlichen Taufe oder solcher der jüdischen Proselytentaufe vorliegt, ist für den gegenwärtigen Zusammenhang belanglos. — Die Beziehung auf Helena ist bei Menander verschwunden.

[5]) JUSTIN, *Apol.* I 26, 4; IRENÄUS I 23, 3; TERTULLIAN, *de Anima* 50.

[6]) CLEMENS, *Strom.* II 52, 2.

[7]) Auch in der deutschen Jugendbewegung nach dem ersten Weltkrieg behaupteten einige von sich, sie würden nicht sterben.

Folgende Punkte unterscheiden Simon charakteristisch von den späteren christlichen Gnostikern: Simon selbst gibt sich als Gott aus, ebenso wie Helena. Er will der ἑστώς, d.h. unsterblich, sein. Helena ist die Ἔννοια, die durch die von ihr geschaffenen Weltschöpfer-Engel festgehalten ist; sie selbst trifft dabei keine Schuld. Die Anhänger des Simon sind durch die Anerkenntnis Simons — und nicht durch eine irgendwie geartete Selbsterkenntnis — von der Herrschaft der Engel befreit, dadurch sollen sie auch unsterblich werden. Es ist noch keine Gnosis im Sinne der Selbsterfassung als im Wesenskern göttlich.

Das gnostische Element liegt in der Rolle der Engel, die in dualistischer Weise abgewertet werden. Damit ist das A.T. überhaupt abgewertet. Die Diskussionen, welche Simon und Petrus in den Ps.-Clementinen führen, gehen zwar in dieser Richtung, aber es ist nicht sicher, ob sie nicht spätere Erörterungen sind. Der Ansatz seiner Anschauung, dass die Ἔννοια von den Engeln gefangen gehalten und von ihm befreit wurde, zeigt, worum es geht. Die Engel sind die Gestalter dieser Welt und also auch des jüdischen Volkes. Ist aber das A.T. und auch die moralischen Satzungen der anderen Völker von den Weltschöpfer-Engeln geschaffen und darum böse, so ist damit noch nicht gesagt, wie Simon diese Auffassung auslegt: ob er einem grundsätzlichen Libertinismus gehuldigt hat oder ein neues Prinzip des Verhaltens aufstellte. Jedenfalls wird von ihm ausser seiner Magie und der grundsätzlichen Ablehnung des A.T. kein konkreter libertinistischer Zug berichtet.

Aber in dieser „unfertigen" Gnosis zeigt sich etwas, was auf Anfänge einer gnostischen Bewegung hinweist: nämlich die Selbstvergottung Simons. Es ist ja nicht so, dass neue Bewegungen sich immer erst allmählich entwickeln; vielfach ist es so, dass sie gleichsam über das Ziel hinausschiessen. In diesem Sinn ist die Selbstvergöttlichung Simons zu fassen. Dass sie nicht weiter von den christlichen Gnostikern aufgenommen ist, befremdet nicht. Denn mit dem Tode des Sektenstifters mussten die Anhänger in einer Weise fertig werden, die nicht ursprünglich in seinen Gedanken angelegt war. Vielleicht hat sich damals die libertinistische Entwicklung vollzogen; jedenfalls aber ist es bezeichnend, dass Origenes kaum noch 30 Simonianer kennt [1]. Menander will, ähnlich wie Simon, als Erlöser vom Himmel herabgestiegen, also Gott sein; er mache die

---

[1] ORIGENES, *contra Celsum* I 57.

Menschen unsterblich. Auch seine Anhänger sind bald ziemlich verschwunden [1]). Simon und Menander können also als die „ersten
Gnostiker" bezeichnet werden, wobei nur darauf hingewiesen werden
muss, dass damit die Frage nach dem zeitlichen und örtlichen Ursprung der Gnosis noch nicht entschieden ist. Ich wollte nur darauf
hinweisen, dass Simon und Menander in der Darstellung der Kirchenväter etwas Besonderes und Selbständiges haben und dass sie in
dieser Entwicklung an der Spitze stehen.

---

[1]) JUSTIN, *Apol.* I 26, 1.4; IRENAEUS, *Haer.* I 23, 5; TERTULLIAN, *de Anima* 50; *de
resurrectione* 5; *omn. haer.* 2; EPIPHANIUS, *Panarion* 22; PHILASTER 30.

DIE APOPHASIS MEGALE,
EINE GRUNDSCHRIFT DER GNOSIS?

VON

J. H. FRICKEL

Unter den verschiedenen gnostischen Dokumenten, die Hippolyt von Rom (H.) in seiner Schrift „Refutatio omnium haeresium" zum ersten Mal der Öffentlichkeit bekannt gemacht hat, nimmt das Simonianische System (Ref. VI 9-18) eine besondere Stellung ein. Der Bericht wird allgemein als ein Exzerpt angesehen, das H. aus der sonst unbekannten Schrift „Apophasis Megale" angefertigt hat. Die vorliegende Studie abstrahiert von der Frage nach der Verwandtschaft der einzelnen gnostischen Systeme untereinander; sie versucht nur zu zeigen, daß das vorgenannte Simonianische System nicht — wie gewöhnlich angenommen wird — ein Exzerpt H.s aus der „Apophasis" selbst ist, sonder die mit polemischen Zusätzen H.s versehene vollständige Wiedergabe eines Kommentars bzw. einer Paraphrase zur „Apophasis Megale". Die Apophasis selbst wäre demnach älter als die Schrift, die H. als Vorlage diente.

Eine nähere Bestimmung des Apophasisberichtes hinsichtlich der benützten Quellenschrift wird zunächst versuchen, die eigentliche Vorlage von der Redaktion H.s zu scheiden. Solche Unterscheidung setzt eine genaue Kenntnis der Arbeitsmethode H.s voraus.

1. *H.s. Arbeitsmethode*

Text der Vorlage haben wir, wenn ein wörtliches Zitat aus der Quelle vorliegt. Einige solcher wörtlichen Zitate sind im Apophasisbericht deutlich erkennbar: das große Zitat im 18. Kapitel und kleinere Zitate in Kap. 9, 11, 14, 17; sie werden innerhalb des Berichtes als Spruch aus der Apophasis oder als Spruch Simon's eingeführt. Die Vermutung liegt daher nahe, H. habe nur gelegentlich wörtlich aus seiner Vorlage zitiert, sonst aber habe er frei und zusammenfassend berichtet. Eine nähere Prüfung zeigt jedoch, daß eine solche Annahme mit der Arbeitsmethode H.s unvereinbar ist.

Ein gutes Beispiel für die Art, wie H. einen vorliegenden gnostischen Text „zusammenfaßt", bietet die von ihm später verfaßte

Epitome, d.h. die kurze Zusammenfassung (Buch X) der in Buch
V-IX ausführlich dargelegten Systeme. Vergleicht man die Haupt-
berichte (Buch V-IX) mit den Kurzberichten, so stellt man fest:
H. hat in der Epitome die Hauptberichte weder verarbeitet noch
zusammengefaßt, sondern er hat aus den Hauptberichten nur einige
Abschnitte zitiert, meist wörtlich; den größten Teil der betreffenden
Systeme hat er dagegen einfach ausgelassen [1]). Er hat die Mühe einer
echten Zusammenfassung gescheut und hat deshalb die ausgewählten
Abschnitte, von geringfügigen Auslassungen abgesehen, wörtlich
abgeschrieben.

Ganz ähnlich ist H. bei der Abfassung der Epitome der Philosophen
(Buch X 6-7) verfahren. Diese Epitome ist nicht, wie H. ankündigt,
eine Zusammenfassung der griechischen Lehren, die in Buch I-IV
ausführlich besprochen wurden, sondern eine wörtliche Abschrift
aus dem Traktat des Sextus Empiricus „Adversus physicos" [2]). H.
hat also eine neue Quelle als Vorlage benützt und diese geradezu
skrupulös kopiert.

Ähnliches gilt auch für die Vorlage für die vorgenannte Epitome
der Gnostiker. Gewöhnlich nimmt man an, H. habe diese Epitome
nach den Hauptberichten (Buch V-IX) angefertigt. Aber es ist
auffallend, daß diese Epitome überhaupt noch an die Hauptberichte
angefügt wird. Denn am Ende von Buch IX wie auch am Anfang
von Buch X kündigt H. an, er wolle nun im X. Buch „Die Lehren
der Wahrheit" darlegen. Aber dann folgt doch nicht diese Lehre der
Wahrheit, sondern die doppelte Epitome der Philosophen und der
Gnostiker. Die tatsächliche Anordnung des X. Buches weicht so stark
von der zweimal angekündigten Disposition ab, daß die doppelte
Epitome m.E. kaum als ursprünglicher Bestandteil des X. Buches
angesehen werden kann. Dagegen erklärt sich die jetzige Anordnung
dieses Buches sofort, wenn das X. Buch ursprünglich nur die angekündigte Lehre der Wahrheit enthielt und die doppelte Epitome
erst nachträglich mit der „Lehre der Wahrheit" zu einer selbständigen
Schrift zusammengefügt wurde. Es leuchtet ein, daß eine solche
Kurzfassung der weitschweifigen „Refutatio" als Waffe gegen die
Gnostiker auch weiteren Kreisen zugänglich gemacht werden
konnte [3]).

---

[1]) Vgl. etwa das System der Naassener X 9.
[2]) Sextus Empiricus, *Adv. phys.* II 310-318; cf. Diels, *Doxographi graeci* 92
Anm. 1; und Wendland (in der kritischen Ausgabe H.s.) 265 Anm. zu Z. 27 ff.
[3]) Das würde auch erklären, warum Theodoret in seinem „Compendium" nur

Da für die Epitome der Philosophen nicht die Bücher I-IV als Vorlage dienten, so ist es leicht möglich, daß auch die Epitome der Gnostiker nicht nach den früher verfaßten Hauptberichten, sondern nach den authentischen gnostischen Dokumenten selbst angefertigt worden ist. Eine Reihe von Indizien, die hier nur kurz angedeutet werden können, bestätigt diese Vermutung.

Zunächst fällt auf, daß die Reihenfolge der gnostischen Sekten in der Epitome anders ist als in den Hauptberichten. Schon A Hilgenfeld hat auf diese merkwürdige Änderung aufmerksam gemacht, ohne jedoch die Möglichkeit zu erwägen, daß die Epitome deshalb nicht nach den Hauptberichten, sondern nach den Originalen selbst verfertigt worden sein könnte. Von den 38 Häretikern der Hauptberichte bringt die Epitome nur noch 22. Auch werden Phrygier und Montanisten, die früher als eine Gruppe behandelt wurden, in der Epitome getrennt betrachtet. Vor allem aber fällt die veränderte Reihenfolge der neun großen gnostischen Systeme auf, die durch H. erstmals bekannt geworden waren. Diese Umstellung wäre unerklärlich, wenn H. die Bücher V-IX als Vorlage für die Epitome benützt hätte.

Eine wesentliche Abweichung zeigt sich weiter darin, daß in der Epitome das primäre Anliegen der „Refutatio" völlig fehlt: die Entlarvung der Gnostiker als Nachahmer der griechischen Philosophen. Dieser Sachverhält wäre unbegreiflich, wenn die Bücher V-IX, in denen die Abhängigkeit der Gnostiker von den Philosophen laufend dargetan wird, als Vorlage für die Epitome gedient hätten.

Entscheidend ist schließlich das neue Material der Epitome, das über den Text der Hauptberichte hinausgeht und daher aus diesen auch nicht entnommen sein kann. An mehreren Beispielen läßt sich nachweisen, daß dieses Material nur aus den Originaldokumenten selbst stammen kann. Dann darf man aber auch annehmen, daß die Originale für die gesamte Epitome als Vorlage gedient haben.

Diese Erkenntnis ist bedeutsam: einmal für die Bestimmung der Arbeitsmethode H.s, dann aber auch für die Kenntnis des Textes der Vorlagen und die Wertung der Berichte H.s. Für die Bestimmung der Arbeitsmethode: ist nämlich die Epitome der Gnostiker nach den Originaldokumenten verfaßt, so besitzen wir dieselben, wenigstens teilweise, in einer doppelten Überlieferung. Die weithin wörtliche

---

die Epitome verwendet und z.B. das bedeutende und erst durch H. bekannt gewordene System der Naassener völlig übergeht. Nur der Name „Naassener" wird von THEODORET in *Haer.* I 13 (MG 83, 361 C) im Zusammenhang mit den Barbelo-Gnostikern erwähnt.

Übereinstimmung der Epitome mit den Berichten in Buch V-IX gibt uns daher die Sicherheit, z.T. für größere Abschnitte, daß die Hauptberichte die authentischen Vorlagen wörtlich und nicht nur zusammenfassend wiedergeben.

Für die Kenntnis des Textes der Vorlagen ergibt sich, daß wir im Wortlaut der Berichte praktisch den Text der Originale vor uns haben. Sicherheit darüber haben wir dort, wo Epitome und Hauptbericht wörtlich übereinstimmen. Die Kenntnis von H.s Arbeitsmethode erlaubt uns jedoch, die gleiche Treue gegenüber der Vorlage auch für die übrigen Abschnitte der Berichte zu postulieren. Die Berichte selbst gewinnen damit den Wert von authentischen Quellen.

2) *Vergleich mit einigen Quellen H.s.*

Die bisher festgestellte Methode der wörtlichen Berichterstattung läßt sich aber auch durch die Vergleichung der Berichte der Philosophumena und der Refutatio mit den Quellen nachweisen. Es sind nämlich einige der Vorlagen bekannt, aus denen H. das erste Buch seiner Philosophumena zusammengestellt hat. H. Diels hat die dafür benützten doxographischen und biographischen Quellen bestimmt und dieselben, textlich neu bearbeitet, zusammengestellt [1]). Danach hat H. im I. Buch Material aus zahlreichen doxographischen Schriften zusammengetragen. Von einer „Zusammenfassung" dieser Quellen kann keine Rede sein Es mag genügen, auf Wendland's zusammenfassendes Urteil über die im I. Buch angewandte Arbeitsmethode H.s zu verweisen [2]).

Dasselbe Bild ergibt sich aus dem Vergleich mit einigen Quellen der „Refutatio". So hat H. in Buch VI die Systeme des Markos und einiger Valentinianer aus der Schrift des Irenäus „Adversus haereses" übernommen. Eine Prüfung zeigt, daß H. seinen Markos-Bericht praktisch Wort für Wort aus Irenäus abgeschrieben hat. Er ergänzt und erweitert diesen Bericht durch neues Material, ohne jedoch von der wörtlichen Berichterstatung abzuweichen.

Für die Kenntnis der Arbeitsmethode H.s kann hier als Ergebnis zusammenfassend festgestellt werden, daß H. ein authentisches

---

[1]) H. DIELS, *Doxographi graeci*, Berlin-Leipzig ²1929, 144-156, 553-576.
[2]) P. WENDLAND, *Hippolyt* III (GCS 26), Leipzig 1916, Einleitung XVIII: „Sklavisch von seinen Quellenschriften abhängig, hat H. die Teile stückweise in engstem Anschluß an die jeweilige Vorlage zusammengeschrieben, ohne den Stoff geistig zu beherrschen und die Teile zu einem organisch aufgebauten Ganzen zusammenfügen zu können."

Dokument in der Regel vollständig, und zwar wörtlich wiedergibt. In der Epitome läßt er größere Teile aus; in den Hauptberichten dürfen wir jedoch aus guten Gründen annehmen, daß H. Vollständigkeit der Wiedergabe angestrebt hat, zumal bei den Berichten, die erstmals durch ihn an die Öffentlichkeit kamen.

Für unseren Apophasis-Bericht ergibt sich daraus, daß wir denselben praktisch als eine wörtliche und vollständige Wiedergabe der Vorlage anzusehen haben. Wenn der Bericht mehrfach unvollständig wirkt, auf kosmologische und mythische Vorstellungen nur anspielt, so ist der Grund dafür in der Vorlage selbst zu suchen, nicht aber in Auslassungen oder Zusammenfassungen H.s. Gibt aber der Apophasisbericht die Vorlage vollständig und praktisch wörtlich wieder, dann beweisen die wörtlichen Zitate aus der „Apophasis", die als solche innerhalb des Berichtes eigens eingeführt und vom übrigen Text deutlich abgehoben werden, daß H.s Vorlage selbst schon Zitate aus der „Apophasis Megale" enthielt, ähnlich wie sie Zitate aus Empedokles, Homer und dem Alten bzw. Neuen Testament enthielt. Diese Apophasiszitate unterscheiden sich auch inhaltlich durch Terminologie und literarische Form vom übrigen Text. Folglich kann die Vorlage H.s nicht die „Apophasis Megale" selbst gewesen sein, sondern nur ein (späterer) Kommentar oder eine *Paraphrase* zur Apophasis.

3. *Zur Struktur der Vorlage des Apophasisberichtes*

Ich habe in meinem ausführlicheren Beitrag einige Beispiele angeführt, um durch Analyse des Textes zu zeigen, daß der Bericht selbst durch seine Struktur sich als ein Kommentar bzw. eine Paraphrase ausweist. Es sei hier nur kurz auf eine literarische Eigenheit unseres Textes hingewiesen, welche der obigen Schlußfolgerung zu widersprechen scheint: das von H. so häufig in den Bericht eingefügte φησίν, das im Apophasisbericht 43 mal begegnet. Dieser Umstand hat zweifellos zu der allgemeinen Annahme mitbeigetragen, H. habe seine Vorlage frei wiedergegeben und zusammengefaßt. Ich habe den Gebrauch von φησίν in sämtlichen Berichten H.s untersucht und bin zu folgendem Ergebnis gekommen: das Verb ist kein Kriterium für eine Kürzung oder freie Zusammenfassung im Text, sondern wird von H. fast immer dann eingefügt, wenn er eine bestimmte Sentenz oder eine Begründung im Text deutlich hervorheben will. Oft hat er, wie z.B. der Markosbericht erkennen läßt, das Verb einfach aus der Vorlage übernommen.

Damit entfällt die Schwierigkeit, die sich aus dem häufigen Gebrauch von φησίν gegen H.s Methode der wörtlichen Berichterstattung zu ergeben schien. Seine auffallende Häufigkeit erklärt sich daher, daß die Vorlage selbst zahlreiche Erklärungen, Folgerungen und Begründungen enthielt, die H. deutlicher hervorheben wollte. Die Vorlage offenbart sich damit als eine Abhandlung, die vorwiegend erklärenden Charakter hatte. Sie ist keine Offenbarungsschrift, sondern deutet Zitate aus der Apophasis. Die Häufigkeit des φησίν ist demnach ein Indiz für die kommentarische Struktur der Vorlage.

Ich habe noch zwei weitere Eigenheiten des Berichtes, die gegen eine wörtliche Wiedergabe der Vorlage zu sprechen scheinen, untersucht: die beiden Kurzfassungsformeln in Kap. 11 [1]) und Kap. 9, 8 [2]). In beiden Fällen läßt sich aus dem Zusammenhang zeigen, daß in der Vorlage selbst schon eine Zusammenfassung vorhanden war. Die Analyse des Textes macht darüber hinaus an beiden Stellen die Struktur eines Kommentars bzw. einer Paraphrase zur Apophasis deutlich.

War demnach die Vorlage H.s nur ein Kommentar oder eine Paraphrase zur Apophasis, so folgt, daß die dem Simon zugewiesene „Apophasis Megale" als eine eigene ältere Schrift von der H. vorliegenden Paraphrase unterschieden werden muß. Erst wenn diese Scheidung von Paraphrase und „Apophasis" durchgeführt ist, wird sich etwas Verbindliches über den Text der „Apophasis" ausmachen lassen. Eine solche Scheidung scheint grundsätzlich möglich. Es liesse sich dann eine Rekonstruktion der ürsprünglichen Lehre der „Apophasis", wenigstens hinsichtlich der fundamentalen Gottesvorstellung, durchführen: mit Hilfe der vorhandenen Fragmente, der Paraphrase und der verwandten gnostischen Systeme. Vielleicht ließe sich zeigen, daß die dynamische Gottesvorstellung der „Apophasis Megale" den verwandten Systemen zugrundeliegt und die „Apophasis" als Grundschrift dieses gnostischen Zweiges anzusehen ist.

---

[1]) *Ref* VI 11: 137, 27 We.
[2]) *Ref* VI 9, 8: 137, 4 We.

DIE PERSON DER SOPHIA IN DER VIERTEN SCHRIFT DES CODEX JUNG

VON

J. ZANDEE

In den z.B. aus Irenäus bekannten Mythen ist die Sophia einerseits eine personifizierte göttliche Eigenschaft, andererseits ist sie auch das Urbild der Menschenseele, deren pneumatischer Teil in die Materie verwickelt worden ist. Durch eine Berührung der Lichtwelt wird sie daraus erlöst und kehrt zu ihrem Ausgangspunkt zurück.

Auch im Vierten Traktat des Codex Jung kommt die Sophia vor. Es fällt aber auf, daß sie dort männlich ist und als Logos bezeichnet wird. Sophia ist nicht ein weiblicher Partner eines männlichen Syzygos, sondern ohne weiteres einer der Äonen. Wie bei Ptolemäus versucht dieser Äon eigenmächtig in das Wesen des Vaters einzudringen, „es fiel einem der Äonen ein, die Undenkbarkeit zu erfassen, um diese und die Unaussprechbarkeit des Vaters um so mehr zu ehren" (75.17-21). Hier betrifft es den Vater als den *Anennoëtos* und den *Arrëtos* [1]). Das koptische *taho* für „erfassen" stimmt genau mit τὸ μέγεθος αὐτοῦ καταλαβεῖν bei Ptolemäus überein [2]). Schon früher wurde mitgeteilt, daß den Äonen Weisheit verliehen war. Sie wurden vom Vater erzeugt „durch die Weisheit (*sophia*), mit der er sie begnadete" (74.22-23). Die Sophia ist also eine Eigenschaft, die alle Äonen vom Vater empfangen haben. Vom Äon Sophia wird nun gesagt: „Der Äon war einer von diesen, denen die Weisheit (*sophia*) gegeben war, die jeder am Anfang da waren als sein Gedanke, und von denen er wollte, daß sie hervorgebracht werden sollten" (75.27-31). „Deshalb nahm er (dieser Äon) eine Natur der Weisheit an (*physis, sophia*), damit er die verborgene Zusammenstellung untersuchen möchte, als ob es eine Frucht der Weisheit (*karpos, sophia*) wäre" (75.31-35). Im Vierten Traktat ist der Äon also nicht selber die Weisheit (*Sophia*), hat aber die Sophia als wichtigste Eigenschaft, die ihm vom Vater verliehen ist.

---

[1]) F. M. M. SAGNARD, *La Gnose Valentinienne*, Paris, 1947, S. 332, 333; auch IRENÄUS, *adv. Haer.* I. 11.5 und I. 11.1).

[2]) IRENÄUS a.a.O. I. 2.2.

Der Vierte Traktat fährt fort: „Er (der Äon Sophia) machte sich auf den Weg, er ehrte den Vater, obwohl er an eine unmögliche Sache Hand anlegte, weil er etwas Vollendetes erzeugen wollte durch eine Vermischung, er (dieser Äon), der nicht war wie jener (der Vater). Er hatte keinen, der ihn (dazu) beauftragt hatte. Dieser Äon war ja doch der letzte, als er (der Vater) sie (die Äonen) in gegenseitiger Überstimmung erzeugte, und er war ein Sohn aus seiner Größe. Und ehe er etwas anderes hervorgebracht hatte, dieses Willens zu Ehren, in der Vermischung der Äonen, handelte er in einer Größe der Gedanken aus übermäßiger Liebe" (76.5-21). Die Notiz des Irenäus redet von einem ἀδύνατον πρᾶγμα, das Sophia unternahm unter dem Vorwand der Liebe (προφάσει μὲν ἀγάπης). Der koptische Text bedient sich ebenso des griechischen Lehnwortes *agapē*, und die beiden Texte erwähnen, daß Sophia der letzte der Äonen ist, τελευταῖος καὶ νεώτατος.

Der Verfasser des Vierten Traktats versucht sodann das Benehmen des Logos (Sophia) zu rechtfertigen. „Dehalb ziemt es sich nicht, die Bewegung zu beschuldigen, welche der Logos ist, sondern es passt sich, daß wir von der Bewegung des Logos sagen, sie sei die Ursache, daß eine feste Heilsverwaltung entsteht" (77.6-10). Schon früher hat der Verfasser mitgeteilt, daß der Vater geflissentlich den Äonen nicht sofort die ganze Gotteserkenntnis gegeben hat, damit sie ihn allmählig kennenlernen sollten. Ebenso ist auch das Auftreten der Sophia die Ursache des Entstehens der materiellen Welt, sodaß Pneumateile in die Materie verwickelt wurden, aus der sie durch das Kommen des Erlösers befreit und wieder ins Pleroma zurückgebracht werden sollten. Ohne den Fall der Sophia keine Geschichte! Aus der Notiz des Irenäus ist auch der Terminus bekannt, der für den ganzen vom Retter vollzogenen Prozess der Erlösung verwendet wird [1]. Sophia ist daran auch beteiligt, denn ihr Sohn, der Demiurg, spielt gleichfalls eine Rolle in dieser „Ökonomie". *Oikonomia* wird in dem koptischen Text als griechisches Lehnwort verwendet. Das Koptische hatte offensichtlich kein richtiges Äquivalent für diesen terminus technicus.

Abgehalten von Horos wird der heraufstrebende Äon vom Schwindel übermannt. „Weil er das Ansehen des Lichtes nicht ertragen konnte, sondern in die Tiefe schaute, wurde er hierdurch unsicher. Es ist eine Spaltung, die ihm leid tat und ein Zurück-

---

[1] IRENÄUS a.a.O. I. 6.1; 7.2, usw.

schrecken durch die Ungewißheit und den Zwiespalt, ein Vergessen une eine Erkenntnislosigkeit hinsichtlich seiner (des Vaters) und dessen, was ist, nämlich seine Überhebung und seine Erwartung, den Unfassbaren zu erfassen . . . . Die Krankheiten aber, die ihm folgten, als er sich übernommen hatte, sie entstanden aus der Ungewißheit, aus den Umstand nämlich, daß er seinen Angriff auf den Vater, dessen Erhabenheit grenzenlos ist, nicht erreichte. Dieser erreichte ihn eben nicht, denn er (der Vater) ließ ihn (den Äon der Weisheit) nicht zu sich" (77.18-36). Die Überhebung der Sophia entspricht τόλμη = Tollheit im Text des Irenäus. Auch lesen wir dort, daß Sophia „wegen der Tiefe des Abgrundes (διὰ τὸ μέγεθος τοῦ βάθους) und der Unergründlichkeit des Vaters . . . . in große Not geriet" (Adv. Haer. I. 2.2). Der koptische Text erwähnt auch den Terminus als griechisches Lehnwort. Das koptische Wort für die Krankheiten, an denen Sophia leidet, šōne, hat als griechisches Äquivalent πάθος, das bei Irenäus vorkommt. Ihre πάθη sind Schmerz (λύπη), Furcht (φόβος) und Angst (ἀπορία) (a.a.O. I. 4.1 b). Aus diesen entsteht die materielle Welt.

Im darauf folgenden Passus des Vierten Traktats wird offensichtlich die Spaltung des einen Äons in die höhere und niedere Sophia beschrieben, von denen die erste im Pleroma bleibt und die niedere als Achamoth sich mit den irdischen Dingen befaszt, die aus ihren Wahnbildern und ihren Leidenschaften entstanden sind.

Die Vierte Schrift beschreibt sodann die niedere Sophia als eine Frau, während bisher von einem männlichen Logos die Rede war. Solches ist ganz in Übereinstimmung mit der Gnosis, die das weibliche Element als das radikal Böse betrachtet. „Denn, als er es erzeugt hatte, er, der es mit sich selbst erzeugt hatte, als er vollkommener war, wurde er schwach nach Art einer Frau, die ihren Mann verlassen hatte. Denn aus dem, woran er selber Mangel hatte, waren die entstanden, die hervorkamen aus seinen Gedanken und seinem Hochmut" (78.8-17). Es wird hier eine Anspielung gemacht auf den Schöpfungsakt der Sophia ohne ihren Syzygos.

Es folgt sodann ein leider lückenhafter Passus. So viel ist aber deutlich, daß es sich hier um die Reue der Sophia und das Gebet handelt, das die Äonen ihr zuliebe zum Vater emporsenden. Es ist von „der Zurückkehr" die Rede, die auch metanoia genannt wird.

Der Abschnitt des Irenäus beschreibt, wie die Äonen, unter dem Einflusz von Christus und vom Heiligen Geist, zu vollkommener Ruhe gebracht werden. Als Dank dafür schaffen sie in gegenseitiger

Harmonie als ihre Frucht (καρπός) Jesus, der mit seinen Engeln zu
der gefallenen Sophia geschickt wird, um sie zu retten (a.a.O. I, 2.6).
Der Vierte Traktat sagt darüber, „Er (der Erlöser) denkt an denjenigen, der versagte. Der Logos (Achamoth) kannte ihn in Unsicht-
barkeit unter denen, die nach dem Gedanken entstanden, gemäß dem,
der mit ihnen war, bis das Licht aus der Höhe ihm aufging [1]) als
Lebendigmacher, der erzeugt wurde aus dem Gedanken der Bruder-
liebe der Pleromata (d.h. der Äonen), die am Anfang waren" (85.24-32).
Die Terminologie stimmt mit dem Abschnitt des Irenäus überein
(a.a.O. I. 4.1), wo Christus φῶς genannt wird und derjenige, der
Sophia „lebendig gemacht hat" (ζωοποιῆσας). Die Äonen „er-
zeugten die Frucht (griechisches Lehnwort *karpos*), die ein Erzeugnis
des Wohlgefallens war, während sie eine einzige war, während
sie die des Alls (d.h. der Äonen) war, die die Erscheinungsform des
Vaters offenbarte, an die die Äonen dachten" (86.25-29). Die gefallene Sophia darf nun Christus schauen, dem der Vater, wie auch
Irenäus sagt (a.a.O. I. 4.5), alle Macht gegeben hat.

Der Beschreibung des Irenäus gemäß (a.a.O. I. 4.5) gibt der Retter
der Achamoth die Gestaltung nach der Erkenntnis (μόρφωσις κατὰ
γνῶσιν), die die zweite ist nach der Gestaltung der Existenz gemäß
(κατ᾽ οὐσίαν). Er heilt sie von ihren Leiden (πάθη), die er ihr
abnimmt und zu einer körperlosen Substanz umschafft [2]). Der Vierte
Traktat sagt darüber, „Er (der Äon Sophia) befreite sich von diesen
Dingen, die ihn zuerst verwirrt hatten. Er wurde unvermischt mit
ihnen. Er entledigte sich des Gedankens des Hochmuts. Er nahm die
Vermischung mit der Ruhe an, weil sie (die *pathē*) abkühlten und
sich ihm (dem Äon Sophia) unterwarfen, sie, die am Anfang ihm
ungehorsam waren" (90.16-23).

Der Logos Sophia beginnt nun zu arbeiten an der Befestigung
(*smine*; bei Irenäus στηρίζω) derer, die durch seine Aktivität entstanden waren (91.12). Sowie im Passus des Irenäus werden verschiedene Kategorien unterschieden: Die des Gedankens (die Psy-
chiker) werden erhalten, die des Gleichnisses gehen verloren. Die
ganze Oikonomia, der Heilsplan mit der Welt, wird beschrieben.
Darin hat der Demiurg seinen Platz, der die sichtbare Welt schafft.

Sophia richtet die Hierarchien der Engel und Archonten ein, läßt
aber ihre Pläne vom Demiurgen ausführen. „Denn er stellte einen

---

[1]) Vergleiche *Lukas* 1, 78.
[2]) H. LEISEGANG, *Die Gnosis*, Stuttgart, 1955, S. 316.

Archonten (d.h. den Demiurgen) über alle Bilder, dem keiner befahl, weil er ihr aller Herr ist, der die Erscheinungsform ist, die der Logos (d.h. Sophia) hervorgebracht hatte aus seinem Gedanken nach dem Bilde des Vaters der Äonen. Deshalb ist er geziert mit allen Namen, die ein Bild sind dessen (des Vaters), der alle erhabenen Eigenschaften und Herrlichkeiten besitzt. Denn er wird auch Vater genannt und Gott und Demiurg und König und Richter und Ort und Wohnung und Gesetz. Denn der Logos (Sophia) benutzte diesen (den Demiurgen) als eine Hand, um zu schaffen und zu erarbeiten das, was unten ist, und er benutzte ihn als einen Mund, um zu sprechen die Dinge, die prophezeit werden sollten. Denn, als er sah, daß diese Dinge, welche er gesagt hatte, während er sie schuf, groß und gut und wunderbar waren, jauchzte er über sich und jubelte er, als ob er es selber war, der sie hatte gesprochen in seinen Gedanken und gemacht, während er sich nicht davon bewußt war, daß es seine Erregung durch den Geist ist, die ihn erregt, mit der Bestimmung, die Dinge, die er will, zu vollbringen" (100. 18-101.5). Dieselben Gedanken betreffs des Demiurgen finden sich im Abschnitt des Irenäus [1]).

Die Vierte Schrift und der Passus des Irenäus stimmen darin überein, daß der Demiurg das Psychische und das Hylische schafft, das Pneumatische aber unmittelbar von der Achamoth herrührt, weil sie als Äon pneumatischer Natur ist. Auch hier ergibt es sich, daß der Logos der Vierten Schrift des Codex Jung derselbe ist wie die Mutter Achamoth des Irenäus.

Hiermit beenden wir die Beschreibung der Person der Sophia als Logos im Vierten Traktat des Codex Jung und machen noch einige Schlußbemerkungen zum Hauptthema dieses Kongresses, wo wir nach dem Ursprung dieser Vorstellungen fragen.

Im Vierten Traktat wird die Sophia vornehmlich „Logos" genannt. Dasselbe findet sich bei dem Gnostiker Markos. Jeder Äon ist ein Logos soweit er an der Spitze einer eigenen Welt (ὅλον) steht. Er hat diese geformt, gleichwie der erste Logos das Pleroma formt [2]). Logos ist dann „Ordnungsprinzip". Bei Markos tragen die Äonen die Namen Logoi, Wurzeln, Samen, Pleromata, Früchte und Mächte [3]). „Logos" kann also ein Äquivalent von „Äon" sein.

---

[1]) Vergleiche IRENÄUS a.a.O. I. 5.1-2.
[2]) SAGNARD a.a.O. S. 431.
[3]) SAGNARD a.a.O. S. 365.

Es ist aber durchaus möglich, daß der Name „Logos" für Sophia noch einen ganz anderen Hintergrund hat. Wir berühren damit zugleich das Thema dieses Kongresses, nämlich die Frage nach dem Ursprung der Gnosis.

Wer den Namen „Sophia" ausspricht, denkt selbstverständlich an die jüdische Weisheitsliteratur. Die gnostische Sophia ist mit Recht oft in Zusammenhang gebracht worden mit der hypostasierten Chokhmah. Ihr zweiter Name Achamoth ist etymologisch mit dem hebräischen „Chokhmah" verbunden. Philon hat die biblische Weisheit mit dem Logos und den „Kräften" (δυνάμεις) der Philosophie vereinigt. Sein Logos ist eine Gestalt, die eine Verbindung zwischen Jahve, der als schlechthin transzendenter Gott nicht in unmittelbarer Beziehung zur irdischen Welt stehen darf, und der Menschenwelt zustande bringt [1]). Hinsichtlich seines Logos-Begriffes ist Philon u.a. von der stoischen Lehre beeinflußt worden, „welche Kräfte kennt, die vom Urwesen ausgehen und die ganze Welt belebend und bildend durchdringen. Dazu kommt dann noch Platos Lehre von den Ideen und daneben die biblische Engellehre wie die Lehre von der Weisheit" [2]). In seiner Lehre des Königsweges in „De Migratione Abrahami" stehen der Logos und die Sophia dicht neben einander. „Es handelt sich nämlich um eine Rückkehr zum Vaterland des *hieros logos*, welches nichts anderes ist als die Sophia, die beste Lebensweise der Seelen, die die Tugend suchen" (τῶν φιλαρετῶν ψυχῶν ἄριστον ἐνδιαίτημα) [3]). „Solange man noch nicht vollendet ist, gebraucht man den göttlichen Logos als Wegführer". Dieser „Führer-Logos ist bei Philon oft mit der Weisheit identisch" [4]). Bei Philon finden sich ἀρχή und εἰκών in einer Prädikation des Logos zusammen. Dieselben Begriffe kommen bei ihm auch vor als Prädikat der Sophia [5]). Sophia wird bisweilen von Philon ohne weiteres mit dem Logos gleichgesetzt, ἥ δε (σοφία) ἐστιν ὁ θεοῦ λόγος [6]). Dieser λόγος θεοῦ ist nicht Gott selber, sondern steht

---

[1]) P. HEINISCH, *Die persönliche Weisheit des Alten Testaments in religionsgeschichtlicher Beleuchtung, Biblische Zeitfragen*: Elfte Folge, Heft 1/2, Münster i. Westf., 1923, S. 61.

[2]) P. HEINISCH a.a.O. S. 46.

[3]) U. WILCKENS, *Weisheit und Torheit. Eine exegetisch-religionsgeschichtliche Untersuchung zu 1. Kor. 1 und 2*; Beiträge zur Historischen Theologie 26; Tübingen, 1959, S. 142.

[4]) U. WILCKENS a.a.O. S. 143.

[5]) U. WILCKENS a.a.O. S. 201.

[6]) *Legum Allegoriae* I. 65.

an zweiter Stelle nach ihm. Er ist εἰκών des höchsten Gottes und bei der Schöpfung ist er ὄργανον θεοῦ. „Gott hat nämlich mit der Sophia den κόσμος νοητός als seinen erstgeborenen Sohn erzeugt, der mit dem λόγος gleichgesetzt wird. Λόγος ist eine Mittlergestalt zwischen dem transzendenten Gott und der Menschenwelt [1]).

Philon schließt sich an bei älteren jüdischen Sophia-Vorstellungen. In Prov. 8, 22 ist die Weisheit bei Jahve vor der Schöpfung des Menschen und der Welt [2]). Sie ist also gleichwie der Logos präexistent. In Prov. 1, 20 ist die Weisheit Prediger der göttlichen Wahrheit, auf die man aber nicht hört. In Hiob 12, 13 ist die Weisheit Jahve's Haupteigenschaft [3]), die hypostasiert werden kann. Nach der Sapientia Salomonis ist die Weisheit bei der Schöpfung gegenwärtig „als Werkmeister" (8, 30) und als „Künstlerin des Alls" (7, 22.27; 8, 1.5) [4]). Dieses erhellt, warum in der Gnosis Sophia in enger Beziehung steht mit dem Demiurgen.

In I. Henoch 42 findet sich der Mythus der enttäuschten Weisheit, die zum Himmel zurückkehrt: „Da die Weisheit keinen Platz fand, wo sie wohnen sollte, wurde ihr in den Himmeln eine Wohnung zuteil. Als die Weisheit kam, um unter den Menschenkindern Wohnung zu machen, und keine Wohnung fand, kehrte die Weisheit an ihren Ort zurück und nahm unter den Engeln ihren Sitz" [5]). Bei Sirach (24, 4) sagt die präexistente Weisheit: „Ich nahm meinen Wohnsitz in der Höhe" [6]). Sie findet einen Aufenthaltsort auf Erden in Jerusalem. Nach Henoch 4, 10 ff. wird Henoch von der Weisheit der Welt entrückt und zu einem τελειώθεις gemacht [7]). In der Sapientia Salomonis findet sich das Gebet (9, 1 ff.): „Gott der Väter und Herr des Erbarmens, der du das All durch dein Wort gemacht und durch Weisheit den Menschen bereitet hat, ... gib mir die Genossin deines Thrones, die Weisheit".

Zwei Motive spielen hier eine Rolle: Erstens: Ein Weisheitsmythus. Sophia war bei Gott im Himmel. Sie kam nieder auf Erden, wurde nicht angenommen, ausser von einigen Auserwählten, und kehrte unverrichteter Dinge zum Himmel zurück. Zweitens: Die

---

[1]) H. KLEINKNECHT, *Theologisches Wörterbuch zum Neuen Testament*, G. Kittel, Band IV, S. 86 f., s.v. λέγω.

[2]) U. WILCKENS, *Weisheit und Torheit*, S. 182.

[3]) P. HEINISCH, *Die persönliche Weisheit des A.T.*, S. 4.

[4]) P. HEINISCH a.a.O.. S. 6.

[5]) U. WILCKENS, *Weisheit und Torheit*, S. 160.

[6]) U. WILCKENS a.a.O. S. 166.

[7]) U. WILCKENS a.a.O. S. 173.

Weisheit ist eine selbständige Person, Führerin der Menschen. Der Schüler wird gerettet durch Synusie mit ihr. „Die Weisheit und die Weisen sind parallelisiert" [1]). Die Synusie der Weisheit mit Gott ist Vorbild für die Synusie des Schülers mit ihr. Die Sapientia Salomonis entstammt jüdisch-hellenistischen Kreisen. Die Synusie mit dem Schüler ist die Erkenntnis, die sie dem Schüler gibt [2]).

Diese jüdisch-hellenistischen Gedanken über Sophia haben die gnostische Sophia-Vorstellung beeinflußt. In beiden Fällen betrifft es eine himmlische Gestalt, die präexistent beim Vater war. Sie kommt auf Erden nieder, um später zu ihrem Ausgangspunkt zurückzukehren. Sie arbeitet auf Erden als Offenbarerin und Erlöserin zur Rettung des Gnostikers. Sie gibt ihm das pneumatische Element, durch das er die Gnosis empfangen kann. Neben einer göttlichen Hypostase ist sie auch der Prototyp des Gnostikers. Die Vereinigung mit ihrem Syzygos, dem himmlischen Christus, ist das Vorbild für die Vereinigung des Pneumatikers mit seinem Engel im Brautgemach. Sophia ist das Urbild des Gnostikers selber, dessen geistlicher Funken zur höheren Lichtwelt gehörte, aus dieser heraus in die Materie weggesunken ist, der aber durch die Erkenntnis erlöst wird, um wieder zum Pleroma zurückzukehren.

In der Vierten Schrift des Codex Jung ist Sophia als Logos immer männlich. Philon sagt über die menschliche Natur Sophias [3]), „Wie kann aber die Tochter Gottes, die Weisheit, zu Recht Vater genannt werden? Bzw. warum ist der Name der Weisheit weiblich, ihre Natur dagegen männlich (ὄνομα μὲν θῆλυς σοφίας ἐστιν, ἄρρην δὲ ἡ φύσις)? Die Tochter Gottes, die Weisheit, ist männlicher Natur und Vater, insofern sie in den Seelen Belehrung, Wissen, Einsicht sowie gute und lobenswerte Taten sät und erzeugt" [4]). „Der gnostische Sophia-Mythus und das Philonische Mysterium haben die gemeinsame Vorstellung von der Offenbarer- und Erlöserfunktion der Sophia". Im gnostischen Sophia-Mythus „ist der Erlöser ja männlich, die Sophia weiblich, beide vereint aber als Erlöser des Pneumatikers wirksam" [5]). Weil Christus und Sophia in der valentinianischen Gnosis als Erlöser der Pneumatiker schon eng nebeneinander stehen, ist es nicht verwunderlich, daß im Vierten Traktat die Sophia ein

---

[1]) U. WILCKENS a.a.O. S. 186, 187.
[2]) U. WILCKENS, *Theologisches Wörterbuch zum N.T.*, Band VII, S. 499.
[3]) *De Fuga et Inventione* 50.
[4]) U. WILCKENS, *Weisheit und Torheit*, S. 150, 151.
[5]) U. WILCKENS a.a.O. S. 155.

männlicher Logos ist. Sie spielt in dieser Schrift eine wichtige Rolle im Vollzug der Heilsverwaltung (Ökonomie). Gleichwie bei den Barbelognostikern sind auch bei Philon Sophia und Pneuma oft identisch [1]), besonders in der Funktion eines Offenbarers [2]).

Schlusz: Die Person der Sophia ließ sich mit Betrachtungen über die Hypostase der Weisheit im hellenistischen Judentum vergleichen. Philon ist zum Teil durch die Ideenlehre Platos beeinfluszt worden, zum Teil durch den Logos-Begriff der Stoa. Nach der Stoa erstreckt der Logos sich durch die Welt als Ordnungsprinzip. Auch in der Sapientia Salomonis (15, 1) „durchwaltet" (διοικεῖν) Gott die sichtbare Welt durch die Weisheit [3]). Mit dieser ist im Gnostizismus die Figur der niederen Sophia zu vergleichen, die kraft ihrer Abstammung aus dem Pleroma in dieser Welt die Ökonomie (Heilsverwaltung) vollzieht und die Pneumatiker aufzieht zur Erkenntnis. Philon baut auch weiter auf den biblischen und nach-biblischen Weisheitsliteratur auf. Wenn er bisweilen den Logos und die Sophia gleichsetzt, ist dafür eine Vorlage in der Sapientia Salomonis vorhanden, wenn dieses Buch die Gleichnung zwischen dem Logos und der Sophia vollzieht (9, 1.2). Seinerseits hat Philon wieder den Apologeten Justinus Martyr ($\pm$ 150 n. Chr.) beeinflußt, nach dem „der Logos vom Heiligen Geiste, d.h. in der Schrift, bald Sohn, bald Gott, bald Herr, bald Engel, bald Weisheit genannt wird" [4]).

In der Diaspora wurden die Juden besonders in Alexandrien hellenisiert. Unter den Ptolemäern bekleideten sie hohe Staatsämter. Sie studierten ganz besonders die griechische Philosophie und wollten den Griechen den hohen Wert ihrer alten Kultur beweisen. Sie trieben dabei die allegorische Exegese, um nachzuweisen, daß die griechische Philosophie der Sinn der Bibel sei. Philon (20 v. Chr. bis etwa 40 n. Chr.) hatte auf diesem Gebiet schon Vorläufer. Er lehrt, daß „Gott nur mittels der 'Kräfte' (δυνάμεις), einer Art Mittelwesen, die aber wieder im Logos sich vereinigen, in der Welt vermag zu wirken" [5]). Bei diesen „Kräften" ist zu denken and die Weltseele und die Ideen Platos und an die wirksamen Kräfte der Stoa. „Die

---

[1]) U. WILCKENS a.a.O. S. 157.
[2]) U. WILCKENS a.a.O. S. 158.
[3]) P. HEINISCH, *Griechische Philosophie und Altes Testament* II. *Septuaginta und Buch der Weisheit*, Münster i. Westf., 1914; *Biblische Zeitfragen*, sechste Folge, Heft 3 (VI. 3), S. 19.
[4]) P. HEINISCH, *Der Einflusz Philos auf die älteste Christliche Exegese*; *Alttestamentliche Abhandlungen* Heft 1/2, Münster i. Westf., 1908, S. 145.
[5]) P. HEINISCH a.a.O. S. 6.

Welt selbst ist nach Philon von dem Logos aus der ewigen Materie geformt" [1]). In dieser Logos-Lehre begegnen einander „die Lehre vom Geiste Gottes und von der Weisheit im Alten Testament und die Platonische Weltseele und der die Welt durchziehende Logos der Stoa" [2]). Er verbindet die Lehre des Plato und des Pythagoras vom Fall der Seele mit der biblischen Erzählung von der Verführung der Söhne Gottes durch die Töchter der Menschen [3]). Vielleicht kann der Mythus vom Fall der Sophia mit diesen Auffassungen Philons zusammenhängen. Wenn Philon die Erlösung durch Askese lehrt, ist solches der stoischen Apathie und dem Gedanken der Freiheit von Leidenschaften entlehnt worden. Wir erinnern uns, daß auch die Sophia im gnostischen Mythus von ihren πάθη befreit werden sollte.

Wenn wir nun auch bedenken, daß Valentinus seine Ausbildung in Alexandrien empfing, wo er schon mehrere gnostische Sekten vorfand, so zeigt es sich, daß die Person der Sophia ihre Wurzeln unter anderem in einem vorchristlichen jüdischen Gnostizismus oder Protognostizismus findet, der als eine der wichtigsten Quellen der Gnosis als Nebenerscheinung der Christlichen Kirche betrachtet werden soll.

DISKUSSION

RINGGREN: Sie meinen, daß die Alt-testamentliche Sophia nur teilweise als Erklärung der gnostischen Sophia zu verstehen ist. Dann habe ich nichts auszusetzen. Ich möchte nur hinzufügen, daß auch die Alt-Testamentliche Sophia bei Sirach und in den anderen apokryphen Schriften vielleicht nicht ganz innerjüdisch ist, sondern von anderer Seite her beeinflußt ist und vielleicht kommt dieser Einfluß von derselben Seite als auch andere Einflüße auf den Gnostizismus.

PRÜMM: Ich habe nur Bedenken gegen die Schlußfolgerung, die aus den sämtlichen Daten herausgezogen worden ist, und zwar ich habe die Bedenken der Formulierung. Es wurde gesagt: das Ergebnis ist, die jetzige Form — das was wir „Gnosis "nennen — ist das Produkt aus verschiedenen Strömungen, von denen eine, die im Judentum bestehende Gnosis ist. Und zwar war als Grundlage hierfür der Begriff angegeben, „die Gnosis der Weisheit". Da meine ich, liegt ein diskutierbarer Punkt. Nämlich, wenn ich das mit dem Terminus „Gnosis" benenne, so entstehen ohne weiteres die Assoziationen nach dem Gnosisbegriff, den wir mit der häretischen Gnosis des 2. Jhd. verbinden. Die Gnosis der „Sapientia"-Schriften hat doch eigentlich nichts von dem, was für die Gnosis der Kaiserzeit, die wir die „häretische Gnosis" nennen, eigentlich bezeichnend ist, nämlich von

---

[1]) a.a.O.
[2]) a.a.O.
[3]) P. HEINISCH a.a.O. S. 7.

dem eigentlichen mythischen Fall, dem Mythos des Falles der präexistenten Seele. Bei Plato haben wir das Analogon in dem Mythos des Phaidros und noch in der Republik. Aber wir sind nicht gewohnt bei Plato von Gnosis zu sprechen, sondern wir nennen das einen Nebenstrang seiner Philosophie, nämlich den mythischen Einschlag, der hauptsächlich (nach seinem eigenen Geständnis) aus der Orphik stammt. Hier stehen wir also vor dem Problem der Nomenklatur — was ist eigentlich Gnosis — und darüber müßten wir uns etwas einigen, sonst werden wir immer aneinander vorbeireden. Dieselbe Bemerkung vielleicht bei anderen Vorträgen ebenso so relevant werden dürfte.

ZANDEE: In der Tat, es dreht sich um die Definition der Gnosis. Ein sehr wichtiges Punkt ist die Rückkehr des individuellen Nus zum Weltnus (Widengrens Vortrag, S. 50). Diese Idee kann vom griechischen Denken herrühren. Am Anfang unserer Zeitrechnung und schon früher war der Platonismus in der Mode. Prof. Zandee schlägt die Formel: „Hellenisierung der alt-orientalischen Religionen" für den Gnostizismus vor.

SCHUBERT: Es gibt eine völlig ungnostische Weiterentwicklung dieser Sophia-Lehre im rabbinischen Judentum. Wo sieht der Ref. den Übergang von der biblischen Ḥokma zur Gnosis? Man konnte zeigen, wie die Ḥokma Vorstellungen den rabbinischen Tora-Begriff einerseits und bei den Kirchenväter die Christologie und die Mariologie andererseits beeinflußt haben.

ZANDEE: Die Sophia-Spekulation Philos zeigt sich in mehreren Hinsichten mit der gnostischen verwandt. Für beide ist Sophia eine Mittlergestalt. Prof. Z. verweist an die Kabbalah (Zohar, ed. G. Scholem, N. York, 1963, SS. 15, 79 f., „Quelle", „Weisheit", „Verstand", 72 f.).

SCHUBERT: Es gibt Beispiele eines ähnlichen Verständnis (bei Ibn Gabirol) aus der arabischen Philosophie, ohne unmittelbarer Verbindung zur antiken Gnosis. Scholems Gnosisbegriff ist vielleicht etwas zu weit.

JONAS: Eine kurze Bemerkung zum Begriff der *tolme*. *Tolme* bezeichnet die Überhebung der Sophia im Bericht des Irenaeus: d.h. der Fall der Sophia ist durch einen Vorwitz oder eine Dreistigkeit zustande gekommen. Es ist nun interessant, sich zu fragen, wo dieser Begriff *tolme* sonst noch vorkommt; d.h. wo er mit eben dieser Funktion vorkommt — und die Funktion ist letztlich eine kosmogonische. Die überraschende Feststellung ist, daß der Begriff so vorkommt bei Plotin: der Heraustritt der Seele aus dem *Nus* wird von Plotin vorzugsweise mit dem psychologischen Begriff des Vorwitzes (*tolme*, *polypragmosyne*) begründet. Diese Seele, die aus dem *Nus* tritt, ist aber nicht die Einzelseele, die nach Platon (und den Orphikern) ihr Gefieder verliert und in die Leib stürzt: es ist die universale Seele, die durch diese *tolme* überhaupt erst zum schöpferischen Prinzip einer *physis* und einer materiellen Welt wird.

Diese Beobachtung nehme ich zusammen mit der ferneren, negativen, daß der Begriff der *tolme* offenbar unanwendbar ist auf die Weltseele Platons oder der Stoiker, auf die *logoi spermatikoi* der letzteren, oder was sonst immer Plotin von diesen Vorgängern an Naturprinzipien in Anspruch nimmt. (Ebenso unanwendbar natürlich ist er auf den Logos des Philon.) Von Platon also und der philosophischen Tradition konnte Plotin dies nicht haben; woher er es hatte, weiß ich nicht. (Am ehesten möchte man noch an neupythagorische Anregungen denken.) Die Beobachtung aber, daß eine *tolme* in dieser Funktion einerseits bei den Gnostikern, andererseits bei Plotin auftritt, ermutigt mich in meiner alten Annahme, daß, wenn man vom „Ursprung der Gnosis" spricht, es nicht angeht, von einer Platonisierung antiken, sei es orientalischen oder anderen Gedankenguts zu sprechen, daß man

vielmehr die Frage stellen muß, wieso der Neuplatonismus so war, wie er war:
ein Neuplatonismus, der nicht ein ausschließlich von platonischen Antezedenzien
erklärbares Phänomen ist.

Das kann dazu führen, daß man sagt oder mindestens als Möglichkeit erwägt,
daß ohne die Gnosis, ohne gnostisierende Einflüße, Plotin nicht der Platoniker
gewesen wäre, der er war; und daß, obwohl es auch richtig ist, daß ohne platonische Einflüße die Gnostiker nicht gewesen wären, was sie waren, man mit der
einfachen Kombination der klassischen Gegebenheiten — nämlich: Platonismus,
plus Stoa, etc., auf der einen Seite, und altorientalisches plus jüdisches Gedankengut, und eventuell noch christliche Offenbarung, auf der anderen Seite — nicht
auskommt; sondern daß, wie auch immer der Mechanismus der Übermittlung
gewesen sein mag, man von einem „gnostischen" Gedanken-Klima sprechen
muß, in dem es möglich war, daß die Mythenbildner des zweiten Jahrhunderts,
wie Valentinus, und der große systematische Philosoph des 3. Jahrhunderts,
nämlich Plotin, von *tolmē* im selben Sinne sprechen konnten.

ZANDEE: Erinnert in diesem Zusammenhang an seine "Terminology of
Plotinus and of some gnostic writings", S. 26-28 und an die Frage, ob man von
gnostizisierenden Einflüßen auch schon im Mittel-Platonismus sprechen darf[1]).

------

[1]) [S. darüber S.S. 106, 350, 422, u. den Index. Hrsg.].

LA THÉOLOGIE DE L'HISTOIRE DANS LA GNOSE VALENTINIENNE

PAR

H. I. MARROU

Je n'aurais jamais osé m'aventurer sur ce terrain difficile si quelques remarques jetées en passant par l'expert particulièrement qualifié qu'est le P. Antonio Orbe, au t. III de ses *Estudios Valentinianos* [1]), ne m'avaient persuadé que j'étais dans la bonne voie. Nous ne poserons pas directement le difficile problème qui fait proprement l'objet du présent colloque, celui des origines de la Gnose; nous nous contenterons d'interroger le gnosticisme en quelque sorte historique, celui qui apparaît pleinement développé dans nos sources les plus abondantes et les plus sûres (il y a, me semble-t-il, une convergence remarquable qui s'établit entre le témoignage que viennent de nous fournir les manuscrits coptes de Nag-Hammadi et celui que nous possédions déjà de saint Irénée, si bien exploité par le regretté P. François Sagnard dans sa thèse de 1947). Ne cherchons pas non plus, ce qui est toujours dangereux, à nous faire une image globale de cette Gnose si peu unifiée, avec ses sectes diverses et concurrentes; mais nous choisirons d'examiner le système peut-être le mieux connu et dont l'importance historique semble avoir été considérable, celui de la secte valentinienne qu'on nous permettra par contre d'étudier dans son ensemble, c'est-à-dire tant chez son fondateur que dans le réseau ramifié de ses disciples: l'école orientale de Théodote (sur lequel nous renseignent les extraits de Clément d'Alexandrie), l'école occidentale d'Héracléon et de Ptolémée, connus le premier par Origène, le second grâce à Epiphane de Salamine. Dans les limites de ce bref exposé, il faudra se contenter d'une image globale et renoncer à poser les problèmes d'évolution: est-ce que le caractère chrétien de la secte est allé s'accentuant de Valentin à ses disciples et spécialement à Ptolémée, ou bien au contraire Valentin a-t-il été au point de départ un chrétien relativement orthodoxe qui s'est progressivement éloigné de la grande Eglise? La question reste ouverte.

---

[1]) A. ORBE, *La Unción del Verbo* (Estudios Valentinianos, vol. III), *Analecta Gregoriana*, vol. 113, Roma 1961, p. 425-426, 523-524.

Il n'y a pas de doute: les diverses formes sous lesquelles ce système est attesté s'accordent pour attribuer un rôle essentiel à la figure de Jésus, de Jésus de Nazareth dirai-je pour utiliser le terme sous lequel les historiens du XIXᵉ siècle aimaient à désigner le Jésus de l'histoire. Nous ne parlerons pas des autres points de contact qui existent entre le Valentinianisme et le Christianisme, le fait par exemple que certaines entités de sa mythologie reçoivent des noms empruntés au vocabulaire chrétien tels que Monogène, Logos, Fils, voire Fils de l'Homme (chez Héracléon), Christ, Sauveur, etc. Je veux seulement mettre en évidence la présence chez les Valentiniens du Jésus historique, celui que les écrits du Nouveau Testament nous présentent comme ayant vécu une histoire empiriquement réelle, déroulée dans le temps humain et sur la terre charnelle, la Palestine du premier siècle.

L'image que les docteurs valentiniens se sont faite de Jésus, l'analyse ontologique qu'ils en donnent est naturellement profondément marquée par leurs catégories fondamentales. Elle présente au moins quatre éléments [1]; a) en vertu d'une théologie de type adoptianiste, on distingue le Sauveur, synthèse lui-même du Plérôme, qui est descendu sur Jésus, le Jésus humain, sous la forme d'une colombe; et ce Jésus lui-même est à son tour tripartite: b) il présente un élément pneumatique qui lui vient de l'Eon Sagesse; c) un élément psychique qu'il tient du Démiurge; d) il ne contient pas à proprement parler d'élément hylique, mais seulement cette apparence de corps exigée par l'incarnation, disons plus rigoureusement (car il n'y a pas chez les gnostiques de véritable incarnation) exigée par l'économie, apparence de corps qui en vertu d'une „technique mystérieuse", ἄρρητος τέχνη, lui permettait d'être vu, touché, affecté de sensibilité, susceptible de souffrance, *pathètos*. C'est ce Christ humain qui est né de Marie ou plutôt qui est „passé par Marie", comme de l'eau à travers un tuyau, selon l'image consacrée (la *virginitas in partu* est un aspect essentiel de cette christologie car il importe que le Sauveur n'ait rien assumé de matériel qui pût le corrompre dans le sein de Marie) [2].

Ce Jésus donc joue un rôle de premier plan chez les Valentiniens: c'est à lui qu'ils rattachent l'origine même de leur doctrine. Celle-ci, on le sait, se présentait volontiers, on peut dire le plus souvent, comme s'exprimant dans un enseignement ésotérique attribué à Jésus [3]. Le

---

[1] F. M. M. Sagnard, *La Gnose valentinienne et le témoignage de saint Irénée*, Paris 1947, p. 188-190; A. Orbe, *Unción*, p. 120-126.

[2] A. Orbe, *Unción*, p 230-231; *Gregorianum* 40 (1959), p. 653, n. 209.

[3] Sans doute y a-t-il aussi toute une part de la littérature gnostique qui ignore

genre littéraire favori auquel ils avaient recours était un évangile, mis volontiers sous le patronage d'un apôtre ou d'un témoin de la vie terrestre de Jésus, évangile qui prétendait contenir l'enseignement secret dispensé à un ou plusieurs disciples favorisés, pendant la période de temps située entre la Résurrection et avant l'Ascension suprater- restre de Jésus, — période que pour les besoins de leur cause ces évangiles apocryphes d'inspiration gnostique aimaient à prolonger bien au-delà des quarante jours dont nous parlent les *Actes des Apôtres*, soit 18 mois le plus souvent chez les Valentiniens comme d'ailleurs les Ophites, 545 jours dans l'*Ascension d'Isaïe*, 550 selon l'*Apokryphon de Jacques*, voire onze ans et quelque dans la *Pistis Sophia* [1]). Je ne crois pas nécessaire de vous donner ici la liste de ces écrits aux titres bien connus. A première vue cette référence au Jésus de l'histoire peut apparaître comme assez extrinsèque, comme un procédé tout artificiel pour donner un caractère chrétien à une doctrine qui en soi l'était fort peu: c'est ainsi que le colophon de la *Paraphrase de Sèèm* rattache assez artificiellement à Jésus-Christ la doctrine qui y a été exposée. Le cas majeur est celui de la *Sophia Jesu-Christi*, qui est peut-être une simple mise en scène christianisée de l'*Epître d'Eugnoste*, (le nom de Jésus- Christ y a été introduit dix-huit fois, sans parler du titre et du colo- phon); même si l'opinion inverse de Till [2]) et de son disciple Schenke [3]) devait être retenue, — à première vue elle paraît moins acceptable pourtant que celle si naturelle de Puech [4]) —, cela ne changerait rien: la référence „évangélique" une fois supprimée, la doctrine ne s'en porte pas plus mal, n'en est pas substantiellement altérée [5]). Cependant on ne peut pas se contenter d'interpréter le rôle ainsi attribué à Jésus comme un simple procédé d'exposition, conçu par exemple pour

---

une telle référence à Jésus et se place sous le patronage de maîtres illustres ou, pour nous, inconnus: Zoroastre ou Zostrien, Gogessos-Eugnoste, Silvanus, Dosithée, etc. D'autres textes, nous le rappellerons plus loin, invoquent une auto- rité paléo-testamentaire.

[1]) H. Ch. Puech, dans E. Hennecke-W. Schneemelcher, *Neutestamentliche Apokryphen*, Ié, p. 248; C. Schmidt, J. Wajnberg, *Gespräche Jesu mit seinen Jüngern nach der Auferstehung, Texte und Untersuchungen*, 43, p. 403-452.

[2]) W. C. Till, dans *Texte und Untersuchungen. . .*, 60, p. 54.

[3]) H. M. Schenke, dans *Zeitschrift für Religions- und Geistesgeschichte*, 14 (1962), p. 263-278, 352-361.

[4]) H. Ch. Puech, dans *Mélanges W. E. Crum*, Boston 1950, p. 102, 4, repris par J. Doresse, *Les Livres secrets des Gnostiques d'Egypte*, Paris 1958, p. 215.

[5]) Juste remarque de S. Pétrement, dans *Revue de Métaphysique et de Morale*, 58 (1960), p. 388, n. 0.

faciliter la diffusion de la gnose en milieu chrétien (Irénée nous parle
de cette propagande camouflée des Valentiniens) [1]).

Il y a là quelque chose de plus et de plus essentiel. La gnose,
— M.lle Pétrement a eu raison d'y insister [2]) —, ne se présente pas
comme une Connaissance de type philosophique, qu'une pensée
humaine eût été ou serait capable de retrouver par un effort de réflexion
et d'élaboration rationnelle. C'est une pensée religieuse qui se donne
comme révélée, et cela comme beaucoup d'autres formes de pensée de
la *Spätantike*. Si le salut est Connaissance, celle-ci résulte d'une intervention venue d'en-haut. C'est du moins un caractère qui s'affirme
avec une particulière insistance chez les Valentiniens. Si les premiers
docteurs gnostiques (à supposer qu'on puisse véritablement les définir
déjà comme tels), Simon le Mage et Ménandre, avaient osé s'arroger
pour eux-mêmes le rôle surhumain de révélateur, dans les autres
systèmes et chez Valentin tout particulièrement ce rôle est, nous
l'avons dit, dévolu à Jésus. Que l'hommage qui lui est ainsi rendu soit
dans une large mesure illégitime, c'est ce que le théologien chrétien
ne manquera pas d'objecter et l'histoire lui fournira de bons arguments: il est certain que l'enseignement des gnostiques apparaît
comme singulièrement étranger à celui que reflètent les Evangiles
canoniques, — encore une fois quoi qu'il en soit du problème de la
genèse de ce gnosticisme, — qu'il soit étranger à l'origine au christianisme et se soit seulement préoccupé ensuite d'arborer un masque
chrétien, — ou qu'il en soit un développement marginal, illégitime,
une hérésie. Il reste que ces gnostiques se présentent bien comme les
héritiers, les porteurs de l'enseignement de Jésus, du Jésus de Nazareth, du Jésus de l'histoire. J'insiste une dernière fois sur ce mot.

On a beaucoup travaillé depuis vingt ans sur les problèmes posés
par la théologie de l'histoire. Le cadre de toutes les discussions qui se
sont déroulées depuis avait été tracé magistralement par mon collègue
et ami Henri Charles Puech dans son Mémoire, justement classique,
de l'*Eranos-Jahrbuch* XX (1951), p. 57-113, *La Gnose et le temps*, où,
reprenant en le développant, un schème esquissé par Schlegel dans
les dernières années du XVIIIe siècle, il oppose au temps cyclique des
Grecs que définit le mouvement régulier des astres, cette image mobile
de l'immobile éternité, comme au temps linéaire des Chrétiens, tel
qu'il se déroule de la *Genèse* à l'*Apocalypse*, de la création du monde à

---

[1]) IRÉNÉE, *Adv. haer.* III, 15, 2 Massuet, I., p. 79-80 Harvey.
[2]) *Art. cit.*, p. 385 sq.

la parousie eschatologique, le temps de l'histoire du salut, de la *Heilsgeschichte*, une troisième conception qui elle serait caractéristique de la Gnose prise dans son ensemble. Pour commencer le pessimisme de celle-ci dénonce le temps cosmique lui-même comme une mauvaise imitation de l'éternité, un mensonge, *pseudos*, „Pensée indifférente ou hostile à l'histoire", la Gnose oppose d'autre part à „l'authentique conception chrétienne du temps" „un temps incohérent et brisé, discontinu" (p. 87). L'histoire ne sert à rien, comme tout ce qui est de ce monde mauvais, oeuvre d'un Démiurge pour le moins ignorant. Le salut réalisé par la Gnose „selon un mécanisme et dans des conditions essentiellement intemporelles" (p. 99), contredit, rend vaine et dissout l'histoire antérieure, étant révélation du Dieu étranger, inconnu.

Je ne voudrais pas que les remarques qui vont suivre puissent paraître comme une critique s'adressant à mon grand aîné dont nous ressentons aujourd'hui tout particulièrement l'absence, — l'un des meilleurs artisans de la recherche et l'un des meilleurs connaisseurs de la Gnose à laquelle il a consacré une si grande partie de sa longue carrière de savant. Je me sens personnellement profondément redevable à sa brillante esquisse qui a été si justement admirée. Mais la vie de la Science est progrès et il serait bien regrettable qu'après tant d'années de recherches et de réflexion nous n'ayons pas de retouches à apporter au tableau esquissé en 1951. Il y aurait beaucoup à dire sur ces trois conceptions devenues classiques du temps: 1) comme l'a fait observer dès 1953 Victor Goldschmidt [1]) et comme vient de le rappeler avec insistance James Barr [2]), le temps cyclique des Grecs est un temps physique, cosmologique, qui n'épuise pas tout ce que ces mêmes Grecs ont pensé du temps et de l'histoire. Oui, la notion de palingénésie existe bien chez eux, attestée des Pré-Socratiques aux derniers néo-platoniciens contemporains de Justinien, mais elle ne joue pas dans la vie spirituelle de l'homme grec le rôle que lui assignera la pensée tragique de Nietzsche. De quel ton tranquille et apaisé Aristote par exemple conclut: „Il peut donc se faire qu'en un sens nous soyons antérieurs à la guerre de Troie" [3]). Qu'il s'agisse d'Achille, de Socrate, de Thucydide ou de Marc-Aurèle, ce n'est pas sur l'éternel retour que l'homme compte pour se consoler en face de la

---

[1]) *Le Système stoïcien et l'idée de temps*, Paris 1953, p. 49-54.
[2]) *Biblical Words for Time* (Studies in Biblical Theology, 35), London 1962, p. 137-144.
[3]) ARISTOTE, *Problemata* XVII, 3, 916 a 30-31.

mort. A côté de ce temps cosmologique, il y en a un autre, le temps
vécu, qui pour l'homme grec est seul réellement le temps historique,
ce présent hors duquel rien n'existe, tragiquement précaire, si passionnément aimé.

2) Il y aurait aussi beaucoup à dire sur le temps linéaire des
Chrétiens: il faudrait au moins souligner qu'il n'appartient qu'à la
création: comme l'espace il apparaît et disparaît avec celle-ci; on ne
peut donc sans grossier anthropomorphisme transposer en Dieu cette
notion d'une durée, même si elle devait être infiniment étendue. Et
surtout la théologie chrétienne de l'histoire est animée d'une espérance
eschatologique: elle tend à un dépassement du temps et par conséquent
à une fin de l'histoire. Au moins autant que le gnostique, le chrétien
authentique aspire à être délivré (n'est-ce pas la dernière demande du
Pater: ,,délivre-nous du mal"); lui aussi se sent nostalgique et en un
sens étranger à ce monde: ne le lui a-t-on pas assez souvent reproché!
Le christianisme est une religion de l'espérance: *Maranatha*.

3) Mais c'est surtout à cette notion d'un temps gnostique brisé,
discontinu, négation de l'histoire, qu'il y a dès maintenant beaucoup
à reprendre. H. CH. Puech est un érudit trop bien informé, un savant
trop prudent et un logicien trop rigoureux pour n'avoir pas senti le
besoin de nuancer son exposé synthétique nécessairement trop rapide
et par là même quelque peu durci. Je relève sous sa plume des observations complémentaires, dirai-je des repentirs, très significatifs:
ainsi p. 102: ,,sans doute le Salut s'opère-t-il dans le temps" . . . ou
p. 106-107: ,,est-ce à dire que (le Salut) soit dans le Gnosticisme entièrement exempt de certaines conditions temporelles? Il serait sans
doute inexact de l'affirmer sans réserve ni nuances". La place ainsi
faite à Jésus me conduit aujourd'hui à insister davantage: non, le
temps n'est pas seulement ,,le lieu de l'esclavage, de l'exil, de l'oubli,
de l'ignorance, ivresse et sommeil" (p. 89), . . . souillure, état de
déchéance, fruit lui-même d'une déchéance, misère, abomination,
angoisse". Il est aussi, — comme dans le Christianisme —, le lieu
et l'instrument du Salut. L'image que Puech nous présente du Gnosticisme devient inexacte dans la mesure où elle est trop synthétique,
voulant embrasser des formes de pensée malgré tout assez différen-
ciées, allant des gnostiques du second siècle (et même des Pré-gnostiques du Nouveau Testament) aux Manichéens, Mandéens et Bogo-
miles. On ne peut sans plus attribuer à la Gnose prise dans son ensemble, et particulièrement à la Gnose valentinienne, ce qui n'est vrai
que du seul Marcion. C'est Marcion qui prêche un *Deus sine teste*,

qui a nemine unquam annunciatus est [1]); par contre je ne crois pas qu'on puisse dire que la révélation du Salut chez Valentin soit „détachée de toute perspective historique", „entière nouveauté, sans lien avec le passé de l'humanité où il n'a été ni préparé ni annoncé" (p. 86).

Si nous quittons Marcion pour la Gnose proprement dite les choses apparaîtront beaucoup plus complexes: pour commencer, on ne peut pas dire que l'attitude des gnostiques à l'égard de l'Ancien Testament ait été uniformément et totalement négative; H. Ch. Puech est le premier à l'avoir reconnu: j'emprunte ici pour le corriger les textes qu'il a lui-même soigneusement rassemblés dans une note de son grand Mémoire (p. 86, n. 31). Ptolémée n'était pas le seul qui, grâce à son analyse tripartite de l'inspiration de l'ancienne loi (Dieu, Moïse, les Anciens) trouvait le moyen d'y récupérer des éléments valables. Son maître Valentin lui aussi, — au témoignage d'Irénée qu'il faut préférer ici à celui trop négatif d'Hippolyte —, distinguait déjà dans les Prophéties ce qui venait de la Semence, de la Mère ou du Démiurge: il y avait donc bien en elles des révélations authentiques concernant „les choses d'en haut". Comment aurait-on pu négliger le fait si évident que les Prophètes avaient annoncé un Sauveur: il était plus commode d'admettre qu'ils étaient d'origines diverses, inspirés à divers degrés par diverses puissances qui n'étaient pas toutes intégralement mauvaises. Aussi bien y-a-t-il toute une partie de la littérature gnostique qui est mise, non plus sous le patronage de Jésus mais sous celui de personnages de l'Ancien Testament (*Apocalypse d'Adam*, *Paraphrase de Sèèm* qui est Seth, *Apocalypse de Dosithée* ou les trois stèles de Seth, *Livre de Jéû* dicté à Enoch, *Livre de Nôreia*, femme de Noé, *Arkhangelikê de Moïse le Prophète*).

Mais venons à l'essentiel: il y a plus encore et cela aussi H. Ch. Puech l'a scrupuleusement noté tout en le minimisant quelque peu: „le Salut dépend d'un Sauveur qui intervient dans le temps ... Le fait est particulièrement sensible dans les gnosticismes chrétiens, qui ne pouvaient pas ne pas tenir compte de la figure historique de Jésus" (p. 107-108). Je ne vois pas qu'on y découvre „une dualité, un hiatus entre le Christ métaphysique et le Jésus apparu en Judée", — ou du moins pas plus que le Christianisme chalcédonien n'en établira entre le Fils de Dieu et le Fils de David. Ecoutons l'*Epître à Rheginos* sur la Résurrection: „Il s'est révélé comme Fils de Dieu ... mais le Fils de

---

[1]) Formules qu'Irénée, *Adv. Haer.* II, 9, 1 M. (I, p. 272 H.); 10, 1 (p. 273) utilise de façon générale, sans les appliquer spécialement à Marcion.

Dieu, Rheginos, était Fils de l'Homme et il les incluait tous deux, possédant l'humanité et la divinité . . ." [1]). Encore une fois la Gnose est révélation et la révélation a été apportée par Jésus; c'est pourquoi je ne me résous pas à suivre Puech lorsqu'il se risque à écrire: „le gnostique n'attache pas d'importance à l'aspect historique de cette intervention" (p. 107). Il me semble au contraire que la vie terrestre de Jésus a pour eux une valeur, un rôle essentiel, même si leur interprétation ésotérique paraît minimiser certains aspects de la tradition orthodoxe à son sujet: rigoureusement docètes, ils avaient du mal, on le sait, à intégrer la Passion. Mais cela ne les empêchait pas de s'intéresser au Jésus visible, τὸ ὁρατὸν τοῦ Ἰησοῦ, comme disait Théodote[2]). J'ai eu l'occasion d'attirer l'attention sur le curieux texte de s. Irénée [3]) qui nous parle des images peintes ou sculptées que possédaient les gnostiques et qu'ils disaient faites par Pilate à la ressemblance du Christ au temps où Jésus était parmi les hommes: texte si important pour la lumière qu'il jette sur les origines de l'art chrétien. Il y a chez eux une insistance comparable à celle de saint Paul quand il souligne l'importance de la venue du Christ: eux aussi aiment à répéter des formules comme „quand le Christ est venu", „depuis le jour où le Christ est venu" . . . On les trouve en particulier dans cet *Evangile de Philippe* [4]) que Schenke a bien montré être, pour l'essentiel, valentinien, malgré son caractère éclectique. Les gnostiques connaissent la vie terrestre de Jésus telle que nous la racontent les Evangiles canoniques: ils s'intéressent à ses miracles, à ses paraboles, même si leur interprétation ésotérique doit en tirer d'étranges applications. J'aimerais citer ici une jolie formule du P. Orbe: „la même parabole de Jésus peut apparaître comme mystère aux hyliques, comme parabole aux psychiques, être claire et limpide pour les seuls pneumatiques" [5]). Mais surtout Jésus au cours de sa vie terrestre et en particulier dans les jours qui ont suivi sa Résurrection „a révélé aux parfaits le mystère caché", „la Gnose du Père". L'*Evangile de Vérité* exprime à plusieurs reprises cette idée qu'une révélation était nécessaire pour ouvrir la voie du Salut et que telle a été la fonction remplie par „l'enseignement

---

[1]) P. 44, 15-36, éd. M. Malinine *et al.*
[2]) Ap. CLÉMENT D'ALEXANDRIE, *Extraits de Théodote*, 26, 1, p. 110 Sagnard.
[3]) *Adv. Haer.* I, 25, 5 M. (I, p. 210 H.) cité dans ma Préface à l'éd. franç. de R. M. GRANT, *La Gnose et les origins chrétiennes*, Paris 1964, n. 6 (p. 161).
[4]) R. Mc. L. WILSON, *The New Testament in the Nag Hammadi Gospel of Philip*, in *New Testament Studies*, 9, p. 291-294.
[5]) A. ORBE, *Unción*, p. 476.

sublime" de Jésus [1]). L'*Epître à Rhéginos* de son côté s'achève par la formule significative: „ces choses, je les ai reçues de la libéralité de mon Seigneur Jésus le Christ" [2]).

D'où l'insistance placée par les gnostiques sur leur notion de tradition, *paradosis*, sur laquelle E. Molland a si justement attiré l'attention; pour ne citer qu'un texte [3]), la *Lettre à Flora* de Ptolémée, exposé exotérique, se termine en ouvrant la perspective d'une initiation plus complète „une fois que tu auras été jugée digne de connaître la tradition des Apôtres, tradition que nous aussi avons reçue par voie de succession" [4]). Saint Irénée ne fera que transposer en la leur empruntant cette notion de succession légitime, *diadokhè*: les gnostiques déjà se préoccupaient d'établir une ligne de filiation continue qui légitimait leur possession d'un évangile secret; ainsi Valentin se présentait comme l'héritier d'un Théodas, disciple de Paul; pareillement Basilide et son fils Isidore se réclamaient de l'apôtre Matthias ou de Glaucias, interprète de Pierre; les Naasséniens de leur côté prétendaient tenir leur doctrine de Jacques, le frère du Seigneur qui l'aurait transmise à Mariamnè, Marie-Madeleine.

Passant de Jésus aux Apôtres et aux fondateurs de sectes, la *diadokhè* se continue de prédicateurs gnostiques en convertis, d'initiateurs en initiés. La Gnose admet donc, disons plus, elle exige une mission aux quatre coins du monde, une évangélisation. Encore une fois, pour atteindre le Salut il ne suffit pas d'être par nature un pneumatique, il faut pouvoir en prendre conscience, en acquérir la Connaissance et cette Connaissance, cette Gnose, on ne l'acquiert que par la communication de cette révélation que nous avons vue apportée par Jésus. Or cette mission, cette évangélisation se déploie dans le temps et dès lors celui-ci ne paraît plus comme le mensonge, l'illusion dénoncée plus haut: comme chez les Chrétiens il est chargé de valeurs positives. Il y a dans le valentinianisme un équivalent de ce que la théologie chrétienne appellera le temps de l'Eglise, — le temps nécessaire au recrutement du nombre des Saints (cf. *Apoc.* 6, 11, verset inlassablement commenté par les Pères), le temps de la croissance du corps du Christ jusqu'à ce qu'il ait atteint sa stature parfaite, le temps de la maturation de la moisson, celui où le blé croît côte à côte avec l'ivraie,

---

[1]) Ainsi p. 18, 11-24; 19, 15-30, éd. cit.
[2]) P. 49, 37-50, 1, éd. cit.
[3]) L'ensemble du dossier a été rassemblé de façon très complète par H. CH. PUECH, mém. cité, p. 107, n. 74.
[4]) EPIPHANE, *Panarion*, 33, 7, 9, p. 68 Quispel

jusqu'à ce qu'il puisse être rassemblé dans les granges éternelles. Tout cela a une contrepartie chez les gnostiques; Théodote, pour ne citer que lui, a un terme technique pour désigner ce que nous appellerions aujourd'hui le sens de l'histoire; c'est „le rassemblement des semences", *sullexis tôn spermatôn*, — les „semences" étant les parcelles d'origine divine dispersées à travers le monde crée [1]). Une certaine durée est nécessaire pour permettre ce rassemblement: c'est le temps attribué à la génération, celui où „les femmes enfantent" [2]); Théodote précise en effet: „il faut en effet que le fait d'engendrer existe jusqu'à ce que la semence comptée d'avance soit produite au dehors" [3]); on retrouve la même idée chez Héracléon [4]) comme dans l'*Evangile de Philippe* [5]), — preuve que nous avons bien là une doctrine commune à toutes les écoles valentiniennes. Il se passe donc quelque chose d'important dans le temps de l'histoire, quelque chose qui un jour parviendra à son terme en même temps qu'à son accomplissement: le Christ psychique, nous dit encore Théodote, est assis à la droite du Démiurge jusqu'à la consommation finale, *mekhri sunteleias* [6]) (on remarquera l'emploi absolu du mot sans article ni complément: nous avons donc bien affaire ici encore à un terme technique de la gnose valentinienne) [7]). Irénée de son côté nous transmet la voix de l'école parallèle, celle de Ptolémée: „ce sera la *sunteleia* quand tout l'élément pneumatique aura été formé et parfait en Gnose, c'est-à-dire quand les hommes pneumatiques possèderont la parfaite Gnose sur Dieu" [8]). C'est avec Jésus et dans Jésus que la semence ainsi rassemblée réintègrera le Plérôme: tel est le vrais sens que le gnostique reconnaît à la parole suprême: „Père, je remets mon Esprit entre tes mains" [9]); ce *Pneuma* étant constitué par le rassemblement, la totalité des „semences" des Pneumatiques.

On le voit, nous avons ici une véritable théologie de l'Histoire [10]); on

---

[1]) CLÉMENT D'ALEXANDRIE, *Extraits de Téodote*, 49, 1, p 162 Sagnard; cf. 26, 3, p. 112 pour le rôle essentiel attribué à Jésus.

[2]) *Id*. 67, 1-2, p. 190-192   [3]) *Id*., 67, 3, p. 192.

[4]) Ap. ORIGÈNE, *In Joh*. XIII, 41-51 (= Fr. 32-37, W. VÖLKER, *Quellen*. . ., p. 77-79).

[5]) P. 100, 35sq. Labib (§ IX Schenke); p. 118, 12sq. (§ LXXVIII).

[6]) CLÉMENT, *Extr. de Théodote* 62, 2, p. 182.

[7]) Cf. cependant un emploi assez analogue chez Hermas, *Pasteur*, *Vis*. 3, 8, 9; *Sim*. 12, 3.

[8]) *Adv. Haer*. I, 6, 1 M. (I, p. 52-53 H)..

[9]) CLÉMENT, *Extr. de Théodote*, 1, 1-2, p. 52-54.

[10]) A. ORBE, *Unción*, p. 413: „. . .la teologia valentiniana de la Historia"; 499, n. 44.

comprend que le P. Orbe ait pu écrire que pour ces gnostiques comme pour les chrétiens de la grande Eglise, l'Histoire est „le moyen indispensable pour réaliser l'Economie; la trajectoire de l'humanité dans le cosmos n'est ni vide de sens ni lestée d'une valeur seulement secondaire" [1]). Nous sommes habitués depuis Harnack à considérer les Gnostiques comme les premiers théologiens; cela n'est pas vrai seulement pour la théologie trinitaire ou, comme on l'a rappelé, pour la notion de tradition; c'est vrai aussi de la théologie de l'Histoire et là encore, si s. Irénée apparaît comme le premier grand penseur de la tradition orthodoxe, c'est dans une assez large mesure aux adversaires gnostiques qu'il réfutait, qu'il doit sa source fondamentale et le mécanisme même que, transposé dans un autre registre, suivra sa propre pensée.

DISCUSSION

BIANCHI: La conception traditionnelle d'un gnosticisme hostile à l'histoire est justifiée, si on considère cette connection idéale, que l'histoire est nécessaire, qu'elle est finalisée par le mal (comme dans tout dualisme) et qu'elle existe (tout comme la réalité dans laquelle elle se déroule) seulement sur la base de la faute et de la chute d'un être pré-humain et divin. C'est pourquoi je n'accepterais pas votre comparaison finale entre le rassemblement de l'élément divin à la fin de l'histoire, chez les gnostiques, et l'accomplissement final du corps mystique du Christ selon la conception chrétienne.

MARROU: L'histoire est „causalisée" plutôt que finalisée par le mal causé par les avatars de Sophia. Par ailleurs, bien souvent on a aussi présenté l'histoire du point de vue chrétien comme un rétablissement de la chute initiale.

DANIELOU: La gnose de Valentin est du même type que les autres gnoses; Jésus y apparait comme le révélateur de la gnose, comme d'autres prophètes dans d'autres gnoses. Il n'y a donc pas une importance donnée plus particulièrement à l'événement chrétien. Or, c'est ceci qui donne un sens à la théologie de l'histoire. Bien sûr, il y a dans la gnose des révélateurs et des événements extérieurs, et pas simplement une transformation intérieure; mais ceci ne suffit pas à donner, à proprement parler, une histoire, c.à.d. à faire que la *diadokhé* ait vraiment de l'importance.

MARROU: Nous sommes d'accord que le gnosticisme est tout autre chose que le christianisme, et qu'en particulier il est certain que dans sa maturité le système valentinien est étranger à celui-ci. Vous m'avez accordé que toute gnose implique une révélation. Je voudrais maintenant que vous m'accordiez que cette révélation est un événement, et la *diadokhé* reste une chose importante.

JOSSA: Pur condividendo il rilievo sul carattere troppo deciso della contrapposizione da lei discussa, si deve ritenere che, per quanto i valentiniani diano importanza al Gesù storico, per quanto essi credano in una tradizione, non sembra

---

[1]) *Id.*, p. 406.

si possa parlare per loro di una vera teologia della storia come per i pensatori cristiani. Per gli gnostici il tempo non è qualcosa di originario, ma di derivato, e non come rimedio, ma come punizione. Per il pensiero cristiano il tempo è la dimensione stessa originaria dell'esistenza dell'uomo come creatura. Per lo gnostico, anche valentiniano, il tempo è soltanto quadro esteriore degli avvenimenti. Un tempo di maturazione mi pare sia ammesso soltanto per gli psichici.

MARROU: J'ai polémiqué contre ceux qui prétendent qu'il n'y a aucune théologie de l'histoire, aucune valeur positive du temps chez les gnostiques.

LO GNOSTICISMO E L'EGITTO

THE EGYPTIAN BACKGROUND OF GNOSTICISM

BY

C. J. BLEEKER

In the "Conclusion Générale" of his study on gnosticism in Egypt, entitled "Essai sur le gnosticisme égyptien" M. E. Amélineau declares: "Valentin puisa à pleines mains dans les doctrines mystérieuses des sanctuaires égyptiens, et ses disciples l'imitèrent".[1]) The book of Amélineau dates from 1887 and is still worth reading, both by its lucid style and by the great knowledge of the gnostics and of the ancient Egyptian texts which the author displays. He describes the significance of Simon Magus, of Menander and of Satornil and thereafter digresses on the gnostics who lived and worked in Egypt, i.e. Basilides, Carpocrates and Valentinus. After having dealt with their systems, he makes an attempt to uncover the Egyptian sources of these gnostic speculations. The remarks which he makes on this subject are not deprived of all value, but they are no longer convincing, since the knowledge of gnosticism has been considerably enlarged, primarily thanks to the famous find of the Coptic gnostic manuscripts at Nag Hammadi. Nobody will still assent to the quoted statement of Amélineau, i.e. that Valentinus extensively drew on the mysterious doctrines of the Egyptian sanctuaries.

Actually Egyptian gnosticism is in a curious position. It can not be doubted that it has flourished abundantly in the land of the Nile in the second and the third centuries after Christ. The proof thereof are both the presence of the gnostics whose names have been mentioned and the library of the Sethians which comprises as we all know no less than 13 codices, containing 49 books.[2])

Epiphanius, the renowned opponent of the heretics, got acquainted with the gnostics in Egypt and has there assembled a great deal of the material for his wellknown description of the 80 heresies which he passes in review and denounces in his Panarion. For a while it must have teemed with gnostics in Egypt. Christian gnosticism arrived there earlier than the orthodox church.[3]) Basilides, a pupil of

---

[1]) Pg. 326.
[2]) J. DORESSE, *The Secret Books of the Egyptian Gnostics*. 1960, pg. 192.
[3]) W. C. TILL, *Die Gnosis in Aegypten* (in *La Parola del Passato* 1949, Fasc. XII).

Menander in Antioch, who in his turn was a follower of Simon Magus, living in Samaria, made for Egypt in the first half of the second century.[1]) At the same time Carpocrates was there a man of some influence and in the second part of the same century the brilliant Valentinus made his appearance. The orthodox church has in vain tried to cover up these facts by the legend of Mark as the founder of Christianity in Egypt and by an invented list of bishops of Alexandria.[2]) Gnosticism at first apparently was trump in Egypt.

Though Egypt undoubtedly is one of the oldest centres of gnosticism, it can not be called the country of its origin. This privilege could with more right be claimed by Syria or by Iran. Strictly speaking it would therefore make little sense to deliver a lecture on Egyptian gnosticism at this symposium which is dedicated to an inquiry into the origins of gnosticism. For Egyptian gnosticism is not original, in the sense that it is not autochthonous. Now the question arises, how the plural "the origins of gnosticism" in the title of the symposium should be understood. Is it really the intention to make once more the attempt to settle in which country gnosticism originated? Or has it become clear that this problem is unsolvable, in view of the chameleontic character of gnosticism, so that it only makes sense to raise the question from which sources gnosticism has drawn its ideas? If the last interpretation of the theme of the symposium might be right, there is all reason to start an investigation into the ideas which gnosticism may have borrowed from the ancient Egyptian religion.

Yet one should be more prudent and sober in one's declarations than Amélineau was. Therefore I chose as title of my paper: The Egyptian background of gnosticism. In my opinion the utmost which at the moment can be reached, is that in this respect parts of the ideological background of gnosticism by and by start to appear. And that for two good reasons. Firstly it is hard to trace the literary relation which connects gnosticism with the ancient Egyptian religious literature. These are the dark ages in the late history of Egypt. Secondly a thoroughgoing comparison of the conceptions of the Coptic gnostic writings with that of the ancient Egyptian religious texts has not yet started. No wonder, because the study of the religious literature of the Sethians is still in the period of its infancy. Yet it

---

[1]) AMÉLINEAU, op. cit., pg. 233 ss.
[2]) TILL, op. cit.

appears that a preliminary conclusion can be drawn from what is already known about the Egyptian gnostic books. This can be rendered by the words of Bousset who at his time had no knowledge of the find of Nag Hammadi, namely his opinion that Egyptian influences could not be traced "in den wurzelhaften Grundanschauungen der Gnosis".[1]

However it is not at all senseless to scrutinize the Egyptian background of gnosticism. To the opposite. For it is a priori plausible that thinkers like Basilides and Valentinus borrowed certain ideas from the old religion of the country where they taught their wisdom. It can be proved that a number of gnostic conceptions go back to ancient Egyptian religious thoughts. What is even more important, there is some evidence that to a certain extent there existed a typological affinity between the ancient religion of the valley of the Nile on the one hand and gnosticism at the other side.

From these considerations the treatment of this subject ensues in the following natural order: firstly the question of the typological affinity will be raised, secondly attention will be paid to the points of typological difference, thirdly the question should be examined how the relation between the Egyptian religion and gnosticism actually could come about. Fourthly I hope to be able to indicate some points at which the background in question becomes visible, and lastly this succinct investigation leads to the formulation of a few remarks which may clarify the structure and the nature of gnosticism.

Firstly it should be asked whether there existed typological affinity between the ancient Egyptian religion and gnosticism. For it is only conceivable that gnostics have borrowed from that religion, when they so to say recognized themselves to such a degree therein, that it became selfevident for them to express their thoughts in certain ancient Egyptian conceptions. In order to clarify this question one should start by drawing up a clear picture of the ancient Egyptian religion. It is evident that in this connection we must limit ourselves to throw light on a few traits of similarity and dissimilarity.

There is one point in which the ancient Egyptian religion and gnosticism markedly show similarity. In both types of faith religious truth is not based on "pistis", i.e. on the attitude of belief in truth revealed by messengers of God, but on insight, on personal religious knowledge. For the Egyptian the highest religious good was the

---

[1] W Bousset, *Hauptprobleme der Gnosis*, 1907, pg. 5 note 1.

wisdom by which one gets to know the mystery of life and death. The Egyptian texts frequently speak of a mystery into which religious man can penetrate. This mystery was not the exclusive possession of a close group of believers. There is no evidence that in ancient Egypt mysteries in the Hellenistic style, to which one must be initiated, have existed, though some people contend so. Theoretical the mystery was open to everybody. It consisted in the mysterious way in which divine life periodically overcomes death. This mythical idea was actualized in the cult. The cultic enactment of this religious truth was so holy that it frequently took place in the sole presence of the king and of a selected number of priests and that it was forbidden to divulge it either by words or by depicting the essential acts.[1]) Yet everybody was entitled to acquire knowledge of this truth. This insight was considered to be beneficial for man both for his earthly life and in regard to the hereafter. The funeral texts repeatedly declare this expressis verbis. In the famous Am Duat text which describes the voyage of the sun-god through the netherworld, we frequently read sentences like the following: "He who knows this, is in the position of a glorified dead, he gets control of his legs and he never comes into the place of destruction".[2]) The postcript to spell 64 of the Book of the Dead runs: "If a deceased knows this spell he will be victorious and justified both on earth and in the realm of death." [3]) In other spells the dead has to answer to a series of questions regarding localities and divine persons of the netherworld in order to prove his religious insight.

The personification of this insight, this wisdom is Sia, who generally appears together with Hu, the commandment, the creative word.[4]) Sia and Hu are told to have assisted the creator at the creation of the world. They accompany the sungod during his journey through the netherworld as part of the crew of his ship and thereby further his voyage. That Sia and Hu were present at the creation, means that the cosmos originated from the creative word and is founded in divine wisdom. An analogous idea appears in the document of the Memphite theology which is to be found on the so called stone of Shabaka. Therein it is taught that the world came into being because

---

[1]) C. J. BLEEKER, *Die Geburt eines Gottes*, 1956; *Initiation in Ancient Egypt* (*Initiation*, ed. C. J. Bleeker, 1965).

[2]) G. JÉQUIER, *Le livre de ce qu'il y a dans l'Hadès*, 1894, pg. 64.

[3]) *The Book of the Dead*, Ed. E. A. W. Budge.

[4]) H. GARDINER, *Some Personifications* II, P.S.B.A. vol. XXXVIII, 1916.

a thought arose in the heart of Ptah, the god of Memphis and the tongue pronounced it. Heart and tongue have here even taken the shape of the gods Horus and Thoth.[1]) The last god who possesses wisdom and guards the cosmic equilibrium, was by the Greeks identified with Hermes and plays a great part in the Hermetic literature. According to Egyptian belief the principal concern for man should be to get hold of the creative word and of the divine wisdom. He who in the first instance possesses these qualities is the pharao. He is praised in the following words. "Hu is in thy mouth, Sia is in thy heart, the place of thy tongue is a temple of Ma-a-t, a god sits on thy lips, so that thy commandments are daily carried out".[2])

In the last quotation Ma-a-t is mentioned. This goddess represents the worldorder which has been instituted at the creation. Both the virtue and the happiness of man depend on his harmony with Ma-a-t. Also in this respect the stress lays on insight. One can learn what Ma-a-t is. This means that virtue is rooted in insight. Morenz rightly remarks that "eine Art der Erkenntnis, die intellektuelle, charismatische und magische Elemente in sich zusammenschlieszt der rechte Nährboden gewesen sein musz für jenes Streben nach Heil durch Erkenntnis, das wir Gnosis nennen".[3]) Thereby it is proved that in Egypt the spiritual climate existed in which gnosticism could bud.

However one should not close one's eyes for the typological differences. They can only shortly be touched. The ancient Egyptian religion sprung from religious knowledge, drawn from cosmic occurrences, primarily the rising and the setting of the sun and the yearly resurrection of the vegetation. It was the ferment of a totally homogeneous culture. This belief was not only collectivistic, but also optimistic and not speculative. In regard to the last quality, in my opinion, scholars generally misjudge the nature of the Egyptian religion. Myth plays a modest part therein. The Egyptian religion expressed itself mainly in rites, in the cult.

Gnosticism on the contrary is strongly speculative: it has built up systems of great dimensions and of phantastic complexity. It is born from a pessimistic mood. The gnostic doctrine aims at explaining the existence of the evil. The definition of Quispel: "Gnosis ist die mythische Projektion der Selbsterfahrung" [4]) makes clear that

---

[1]) K. SETHE, *Dramatische Texte zu altaegyptischen Mysterienspielen*, 1940.
[2]) C. J. BLEEKER, *De beteekenis van de egyptische godin Ma.a.t.*, 1929, pg. 33.
[3]) S. MORENZ, *Ägyptische Religion*, 1960, pg. 132.
[4]) G. QUISPEL, *Gnosis als Weltreligion*, 1951, pg. 17.

gnosticism primarily is the concern of the individual. Thus there are several stages of development between the ancient Egyptian religion and gnosticism. Bianchi has tried to characterize this process by the following fourfold scheme: cultes de fecondité, mystères, mystériosophie, gnose.[1]) Whatever the value of this scheme may be, it has the merit of pointing out that there is a rather large distance between the two types of belief in question.

Thus the question arises whether it can be proved that there really is a link between the ancient Egyptian religion and gnosticism. In my opinion it is often too easily taken for granted that certain conceptions have been borrowed from earlier texts, when there is some homonymy. This is a mere hypothesis so long it can not be proved, that he who is supposed to have borrowed these ideas, was actually in the position to read the texts from which he is thought to have taken them. The manner in which Amélineau states parallels is not satisfactory: he simply pays attention to hononymous phrases. The question can be formulated like this: were Basilides, Carpocrates, Valentinus and the authors of the books of the Sethians, who apperently spoke and wrote Greek and Coptic, able to read the texts of the ancient Egyptian religion?

In order to solve the question we can best refer to the communications about the linguistic situation in Egypt in the first centuries of our era, offered by Stricker in a learned study on the different periods in the history of the Egyptian language.[2]) He comes to the conclusion that the classic Egyptian written language was alive till 250 after Christ. Vulgar Egyptian was written till 470 after Christ. Coptic was written since 350 after Christ. Greek was introduced into Egypt since 400 before Christ. In the period in question there must have been many intellectuals who had the command of Greek, Egyptian and later on of Coptic. The gnostics must have belonged to them. As a matter of fact already Herodot who travelled in Egypt in the 5th century before Christ, was able to make himself understood.

Yet there may remain some doubt whether the gnostics in question actually had access to the intrinsic Egyptian religious doctrines. This uncertainty could largely be removed if the theory of Stricker about

---

[1]) U. BIANCHI, *Initiation, mystère, gnose. Pour l'histoire de la mystique dans le paganisme gréco-oriental* (*Initiation*, ed. C. J. Bleeker, 1965).

[2]) B. H. STRICKER, *De indeeling der Egyptische taalgeschiedenis*, 1945.

the origin and the nature of the Corpus Hermeticum is accepted.[1]) Stricker ascribes to the Ptolemies farsighted and wise religious politics. Ptolemy I founded the mysteries of Isis and Serapis in order to establish a common type of cult for his Egyptian and his Greek subjects. Ptolemy II took the initiative for the translation of the holy books of the Jews into Greek, so that the Septuaginta came about. The third item of this program was the plan to commit a Greek paraphrase of the ancient Egyptian wisdom to writing. Thereby the Corpus Hermeticum is supposed to have come into existence. Though the last word about the origin and the character of the Hermetic literature has not yet been said and though objections may be raised against Stricker's theory, it can not be denied, that his conception posesses the merit of offering the missing link between the ancient Egyptian literature and the books of the gnostics. For, it is evident that the Corpus Hermeticum clearly shows a gnostic strain and that it has influenced the gnostic thinking.

How this may be, the hypothesis provides sufficient support of the attempt to single out a few ancient Egyptian religious ideas which are akin to certain gnostic conceptions. Before this is done, it should be repeated, that this matter has not yet been the subject of a systematic, comparative, textual research. Therefore the instances which follow, are somewhat arbitrarily chosen and do not pretend to offer an exhaustive treatment of this complicate matter.

Firstly the remark can be made that though the Egyptian texts show no speculative tendency, sometimes phrases occur in which the inscrutability of the deity is expressed in a manner which could be called gnostic. Thus the god Khopri, one of the forms of the sungod-creator, says, playing upon his name which is thought to be connected with the verb "to become": "When I came into being, "Being" came into being, I came into being in the form of Khopri, who came into being on the first occasion, that was how "Being" came into being. I was more primaeval than the primaeval ones whom I have made etc".[2])

Secondly it is interesting to note that Sia whom we mentioned, shows resemblance with the gnostic Ennoia. Thus f.i. the Apocryphon of John says: "his (of the deity) Ennoia, that is the perfect

---

[1]) B. H. STRICKER, *The Corpus Hermeticum* (in *Mnemosyne* 1949); *De Brief van Aristeas, de Hellenistische codificaties der praehelleense godsdiensten*, 1956.

[2]) *The Book of Overthrowing Apep*, 28:20 (Bibliotheca Aegyptiaca III).

first thought".[1]) Thirdly in regard to the ancient Memphite Logos
doctrine and to the figures "heart" and "tongue", one could refer to
the part which Nous and Logos play in Poimandres. [2]) Fourthly it
is certainly not by accident that Hermes Trismegistos is the patron
of the Hermetic books. His archetype is the very great Thoth,
the god of wisdom. Fifthly it is noteworthy that Osiris and Serapis
occur in the system of the Peratae.[3]) More fascinating is Seth, who
gave his name to the sect of the Sethians. In him the ambiguous
Egyptian god and the noble son of Adam and Eve are fused.[4])
Attention should also be paid to the resemblance between the gnostic
geography of the netherworld and the Egyptian description of the
realm of death: the same twelve appartments occur.[5]) Finally one
could detect similarity between the heavenly persons with dreadful
faces [6]) and the figures with which the Egyptian phantasy has peopled
the hereafter, according to f.i. spell 125 of the Book of the Dead.

The preceding argument naturally results into a few remarks on the
structure of gnosticism. Cornelis in his lecture on "The possibilities
and difficulties of defining gnosticism" [7]) rightly points out that
gnosis can be taken in such a broad sense that it even covers Brah-
manism and theosophy. Generally by gnosticism a religious current
of the Hellenistic age is meant. It is therefore dubious whether
gnosticism really can be called "eine Weltreligion" as Quispel does.
It is evident that gnosticism is syncretistic. As to its true nature the
stress should be laid on the quest for gnosis, i.e. insight into divine
wisdom. In gnosticism different theological themes alternatively
come into the foreground.[8]) Different types can be distinguished,
f.i. an iranian, a syro-egyptian type.[8]) This leads to the conclusion that
gnosticism can best be compared with mysticism. The mystics speak
the same language and understand each other. Yet there are different
types of mysticism. Each type has, as Otto remarked, its own "Bodengeschmack".[9]) So this lecture served to let the auditory taste the
Egyptian "Bodengeschmack" of gnosticism.

---

[1]) W. C. van Unnik, *Evangelien aus dem Nilsand*, 1960, pg. 190.
[2]) R. Reitzenstein, *Poimandres*, 1904, pg. 66.21.
[3]) Doresse, Op. cit., pg. 51.
[4]) Doresse, Op. cit., pg. 105.
[5]) H. Idris Bell, *Cults and Creeds in Graeco-Roman Egypt*, 1953, pg. 92.
[6]) Van Unnik. Op. cit., pg. 197.   [7]) 1959.
[8]) Cornelis, Op. cit.; G. Widengren, *Religionens värld*, 1953, pg. 369 sq.;
U Bianchi, *Le problème des origines du gnosticisme et l'histoire des religions*, (in *Numen*,
Vol. XII, Fasc. 3).
[9]) R. Otto, *West-östliche Mystik*, 1929.

DISCUSSION

ZANDEE: Stresses the difference between the world of gnosticism and ancient Egyptian religion; quotes Morenz' study „Fortwirken altägypt. Elemente in christl. Zeit", in „Koptische Kunst", Christent. am Nil, Essen p. 54 s. (Ennoia, Sia). Ennoia can be better traced back to the neoplatonists' Nous, and the idea of the absolutely unique to Plotinian *hen*. The idea of knowlegde is also different; Z. opposes the Greek method of abstraction (more akin to the gnostic conception of the immaterial) and the Egyptian "comprehensive thought", which takes together the material and the spiritual world. The inscrutability of God in Egyptian texts must also be clearly distinguished from the gnostic idea of *deus absconditus*, more akin to Greek conceptions. More similarities with ancient Egypt are to be found in popular gnostic writings such as Pistis Sophia.

BLEEKER: Certainly, there is a difference of climate between the Greeks and the Egyptians. The Egyptians were no theological thinkers; they were interested in the cult and the rites. The Greek had a very keen interest in the ancient oriental religions. An important spiritual transformation takes place when Hellenism comes into Egypt, when the old collectivistic, optimistic and cultic religion is dissolved. But the interesting point is that there must be a link between the old and the new religion.

PHILONENKO: Il serait nécessaire d'étudier la religion égyptienne tardive, et de faire une analyse non plus typologique, mais historique, pour l'étude des rapports entre les textes gnostiques et les textes égyptiens d'époque ptolémaïque et romaine.

BLEEKER: This is prof. Kákosy's theme. These are the dark ages of Egypt; so that it will be very difficult to trace the historical link.

KÁKOSY: I fully agree whith prof. Bleeker that the gnostics could get acquainted also through the Hermetic literature with the ancient Egyptian doctrines.

GNOSIS UND ÄGYPTISCHE RELIGION *)

VON

L. KÁKOSY

Seit der Frühperiode ihrer Geschichte war die Gnosis innig mit Alexandrien verbunden. Bereits ihr Begründer, Simon Magus soll hier studiert haben [1]), Basileides der erste grosse Systematiker kann aber schon mit Gewissheit an Alexandrien geknüpft werden. Auch Valentinus ist von hier ausgegangen. Zu dieser Zeit ist Alexandrien nicht nur die Hochburg der griechischen Bildung und Wissenschaft, sondern ein internationales Zentrum, in dem auch die orientalischen Religionen eine immer bedeutendere Rolle spielen. Neben dem jüdischen, iranischen usw. macht sich auch der ägyptische Einfluss stärker bemerkbar. Der Leiter der Grammatikerschule war im I. Jh. ein Hierogrammateus, Neros Lehrer, Chairemon [2]).

Die bereits früher bekannten originalen gnostischen Schriften wurden in koptischer Übersetzung in Ägypten gefunden und es ist nicht lange her, dass die Erde Ägyptens der Welt die Bibliothek von Nag Hammadi geschenkt hat. Von dem Fundort lassen sich natürlich keine weitläufigen Konsequenzen ziehen, da z.B. die koptischen manichäischen Schriften nur die hiesige Verbreitung der Lehren, nicht aber deren Ursprung beweisen. Für unsere weiteren Untersuchungen ist es aber von Bedeutung, dass der Fund von Nag Hammadi aufs neue jene seit langem geäusserte Ansicht rechtfertigen

---

*   ABKÜRZUNGEN

AfRw   Archiv für Religionswissenschaft.
BIFAO   Bulletin de l'Institut Français d'Archéologie Orientale.
CT   A. De Buck: The Egyptian Coffin Texts I-VII. Chicago.
HERE   Hasting's Encyclopaedia of Religion and Ethics.
OIP   Oriental Institute Publications.
OLZ   Orientalistische Literaturzeitung.
PMG   K. Preisendanz: Papyri Graecae Magicae Bd. I. Leipzig 1928, Bd. II.
        Leipzig 1931.
RHR   Revue de l'Histoire des Religions.
ZÄS   Zeitschrift für ägyptische Sprache und Altertumskunde.

[1]) Ps. Clemens: *Homil.* II. 22.
[2]) H. R. Schwyzer: *Chairemon. Klassisch-Philologische Studien* H. 4, Leipzig 1938. Chairemon kannte auch die Hieroglyphen; es ist jedenfalls sehr wahrscheinlich, daß er von ägyptischer Abstammung war.

zu scheint, die auf die Verwandschaft von Gnosis und Hermetismus verwiesen und den Hermetismus — mit gewisser Übertreibung — als heidnische Gnosis betrachtet hat [1]). Die Diskussion über Quellen und Ursprung der hermetischen Schriften ist nocht nicht abgeschlossen [2]), soviel steht aber fest, dass der Rahmen ägyptisch, die Verfasser mit der ägyptischen Götterwelt wohlvertraut sind, ja, wie auch Kore Kosmou [3]) bezeugt, sogar die Mythen gut kennen. Die ägyptischen Götter erscheinen hier im Grunde in ihrer ursprünglichen Funktion, die Hauptpersonen, Isis und Osiris, als Verbreiter von Kultur und Zivilisation auf Erden.

Bei der Betrachtung der spätzeitlichen ägyptischen Religion lässt sich im allgemeinen feststellen, dass ähnlich wie in der späten griechischen Philosophie und in der nachexilischen jüdischen Religion die Übergangswesen zwischen der Welt der Götter und der Menschen auch hier an Bedeutung gewinnen, so die verschiedenen Dämonen, die Boten der Götter [4]) usw. Es gibt mehrere Belege für die Zahlenmystik [5]) als früher. Die abstrakten Begriffe werden personifiziert. Die Forschung hat bereits seit langem auf die Bedeutung der sog. Gotteskraft (nḫt nṯr) und ihre mögliche Verbindung mit den gnostischen δυνάμεις verwiesen [6]).

Auch auf dem Gebiet der allgemeinen philosophischen Probleme lassen sich gewisse Zusammenhänge beobachten. Die Frage des Schicksals ist eine der zentralen Probleme der gräko-ägyptischen Religion. Während die griechische Religion früher das Schicksal

---

[1]) E. F. Scott in HERE VI/1913/234. Vg. M. P. Nilsson: *Geschichte der griechischen Religion* II². München 1961 581 ff.

[2]) Die engen Beziehungen der hermetischen Literatur zu Ägypten wurden von B. H. Stricker betont. *De Brief van Aristeas*. Amsterdam 1956, 99 ff. Vgl. Ph. Derchain, *L'authenticité de l'inspiration égyptienne dans le „Corpus Hermeticum"*, RHR CLXI N⁰ 1. 1962, 175 ff. Von der älteren Literatur siehe z.B. E. Amélinaeu, *Essai sur le gnosticisme égyptien*. Annales du musée Guimet XIII, Paris 1887. R. Reitzenstein, *Poimandres*, Leipzig 1904.

[3]) Stobaios, *Fragm.* XXIII. 64 ff.; A. D. Nock-A. J. Festugière, *Hermes Trismégiste, Corpus Hermeticum*, IV. Paris 1954, 21.

[4]) O. Firchow, *Die Boten der Götter*, Ägyptolog. Studien hrg. v. O. Firchow, Berlin 1955. 85 ff. É. Suys, *Les messagers des dieux*. Egyptian Religion II. 1934, 123 ff. Sie werden natürlich auch in früheren Texten erwähnt.

[5]) Das kommt besonders in der Schreibweise der Nummern zum Ausdruck. 8. kann z.B. auch mit dem Ibis geschrieben werden wegen dem Namen der heiligen Stadt des Thoth: Hermopolis-Ḫmnw/ḫmnw = 8, usw. Bei den Gnostikern siehe die Lehren des Markos.

[6]) W. Spiegelberg, *Die ägyptische Gottheit der Gotteskraft*, ZÄS 57, 1922, 145 ff.

der Verfügung der Götter nicht untergeordnet hat, verkündet in
der von uns betrachteten Periode die Isis-Sarapis Religion [1]) sowohl
als auch die Gnosis, die Möglichkeit der Befreiung von der Macht des
Schicksals und der Archonten.

All das weist darauf hin, dass eine neue Untersuchung des ägyptischen Einflusses auf die Gnosis auf Grund der historischen Um-
stände und der Entwicklung der ägyptischen Religion in der Spätzeit,
begründet ist. Es sei bemerkt, dass wir im Folgenden nicht den
Ursprung der Gnosis zu erörtern beabsichtigen, die Lösung dieses
Problems wird ja nur durch die Untersuchung mehreren gleichzeitigen Religionen möglich, nicht aber durch das Hervorheben
eines einzigen Gebietes oder einer religiösen Richtung. Von den
gnostischen Ansichten seien jetzt nur einige Motive behandelt, in
denen der ägyptische Einfluss zumindest wahrscheinlich gemacht
werden kann.

1. Den Forschern der Gnosis ist seit langem die wichtige Rolle
der Himmelsreise in diesen Lehren aufgefallen [2]). Die in der Ekstase
oder nach dem Tode auffahrende Seele wird unterwegs von verschiedenen Gefahren bedroht. Sie muss mit den Archonten kämpfen,
die ihre Auffahrt ins Reich des Lichtes, in Gottes Nähe zu vereiteln
suchen. Für den Zusammenhang mit der ägyptischen Religion ist
der Umstand besonders bedeutsam, dass die Seele ihr Fortkommen
durch magische Texte oder Zeichen, Siegel also mit Hilfe ausser-
gewöhnlicher Mittel und geheimen Wissens sichert. Auch Irenaeus [3])
und Epiphanios [4]) erwähnen diese interessante gnostische Lehre und
beide erhalten auch die Texte die den Sterbenden mitgeteilt wurden
und gegen die Archonten benutzt werden mussten. In der originalen
gnostischen Literatur findet sich unter anderen im Evangelium nach
Maria eine diesbezügliche interessante Beschreibung. Die zum
Himmel strebende Seele trifft auf vier Gewalten (ἐξουσία) die sie
jedoch mit Hilfe der Zaubersprüche besiegt [5]).

---

[1]) S. MORENZ-D. MÜLLER, *Die Rolle des Schicksals in der ägyptischen Religion*,
Abh. der Sächs. Akd. Bd. 52 H.1, 1960 bes. 60 ff.

[2]) Die Himmelsreise steht im Mittelpunkt der Studie von W. ANZ, *Zur Frage
nach dem Ursprung des Gnostizismus*, Texte und Unters. zur Gesch. der altchristlichen
Literatur XV. H. 4, Leipzig 1897. Ausführlich wurde das Thema auch von W.
BOUSSET behandelt. *Himmelsreise der Seele*, AfRw IV., 1901, 136 ff., 229 ff.

[3]) *Adv. haeres.* I. 21, 5.

[4]) *Panar.* 36, 3.

[5]) W. TILL, *Die gnostischen Schriften des Papyrus Berolinensis* 8502, Berlin 1955,
70 ff.

In der aus der Bibliothek von Nag Hammadi jüngstens veröffentlichten koptischen Apokalypse des Paulus wird der Apostel im siebenten Himmel von einem Greis, vielleicht dem Demiurgos oder Kronos, angehalten. Auf die Aufforderung des Pneuma gibt aber Paulus das *Zeichen*, worauf der Greis und seine Begleiter ihn weiterziehen lassen [1]. In der Pistis Sophia öffnen sich die Tore der verschiedenen Regionen vor dem wunderbaren Mysterienkleid Christi, die Archonten werden von Furcht erfasst [2]. Im ersten Buch des Jeu sichern Zaubersprüche und Siegel das Fortkommen der Jünger [3].

Diese wenigen herausgegriffenen Beispiele genügen zum Beweis dafür, dass dieses Motiv in den gnostischen Schriften verschiedenster Art wiederkehrt. Nun kann man die Frage aufwerfen, in welcher Religion sein Ursprung zu suchen ist. Bousset [4] dachte vor allem an Iran. Möglich wäre die Ableitung auch aus der jüdisch-christlichen apokalyptischen Literatur. In der Ascensio Isaiae will eine Stimme den bis zum siebenten Himmel aufgefahrenen Propheten aufhalten, eine andere sichert ihm aber das Recht des Eintritts zu [5]. Ohne auf derartige Texte näher einzugehen, kann soviel jedenfalls festgestellt werden, dass diese Vorstellung in der damaligen jüdischen und christlichen Literatur bekannt war [6]. Da nun aber das Motiv hier bei weitem nicht so ausgearbeitet ist, wie bei den Gnostikern, und auch seine Bedeutung viel geringer ist, erscheint es als berechtigt das Material eines Gebietes zu untersuchen, das historisch in engster Verbindung mit der Gnosis stand und derartige Texte in grosser Zahl aufweist. Wir denken an die sepulchrale Literatur Ägyptens vor allem

---

[1]) A. Böhlig-Pahor Labib, *Koptisch-gnostische Apokalypsen*, Halle-Wittenberg 1963, 25. Über den Greis vgl. 17. In einer Apokalypse des Jakobus werden auch die Sprüche mitgeteilt, die die Seele den Wächtern antworten muß. Ebenda 43 f.

[2]) C. Schmidt-W. Till, *Koptisch-gnostische Schriften*. I. Berlin 1962, Nachdruck, 12 ff., Cap. 11 ff., Über das Thema der Himmelsreise vgl. noch J. Doresse, *Les livres secrets des gnostiques d'Égypte*, I. Paris 1958, 172. Paraphrase de Séem, und E. Hennecke, *Neutestamentliche Apokryphen*[3] I. Tübingen 1959, 195.

[3]) Schmidt-Till: a.a.O. bes. 290 ff., Cap. 33 ff.

[4]) O.c. 155 ff.

[5]) Hennecke a.a.O. II. 1964, 464. 9, 1 ff. Vgl. noch Anz a.a.O. Nachträge. Epiphanios spricht auch von in den Himmel emporgerafften Sethianischen Propheten, a.a.O. 40, 7: οὗτοι δὲ καὶ ἄλλους προφήτας φασὶν εἶναι, Μαρτιάδην τινὰ καὶ Μαρσιανὸν ἁρπαγέντας εἰς τοὺς οὐρανούς, καὶ διὰ ἡμερῶν τριῶν καταβεβηκότας.

[6]) Bousset 144 f. Zur Himmelsreise in der Mithras Religion vgl. noch Fr. Cumont, *Lux perpetua*, Paris 1949, 186.

an das Totenbuch und verwandte Texte. Es muss betont werden, dass
man beim Vergleich mit der ägyptischen Religion besonders auf die
zeitliche Einordnung der Texte achten muss, da gerade hier die
Versuchung zur Verwendung aus den verschiedensten Perioden
stammenden Belege sich stark geltend macht.

Späte Exemplare des Totenbuches und andere Texte ermöglichen
jedoch die Einbeziehung der aus uralten Quellen der Tradition
schöpfenden ägyptischen Totenliteratur in unsere Untersuchungen.
Aus der Zeit des Nero, dem Jahre 63 ist ein Exemplar in demotischer
Schrift von Kap. 125. des Totenbuches bekannt [1]). Der Text stützt
sich im Wesentlichen auf die alten Versionen. Nach der negativen
Konfession suchen verschiedene Teile des Tores des Jenseits sowie
der Türhüter den Toten aufzuhalten. Nachdem aber dieser ihre
Namen nennen kann und genügende Kenntnisse verrät, darf er
weiterziehen [2]). Im allgemeinen kann festgestellt werden, dass die
ersten Jahrhunderte der Römerherrschaft keine wesentlichen Ände-
rungen auf dem Gebiet des Jenseitsglaubens in Ägypten mit sich
brachten. Die Totentexte sind zwar zumeist wortkarger, oft deutet
nur ein lapidarer Satz an, was in der früheren Totenliteratur ausführlich geschildert wurde. Obgleich in der ägyptischen Totenliteratur
die Fahrt im Jenseits keine blosse Himmelsreise ist, — die Texte
befassen sich auch mit der Ankunft der Seele in die Unterwelt —
ist das Endziel des Toten auch in diesem Falle, dass seine Seele in den
Himmel, in die Sonnenbarke komme. (z.B. Totenbuch Kap. 100,
102). Auch die Lehre von der Fahrt der Seele zu den Sternen ist seit
der Zeit der Pyramidentexte gut bekannt.

In der Kaiserzeit wurde unter dem Einfluss pythagoräischer
Lehren die Ansicht immer mehr verbreitet, dass der Hades und die
Insel der Seligen im Mond und unter den Sternen zu suchen sind.
(Cumont: Lux Perpetua 173 ff., 208 ff.). Obwohl diese Lehren in
Ägypten nicht allgemein angenommen wurden (vgl. z.B. den 2.
Setna Roman) doch bezeugen die vielen astronomischen Darstel-
lungen, Zodiakus Bilder in den Gräbern und besonders an den
Särgen [3]) die Verbreitung dieser Vorstellungen, die auch der ältesten
D3t- Lokalisierung entsprachen.

---

[1]) F. LEXA, *Das demotische Totenbuch der Pariser Nationalbibliothek*, Leipzig 1910.
[2]) LEXA 27 ff.
[3]) Z.B. Grab bei Athribis. W. FLINDERS PETRIE, *Athribis*, London 1908 p. 12 f.,
23 f., Taf. XXXVI. ff. Auf ein Grab in Dakhleh Oase vgl. unseren Abschn. 2.
Särge: V. SCHMIDT, *Sarkofager...* Kopenhagen 1919. Abb. 1321, 1330, 1340, 1344.
Vgl. PORTER-MOSS, *Topographical Bibliography* I.² Part II. Oxford 1964, 674 f.

Auch eine der spätesten Werke der ägyptischen Totenliteratur, die sog. „Que mon nom fleurisse" Schrift oder „Zweites Buch des Atmens" (die meisten Exemplare stammen aus den I-II. Jh. u. Z.) erwähnt die Torwächter des Jenseits [1]). In einem Text wünscht die Tote, Anubis möge ihr das Tor des Jenseits zu öffnen [2]). Anubis wurde in dieser Zeit auch mit Schlüsseln als Jenseitspförtner abgebildet [3]).

Jene Kapitel des Totenbuches in denen die Tore im Totenreich sowie die Hüter derselben ausführlich aufgezählt werden, lassen sich bis in die Ptolemäerzeit hinab verfolgen. In diese Periode ist z.B. auch der hieroglyphische Papyrus Milbank zu versetzen, wo unter den Illustrationen zu Kap. 145 die Tore und die mit Messern bewaffneten tierköpfigen Wächter zu sehen sind [4]). Im Text behauptet der Tote die Namen derselben zu kennen. Die Wirkung dieser Texte war offenbar noch im Jenseitsglauben der Römerzeit fühlbar.

Ein Teil des grossen Pariser Zauberpapyrus — früher als „Mithrasliturgie" interpretiert — der heute als unter starkem ägyptischen Einfluss entstandener Text gilt, spricht von einer im ekstatischen Zustand erlebten Himmelsreise. Auch hier muss der emporsteigende sich mit Hilfe von Zaubersprüchen und Namen gegen die Gefahren wahren [5]). Der an die gnostischen Himmelsreisen erinnernde Text zeigt wohl, auf welchen Wegen die Übernahme vor sich gegangen ist. Die Ekstase war früher von der ägyptischen Religion fremd.

In gewissermassen veränderter Form lebt die besprochene Vorstellung auch in der christlichen Literatur weiter. Ein Beispiel hierfür ist die Geschichte vom Tode Josephs, wo den sterbenden das furchtbare Gefolge des Todes bedroht [6]).

---

[1]) W. GOLÉNISCHEFF, *Papyrus hiératiques, Catalogue gén... du Caire*. Le Caire 1927, 24. Pap. 58007 Kol. I. 2-3; ebenda in Kol II. 5 wünscht die Tote, daß ihr die Türe im *Himmel* und an der Erde geöffnet werden; Vgl. noch S. 45, Pap. 58009 Kol. I. 6-7, S. 55 (pa. 58010 3. Zeile) u.s.w.

[2]) Ebenda 28. Pap. 58007. Kol. II. 5-6.

[3]) S. MORENZ, *Anubis mit dem Schlüssel*, in *Wiss. Zeitschrift der Universität Leipzig*, Jahrg. 1953-4, Gesellsch. u. Sprachwiss. Reihe H. 1, 79 ff.

[4]) TH. G. ALLEN, *The Egyptian Book of the Dead Documents in the Oriental Institute Museum at the Univ. of Chicago*, OIP LXXXII, Chicago 1960 pl. LXXXVIII ff.

[5]) PGM. Bd. I. S. 88 ff. Vgl. A. DIETERICH, *Eine Mithrasliturgie*. 1903. Über die schlangenköpfigen Schicksalsgöttinnen in dem Text vgl. DIETERICH 69 ff., MORENZ-MÜLLER, *Schicksal...* 33. Zum Text siehe noch M. P. NILSSON, *Die Religion in den griechischen Zauberpapyri*, in *Bull. de la Société Royale des Lettres de Lund*, 1947-48 II. 62-63 und Anm. 1. zu 62.

[6]) S. MORENZ, *Die Geschichte von Joseph dem Zimmermann*, Berlin 1951, 16 f., 65 f., Kap. 21, Laut Kap. 23, sah., wurde die Seele des Joseph während der Reise

All dies deutet unseres Erachtens darauf hin, dass im Falle des Motivs des gefahrvollen, an Hindernissen reichen gnostischen Himmelsreise mit den die Reise der Seele in das Totenreich darstellenden ägyptischen Texten gerechnet werden muss. *Die ägyptischen Motive erscheinen natürlich mit fremden Elementen, mit iranischen und astrologischen Lehren verschmolzen* [1]).

2. Auf Grund der verschiedenen Beschreibungen ist es nicht leicht sich ein einheitliches Bild davon zu machen, wie sich die Gnostiker den Aufbau des Weltalls vorgestellt haben. Hier soll jetzt nur Abt. IV. der Pistis Sophia behandelt werden, wo in einer Vision Jesus und seinen Jüngern sich alle Geheimnisse des Weltalls offenbaren. Die Wirkung der ägyptischen Religion zeigt sich hier besonders auf zwei Punkten.

a. Die Sonne wird als eine sich in den Schwanz beissende Schlange (Uroboros) beschrieben [2]). Die Forschungen der letzten Jahre haben die ägyptischen Beziehungen dieses, die Unendlichkeit der Zeit, die ewige Erneuerung und auch den Kosmos etc. bedeutenden Symbols von mehreren Seiten untersucht [3]). Es taucht besonders seit dem Neuen Reiche in der ägyptischen Ikonographie mehrmals auf. Zahlreiche Darstellungen sind auch aus der Römerzeit bekannt, vor allem auf den — früher gewissermassen unrichtig „gnostisch" genannten — magischen Gemmen [4]). Die Beschreibung in der Pistis Sophia wurde wohl durch ähnliche Darstellungen und durch die Bilder der von der

---

in den Himmel von Michael und Gabriel gegen die Räuber bewacht. In einem gnostischen Fragment, SCHMIDT-TILL 334, werden Archonten, u.a. auch Typhon erwähnt die die Seelen rauben.

[1]) In Memphis wurde ein Mithras Heiligtum ausgegraben. J. STRZYGOWSKI, *Koptische Kunst, Cat. gén. . . du Caire*, Wien 1904, 9 ff. Auf das Mithräum in Alexandria vgl. SOCRATES, *Eccl. Hist.* V. 16, ed. Hussey, Th. HOPFNER, *Fontes historiae religionis Aegyptiacae*, Bonnae 1922- p. 658. Auf die Identifizierung des Osiris mit Aion vgl. KÁKOSY, *Osiris-Aion*, in *Oriens Antiquus* III., 1964, 15 ff. Auf die Denkmäler der Mithras-Religion in Ägypten siehe: M. J. VERMASEREN, *Corpus inscriptionum et monumentorum religionis Mithriacae* I. Hagae Com. 1956, 81 ff. Sarapis-Kopf aus Mithräum: ebenda II. Fig. 253.

[2]) Cap. 136. SCHMIDT-TILL 233.

[3]) B. H. STRICKER, *De grote zeeslang. Mededelingen en verhandelingen van het Voorasiatisch-egyptisch Genootschap „Ex Oriente Lux"* Nᵒ 10), Leiden 1953. Vgl. noch L. KÁKOSY, *o.c.*, 15 ff. Auf einem Papyrus wird das Sonnenkind in einer schwanzbeissenden Schlange dargestellt. A. PIANKOFF-N. RAMBOVA, *Mythological Papyri*, New York 1957, Pl. I. Her Uben XXI. Dyn.

[4]) CAMPBELL-BONNER, *Studies in Magical Amulets*, London 1950. Pl. I. 17, II. 39, IV. 129, 130 usw. A. DELATTE-PH. DERCHAIN, *Les intailles magiques. . .*, Paris 1964 passim.

Uräusschlange umgebenen Sonnenscheibe beeinflusst. In Pistis Sophia bedeutet Uroboros auch die äussere Finsternis, den Ort der Strafen [1]). In diesem Zusammenhang kann auch ein Grab in der Dakhleh Oase erwähnt werden, auf dessen Decke die Uroboros Schlange die Sternbilder des Zodiakus, also den Aufenthaltsort der Seelen umgibt [2]).

b. Nach dem besprochenen Teil der Pistis Sophia nimmt der Mond in einem Schiff Platz. Auf ägyptischen Bildern tritt am häufigsten die Sonnenbarke auf, doch sind auch Darstellungen des Mondes in einem Schiff bekannt [3]). Die Beschreibung erwähnt auch einen Knaben „am Hinterteil des Mondes". In diesem Zusammenhang kann die Möglichkeit einer Identifizierung mit Chonsu oder Harpokrates nur aufgeworfen werden, beweisen lässt sich das vorläufig nicht.

3. Die ägyptischen Texte über die Erschaffung des Menschen erwähnen mehrmals, dass die Menschen aus den Tränen eines Gottes entstanden. Die Mythe geht eigentlich auf eine falsche Etymologie zurück [4]). Das Wort „Mensch" (rmṭ) wurde von den Ägyptern mit rmjt „Träne" in Zusammenhang gebracht und die Menschheit vom Weinen der Götter abgeleitet. Die Mythe lässt sich bis in die erste Zwischenzeit verfolgen. In einem Sargtext sagt der Allherr: „Ich habe die Götter erschaffen aus meinem Schweisse und die Menschen aus meines Auges Tränen" [5]).

Wichtiger ist jetzt aber die Tatsache, dass die überwiegende Mehrzahl der einschlägigen Texte aus der Spätzeit auf uns gekommen ist. Die demotische Memphitische Theologie (Pap. Berlin 13 603) stammt aus der Cartonnage einer Mumie der Augustuszeit [6]).

---

[1]) Cap. 126. SCHMIDT-TILL 207. Zu diesem Teil vgl. J. ZANDEE OLZ. 1962 Nr. 1/2 25. Auch die tierköpfigen Archonten in den zwölf Gerichtsstätten deuten vielleicht auf ägyptischen Einfluß. Diese Frage kann jetzt hier nicht näher erörtert werden. Archonten mit Tierköpfen kommen mehrmals vor. Vgl. z.B. M. KRAUSE-PAHOR LABIB, Die drei Versionen des Apokryphon des Johannes, Wiesbaden 1962, 73.

[2]) H. E. WINLOCK, Ed Dakhleh Oasis. Journal of a Camel Trip made in 1908, New York 1936, pl. 29, p. 36. Uroboros bei den Ophiten: H. LEISEGANG, Die Gnosis, Leipzig 1924, 141, 172.

[3]) PH. DERCHAIN, La lune... 20 (Sources orientales 6). Paris 1962. Manichäischer Einfluß (vgl. dazu CUMONT a.a.O. 173) ist hier unwahrscheinlich.

[4]) S. MORENZ, Wortspiele in Aegypten. (Festschrift J. Jahn) Leipzig 1957, 24.

[5]) CT. VII. 465 (Spell 1130).

[6]) W. ERICHSEN-S. SCHOTT, Fragmente memphitischer Theologie in demotischer Schrift, (Abh. des Geistes u. Sozialwiss. Kl. der Akad. in Mainz 1954 Nr. 7) 15. Zu dieser Vorstellung siehe noch Pap. Bremner-Rhind 27, 3 (R. O. FAULKNER, The Papyrus Bremner-Rhind, Bibliotheca Aegyptiaca III. Bruxelles 1933, 61). Laut einer Inschrift in Edfu entstand das Sonnenvolk (ḥnmmt) aus den Tränen des als

In diesem Text verwandeln sich die Tränen eines anonymen Gottes in Menschen. In einer Inschrift aus der Römerzeit auf dem Tempel von Esna wahrsagt die Ahet Kuh, dass die Menschen aus den Tränen des Sonnengottes entstehen werden. Einige Zeilen später folgt auch die Beschreibung des Vorganges und der Text setzt hinzu, dass die Götter aus dem Speichel des Sonnengottes hervorgegangen sind[1]). Nach einem anderen Text dieses Tempels entstanden die Menschen aus dem Weinen des Urgottes, die Götter aus seinem Lächeln[2]).

Die Analogie dieses Mythos findet sich wieder in Pistis Sophia. Hier heisst es, dass die Seele aus Schweiss und Tränen der Archonten stammt[3]). Pistis Sophia ist also ziemlich reich an ägyptischen Elementen. Wir können dem bereits gesagten noch hinzufügen, dass in diesem Text auch ägyptische Götter erwähnt werden. Bubastis-Aphrodite tritt mehrmals auf[4]), und es erscheint auch ein Archon Typhon[5]), der ohne Zweifel mit Seth identifiziert werden kann.

Umso interessanter ist es nach alledem, dass die Schrift Pistis Sophia eine äusserst negatives Urteil über Ägypten fällt, dass sie es mit den Archonten und der Materie gleichsetzt[6]). Eine solche Identifizierung Ägyptens mit dem Körper, der Materie ist natürlich nicht alleinstehend, sondern in der gnostischen Literatur ziemlich allgemein[7]). Nach den Ophiten ist jedermann, der über die Gnosis nicht verfügt, Ägypter[8]). Die poetischeste Beschreibung dieser

---

Sonnengott beschriebenen Horus von Edfu. (ROCHEMONTEIX-CHASSINAT, *Edfou* I. 249). Auch im Buch von der Himmelskuh (Neues Reich) wird erwähnt, daß die Menschen aus dem Auge des Sonnengottes entstanden. (CH. MAYSTRE, *Le Livre de la Vache du Ciel*. . . BIFAO XL, 1941, 63) Vgl. noch Ch. MAYSTRE-A. PIANKOFF, *Le Livre des Portes* I. Le Caire 1939- 275 ff. wo von der Entstehung der Asiaten aus den Tränen des Sonnengottes die Rede ist.

[1]) S. SAUNERON, *Les fêtes religieuses d'Esna*, (Esna V.) Le Caire 1962, 261, 264.

[2]) Ebenda 142.

[3]) Cap. 131. SCHMIDT-TILL 218. ,,Wenn es dagegen eine neue Seele (ψυχή) ist, die man genommen hat aus dem Schweiss der Archonten (ἄρχοντες) und aus den Tränen ihrer Auge oder (ἤ) vielleicht aus dem Hauche ihres Mundes. . .'' usw. Vgl. noch Cap. 25. S. 21 und Cap. 26. S. 22. Zur Schöpfung mit Lachen siehe den magischen Text PGM. Pap. XIII. 162 ff (Bd. II. 95 ff.). Zu den schöpferischen Naturlauten bei den Gnostikern TH. HOPFNER, *Griechisch-ägyptischer Offenbarungszauber* I. Leipzig 1921. 202 §. 780.

[4]) Cap. 139 S. 238. Cap. 140. S. 239 usw.

[5]) Z.B. Cap. 140 S. 239 f. Mit *Eselsgesicht* kommt er in einem Fragment (Codex Brucianus) vor. (SCHMIDT-TILL 334)

[6]) Cap. 18. S. 17.

[7]) E. LEISEGANG, *Die Gnosis*, 140.

[8]) HIPPOLYTUS, *Elenchos* V. 16, 4. (LEISEGANG 143).

Ansichten findet sich in den Thomasakten, in der allegorischen Geschichte vom Königssohn, der die von der Schlange bewachte Perle aus Ägypten holen musste.

Doch tritt Ägypten, dessen Lehren auf die Entwicklung der Gnosis ohne Zweifel einen gewissen Einfluss ausübten, in den gnostischen Lehren nicht nur als Land der Sünde auf. Nach dem Text von Kodex II. von Nag Hammadi sind die Überreste des Paradieses in Ägypten zu finden [1]). Hier leben die drei Phönixe [2]) sowie die Abbilder der Sonne und des Mondes, die beiden heiligen Stiere [3]). Dieses Land also — von Hermes *imago caeli* und *totius mundi templum* genannt [4]) — nimmt auch in den Augen einer Gnostiker einen besonderen Platz in der Welt ein.

DISKUSSION

VAN BAAREN: Die Himmelsreise der Seele kann eher aus iranischem Besitz stammen als aus ägyptischem. Die Beschreibung in den gnostischen Texten erinnert stark an die schamanistischen Beschreibungen der IIR. Der Mythos der Herkunft der Menschen aus den Tränen eines Gottes (der hat ethnologische Parallele) kann eine Variation eines sehr allgemeines Motivs sein, daß im Menschen sich etwas befindet von den Göttern.

KÁKOSY: Es sprechen so viele ägyptische Texte von der Reise der Seele ins Jenseits oder zum Himmel, daß hier mit einem Einfluß gerechnet werden muß (vgl. bes. das Motiv der Torwächter).

ZANDEE: Die Vorstellungen über das Schicksal zeigen eine große Differenz zwischen das alten Ägypten und gnostischen Ideen. Schait und Renenet sind positiv gewürdigt, im Unterschied zur gnostischen Heimarmene. Man sieht sehr viele griechische Einflüße in der Isis-Serapis Religion.

KÁKOSY: Schon in der Religion des Neuen Reiches findet man solche Gedanken, daß ein Gott, z.B. Amon, das Schicksal aufheben kann. Die Isis-Serapis Religion wurde so populär, weil Isis und Sarapis die Herren des Schicksals waren und die Menschen von der Heimarmene befreien konnten.

CLOSS: Wie verhält es sich in Ägypten mit dem Begriff des erlösenden Wissens? Wird „Hülle" und „Fleisch" irgendwie zusammengestellt? oder zusammen abgewertet?

KÁKOSY: In der Totenliteratur spielt das „erlösende Wissen" eine bedeutende Rolle; ohne Kenntnis dieser magischen Sprüche kann der Tote nicht in den Himmel oder in die Unterwelt hineingehen. Sonst wird er von schrecklichen Gefahren bedroht. Meines Erachtens kann man eine Abwertung des Fleisches in Aegypten nicht finden; sie wollten auch den Körper für die Ewigkeit erhalten.

---

[1]) A. BÖHLIG-PAHOR LABIB, *Die koptisch gnostische Schrift ohne Titel aus dem codex II. von Nag Hammadi*, Berlin 1962, 96.

[2]) Ebenda 94, 96.

[3]) 96.

[4]) Ps. APULEJUS, *Asclepius* 24. (TH. HOPFNER, *Fontes historiae religionis Aegyptiacae*, Bonnae 1922-1925 S. 620), NOCK-FESTUGIÈRE, *o.c.* II. 326.

LO GNOSTICISMO,
L'IRAN E LA MESOPOTAMIA

LETTURE IRANICHE PER L'ORIGINE E LA DEFINIZIONE TIPOLOGICA DI GNOSI

DI

ALESSANDRO BAUSANI

La presente comunicazione non intende in nessun modo sostituirsi ai numerosi e dotti studi sugli influssi iranici nella Gnosi [1]), ma vorrebbe solo essere un contributo a una chiarificazione metodologica e tipologica del problema.

In altri miei lavori mi è avvenuto talora di sostenere che la lettura di testi iranici fa una *impressione* invincibilmente gnostica o gnosticheggiante [2]). Psicologicamente si tratta dello stesso genere di *impressione* di cui parla il collega Brelich nel suo acuto contributo a questo stesso Convegno, laddove egli brillantemente risolve questa invincibile „impressione di una diversità di carattere fra la mitologia gnostica e le mitologie arcaiche" [3]). Per chiarire, ed eventualmente accettare o respingere, tale impressione, bisognerà preliminarmente precisare due punti: che cosa si intenda qui per „gnosi" e che cosa si intenda, anche, per „religione iranica". Fatte queste precisazioni, passeremo alla lettura di alcuni testi religiosi iranici, intesa a chiarire a) se vi sia stata una iniziale gnosi o protognosi iranica, b) se questa, ove se ne accerti l'esistenza, abbia o non abbia contribuito all'origine di altre gnosi.

Definizioni di gnosi ne sono state date molte, e non poche ne vengono aggiunge in questo stesso convegno. Il Puech [4]) la chiama una *teoria dell'ottenimento della salvezza mediante la Conoscenza*, precisan-

---

[1]) Si veda soprattutto: H. JUNKER. *Über iranische Quellen der hellenistischen Aion-Vorstellung*, Leipzig, 1923; REITZENSTEIN. *Das iranische Erlösungsmysterium*, Bonn, 1921; REITZENSTEIN e SCHAEDER. *Studien zum antiken Synkretismus aus Iran und Griechenland*, Leipzig-Berlin, 1926; G. WIDENGREN. *Der iranische Hintergrund der Gnosis*, in „Zeitschr. f. Religions- und Geistesgesch. IV, 1952 p. 97 segg.; *id. Iranisch-semitische Kulturbegegnung in parthischer Zeit*, Köln und Opladen, 1960.

[2]) Per esempio in *Persia Religiosa*, Milano, 1959 p. 55 e in *Testi Religiosi Zoroastriani*, Roma, 1957 p. 20-21.

[3]) Simili concezioni sono da me espresse nell'articolo, *Il Mito in Grecia e in Iran*, in „Atti del Convegno sul tema: *La Persia e il mondo Greco-Romano*", Accademia Naz. dei Lincei, Roma, 1966, pp. 413-421.

[4]) Nel suo ottimo articolo *Ou en est le problème du Gnosticisme?* in *Revue de l'Université de Bruxelles*, XXXIX, 1934-35, pp. 133 segg. e 295 segg.

dovi inoltre l'elemento di una *opposizione fra Dio e il mondo* e il concetto di una *salvazione dal mondo*. Il Quispel, nelle sue famose conferenze zurighesi del 1951 [1]), proclamava: „Una nuova *religione universale* è stata scoperta!" definendola in modo simile a quello sopraddetto. Sasagu Arai, in questo stesso convegno, con chiarezza individua nella Gnosi, per definirla, tre elementi essenziali: *la liberazione come auto-conoscenza*, il *dualismo* e la *manifestazione della divinità mediante Rivelatori/ Salvatori*.

Tali definizioni andrebbero precisate e rafforzate dalla menzione di altri elementi. Per esempio, il dualismo *cosmico* è un sostanziale elemento della Gnosi, ma un dualismo *escatologico* è presente anche in molte altre religioni: tale precisazione è stata opportunamente fatta dal collega Jossa nella sua comunicazione. Cosi, anche, un elemento essenziale alla gnosi, che andrebbe aggiunto ai tre sopra menzionati, mi sembra quello degli *intermediari* fra l'inaccessibile divinità e il mondo, o degli intermediari come strumenti di salvezza, tipologicamente assai diversi dagli *angeli* delle religioni monoteistiche. E questo ci porta a un altro importante elemento che, rifacendomi alla definizione data dal Puech nell'articolo sopra citato (p. 78: . . . ce fondement ou ce „style" commun . . .) chiamerei *stilistico*. Non è infatti secondario il modo come gli gnostici si esprimono (appunto mediante lo strumento del peculiare loro mitologizzare, analizzato dal Brelich, e da me altrove): i miti gnostici cioè — strumento fondamentale d'espressione dello spirito gnostico — pur rispondendo in genere al concetto del mito ottenuto in base allo studio delle mitologie di tipo arcaico, mostrano da quello la differenza che, mentre il mito arcaico è *tradizionale*, tramandato socialmente di generazione in generazione, quelli gnostici non fanno parte di una tradizione atavica e non si intrecciano con altri miti e altri aspetti delle singole culture cui appartengono, sono miti personali, „inventati", intellettualistici. La gnosi non è mai religione tradizionale, nè nazionale, ma si presenta in epoche di crisi delle grandi religioni ed ha valori universali. In questo senso, nella *Weltreligion* del Quispel solo il *Welt-* ci sembra esatto, nascendo la gnosi piuttosto nel periodo di dissolvimento di una cultura religiosa tradizionale.

E qui giungiamo a un punto importante per la nostra definizione di Gnosi. Questa cioè — a nostro parere — è fenomeno „universale" solo se si considera nella sua generica *tipologia*, non come concreto

---

[1]) *Gnosis als Weltreligion*, Zürich, 1951.

fenomeno del mondo ellenistico-cristiano sviluppatosi nell'area mediterraneo-orientale nei periodi immediatamente precedenti e seguenti il I° secolo dell'E.V., e che per comodo chiameremo qui invece *gnosticismo*. Si è perfettamente giustificati — perchè tipologicamente ve ne sono gli elementi — nel parlare (e se ne parla e parlerà in questo stesso Convegno) di „gnosi buddhista", di „gnosi taoista" e persino di „gnosi paleo-messicana"; lo gnosticismo è una gnosi della cultura ellenistico-cristiana [1]) che può benissimo *non* essere influenzato, malgrado il nome, da altre gnosi lontane. In altre parole una gnosi non può non nascere in un determinato tipo di cultura religiosa tradizionale quando si raggiunga un determinato punto critico del suo sviluppo.

Potrà quindi ben essere esistita una „gnosi iranica" senza che con questo (date le precisazioni terminologiche che abbiam sopra schizzato) si possa parlare, per ora, di „influenze" storiche in un senso o nell'altro, chè qui „gnosi" non ha nulla a che vedere terminologicamente con „gnosticismo". Quindi, per ora, nessun „iranischer Hintergrund" o „aegyptischer Hintergrund" della gnosi: l'*Hintergrund* storico della gnosi ellenistica è la cultura religiosa ellenistica, l'*Hintergrund* della gnosi cristiana è il cristianesimo, quello della gnosi taoista è l'antica religione cinese, l'*Hintergrund* della gnosi iranica è il mazdeismo.

Il *mazdeismo*: ecco appunto, però, ove ci si presenta un problema metodologico di particolare gravità. Il dilemma sta in questo: se per mazdeismo, (e ciò sembra inevitabile, dopo le acute opere del Corbin, e, meglio, del Molé) [2]) si intende l'insieme dei testi religiosi e avestici e pahlavici funzionante come un tutto organico siamo riportati a un periodo estremamente tardo, già posteriore al sorgere della gnosi iranica più precisa che conosciamo, che è — con ampi influssi di quella „ellenistico-cristiana" (gnosticismo), il manicheismo. Non va mai dimenticato, e va anzi ripetuto fino alla noia, che i testi pahlavici che ci danno, in modo più organico dell'Avesta, una idea del funziona-

---

[1]) O, forse, meglio si direbbe della cultura ellenistica, chè il cristianesimo stesso, come sembra vadano mostrando sempre più le ricerche e le scoperte recenti, sembra assumere, tipologicamente, il carattere di un caso, sia pur particolarissimo, di gnosi.

[2]) Il CORBIN ha spesso, nei suoi scritti, sostenuto tale idea: si veda per esempio *Terre céleste et corps de resurrection d'après quelques traditions iraniennes* in *Eranos Jahrbuch* 1953/XXII, (Zürich, 1954), pp. 99-100. Il MOLÉ ha impostato su questo concetto, ma da un punto di vista alquanto diverso da quello del Corbin, tutta la sua ricchissima opera, uscita postuma, *Culte, Mythe et Cosmologie dans l'Iran ancien*, Paris, 1963, da considerare uno dei migliori contributi alla interpretazione della religione antico-iranica.

re concreto della religione mazdaica, sono *quasi tutti del IX secolo d.C.*, e, assieme a materiale ovviamente arcaico, presentano persino chiari influssi, non dico ellenistici, ma addirittura *islamici* [1]). Se invece cerchiamo di isolare storicamente quale possa essere stato il funzionare della religione mazdaica nei tempi più arcaici ci addentriamo in una selva di problemi di *datazione di idee* su nessuno dei quali gli studiosi sono d'accordo.

Il metodo qui scelto, che ha, ovviamente, i suoi difetti, è quello di — una volta tanto — chiedere ausilio alla tipologia comparativa per far della storia e cercare, basandoci sulla definizione tipologica di *gnosi* data sopra e sulla sopra sostenuta nascita della gnosi in periodo di crisi di una religione tradizionale, di contrapporre, nell'*insieme* dei testi religiosi mazdei, la *tendenza* (sottolineo tendenza) gnostica a quella arcaico-tradizionale. Dato lo scopo che mi propongo, si tratterà di semplici letture o riletture di testi commentati, presi quasi a caso (il che fornisce tuttavia una certa probabilità di trarre dei „campioni" validi) e senza pretesa di completezza. La trattazione sarà divisa in sei paragrafi, basati sui sei elementi fondamentali — cui sopra abbiamo accennato — della definizione di „gnosi". Per esigenze di spazio si è rinunciato alla traduzione dei testi, rinviando per ciascuno alle edizioni e alle traduzioni a nostro parere piu attendibili [2]).

I. *Contrasto nazionalismo-universalismo*

1. *Dēnkart* ed. Madan 585.14-586.2 (Molé p. 213-14).

2. *Dēnkart* ed. Madan 314.5-315.2 (Molé pp. 486-7):

Sulla coincidenza delle forze della religione mazdea e della Saggezza innata (*asnōkhrat*) secondo la dottrina della Buona religione.

La storia del contrasto nazionalismo/universalismo nella religione iranica è relativamente facile a farsi, e qui la accenniamo solo in forma introduttiva. L'antica predicazione di Zarathushtra sembra aver

---

[1]) Qualche esempio ne ho presentato in *Due citazioni del Corano nel Dēnkart* in *Scritti in onore di G. Furlani*, Roma, 1957, pp. 455 segg. Uno studio completo del *Dēnkart* visto come trattato di polemica antiislamica sarebbe di grande interesse.

[2]) Nei brani che seguono faccio uso delle seguenti abbreviazioni:

Molé = il libro del Molé citato alla nota 2) della p. precedente.

Bausani = i miei *Testi Religiosi Zoroastriani* citati alla nota 2 di p. 251.

Messina = *Mito, leggenda e storia nella tradizione iranica* in *Orientalia*, IV, N.S., 1935 pp. 269-278.

Nyberg Hilfsb = Nyberg, *Hilfsbuch des Pehlevi*, Uppsala, 1928-1931. dip. 251.

Zaehner = R. C. Zaehner. *Zurvan. A Zoroastrian Dilemma*. Oxford, 1955.

contenuto degli elementi universalistici, anche se non troppo chiari;
il mazdeismo come lo conosciamo, sopratutto dopo che era divenuto,
nel suo *revival* neo-arcaico del III secolo d. Cr., religione statale dell'
Impero Sasanide, accentua i già fortissimi antichi motivi nazionali e si
configura come religione dell'Ērān contro l'Anērān, realizzando una
inestricabile unità fra l'etico e il cosmologico anche nel campo
razziale, così che Ērān e Anērān (Iranico e Non-Ario, non Iranico) si
identificano con „bene" e „male". I due passi del *Dēnkart* (del IX sec.
d. Cr.) sopra citati riflettono i due aspetti. Il secondo è, anche nello
stile religioso, probabilmente influenzato, a mio avviso, dalle speculazioni musulmane sulla *fiṭra* (islam come *religione innata*). Si notino
comunque sia nel primo sia nel secondo passo, le allusioni, gnostiz-
zanti, a un vincere ed agire „secondo la *conoscenza* del potere", a una
„Saggezza innata" quasi scintilla luminosa presente in tutti.

Particolarmente illuminante a proposito dei motivi del sorgere di
tendenze universalistiche nel mazdeismo più tardo, è il passo del cap.
XIII del *Mēnōkē Khrat* (anche del IX sec. d. Cr.) che dice: „. . . E in
particolare è [pericolosamente] potente [1]) quella religione cui sia
legata la sovranità: eccetto quell'unica sovranità e signoria del Re dei
Re Vishtāsp, che la vera e retta religione . . . accettò dall'unico
Zarathushtra Spitama . . .". Dopo la conquista araba, si sentì, cioè, il
bisogno di sfumare l'antico concetto della perfezione della religione
se unità alla sovranità; da quando cioè la sovranità non era più in
mano dei discendenti spirituali di Vishtāsp, è possibile che — ferma
restando la dignità unica (da restaurare alla fine del mondo) della
Monarchia religiosa iranica — si sia fatta più accettabile una certa
forma di universalismo quale quello sopra accennato (dove, comunque, la scintilla di sapienza innata in *tutti* gli esseri è vera e buona
perchè, in sostanza, *naturaliter mazdaica*).

II. *Liberazione mediante la „conoscenza"*

Nel mazdeismo organizzato e sistematico la liberazione personale
avviene soprattutto mediante la retta pratica del culto sacrificale, e le
buone opere:

---

[1]) Il *pericolosamente* fra parentesi quadre da me aggiunto, sembra giustificato
dall'*eccetto* che inizia il membro seguente della frase. Ammetto tuttavia che tale
interpretazione può essere discutibile.

1. *Mēnōkē Khrat* ed. Sanjana Cap. II (Trad. Bausani pp. 79 sgg.):

Domandò il Saggio alla Ragione Celeste: Come si può cercare la conservazione e la prosperità del corpo senza danno per l'anima e la liberazione dell'anima senza danno del corpo (*u bukhtārīh i ruvān yut hach ziyān i tan*)?. . .

La liberazione definitiva vera e collettiva è nell'*apokatastasis* finale, nella ricostruzione del mondo e nel corpo futuro (*tan i pasēn*), effettuata dal Sōshant piuttosto mediante un sacrificio rituale che come risultato di una gnosi:

2. *Bundahishn* (Messina p. 275).

Non mancano gli accenni a un concetto „gnostico" di liberazione mediante la conoscenza in certi testi piuttosto tardi:

3. *Pandnāmak i Zartusht* in Nyberg Hilfsb. p. 17 segg. (Trad. Bausani p. 29):

I Padri della Fede, ossia i primi possessori della conoscenza della Rivelazione religiosa, hanno detto che ogni uomo, quando raggiunge l'età di quindici anni, deve sapere (*dānistan apāyēt*) chi egli sia, a chi egli appartenga, da dove sia venuto e verso dove poi ritornerà; di qual seme e stirpe sia, quale il suo dovere religioso nel mondo, quale la celeste ricompensa, e sapere se sia di provenienza celeste o abbia avuto origine in questo mondo stesso, se appartenga a Ōhrmazd o a Ahriman, se appartenga agli dèi o ai demoni, se appartenga ai buoni o ai malvagi, se sia un uomo o un *dēv*, quante siano le vie, quale sia la sua religione, che cosa gli sia di danno e che di salute, chi sia suo amico, chi suo nemico; e deve sapere inoltre se i principi originari della realtà siano uno o due, da chi provenga la bontà e da chi la malvagità, da chi la luce e da chi le tenebre, da chi il buon profumo e da chi il fetore, da chi la giustizia e da chi l'ingiustizia, da chi la misericordia e da chi la crudeltà.

Si confronti anche l'accentuazione di „sapienza rivelata" e salvifica sensibile in questi passi del *Mēnōkē Khrat*:

4. *Mēnōkē Khrat* ed. Sanjana, cap. I (Trad. Bausani p. 75):
. . .la Religione Massima, la cui fonte è la sapienza acuta che decide (*dānākīh i frāch vichītār*)

5. *Ibid.* cap. LVII (Trad. Bausani p. 164 sgg.):

Fin dal principio io, che sono la Ragione primordiale (*asnōkhrat*) di fra tutte le cose trascendenti e terrestri ero con Ōhrmazd. E il creatore Ōhrmazd creò e pose e sostenne e provvede la creazioni trascendente e terrestre, gli dèi e tutte le altre creature con la magica potenza (*nērōk*) e la forza e la sapienza (*dānākīh*) e l'esperienza della Primordiale Saggezza *(khrat)*. E al principió del periodo dell' Apocatastasi l'annientamento e l'uccisione di Ahriman e dei suoi aborti nel miglior modo con la magica potenza della Saggezza si potrà operare, etc.

III. *I due dualismi*

La forma più antica in cui ci si presenta il dualismo mazdeo è il famoso passo della scelta primordiale, nelle *Gāthā* di Zarathushtra, *Yasna*, 30, 3-6.

Qui il dualismo è un dualismo prevalentemente *etico*, anche se un Male e un Bene metafisicamente preesistenti sembrano sottintesi. La vaga impressione „protognostica" che il passo può fare non è dovuta al dualismo, ma ad altro, che studieremo meglio avanti. E' del resto assolutamente escluso che tale antico dualismo zoroastriano implicasse una malvagità della carne e del mondo, come è ben noto.

Un celebre passo della *Gāthā Ushtavaiti*, *Yasna* 44.2-5, potrebbe *quasi*, ove se ne traducessero i concetti in termini di diversa cultura, essere attribuito a un profeta ebreo o a un Maometto.

Il *quasi* che sopra abbiamo scritto è giustificato non dal dualismo cosmico, qui del tutto assente, bensì da ragioni di *stile* religioso che chiariremo meglio in seguito.

Ecco invece come il dualismo etico iniziale si sistematizza, con forti elementi cosmici, nella piena ortodossia mazdaica d'epoca sasanide. Il seguente capitolo del *Mēnōkē Khrat* è particolarmente illuminante per la sua grande chiarezza e relativa facilità di interpretazione (ed. Sanjana, cap. VIII, trad. Bausani pp. 98 sgg.):

Il creatore Ōhrmazd creò questa creazione tutta e gli Ameshaspenta e la Saggezza Celeste dalla sua propria luce e con la approvazione del Tempo Illimitato. Poichè il Tempo Illimitato è esente da vecchiezza, morte, dolore, fame e sete e intatto da creazione malvagia, e per tutta l'eternità nessuno potrà mai privarlo della sua virtù e togliergli il Regno.

Ahriman il menzognero produsse i demoni, gli spiriti mentitori e gli altri maghi esercitando su se stesso atti turpi. Poi fece un patto con Ōhrmazd per novemila inverni nel Tempo illimitato e finchè sia completato questo spazio di tempo nessuno lo può mutare o cambiare. E quando i novemila anni saranno completati, Ahriman sarà ridotto all'impotenza, Srōsh il Pio ucciderà Hēshm; Mihr, il Tempo Illimitato e la Giustizia Celeste che non mentisce a nessuno, la Predestinazione e la Sorte (*bakht u baghō-bakht*) uccideranno alfine tutta la creazione di Ahriman e anche il demone della Brama (*Āẓ*). E tutta la creazione di Ōhrmazd sarà di nuovo libera da contro-creazione come quella che egli aveva creato e formato al principio.

Ogni fortuna e avversità che giungano all'uomo o alle altre creature giungono loro dai Sette o dai Dodici. I dodici segni dello Zodiaco sono, come ci insegna la Religione, dodici generali al fianco di Ōhrmazd, mentre i sette pianeti sono chiamati sette generali a fianco di Ahriman. Questi sette pianeti violentano tutte le creature e le consegnano alla mortalità e a ogni afflizione. E dai sette pianeti e dai dodici segni dello Zodiaco dipendono la sorte e il governo del mondo. Ōhrmazd è volontà di bene e mai patisce afflizione, la quale a lui non si addice. Ahriman è volontà di afflizione e niente di buono egli pensa nè patisce. Ōhrmazd, quando a lui piaccia, può causare mutamenti nella creazione di Ahriman, e Ahriman, talvolta, ora, nella creazione di Ohrmazd; ma Ahriman può causar mutamenti solo in modo da non poter apportar danno all'opera di Ōhrmazd per la consumazione del mondo, poichè la Vittoria Finale è nella natura stessa di Ōhrmazd.

Un dualismo così inteso non ha nulla a che fare con quello (i cui due elementi sono comunque ambedue *positivi*) fra *mēnōk* (trascendente, celeste, germinale) e *gētik* (materiale, terrestre, dispiegato), che anch'esso attraversa tutta la speculazione mazdea e che qui non interessa direttamente. O interessa solo in quanto una identificazione, questa puramente gnostica, fra „terrestre/materiale" e „male", è stata fatta in Iran solo dal Manicheismo.

E' purtuttavia indubbio che un colorito pessimistico-ascetico (tendenzialmente gnostico) si manifesta in qualche tardo testo mazdeo, e, in modo particolare, come ha fatto notare lo Zaehner, nella „Antologia di Zātspram" (IX secolo d. C.), dove il dualismo etico escatologico del mazdeismo si avvicina più che altrove al dualismo gnostico. Eccone i passi più significativi dal nostro punto di vista: *Zātsprsm* cap. XXXIV 36-40. (Zaehner pp. 343 segg.):

E *Āz* (= il demone della Brama) poichè essa aveva solo una natura, non aveva il potere di insozzare le creature, finchè esse erano disperse. Allo scopo che le sue potenze potessero operare assieme entro la creazione, le divise in tre, cioè 'quel che riguarda le funzioni naturali', 'quel che riguarda le funzioni naturali dirette verso l'esterno' e 'ciò che è fuori delle funzioni naturali'. Quel che riguarda le funzioni naturali consiste nel *mangiare* da cui dipende la vita; ciò che riguarda le funzioni naturali dirette verso l'esterno è il desiderio del *coito*, chiamato *Varan* (libidine), mediante il quale, con uno sguardo all'esterno l'interno è eccitato e le funzioni naturali del corpo sconvolte; cio che è fuori delle funzioni naturali è la *brama* per qualsiasi cosa buona si vede o si sente...

...Questa è colei che comprende tutto il male. Ed è rivelato che alla fine *Artvahisht* verrà sulla terra col potente aiuto di *Airyaman*, il Messaggero, per trovare un mezzo di sconfiggere *Āz*, e mostrerà alle creature che l'uccisione delle diverse specie di bestiame è un turpe peccato e che poco è il profitto che se ne ricava, e ordinerà: Voi siete uomini; non uccidete più il bestiame come avete fatto finora.

Quando si avvicinerà il tempo della Apocatastasi (*frashkart-kartārīh*) coloro che ascolteranno gli ordini di *Artvahisht* si asterranno dall'uccisione del bestiame e dal mangiar carne, e un quarto della potenza di *Āz* svanirà e la forza che è nel suo corpo sarà distrutta e la tenebra e il buio saran frantumati, la natura sarà rivestita di pura spiritualità (*mēnōkīkīh o chihr apērtar patmōchīhēt*) e le intelligenze saranno più chiaramente afferrate (*dānishnān rōshntar ayāpīhēt*). Nel corpo dei bambini che nasceranno allora *Āz* sarà meno forte e i loro corpi puzzeranno di meno e la loro natura sarà più vicina agli Angeli (*yazdān*). Istruiti dagli Angeli essi si asterranno dal bere latte; allora la metà della potenza di *Āz* svanirà. E quelli che saran loro figli saranno profumati, privi di tenebra (*kam-tārīk*), di natura spirituale (*mēnōk-chihr*) e senza progenie, *perchè non mangeranno affatto*.

In questo singolare passo, *mēnōk*, contro tutta la tendenza più antica del pensiero religioso mazdeo [1]), sembra contrapporsi anche

---

[1]) Una delle più chiare affermazioni della positività del mondo materiale si trova nello *Shkand Gumānīk Vichār* (ed. de MENASCE p. 92-4).

eticamente e non più soltanto strumentalmente, a un parzialmente malvagio *gētē*, in modo che è notevolmente simile alle concezioni manichee nelle quali, in particolare, *Āz* è mescolata con le piante e gli animali, divora gli aborti dei demoni ecc. [1]).

IV. *I rivelatori/salvatori*

Alcuni antichissimi passi delle *Gāthā*, provenienti dal Profeta Zarathushtra stesso, lo mostrano come semplice uomo perseguitato, apportatore di una buona novella salvatrice aiutato dalla Rettitudine (*Asha*) e dal Buon Pensiero (*Vohu Manah*) come nel famoso passo della *Gāthā Ushtavaiti*:

1. *Yasna* 46, 1 sgg.

Già qui l'opera di Zarathushtra è indissolubilmente legata a quella di „Salvatori" di epoca imprecisata. La speculazione religiosa immaginerà in seguito Zarathushtra al centro di una catena di Rivelatori/Salvatori che va dal Protoantropo (il termine gnostico vien quasi naturale) ai tre Salvatori dell'escatologia, figli di Zarathushtra, uomo Perfetto. Il quale tuttavia, nella ortodossia mazdea, salva soprattutto in quanto Supremo Sacerdote di un *Culto* redentore:

2. *Fravartīn Yast* (Yt 13): 91 segg. (Molé p. 515).

... Colui che gli Amesha Spenta desiderarono, d'accordo sol Sole, con una convinzione fervente, con anima devota, come *ahu* e *ratu* degli esseri viventi, che esalta la Rettitudine (*Asha*) massima, ottima, bellissima, a che egli riceva la Religione Migliore. Alla nascita e alla crescita del quale le acque e le piante si rallegrarono, etc.

3. *Yasht* 17 par. 18 sgg. (Molé p. 515-6).

L'uso della „formula sacra" come mezzo salvifico è significativo per il nostro tema se si pensa alla idea dell'Anz [2]), che vide nelle formule a tipo *mantra* per sconfiggere i demoni da parte dei Salvatori una delle dottrine centrali dello gnosticismo.

Il brano seguente del *Dēnkart* specifica concisamente il concetto dei salvatori/rivelatori successivi sistematizzato nel tardo mazdeismo e contiene un interessate accenno a una „sapienza superiore" operatrice di salvazione:

---

[1]) Cfr. ANDREAS-HENNING. *Mitteliranische Manichaica aus Chinesisch-Turkestan*, I-III, SbPAW, 1932-4, vol. I, p. 9.

[2]) ANZ, *Ursprung des Gnosticismus* in *Texte und Untersuchungen*, XV, 4.

4. *Dēnkart* ed. Madan 28.19-29-19.19 (Molé p. 522-3):

... E [invece] gli infedeli (= i Musulmani) considerano che è proprio in quest'epoca, la più sozza, il secolo delle azioni più abbiette, quando i peggiori costumi son praticati in tutti i continenti, in cui gli uomini si trovano nelle tenebre e i loro corpi son dei più vili, quando essi dubitano come non mai della religione di Dio e dei beni spirituali, quando gli abitanti del mondo hanno più bisogno dell'avvento di qualcuno che vinca le tenebre e illumini il mondo trasmettendogli una sapienza superiore (*apartarīk u ākāsīh*), ma in cui il mondo non ha alcuna speranza di ricevere questa sapienza, proprio in quest'epoca sarebbe venuto il loro "sigillo dei profeti" (*paiyāmbarān-avisht*) colui che essi considerano come profeta! ...

Il pessimismo dell'ultimo paragrafo mostra ancora una volta quali possano essere state le radici sociali di una ricomparsa di tendenze gnosticheggianti e antimondane nel mazdeismo postislamico (vedi anche sopra). Si tratta comunque pur sempre di una *gēhān-bōzhishnīkīh*, „salvezza *del* mondo", non tanto di una „salvezza *dal* mondo".

V. *Stile espressivo. Il mito*

Ho altrove[1]) trattato, cercando di individuarne le ragioni, della impressione di „mito secondario" (simile al mito gnostico) che fanno alcuni dei miti narrati o accennati nei testi mazdei. Qui riproduco emblematicamente i due esempi già usati nel mio citato articolo.

1. *Ābān Yasht* (Yt. 5.33 segg.):

Qui si tratta di un mito arcaico/tradizionale comparabile con quelli di religiosità arcaiche (come ha mostrato soprattutto il Widengren)[2]).

Un tipo „stilistico" diverso di mito, cioè un mito inventato ex novo e atradizionale, basato del resto sull'appoggio storico del Re Vishtāspa alla nuova religione *(daēna)* di Zarathushtra è questo:

2. *Fravartīn Yasht* (Yt. 12.99).

Nasce così il mito della „*Daēna* incatenata", apparentemente simile a quelli del tipo di Andromeda, ma da quelli stilisticamente dissimile altrettanto quanto i miti gnostici sono dissimili da quelli classici/tradizionali.

VI. *Gli esseri intermediari*

Strettamente connesso a questo aspetto stilisticamente paragnostico dei testi mazdei è quello della straordinaria importanza, nei

---

[1]) Nel mio articolo citato alla nota 3 di p. 251.
[2]) Per esempio in *Stand und Aufgaben der Iranischen Religionsgeschichte*, estr. da *Numen*, II, 1955, p. 51 sgg.

testi mazdaici, degli esseri intermediari, emanazioni di Dio, ma diversi sia dagli angeli delle religioni monoteistiche (meri servi di Dio e da lui creati) sia dagli dèi del politeismo tradizionale. Si tratta di un doppio processo, di mitizzazione/personificazione „stile gnostico" di concetti astratti e di angelizzazione, su quel modello, di antiche personalità divine. Si formano così l'*Ameshaspenta* e lo *Yazata*, praticamente funzionanti ambedue, anche se di origine diversa, su uno stesso piano.

È — assieme allo „stile mitico" — forse questo l'aspetto (*formale*, dunque, non contenutistico) che più contribuisce a dare a molti testi mazdaici un colorito semi-gnostico. Ecco alcuni esempi, scelti poco meno che a caso:

1. *Gāthā Ahunavaiti* (*Yasna* 29):

Si tratta qui di entità angeliche corrispondenti a concetti semi-teologici, impensabili senza una personalità „mitopoieutica" creatrice.

Alquanto più precise esse si presentano nella speculazione più tarda, come in questo passo del *Bundahishn*, che dà una sistematica descrizione degli *Amesha Spenta*:

2. *Bundahishn* cap. III, parr. 11-18 (Zaehner pp. 321 sgg.):

Il primo degli esseri spirituali (*mēnōkān*) è Ōhrmazd. Di tra gli esseri materiali egli scelse per se (*ō khvēsh grift*) l'Uomo Primordiale (*bun martōm*) ... Il secondo degli esseri spirituali é *Vahuman*, etc.

E' la caratteristica f o r m a l e trattata in questo paragrafo che rende ragione, più che altre, della „impressione" di semignosticismo che i testi religiosi iranici fanno sul lettore.

Elementi, dunque, considerati da tutti o quasi gli autori come caratteristici dello gnosticismo si ritrovano in maggiore o minore intensità nei testi religiosi iranici: vi si ritrova, infatti, come abbiam visto, sia la liberazione personale come autoconoscenza, sia — pur con le distinzioni che sopra abbiam fatto — il dualismo, sia la manifestazione di una Divinità redentrice mediante profeti / salvatori, sia elementi „stilistici" di una mitologia atradizionale, sia un complesso sistema di esseri angelici „intermedi".

Ma, *perchè* tali elementi simili vi si ritrovano? Semplicemente perchè la religione antico-iranica in una fase determinata del suo sviluppo (maturata forse soprattutto nel periodo partico e poi esplosa in forme radicali agli inizi del sasanide) andò creando nel suo seno una *sua* gnosi che nelle forme più precise si chiamò *manicheismo* e *mazdakismo*, con qualche elemento presente già nella corrente teologica mazdea dello *zurvanismo* [1]), così come la religione ellenistica andò creando nel suo seno, in un periodo anteriore a tutto ciò (secc. I av. Cr.-II d. Cr.) una sua gnosi che è nota come *gnosticismo*.

Poichè però le zone geografico-culturali in cui i due fenomeni si produssero sono contigue (si pensi soprattutto alla Mesopotamia) ed ebbero documentati contatti storici anche in altri campi, è, certo, giustificato ricercare la possibilità di influenze e controinfluenze concretamente storiche fra questi due fenomeni, cioè *fra queste due gnosi*. Nella sua formulazione più precisa e più globale (,,La gnosi della zona culturale ellenistica ha influenzato la gnosi della zona culturale iranica"? o viceversa) tale problema non può essere risolto che affermativamente, ma allora nel senso che la gnosi della zona culturale ellenistica cioè lo *gnosticismo*, influenzò la gnosi della zona culturale iranica, cioè il *manicheismo*: questo è ovvio e accettato da tutti gli studiosi, chè la cronologia non sembra dar credito alla ipotesi inversa.

Purtuttavia, se il problema si pone, invece, nei *dettagli*, si potrà studiare se questo o quell'elemento religioso iranico *pregnostico* abbia influenzato questo o quell'elemento dello *gnosticismo*. A tali influenze di dettaglio io mi limito qui solo ad accennare. Così il dualismo dello gnosticismo può ben essere stato influenzato dall'antico dualismo pregnostico iranico (a sua volta, a mio parere, influenzato da quello babilonese) [2]); così numerose possono essere state le influenze di dettaglio nella angelologia e nella demonologia (un noto nome di demone ,,occidentale" come *Asmodeo* è di nota origine iranica, da *aeshmō-daēvō*) e anche nell'insieme stesso della concezione di *angelo* (i dii-angeli di Proclo sono più vicini, nel loro funzionare, agli

---

[1]) Il ,,già" presupporrebbe una anteriorità dello zurvanismo rispetto al manicheismo, il che — malgrado le dotte considerazioni dello Zaehner che vuole lo Zurvanismo vera e propria religione dalle antiche radici in Iran — ci sembra dubbio, Anche in questo caso, quindi, la direzione dell'influenza andrebbe in senso inverso, dal Manicheismo verso lo Zurvanismo.

[2]) Giustamente il FURLANI fa notare (in *Miti Babilonesi e Assiri* Firenze, 1958 p. 24, n. 2) che ,,il dualismo iranico ha i suoi precedenti nel dualismo mesopotamico" la qual cosa ,,però è stata appena avvertita dagli studiosi". Molti altri elementi pretesi di pura origine iranica, oltre a questo, sono in realtà dovuti a contatti con il mondo mesopotamico, e poichè a sua volta lo ,,gnosticismo" è nato sotto l'influsso del sincretismo mesopotamico più tardo, i due tipi di miscela (l'uno più antico, l'altro più tardo, ma ambedue con un forte apporto mesopotamico nelle due direzioni) possono fare una impressione di simiglianza. E' questa, storica, una delle più concrete ragioni della ,,impressione di gnosticità" che fanno i testi mazdaici, con l'accenno alla quale abbiamo aperto la nostra comunicazione.

Amesha-spenta o agli *Yazata* che alle idee platoniche, come ben vide
Corbin) o dell'*arconte*; così c'è probabilmente qualche elemento iranico
nel Protoantropo gnostico che ricorda l'iranico Gayōmart anche nel
suo funzionare, oltre che in aspetti formali, o qualche aspetto
„seminale" del mito di Gayōmart ricorda la Panspermia di
Basilide [1]); mentre scarso mi sembra l'apporto iranico, checchè ne
abbia pensato un pur così notevole studioso come il Reitzenstein [2]),
all'idea del „Salvatore salvato", ignota nel senso gnostico ai testi
religiosi mazdei.

Si tratta purtuttavia di motivi sparsi, non di influenza complessiva
e funzionale, e questo per la semplice ragione, stranamente trascurata,
anche se conosciuta, da molti studiosi, che i testi iranici religiosi più
interessanti per una comparazione con lo gnosticismo sono, obiettiva-
mente, *più tardi cronologicamente dello gnosticismo stesso.*

DISCUSSIONE

WIDENGREN: On a ces critères pour identifier des matériaux avestiques dans
les écrits pehlevi: a) brèves citations, b) formules introduisant la traduction d'un
passage de l'Avesta, comme la formule initiale du Bundahishn, ou les formules
„dans la Religion il est révélé. . .", „comme il est dit dans la Religion. . ." ets.,
c) critères linguistiques, de syntaxe et de style (position initiale du verbe etc.).
Il faut ajouter les témoignages éventuels des commentateurs. L'influence hellénistique sur les écrits pehlevis s'est exercée surtout dans le domaine cosmologique et
astrologique, voire philosophique (cfr. les Zoroastrian Problems de Bailey). On
a un grand nombre d'emprunts iraniens en grec, araméen, syriaque et hébreux;
peu d'emprunts grecs en Iran y correspondent.

WILSON: On the question of the use of the old texts, I am convinced that we
have always to be careful in asking: what use this is being made?

GNOLI: Le rituel mazdéen implique un concept de la connaissance. Le sacrifice
du Sōshans qui tuera la vache Hatāyōsh est analogue au sacrifice du taureau par
Mithra. Ceci pourrait élargir le problème comparatif.

BIANCHI: Un thème gnostisant dans l'Iran disons orthodoxe pourrait-il se
retrouver dans la consubstantialité lumineuse entre les intermédiaires de la Divinité
et certains aspects de l'homme (et aussi des êtres de la bonne création)?

BAUSANI: I have spoken here of the sacrifice of Saoshyant at the end of the
world, simply on this heading: 'Liberation through knowledge' only to state
that this kind of apocalyptic liberation is not evidently a liberation through
knowledge, it is a sacrifice. But I could agree that a comparative study of all the
ritual of Mazdeanism with the so little known ritual of the gnostic sects will

---

[1]) Si veda G. GNOLI, *Un particolare aspetto del simbolismo della luce nel Mazdeismo
e nel Manicheismo* in *Annali dell'Istit. Univ. Orientale di Napoli*, N.S., vol. XII
(1962) p. 124 sgg.
[2]) Specialmente nel già menzionato *Das iranische Erlösungsmysterium*, Bonn 1921.

perhaps prove useful in this respect, and I agree also with those who have said that we have given too little importance to the rituals, to the cultic aspect of gnosticism, which is very important, although it has not a central place.

As to the consubstantiality: I think the answer can be positive. This idea of a kind of identification, which can be found in some texts, could be one of the « gnosticoid » elements in the Mazdean religion.

MENDELSON: May I have a very short word on the question of ritual as it seems that it is coming up? The study of ritual per se, if done according to historical and linguistic techniques, can change back very quickly again into the history of the ideas. Unless it is remembered that the ritual must be studied in terms of the actual persons, who are taking part in the ritual, and the interrelation between these persons, priests and communicants, priests and sacrificers and so on, the study of cults will *not* be a way towards a sociology of gnosticism or any other sociology.

ERLÖSENDES WISSEN *)

Ein kritischer Rückblick von Manis *d'nyšn* zu Zarathustras *čisti*

VON

ALOIS CLOSS

Wie weit sich von den Nag-Hammadi — Funden eine neue Sicht in Sachen des Gnostizismus auf Iran ergibt, wo sich im Manichäismus die geschichtlich am meisten aktiv gewordene Schlußphase des synkretistischen Gnostizismus herausgebildet hat, kann vorläufig nicht gesagt werden. Die unter den Texten befindliche „Rede des Zostrianus über die Wahrheit" ist noch unveröffentlich und bis auf ein 6 Zeilen umfassendes Zitat in einem anderen Traktat im Wortlaut noch nicht bekannt [1]. Es ist wohl der in hellenistischen Texten auch sonst begegnende bereits hellenisierte Urmagier Zarathustra [2]), der daraus spricht. Wahrscheinlich wird „Wahrheit" hier genau so zu verstehen sein, wie in diesen Schriften im „Evangelium Veritatis", das dem Menander zugeschrieben wird, nämlich im gnostischen Sinn. Doch ist die Frage nicht müßig, ob darin nicht mehr die ägyptische *maat* [3]) oder aber vielleicht sogar Zarathustras *aša* nachwirkt und in weiterer Folge, wie sich die Wahrheit der Gnostiker überhaupt zunächst zur *maat* [4]), und letzten Endes zum gathischen *aša*

---

*   ABKÜRZUNGEN

CIOG   polycopierte Einsendungen zum Colloquio internazionale sulle origini dello gnosticismo.
NG   Nachrichten der Gesellschaft der Wissenschaften zu Göttingen.
OLZ   Orientalistische Literaturzeitung.
WBKL   Wiener Beiträge für Kulturgeschichte und Linguistik.
ZDMG   Zeitschrift der Deutschen Morgenländischen Gesellschaft.
ZE   Zeitschrift für Ethnologie.

NYBERG H. S. Nyberg, Die Religionen des alten Iran, Leipzig 1938.

[1] M. KRAUSE, *Der Stand der Veröffentlichungen der Nag Hammadi-Texte* (CIOG) S. 6, 12, aber auch 7, 8.

[2] J. BIDET und F. CUMONT, *Les Mages hellenisées.* Bruxelles 1938, I. S. 115.

[3] J. BLEEKER, *De beteeknis van de egypt. Godin Maat.* Diss. Leiden 1929.

[4] Zunächst käme dabei die Hermetik in den Vergleich. Noch vor den Systemen der alexandrinischen Gnostiker beginnend und vom Christentum verhältnismäßig am wenigsten berührt, dafür aber mit dem zentralen Mythos vom Seelenführer in der altägyptischen Religion stärker verwurzelt und dadurch gegen-

verhält. Am ehesten wäre ein Durchschlag dieser spezifisch zarathustrischen Wahrheitsvorstellung natürlich im Manichäismus zu
erwarten. Dieser erweist sich ja im ganzen noch mehr aus der altiranischen Religionsvorstellung mitbestimmt als sogar der Mandäismus, und er hat außerdem durch die historische Berührung
Manis mit dem Buddhismus aus der östlichen Gnosis der Selbsterlösung eine Anregung erfahren.

Nichtsdestoweniger gehört er allein schon durch seine Inanspruchnahme der Gestalt Jesu zur westlichen synkretistischen Gnosis, obwohl Mani von den ihm bekannten gnostischen Häresiarchen, auch
vom Psalmoden Nikotheos kaum etwas übernommen hat. Am
Merkmalkomplex, den die Groninger Arbeitsgemeinschaft als
charakteristisch für den Gnostizismus herausgearbeitet hat, wie ihn
Prof. van Baaren darlegt, hat er vielfachen Anteil. Zu den Gemeinsamkeiten gehört das Hauptthema dieser mythischen (wenn auch mehr
„intellektual-mythischen" als naiv-mythischen) Gnosis, die Gestalten
des erlösten oder zu erlösenden Erlösers, ein Typ, den man früher
allgemein für ein iranisches Element hielt, das auf den übrigen
Gnostizismus gewirkt hat, wogegen aber jüngst C. Colpe [1]) beachtenswerte Argumente ins Treffen geführt hat. Daß er im entscheidenden Punkt nicht vor dem Zeitalter des bereits hellenisierten
Iran hervortritt und auch da in dem im Weltgefühl am meisten der
Gnosis angenäherten [2]) Zrwanismus noch nicht bezeugt ist, haben,
wiewohl von Colpe bewiesen, zum mindesten Gestalten wie die Ennoia
und die Sophia als gefallene Lichtwesen keinen Anschluß an die
mazdayasnische Orthodoxie. Keinen Einfluß auf den außeriranischen
Gnostizismus scheinen dagegen die nicht mythischen Personifikationen der Attribute Ahura Mazdas gehabt zu haben, von denen W.
Lentz [3]) erwiesen hat, daß sie in Manis System fortleben. Sie haben
darin aber nicht eine mythische Weiterbildung erfahren wie die
zuerst von Duchesne Guillemin als aus dem Mazdaismus [4]) hervor-

---

ständig zur iranischen Gnosis, müßte gerade sie auf die Besonderheit ihres
Wahrheitsbegriffes näher untersucht werden.

[1]) C. COLPE, *Die religionsgeschichtliche Schule. Darstellung und Kritik ihres Bildes vom
gnostischen Erlösungsmythus* Göttingen 1961.

[2]) U. BIANCHI, *Zamān i Ōhrmazd.* Torino 1938 (Bespr. Al. Closs, in *Anthropos* 57,
1962, S. 239 ff.). Die Texte über „Frau Welt in Iran" (Literatur bei HÜSING, *Der
Mazdahismus,* Wien 1935, S. 15) sind zwar nicht zrwanistisch, doch jung.

[3]) W. LENTZ, *Mani und Zarathustra* (ZDNG 82, 1928, S. 179).

[4]) Die Schreibung Mazdahismus (G. HÜSING, *Mazdahismus* 1933, würde einen
s-Stamm voraussetzen, der aber bei Mazda nicht vorliegt und durch den altpersischen Genitiv *mazdāhā* nicht genügend gerechtfertigt ist.

gegangen erwiesene Licht-Samenrelation, wie sie Gnoli als alt-iranisches, in den Gathas freilich noch kaum spürbares Erbe im Gnostizismus hervorkehrt, rituell in einigen hellenistischen Sekten zur Spermakommunion entartet ist.

Was aber immer diesbezüglich und auch sonst noch an Verbindungen aus dem alten Iran mit dem Manichäismus und dem ganzen Gnostizismus angeführt werden kann, es vermag nur bei zu oberflächlicher Betrachtung über die tiefe Kluft zwischen dem Gnostizismur und dem orthodoxen Mazdaismus, am meisten aber dem Zarathustrismus hinwegzutäuschen. Sie tut sich besonders auffällig gerade im namengebenden Grundmerkmal auf, das der Gnostizismus mit der Gnosis im' allgemeinen gemeinsam hat, nämlich in der Bezeichnung für selbsterlösende Erkenntnis, im Manichäismus dem griechischen Wort γνῶσις und dem indischen jñāna sprachverwandt, nämlich *dāniŝn* [1]), ein Terminus, der im Mazdaismus erst auf einer späten Stufe begegnet, ohne sich dort schon auf die ganze Lehre zu beziehen.

H. Ch. Puech und K. Rudolph stimmen als Monographen der beiden am stärksten im Iran verhafteten Sekten des Gnostizismus, des Manichäismus und des Mandaertums, darin überein, daß dieses Merkmal „erlösende Erkenntnis" das eigentlich Wesensbestimmende an ihnen, wie an allen gnostischen Systemen sei [2]). Die Bedenken, die der Anerkennung dieser Begriffsbestimmung entgegenstehen, klären sich, wenn man dieses Merkmal mit den verschiedenen religiösen und magischen Formen des Wissens, besonders von Geheimwissen vergleicht [3]).

In ihrer Zugehörigkeit zur Gnosis schon fraglich sind u.A. folgende zwei Beispiele: das *naŭalli* der Mexikaner (Lanczkowski, CIOG), das Wissen bedeutet, u.zw. ein solches, welches das Alter-Ego-verhältnis zwischen Mensch und Tier betrifft, aber nichts Erlösendes an sich hat, sodann das in Ägypten für entscheidend zum Eintritt in das Totenreich erachtete Wissen der Namen höherer, bestimmte

---

[1]) Dargelegt in den beiden Einsendungen an die Tagung (CIOG) von L. J. R. Ort (*Mani*, S. 4: *xrd''wd d'nyŝn* und J. Ries (Copt. Manich. Liturgien: *saune* S. 2).

[2]) H. Ch. Puech, In: *Christus u. die Religionen der Erde*, II. 1961, S. 511, 514. — K. Rudolph, *Die Mandäer*, I 1960, S. 142.

[3]) Den Unterschied zwischen religiösem und magischem Wissen behandelt R. Pettazzoni, *The Allknowing God*. London 1956, (Bespr. Al. Closs, in *Anthropos* 56, 1961, S. 965 ff.), jedoch ohne Ausblick auf die Gnosis und auf das Vorhandensein beider Aspekte in dieser und ohne auf den speziellen Begriff Geheimnis einzugehen.

Sphären blockierender Wesen [1]). Hier wird nicht im Sinne der hinduistischen jivan-mukti eine irdische Unheilssituation von Grund auf behoben, es liegt aber auch nicht videha-mukti vor, um verderbliche Auswirkungen des irdischen Lebens im Jenseits zu beheben.

Eine Bezeichnung von zweifellos erlösendem Wissen begegnet nun auch in Iran außerhalb des genannten manichäischen danišn, sonst nur in den sogdischen Wörtern *ẓn'kh ZKNY* [2]), auch in der Verbindung mit *γwyčk* [3]), was soviel bedeutet wie „Wissen der Erlösung". Doch kommt dies nur in der Übersetzung buddhistischer Texte vor und bezeichnet den darin üblichen Ausdruck für die vollkommene Erkenntnis, nämlich *prajñā* (Pali *pannā*) *paramitā*, gemeint ist damit die Erleuchtungserkenntnis des Buddha, dessen Name aus dem Element *buddhi* gebildet ist, mit dem aber mehr das Erkennen im allgemeinen bezeichnet ist. Dem in der Ekstase gewonnenen Erkennen Buddhas wird das *vijñāna*, die Sinneserfahrung von der Welt (ZDMG/92, 1938, S. 494 ff., besonders 497) gegenübergestellt, von ihm unterscheidet sich aber auch das schlußfolgernde Denken (*tarka*). In Iran liegt ein Wort *budhi* hinter dem Namen einer Dämonin Budhiža (Videvd. 11, 9), sowie dem Namen eines Teilstammes der Meder, *Boudioi*. Nyberg hält die budhi für ein in ekstatischen Praktiken erlangtes Wissen außerhalb des Zarathustrismus (S. 340).

Keine Anzeichen solcher Erkundungsekstasen finden sich im Kult jenes Gottes, der im alten Iran schon von der urarischen Zeit her im Ansehen des eigentliches Erlösergottes stand und bei einem Nachbarstamm der Heimat Zarathustras als der höchste galt. Während sein Name in den Gathas nur zur Bezeichnung vertraglicher Verpflichtungen verwendet wird, kam dieser Gott im Mazdaismus mehr

---

[1]) Geltend gemacht in der Diskussion von KÁKOSY. Die Zitate finden sich bei H. KEES, *Totenglauben u. Jenseitsvorstellungen der alten Ägypter*,[2] Berlin 1956, S. 52 f., 106, 215.

[2]) *Die soghdischen Handschriften des britischen Museums.* Hrsg. H. REICHELT, I. Teil, *Buddhistische Texte.* Heidelberg 1928, S. 41.

[3]) ebd. S. 21. — Hier handelt es sich um Übersetzungen von buddhistischen Schriften, des mächtigsten Zweiges der östlichen Gnosis, die auf Mani wirkte und mit seiner Lehre Wesentliches gemeinsam hat (E. CONZE, *Buddhismus und Gnosis* [CIOG]), deren höchste Erkenntnisstufe (Pali: *jhāna*) in der Prajñāparamita einerseits ihren Niederschlag gefunden hat (CONZE, *The Prajñaparamitā*. Den Haag 1960, Rez. v. F. R. HAMM, OLZ 1963. — H. W. BALLEY, *Vajra-paramita*, ZDMG 92, 1938, S. 579 ff.), andererseits personifiziert ist. Die manichäischen Einflüsse auf den tantrischen Buddhismus (J. SCHUBERT, *Vajrayana und Manichäismus*, in *Lit. Zentralbl.* 1934, Heft 57) schlagen in den Schriften des tibetanischen Joga (hrsg. u. übers. von EVANS-WENTZ, *Joga und Geheimlehren Tibets*. München Planegg 1937) durch, am meisten in solchen, die den Tschöd betreffen.

und mehr empor, und man verband mit ihm gern das Verbum baog, d.h. retten. Aus dem ihm gewidmeten Zehnten Yašt geht hervor, daß man von ihm im Kampf Hilfe, Heil und Sieg (Vers 5) und Errettung aus Bedrängnis und Gefahr (V. 22) erwartete. Als Begleiterinnen seines Triumphwagens werden die *Čisti* und die *Aši*, die eine Vers 126, die andere Vers 66 genannt, Personifikationen von zwei im folgenden bedeutsam hervortretenden Seiten, von Wesen und Inhalt des religiösen Erkennens Zarathustras. Von Mithra wird u.a. wohl auch gerühmt, er habe gute Gedanken (Vers 106), es sei ihm als geistigem Wesen Verstand „angeboren" (Vers 107). Nicht aber wird gesagt, daß den Menschen durch ihn erlösende Erkenntnis zuteil werde, davon gibt es nicht einmal ein Zeugnis aus der Partherzeit, wo er im Kriegerstand, aus welchem in Indien die Selbsterlösungsreligionen hervorgegangen sind, sehr verehrt wurde; in Phönikien begegnet er in Verbindung mit zrwanistischen Vorstellungen in einer Weise, daß man an ihm, dem sonst inzwischen zu einem Mysteriengott gewandelten oder sich wandelnden Retter eine *Protognosis* d.h. den Anfang des Gnostizismus angedeutet fand [1]). Der Zrwanismus, von dem aus der gnostische Zug in den Mithraskult hineinkam, kannte jedoch, soweit aus den von Zaehner herausgegebenen Texten ersichtlich, die angelegentliche Betonung des Wissens als Heilsmittel anscheinend noch ebenso wenig wie der alte Mithrakult, und in keiner der beiden Komponenten war schon eine systematische Erlösungslehre entwickelt. Auf seiten des Mazdaismus begegnen in den Pehlewischriften zwar öfter die Ausdrücke *bōžišn* (von *baog*) und *dānišn* (auf die indogermanische Wurzel **gnō* zurückgehend und wie gesagt, dem Ausdruck Gnosis entsprechend). Der erste Ausdruck hat hier bereits mehrmals die Bedeutung Erlösung, der zweite bezeichnet höhere Erkenntnis, doch kam es noch nicht einmal in diesem Stadium, wo man die irdische Welt (**gētāh*), bereits im Gesamtzustand von *gumēčišn* (Vermischung) erachtete, sodaß ein Hervordrängen eines Erlösungsglaubens förmlich zu erwarten wäre, zu einer inneren Verflechtung jener beiden Begriffe und so noch zu keiner Erlösungstheorie. Je weiter man aber zu den Gathas zurückschreitet, desto weniger ist von einer Vermischung die Rede, desto klarer stehen sich zwei geschiedene feindliche Lager gegenüber, schon in dieser Welt, von denen aber nur eines auf eine Schöpfung, das andere

---

[1]) U. Bianchi, *Protogonos*, in *Studi e materiali di storia delle religioni* 19/2, 1957, S. 118 ff.

auf bloße Abirrung zurückgeht. Der einzige Ausdruck, der von manchen im Sinne von Erlösung gedeutet wird, nämlich *avayhāna* (Y 33, 5), bezeichnet nur ein Ausspannen, nämlich nach dem Kampf, also keine eigentliche Behebung des mit der Existenz von Grund auf gegebenen Unheils; es bleibt zuletzt im Urzarathustrismus nur die Idee eines aus dem Geiste entspringenden Dualismus und, was allerdings auffallend ist, gerade hier, an der Quelle des Mazdaismus, eine später auf der orthodoxen Linie nie mehr begegnende Schilderhebung des Wissens in der Religion. G. Widengren sah darin allein schon einen Ansatz zur späteren Gnosis [1]).

Als ich vor zwölf Jahren in einem Artikel [2]) die These vertrat, die gnostische Erlösungsidee unterscheide sich so wesentlich vom Zarathustrismus, daß sie in ihm auch nicht ihre eigentliche Wurzel, haben könne, berief ich mich vor allem, außer auf die Andersartigkeit des Dualismus, auf die positive Leibwertung [3]) und auf das Fehlen einer außer Zweifel stehenden Erlösungsvorstellung. Widengren hat nun gleichzeitig [4]), ohne daß ich mich daran schon hätte orientieren können, seine inzwischen wiederholte Ansicht [5]), die iranische Religion sei auf allen Stufen Erlösungsreligion gewesen, noch entschiedener vorgetragen und hierfür u.a. die Beobachtung G. Dumézils [6]) herangeholt, das Vohu Manah schon in den Gathas,

---

[1]) G. WIDENGREN, *Der iranische Hintergrund der Gnosis*, in *Ztschr. für Religions-und Geistesgeschichte* 4, 1952.

[2]) AL. CLOSS, *Die gnostische Erlösungsidee und Zarathustra*. Festschrift für J. F. SCHÜTZ. Graz etc. 1954, S. 69 ff.

[3]) W. LENTZ zeigt in einer Tabelle (ZDMG 82, 1938, zwischen 180 und 181), wie grundstürzend sich das Manichäische in dessen mitteliranischen Texten (hrsg. ANDREAS u. HENNING II, S. 5 u. 850), wo vom „Leib der Finsternis" (*z'wer u d'y' wer*) die Rede ist, vom Zarathustrismus unterscheidet. Der lebendige Leib steht für Zarathustra unter dem Gesichtspunkt heilen Lebens, *kəhrp* — Körper besagt Gestalt, und *tanu* wird später auch zur Bezeichnung des Auferstehungsleibes verwendet. Die awestische Charakteristik des körperlichen Seins als „knochenhaft" (*astvant*) ist nicht grundsätzlich gegen das „Fleisch" gerichtet, sondern betont nur das von Innen her Gestalt Gebende und Dauerhaftere und außerdem ist es, wie auch die Skelettierung in den Leichentürmen (vgl. unten S. 278 Anm. 1.), kulturgeschichtlich begründet.

[4]) G. WIDENGREN, *Stand und Aufgabe der iranischen Religionsgeschichte*, in *Numen* II 1955, S. 130.

[5]) G. WIDENGREN, *Die Religionen Irans*. Stuttgart 1965, S. 70. —

[6]) G. DUMÉZIL, *Naissance d'Archanges*, Paris 1945. — G. WIDENGREN, *The Great Vohumanah*. Upps. Univ. Arskrift, 1954. S. 24 (*zindikkar*). Eine Übertragung der baog-Retter-Terminologie aus der Mithrareligion fand aber weder auf ihn noch auf Zarathustra statt.

also nicht erst bei Mani, in die Erlöserrolle des Mithras eingetreten sei. Außerdem erschien im selben Jahre (1954), wie mein Artikel, der erste der beiden Versuche von W. Lentz [1]), die Gathas gnostisch zu erklären, dem allerdings H. Humbach mit gewichtigen Argumenten entgegentrat [2]). Wie sehr sich die Beweismittel von W. Lentz, sobald man sie in dem hier eröffneten Durchblick der Entwicklung der Erkenntnisbegriffe miteinbezieht, gegen ihn selbst kehren, wird sich hier schließlich herausstellen. In seinem ersten Versuch, an Y 28 ging W. Lentz gerade jenem Begriff der Erkenntnis, der unter den vielen in den Gathas begegnenden der hervorstechendste ist, nämlich der *Čisti̯*, noch aus dem Weg, und im zweiten, an Y 47, in welchem die Erwähnung der Čisti den Höhepunkt bildet, hat er jene Gesichtspunkte nicht aufgenommen, die daran für uns die wichtigsten sind. Die Čisti ist auch im jüngeren Awesta deutlich als die dem Zarathustra eigene Weise des Erkennens eindrucksvoll geschildert. Im sechzehnten Yašt [3]), der von ihr handelt, wird sie als eine nicht zu erlösende, weil nie abgewichene Lichtgestalt des Erkennens der höheren Wirklichkeit, jungfräulich personifiziert, gefeiert und angebetet, weil sie den Zarathustra zu seiner Religion geführt und deren Aufbau beflügelt habe. In dieser Eigenschaft erscheint sie, wie schon erwähnt, auch in dem zehnten dem Mithra gewidmeten Yašt [4]), und nach Yt 17, 4, sowie 10, 66 steht ihr hierzu die *Aši* parallel, als weibliche Hypostase des *aša*, ihr auch ideologisch engstens verbunden. Außerhalb des Awesta, in den Pehlewi-Schriften, begegnet der Name *Čisti* nicht mehr, in der Pehlewi-Übersetzung wird er als frazānakih, (ʒan, wie *dāniśn* auf die erwähnte indogermanische Wurzel zurückgehend!) wiedergegeben. Es besteht jedoch kein Anhaltspunkt dafür, daß die *Čisti* es ist, die dann als *dāniśn* hervortaucht.

Der Grundstock der Dokumentation der *Čisti* liegt in den Gathas, darin ist sie zehnmal (Y. 30, 9 c; 34, 14 c; 44, 10 c; 47, 2 d; 48, 5 b; 48, 11 d; 51, 5 c, 16 b, 18 a, 21 a) genannt. Nach einzelnen dieser Stellen befindet sie sich ganz besonders, aber auch sonst im allgemeinen, in derselben zentralen Stellung innerhalb des Verhältnisses Zarathustras zum Weisen Herrn, einem Gott, der durch den Namen

---

[1]) W. Lentz, *Yasna 28. Kommentar, Übersetzung und Komposition-Analyse*, (*Abh. Akad. Wiss. Mainz*, Geistes- und Sozialwiss. Kl. 1954, Nr. 16, S. 86 und S. 59). — Es folgte dann: W. Lentz, H. Seiler, Jehangir Tavadia, *Yasna 47*, ZDMG 103, NF. 28, 1953, S. 47 ff.

[2]) H. Humbach, *Indogermanische Forschungen* 63, 1950, S. 100 ff.

[3]) H. Lommel, *Die Yästs des Awesta*. Göttingen 1927, S. 154 ff.

[4]) Ebd., S. 61 ff. — J. Gershevitch, *The Avestan Hymn to Mithra*, Cambridge 1959.

Mazda allein schon und außerdem mehrfach ausdrücklich als der Erkennende und Wissende schlechthin charakterisiert ist.

Einigemale wird die *Čisti* mit demselben Epitheton „gut" bezeichnet wie die zarathustrische und mazdayasnische Religion, die ja, wie bereits erwähnt, als aus ihr entstanden hingestellt wird, nämlich die *daēnā*. Als deren Grundlage wird sie in Y. 44, 10 und Y. 51, 16 vorgeführt, ebenso durch die Überschrift des ihr geltenden Yašt 16 mit *Dīn* (pehl. *dēn*, av. *daēnā*). Die enge Zusammengehörigkeit wäre umso verständlicher, wenn auch die daena, wie Nyberg meinte, als ein Erkennen, (gemäß dem wohl anzunehmenden Verbum *day* = schauen) durch Schauen und von Geschauten zu verstehen wäre. Dies wird allerdings nicht von allen Iranisten zugegeben. Während G. Widengren in dieser Sache (hauptsächlich gestützt auf Yt 13, V. 100, wo es von der *daēnā* heißt, sie sei reich mit Milch und Nahrung gesegnet), an einen Zusammenhang mit ind. *dhenu*, die Kuh, denkt, nehmen W. Brandenstein und E. Mayrhofer [1]) einen solchen mit ind. *dhénā* d.h. Stimme, an, offenkundig, weil sie das in den elamischen Hani-Inschriften belegte teni in der Bedeutung Befehl [2]) als Lehnwort aus dem Altpersischen auffassen. Doch könnte am Ausdruck *daēnā* unter dem Einfluß des erwähnten **dāy*-schauen ein Bedeutungswandel erfolgt sein, durch den auch die von Humbach erkannte (Gathas I, S. 56 ff.) enge Verkettung von *daēnā* mit *urvan* — Seele erfolgt wäre. Die Subsummierung der Čisti unter die daena, die ja bekanntlich auch zur Personifikation des Zustandes der Seele nach dem Tode wurde, verstünde sich umso leichter, wenn beides ein schauendes Erkennen und durch Schau Erkanntes besagt. Die Wurzel cit scheint allerdings nur die unterscheidende Funktion beim Sehen auszudrücken, setzt aber die Annahme einer Sehkraft für das Unterscheiden voraus, die durch Vergleiche mit scharfsichtigen Tieren geschildert und, durch das Wort *sūka* als etwas sonnenhaft Erhellendes gerühmt wird. So erweist sich die Čisti nicht bloß als die Wirkung einer Lichtquelle, sondern sie gilt selbst als solche, sie schafft und ist zugleich „Einsicht" in die tiefste Wirklichkeit. J. Hertel kann sich, wenn er sie „feurige Erkenntnis" [3]) nennt, zwar nicht auf zwingende sprachliche Gründe berufen, doch wird seine Meinung dadurch, dass die Čisti, wie sich

---

[1]) W. Brandenstein u. M. Mayrhofer, *Handbuch des Altpersischen*, Wiesbaden 1914, S. 114.

[2]) F. W. König, *Elamische Königsinschriften* (Horn 1965, S. 66, Anm. 14), in den vorachamanidischen Haniinschriften.

[3]) F. Hertel, *Die arische Feuerlehre*, Leipzig 1925, S. 63-132.

gleich noch näher zeigen wird, im engsten Zusammenhang mit aša
steht, dessen physische Entsprechung das Feuer ist, immerhin gestützt. Jedenfalls ist die *Čisti* unter den auffallend vielen Ausdrücken,
mit denen in den Gathas das Wissen in der Religion betont wird und
von denen Widengren vermerkt, sie wären in ihrer Gesamtheit nach
ihrem genauen Sinn erst näher zu untersuchen, derjenige, der das
Seherische Erlebnis der Wahrheit, auch soweit sie dem Zarathustra
auditiv von Ahura Mazda zukam, stärkstens hervorhebt. Ihm am
nächsten stehen allerdings die hierfür über zwanzigmal vorkommenden Formen von vaed, eines Verbums, das ja wie die dazugehörigen
Wörter der klassischen Sprachen ein durch Sehen zustandegekom-
menenes Wissen bezeichnet [1]). Unter den ekstatischen Propheten
Vorderasiens [2]) dürfte sich kaum eine derartige Tiefe des Schauerleb-
nisses neben dem Gehörthaben bezeugt finden. Man beachte diesbezüglich auch die Redeweise vom „Erblicken" (*darasāṯ* Y. 32, 13 e u.
28, 5!) der Wahrheit und die bildhafte Auffassung von ihrem Fort-
schreiten unter den Guten, wie dies Y. 44, 10 e und insbesondere 46, 2 e
ausgesprochen ist: *āxsō vaŋhēuš ašā ištīm manaŋhō*, in der Übersetzung
von Humbach: ich beschaue den durch die Wahrhaftigkeit beflügel-
ten Schwung meines guten Denkens (in Y. 44, 10 e: meiner *čisti*).

Für Nyberg besteht die *Čisti* wie auch die daena in einer ekstatischen Schau. Die angemessendsten und aussichtsreichsten Ansatz-
stellen zum systematischen Aufrollen der Fragen über das Vorwiegen
des visuellen Erlebnisses bei Zarathustra sind auf dem Hintergrund
des Schamanismus bei den Skythen wohl zwei Zeugnisse, das eine
über den Gebrauch vištaspischen Hanfes im Arda Virāz und das
andere in der Pehl.-Übers. des Bahman-Yašt [3]) (II S. 29 ff.), aus dem
ein narkotischer Trank Zarathustras erschließbar ist. Wenn es Y.
51, 16 von Vistaspa heißt, er sei zur *Čisti* auf den Pfaden des Vohu
Manah gelangt, so könnte darin eine Verfeinerung der ursprünglich
gröberen·Ekstasetechnik bei der Bekehrung angedeutet sein. Noch näher läge es da freilich anzunehmen, Zarathustra sei nach seiner Berufung
durch das Neuerlebnis des großen Gottes zur Erzielung des ekstatischen

---

[1]) G. WIDENGREN, wie oben S. 270 Anm. 1, S. 104, Anm. 24. — *Dastva* (Y. 46, 7e)
von Humbach und Hinz mit „Wissen" übersetzt, hat eine andere Grundbedeutung.
  [2]) Über das Verhältnis ekstatischer Propheten zum Schamanismus (schamanischen Hervorsprechern aus der Geisterwelt, z. B. zu den von PUUKKO beschriebenen finnischen Propheten) und von da aus mit Ausblicken nach Vorderasien
handelte der Verfasser vorliegenden Artikels auf der Tagung der Dt. Ethn. Ges.
in Wien im Oktober 1965.
  [3]) G. WIDENGREN, wie oben S. 270 Anm. 5; S. 72.

Zustandes durch heilige Lieder übergegangen. Wird die ganze Frage von diesem durchaus vertretbaren Kernpunkt aus aufgerollt, dann gewinnen nicht nur die sonstigen Anzeichen für Ekstase Zarathustras und derer, die sich um ihn zusammenschlossen, an Gewicht, sondern es wird auch die Eigenart des zarathustrischen Prophetentums gegenüber dem vorderasiatischen daran deutlicher erkennbar.

Dabei dürfen natürlich Besonderheiten des Zarathustrismus andererseits auch gegenüber den jogistischen Ekstatikern Indiens nicht übersehen werden. Am wenigsten, daß man bei der *čisti* mit der Unterscheidung zwischen der sinnengebundenen und erst zu läuternden *citta* von der geistigen *cit*, wie sie im Darśanayoga gemacht wird [1]), gar nicht ankommt. Die auch hinsichtlich des Leibes positiv schöpfungsgläubige Anthropologie Zarathustras läßt eine solche Auffassung nicht zu.

Demgegenüber wurde die Notwendigkeit der Läuterung des Erkenntnisvermögens, um an die höchste Wahrheit heranzukommen, in allen gnostischen Richtungen, den Gnostizismus nicht ausgenommen, gelehrt. Und man spürt in diesem Punkt am deutlichsten, wie entfernt von ihm Zarathustra nicht nur zeitlich, sondern auch in seinem Denken [2]), vorzüglich über die *Čisti*, war. Dies überträgt sich dann auch auf jene Lehrstücke, an die W. Lentz seinen gnostischen Erklärungsversuch der Gathas angesetzt hat, das ist auf das Verhältnis (indirekt) der *Čisti* zu *Vohu Manah* (Y. 28) und auf den Totalzusammenhang von čisti und aša (Y. 47).

Insoferne *Vohumanah*, wie wir dies aus Y. 51, 16 schon entnommen haben, zur *Čisti* führt, läßt seine Doppelnatur zwischen dem menschlichen und dem personifizierten göttlichen „Guten Denken" verschiedene Erklärungen der betreffenden Verse zu, und die oft beträchtliche Schwankungsbreite der anderen darin vorkommenden Wörter vergrößert noch die Ungesichertheit der verschiedenen Übersetzungsversuche. Dies gilt ganz besonders von Y. 28, 4 a, dem Haupttext des ersten der beiden Aufsätze von W. Lentz, hinsichtlich des umstrittenen Infinitivs *gairē*, den Tavadia (ZDMG 104, 1954, S. 322 f.) auf ein Sammeln (der Seelen), Lentz aber, mit Duchesne Guillemin und Hinz, aber auf ein „Erwecken der Seelen" bezieht, worin er dann den in der čisti sich fortsetzenden Grundakt der

---

[1]) (Patanjali), *Yogasutra*: citta: IV, 21, 23 u. 42; II, 3. — cit II, 54; IV, 22.

[2]) So vor allem sein eigenartiger Dualismus (noch keine Spaltung innerhalb der obersten göttlichen Sphäre und keine Urfeindschaft zwischen dem geistigen und stofflichen Leben. U. Bianchi, *Il dualismo religioso*. Roma 1958, S. 27 ff.).

Erlösung vermutet. Diese wäre nun freilich, wie sich aus dem nächsten Absatz ergeben wird, auf alle Fälle nicht gnostisch zu verstehen. — Daran ändert auch Y. 49, 5 b nichts. Darin ist von einem Sichvereinen der (von der *čisti* bestimmten) *daēnā* mit *Vohu Manah* die Rede. Nyberg sieht darin zwar eine unio mystica, und er rechnet den für das Sichvereinen gebrauchten Ausdruck *sar* [1]) im Awesta zum Vokabular der Ekstasetechnik. Nun leitet sich aber dieses Verbum, was F. Andreas [2]) zuerst erkannt hat (wodurch sich H. Lommel [3]) Formulierung „in familiale Gemeinschaft setzen" veranlaßt sah), von der soziologischen Sphäre her, und es entspricht sowohl diesem Umstand als auch der ganzen eher auf eine ethische Angleichung zu beziehenden Stelle, wenn Hinz die Lommelsche Übersetzung in ein bloßes „Gemeinschaft pflegen" abgetönt hat. Etwas Religiöses ist gewiß auch damit gemeint, aber nicht ein Erlösungserlebnis großen Stiles nach Art der *Brahman-ātman*gleichung. Anderseits wäre es wohl auch zu wenig, den Text nur auf ein frommes Sich-Besinnen auf die engere Zusammengehörigkeit der Seele mit dem Göttlichen zu beziehen. Man wird vielmehr den giltigen Sinn in der Mitte suchen müssen, dabei aber nicht vergessen dürfen, daß die Anschauung von einer einheitlichen Lichtsubstanz zwischen Gott und der Seele in den Gathas noch nicht hervortritt [4]).

Gerade hier hat man sich von einer Überforderung des Textes besonders fern zu halten. Nich weniger wichtig ist es aber, in der Erwägung des dem Menschen mit der Gottheit Gemeinsamen in erster Linie das mit der *Čisti* ins menschliche Bewußtsein gebrachte aša zu beachten. In der Feststellung, daß der Hauptinhalt der *čisti* eben das *aša* ist und daß sie dessen kraftvolles Durchdringen unter den Menschen vermittelt, gipfelt der Vers 4 von Y. 47. W. Lentz hält gerade ihn für das entscheidendste Beweisstück seiner gnostischen Gathaerklärung. Das Gegenteil ist der Fall, denn das *aša* [5]) bildet das Band nicht nur zwischen dem göttlichen und dem menschlichen

---

[1]) Über die Form *sārəštā* (Aorist mit Dehnstufe), zu der es die Variante *sāršta* gibt, aus der aber nur die Aussprache zu entnehmen ist, siehe W. Geiger u. E. Kuhn, *Grundriß der iranischen Philologie*, Straßburg 1988-1901, I, 1 S. 196, 222, 208.

[2]) NG 1931, S. 323.

[3]) H. Lommel, *Gathas des Zarathustra*. Yasna 47-51. NG. 1937, S. 141: „sein geistiges Ich in enge Familienbeziehung zu dem Guten Denken setzt".

[4]) C. Colpe, *Lichtsymbolik im alten Iran und antiken Judentum*, in Studium Generale. 18, 2, 1965, S. 118 ff.

[5]) Wegen ihrer Verkettung der *Čisti* mit *aša* wirkt es sich auf sie aus, daß diese samt seiner kulturellen Bezogenheit das Kernstück der zarathustrischen Lehre ist (H. H. Schaeder, *Zarathustras Botschaft von der rechten Ordnung* (Corona 9, 1940).

Geist, sondern auch der geistigen und der physischen Welt. Es erfordert in dieser aber in besonderer Weise die Pflege des Rindes (Y. 47, 3 a), der Weide (Y. 47, 3 b) und des Anbaues von Pflanzen (Y. 48, 6 c), sodaß es sich von selbst versteht, wenn als das Kennzeichen des echten Zarathustriers und seiner Ersprießlichkeit just landwirtschaftliche Produkte (Milchgabe und Fetguß (Y. 49, 5 a), zum Vergleich herangezogen werden. Bei den Gnostikern war die Landwirtschaft den Elekten verboten und sie stand dort ebenso wenig im kulturellen Blickwinkel wie das Leben in der Sippe und in der Familie, also das auf dem generativen Prozeß gründende Gesellschaftsverhältnis.

Durch ihre integrale Verschwisterung mit dem *aša* bleibt der *čisti* auch hinsichlich der „Geheimsprüche" (Y. 48, 3 c), so genannt, weil aus der Intimsphäre zwischen Mazda und der Seele seines Verkünders hervorgesprochen, die Eigenart gewahrt, nicht nur gegenüber der Arkandisziplin der Eingeweihten in die Mysterien, sondern auch gegenüber allem gnostischen Geheimwissen, wie es von einem guru, dem vollkommen erkennenden Lehrer nur seinem Lieblingsschüler vermittelt, vor der Öffentlichkeit aber verschlossen wird (Bṛhadāranjaka Up. 3, 2, 13). Zarathustra kennt dieses Verschließen der höchsten Einsicht nicht, aber auch nicht die für gnostische Zirkel charakteristische Auffassung vom Glauben als einer bloßen Vorstufe des Wissens, die für die vollkommen Erkennenden keine Geltung mehr hat [1]. Noch in den Pehlewitexten wird *dānišn* (Wissen) und *virravišn* (Glaube) wie ein gleichwertiges Paar, nur als „ver-

---

[1] In Indien haftet der Begriff des Glaubens, (śraddhā), nachdem er in der vedischen Zeit dem Opfer gegolten hatte, vorwiegend am Ahnenkult (CALAND). In der religiösen Philosophie steht er im bhakti-System (Bhagavadgita z.B. 9, 23) voran, in der Upaneshadenlehre unter dem *jñāna* als noch weniger vollkommene Erkenntnis, sowie auch die πίστις im Westen, wo sie als Beiname der Sophia erscheint, als Erkenntnis noch in den unteren Regionen zu verstehen ist. Der überraschende Satz *śraddhā eva munate* (der Glaube allein denkt) just in der Chāndogya Upanishad (7, 9) bedeutet, an den Vertreter des *jñāna* gerichtet, eine Aufforderung, die Übergeordnetheit der Erkenntnis einsichtiger zu machen. — Betreffs des Mandäismus widerlegt K. RUDOLPH (*Die Mandäer* II, Göttingen 1961, S. 141, Anm. 9) die Behauptung SUNDBERGS, die *kušṭa* (ähnlich wie *daēnā* Bezeichnung dieser Religion) sei identisch mit Manda-Gnosis, der Ausdruck bezeichne vielmehr die erlösende Heilswahrheit, gehört also mehr in die Kategorie des *aša*. Wenn man in der *kusta* eine Bezeichnung für den Glauben sieht, so meint man damit eher die Religion. Diese Bedeutung hat im Awesta auch die daēna dort, wo sie (Y 9, 26) mit einem Gürtel verglichen wird. Ein solcher war bekanntlich bei den Mandäern das Sinnbild ihrer Religion (und insoferne ihres „Glaubens"). — In dieser Sache erinnert man sich am besten daran, daß auch im Christentum unter den verschiedenen Bekenntnissen verschiedene Glaubensbegriffe vertreten werden.

schiedene Seiten der Religion" aufgefaßt (Tavadia, ZDMG 104, 1954, S. 234). Diese entspricht der Anschauung Zarathustras, der die Aufhellung des *aša čisti*, das Wählen (*var*) des *aša* für das ganze Leben Glauben genannt hat.

Wir gelangen zu folgendem Ergebnis:

Von einer bereits gnostischen Grundposition der unmythischen Erkenntnis Zarathustras kann im Ernste nicht die Rede sein, nicht einmal von einer solchen, wie sie für eine welt- [1]) und naturpositive [2]) *Vollgnosis* [3]), wenn auch in problematischer Weise, charakteristisch wäre; doch könnte man den Zarathustra angesichts des ihn von den vorderasiatischen Propheten unterscheidenden Zuges zur Theosophie immerhin einen *Prägnostiker* [4]) nennen.

Seine Rückverbindung in die urarische Religion, gleichviel ob man sich diesbezüglich dem Urteil W. Hauers [5]) oder M. Eliades [6]) anschließt, wäre typologisch wohl nur mehr einer (,,gnostische Züge" im Archaikum [7]) oder bei primitiven [8]) Wissensstrebenden mit umfassenden) *Subgnosis* zuzuzählen.

[1]) In der Anschauung über die Erkenntnisstufen und als Ekstatiker den Gnostikern ähnlich, stand PLOTIN gegen die Gnostiker für die Schönheit der Welt (K. JASPERS, *Aus dem Ursprung denkende Metaphysiker*, München 1957, S. 104 ff.).

[2]) LAOTSE (SUNG BUM YUN, CIOG) war zwar wohl zur Natur positiv eingestellt, die Menschenwelt befand sich aber seiner Ansicht nach (K. JASPERS, e.c. S. 304 ff.) im Abfall, und er wollte durch Atemtechnik Zustände tiefster Offenbarung erzwingen (S. 322), das macht ihn zu einem gnostisierenden Jogi. Hiezu siehe J. FILLIOZAT, *Taoïsme et Yoga, Dân Vietnam* III 1949, S. 113-120 u. CHENG CHUNG YUAN, *Introduction to Taoist Yoga*, XXI, 1956.

[3]) A. ADAM, *Neuere Literatur zur Gnosis*, in *Göttinger Gelehrte Anzeigen* 215, 1963, referiert nach typologischen Gesichtspunkten über den Gnostizismus, dieser gewissermaßen als mit Protognosis beginnenden Vollgnosis.

[4]) Der Ausdruck ,,Prägnosis" wird hier in ähnlichem Sinne verwendet wie dies QUISPEL gegenüber gnostischen Anfängen im Judentum getan hat.

[5]) J. W. HAUER, *Der Yoga*, 2. Aufl. Stuttgart 1958. 1. Kap.: Wurzeln des Yoga im... primitiven Ekstatikertum (Der Autor behandelt nur die indoarische Vorzeit, insbesondere die *kešin* 35 (hierzu eine wichtige Bemerkung von WIDENGREN, wie oben S. 270 Anm. 5, S. 72, Anm. 64); auf die ṛši, unter denen die *angiras* sich in den medischen ἀγγαρης fortsetzen könnten, geht er nicht ein. So ist sein Horizont sogar innerhalb des indoarischen Bereiches zu eng.

[6]) M. ELIADE, *Schamanismus und archaische Ekstasetechnik* (Zürich 1957. Ders.: Yoga. Zürich 1960) bezieht sich auch auf das vorarische Indien, wo er die Hauptwurzel der Gnosis sucht. (S. 43, 119 f, 123 f u. 183 f.).

[7]) So das *naualli*-Wissen der alten Mexikaner. (G. LANCKOWSKI, CIOG). Unbewiesen ist die Ansicht, daß mit ,,Urgnosis" im Megalithikum zu rechnen sei (O. HUTH, *Alfred Schuler und die ,,Urgnosis"*, *Festschrift für L. Klages*, 1949, S. 209 ff). Die Vorstellungen von kosmischen Beziehungen eines mythischen Urkönigs kann mit Sicherheit weder als megalithisch noch als gnostisch gelten.

[8]) Das Wissensstreben Odins läßt sich als mythische Projektion eines solchen schamanischen Bemühens verstehen. (AL. CLOSS, *Zukunftsdeutung und Zukunfts-*

Für eine solche käme der ganzen kulturgeschichtlichen Situation
nach randlich und basal vom Zarathustrismus hauptsächlich ein
der Kunde aus der Geisterwelt geöffneter, mit Skelettschamanismus [1])
enger verschwisterter Entsendungsschamanismus in Frage. In diese
Richtung weisen u.a. auch der intensive Seelenglaube und der
Dämonenkampf im Mazdaismus, und nicht zuletzt Anzeichen für eine
nicht nur nach dem Tode erwartete, sondern im Leben imaginierte
Himmelsreise hin. Eine solche Praxis behauptet Eliade auch von den
um erlösende Erkenntnis ringenden Jogi der Upanishadenzeit, die,
wie er meint, durch einen Einfluß von (motorischem) Entsendungsschamanismus auf ihre enstatische Haltung zurückzuführen wäre [2]).

---

wissen in Vergangenheit und Gegenwart. Kärtner Hochschulwochen 1963, S. 19.) — Ihm
steht das feierliche Gehaben der Thorbjörg bei ihrer Zukunftsbefragung der
Geister gegenüber, die sie durch das Absingen von *vardlokkur* (Geisterlocklied)
heranholen läßt. Hier wird durch Lieder Kunde erstrebt, ohne jenes tobende und
lärmende Gehaben, das die germanischen Grönländer an den Eskimo befremdete.

[1]) Die Vorstellung vom Sterben (zum Skelett werden) und Wiedererstehen
(aus dem Skelett auferstehen) beherrscht zwar mehr die Initiationsriten der
Schamanen als die für sie charakteristische Bestattungsweise, meist ein Aussetzen
des Leichnams in Bäumen, immerhin kommt aber auch das Überlassen an aas-
fressende Bodentiere vor. Die im Iran am frühesten von den Magiern bezeugte
und wohl auch durch sie im Mazdaismus durchgedrungene Totenbehandlung hat
ihren Hintergrund in dem (neben dem Entsendungsschamanismus) in Nord- und
Mittelasien am deutlichsten bezeugten Skelettschamanismus. Der diesbezügliche
Aufsatz von H. NACHTIGALL (ZE 77, 1952, S. 188 ff.) gewinnt für Iran an Geltung,
wenn man ihn mit dem Artikel von A. FRIEDRICH (*Knochen und Skelett in der
Vorstellungswelt Nordasiens*. WBKL 5, 1938, S. 226 ff.), das ist mit jener Partie
dieses leider zu wenig bekannten Aufsatzes zusammen überlegt, zu der H. LOMMEL
beigetragen und auf einen schwer zugänglichen Artikel von J. MODI über die
Bestattungsweise in Tibet hingewiesen hat. Der Zusammenhang von Skelettschamanismus und Auferstehungsglauben spielt sogar bei Begräbnissen von
Schamanen eine Rolle, so z.B. bei den Jenisseyern, wo auf dem Grab eines solchen
ein Tuch mit der Darstellung des Skelettes ausgebreitet wird, um seine Wiedergeburt in einem andern Schamanen zu fördern. (W. SCHMIDT, *Ursprung der Gottesidee*, 11, 1954, S. 553 ff.). Daß die Manichäer und die Mandäer zum Erdbegräbnis
übergegangen sind, würde sich am besten aus einer Ablehnung des Auferstehungs-
glaubens erklären, dann, wenn sich im Mazdaismus an das Entfleischen des Leichnams dieser Glaube in Nachwirkung aus der alten Jägerkultur geknüpft hätte.
Die ideologische Verbindung des Erdbegräbnisses mit dem Gleichnis vom Weizen-
korn lag den Gnostikern ebenso ferne. Für die Mandäer war es nur ein Zudecken
und „Zuschütten des nichtigen Körpers". (K. RUDOLPH, *Mandäer* II, S. 281).

[2]) Im Kapitel „Yoga und Schamanismus" des schon genannten Werkes *Yoga*
(Zürich und Stuttgart 1960, S. 326 ff.) stellt ELIADE zunächst den Unterschied
fest, daß der Joga in der samādhi, der Schamanismus aber im ekstatischen Flug
gipfle (S. 348). Doch wurde auch im Joga die Himmelsreise geübt (S. 334 f.).
Dies sei geschehen „in Umwertung einer schamanischen Technik der Urein-
wohner in yogistische Ausdrucksweise". Es seien dabei „von einem bestimmten
Moment an Elemente einer außerordentlich alten, urindischen Spiritualität an
die Oberfläche (gedrungen und hätten sich) dem Yoga eingefügt" (S. 349).

Weil Entsendungsschamanismus bei einheimischen Stämmen [1]) in Indien am wenigsten nachweisbar ist, müßte er durch das arische Element dorthin gebracht worden sein.

Aus diesem Ferment des religiösen Erbes aus der urarischen Einheit, in dessen ideologischem Bestand ja auch nicht zuletzt der *ṛta*-glaube verankert war, mag der theosophische Zug des persischen Verkünders vom Sieg des Guten in der Endzeit mit seiner hohen Wertschätzung des Wissens um die metaphysischen Hintergründe der rechten Ordnung einen nicht unwesentlichen Impuls erfahren haben.

DISKUSSION

COLPE: Sie sagten, man könne auf diese Weise den Manichäismus dann als eine zweite Gnosis neben der eigentlichen Gnosis, der klassischen Gnosis des Westens, bezeichnen. Meinen Sie, daß es sich zunächst um parallele und dann konvergente Entwicklungen handelt? Oder bestehen nicht doch historische Beziehungen zwischen Manichäismus und westlicher Gnosis?

CLOSS: Am Christentum hat sich Mani beim Ausbau seiner Lehre sicher orientiert, aber weder das, noch seine etwaige Beeinflußtheit aus dem Griechentum hatte ich zu prüfen, sondern lediglich ob man von einer geradlinigen Weiterentwicklung aus altiranischen Ansätzen sprechen kann, am ehesten wohl über den alten Ast des Zrwanismus, der in seiner parthischen Form selber schon Einflüße von außen erfahren haben dürfte, gleichviel vom Westen oder vom Osten.

ADAM: Ich meine, daß hier ein sehr fruchtbarer Gedanke vorliegt, nämlich einzuteilen in: Prägnosis, Protognosis, Gnostizismus des 2. Jahrhunderts und dann Manichäismus. Das *scheint* mir auch eine chronologische Reihe zu sein.

---

[1]) R. RAHMANN, *Shamanistic and Related Phenomena in Northern and Middle India*, in *Anthropos* 54, 1959, S. 681 ff. — Einen eigenen Sondertyp Erkenntnisschamanismus (innerhalb des Entsendungsschamanismus als der nach ELIADE zuerst entwickelten Form der ethnologischen Kategorie religiöser Ekstatik) abzugrenzen, ließe sich kaum durchführen, denn, sofern der Entsendungsschamanismus irgendwo vorwiegend zu Erkundigungen vorgenommen wird, handelte es sich zum größeren Teil um Mantik, und zwar einzelner Ekstatiker und auch bei solchen und wohl nur in Ausnahmsfällen um Stillung eines allgemeinen Wissensdurstes, wie er im Mythus von Odin geschildert wird. Seltene Ausnahmen ergeben noch keinen eigenen Typ. In Indien freilich tritt uns früh ein heftiger Drang nach Wissen um die höhere Welt im Kollektiv entgegen, außer bei Brahmanen noch bei den Kṣatriya, wobei der Jogismus der letztgenannten anscheinend weniger zur Durchführung einer Himmelreise neigt, d.h. eine schamanistische Anregung kaum erkennen läßt. Diesen Dingen kulturgeschichtlich näher nachzugehen, würde den Religionsethnologen erst dann stärker herausfordern, wenn es auf unserer Tagung nicht speziell um den Ursprung des Gnostizismus, sondern der Gnosis überhaupt ginge. Beim Versuch einer Typologie von Wissensstrebenden in den tieferen Schichten der Menschheit fiele es schwer, solche, die ihr Ziel durch den Kontakt mit Geistern, also auf schamanischem Wege zu erreichen suchen, von Magiern zu unterscheiden. Prometheus, der als „Vorausdenker" und durch seine Beziehung zum Licht unter den Blickwinkel einer primitiven Vorgnosis fällt, verhält sich eher rational.

Diese chronologische Reihe wäre gleichzeitig systematisch zu kennzeichnen. Natürlich nur eine Möglichkeit, aber in irgendeiner Weise müssen wir zu chronologischen Bestimmungen kommen, die gleichzeitig systematisch unterscheidbar sind. Ich möchte aus diesem Grunde diese Begriffsbestimmungen begrüßen und meinen, daß wir den Gnostizismus des 2. Jahrhunderts in der Tat „Gnostizismus" nennen sollten und nicht allgemein nur „Gnosis"; als „Gnosis" sollten wir die Gesamthaltung, die vorliegt, bezeichnen.

Closs: An der vorgeschlagenen, bezw. anerkannten Typenschichtung gehört die Prägnosis noch nicht zum Gnostizismus. Die hierfür relativ zum Manichäismus aus Altiran ins Auge gefaßte Betonung des Wissens über die Beziehungen der Seele zur geistigen Welt ist noch nicht vom Weltpessimismus und damit auch nicht von derselben Grundhaltung bestimmt, und wenn man jene Grundhaltung aus der Merkmalsumme zu erschließen hätte, die laut Bericht des Professors Van Baaren von der Arbeitsgemeinschaft in Groningen festgestellt wurde, dann fehlt daran auch sonst manches. Demgegenüber ist die in ihrem Ansatz als Ganzheit innerhalb des Gnostizismus schwer zu erfassende Hermetik, die wohl als der ägyptische Typ gegenüber dem iranischen anzusprechen wäre, durchaus von der gnostizistischen Grundhaltung getragen. Wie der Begriffsumfang und die Grundhaltung der Gnosis im allgemeinen, sei es im Westen oder auch im Osten und möglicherweise sogar wenigstens ansatzweise vielleicht auch in der archaischen und der primitiven Welt zu fassen ist, dazu gäbe es in der Einsendung an die Tagung manchen Hinweis oder doch manche Anregung; darauf einzugehen, wäre hier aber nur soweit am Platze, als sich diese Frage, etwa im Zusammenhang mit dem Schamanismus in Altiran oder, was ich aber nicht recht glaube, auch in Ägypten stellt.

In Anknüpfung an die Diskussion mit Prof. Colpe scheint mir das Wesentlichste darin zu liegen, daß zu typologischen Schichtungen, wie Prof. Van Baaren erklärt, die Phänomenologie nicht ausreicht, sondern der Ergänzung durch die historische Methode bedarf. Nur ist die typologische Methode schon etwas Spezifisches innerhalb der Phänomenologie im allgemeinen, und, wenn sie richtig angewendet wird, wird man gerade durch sie auf die Funktion, die ein Merkmal in einem Typ gegenüber seiner Stellung in einem anderen hat, und auf den Funktionswandel, den es bei der Übernahme von außen erfahren hat, aufmerksam. Die Gefahr aus der Phänomenologie, auf die Van Baaren hinweist, wird so gehoben. In meinem Referat handelte es sich um die Möglichkeit einer typologischen Zusammenordnung von Gnostizismus und Gnosis vom Grundmerkmal erlösendes Wissen, und zwar zunächst von Iran aus gesehen.

Bianchi: Une contribution importante de l'Iran au gnosticisme pourrait-elle être recherchée dans l'idée de la substance ou de la racine lumineuse, divine et proprement mentale, qui relie les êtres divins tels que Vohumanah et les hommes, ou mieux l'aspect divin des hommes?

Closs: Bei Vohumanah eher als bei Ahura Mazda, demgegenüber das Distanzbewußtsein auch bei Zarathustra zu groß ist, als daß es da zu einem „Identitätsbewußtsein" hätte kommen können, geschweige denn sowie es sich in Indien in der sicher gnostischen brahman-atman-Formel ausdrückt. Die von Nyberg für eine unio mystica mit Vohumanah herangezogene Stelle Y 49, 5 bedarf einer genauen Analyse, ich versuche sie im Text. Auffallend ist, daß Wolfgang Lentz sich auf sie bei seiner gnostischen Interpretation der Gathas nicht stützt. Nicht einmal die Lichtrelation einerseits des Ahura Mazda, andererseits möglicherweise, aber wenig dokumentiert, auch der Seele hebt die in der Persönlichkeitsqualität Ahura Mazdas gelegene Distanz soweit auf, wie es für das Zustandekommen eines Identitätsbewußtseins nötig wäre.

LA GNOSI IRANICA

Per una impostazione nuova del problema

DI

G. GNOLI

Per gnosi iranica s'intende il manicheismo: iranico era Mani, iranizzato l'ambiente in cui il grande fondatore crebbe, iranico lo stato dove questi svolse la sua missiche apostolica. Inoltre: iranica è buona parte delle scritture manichee e simboli e miti iranici furono largamente diffusi nella nuova gnosi, che vantava fra i suoi profeti lo stesso Zoroastro. Per questi motivi il manicheismo può ben definirsi una gnosi iranica, almeno alle sue origini, anche se poi, analogamente a ogni grande sistema gnostico, esso presto si rivestì di concetti e di motivi eterogenei, parallelamente alla sua grande e progressiva diffusione, dall'Africa alla Cina, all'Asia centrale. Questa definizione del manicheismo come gnosi iranica — nel senso di gnosi nata in ambiente iranico e diretta fin da principio a interpretare ,,gnosticamente" la tradizione religiosa zoroastriana — serve pure a sancire l'errore della vecchia tesi ,,eresiologica", ormai sorpassata dalla moderna critica storica anche per quanto riguarda il fenomeno gnostico nel suo insieme.

Il manicheismo — è ormai accertato [1] — è una delle correnti dello gnosticismo e la sua pure incontestabile individualità non lo differenzia, tuttavia, in maniera sostanziale dalle altre correnti gnostiche [2]. Quel che si vuole porre in luce in questa comunicazione è non tanto il ,,fondo religioso iranico" del manicheismo [3] quanto piuttosto l'atteggiamento sia pratico sia dottrinario che questo ebbe nei confronti della tradizione religiosa iranica, cioè, dello zoroastrismo.

Un tratto caratteristico della gnosi manchea, tratto che la differenzia naturalmente non tanto dagli altri sistemi gnostici quanto piuttosto dalle religioni fondate, eccettuato in parte l'Islam, è senza dubbio la proclamata appartenenza di Mani alla serie degli Inviati divini. Tale

---

[1] Cf. H. Ch. Puech, *Le manichéisme. Son fondateur, sa doctrine*, Paris 1949, pp. 69 sgg.

[2] Cf., su questo punto, A. Bausani, *Persia religiosa*, Milano 1959, pp. 102-103.

[3] Cf. G. Widengren, *Der iranische Hintergrund der Gnosis*, ZRGG, IV, 1952, pp. 97-114.

serie ha inizio con Adamo e conta fra i suoi nomi più illustri Buddha,
Zoroastro e Gesù [1]). La dottrina manichea è quindi depositaria della
verità e della vera gnosi in quanto che si inserisce in questa tradizione
primordiale e perenne. Il che implica la presenza di un concetto
importantissimo e in certa misura originale, almeno nell'enunciazione
precisa che ebbe nelle scritture manichee: quello di un filo conduttore
occulto, che si snoda nelle diverse epoche della storia umana, una
catena di vera sapienza, di gnosi divina incarnata d'epoca in epoca in
uomini illuminati ed evolventesi in forme sempre più perfette, in
quanto sempre più universali. La dottrina manichea si presenta
quindi come una sintesi delle dottrine già enunciate dai grandi Inviati,
ma su quale base si fonda tale sintesi? Non sulla base di un sincretismo
religioso, in quanto che il manicheismo, come ogni altra forma di
gnosticismo, non ha il carattere di una religione nuova, sorta dalla
confluenza di correnti diverse, dalla comparazione di miti eterogenei,
da ,,interpretationes" di divinità appartenenti a differenti ,,pantheon"
religiosi: il manicheismo è innanzi tutto il frutto dell'opera di un uomo
solo, animato da una volontà possente e da una fede che non permette
di indietreggiare neppure di fronte al martirio. Non è quindi il risultato
dell' incontro di correnti diverse, ma è l'opera di un individuo che ha
vissuto intensamente la profonda crisi spirituale del suo tempo e che
ha saputo trarre dall'esperienza le forze necessarie per divenire un
innovatore, un creatore. La base della grande sintesi manichea,
riunente in un solo sistema organico le dottrine di Zoroastro, di
Buddha e di Cristo, è, o almeno vuole essere, la interpretazione scientifica, ,,gnostica", delle grandi tradizioni del passato: un'interpretazione condotta su di un fondamento unitario e coerente [2]), che riveste
di una nuova luce le religioni tardizionali, svelando la loro intima
connessione quali manifestazioni parziali dell'unica verità. Il manicheismo, come gli altri sistemi gnostici, non si può definire alla stregua di
quanto si fa per una qualunque religione, pei suoi dogmi, pei suoi
miti, pei suoi riti, poichè la sua intima essenza è al di là di questi
fenomeni, è nell'atteggiamento che esso indica a modello pel suo
seguace e che si compendia in queste parole dei *Kephalaia*: ,,l'uomo
non deve credere se non vede la cosa stessa coi propri occhi" [3]). Dal
che si deduce che è buona norma del manicheo non accettare fideistica-

---

[1]) PUECH, op. cit., pp. 61, 144 sgg., nota 241.
[2]) La vicenda dell'anima: ved. sotto.
[3]) *Kephalaion* CXLII: SPAW, 1933, p. 22 (cf. PUECH, op. cit., p. 157, nota 281).

mente la dottrina rivelata in ossequio ad un principio d'autorità e che, al contrario, l'insieme dei dogmi, dei miti ecc., deve essere il campo d'indagine sul quale si debbono esercitare le sue facoltà „gnostiche": la dottrina e la pratica gli vengono impartite perchè egli le sottaponga alla sua esperienza personale.

Perchè l'esperienza individuale sia feconda e l'impiego e lo sviluppo delle facoltà conoscitive diano buoni frutti, il manicheismo, al pari degli altri sistemi gnostici, fornisce all'uomo un filo d'Arianna, una chiave che lo aiuti a comprendere il senso dei miti e dei simboli delle vecchie religioni e il significato dei nuovi miti esposti dal fondatore; miti che — si badi bene — sembrano avere, in quanto appartenenti appunto a questo ambiente gnostico, un carattere essenzialmente diverso da quello dei miti tradizionali, un carattere palesemente più intellettuale, che si accompagna tuttavia ad una particolare crudezza di immagini [1]). Tale chiave, che deve aprire le porte della gnosi e che costituisce appunto il fondamento unitario e coerente su quale poggia l'interpretazione delle vecchie tradizioni, è la vicenda dell'anima ed il conseguente rovesciamento di prospettiva; il centro intorno al quale ruotano la creazione, la natura, la vita universale non è una divinità o un mondo divino estraneo alla natura umana, ma è l'uomo o, più esattamente, il nucleo divino dell'essere umano, la scintilla luminosa della sua anima; l'uomo viene così posto dalla Gnosi al centro del cosmo.

Vediamo ora quale fosse il punto fondamentale intorno al quale si sviluppò la lotta fra manichei e magi mazdei. E' opinione diffusa che dal punto di vista dottrinario la disputa si muovesse intorno alla diversa interpretazione della dualità *mēnōk-gētē*: mentre nel mazdeismo — si dice — il mondo *gētē* non veniva concepito come sostanzialmente ahrimanico, ma soltanto contaminato dall'assalto di Ahriman, nel manicheismo il *gētē* sarebbe stato contrapposto al *mēnōk*, come la Materia alla Luce [2]). Ora, di fronte ad una tale argomentazione si devono fare, a mio parere, le più ampie riserve. In primo luogo sarebbe un errore grave attribuire, come spesso si fa, al Nous e alla Hyle dei manichei le stesse connotazioni che hanno assunto i termini „spirito" e „materia" nel nostro vocabolario: la Hyle manichea è

---

[1]) Sulla natura particolare del mito gnostico si diffonde nella sua comunicazione a questo Colloquio A. BRELICH.

[2]) *Škand-gumānīk vičār*, XVI, 8-10; cf. J.-P. DE MENASCE, *Une apologétique mazdeénne du IXe siecle. Škand-gumānīk vičār. La solution décisive des doutes*, Fribourg en Suisse 1945, pp. 252-53, 321 sgg.

concetto ben più vasto di quello nostro di „materia", come viene
usato nel linguaggio comune, e abbraccia tutto quello che non è Nous.
Nell'uomo, per esempio, tutto è Hyle, salvo la particella luminosa che
è racchiusa nel suo seme fin dalla nascita e che attende l'opera salvifica
dell'Inviato divino. In secondo luogo non è buon principio metodologico accettare acriticamente la testimonianza di testi tanto tardi,
quali quelli pahlavici, sui punti dottrinari della lotta fra Mani e i suoi
oppositori. In realtà l'affermazione che i manichei identificavano *sic
et simpliciter* il *gētē* alla materia si ritrova solo nella letteratura religiosa
del IX sec., ed essa deve perciò esser vagliata con molta attenzione, in
quanto derivata da fonte sospetta ed interessata. Dato il significato
delle nozioni *mēnōk* e *gētē*, sulle quali mi permetto di rinviare ad un
mio recente lavoro [1]), tale affermazione o è falsa o è tendenziosa. E'
falsa se si vuole far credere che il *gētē* manicheo era concettualmente
identico al *gētē* mazdaico (stato di essere „vivente", manifestato,
portato all'esistenza in quanto sviluppo di una condizione embrionale
e seminale o *mēnōk*; stato di essere in cui avviene il „miscuglio",
gumēčišn, dei due spiriti), poichè, come è noto, il manicheismo non
solo non negava l'esistenza di uno stato di „miscuglio", e quindi nè
tutto buono nè tutto cattivo, ma imperniava anzi su di essa tutto il
suo sistema; è tendenziosa, ovviamente, se i manichei conferivano a
gētē un senso diverso da quello che ebbe nell'ontologia mazdaica,
poichè in tal caso il polemista dello *Škand-gumānīk vičār* avrebbe
giocato sull'equivoco. Infatti con *gētē* si poteva forse anche indicare
il „mondo" in un senso assai lato [2]) e non dissimile dal significato
cristiano di „mondo, secolo", presente, per esempio, nell'espressione:
princeps huius mundi.

Tuttavia un certo valore obbiettivo l'affermazione sulla presunta
identità nel manicheismo di Hyle e *gētē* lo ha: essa infatti denuncia un
caratteristico atteggiamento manicheo nei confronti della vita, un'e-
sistenza concepita come lotta continua, come continua tensione per
il raggiungimento di un ideale di ascesi e di gnosi, che doveva rendere
così tipologicamente diverso l'uomo manicheo dall'uomo aderente ad
una delle tante religioni tradizionali. Mentre per il primo l'esistenza
attuale era il campo stesso in cui doveva realizzare la sua apocatastasi,
per il secondo la buona pratica dei riti e dei precetti tradizionali

---

[1]) *Osservazioni sulla dottrina mazdaica della creazione*, AIUON, N. S.,XIII, 1963,
pp. 180 sgg.
[2]) Cf. neopersiano *gītī*.

assicurava una futura esistenza paradisiaca. Di qui la condanna manichea del „miscuglio", dello stato d'esistenza „misto" di spirito e materia e la volontà di giungere, in questa vita, alla „separazione" dei due principi, consistente in una lunga via di purificazione della luce dalla sua veste di tenebre. La morale manichea ha fatto spesso impressione pel suo rigore, ma non la si comprende e non la si apprezza appieno se non si considera che in essa la ricompensa del *post mortem* è un'idea praticamente assente o, comunque, ben poco rilevante: è questo che le conferisce il suo aspetto di rigore inflessibile ed una elevatezza etica particolare.

L'atteggiamento manicheo nei confronti della tradizione zoroastriana — si è detto — si riassume in questi due punti: rispetto e venerazione per Zoroastro e il suo insegnamento; condanna della casta sacerdotale dei magi che hanno deformato e tradito la buona dottrina. Il quesito che mi son posto, a tal proposito, è: su quali argomenti fondavano i manichei simili affermazioni? Era, quella di rifarsi allo stesso Zoroastro, una pretesa del tutto arbitraria? Interpretavano meglio l'insegnamento di Zoroastro i *mōbad* o i *zandīk*? E' questo un problema d'importanza fondamentale, che la critica storica non si è mai posto con chiarezza in questi termini semplici.

In un lavoro sul simbolismo della luce nel mazdeismo e nel manicheismo ho cercato di dimostrare la sostanziale identità di concetti sottostanti alla cosiddetta „metafisica" della luce zoroastriana e alla mitologia della luce manichea: nel sistema mazdaico e in quello manicheo la luce — lo x^v*arənah* dell'Avesta o lo x^v*arrah* dei libri pahlavici e il *parn* dei testi manchei — è un elemento fisiologico che ha valore germinale [1]). E successivi studi [2]) mi hanno confermato in queste opinioni e mi hanno convinto della sostanziale analogia di temi fra il manicheismo e il mazdeismo, soprattutto lo zoroastrismo più antico, cioè gathico.

Il sistema manicheo, come in genere ogni sistema gnostico, tende alla purificazione dell'elemento divino dell'uomo dalla materia che lo racchiude: la via della realizzazione spirituale consiste pel manicheo in un processo di progressiva „separazione" della luce dalle tenebre

---

[1]) *Un particolare aspetto del simbolismo della luce nel Mazdeismo e nel Manicheismo*, AIUON, N.S., XII, 1962, pp. 95-128; particolarmente pp. 105, 119-20. J. DUCHESNE-GUILLEMIN è giunto contemporaneamente e indipendentemente alle mie stesse conclusioni = cf. *Fire in Iran and Greece*, East and West, N.S., XIII, 1962, pp. 198-206; *Le „Xᵛarənah"*, AION, Sez. Linguistica, V, 1963, pp. 19-31.

[2]) *Lichtsymbolik in Alt-Iran*, in *Antaios*, 1967, e ved. sotto, p. 286 nota 4.

materiali. Un processo — si badi bene, quando si parla del „pessimismo" manicheo — che avviene per vie naturali attraverso l'opera stessa della Materia: la comunità manichea non ha infatti il compito di provocare questo processo, quanto piuttosto quello di accelerarlo [1]). Tale concetto si inserisce nella visione evolutiva, e non ciclica, di ciò a cui noi moderni daremmo il nome di „storia": evoluzione concepita non soltanto entro i limiti della vita umana, sia dell'individuo sia dell'umanità tutta, ma implicante anche un generale progresso evolutivo dell'universo intero. Altrove mi sono soffermato su questa idea „evoluzionistica" propria del manicheismo e di certe correnti gnostiche islamiche; è la stessa idea che si ritrova del tutto analoga nel mazdeismo dei testi pahlavici, dove l'uomo è considerato l'ultima, cioè la sesta, generazione di questo mondo e la prima per dignità e per importanza nella cornice della generale evoluzione del cosmo verso la trasfigurazione (*fraškart*) [2]).

La purificazione o separazione della luce dalle tenebre è resa possibile quindi dall'opera stessa della Materia, la quale, mediante la sua contro-creazione, tenta di stringere entro lacci sempre più stretti e più robusti le particelle di luce; e di fatto la luce vaga di catene in catene fino a raccogliersi nell'uomo. che diventa in tal modo l'oggetto centrale dell'opera salvifica in cui si distinguerà il Nous [3]). Lo stesso processo della creazione materiale, articolantesi in forme sempre più perfette, ha permesso in definitiva la purificazione della luce, concentrata nell'essere umano: la Materia, nella sua incoscienza, ha posto le basi per la sua sconfitta, che si risolverà nella separazione delle particelle di luce dalla prigionia tenebrosa.

Il concetto di purificazione come separazione di una sostanza divina — la luce nel manicheismo — dalla Materia che la incatena è comune all'intero gnosticismo. Orbene, questo concetto si ritrova, come ho cercato di dimostrare in uno scritto recentissimo [4]), nello zoroastrismo arcaico, cioè nelle *Gāthā*; anzi esso costituisce il punto centrale, o forse meglio la trama della dottrina gathica, la quale resterebbe, a mio parere, incomprensibile o inverosimilmente vaga, se non fosse fondata appunto sulla precisa concezione della pratica purificatoria che rias-

---

[1]) Cf. PUECH, op. cit., p. 91.
[2]) AIUON, N.S., XIV, 1964, pp. 200-201.
[3]) Cf. PUECH, *op. cit.*, pp. 81 sgg.
[4]) *Lo stato di 'maga'*, AIUON, N.S., XV, 1965, pp. 105-17.

sumo qui di seguito, sintetizzandone, per maggior chiarezza, i punti salienti [1]).

1. L'uomo può, mediante la pratica dello *yasna*, con tutto quello che essa implica, entrare in uno stato psichico essenzialmente diverso da quello normale; uno stato di „trance" attiva, lo stato di *maga*.

2. Tale stato conferisce all'uomo un potere ($x\check{s}a\vartheta ra$) di carattere magico per mezzo del quale è possibile la realizzazione di una „visione" (*čisti*) fuori dell'ordinario, una conoscenza di realtà supernormali, che non cadono sotto i sensi corporei. La *čisti* gathica, nozione analoga a quella della *citti* vedica [2]), è la *mēnōk-vēnišnīh* o la *jān-vēnišn*, la „vista spirituale" o „animìca", di cui si parla nei testi pahlavici.

3. In questo stato l'uomo „separa" la sua essenza *mēnōk* dalla sua essenza *gētē* e si identifica agli *aməša spənta*: di qui il duplice aspetto, divino ed umano ad un tempo, che le Entità possiedono sia nelle *Gāϑā* sia nei testi pahlavici; di qui la nozione del *maga* come di uno stato di „purità" o di „separazione" (*apēčakīh*), contrapposto allo stato di „miscuglio' (*gumēčakīh*, *gumēcišn*) dei due Spiriti (*vaxš-gumīkīh*). Si consideri infatti che i commenti pahlavici spiegano il termine *maga* con *apēčakīh* o con *apēčak vēhīh*.

4. Nello stato di *maga*, cioè nello stato di „purità", inteso nella maniera suddetta, l'uomo è una „volontà pura" (ax^v *apēčak*) e può esercitare la sua „signoria" ($ax^v\bar{\imath}h$), in quanto che ha operato la sua trasformazione (*fraškart*) passando dal piano dell'esistenza *gētē*, dominato dal fato (*baxt*), a quello dell'esistenza *mēnōk*, dominato dall'azione (*kunišn*) libera [3]). Su tale concezione si basa la dottrina mazdaica del „libero arbitrio" (*āɀāt-kām*) [4]); è possibile entrare nel regno della volontà (ax^v, *kāmīh*) e liberarsi dai vincoli della Heimarmene, efficace sul mondo materiale mediante tale „purificazione". „L'essenza della dottrina gathica — così concludevo — è in questa fede nelle possibilità infinite della natura umana: le *Gāϑā* sono soprattutto un inno all'uomo che riesce a porsi al di fuori e al di sopra del

---

[1]) Per la documentazione relativa a quanto segue rinvio alla plubblicazione citata alla nota precedente.

[2]) Sulla quale vedi J. GONDA, *The Vision of the Vedic Poets*, The Hague 1963.

[3]) Si rammenti l'espressione *gētē pat baxt*, *mēnōk pat kunišn*: DUCHESNE-GUILLEMIN, *La religion de l'Iran ancien*, Paris 1962, pp. 130 sgg.

[4]) Su questa dottrina: A. V. W. JACKSON, *The Zoroastrian Doctrine of the Freedom of the Will*, in *Zoroastrian Studies*, New York 1928, pp. 219-44; J. C. TAVADIA, *Pahlavi Passages on Fate and Free Will*, ZII, VIII, 1931, pp. 119 sgg.; R. C. ZAEHNER, *Zurvan. A Zoroastrian Dilemma*, Oxford 1955, pp. 254 sgg.

fato regolante l'ordine naturale, in uno stato di vita nuova in cui è legge la sua volontà''.

Se si accetta questa interpretazione dello stato di *maga*, le analogie fra il concetto gnostico-manicheo della separazione della luce dalla materia e la dottrina gathica risulterebbero del tutto evidenti. Nello zoroastrismo arcaico ricorrerebbero infatti i concetti fondamentali propri del manicheismo e comuni per massima parte allo gnosticismo intero. In tal maniera si potrebbe anche spiegare la cosiddetta trasformazione di Ahura Mazdā dalla divinità suprema dello zoroastrismo nel Nous manicheo: nel manicheismo, come è noto, Ōhrmazd è il nome iranico del Figlio di Dio, del Gesù-Splendore, identificato anche all'Uomo Primordiale [1]). L'antroposofia gnostico-manichea potrebbe sembrare in questo caso aver ridotto a dimensioni umane, o assai prossime alle umane, la concezione classica del Dio mazdaico, creatore trascendente; ma la nuova prospettiva che scaturisce dalla interpretazione qui esposta dello stato di *maga* potrebbe indurre viceversa a considerare ancora una volta la possibilità che i manichei non si siano poi tanto sbagliati sul significato del messaggio zoroastriano: in effetto, tale interpretazione nuova concentrerebbe tutto l'interesse del ,,sistema'' gathico sulla natura umana e sulle sue possibilità, e si avrebbe, nelle *Gāϑā*, non già una dottrina teocentrica, ma un insegnamento, più pratico che teorico, essenzialmente antropocentrico. Sicché l'antroposofia tipica dello gnosticismo storico sarebbe un fatto ben più antico di esso, presente nel nucleo centrale del sistema religioso zoroastriano.

Da tutto quello che precede, il carattere di ,,gnosi iranica'' del manicheismo risulta in maniera evidente: il manicheismo è una delle correnti gnostiche, sorte nell'ambiente iranico-mesopotamico [2]), non per un casuale fenomeno di sincretismo religioso, ma per la volontà cosciente del suo fondatore di ridurre ad uno, interpretandoli, gli insegnamenti dei grandi Inviati del passato: Zoroastro, Buddha e Gesù. Ma la iranicità del manicheismo non deve, a mio parere, indurre in errore nella trattazione del problema delle sue origini e di quello più vasto delle origini dello gnosticismo. Infatti, le varie tesi che riconducono il fenomeno gnostico a questa o quella religione, o corrente religioso-filosofica, ora greca, ora ebraica, ora egiziana, ora

---

[1]) Cf. PUECH, *op. cit.*, pp. 81-82.
[2]) Per uno studio sull'ambiente storico di Mani: O. KLÍMA, *Manis Zeit und Leben*, Prag 1962.

mesopotamica, ora iranica, sono tutte fondamentalmente erronee, non tanto perchè lo gnosticismo è fenomeno sincretistico, quanto piuttosto perchè l'essenza della Gnosi è tipologicamente diversa da quella della religione. Ora, se lo gnosticismo non è una religione, né un insieme di sette religiose, diventa assurdo porsi il problema delle sue origini su di un piano essenzialmente religioso; e la Gnosi non è, quindi, neppure una ,,Weltreligion'' [1]).

Lo studio dei rapporti fra manichesimo e zoroastrismo ritengo possa essere molto istruttivo a questo proposito: la relazione fra la dottrina manichea e quella zoroastriana non si trova tanto nel complesso dei miti, dei riti, dei dogmi, quanto nel campo tipicamente gnostico della purificazione dell'anima divina. Tutto quello che costituisce una ,,religione'', con le sue credenze e le sue pratiche, coi suoi aspetti di morale individuale e pubblica, interessa lo gnostico solamente se ha attinenza col problema centrale di ogni gnosi: la separazione della luce o dell'essenza divina dell'uomo dalla sua veste attuale che la offusca. Mentre i sistemi religiosi concentrano l'interesse dell'uomo sul *post mortem*, lo gnostico è teso alla realizzazione della sua apocatastasi in questa vita; mentre le religioni richiedono un'accettazione fideistica, lo gnosticismo pone l'accento sulla necessità di una ,,gnosi'' delle cose divine e sull'importanza di una esperienza personale; mentre l'uomo religioso si abitua a concepire la divinità come un essere supremo personalizzato, del tutto estraneo alla natura umana, gli gnostici additano nella presenza della particella di luce nell'anima umana il vero, unico Dio [2]).

In questi punti essenziali si può quindi, a mio parere, definire la Gnosi: a) concezione di un Dio interiore, occulto, che si cela nell'essere umano; b) ammissione di una possibilità pratica (sperimentabile mediante un *iter* preciso, variante secondo le scuole e soprattutto secondo il grado di maturità di ogni individuo) [3]) di arrivare ad una purificazione di questo elemento di luce divina dallo stato attuale di oscurità; dal che deriva la nozione caratteristica della purificazione intesa come ,,separazione'' dello spirito dalla materia, della luce dalle tenebre ecc.; c) credenza nella possibilità di acquisire una ,,conoscenza'' delle cose divine e di progredire in essa, parallelamente alla propria

---

[1]) G. QUISPEL, *Gnosis als Weltreligion*, Zürich 1951.

[2]) Per un'analoga prospettiva antropocentrica, Mani, con scandalo dei magi, insegnava che le *druj* hanno riparo (*gristak*) nel corpo dell'uomo: DE MENASCE, *op. cit.*, p. 229.

[3]) H. LEISEGANG, *La Gnose*, trad. franc., Paris 1951, p. 137.

maturazione generale: conoscenza sia pratica, implicante l'uso volontario di poteri supernormali o magici, in particolare di forze terapeutiche, sia teorica, diretta alla interpretazione ed alla comprensione delle dottrine religiose tradizionali nel loro aspetto esoterico: in queste tradizioni infatti gli gnostici solevano distinguere un nucleo centrale, appartenente allo stesso filo conduttore di vera sapienza, di cui essi si dicevano in possesso, dalle sovrastrutture intervenute nel corso dei secoli.

Quanto allo gnosticismo, come fenomeno storico, cioè all'insieme delle correnti gnostiche diffuse dal Mediterraneo all'India, esso si può definire con questi stessi punti fondamentali, come forma particolare della Gnosi. Le sue origini storiche non vanno ricercate in questa o in quella tradizione religiosa, ma in una mentalità, se non proprio antireligiosa, per lo meno essenzialmente non religiosa, il cui nascere e il cui diffondersi su vasta scala furono determinati dall'incontro delle diverse civiltà del mondo antico e dal superamento dei vecchi culti locali. Perciò se lo gnosticismo non fu una ,,Weltreligion", ad esso si deve riconoscere tuttavia un autentico carattere universalistico, tanto più evidente nel caso del manicheismo.

DISCUSSIONE

Bianchi: Nel caso delle Gatha, secondo la Sua interpretazione, avremmo la purificazione nel senso della realizzazione di uno stato estatico che permette particolari esperienze religiose; ma nello gn. si ha certo una purificazione da un mondo in sè antitetico al divino. — Inoltre, sono in parte d'accordo nel dire che l'esperienza gnostica è essenzialmente diversa (almeno oggettivamente) da quella di tipo più propriamente teistico; ma è religiosa a suo modo, fondata sul dogma della divina consustanzialità dello pneuma, per cui l'antroposofia qui si risolve in una teosofia, anzi la presuppone (come già nell'orfismo).

Gnoli: Certo, le due 'purificazioni' non sono sovrapponibili e sono diverse le epoche e le implicazioni culturali; ma mi sembra vi sia una connessione, anche se il termine è vago (e traduzione inesatta per phl. *apēčakīh*). L'attribuzione allo gn. del dualismo anticosmico dovrebbe essere vagliata su tutta l'ampiezza del fenomeno gnostico, al di là del mondo del Vicino Oriente e del Mediterraneo. Non si può certo pensare alla gnosi come antroposofia 'laica', ma come un tertium genus, che non può identificarsi con la religione, e non può essere studiato solo dal punto di vista storico-religioso.

IST DIE GNOSIS IN
ARAMÄISCHEN WEISHEITSSCHULEN ENTSTANDEN?

VON

A. ADAM

I.

1. In dem folgenden Beitrag soll ein Weg versucht werden, der vielleicht zur Begründung einer erwägenswerten Hypothese führt: es soll eine Erklärung der Bedeutungsgeschichte des Namens Jaldabāōth-Saklas vorgelegt werden, in der die Stufe der reinen Arbeitshypothese überwunden wird, so daß das Ergebnis als begründete Hypothese nunmehr der weiteren Überprüfung übergeben werden kann. Die daran angeschlossenen Erwägungen sind also nicht feste Behauptungen, sondern sachlich mögliche, nicht aber sachlich zwingende Schlußfolgerungen.

2. Sowohl in den großen gnostischen Systemen des 2. Jahrhunderts als auch im Manichäismus ist die Verneinung der körperlichen Welt als die Abwertung des Ursprungs der Welt ausgedrückt. Die Gestalt des sog. Demiurgen Jaldabaoth-Saklas ist als böse bezeichnet und als die treibende Macht von Zeugung und Geburt hingestellt, so daß auch die *creatio continua* als böse beurteilt wird.

Begonnen sei mit dem Namen Saklas. Die Namensform Saklas ist gräzisiert, kann also nicht zugrunde gelegt werden. Daher scheidet auch die Möglichkeit aus, in der aramäischen Form *saklā* („stultus") das ursprüngliche Wort zu finden [1]). Im Manichäismus ist das aramäische Äquivalent aufbewahrt: *ašaqlūn* [2]), und von dieser Form werden wir auszugehen haben. *Ašāqlūn* ist die aramäische Umschrift der iranischen Bezeichnung *ašōqar*, die unter den Emanationen der Gottheit Zervān an erster Stelle begegnet; sie bedeutet: „Der die Zeugungskraft verleiht". An diesen grundlegenden Aspekt der göttlichen Wirkungsmacht innerhalb der Lebenswelt schließen sich

---

[1]) R. Payne Smith, *Thesaurus Syriacus* II, col. 2630.
[2]) Theodor Bar Kōnai, *Liber Scholiorum* II (CSCO 69), p. 317, 9. Französische Übersetzung bei H. Pognon, *Inscriptions mandaïtes des coupes de Khouabir*, Paris 1894, S. 191; deutsche Übersetzung: *Kleine Texte* 175, Nr. 7, 163.

die beiden andern Aspekte an: *frašōqar* „der glänzend macht", d.h.
der die glänzende Vollkraft der Lebenshöhe verleiht, und zarōqar,
„der altern läßt" [1]). Alle drei Aspekte gehören einer positiven
Weltdeutung an und tragen das Gepräge einer genau durchdachten
Metaphysik des Lebens, wie sie der Zervanismus darstellt.

Die These, daß die medischen Magier den Zervanismus innerhalb
der letzen Epoche der Achämenidenherrschaft konstruierten, hat
einige Wahrscheinlichkeit für sich; wir werden dieses neue System
des religiösen Denkens in der Zeit nach 539 ansetzen dürfen, als die
Eroberung Babylons durch Kyros auch die geistige Unterwerfung
der Gottheiten des neuen Gebietes forderte.

Die achämenidischen Herrscher bedienten sich der aramäischen
Schreiber Babylons, um den zahlreichen Völkerschaften ihres weiten
Reiches ihre Anordnungen mitzuteilen. Diese Beamten mußten auch
die Religionen der Völker kennen, und daß sie die Religion ihrer
neuen Herren noch besser verstehen mußten, kann nicht bezweifelt
werden. Sie bedurften zu ihrer Ausbildung also der Weisheitsschulen.
Ist nun die Annahme richtig, daß der Zervanismus zwischen 539 und
333 v. Chr. in Mesopotamien verbreitet war, so ist auch der Schluß
wahrscheinlich, daß die aramäischen Gelehrten die Bezeichnung
ašōqar gekannt und in ihre eigene Sprache übernommen haben.

In der Tat steht neben ašōqar-ašaqlūn die aramäische Bezeichnung
Jaldabāōth. Wenn in zahlreichen Schriften des Gnostizismus dieser
Name für identisch mit Saklas erklärt wird, so haben ihre Verfasser
den Sinn beider Namen für gleich gehalten. Aus der Reihe der bisher
vorgeschlagenen Ableitungen [2]) bleibt dann für Jaldabaoth nur eine
Erklärung übrig: „Die Hervorbringung der Vaterkraft"; yald ist
„das Erzeugte, das Kind", aber zugleich „die Erzeugung", und
abāhūth ist „Vaterschaft", d.h. „Erzeugungskraft", also nicht mit
ābōth „Vater" zu verwechseln.

Diese Namengebung hat nur innerhalb einer positiven Welterklärung einen Sinn. Jaldabaoth-Saklas hat also ursprünglich
die Schöpferkraft des Lebens im bejahenden Sinne bezeichnet. Der
Gesamtbereich des Kosmos ist jedoch nicht in dem Begriff gemeint.

---

[1]) H. S. NYBERG, *Questions de cosmogonie et de cosmologie Mazdéennes* (in *Journal Asiatique* 219, 1931, p. 89); R. C. ZAEHNER, *Zurvan, a Zoroastrian Dilemme*, Oxford 1955, p. 220-224.

[2]) Vg . *Göttingische Gelehrte Anzeigen* 215, 1963, S. 31 f. und R. PAYNE SMITH, *Thes. Syr.* I, co . 6 (hier ist vermerkt, daß *Eph.* 3, 15 πατριά durch syr. *abāhūthā* übersetzt ist).

3. Die aramäische Gruppe, die den Zervanismus wenigstens in dem Ašōqar-Aspekt übernommen hatte, kann nicht innerhalb des Diaspora-Judentums bestanden haben, sondern möge gemäß unserem oben dargelegten Ansatz auch in unseren weiteren Überlegungen innerhalb des Bereichs der aramäischen Schreiber, d.h. der Weisen Babylons gesucht werden. Dann liegt der Schluß nahe, daß ihre Religionsauffassung synkretistisch gewesen ist, also der Ausdruck ihrer Lage war, in der sowohl eine Anpassung an die Vorstellungswelt der herrschenden Schicht unumgänglich war als auch das Verständnis für die Weltdeutungen der Völkerschaften innerhalb ihres Amtsbereichs möglich bleiben mußte.

Diese Lage blieb in den Grundzügen während der Alexanderzeit bestehen. Hinzu kam die Notwendigkeit, sich die griechische Sprache und das geltende griechische Weltverständnis anzueignen. Die zahlreichen griechisch-aramäischen Bilinguen bezeugen das Fortdauern der diplomatischen Berufstätigkeit auch innerhalb der hellenistischen Kultur. Zu neuen Erkenntnissen mußte die Beschäftigung mit der griechischen Philosophie führen. Aus den Schriften Platos traf der sokratische Weckruf: „Erkenne dich selbst" die Herzen der Aufhorchenden, mußte aber von ihnen in einem ganz anderen Sinne verstanden werden. Der delphische Spruch besagte: „Erkenne, dass du ein Mensch bist und nicht zu den Göttern gehörst"; in der aramäischen Sprachformung aber lautete der Satz: „Erkenne deine Seele" [1]. Zusammen mit orphischen Gedanken des späten Plato über den Unwert des Leiblichen konnte eine enkratitische Einstellung entstehen, die an sich nicht dualistisch war, bei einem Hinzutreten zarathustrischen Denktraditionen aber zu einer dualistischen Weltdeutung führen konnte. In dieser Lage konnte das gnostische Weltverständnis entstehen.

Eine solche Wendung zum prinzipiellen Dualismus ist innerhalb der Gruppe, in der die Namensprägung Jaldabaoth-Ašaqlūn geschaffen war, zu einem späteren Zeitpunkt eingetreten. Dabei ist die Lebensgottheit Jaldabaoth-Ašaqlūn zum bösen Prinzip erklärt worden, so daß nunmehr die Geschlechtsbeziehung verteufelt war. Die Hyle, die als „Löwin" angeredet worden ist [2], war in ihrem Todescharakter erkannt und mit dem vegetativen Leben verbunden

---

[1] *Thomas-Psalm* 13, 29 (A. ADAM, *Die Psalmen des Thomas und das Perlenlied als Zeugnisse vorchristlicher Gnosis*, BZNW 24, Berlin 1959, S. 19).
[2] *Thomas-Psalm* 14, 8 (ebenda S. 21).

worden, so dass sich nunmehr die Sinnumkehrung der Gottheit dieses vegetativen Lebens ergab. Diese negative Bewertung des leiblichen Lebens wurde in der enkratitischen Verneinung der Geschlechtskraft ausgedrückt; zum Beispiel ist im Manichäismus Saklas ὁ τῆς πορνείας ἄρχων [1]). Zugleich aber wurde die Göttlichkeit der denkenden Seele festgehalten und mußte, nachdem die Bereiche der Körperseele in die Unklarheit gerieten, verabsolutiert werden, also als konsubstantiell dem Göttlichen bewertet werden. In der Wendung zu der negativen Bewertung von Jaldabaoth-Ašaqlūn haben wir meines Erachtens die Entstehung der gnostischen Weltdeutung zu sehen.

Wann ist diese Wendung anzusetzen? Es ist von vornherein klar, dass diese Frage nicht schlüssig beantwortet werden kann; es sind nur Schätzungen ungefährer Art möglich. Zunächst ist auf die Veränderung hinzuweisen, die nach dem Zerfall des Alexanderreiches eintrat. In den einzelnen Diadochen-Reichen waren die aramäischen Schreiber überflüssig, da der verengte Herrschaftsraum übersichtlich war. Erst recht aber war für ihre Tätigkeit kein Raum mehr, als das parthische Reich nach Mesopotamien griff. Ktesiphon wurde um 180 vor Chr. auf dem Ostufer des Tigris erbaut, und der Arsakide Mithradates I. eroberte um 150 v. Chr. Mesopotamien und um 142 v. Chr. das Königreich Adiabene [2]), also den Raum des alten Assur. Die jahrhundertelange Verwendung der griechischen Sprache auf den parthischen Münzen [3]) darf wohl dahin ausgelegt werden, daß im parthischen Reich nur die griechische Kultur, aber in keiner Weise die aramäische Weisheit anerkannt war. Für die Träger der aramäischen Schreibertradition bestand keine Berufshoffnung mehr.

Falls angenommen werden darf, daß sich diese Ausweglosigkeit auch in einer Formung der philosophischen Weltdeutung ausgedrückt hat, wäre hier einer der Entstehungsgründe für das gnostische Weltverständnis gefunden. Die Mitwirkung der platonischen Philosophie anzunehmen würde die Wendung noch besser erklären. Als Zeitraum für diese Entwicklung käme das letzte vorchristliche Jahrhundert in Betracht, ohne daß mit dieser Vermutung mehr als eine Möglichkeit bezeichnet wäre.

---

[1]) Große griechische Abschwörungsformel (MIGNE PG 1, col. 1464 b; *Kleine Texte* 175, Nr. 64, 48).

[2]) G. WIDENGREN, *Iranisch-semitische Kulturbegegnung in parthischer Zeit*, Köln 1860, S. 5.

[3]) G. WIDENGREN, *Kulturbegegnung*, S. 25, Anm. 88.

4. Mit in die neue negative Deutung hineingenommen wurden verschiedene Züge, die am besten aus ihrer Verbindung mit dem Zervanismus erklärt werden können. Das Gesamtsystem ist monistisch, da die oberste Gottheit den absoluten Rang innehat und ihr der Endsieg in dem Ringen zwischen Geist und Tod zugesprochen ist. Die Geistseele steht zu ihr im Verhältnis der Emanation zum Urquell, ist also zu ihr konsubstantial. Die bewegenden Göttermächte des Lichtes sind allesamt Seinsaspekte, werden also modalistisch verstanden. Alle diese Züge bestimmen fortan auch die gnostische Weltdeutung.

Auch andere Züge des geschichtlichen Ursprungs blieben für Jahrhunderte erhalten. Zu ihnen zählt insbesondere die Verknüpfung mit der Institution der Weisheitsschule und die geistige Bindung an die Weisheitslehrer. Die gnostische Weltdeutung ist zunächst keine feste Religion mit einem tradierbaren Kultus gewesen; lediglich der Manichäismus hat es zu einer kirchenähnlichen Glaubensgemeinschaft gebracht, wird aber gerade in diesem Punkte einer besonderen Interpretation zu unterziehen sein, da die Ähnlichkeit mit einer Philosophenschule weitaus stärker ist als die mit der christlichen Kirche. Am wichtigsten ist in der Gnosis die Person des Schulleiters selbst; er ist kein Offenbarungsträger, sondern hat Autorität kraft seiner Fähigkeit, aus der übernommenen Tradition ein neues Buch zu formen; diese Befähigung beruht in seiner Einsicht in die Prinzipien der gnostischen Weltdeutung und in ihre Denkstruktur. Die Hereinnahme benachbarter Ideen und Religionsanschauungen ist untrennbar mit dieser Haltung verknüpft, so daß das System als synkretistisch erscheint, obwohl die fremden Ideen sämtlich eingeschmolzen werden und insofern den Synkretismus überwunden haben. Auch ein anderer Zug hängt mit der hervorgehobenen Stellung der Schulhäupter zusammen: die individualistische Prägung tritt in den verschiedenen Schriften stärker hervor als im alten Orient früherer Zeit.

5. Neben dem Aramäertum Mesopotamiens lebte in enger Sprachgemeinschaft das Diasporajudentum. Einen ständigen Austausch anzunehmen liegt nahe. Aber die Entwicklung des gnostischen Denkens, wie ich sie hier zu schildern versucht habe, hat in ihm nicht stattfinden können, da Jahve niemals als böser Gott verstanden werden konnte. Das Böse und die Finsternis konnten nur als Teilstück der geschaffenen Welt beschrieben werden, wie Jes. 45, 7 gesagt ist: „Der ich das Licht mache und schaffe die Finsternis". Die gnostischen Gedanken konnten nur an zwei Stellen angeknüpft

werden: an Gen. 1, 26 und Hes. 1, 26, die beide wohl aus mesopo-
tamischer Tradition übernommen sind. Solche Anknüpfung aber
bedeutete zugleich Einschmelzung, also Assimilierung und Ent-
schärfung.

Die gnostische Seelenlehre war einer solchen Assimilierung an
jüdisches Denken durchaus fähig: die zerstreuten Angehörigen der
verlorenen Stämme konnten sich als Lichtfunken des göttlichen
Geistes verstehen, in die Finsternis der Welt geworfen, und zugleich
als Erwählte, deren Seelenaufstieg die Rückkehr in das Land des
Lichtes, in das himmlische Vaterland war. Der Wissende ist als
Einzelner ein „Sohn Gottes" (Weish. Sal. 2, 18; 10, 5; 16, 26). Die
Unsterblichkeit ist nur den Besitzern der Weisheit zu eigen (Weish.
Sal. 8, 17), und das heißt: denen, die Gott kennen (15, 3). Die rechte
Weisheit aber ist an das Gesetz gebunden, und dieses ist vorweltlich
erschaffen, daher in die ewige Lichtwelt gerückt (Weish. Sal. 18, 4).
Die Scheidung zwischen den Besitzern der göttlichen Weisheit und
ihren Gegnern aber wird als ewig geschildert (Dan. 12, 2-3).

Nur dort, wo sich jüdische Gruppen ganz an ihre Umgebung
verloren, kam es zu einer Amalgamierung gnostischer Anschauungen
mit den Resten jüdischer Tradition. Als Beispiel seien die Naassener
in Phrygien genannt, in deren Überlieferungen die jüdischen Gedanken unschwer festzustellen sind. Meines Erachtens sind die zahlreichen Schriften des Nag-Hammādi-Fundes, in denen jüdische Traditionen verarbeitet sind, ähnlich zu beurteilen. Ein Judentum, das sich
der Gnosis öffnete, gab seine eigene Tradition auf, also das Alte Testament mit seiner positiven Bewertung der Welt und der Körperlich-
keit und ebenso die Anhänglichkeit an den Tempel in Jerusalem.

6. Rückblickend ist die Frage zu beantworten, welcher Gewißheitsgrad für die einzelnen Punkte der vorliegenden Darstellung
beansprucht werden kann. Dazu ist zu sagen: den Gewißheitsgrad
der historischen Wahrscheinlichkeit besitzt lediglich die These, daß
in der zervanitischen Emanation Ašōqar das Äquivalent zu Ašaqlūn-
Saklas vorliegt. Alle anderen Schlußfolgerungen, Erläuterungen und
Erklärungsversuche überschreiten nicht den Gewißheitsgrad der
Hypothese, bewegen sich also zwischen der bloßen Denkbarkeit
einer Arbeitshypothese und der sachlichen Möglichkeit einer einfach
begründeten Vermutung. Da aber alle Einzelergebnisse sich zu einer
denkmöglichen Gesamtdarstellung zusammenfassen lassen, ist auch
für das Ganze der Gewißheitsgrad der begründeten Hypothese
erreicht.

Die vorliegende Darstellung bleibt also im Bereich der Hypothese. Sie ist nur angreifbar, falls ihr die völlige Unmöglichkeit nachgewiesen wird. Aber auch eine Bestätigung, daß sie denkmöglich sei, erhebt sie nicht zum Rang einer vertretbaren These. Insofern ist sie selbst ein Zeugnis für den hypothetischen Stand der Gnosisforschung in der Gegenwart und muß der weiteren kritischen Prüfung übergeben werden.

II.

Die These des ersten Teiles lautet: Das zervanitische Element Ašōqar ist identisch mit dem aramäischen Namen Ašaqlūn, und dieser Name lautet in seiner gräzisierten Form Saklàs. Wird diese punktuelle These als Teilaspekt für die Herkunft des Gnostizismus aus dem Zervanismus [1]) behandelt, so ergeben sich für die Struktur der gnostischen Systembildungen bestimmte Folgerungen, von denen einige im folgenden zu formulieren versucht werden.

1. Der monistische Grundzug, der in der Anerkennung Zervans als des „Herrn des Grösse" besteht, ist oben unter Punkt 4 bereits genannt worden. Mit ihm hängt die positive Bewertung der Seele als einer portio dei zusammen, ebenso die Anerkennung des denkenden Geistes (Noũs) als des Seelenteils, der den Gottesbegriff erkennt und infolgedessen den Weg zu Gott finden kann. Seele und Geist werden als Emanationen Zervans aufgefasst, auch wenn eine Zwischenstufe eingeschaltet ist und auch wenn später der Begriff der Körperseele abgespalten wird. Aus dem emanatistischen Ansatz entspringt das modalistische Denken, das auf der Konsubstantialität von Grundprinzip und Einzelprinzip beruht und die mit ihm zusammenhängende Denkmethode der Theologie bestimmt. Das Auftreten des Modalismus innerhalb der frühkirchlichen Dogmengeschichte ist dann als Einbruch des Gnostizismus in das kirchlich-theologische Denken zu beurteilen.

2. Der dualistische Grundzug ist prinzipiell sekundär, kategorial aber primär. Dieser Dualismus stellt sich im Ansatz der Gnosis als Abwertung des männlichen Prinzips dar, indem Ašōqar als γενάρχης

---

[1]) Zum Zervanismus: E. BENVENISTE, *The Persian Religion according to the Chief Greek Texts*, Paris 1929, S. 78; W. B. HENNING, *Zoroaster, Politician or Witch-Doctor?* Oxford 1951, S. 49; R. C. ZAEHNER, *Zurvan*, Oxford 1955; G. WIDENGREN, *Die Religionen Irans* (Die Religionen der Menschheit Bd. 14), Stuttgart 1965, S. 149-151 und 214-222).

τῆς γενεσιουργίας (Poimandres 13, 21) verteufelt wird. Dieses Umschlagen bedeutet aber nicht nur die Spaltung der Welt, sondern wirkt sich als Spaltung des Schöpfergottes aus: Der gute Gott erschafft die Seele und zwar aus seiner eigenen Substanz (als Emanation), während der böse Aspekt Gottes den Körper bildet (aus der Materie, *Hylē*). Die gedankliche Konsequenz mußte dahin führen, daß der Bildner des Körpers schließlich auch als Schöpfer der Materie betrachtet wurde. In einigen Schulen des Gnostizismus ist infolgedessen Jaldabaoth mit dem Schöpfergott des Alten Testamentes identifiziert worden. Eine Abwertung des weiblichen Prinzips, wie sie im späteren Zervanismus erscheint. kann aus dem Gnostizismus nicht begründet werden.

3. Aus der Dualität des Schöpfergottes ergab sich die Spaltung des Gottesgeistes, der als *rūḥā* (im Semitischen Femininum) in eine obere und eine untere Weisheit geteilt wurde. Die obere Weisheit ist Gehilfin des guten Gottes und zugleich das Geistprinzip der gott zugehörigen Menschen; die untere Weisheit aber ist das Prinzip der körperlichen Sinne, also des Fleisches, so dass ihr prinzipieller Fall in die dunkle Welt der Materie nur noch festgestellt zu werden braucht. In der hebräischen Weisheitsliteratur spiegelt sich dieses mythische Denken der Frühgnosis in den beiden Gestalten der Weisheit Prov. 8, 22-31; 9, 1-18.

4. Das gnostische Denken ist also bestimmt durch die Spannung zwischen dem ontologischen Monismus des Geistes und dem existentialen Dualismus des irdischen Lebens. Daraus ergibt sich der Ansatz zur Erlösung des Seelentums: Der zum monistischen Prinzip gehörende Teil des Menschen, seine Geistseele, kann allein durch eine geistige Tat, nämlich einen Erkenntnisvorgang, gerettet werden, und diese geistige Tat besteht in dem Vollzug der begrifflichen Scheidung von Geist und Körper, Licht und Finsternis, Himmel und Erde. Diese dualistische Begrifflichkeit ist dann im Manichäismus zur Vollendung gebracht worden. In dem Jahrhundert vor dem Manichäismus aber bildete sich die erste Stufe der prinzipiellen Spannung aus in Gestalt des Enkratismus, der sich als praktisches Nein zu den körperlichen Funktionen darstellt; als Vorstufe des Enkratismus ist wohl sein Gegenteil, der Libertinismus, zu beurteilen, da in ihm die Zerstörung der körperlichen Begierden durch ihre Rückgabe an den Beherrscher des Begierde-Reiches praktiziert wurde, — ein Versuch, dessen Aussichtslosigkeit bald eingesehen werden mußte.

5. Die gnostische Lebenseinstellung konnte niemals einer breiteren Gemeinschaft zu eigen sein, konnte also nicht zur Volksreligion werden, sondern mußte auf Grund ihres exklusiven Charakters das Eigentum von Gelehrtenschulen bleiben, wie oben unter I, 4 dargetan. Dieser Schulcharakter hielt sich in der gesamten Geschichte der Gnosis durch, also in Frühgnosis, Gnostizismus und Spätgnosis. Auch die spätgnostische Religionsgemeinschaft des Manichäismus besitzt keinen Kirchencharakter, sondern ist Gesinnungs- und Schulgemeinschaft geblieben. In diesen Schulen erlangte der einzelne Lehrer notwendigermassen prophetische Autorität, so daß sich ein Individualismus herausbildete, der den der Philosophen weit überstieg.

6. Als Folgerung ergab sich die Variabilität der Systeme. Jeder einzelne Lehrer war ein wissender Geistträger und vermochte das Grundprinzip auf eigene Weise abzuwandeln. Der Modalismus der Gottesauffassung wiederholte sich in der Abwandlung der Systeme, die daher nicht als störend oder gar als gegensätzlich empfunden wurde. Die Verschiedenheit der Systeme gehört zur Eigenart des Gnostizismus.

7. Der Synkretismus, der auf allen Stufen der Entwicklung des gnostischen Denkens zu beobachten ist, kann nicht als grundlegender Zug bewertet werden, sondern ist als eklektische Denkmethode zu bezeichnen. Der gnostische Lehrer war nur durch das Grundprinzip und dessen erste historische Formulierung gebunden, fühlte sich aber in der Ausgestaltung seines Systems frei; er konnte daher aus seiner geistigen Umgebung alle Züge, die ihm verwendbar erschienen, aufgreifen und seiner eigenen Darstellung einfügen: babylonische Vorstellungen ebenso gut wie iranische, griechische Gedanken ebenso wie jüdische. Es handelt sich dabei stets um eine nachträgliche Verwendung. Die Herkunft der benutzten Einzelvorstellungen ist daher lediglich von historischer, nicht von grundsätzlicher Bedeutung. Der Synkretismus kann nicht als Wesenszug des Gnostizismus bezeichnet werden.

8. Auf Grund der dargelegten Sicht der Dinge kann auch nicht von einem gnostischen Mythos gesprochen worden. Wohl sind Mythen verwendet, sie gehören aber zu den Vorstufen, aus denen sich erst die eigentlich gnostischen Entscheidungen erhoben haben. Bei diesen Entscheidungen handelt es sich um eine Interpretation der Mythen, und es bleibt stets zu prüfen, ob bei diesem Vorgang nicht

eine Umdeutung geschehen ist, da die Mythen-Interpretation der
gnostischen Denker stets eine Entmythologisierung gewesen ist.

9. Nicht denkbar ist eine Entstehung der Gnosis innerhalb des
Judentums, da die gnostische Grundentscheidung in einem Nein
gegen den Glauben des Alten Testamentes besteht. Das ist weit mehr
als nur eine Ablehnung des Alten Testaments in seiner Eigenschaft
als Heilige Schrift. Auch im Diasporajudentum Mesopotamiens hat die
Gnosis nicht entstehen können, da auch das Diasporajudentum an den
Grundlagen der jüdischen Religionsgemeinschaft festhielt: an Noah-
Bund, Abraham-Bund und Mose-Bund. Dagegen ist die Übernahme
frühgnostischer Züge in das spätisraelitische Judentum durchaus
möglich gewesen, und zwar im Zusammenhang mit der Ausbildung
der Engelvorstellungen. Zum Wesen des Judentums gehört nicht die
Geschlossenheit des Denksystems, auch nicht die Ausbildung dog-
matischer Begriffe, sondern vielmehr die Geschlossenheit der Lebens-
überzeugung, die sich mit einer Offenheit in der Ausgestaltung
des Denkens verbindet. Auch die Ausbildung der Kabbala gehört in diesen Zusammenhang; sie ist nicht als Aufnahme der
gnostischen Grundprinzipien zu bewerten.

DISKUSSION

SCHUBERT: Gibt es einen Beleg dafür, daß die persische Reichsregierung nach
539 ihre Anschauungen in Babylonien durchsetzen wollte? Wenn Prof. Adam
Yaldabaoth im zweiten Wortelement von abahuth „Vaterschaft" versteht, so ist
das klar; beim ersten Teil aber möchte ich die Frage stellen: ist die Form yald, die
als einzige sprachlich möglich ist, in der Bedeutung, wie Prof. Adam es versteht,
im Aramäischen überhaupt belegt?

ADAM: Ich bin mit Ihnen der Meinung, daß die Perser nicht versucht haben,
ihre Religion durchzusetzen; sie sind in der Tat liberal gewesen. Gerade diese
liberale Behandlung hat ihnen eine Beherrschung der Völker Mesopotamiens
ermöglicht und ihrer Religion einen Einfluß verschafft. — Zur Beantwortung der
zweiten Frage kann ich mich nur an den Thesaurus Syriacus von Payne Smith
halten, den ich befragt habe. In ihm ist das Wort yaldā in zwei Bedeutungen belegt:
„Kind" und „productio", also nicht nur „Erzeugtes" (Kind), sondern auch
„Erzeugung" (als Akt). Abaoth ist als abābūthā „Vaterschaft" zu verstehen, eine
Abstraktbildung, die in der Peschitta des Neuen Testaments zur Übersetzung von
πατριά verwendet werden konnte. Dieser Bestandteil von Yaldabaoth kann also
nicht, wie man es vorgeschlagen hat, „Chaos" bedeuten.

SCHUBERT: Sie [haben [yaldā aber [im persönlichen' Sinne als „Erzeuger" verstanden.

ADAM: Wenn ich übersetze „die Erzeugung der Vaterschaft", kann ich es
auch als „Erzeuger" verstehen. Eine Gottheit ist gemeint, die hinter der Erzeugung

als erzeugende Kraft steht. Ich könnte auch übersetzen: „diejenige Kraft, die die Vaterschaft erzeugt" [1]).

HELDERMANN: In Ägypten, in der koptischen Tradition, können wir keine jüdischen Gruppen fassen, die sich in ihrer Umgebung verloren haben. Zuerst müßte man also genau definieren, was für eine Art Gnostizismus in Ägypten war, nicht etwa bloß „karpokratianisch" oder was man sonst alles gesagt hat, und erst dann kann man sagen, ob es nun wirklich jüdisches Gut ist.

---

[1]) Vielleicht ist auch an das Qal-Partizip *yāled* zu denken, das zu *yald* verkürzt werden kann.

ZUM PROBLEM: MESOPOTAMIEN (BABYLONIEN) UND GNOSTIZISMUS

VON

KURT RUDOLPH

Im Unterschied zur älteren Forschung ist dieses Thema in neuerer kaum behandelt worden (auch nicht auf diesem Kongreß!). Das „panbabylonistische" Fieber brachte es zu sehr einseitigen Theorien und zugleich die ganze Fragestellung in Mißkredit. W. Anz hat in seinem Buch „Zur Frage nach dem Ursprung des Gnostizismus" (Leipzig 1897) am ausfürlichsten und entschiedensten die These vertreten, daß der Gnostizimus (= Gn) in seinem Kernbestand ein Ableger der spätbabylonischen Religion ist. Er ging davon aus, daß das Zentrum der gnostischen Religion die Lehre vom Seelenaufstieg durch die Planetensphäre sei. Neben dieser astrologischen Komponente ist es nach ihm die Magie, die in der Gnosis eine beherrschende Rolle spielt, ein Element, das sich ebenfalls leicht aus Babylonien herleiten ließ. Ferner sind es eine Reihe Einzelzüge, die dem Gn. als babylonisches Erbe anhängen, wie die Sophia, der Gesandte (Erlöser), der Urvater, das Prinzip der Syzygie und der Emanation.

Über die Quellenfrage hat sich Anz ausfürlich Gedanken gemacht. Er war sich bewußt, daß für die spät- und nachbabylonische Zeit kaum genügend Quellen zur Verfügung stehen und die Heranziehung der alten Texte sehr problematisch ist. Nach ihm „können also die älteren Texte keinen unmittelbaren Aufschluß über den Zustand der babylonischen Religion um Christi Geburt geben". Daher betont er entschieden, daß es die spätbabylonische Religion gewesen sei, die als Quelle des Gn. in Frage komme (in dieser Weise unterscheidet er sich von seinem älteren Vorgänger K. Kessler). Außerdem — und diese Einsicht ist heute noch gültig — hatte diese Spätstufe babylon. Religion von sich aus *nicht* mehr dic Kraft einer Neubildung, sondern wurde dazu von anderer Seite, nämlich der persischen angeregt. So ist auch für Anz der Gn. keine geradlinige Weiterentwicklung babylon. Religion, sondern eine „Seitenströmung", die von ihr unter persischen Einfluß zum gnostischen Glauben führte (wobei er auch an ein häretisches Judentum als Vermittler gedacht hat: S. 89). In dieser abgewandelten Form haben übrigens auch W. Bousset und R. Reitzenstein babylon. Züge in der Gnosis zu erklären gesucht.

In jüngster Zeit hat erst G. Widengren wieder „Mesopotamische Elemente" in Gnosis und Manichäismus nachzuweisen versucht (1946), und zwar vor allem aus dem Bereich des Ea- und Tammuzkultes und des umstrittenen „sakralen Königtums". Ich habe mich schon an anderer Stelle damit des Näheren auseinandergesetzt (Mandäer I, § 4, 9). Auf ganz neuartige Weise hat sich schließlich U. Bianchi dazu geäußert, indem er sehr originell die zentrale Ideologie der alten Fruchtbarkeits- oder Vegetationskulte (Tammuz, Adonis, Osiris) mit ihrem naturverhafteten „Lebenskreislauf" in transponierter Form in der gnostischen Bewegung auf einer höheren, vergeistigteren Ebene (als Mysteriosophie) des Kreislaufs der göttlichen „Seele" vorfindet.

Grundsätzlich ist zu allen diesen Untersuchungen folgendes zu sagen:

1. Die Ansichten über die (!) babylonische Religion sind heute derartig im Fluß, daß es für den Nichtfachmann kaum möglich ist, hier Gültiges auszusagen. Von der babylonischen Religion wird man nur mit Vorsicht sprechen dürfen.

2. Ganz besonders gilt diese Zurückhaltung in Bezug auf die Spätstufe, d.h. die Zeit der seleukidischen und arsakidischen Herrschaft im mesopotamischen Raum. Es fehlen gerade für diese uns in diesem Zusammenhang in erster Linie interessierende Zeit fast völlig zusammenfassende Darstellungen, ja m.W. überhaupt neuere Untersuchungen. Das Material aus dieser Periode — die Hymnen, die G. Reisner 1896 veröffentlichte, Rechtsurkunden, astronomische und mathematische Texte — ist überhaupt noch nicht richtig aufgearbeitet, geschweige denn mit den griechischen und römischen Nachrichten verglichen und so für eine notwendige Bestandsaufnahme der spätbabylon. Religion ausgewertet worden.

3. Wir wissen heute noch nicht genau, was eigentlich von „babylonischer Religion" i.e. S. fortlebte und welche Rolle sie eigentlich spielte. Götternamen sind dabei nur ein schlechtes Hilfsmittel, solange wir nicht wissen, was für Vorstellungen sich damit verbanden. Dies gilt z.B. auch für den Tammuzkult. Das Verständnis der tradierten Götterhymnen ist sicherlich nur noch schwach gewesen, wovon die seltenen, konfusen Kommentare zu ihnen aus jüngerer (spätbabylonischer und seleukidischer) Zeit beredtes Zeugnis

ablegen. Die Tradierung des altmesopotamischen Gutes erfolgte in engen Grenzen an einzelen Kultstätten (Uruk, Babylon, Borsippa), die streng darauf bedacht waren, ihre Überlieferung möglichst rein zu erhalten, selbst aber keiner Neubildung mehr fähig waren.

4. Eine „reine" babylonisch- assyrische Religion können wir in dieser Spätzeit nicht voraussetzen (es sei denn in den mehr oder weniger abgeschlossenen Priesterschulen Uruks und Babylons, die einer „Aramaisierung" und „Gräzisierung" widerstanden). Schon die ältere Forschung hat, einsichtig genug, festgestellt, daß die spätbabylonische Religion im weiteren Sinne eine synkretistische Religion gewesen ist, so wie es die Ausgrabungen in diesem Raum und dieser Zeit immer wieder zeigen (fremde Heiligtümer in Uruk und Babylon). „Babylonien" ist hier nur noch Raumbezeichnung, nicht mehr Name der alten sumero-akkadischen Volksreligion. „Mesopotamien" ist daher in dieser Beziehung ein passenderen Ausdruck, der jedoch auch wieder viel verwischen kann.

5. Für die altbabylonische Volksreligion, wie wohl auch für die späteren Stufen, fehlt völlig ein Jenseitsglaube. Das Totenreich lag unter der Erde, nicht im Himmel (nur wenigen — dem Sintflutheld und den Urkönigen — war eine Aufnahme unter die Götter möglich). Eine Seelenlehre war Sumerern und Babyloniern fremd. In dieser Hinsicht ist für den Alten Orient allein Iran der gebende Teil gewesen (über dessen Bedeutung für den Gn. ja keinerlei Zweifel im Allgemeinen herrscht). Es besteht also ein grundsätzlicher Unterschied zur gnostischen Religion, der natürlich auch für andere altorientalische Volksreligionen (z.B. die ägyptische) gilt.

6. Völlige Unsicherheit besteht auch hinsichtlich eventueller „Mysterien" oder esoterischer Lehren in der babylon. Religionswelt (seinerzeit von H. Zimmern angenommen, neuerdings von de Liagre Böhl vermutet). Am ehesten ist dies im Bereich des Ea-Kreises (Eridu) zu erwarten (Heilungsmagie, Wasserkult). Falls es eine „babylonische Esoterik" gegeben hat, ist sie wohl mit ihren Trägern untergegangen. Uns fehlt der Faden, ihre Traditionen aufzunehmen.

Diese negativen und einschränkenden Feststellungen sollen durch einige positive *Erwägungen* ergänzt werden, die natürlich hier nur angedeutet werden können:

1. Die jüngsten nachweisbaren Keilschrifttexte gehören in das erste nachchristliche Jahrhundert (der jüngste, aber noch nicht

veröffentlichte Text soll aus dem Jahre 75 n. Chr. sein). Damit wird die Tradition der Schrift und Sprache in bestimmten Schulen (bes. der von Uruk-Warka) bewiesen (es handelt sich vorwiegend um astronomische Texte).

2. In den spätbabylonischen (seleukidischen) Hymnentexten (ed. G. Reisner) dominieren Ištar und Bel-Marduk, deren Gestalten z.B. auch in den mandäischen Zaubertexten vorwiegend zu finden sind. In Uruk steht der alte Himmelsgott Anu mit seiner Tochter Ištar im Mittelpunkt der Verehrung (Anu-Tempel).

3. Wir wissen aus den Nachrichten des Strabon und Plinius (1. Jh.) von der Existenz dreier Priesterschulen in Babylon-Borsippa, Sippar (? Hipparenum) und Uruk. Diese Städte sind es auch, dessen Tempel unter den Seleukiden und Arsakiden z.T. erneuert oder erheblich erweitert, bzw. gefördert wurden. Außerdem stammen die letzten Kopien der „akkadischen Rituale" (ed. Thureau-Dangin) zu großen Teilen aus dieser Zeit (bes. aus Uruk). Man spricht geradezu von einer babylonischen Spätrenaissance in Uruk (Warka). Auch Berossus widmete sein Werk dem Antiochus I. Soter (3. Jh.). Ein „Fortleben" hat es also gegeben, nur ist Umfang und Inhalt schwer greifbar.

4. Eine Gestalt wie Berossus und sein Werk lehren uns, was wir von einem gebildeten spätbabylonischen Priester an Vorstellungen voraussetzen dürfen, in welcher Weise Griechisches und Babylonisches sich verbunden hat, wie die „Gräzisierung" ausgesehen hat. Die vielberufenen „chaldäischen Magier" sind als Hauptträger und Erben einer synkretistischen „mesopotamischen" Religionsform, die babylonisches, iranisches und griechisches Lehrgut enthält, anzusehen (vgl. die Arbeiten von Cumont und Bidez). Aus ihren „Mysterien" ist sicherlich manches in die gnostischen Lehren eingegangen. Von babylon. Religion i.e. S. ist das aber weit entfernt.

5. Es gibt — vom Inhaltlichen einmal ganz abgesehen — eine Reihe gemeinsamer „Motive" in akkadischen und gnostischen Texten. So die Soter- und Gesandtenrolle des Marduk in den Zauber- und Heiltexten, die Gestalt der Ištar als Mutter- und Schöpfergöttin (die hinter der spätjüdischen „Weisheit" anklingt), die Höllenfahrtsschilderungen, der Dämonen- und Sternenkult (Planeten, s. u. 8), die Magie (Beschwörung).

6. Die Einzelheiten, die sich natürlich nie mit letzter Sicherheit aufeinander zurückführen lassen (wie das für alle derartigen Ver-

suche gilt), treffen nicht die zentrale Idee des Gn., seinen antikos-
mischen (ontologischen) Dualismus und die Konsubstantialität
von Salvator und Salvandus. Insofern kann der Gn. nicht aus der
babylon. Religion hergeleitet werden. Es sind dem Gn. höchstens
langtradierte und ins allgemeine Bewußtsein des Orientalen aufgenommene Vorstellungen vermittelt worden, die letztlich im babylonischen Bereich verankert waren.

7. Dies betrifft auch diejenige gnost. Religionsform, die am
ehesten für babylonischen oder mesopotamischen Einfluß offen.
gestanden haben dürfte, die mandäische Religion (sie ist auch für
Anz u.a. eine Paradebeispiel!). Die deutlichsten babylon. Elemente
finden sich in den Zaubertexten (!) und im Lehnwortbestand. Weder
in den zentralen Lehren noch im eigentlichen Kult lassen sich ein-
deutige babylonische Elemente nachweisen (Rūhā ist nur ein schwa-
ches, indirektes Abbild der Ištar; die Planeten-Sieben sind vielleicht
den „bösen Sieben" angeglichen worden; die baptistischen Reini-
gungsriten hängen wohl nur sehr allgemein mit den babylon.
Lustrationszeremonien zusammen). Die Mandäer lehnen die
„Chaldäer" und Götzen (ekurê!) entschieden ab; kein babylon.
Gottesname wird in positivem Sinne verwendet (höchstens in den
Zaubertexten angerufen), Planeten und Tierkreiswesen sind Dämonen.

8. Zu untersuchen ist vor allem inwieweit spätbabylonische
Dämonologie und Astrologie ihren Beitrag zum Antikosmismus des
Gn. geliefert haben, d.h. ob nicht die von antiken Schriftstellern
(z.B. Diodor II 30) so drastisch geschilderte Abhängigkeit des
„Mesopotamiers" oder „Spätbabyloniers" von den Vorgängen am
Sternenhimmel (Astrologie i.e. S.) *mit* dazugeführt hat, die menschliche Situation in „dieser Welt" für restlos verfahren zu halten und
die Verteufelung des Irdischen in die Wege zu leiten (abgesehen
von den anderen sozialen und ökonomischen Ursachen einer solchen
Weltfeindschaft). Für das Iranische ist z.B. eine negative Bewertung
der Planeten aus dem Gedanken ihrer Allherrschaft festzustellen.

9. Das Entrinnen aus der Knechtschaft der Heimarmene und
der von ihr beherrschten Welt ist die Grundsehnsucht des Gnostikers und Zweck der Erlösung (Seelenaufstieg; Rückkehr des
Salvandum). Insofern hat Babylonien (Mesopotamien) vermutlich
einen wichtigen Beitrag zur Entstehung des Gn. im Orient geliefert:
der gnostische Glaube erstrebt eine entschiedene „Befreiung" von der
Tyrannis der astralen Mächte (vgl. Corp. Herm. I = Poimandres § 26).

BARDAIṢAN, DIE BARDAIṢANITEN UND DIE URSPRÜNGE DES GNOSTIZISMUS

VON

H. J. W. DRIJVERS

Die Diskussionen um Ursprung und Wesen des Gnostizismus haben Konsequenzen für die Beurteilung von verschiedenen Figuren aus den ersten Jahrhunderten unserer Zeitrechnung. Ob eine bestimmte Figur Gnostiker war oder nicht hängt von der Art und Weise ab, wie man den Gnostizismus beschaut und definiert. Eine der meist umstrittenen Personen in diesem Zusammenhang ist Bardaiṣan von Edessa [1]). Es schien mir angebracht, die Person Bardaiṣans und seine Lehren einer eingehenden Untersuchung zu unterziehen, ebenso wie die Entwicklungen innerhalb der Gruppe der Bardaiṣaniten. Danach kann erneut die Frage nach Bardesanes gnosticus gestellt werden im Zusammenhang mit der Frage nach den Ursprüngen des Gnostizismus [2]).

Bardaiṣan hat eine bestimmte Anthropologie entwickelt: er unterscheidet im Menschen drei 'Bestandteile': Körper, Seele und Geist, die drei Stufen des menschlichen Lebens entsprechen: Natur, Fatum und Freiheit. Diese Anthropologie beruht auf einer Kosmologie, in der die Vermischung der vier reinen Elemente die zentrale Stellung einnimmt. In dieser Situation sandte ihnen der Herr der Elemente 'Das Wort des Denkens', das einen Ordnungsprozess vollzog, woraus die Erde entstand. Dieses System, das hier nur kurz zusammengefasst wiedergegeben werden kann, ist aus sehr heterogenen Elementen zusammengesetzt und selbst noch sehr assimilationsfähig. Bardaiṣan und die Bardaiṣaniten beschäftigten sich mit der Astrologie, der Philosophie und der Ethnographie. Ferner ist Bardaiṣan bekannt als Hymnendichter und Ephrem Syrus hat eine Reihe von Fragmenten seines dichterischen Werkes bewahrt. Auf den ersten Blick unter-

---

[1]) Für eine ausführliche Zusammenstellung aller verschiedenen Meinungen über Bardaiṣan *cf.* H. J. W. DRIJVERS, *Bardaiṣan of Edessa*, Studia Semitica Neerlandica VI, Assen 1966, pp. 1-59: The research and its problems.

[2]) Für die Lehre Bardaiṣans *cf.* DRIJVERS, *o.c.*, *passim*; für Bardaiṣan und der Gnostizismus seiner Zeit speziell pp. 218-224.

scheiden sich diese Hymnen sehr von Allem was wir aus anderen Quellen über Bardaiṣan wissen, aber sie sind doch nicht ohne jede Beziehung mit den übrigen Auffassungen, die Bardaiṣan vertrat [1]). Zusammenfassend kann gesagt werden, dass Bardaiṣan religiöse und philosophische Elemente entweder autochthoner oder fremder Herkunft in ein mehr oder weniger kohärentes weltanschauliches und anthropologisches System vereinigte. Einige Beispiele mögen das näher verdeutlichen.

Bardaiṣans Anthropologie ist verwandt mit spät-antiken Vorstellungen bezüglich Körper, Seele und Geist. Seine Kosmologie beruht einerseits ebenfalls auf spät-antiken Vorstellungen, wobei man besonders die stoischen Gedanken über die Elemente der Welt berücksichtigen muss — der Begriff der Vermischung hat seinen Ursprung sowohl in Iran wie in Griechenland —; andrerseits erinnert die Figur des 'Wortes des Denkens' an jüdische Weisheitsspekulationen. Gleichzeitig findet man auch chaldäische Vorstellungen in diesem System: das herauf- und herabsteigen der mit dem Geiste verbundenen Seele durch die sieben Planetensphären hindurch; die Vorstellung der 'Bridal-Chamber of Light' und der Vater und die Mutter des Lebens, die auch erscheinen in der Gestalt von Sonne und Mond. Ferner haben die Planeten eine ihnen bei der Schöpfung übertragene Macht über das Leben der Menschen, wobei man m.E. wieder an den Planetenkult von Sumatar denken muss [2]). So wäre noch mehr aufzuzählen. Nun ist es auffallend dass diese Vorstellungen an sich und ohne Beziehungen zueinander auch in den verschiedenen gnostischen Systemen des zweiten Jahrhunderts eine Rolle spielen, sodass man aus dem Grunde geneigt ist Bardaiṣan in die Reihe der Gnostiker einzuordnen. Demgegenüber stehen wiederum schwer wiegende Argumente, well bei ihm die bezeichnende gnostische (im Sinne des Gnostizismus) Weltanschauung fehlt.

Von einem bösen Demiurgen kann nicht die Rede sein. Im Gegenteil, das Wort des Denkens Gottes hat die Welt aus dem Chaos der Verwirrung geschaffen: Schöpfung ist der Anfang der Erlösung. Genau so wenig kann die Rede sein von einem Fall innerhalb des göttlichen Pleromas oder der Lichtwelt, sodass z.B. die Sophia

---

[1]) DRIJVERS, o.c., pp. 143-152.
[2]) Ebenso J. B. SEGAL, Pagan Syrian Monuments in the Vilayet of Urfa, *Anatolian Studies*, III, 1953, pp. 97-120; *idem*, Some syriac inscriptions of the 2nd-3rd century A.D., *BSOAS*, XVI, 1954, pp. 13-36, speziell p. 15; *cf.* DRIJVERS, o.c., pp. 215 f.

einen ambivalenten Charakter trägt. Der Fall ist hier ein blosser Zufall, wodurch die Elemente sich vermischen und das Böse in Aktion tritt; mit anderen Worten, das Böse hat einen ambivalenten Charakter. Aus dem Grunde findet man bei Bardaiṣan gar keinen anti-kosmischen Dualismus. Der Dualismus existiert dagegen im Menschen und in der Welt, weil die Finsternis, das Böse, nur eine beschränkte Rolle spielt, solange die Welt besteht. Das System kann man also genau so wenig asketisch wie auch libertinistisch nennen, denn eine derartige Ethik könnte nur die Konsequenz eines anti-kosmischen Dualismus sein, der anthropologisch eine anti-somatische Haltung impliziert. Der Dualismus ist ethisch bedingt, was sowohl iranisch wie jüdisch ist, weil der Begriff der Freiheit im Denken Bardaiṣans zentral steht, sowohl in der Kosmologie wie auch in der Anthropologie.

Falls nun diese Darstellungen richtig sind, stehen wir vor dem folgenden Problem: alle Elemente dieses Denkens kann man in bestimmten Kombinationen in den bekannten gnostischen Systemen zurückfinden, während die Kombination, wie wir sie bei Bardaiṣan finden, nicht zum Gnostizismus führt, weil dem Ganzen die spezifisch gnostische Weltanschauung fehlt. Gewiss findet man bei Bardaiṣan eine Form von Gnosis, aber diese ist ein allgemein religiöses Phänomen, unterschiedlich vom Gnostizismus. Dieser aber ist etwas anderes als die Summe seiner verschiedenen Elemente oder Vorstellungen, obwohl er nur in einem Gebiet und einer Kultur entstehen konnte, wo diese Vorstellungen zu Hause waren. Muss man aus dem Grunde die kultur-soziologische Seite des Problems nicht viel stärker betonen als es bis jetzt der Fall war? Bardaiṣan verbrachte einen grossen Teil seines Lebens am Hofe von Edessa, in einer Stadt also, die inmitten zweier grosser Kulturgebiete lag und überdies eine beträchtliche jüdische Einwohnerschaft beherbergte. In dieser Stadt trafen die verschiedensten kulturellen Strömungen der Zeit zusammen, die alle als mögliche Quelle des Gnostizismus in Betracht kommen und auch tatsächlich in Edessa zu derartigen Phänomenen Anlass gegeben haben, wie z.B. die rätselhafte Figur des Quq bezeugt [1]). Die soziale Position Bardaiṣans brauchte den gnostischen Pessimismus nicht und dies hatte viele Konsequenzen. Bardaiṣans Problem war das der Freiheit, also eine ethische Frage in Bezug auf

---

[1]) Eine Studie vom Verfasser über Quq und die Quqiten soll noch in diesem Jahre erscheinen in *Numen*.

das richtige Verhalten in der Welt und dem Leben, und er war in der
Lage, diese Frage relativ optimistisch zu beantworten. Dies geht zwar
zusammen mit einer Form von Gnosis, die sich aber in dem Sinne
vom Gnostizismus unterscheidet, dass die Seele, der durch die
Sünde Adams die Möglichkeit versagt war zum Paradies, zur 'Bridal-
Chamber of Light' zurückzukehren, durch das Erscheinen und die
Lehre des Messias diese Möglichkeit zurückerlangt. Auch das
Schicksal der Seele ist also ethisch bedingt, während dem Messias,
Jesus von Nazareth, die Rolle des Lehrers zugewiesen wird. Das
ist eine Verbindungslinie mit dem Juden-Christentum in Edessa und
der Lehre der Pseudo-Klementinen. Die religiösen und philoso-
phischen Strömungen der Zeit veranlassten bei Bardaiṣan also keinen
Bruch mit der Welt, wovon der Mensch sich entfremdet, was zum
Gnostizismus geführt hätte, sondern liessen bei ihm eine Synthese
entstehen die alles assimilieren konnte ohne ihren inneren Zusammenhang zu verlieren. Ob dies mit seiner sozialen Stellung am Hofe von
Edessa zusammenhängt, die sich durch eine merkwürdige Zwischen-
position zwischen Ost und West, wodurch dem Menschen eine
gewissen Freiheit erlaubt war, auszeichnete? Jedenfalls stimmt die
politische Situation in Edessa merkwürdigerweis mit Bardaiṣans
Lehre der beschränkten Freiheit überein. Auch darum neige ich
dazu diese Frage positiv zu beantworten, wobei ich auch das Schicksal
der späteren Bardaiṣaniten im Auge habe, die sich, gerade weil sie
versuchten das Erbe Bardaiṣans treu zu erhalten, in die Richtung des
Gnostizismus entwickelten.

Im Jahre 216 wurde Edessa von Caracalla erobert und Bardaiṣan
floh, gewissermassen seiner eignen Freiheitslehre verpflichtet, nach
Armenien, wo er 222 starb. Auf Grund der Quellen lässt es sich
glaubhaft machen, dass die späteren Bardaiṣaniten teilweise in den
Manichäismus endeten, wo das 'monistische' System Bardaiṣans
sozusagen verdoppelt wurde. Wenn U. Bianchi dennoch sprechen
will von einem Dualismus Bardaiṣans [1]), den er vergleicht mit dem
Dualismus von Plato, Empedokles und Basilides, muss gesagt

---

[1]) U. Bianchi, im letzten Aufsatz dieses Buches, *sub* III d (Anmerkung); auch J. C. L. Gibson, From Qumran to Edessa or the aramaic speaking
church before and after 70 A.D., *The Annual of Leeds University Oriental Society*, V,
1963-1965, Leiden 1966, pp. 24-39 spricht von Bardaiṣans Dualismus im Vergleich
zu dem Dualismus der Oden Salomos und der Seelenhymne aus den Thomas-
Akten, aber er nennt ihn keinen Gnostiker. Auch Ephrem Syrus lehrt einen
gewissen Dualismus; überhaupt ist dieser der ganzen alt-syrischen Theologie eigen.

werden, dass Dualismus an sich keinen Gnostizismus impliziert. Überdies waren Plato und Empedokles keine Gnostiker im eigentlichen Sinne und gibt es wichtige Unterschiede zwischen dem Denken Bardaiṣans und jenem Basilides, sodass ich mit Bianchi nicht einverstanden bin, der Bardaiṣan als Gnostiker betrachtet. Bei Basilides ist die Schöpfung hervorgebracht worden von der untersten Engelklasse; das bedeutet eine viel grössere Distanz zwischen dem Göttlichen und der geschaffenen Welt. Bei Bardaiṣan ist 'das Wort des Denken Gottes' der Schöpfer und gibt es also eine unmittelbare Beziehung zwischen Gott und Welt. Der irdische Mensch ist nicht schon gleich bei der Schöpfung das Gefängnis für die aus Gott stammende Seele, sondern erst durch die Sünde Adams. Wohl muss gesagt werden, dass die Schöpfung eine gewisse Beschränkung der Urfreiheit ist, aber das ist in Übereinstimmung mit den Phänomenen des menschlichen Lebens, wo Freiheit und Mangel an Freiheit (Fatum) einander voraussetzen. Natur und Fatum sind nötig, wenn von Freiheit die Rede sein soll. Darum findet man bei Bardaiṣan keine antikosmische Haltung, wohl aber eine nuancierte Bewertung der unterschiedenen Stufen menschlichen Daseins, die einander möglich machen.

Andere Bardaiṣaniten weisen Verwandtschaft mit den späteren Audianern und Mandäern auf. Dies geht aus Mandäischen kosmogonischen Vorstellungen hervor, die den Audianischen und späteren Bardaiṣanitischen entsprechen [1]). Nun sind zwar die Keime derartiger Entwicklungen in dem nicht ganz geschlossenen System Bardaiṣans, das z.B. in der Lehre der Finsternis Risse aufweist aufzufinden [2]), aber es bleibt trotzdem die Frage, was als der Grund dieser Gnostizierung angesehen werden kann. Ich glaube, dass dies der Exklusivität der sich durchsetzenden christlichen Orthodoxie in Edessa zuzuschreiben ist. Die christlichen Vorstellungen bilden eine Art Überbau in Bardaiṣans System, das gerichtet war auf Synthese

---

[1]) Cf. K. RUDOLPH, *Theogonie, Kosmogonie und Anthropogonie in den mandäischen Schriften*, *FRLANT* 88, Göttingen 1965, SS. 171 ff.; es ist nicht unmöglich, daß die späteren Bardaiṣaniten Einfluß auf die Entwicklung der mandäischen Vorstellungen geübt haben.

[2]) Die Diskussionen der Bardaiṣaniten über die Rolle der Finsternis sind von arabisch-schreibenden Autoren überliefert worden; cf. DRIJVERS, *o.c.*, pp. 200-207 und G. VAJDA, Le témoignage d'al Maturidī sur la doctrine des Manichéens, des Daysānites et des Marcionites, *Arabica*, XIII, 1966, pp. 1-38, speziell pp. 23-31; pp. 113-128; für weitere Berichte *cf.* W. IVANOV, *The alleged founder of Ismailism*, The Ismaili Society Series I, Bombay 1946, pp. 83-103.

und sich unter Wahrung der menschlichen Freiheit verband mit dem bunten kulturellen Modell der Zeit. Die pietistische Orthodoxie Edessas widersetzte sich scharf gegen diese Synthese, was z.B. durch die polemischen Schriften Ephrems bezeugt wird. Das Individuum ist in dieser Zeit nicht mehr in der Lage die überlieferte Kultur festzuhalten. Dies führt zu einer Haltung der Entfremdung und des Protestes und damit zum Gnostizismus [1]).

In dieser Entwicklung hat auch noch ein anderes Element, das intellektuelle, eine bedeutende Rolle gespielt. Bardaiṣan fasst einen grossen Teil des damaligen Wissens in einer Synthese zusammen. Er war in der Lage sich dieses Wissen anzueignen ohne seine eigene Freiheit zu verlieren. Es ist auffallend, dass kein einziger Bestandteil seines Denkens absolute Wahrheit beansprucht. Wenn er ein Christ war, dann war er ein aufgeklärter, intellektueller Christ, der es nicht nötig hatte sich der eigenen Zeit gegenüber antithetisch zu verhalten. Es lohnt sich zu erwägen ob nicht in späteren Jahrhunderten — vielleicht bald nach Bardaiṣans Tode — diese Lebenshaltung durch den Anspruch des Christentums auf absolute Wahrheit erschwert oder sogar unmöglich wurde; das Christentum hat sich dem ganzen geistigen und kulturellen Erbe des Syrisch-Mesopotamischen Gebietes nun einmal stark widersetzt. In einer derartigen Lage, die natürlich auch ihre sozialen Hintergründe und Implikationen hatte, verfällt man leicht darauf der Welt den Rücken zu kehren und die Erlösung der Seele aus dem menschlichen Dasein als das höchste Ziel zu betrachten. Diese Mentalität wird z.B. deutlich aus den Diskussionen der späteren Bardaiṣaniten über die Rolle der Finsternis im kosmogonischen Prozess. Aus ihnen geht ein verstärkter Pessimismus hervor und eine Geringschätzung des menschlichen Körpers. Es fällt auch auf, dass diese Entwicklung mit einer zunehmenden Mythologisierung der verschiedenen Vorstellungen zusammengeht, was wiederum bedeutet dass man bewusster auf das kulturell-religiöse Erbe Syriens und Mesopotamiens zurückgreift. Dann findet man auch Übereinstimmungen mit der Lehre Basilides [2]). Gerade das vierte Jahrhundert das sich in Syrien

---

[1]) Hans Jonas hat auf derartige Phänomene in der modernen Kultur hingewiesen, *cf.* H. JONAS, *Gnosis, Existentialismus und Nihilismus*, in: *Zwischen Nichts und Ewigkeit*. Zur Lehre vom Menschen, Kleine Vandenhoeck-Reihe 165, Göttingen 1963.

[2]) Spätere Bardaisaniten lehren 365 oder 366 Welten oder Aeonen, genau so wie Basilides; *cf.* DRIJVERS, *o.c.*, pp. 117 ff.; 189 ff.

durch eine starke pietistische Reaktion auszeichnet weist überdies eine erhöhte gnostische Aktivität bei u.a. Bardaiṣaniten und Audianern auf.

Damit soll über die Ursprünge des Gnostizismus nichts ausgesagt werden, da diese Frage mit der Bestimmung der verschiedenen Elemente nicht beantwortet ist. Gerade am Beispiel Bardaiṣans kann man sich darüber klar werden, dass eine Vorstellung erst innerhalb des ganzen Rahmens, in dem sie erscheint, zum Gnostizismus wird. Gnostische Vorstellungen an sich gibt es nicht. Die Kultur der Zeit hat in seiner ganzen Struktur dazu beigetragen, dass das gnostische Lebensgefühl entstehen konnte. Die Entwicklung der Gruppe der Bardaiṣaniten zeigt uns das, umsomehr, da die Grenzen zwischen Gnostizismus und nicht-Gnostizismus unscharf sind, was schon die Vielfalt der Meinungen über Bardaisan bezeugt.

DISKUSSION

ADAM: Im Manichäismus besteht ja eine grosse Auseinandersetzung mit Bardaiṣan und zwar in dem Buch der Mysterien, dessen Kapitel uns nur in Überschriften erhalten sind. Die Frage, die mich bewegt, liegt auf einem anderen Gebiet.

Eine Nachricht sagt, daß Bardaiṣan in Hierapolis gewesen ist, also Mabbug. Mabbug ist mit der Dea Syra, der syrischen Göttin verbunden. Das aber weist auf die aramäische Religion der alten Zeit hin, und zwar auf die Mysterien dieser Religion. Gleichzeitig sind uns von den Mysterienreligionen der Aramäer Berichte erhalten von den Sabiern in Harran, die Chwolsohn genau untersucht hat; ich habe leider diese Dinge nicht mehr nachsehen können, meine aber, daß wir bei Bardaiṣan auf eine Verbindungslinie stossen. Wenn das der Fall ist, dann ist für mich eine gewisse Unterstützung meiner Hypothese geboten, wonach die Gnosis sich aus dem Aramäertum entwickelt hat, aber nicht identisch ist mit dem Aramäertum. Wohl aber hat sie sich hieraus entwickeln können, und zwar durch eine Negativierung bestimmter Elemente.

BIANCHI: Je voudrais demander au Dr. Drijvers s'il ne croit pas qu'une comparaison de la mentalité de Bardésane avec la mentalité de Basilide ne pourrait ranger Bardésane dans ce courant de gnosticisme assez quiétiste, assez optimiste, assez, peut-être aristocrate dont nous avions l'occasion de parler dans une des séances précédentes.

Une deuxième remarque: ne croyez-vous pas qu'une théologie des éléments, une théologie de la ,,pureté" des éléments, une théologie, pourrait-on dire, de la ,,divinité" des éléments, puisse nous montrer chez Bardésane justement la doctrine de la *devolution*, cette crise à l'intérieur du monde divin, alors que les éléments se mêlent, en connexion avec l'origine de la matière? [Cfr. mon article à la fin de ce volume, *sub* III d]. Ceci pourrait d'ailleurs être rapproché de la théologie de la pureté et de la divinité des quatre éléments qu'on trouve déjà dans la pensée que j'appellerais 'protognostique' d'Empédocle.

DRIJVERS: Was die Frage Herrn Professor Adams anbetrifft, ich glaube auch dass zwischen Bardaiṣan und der autochthonen Religion Syriens Beziehungen bestanden haben. Es ist auffallend, daß Efrem Syrus in seinen Fragmenten spricht von einem Fisch. Ich meine, daß die Gestalt der Göttin bei Bardaiṣan mit Atargatis identisch ist. Noch eine Bemerkung: ich glaube, daß Bardaiṣans Meinungen über die Planeten mit dem Planetenkultus in Sumatar zusammenhängen, wo Inschritten gefunden wurden, und daß da Beziehungen bestanden haben; auch in Sumatar ist es so, daß ein höchster Gott, das Regiment der Welt auf die Planeten übertragen hat.

Wenn man die Mentalität Bardaiṣans mit Basileides vergleicht, kann man feststellen, daß auch Bardaiṣan ein Aristokrat war, und es gibt vielleicht (aber historisch? das weiss ich nicht) einige Beziehungen. Aber ich glaube nicht, daß Bardaiṣan ein Gnostiker gewesen ist, weil spezifisch gnostische Elemente in seinem Denken fehlen. Es gibt keinen bösen Demiurg, keinen Fall der Sophia usw. Wenn sie von der Göttlichkeit der Elemente sprechen wollen, dann muß ich sagen daß nirgends in den Quellen gesagt wird, daß die Elemente im Denken Bardaiṣans einen göttlichen Charakter haben. Ich glaube nicht, daß man von einer Krise im Göttlichen sprechen kann, wenn Bardaiṣan in seiner Kosmologie sagt, daß die reinen Elemente sich miteinander vermischen und so ihren Herren verlieren.

LO GNOSTICISMO E LA GRECIA

RELIGION, PHILOSOPHIE UND GNOSIS: GRENZFÄLLE UND PSEUDOMORPHOSEN IN DER SPÄTANTIKE

VON

ENDRE v. IVÁNKA

Wenn ich zu diesem Gespräch vielleicht etwas Nützliches beitragen kann, so gewiß nicht deshalb, weil ich ein besonders guter Kenner der eigentlich als „gnostisch" bezeichneten Texte wäre. Das bin ich nicht; ich kenne sie nur oberflächlich. Wenn mein Beitrag vielleicht von Nutzen ist, so nur deshalb, weil ich die Dinge, die von den eigentlichen Gnostikforschern zum Vergleich herangezogen werden, wenn vom Wesen und von der Enstehung der Gnosis die Rede ist — Platonismus, griechische Mysterien etc. —, vielleicht etwas genauer kenne, als manche Gnostikforscher, und daher zur Klärung dieser Fragen etwas beitragen kann, wenn ich sehe, dass diese Dinge im Vergleich und bei der genetischen Ableitung (oder bei der Kontrastierung) in einer Weise umschrieben werden, die ihrem Wesen nicht entspricht.

Ich muss z.B. protestieren, wenn ein so vorzüglicher Kenner der einschlägigen Fragen und Texte wie Hans-Martin Schenk die Nichtableitbarkeit der Gnosis aus den Mysterien mit der Formulierung begründet: „Der Mensch wird durch das Mysterium etwas, was er vorher nicht war, während er . . . . . durch die Gnosis das wird, was er ursprünglich war und eigentlich in Prinzip immer ist" [1]. Das stimmt einfach nicht. Gewiss 'wird' der Mensch in den Mysterien etwas anderes, als er vor der Einweihung war, insofern er, wenn er eingeweiht ist und dann den bei der Einweihung empfangenen Lehren gemäss lebt, dem „Rade der Wiedergeburt entspringt" und aus der Zeitlichkeit in die Ewigkeit, aus der Sterblichkeit in die Unsterblichkeit eingeht. Aber das, was ihm diese Veränderung ermöglicht, ist ja eben das Wissen um sein wahres, eigentliches Wesen, das ihm bei der Einweihung in die Mysterien erschlossen wird, und das er, als „Symbolon" (wie z.B. die süditalischen Goldplatten), von der Einweihung mitnimmt, um sich damit vor Perse-

---

[1] Im Aufsatz *Hauptprobleme der Gnosis*, in *Kairos* 7 (1965), 114-133, auf S. 117.

phone auszuweisen: „Γῆς παῖς εἰμι καὶ οὐρανοῦ ἀστερόεντος".
Insofern wird ja auch der Gnostiker ein anderer, wenn er von der
Verblendung, in die ihn die Archonten dieser Welt versetzt haben, „zu
seinem eigenen, wahren Wesen erwacht" (nicht umsonst läßt sich
der Vorgang auch mit plotinischen Worten ausdrücken) und dorthin
zurückkehrt, von wo er sich eigentlich gar nie entfernt hat — mit
seinem eigenen, wahren Wesen, das er nur, vom Trug einer anderen,
feindlichen Welt umfangen, verkannt, vergessen, mit dem, was er
nicht ist, verwechselt hatte. Man muß nur an das ἐνθένδε ἐκεῖσε
φεύγειν des Theaitetos denken (176 A) und an die τέχνη τῆς περι-
αγωγῆς der Politeia (518 D), um zu sehen, daß sich der Gedanke
auch mit platonischen Wendungen orchestrieren läßt. An der „Erkenntnis" auf der einen, dem „Werden" auf der anderen Seite liegt
es also nicht; alle, Mysterienbelehrung, Philosophie und Gnosis,
wollen dasselbe; uns durch Besinnung auf unser eigenes, wahres
Wesen, durch das Wissen also, wieder zu dem machen, was wir,
unverlierbar und wesenhaft, immer schon gewesen sind und nie
zu sein aufgehört haben. Wenn es eine Denkweise gibt, die das
Wissen um das eigene, unverlierbare Wesen nicht betont, und vom
„Werden" zu etwas spricht, was wir vorher nicht waren, sondern
erst durch die Gnade und Heilstat Gottes werden können, so ist es
die religiös-christliche — und auch die spricht von der ψευδώνυμος
γνῶσις, wenn sie von den Gnostikern redet, womit sie klar ausdrückt, daß sie sich selbst auch als „heilbringendes Wissen" betrachtet. Das Motiv des Wissens ist also kein unterscheidendes
Merkmal. Ja, die drei genannten Denkrichtungen: Mysterienlehre,
platonische Philosophie und Gnosis, stimmen auch darin überein,
daß sie dieses Wissen um das eigene Wesen in dem Wissen um einen
Vorgang begründet sein lassen, den Ugo Bianchi mit Recht ein
„scenario" nennt [1]), ein kosmisches „Welttheater", das ursprünglich (seine Ableitung hat viel Überzeugendes) überhaupt nur den
Umschwung des vegetativ-vitalen Geschehens, die ewige Wiederkehr
des Lebendigen darzustellen hatte, um dann erst, mit der Verlagerung
des Akzents auf das Geistige [2]), eine „Geschichte der Seele" zu
werden, ihres „Falls" in das „andere", und ihrer Rückkehr zu sich
selbst. Wenn wir die Dinge so betrachten — und wir können uns der
überzeugenden Wirkung der hier aufgezeigten Analogien und

---

[1]) *Le problème...*, in *Numen* 12, 3 (1965), 161-178, S. 164.
[2]) ebenda S. 169/170.

Zusammenhänge nicht entziehen —, dann entschwindet uns einfach jedes Kriterium, das uns gestattet, die Gnosis, als ein geistiges Phänomen eigener Art, aus diesem Komplex von „Seelenmythen" herauszuheben, und den übrigen verwandten Richtungen als etwas Eigenständiges gegenüberzustellen.

Das die Gnosis Kennzeichnende — wird aber Hans Jonas hier antworten — ist das besondere Weltgefühl, die „Weltanschauung", nicht im Sinne eines denkerisch konstruierten Weltbildes, sondern einer Daseinshaltung, die, selbst wenn sie die Schemen der mythischen (oder ontologischen) Denkbilder für den Hervorgang und die Rückkehr des Seelenwesens beibehält (aus anderen Weltbildern, die ein anderes Weltgefühl ausdrücken), ein ganz anderes daseinsmässiges Verhalten zur Welt darstellt und ausspricht: das Gefühl des Ungeborgenseins, des Fremdseins in dem, als das wesentlich Andere empfundenen Kosmos. (Man denkt unwillkürlich an Pascal's: Le silence des espaces éternels m'effraie). Gewiss ist dies die Grundhaltung, die uns erklärlich macht, wieso gerade zu dieser Zeit der Philosoph die ewige Ordnung des Kosmos nicht mehr als etwas Beruhigendes empfindet, dessen Betrachtung ihn erhebt, sondern als das feindliche Reich der Heimarmene, dem er mit seinem „Eigentlichen" zu entfliehen strebt, wieso der Mythos die Flucht der in diese sichtbare Welt Gebannten als das Ziel der Geistwesen darstellt, und erklären will, warum es zu ihrer Gefangenschaft in der „bösen Welt" gekommen ist, wieso die in dieser Zeit wieder auflebenden Mysterien den Menschen den Weg zu dieser Selbstbesinnung des Geistes mehr als sonst in der Form eines Hinübergehens, Entschwindens, Ersterbens darstellen. Aber die Eigenart dessen, was wir Gnosis nennen, ist damit nicht erklärt; es ist nur gezeigt, wieso es auf allen Gebieten; Mysteriosophie, Philosophie und Gnosis, gerade zu diesen Formen der Daseinsdeutung kommen konnte — aber was Gnosis ist, und wie Gnosis, in engeren Sinne, zustande kam, ist damit nicht gesagt — ausser wir nennen alles das, was es zu dieser Zeit gibt, Mysterien, Philosophie und Gnosis im engeren Sinn, insgesamt: Gnosis, und dann ist damit wiederum nichts erklärt.

Wenn das, was der Gnostikforscher sagt, für den Kenner der klassischen Antike überzeugend sein soll, der die vergleichbaren Phänomene — Mythos, Mysterien, Platonismus — in ihren hochantiken Vorformen kennt („Vorformen" vom Standpunkt einer genetischen Ableitung der Gnosis aus diesen Dingen, oder einer Kontrastierung der Gnosis gegen sie), so darf man weder Unter-

schiede statuieren wollen, wo keine bestehen, noch darf man bestehende Verschiedenheiten einebnen, so daß das Phänomen Gnosis
allzusehr mit anderen, gewiß verwandten Dingen in eins verfließt.
Das gilt sowohl für eine „vertikale", d.h. sukzessive Betrachtungsweise — wenn auch eine Entwicklungslinie da ist, muß man sich
klar darüber werden, wo das, was zur Gnosis führen konnte, im
Gange der Entwicklung auchw irklich Gnosis wird — wie für eine
sozusagen horizontale, die gleichzeitigen Phänomene miterfassende
Betrachtungsweise, in denen, wenn sie denselben „Zeitgeist" ausdrücken, natürlich dieselben Züge sich darstellen wie auch in der
Gnosis, ohne daß sie deshalb strukturmäßig Gnosis sind. Nicht die
Konstanz der Motive ist das Entscheidende, noch die Gemein-
samkeit der Daseinshaltung (wenn beides, nach einer entsprechenden
Abgrenzung des Phänomens als solchen, auch sehr wesentlich für das
richtige Verständnis und die richtige Deutung des Phänomens ist).
Für eine methodische Vergleichung aber — insbesondere, wenn
diese Vergleichung sei es zeitlich, sei es „gattungsmäßig" über die
Grenzen der eigentlichen Gnosis hinaus- (oder zurück-)greift — ist
die Grundvoraussetzung ein bewußtes Unterscheiden und ein Sich-
Bewußtmachen der verschiedenen Denkstrukturen. Trotz der
Durchgängigkeit der Einzelmotive und der Analogie der „Ge-
stimmtheit", des „Weltgefühls", ist etwas wesentlich anderes:

Gnosis, d.h. ein Mythos, dessen Kenntnis dem Menschen seine
Seinslage erklärt, ihm zugleich vom Entstehen des ganzen, kosmischen Seins Rechenschaft gibt und ihm dadurch die Möglichkeit
verleiht, sich durch Selbstbesinnung auf sein wahres Sein aus dieser
kosmischen Verhaftung zu befreien.

Philosophie, die vielleicht zu demselben Weltbilde und zu derselben
Auffassung vom geistigen Sein führt, aber mit denkerischen Mitteln,
durch gedankliche Ableitung, Zerlegung, Folgerung.

Mysteriosophie, die unter Umständen dasselbe mythische Bild
vom Menschen, von seinem geistigen Ursprung, und von seinem
Eintritt in das kosmische Dasein voraussetzt, aber darin nicht so
sehr das „Wissen darum", als das „Tun" (δρώμενον) der Einweihung,
der symbolischen Vorführung dieses Geschehens betont, und das
dieser Weltschau entsprechende Leben.

Und dazu gehört noch — was entscheidend ins Blickfeld tritt,
wenn wir uns dem Zeitabschnitt nähern, in dem die eigentliche
Gnosis auftritt, und in dem wir die Wurzeln für die Genesis der
Gnosis im engeren Sinn suchen müssen — die *Offenbarungsreligion*,

die weder mythisch noch denkerisch Aufschluß geben will über Gründe und Stadien der Weltentstehung (denn die bloße Aussage über die Geschaffenheit der Welt ist geradezu der Gegensatz gegen jede gnostische Welterklärung), sondern die Welt, in ihrer Erfahrungsgegebenheit, hinnimmt, und eigentlich von etwas ganz Anderem redet: von einer einmaligen, historischen Heilstat, die in die erfahrbare, reale Welt hineingreift — sei es, im Alten Testament, die Erwählung des Volkes Israel und die Mitteilung des Gesetzes, sei es, im Neuen Testament, das Heilswerk Christi.

Es ist umso wichtiger, sich vor jeder Frage nach der Genesis der Gnosis Rechenschaft darüber zu geben, welcher Denkstruktur sie eigentlich angehört, d.h. welches ihr „Ort" innerhalb dieser Skala strukturmäßig voneinander verschiedener Phänomene ist, als es — schon in den ältesten Zeiten, nicht erst im Zeitalter des Entstehens der eigentlichen Gnosis — immer wieder zu Kontaminationen und Pseudomorphosen zwischen diesen verschiedenen Formen des „geistigen Verhaltens zur Welt" (um es ganz allgemein zu formulieren) gekommen ist, und zwar um so mehr, je mehr wir uns der Epoche der eigentlichen Gnosis nähern. Schon in der klassischen, ja vielleicht schon in der vorklassischen Zeit (Pythagoras und die Pythagoräer) ist das Ergebnis denkerischer Spekulation als religiöse Offenbarungslehre vorgetragen worden, hat sich Philosophie (die platonische) auf die Vorstellungen der Mysterienlehre, als auf eine Bestätigung dessen, wozu sie das rein abstrakte, eleatisch fundierte Denken geführt hat, berufen, und so auch die philosophische Formulierung vom mythischen Bilde her beeinflussen lassen, oder hat umgekehrt wieder eigene Lehre, eigene Erkenntnis in selbstgeschaffene mythische Formen gekleidet und so aus eigener philosophischer Haltung heraus neue Mythen geschaffen — es ist ungeheuer schwer, gerade im Fall der mythischen Elemente und der mysteriosophischen Terminologie bei Platon, im einzelnen Fall zu entscheiden, welcher dieser „Übergänge ins andere Genos" jeweils vorliegt; experto crede! (man denke nur an die Transposition des orphischen βόρβορος in das „Materielle überhaupt" bei Platon). Im Fall der christlichen Gnosis hat man dann die Fakten der christlichen Heilsgeschichte dadurch für den „Wissenden" erläutert, daß man sie, als Einzelepisode, in den Rahmen eines gnostischen Weltentstehungsmythos einlagerte — man hat aber auch (im Origenismus) die Motive der christlichen Heilsgeschichte als die (ontologischen) Komponenten einer, mehr als platonische Kosmologie denn als gnostischer Mythos konzipierten Welt- und Seinslehre dargestellt, und so mehr „verphilosophiert" als (sit venia verbo!) vergnostiziert —, wobei nur zu berücksichtigen ist, daß dieses mittel- und neuplatonische Weltbild eine solche Affinität zu dem gnostischen Weltmythos hat, daß viele seiner Aussagen geradezu ambivalent sind, und ebenso genuin aus den Voraussetzungen der rein spekulativen, rein abstrakten platonischen Seinslehre abgeleitet werden können (wie sehr dies möglich ist, hat vor kurzem erst H. J. Krämers Buch „Der Ursprung der Geistmetaphysik", Amsterdam 1964, gezeigt), als auch, von der gemeinsamen Zeitstimmung her, als Transpositionen der Grundelemente des gnostischen Daseinsmythos in philosophische Formeln und Begriffe aufgefaßt werden können, was nicht nur unser Freund Hans Jonas bestätigen wird, sondern auch ein so vorzügliches Buch wie das von Antonie Wlosok „Laktanz und die philosophische Gnosis", Heidelberg 1960, zeigt. Da riskiere noch einer eine Behauptung wie die, die Gnosis sei eigentlich nichts anderes als „gesunkenes Kulturgut", zur Mythologie entartete platonische Philosophie, oder aber, das plotinische Weltbild und Welterlebnis sei nichts anderes als in philosophische Termini übersetztes gnostisches Weltgefühl, die neuplatonische Ontologie sei verkleideter gnostischer Seinsmythos. Ich will selbst auch nichts Eindeutiges in dieser Hinsicht behaupten. Meine Aufgabe war nur, Warnungstafeln anzubringen, damit andere nicht in die Gruben vorschnell verallgemeinernder Behauptungen fallen, ohne die Gefahr zu sehen, so wie ich sie mit Besorgnis sehe.

ÉLÉMENTS D'UNE MYTHOPÉE GNOSTIQUE
DANS LA GRÈCE CLASSIQUE

PAR

ROLAND CRAHAY

L'idéologie du gnosticisme est en contradiction flagrante avec la mentalité grecque de l'âge classique (Bultmann, p. 155) *, mais elle ne s'harmonise pas davantage avec le courant philosophique dominant à l'époque romaine, le monisme rationalisé du stoïcisme et de l'aristotélisme (H. Jonas, I, 241 et suiv.). Toutefois, certains auteurs ont relevé dans le platonisme (S. Pétrement) et dans l'orphisme (U. Bianchi) des traits ,,gnostiques''. J'essaierai ici, en me cantonnant sur le plan des symboles et des mythes, de réunir des traits de l'espèce et de les reporter sur un modèle théorique de la gnose, de manière à faire apparaître analogies et différences, de manière aussi à les situer dans un ensemble structural.

Je pense avec d'autres que le point de départ de toute gnose est une anthropologie, en précisant que celle-ci se situe au niveau le plus élémentaire de la conscience.

Dans le relevé qu'il a fait des thèmes mythologiques de la gnose, H. Jonas (I, pp. 94 et suiv.) place en tête une série d'images ayant pour trait commun la notion d'*étranger*. Il convient, je pense, de dégager plus nettement encore cette notion et d'y voir un fait psychologique antérieur à toutes les autres expressions mythiques. L'homme étranger au monde, le monde étranger à l'homme, Dieu étranger au monde et finalement étranger à l'homme, parce que celui-ci est devenu, du fait du monde, étranger à lui-même: ce complexe est tout autre chose qu'un article d'un credo, qu'une articulation d'un mythe, en fût-il l'élément le plus important. Il exprime l'une des quelques manières suivant lesquelles l'homme prend fondamentalement conscience de son existence. A la base de toute gnose, il y a la conscience vécue d'une *aliénation*.

Précisons qu'il s'agit d'une expérience brute qui peut être éprouvée dans des situations très différentes et qui peut être au départ de constructions mentales très diverses. Elle inspirera des créations mytholo-

---

* Voir note bibliographique, p. 338.

giques, certains types de religiosité, mais aussi des systèmes philosophiques et des attitudes esthétiques. Et cela à toutes les époques :
chez les modernes, on retrouvera le sentiment d'aliénation aussi bien
dans la *Sehnsucht* romantique que dans la théorie marxiste de la lutte
des classes, aussi bien dans la dialectique de l'inconscient de Jung que
dans le théâtre et le roman de l'absurde.

Encore ne peut-on assimiler purement et simplement ces systèmes
à des gnoses. Pour qu'il y ait gnose, il faut qu'il y ait en outre élaboration d'une structure caractéristique, telle qu'on la découvre historiquement dans le gnosticisme des débuts de notre ère. Seule, une méthode
rigoureuse d'analyse différentielle nous permettra de décider si telle ou
telle conception est gnostique et dans quelle mesure.

„J'ai pleuré et j'ai sangloté à la vue de cette demeure inaccoutumée",
dit Empédocle (Diels, 31, B 118). Le sentiment d'une auto-aliénation
est probablement le fait le plus constant dans les vues souvent contradictoires du philosophe d'Agrigente.

Pour s'exprimer, ce sentiment doit recourir à des images et celles-ci
traduisent la première option qui se présente dans l'élaboration de la
gnose. En effet, si, dès le départ, l'homme a le sentiment très net de ce
qui est aliéné, à savoir son moi le plus profond, une question se pose
aussitôt : quel est le facteur aliénant ? Que cette question ne débouche
pas nécessairement sur une idéologie religieuse, c'est ce que nous
montrent certaines réponses modernes qui invoquent la dépossession
de l'homme par son semblable, la technique qui „déshumanise",
l'hypertrophie des fonctions mentales conscientes, les menaces de
l'Histoire.

Le gnosticisme au sens strict a toujours affirmé que les deux termes
de l'aliénation sont dans l'homme lui-même, l'âme étant le moi
véritable, dépossédé de lui-même par le corps. Or le *dualisme anthropologique* représente un courant important dans la pensée classique de la
Grèce. „Alors, puisque ni le corps ni l'ensemble des deux parties ne
constituent l'homme, il faut admettre ... que l'homme, c'est l'âme
(Platon, *1er Alcibiade*, 130 c ; voir aussi *Lois*, 929 a). Telle est déjà la
position d'Empédocle : l'enveloppe de l'homme est faite de terre
(31, B 148) ; la chair constitue un vêtement étranger (31, B 126).

Il ne paraît pas nécessaire de faire remonter, comme Dodds (Chap.
V, p. 140), ces conceptions à une influence du chamanisme nordique.
Pourquoi l'idée d'un „soi" occulte n'aurait-elle pu s'imposer d'elle-
même à la conscience d'un Grec et entraîner à la fois le dualisme
anthropologique et le concept d'une âme „démonique" transcendante

à l'individu? C'est ce que pense, par exemple, J.-P. Vernant (p. 281). Mais, tout en laissant de côté l'hypothèse de l'emprunt, il faut souligner la remarque de Dodds (ib., n. 23): „L'enseignement de Platon est ici le principal lien historique entre la tradition „chamanique" grecque et le gnosticisme".

Parmi de nombreux témoignages platoniciens (voir Pétrement, pp. 117-8), celui du *Cratyle* (400 b-c) s'appuie explicitement sur une tradition cristallisée dans des pseudo-étymologies: „Selon certains, le corps est le tombeau de l'âme; pour les disciples d'Orphée, il est une prison". On ne peut dire avec certitude s'il s'agit les deux fois d'une doctrine orphique. L'image du tombeau revient sous une forme plus appuyée dans le *Gorgias* (493 a): au fond, la vie terrestre est peut-être la véritable mort. Le passage, cette fois, se réfère à „un sage" qui pourrait être Philolaos. Toutefois, les deux fragments de celui-ci qui contiennent les images du tombeau et de la prison (44, B 14 et 15) sont contestés. C'est seulement dans le néo-pythagorisme qu'on peut avec certitude identifier ces idées, qui s'y trouvent d'ailleurs mêlées à des doctrines plus récentes (Dodds, Ch. VIII, p. 237). Elles n'ont rien de commun avec les formules d'Héraclite où la vie et la mort apparaissent comme des états interchangeables (22, B 62; 76; 88).

Entre l'âme, qui est l'homme même, et le corps, auquel elle est asservie, la pensée gnostique va postuler une rupture radicale du niveau ontologique. Elle ne se contentera pas de croire en la permanence d'une âme personnelle sous forme de préexistence, de survie ou de réincarnation; ni d'admettre une rétribution posthume de la conduite terrestre. Elle affirmera la transcendance absolue de l'âme, sa nature divine. L'aliénation existentielle sera motivée — et compensée — par une projection, non seulement métaphysique et morale, mais religieuse.

Une telle conception est aux antipodes de celles qu'expriment généralement les Grecs. Homère ne mentionne l'âme en tant que distincte du corps — et d'ailleurs sans jamais les opposer — que pour dire qu'elle s'en va à la mort de celui-ci, lequel est l'homme même (*Iliade*, I, 3-5 etc.). Si elle subsiste, elle est dépourvue de conscience (XXIII, 105 etc.). Dans le courant de pensée qu'on peut appeler „classique", l'âme est solidaire du corps et ne comporte aucune connotation métaphysique ou morale (textes cités par Dodds, Chap. V, n. 26 et 27).

D'autre part, aucune littérature n'insiste davantage sur le fossé infranchissable qui sépare l'humain du divin. Pindare conseille à „son

âme" de se tenir dans ses limites, de ne pas empiéter sur le domaine
des dieux (3ᵉ *Pythique*, 106 et suiv.).

Et pourtant, le premier témoignage qui attribue à l'âme une nature
divine est un fragment de ce même poète (Schr., 131) : „Le corps de
tous obéit à la mort toute-puissante, mais il subsiste, bien vivante une
image de notre existence, car elle seule provient des dieux." La suite
de ce texte affirme aussi, outre la rétribution posthume, l'incompatibi-
lité entre les activités du corps et de l'âme : pour que l'une se manifeste,
il faut que l'autre dorme. Cette exclusion mutuelle, qui nous ramène
au coeur de l'aliénation gnostique, conditionne pour Pindare la foi en
la divinité originelle de l'âme.

On la retrouve chez d'autres auteurs. Les passages bien connus de
Cicéron (*De Div.*, I, 63 et *Tusc.*, I, 29) s'inscrivent dans une tradition
où figure Eschyle (*Eum.*, 104), mais aussi Aristote (fr. 10). Xénophon
(*Cyrop.*, VIII, 7, 21) ajoute que la nature et les dons divins de l'âme
apparaissent encore mieux dans la mort, où elle est totalement libérée
du corps. Somme toute, ce penseur assez terre à terre formule ici la
théorie psychologique qui est à la base de la valorisation métaphysique
de l'âme dans le passage du *Gorgias* et dans d'autres dialogues, particulièrement dans le *Phédon*. Il va en tout cas plus loin que Pindare.

A vrai dire, le poète n'emploie pas le mot ψυχή, mais une formule
qui mérite toute notre attention : αἰῶνος εἴδωλον, renouvelant et
approfondissant les expressions homériques où εἴδωλον décrit l'âme
fantomatique des morts (*Odyssée*, XI, 476 etc.). On sait d'autre part
quelle sera la fortune d'αἰών dans le gnosticisme.

Empédocle, d'après Aétius, „regarde comme divines les âmes et
comme divins les purs qui participent purement aux âmes" (31, A 32).
En parallèle, nous pouvons invoquer un témoignage direct, celui des
tablettes funéraires d'Italie méridionale : „Moi aussi, je suis de votre
race bienheureuse. . . de race divine" (1, B 18 et 19 ; Kern, fr. 32 c et d).

Faut-il parler d'orphisme ? Ni Pindare, ni Empédocle, ni les tablettes
ne mentionnent le nom d'Orphée et nous ne pouvons, en tout cas,
accepter l'étiquette que dans le sens tout à fait général d'un certain
type de religiosité, sans préjuger de sa validité historique.

Parmi d'innombrables formules de Platon, citons celle du *Phédon*
(80 a-b, trad. Robin) : „Ce qui est divin, immortel, intelligible, ce
dont la forme est une, ce qui est indissoluble et possède toujours en
même façon son identité à soi-même, voilà à quoi l'âme ressemble le
plus. . ." Le Socrate de Xénophon s'exprime dans le même sens
(*Mémorables*, IV, 3, 14).

Au dualisme qui oppose l'âme et le corps, les systèmes gnostiques en superposent un autre, qui oppose deux âmes différentes, la ψυχή et le πνεῦμα. Ici encore, le terrain était préparé par des conceptions très anciennes qui ont laissé leur trace dans la langue grecque, mais dont nous ne pouvons ici retracer l'histoire (voir Jaeger, pp. 73 et suiv.). Chez Homère, il y a deux types d'âme: la ψυχή et le θυμός, qui, dans la suite, vont se confondre sous la première appellation. Chez Anaximène (13, B 2), apparaît le πνεῦμα, souffle de l'air qui correspond pour le cosmos à ce qu'est la ψυχή pour le corps. Sextus Empiricus (cité par Diels sub 31, B 136) attribue en bloc à Pythagore, à Empédocle et aux autres philosophes italiens des vues analogues. Dans l'*Axiochos*, qui est sans doute du IIIe siècle av. J.-C., le πνεῦμα est une qualité divine inhérente à la ψυχή (370 c). Le sens de ,,souffle" restant perceptible dans πνεῦμα, c'est ce terme qui servira à exprimer la croyance orphique selon laquelle l'âme entre dans le corps portée par le vent (1, B 11), doctrine qui, d'après Aristote, remonterait à Onomacrite, à la fin du VIe siècle.

Selon Platon, l'âme comporte un niveau divin et un niveau mortel, lequel peut être lui-même subdivisé (*Rép.*, IV, 431 a; 436 a; 441 b-c; IX, 580 d; *Timée*, 69 c). Parlant du niveau inférieur, celui des passions, il se réfère au sage anonyme qui est peut-être, nous l'avons vu, Philolaos, puis, semble-t-il, à Empédocle (*Gorgias*, 493 c). Pour ce qui est de ce dernier, mieux vaut renoncer à le citer à propos de la dualité des âmes. La distinction entre âme-démon (31, B 115) et pensée liée au corps (31, B 105) repose sur des combinaisons à partir d'idées modernes. En fait, il est impossible sans arbitraire de dégager de ces fragments (voir aussi A 32 et A 85) une doctrine cohérente. D'une manière générale, on peut dire que les Grecs ont toujours laissé coexister sur l'âme des notions contradictoires (Dodds, Ch. VI, pp. 175-6). Platon lui-même a considérablement varié sur ce point, évoluant, semble-t-il, dans ses dernières oeuvres vers une psychologie plus ,,réaliste", moins ,,gnostique" (Dodds, Ch. VII, pp. 204-5).

Pour en revenir au dualisme âme-corps, il faut remarquer qu'en dehors des antithèses dialectiques qui mettent en valeur la prééminence de l'âme ou son aliénation, nous ne trouvons pas chez Platon, pas plus que chez aucun autre auteur grec, des jugements négatifs sur le corps.

Il en va de même si l'on passe à la seconde démarche gnostique, *la projection du mal dans l'univers*. Celui-ci paraît conserver toujours aux yeux des Grecs les qualités d'ordonnance rationnelle et de ,,réussite" qu'implique le terme de κόσμος. Sans doute, pour Platon, l'univers est-il imparfait, domaine du devenir et non de l'être (*Sophiste*, 254 d), mais il l'est en partie seulement (*Théétète*, 176 a). Il est bon au contraire dans ce qu'il doit authentiquement aux Idées et aux lois des nombres (*Timée*). Le mythe du *Politique* (272 e-273 d, voir Pétrement, pp. 45 et suiv.) où le monde, abandonné par Dieu, retourne au chaos sous l'influence de son constituant matériel, est simplement la traduction en termes platoniciens d'une vieille peur présente dans toutes les religions.

A la liste des passages hostiles au monde terrestre, on opposerait facilement une seconde liste, faite d'éloges. L'anticosmisme, comme tel, paraît absent de Platon. Bien plus, dans les *Lois* (903 c-d; 905 b), l'ordre du Cosmos est le garant de l'ordre moral, ce qui deviendra un lieu commun du stoïcisme tardif.

Le monde, ayant la même structure que l'homme, formé comme lui d'âme et de matière (*Philèbe*, 29 e etc, voir Pétrement, pp. 58 et suiv.), doué lui aussi de deux âmes, bonne et mauvaise (Pétrement, pp. 64 et suiv.), est mauvais en tant que mélange, en tant que lieu de conflit d'un dualisme interne, non comme le pôle mauvais d'un dualisme. Quand il est mauvais, c'est dans une perspective dialectique, en tant que confronté à l'âme, en tant que puissance d'aliénation. Ce pessimisme rappelle certes dans son expression celui qu'on trouve dans les tablettes orphiques ou chez Empédocle (31, B 115; 118; 119; 121; 124): le monde sera pour l'âme une prison, une caverne, un Hadès; un bourbier; la vie sera mort, châtiment, chute, course errante; l'âme sera dénaturée, ensorcelée, ensevelie (textes: Pétrement, pp. 50 et 51). Bref, nous trouvons dès Platon à peu près toute l'imagerie masochiste du gnosticisme, mais avec la réserve capitale que nous avons faite: le monde n'est tel qu'en tant qu'il fait, par un de ses aspects, obstacle à la destinée divine de l'âme. Celle-ci exige un univers qui soit purement de la même nature qu'elle, un univers situé ailleurs, au-delà du ciel (*Rép.*, VII, 526 e; 527 b; 529, b-d; *Phédon*, 79 d; 80 d; 114 c; *Théétète*, 176 a-b; *Phèdre*, 247 b-c. Voir Pétrement, pp. 49-51).

Et encore? Ce monde est-il vraiment autre? Dans le *Phédon* (109 b et suiv.), Socrate hésite: la misère profonde de l'existence ne serait-elle pas un simple trouble de la vision, comme si l'on regardait toutes choses à travers un épais brouillard ou à travers l'épaisseur d'eau accumulée dans une fosse de la mer?

Bref, le perpétuel balancement de la dialectique platonicienne nous rapproche et nous éloigne tour à tour d'une vision du monde proprement gnostique.

Troisième plan de projection: le *plan théologique*.

Si le réel est scindé par le conflit du bien et du mal, si, de plus, le bien et le mal sont des êtres et non de simples qualités, si enfin tous les êtres ont une cause efficiente, un problème se pose qui est une véritable tragédie pour la conscience religieuse: qui a créé le mal?

Ici, notre enquête tourne court: la troisième condition n'est pas réalisée en Grèce, où nulle part n'apparaît la notion de dieu créateur. Historiquement, nous savons que les systèmes gnostiques ont utilisé des théologies créationnistes préexistantes et qu'ils les ont adaptées à leurs conception de base, en constituant différents types de dualisme.

Les deux principes d'Empédocle, la φιλότης et le νεῖκος, outre qu'ils expriment seulement les deux phases alternantes d'un processus physique, ne présentent nullement le caractère de personnes divines. Quant aux dieux de la mythologie, ils n'offrent aucune base à des spéculations dualistes (voir p. ex. Bianchi, dans *Numen*, XII, 3, 1965, p. 177). Même le démiurge de Platon, même le dieu abstrait d'Aristote travaillent sur une matière préexistante. Pourtant, Platon a vu le problème que posait l'origine du mal: Dieu n'est pas la cause de tout (*Rép.*, II, 379 c etc.); il essaie de combler cette lacune par les théories de la ,,Nécessité'' ou des ,,deux âmes''. Sur ces hypothèses, riches de méandres, de corrections et de reculs, je ne peux mieux faire que de renvoyer aux analyses de Melle Pétrement (pp. 35 et suiv.). La pointe la plus avancée paraît être le mythe du *Banquet* (189 d et suiv.), souvent rattaché, abusivement selon moi, au *sphairos* d'Empédocle (31, B 60 et 61): le mal de la condition humaine y est interprété comme la séparation forcée de deux moitiés originellement réunies, la coupure étant due à une intervention ultérieure des dieux. C'est là, si l'on ne tient pas compte du silence de Platon en ce qui concerne la création première, un schéma gnostique bien connu: la création corrompue par un second créateur. Seulement, Platon, par une dérobade significative, en a mis le récit dans la bouche gouailleuse d'Aristophane.

Le même dialogue nous propose, en l'attribuant à Diotima, une théorie sur les démons: ils servent d'intermédiaires entre l'homme et la divinité, lesquels, par leur nature, ,,ne se mêlent pas'' (202 e-203 a). Sans doute toutes les gnoses ont-elles peuplé de démons hiérarchisés les abîmes ouverts par le dualisme. Mais l'extension du démonisme dépasse celle du gnosticisme. Platon n'y insiste guère, son but étant manifestement dans le *Banquet* d'introduire une philosophie — ou une religion — de l'Amour.

Au fond, si Platon a reculé devant la notion du dualisme théologique

(*Théétète*, 176 a), c'est qu'il a dû voir qu'elle ne faisait que reporter le problème qui se pose au sein même du monothéisme créationniste: quel serait le rapport mutuel entre les deux créateurs?

Dans un certain nombre de témoignages grecs, provenant surtout de l'orphisme, d'Empédocle et de Platon, nous trouvons donc certains des éléments qui forment la structure idéologique du gnosticisme: conscience chez l'homme d'une aliénation, projection de celle-ci sur les plans anthropologique et cosmologique, la seconde projection restant toutefois fort en retrait par rapport à l'anticosmisme absolu de la gnose. Enfin, la projection théologique est pratiquement absente.

Nous devons maintenant dépasser ce bilan statique et envisager ces données dans le dynamisme temporel d'une „*histoire*" *de l'âme et du monde*.

Toute gnose retrace un drame en trois phases. La situation actuelle, celle de l'aliénation, est la dégradation d'une autre située dans un au-delà spatial et temporel: l'âme, à travers une série d'étapes, vient d'un *ailleurs* et d'un *avant*. Le salut sera pour elle de retourner à la phase originelle et authentique en parcourant en sens inverse le même itinéraire. La gnose proprement dite est la connaissance de cet itinéraire. Les symboles du bien et du mal: lumière-ténèbres, bonheur-malheur, repos-errance, liberté-prison, vie-mort, Dieu bon-démiurge mauvais, vont entrer dans un mythe qui retrace le drame. Une seconde série d'images symboliques va traduire des mouvements dans l'espace et dans le temps.

Images simples d'abord, qu'on peut supposer émergées spontané-ment de l'inconscient: la séparation, la descente, la chute, l'exil, l'obscurcissement, la captivité, la souillure, la peur; puis, dans la phase du salut: le rappel, la confiance, la purification, la libération, l'illumination, le rapatriement, la remontée, l'union. Ce schéma présente des variantes et G. Durand en a récemment proposé une typologie.

Nous avons jusqu'ici, pour des raisons méthodologiques, laissé de côté cet aspect dynamique des symboles. En fait, Pindare ne dit pas seulement que l'âme *est* divine, mais qu'elle *vient* des dieux, ἐκ θεῶν. Les tablettes orphiques décrivent l'itinéraire du retour. Dans la plus explicite (1 B 17; Kern, fr. 32 a), l'âme doit éviter la fontaine de gauche (donc mauvaise), qui lui rappellerait l'existence terrestre et puiser au lac de la mémoire le souvenir de sa vie antérieure de sa vraie vie, qui fut divine. On voit également apparaître, comme dans la littérature gnostique, le thème des „gardes" qui n'accordent le passage de retour qu'aux âmes préalablement instruites.

D'autres tablettes retracent la même odyssée de l'âme avec quelques variantes. Retenons la formule initiale: „je viens, pure, issue des purs.. ἔρχομαι ἐκ καθαρῶν καθαρά, dans laquelle on a voulu voir une allusion à l'initiation, mais qui serait tout aussi bien, voire en même temps, la revendication d'une pureté originelle.

Quant à l'image célèbre: „Chevreau, je suis tombé dans le lait", ἔριφος ἐς γαλ' ἔπετον, elle exprime le retour à l'élément originel, peut-être par allusion à un mythe ou à un rituel perdus.

Ces tablettes présentent encore un autre thème familier à la gnose (Jonas, I, p. 120): le dialogue de l'âme avec le dieu „extérieur" et sauveur.

On hésite à invoquer ici Phérécyde (7, B 6) qui, „parlant de recoins, de fosses, de cavernes, de portes et de porches, désignait par énigmes les naissances et les décès des âmes". Outre que l'énigme reste entière, on peut soupçonner Porphyre, qui nous a transmis le fragment, d'y avoir mis du sien. Notons seulement que ce labyrinthe évoque certaines descriptions gnostiques des vicissitudes de l'âme.

Phérécyde passait pour avoir introduit en Grèce la doctrine de la migration des âmes (7, A 2), laquelle, sans être propre au gnosticisme, lui est parfois associée. Ainsi, Empédocle (31, B 115) se range lui-même parmi les âmes qui, en conséquence de leurs fautes, doivent errer 30 000 ans loin des bienheureux: „. . . je suis maintenant, moi aussi, l'un d'entre eux, et j'*erre, rejeté* par le dieu parce que j'ai obéi à la Discorde furieuse". Plotin glose le passage en parlant d'une *chute* dans ce monde. Mais le commentaire décisif est celui d'Hippolyte (VII, 29, cité par Diels avec le fragment) qui voit très bien le rapport avec les gnoses hérétiques: „Ce qu'Empédocle appelle Dieu, c'est l'Un où l'unité de cette chose (le *Sphaïros*) où il se trouvait avant d'en être *arraché* (ἀποσπασθῆναι) par la Discorde et de naître dans la présente multiplicité des choses, sous l'empire de la Discorde ... Tel est le châtiment auquel le démiurge soumet les âmes, tel un forgeron qui transforme le fer et, du feu, le plonge dans l'eau". L'emploi du terme *démiurge* pour rendre le νεῖκος montre à quel point ce témoignage a été perçu par Hippolyte comme gnostique.

La déchéance de l'âme apparaît dans ce fragment d'Empédocle comme la conséquence de certaines fautes commises par l'homme. Cette croyance en une rétribution de la conduite terrestre qui conditionnerait le destin de l'âme réincarnée, croyance attestée aussi chez Pindare et susceptible de plusieurs interprétations (voir Vernant, p. 63-4), est, en soi, étrangère à la gnose. Pour celle-ci, la „faute" est essentiellement une inclination volontaire de l'âme, antérieure à son incarnation et responsable de sa chute (Jonas, I, p. 105). Peut-être est-ce dans ce sens qu'il faudrait expliquer l'opinion prêtée à Philolaos (44, B 14), selon laquelle l'assujettissement et l'ensevelissement de l'âme dans le corps sont la conséquence de „certaines punitions". Mais le fragment n'est pas seulement d'attribution incertaine; il est aussi trop bref.

Sur ce point encore, Platon présente plusieurs doctrines. Dans le récit d'Er (*Rép.*, X, 615 a et suiv.), il met les réincarnations de l'âme en rapport avec la conduite terrestre, mais, dans le fameux passage du *Cratyle*, il emploie une formule mystérieuse qu'il rattache expressément à un enseignement orphique: „du fait que l'âme expie ces choses précisément qu'elle est en train d'expier... ὡς δίκης διδούσης τῆς ψυχῆς ὧν δὴ ἕνεκα δίδωσιν". Cette fois, nous pourrions être en présence de l'expiation spécifique de l'âme au sens de la gnose.

Empédocle exprime aussi sa foi en un retour final parmi les dieux (31, B 146 et 147, joints à 119), ainsi que le décrivent les tablettes orphiques. Platon, lui, parlera d'échapper au monde terrestre, de gagner le monde des Idées, l'Au-delà, mais dans une perspective différente: pour lui, il s'agit moins d'un retour que d'un dépassement (*Théétète*, 176 a-b; *Phédon*, 67 c etc.).

Bref, le scénario gnostique des vicissitudes de l'âme se dégage, avec certaines variantes, des témoignages de l'orphisme et d'Empédocle. Chez Platon, le plupart des thèmes reparaissent, mais presque toujours dans des constructions originales, dans des „mythes" au sens où il entend ce mot. L'exemple le plus frappant est celui du *Phèdre* (246 a et suiv.) qui, se donnant explicitement pour une hypothèse, est tout le contraire d'une gnose. Et pourtant, on y retrouve les images typiques de l'ascension et de la chute, et le symbolisme de l'aile. Le char aérien, transcéleste, apparaît plusieurs fois chez les gnostiques d'Egypte (Doresse, p. 320).

De la mythopée gnostique nous n'avons envisagé encore que le scénario général et les grands thèmes qui le constituent. Nous devons maintenant nous demander s'il existe en Grèce de véritables récits mythologiques d'inspiration gnostique.

Evidemment, les mythes de la gnose sont toujours des élaborations a posteriori qui développent une vision du monde déjà parvenue au niveau de la conscience et soumise à des spéculations théoriques. Ils empruntent aux mythologies courantes des figures et des épisodes, les interprètent, les transforment et les combinent selon des nécessités *pédagogiques*.

Il est un domaine où ces variations nous intéressent particulièrement, celui des *cosmogonies*. Nous savons que la Grèce archaïque en a produit oute une série parallèlement à la *Théogonie* d'Hésiode ou sous l'influence de celle-ci (Schwabl, 4-34). Peut-être Epicharme (Diels, 23, B 1: authenticité discutée), dans la première moitié du Ve siècle, a-t-il déjà parodié les spéculations concernant le premier élément de l'univers.

Le malheur veut que ces cosmogonies „divergentes" ne nous soient guère connues que par des résumés et des citations postérieurs parfois d'un millénaire à la date supposée de leur rédaction, c'est-à-dire par-delà tout le syncrétisme hellénistique, y compris les siècles gnostiques.

Les résumés les plus connus et les plus étoffés nous viennent du néo-platonicien Damascius, lequel veut démontrer que toute une série de documents postulent à l'origine du monde trois principes (Damascius, *De Principiis*, § 111 et suiv., éd. Ruelle, tome I). Les différentes cosmogonies y sont énumérées ou plutôt enchevêtrées dans un exposé théorique et souvent difficiles à discerner du commentaire envahissant qui les enveloppe. Pour faire un inventaire lisible il faut nécessairement simplifier: théogonie des *Rhapsodies orphiques*, donnée d'abord selon une interprétation des „philosophes" que Damascius juge totalement étrangère aux données orphiques (§ 123, Ruelle, I, p. 316 l.18), puis selon l'interprétation habituelle (p. 317, 8); théologie (orphique) selon Hiéronymos et Hellanicos (§ 123 bis., p. 317, 15); retour aux *Rhapsodies* (p. 318, 6); théologie orphique selon Eudème (§ 124, p. 319, 8); Homère (p. 319, 11); Hésiode (p. 319, 16); Acousilaos, selon Eudème (p. 320, 10); Épiménide (p. 320, 17); Phérécyde (§ 124 bis, p. 321, 13); cosmogonies étrangères (§ 125).

Le seul point de repère chronologique dans la transmission de ces fables est la mention, à propos d'une „théologie orphique" et d'Acousilaos, du péripatéticien Eudème. Peut-être celui-ci a-t-il été également la source des renseignements concernant Épiménide et Phérécyde, les seuls d'ailleurs parmi ces mythographes pour lesquels nous disposions de recoupements probants. Les *Rhapsodies* et Hiéronymos-Hellanicos ont suscité une abondante littérature philologique, mais restent indatables.

On voit quelle réserve s'impose quant à l'origine de ces documents qui, au surplus, sont trop brefs pour nous éclairer beaucoup.

Un bref bilan nous permet de dégager le rôle important qui est prêté à certaines entités mythiques :

— la Nuit dans la *Théologie* selon Eudème (Diels, 1, B 12; Kern, fr. 28); associée à d'autres puissances primordiales chez Épiménide (3, B 5), chez „Musée" (2, B 14) et dans la cosmogonie parodique d'Aristophane (*Oiseaux*, 693-703);

— Chronos en première position dans les *Rhapsodies* (Diels, 1, B 12; Kern, fr. 60); en seconde position chez Hiéronymos (1, B 13; Kern, fr. 54);

— l'Oeuf cosmique dans les *Rhapsodies* et chez Hiéronymos, chez Épiménide et chez Aristophane;

— Éros dans les *Rhapsodies*, où il naît de l'Oeuf et est assimilé au Protogonos et à ses diverses hypostases; chez Acousilaos (9, B 1 et 3), chez Phérécyde (7, A 11 et B 3) et chez Aristophane.

A vrai dire, tous ces êtres, sauf Chronos, figurent déjà chez Hésiode. Seule l'ordonnance a changé, révélant une spéculation secondaire, de la même nature que celle qui s'exprime dans les systèmes gnostiques. Seulement, dans la tradition fragmentaire de l'orphisme, les virtualités de ces mythes restent inexploitées. Le χρόνος ἀγήραος, par exemple, négation et compensation du temps terrestre (voir Vernant, pp. 69-70), peut fort bien s'insérer dans l'idéologie gnostique, mais qui nous dit qu'il y a, au départ, identité d'intention? En général, comment affirmer que cette mythopée va dans le sens d'une gnose?

Une analogie plus nette apparaît à propos de quelques images, frappantes, mais, une fois de plus, dépourvues de contexte et de commentaire : la multiplicité des êtres ailés chez Aristophane ne s'explique peut-être pas uniquement comme le résultat de la parodie (le Vide ailé !); elle peut en avoir été partiellement le point de départ. Dans les *Rhapsodies*, Phanès est assimilé à la „tunique éclatante" et au „nuage", chaque fois avec l'article défini, ce qui évoque les nombreuses mentions de vêtements dans les récits gnostiques et, en particulier, le voile et le nuage des textes de Nag Hammadi (Doresse, p. 320). Nous retrouverons d'ailleurs l'image du voile chez Phérécyde. Relevons encore le rôle attribué aux androgynes et à des monstres polythériomorphes.

Il faut mettre à part, semble-t-il les indications qui concernent Phérécyde : elles permettent des rapprochements intéressants que, malheureusement, leur laconisme rend souvent énigmatiques. C'est à son propos surtout qu'on voudraît pouvoir exclure avec plus de sûreté le risque de retouches néo-platoniciennes. Aristote (*Métaph.*, XIV, 4, 1091 b 1-10) classe Phérécyde parmi „les poètes mixtes qui ne se bornent pas à tout dire sous forme de mythe". Il serait donc autant philosophe que mythographe. De fait, nous trouvons chez lui, outre des thèmes mythiques originaux, des réinterprétations très conscientes du fond religieux.

En tête de son schéma théogonique, il place Zeus, qu'il appelle Zas pour l'identifier au principe de la vie, ainsi que Chronos et Chthonia; il fait d'eux des êtres éternels (7, B 1: Diogène Laërce confirme Damascius). Aristote le loue d'avoir ainsi „mis en tête ce qu'il y a de meilleur". Mettre Zeus en tête, c'était renverser l'ordre hésiodique et il faut voir là une intention délibérée, comme dans le fait d'avoir changé son nom. Faute de contexte, l'intention nous reste obscure. Rien, en tout cas, dans le schéma de Phérécyde ne suggère, après le meilleur, une dégradation de type gnostique.

„Phérécyde dit que Zeus se changea en Éros quant il voulut faire oeuvre de démiurge, parce qu'ayant constitué le monde à partir des contraires, il l'amena à l'harmonie et à l'amour et il sema en toutes choses l'identité ainsi que l'unité qui pénètre l'ensemble". (7, B 3: Proclus). Pareilles formules pourraient entrer dans un contexte gnostique. Même si l'attribution au démiurge d'un rôle positif ne constitue pas une objection dirimante, deux raisons nous inclineront une fois de plus à la prudence: l'absence de contexte et la possibilité d'une sollicitation des données dans le sens néo-platonicien.

Nous avons parlé déjà du dédale caverneux qui serait le théâtre où se joue le drame de l'âme (7, B 6), et, là aussi, nous craignons que l'interprétation ne vienne de Porphyre.

D'une manière générale, Phérécyde semble avoir fourni souvent un support aux théories néo-platoniciennes: „Chronos, de sa propre semence, a fait le feu, le souffle et l'eau [qui, à mon avis, sont la triple nature de l'intelligible] qui sont divisés en cinq recoins et à partir desquels se constitue la vaste génération des dieux qu'on appelle „cinq recoins" [c'est-à-dire cinq mondes"] (7, A 8). Même si l'apport de Damascius se borne aux parenthèses repérables, on hésite à voir ici une pluralité d'univers divins au sens gnostique. En tout cas, le πνεῦμα n'est pas ici de nature spirituelle.

Phérécyde, comme les écrits orphiques, prête au temps un rôle cosmogonique (7, B 1 et A 8; B 4 et A 9: confusion avec Kronos). En mentionnant parmi les dieux anciens Ophioneus (7, B 4; A 11), identique sans doute à l'Ophion de certains textes tardifs à caractère orphique, il préfigure peut-être la gnose ophite.

Relevons enfin les images chargées de sens qui décrivent le mariage de Zas et de Chthonia: construction d'un palais, mention d'un chêne ailé, d'un voile tissé par Zas lui-même comme présent nuptial et représentant la Terre, l'Océan et la demeure de l'Océan (7, B 2: Clém. Alex. et texte sur papyrus). Toutes ces images apparaissent aussi dans des textes gnostiques. Clément d'Alexandrie y voit des allégories théologiques reprises à la „prophétie de Cham". Peut-être la connaissance de cet apocryphe nous permettrait-elle d'élucider quelque peu la portée de ce passage mystérieux.

Que certaines de ces vues mythologiques aberrantes, pour nous énigmatiques, aient été ressenties à l'époque du gnosticisme, comme apparentées à ces systèmes religieux, c'est ce que montre un passage d'Irénée qui met expressément en parallèle avec la gnose valentinienne un récit provenant d'une comédie d'Antiphane (Irénée, *adv. Haer.*, II, 18, 1, cité par Schwabl, § 28): „Un des anciens comiques, Antiphane, parle de l'origine de l'univers. Il fait provenir le Chaos de la Nuit et du Silence; puis, du Chaos et de la Nuit, l'Amour et, de celui-ci, la Lumière; puis, selon les lois de l'Amour, le reste de la première génération des dieux. Puis, après ceux-ci, il introduit une deuxième génération de dieux et la création (*fabricationem*) du monde, puis, à propos des seconds dieux, il raconte le façonnement (*plasmationem*) des hommes". En dépit du vocabulaire chrétien, rien n'incite à contester l'authenticité de ce texte. La pièce est probablement l'Ανθρωπογονία, titre connu par un papyrus. La „théogonie" mentionnée par Irénée en était peut-être le prologue narratif. Ici, naturellement, l'élément gnostique est beaucoup plus net. Dire maintenant quel était le modèle parodié par Antiphane relève de l'hypothèse hasardeuse.

L'examen des cosmogonies nous a entraînés à de longues explorations pour un butin assez maigre, ou du moins fort incertain. En revanche, l'*anthropogonie*, thème peu fréquent dans la mythologie grecque, nous présente une légende résolument gnostique et relevant explicitement de l'orphisme, celle de Zagreus. Elle est attestée tardivement et rarement au complet (Voir Kern, sub fr. A. 210). Si l'allusion de Platon à la nature titanique de l'homme (*Lois*, III, 701 c), de même que celle de Pindare (fr. 133 Schr.) à „l'expiation d'un deuil antique" ne s'y réfèrent pas avec évidence, le meurtre de Zagreus par les Titans avait été peut-être, dès le VIe siècle, le sujet d'un poème d'Onomacrite (Pausanias, VIII, 37, 5).

On serait tenté de rapporter également à un mythe authentique et non à une allégorie intellectuelle de Platon l'anthropogonie parodique que le *Banquet* met dans la bouche d'Aristophane. On y trouve trois thèmes essentiels du gnosticisme: la dépossession de l'homme, sa déchéance par rapport à un état antérieur, l'intervention des dieux après coup pour dégrader l'homme originel.

Dressons maintenant le bilan de cette recherche que nous avons menée en quatre étapes.

Nous avons trouvé en Grèce la notion existentielle de l'aliénation. Nous en avons relevé l'expression dans une anthropologie. En revanche ses implications cosmologiques nous ont paru beaucoup moins nettes et ses conséquences théologiques à peu près nulles.

Le drame de l'âme est bien attesté, mais lui non plus ne déborde guère le plan humain.

Quant à la mythologie, elle nous fournit peu de légendes, mais surtout des thèmes isolés. Compte tenu de sa transmission tardive et tendancieuse, une reconstitution et une interprétation d'ensemble nous exposent au danger des conjectures arbitraires.

Nos témoignages viennent surtout de ce qu'on appelle — tantôt à raison, tantôt à tort — l'orphisme. Ce n'est pas un hasard si ce grand mouvement religieux entendu dans son sens le plus large, présente en Grèce cette singularité d'être une ,,religion du livre'', d'avoir considéré comme l'instrument du salut, la connaissance d'une doctrine, une γνῶσις.

En dehors des orphiques, nous avons invoqué quelques présocratiques, en particulier Empédocle, et, avec les réserves qui s'imposent, Phérécyde. Certains, je le sais, considèrent ces penseurs, de même que Pindare et beaucoup d'autres, comme influencés par l'orphisme. En l'absence de tout témoignage positif, on peut se demander si ce qu'ils ont en commun n'est pas précisément une certaine attitude ,,gnosticisante''.

Tout ce courant aboutit à Platon où on le retrouve parfois en clair, mais le plus souvent dans des remaniements originaux. Dans la mesure où les gnoses du IIe et du IIIe siècles ont dû emprunter leur vocabulaire philosophique, c'est à travers Platon, mais au prix de nouvelles distorsions, qu'elles ont recueilli un héritage grec.

NOTE BIBLIOGRAPHIQUE

Les références figurant dans la présente communication se rapportent aux ouvrages suivants: Ugo BIANCHI, voir surtout *Il dualismo religioso*, Rome, 1958, pp. 13 et suiv.; *La religione greca*, dans TACCHI-VENTURI, *Storia delle Religioni*, 5e éd., Turin, 1962, vol. II, spéc. pp. 437, 442, 568-9; *Le Problème des origines du Gnosticisme*, dans *Numen*, XII, 3 (1965). — Rudolf BULTMANN, *Das Urchristentum im Rahmen der antiken Religionen*, rééd. Hambourg, 1962. — E. R. DODDS, *The Greeks and the Irrational*, Berkeley, 1959 (les pages indiquées sont celles de la trad. fr., Paris, 1965). — Jean DORESSE, *Les livres secrets des gnostiques d'Egypte*, Paris, 1958. — Gilbert DURAND, *Les gnoses, structures et symboles archétypes*, dans *Cahiers internationaux de Symbolisme*, 8 (1965), pp. 15 et suiv. — Werner JAEGER, *The Theology of the early Greek Philosophers*, Oxford, 1947. — Hans JONAS, *Gnosis und spätantiker Geist*, I: *Die mythologische Gnosis*, Goettingue, 1934; II: *Die philosophische Gnosis*, ib. 1954. — Simone PÉTREMENT, *Le dualisme chez Platon, les gnostiques et les manichéens*, Paris, 1947. — Hans SCHWABL, article *Weltschöpfung* dans *Pauly-Wissowa*, 1958. — J. P. VERNANT, *Mythe et Pensée chez les Grecs*, Paris, 1965. — Les fragments sont cités d'après DIELS-KRANZ, *Die Fragmente der Vorsokratiker*, 6e éd., Berlin, 1951; éventuellement en outre d'après KERN, *Orphicorum fragmenta*, Berlin, 1922. Les traductions sont souvent reprises à Jean VOILQUIN.

Cette liste sommaire n'épuise évidemment pas la dette de l'auteur envers tous ceux qui ont éclairé les différents aspects du problème posé par le gnosticisme.

DISCUSSION

BIANCHI: J'aurais ces objections: a) Comme dans les précédents grecs éventuels du gnosticisme, on trouve dans celui-ci avant tout l'anthropologie et l'anthroposophie (voire la métaphysique de la matière-ombre), et seulement en second lieu la cosmologie, celle-ci surtout en fonction du scénario. Il y a bien l'anti-somatisme, de part et d'autre; et s'il faut être prudent pour l'orphisme, on devra concéder qu'Empédocle est un témoignage tout à fait concret. b) Il faut souligner le rôle démiurgique de la Discorde chez l'Agrigentin (sans évidemment l'identifier *simpliciter* au Démiurge). c) Il y a bien une connaissance de type gnostique [connaissance divine des choses divines par un être divin „partagé" et „lié" aux éléments inférieurs] dans le frg. d'Empédocle („nous regardons l'air divin par l'air. . .l'amour par l'amour, la discorde par la discorde"). d) Vous cherchez un système, avant et en dehors du gn. du IIème s. ap. J.-C.: moi je me contente de constater une idée, le dualisme anthroposophique (donc le *sôma-sêma* avec ses implications), pour élargir le champ du gnosticisme [phénoménologique et historique, si on tient compte de la période „axiale" du VIème s., depuis les Indes jusqu'à la Grande-Grèce].

CRAHAY: Je crois aussi que dans la gnose du IIème s. l'anthroposophie est l'essentiel (bien que j'aie préféré éviter ce terme qui désigne de nos jours un système particulier, d'ailleurs quelque peu gnostique, celui de R. STEINER). J'ai parlé de projection anthropologique. Le dualisme âme-corps n'est pas la seule option que peut prendre la pensée gnostique, et dans cette option il y a différents systèmes (cf. systèmes antinomistes où l'élément aliénant est l'âme). D'autre part il existe en Grèce et ailleurs différents types d'âmes.

BIANCHI: Mais quelle est la nature de ces âmes? On a une tripartition avec valorisation différentielle chez Platon, *Timée* et *République*, et le gn. „archontise" décidément l'âme inférieure [1]).

CRAHAY: Oui, mais cette tripartition classique repose elle-même sur une multipartition archaïque. Nous devons nous garder de simplifier les faits en recourant au langage moderne. Pour ce qui est d'Empédocle, il y a chez lui un cycle Philotēs-Neikos, ce qui est tout différent du schéma gnostique.

BIANCHI: C'est peut-être vrai, mais on pourrait relever, dans Empédocle, un décalage de valeur entre la Philotēs et le Neikos. Par ailleurs, un gn. parachrétien n'aurait plus été désormais disposé à une formule cyclique orphique [mais Basilide retient une espèce de *karma* et la métempsychose].

CRAHAY: Le frg. d'Empédocle „nous regardons. . ." me paraît formuler une théorie de la perception rigoureusement matérialiste.

BIANCHI: Mais il parle d'Air divin et d'Amour. D'ailleurs, la théorie gnostique du pneuma peut être jugée 'matérialiste' elle-aussi (cfr. l'*Apocal. d'Adam* de N.H. pour la naissance du Phōstēr d'un air étranger (= divin), et le passage qui lui est comparable de Philon de Byblos à propos du Dieu iranien φῶς ἀέρι συνεχόμενον [2]); c'était aussi l'argument de St. Augustin contre les manichéens „matérialistes").

CRAHAY: Je persiste à croire que la théorie des sensations d'Emp. est bien matérialiste au sens moderne du terme. Au contraire, les accusations contre les manichéens jouent sur le double sens — objectif ou symbolique — des mots, devenus des termes péjoratifs dans la polémique.

---

[1]) [Il est vrai que dans les *Hermetika* le *nous* de l'impie le conduit à sa perte].

[2]) [FHG, II, p. 571. Il cite aussi le θ ἀεροειδής et igné, qui rappelle la figure gnostique décrite par Orig. *c. Cels.* 33. Cf. aussi Hippol., *Ref.* I, 1, 12 s.].

DIEU COSMIQUE ET DUALISME

Les archontes et Platon

PAR

PIERRE BOYANCÉ

Un livre récemment paru remarquait justement que l'étude de la gnose réclame le travail commun d'orientalistes, de sinologues, d'égyptologues, de théologiens et de savants versés dans l'Antiquité [1]. C'est la justification que je dois invoquer, n'étant à aucun degré spécialiste de la gnose. Mais j'ai eu occasion depuis mes *Études sur le Songe de Scipion* de m'intéresser à la doctrine philosophique du cosmos, et cela sous l'aspect religieux qui nous concerne ici. Il est en général reconnu que la gnose doit à la pensée grecque beaucoup de ses conceptions sur la structure de l'univers. Il est moins universellement admis que son dualisme ait la même origine. En général on est frappé de ce fait que pour elle — c'est une de ses doctrines les plus caractéristiques — notre monde est un monde mauvais [2]. Qu'y a-t-il de plus opposé, par exemple, à la glorification stoïcienne du monde, dont l'âme est Dieu même? Cependant, à côté de la doctrine stoïcienne il y a celle de Platon, où naguère encore le P. Festugière nous invitait à reconnaître deux tendances que, pour faire bref, on pourrait qualifier l'une de moniste, l'autre de dualiste. Et c'est dans Platon que tour à tour le P. Festugière voyait l'origine du Dieu cosmique — avec le *Timée* et les *Lois* — et celle du Dieu inconnu [3]. Je voudrais aujourd'hui attirer l'attention sur une doctrine du *Timée* qui a été singulièrement négligée par les exégètes récents, alors qu'elle a eu, je crois, historiquement une réelle influence sur la conception gnostique du monde. On s'est interrogé pour savoir si dans les *Lois* Platon admettait

---

[1] H. J. KRAEMER, *Der Ursprung der Geistmetaphysik*, Amsterdam 1964, p. 224.

[2] Cf. H. W. BARTSCH, cité par SIMONE PÉTREMENT, *Le dualisme chez Platon, les gnostiques et les manichéens* Paris, 1947: „La caractéristique en (de la gnose) est le dualisme radical, qui pour la première fois n'est pas intérieur au monde mais qui repousse le monde tout-entier, le Cosmos grec avec ses dieux comme le monde oriental avec ses planètes, du côté du mal et les sépare d'un Dieu bon, unique et lointain".

[3] *La Révélation d'Hermés Trismégiste*. II *Le Dieu cosmique*, 2e édition, Paris, 1949; IV *Le Dieu inconnu, ibid.*, 1954. Cf. notamment la préface du *Dieu cosmique*, p. XII: „La source commune de ces deux courants est Platon, qui peut bien être dit le père de la philosophie religieuse hellénistique".

réellement deux âmes du monde, l'une bonne, l'autre mauvaise [1]).
Mais il n'est guère venu à l'idée de considérer une autre conception
qui orientait certes moins nettement vers un dualisme, qui cependant
devait se mettre au service de la vue gnostique du monde.

Dans le *Timée* lui-même on ne s'est guère interrogé que sur la valeur
qu'il voulait reconnaître à la matière et une controverse très vive a
opposé sur ce thème traditionnel M. Cherniss et le P. Festugière [2]).
Mais si l'on considère le chapitre approfondi que ce dernier a consacré
au Dieu cosmique dans le *Timée*, on ne trouvera quasi rien [3]) sur ce qui
doit être le thème de ma communication, c'est à savoir l'intervention,
à côté du démiurge, d'autres divinités qui seront considérées comme
dotées elles aussi d'une activité démiurgique, si bien que des exégètes
anciens de Platon donneront au démiurge proprement dit le nom de
„premier démiurge' [4]).

Ce peu d'attention ne se justifie pas, parce qu'en fait cette doctrine
a eu une grande importance par l'influence qu'elle a eue. Mais il faut
dire que celle-ci n'a guère elle-même attiré l'attention. Naguère la
mettant en évidence chez Philon [5]), j'avais la surprise de constater que
dans le chapitre consacré aux „Puissances divines", un historien aussi
averti de la pensée platonicienne qu'Émile Bréhier ne consacrait pas
une ligne à l'influence du *Timée* sur ce point, sur l'exégèse philonienne
de la *Genèse* [6]). Rien ne se trouve non plus, pour m'en tenir à des
auteurs français, dans le livre de Mlle Pétrement sur le dualisme [7]).

---

[1]) Cf. par exemple S. Pétrement, *op. laud.*, p. 64 et suiv.; A. J. Festugière,
op. laud, p. 123 et suiv., et la bibliographie de H. Cherniss dans *Plato* (1950-1957),
Lustrum, IV, 1959, p. 113.

[2]) C.r. du *Dieu cosmique* par H. Cherniss, dans *Gnomon*, 1950 p. 204 et suiv.
Réplique du P. Festugière dans *La Révélation d'Hermes Trismégiste* III *Les doctrines
de l'âme*, Paris 1953, p. XII-XIV.

[3]) *Le Dieu cosmique*, p. 106: „. . .une âme mortelle créée par les dieux engendrés"
(69 c-5-72 e 4); p. 111: „Dieu est resté dans le repos (42 c 5-6), ses fils fabriquent
alors le corps humain et ils introduisent dans ce corps l'âme immortelle créée par
Dieu: c'est à ce point précis qui commence le désordre". A. Rivaud, dans sa
copieuse introduction à l'édition du *Timée* dans la Collection des Universités de
France, p. 36-38 mentionne sans plus les dieux subalternes.

[4]) Proclus, in *Alcibiad. pr.* ed. Westerbrink, p. 50, 112, 116 et suiv.:
κατὰ τὴν ταύτην τὴν ἐπιβολὴν φαίης ἂν καὶ ἐν ἡμῖν τὴν λογικὴν ψυχὴν εὐγενεστέραν
εἶναι τῆς ἀλόγου, διότι τὴν μὲν ὁ δημιουργὸς ὁ πρῶτος ὑπέστησε, τὴν δ' οἱ νέοι θεοὶ
παρήγαγον.

[5]) *Études philoniennes* dans la *Rev. ét. gr.*, LXXVI, 1963, p. 105 et suiv.

[6]) Émile Bréhier, *Les idées philosophiques et religieuses de Philon d'Alexandrie*, 3e
éd., Paris, 1950, p. 144 et suiv. Rien non plus à propos des „puissances" dans
l'hermétisme chez A. J. Festugière, *Les doctrines de l'âme*, p. 158-166.

[7]) *Op. laud.*, Première partie, Ch. II et III.

A un certain moment de son récit de l'activité du démiurge Platon fait intervenir ceux qu'il qualifiera de „nouveaux Dieux". Qui sont-ils? Platon lui-même nous les définit ainsi: „Puisque tous ceux des dieux, qui ont une révolution visible et tous ceux qui n'apparaissent que dans la mesure où ils le veulent avaient eu leur naissance (γένεσις), celui qui a engendré le Tout que voici, leur adressa ces paroles" [1]). Cette définition est précise, mais peut-être plus difficile qu'il ne paraît. Platon a parlé, dans ce qui précède, successivement de la création des astres — au terme de l'exposé, il les a qualifiés de dieux visibles et engendrés: ce sont ceux qui sont manifestement [2]) ceux qu'il appelle les dieux qui ont une révolution visible [3]) — et des autres divinités qu'il a définies par référence à la mythologie.

Les difficultés sont les suivantes: Platon a bien parlé des astres comme ayant déjà été créés. Il a clos le développement qu'il leur a consacré en les désignant par l'expression de „Dieux visibles et engen-drés". Mais on verra par la suite que c'est après la mention des „Nouveaux dieux", que Platon parlera des âmes données par le démiurge lui-même aux astres [4]). Comment peuvent-ils être Dieux, avant d'avoir reçu leur âme? Il y a là une incohérence manifeste dont on s'étonne qu'elle ne paraisse pas avoir retenu l'attention des com-mentateurs: comment ceux des „Nouveaux Dieux", qui sont les astres, peuvent-ils être dits avoir eu leur naissance?

L'autre difficulté n'en est pas réellement une, mais c'est justement celle qui a retenu l'attention des commentateurs, au moins des anciens. Platon introduit la seconde catégorie par les mots: „Περὶ τῶν ἄλλων δαιμόνων".

Une exégèse tendancieuse, déjà connue de Cicéron dans le *Timaeus* [5]) a prétendu voir là non pas les Dieux de la mythologie tout court,

---

[1]) *Timee* 41 a : Ἐπεὶ δὲ πάντες ὅσοι τε περιπολοῦσι φανερῶς καὶ ὅσοι φαίνονται θεοὶ καθ' ὅσον ἂν ἐθέλωσι, γένεσιν ἔσχον, λέγει πρὸς αὐτοὺς ὁ τόδε τὸ πᾶν γεννήσας τάδε.

[2]) 40 d : Ἀλλὰ ταῦτα τε ἱκανῶς ἡμῖν ταύτῃ καὶ τὰ περὶ θεῶν ὁρατῶν καὶ γεννητῶν εἰρημένα φύσεως ἐχέτω τέλος.

[3]) 40 de. On considère volontiers (ainsi A. Rivaud, *op. laud.* p. 156, n. 1 suivant F. Weber) que le passage est ironique. Les Anciens ne pensaient certainement pas ainsi et cette référence aux poètes orphiques était certainement une des bases sur lesquelles reposait la concordance entre Orphée et Platon, si chère aux néoplatoni-ciens. Sur l'origine probable de ces spéculations chez Xénocrate, cf. mon article *Xénocrate et les orphiques*, in *Rev. ét. anc.*, L., 1948, p. 224 et. suiv.

[4]) P. 41 d.e. Le discours aux „Nouveaux dieux": p. 41 a-d.

[5]) *Timaeus*, 11, 34. Cf. sa traduction: *Reliquorum autem, quos Graeci* δαίμονας *appellant nostri (opinor) Lares.*

mais bien les démons auxquels ces dieux correspondraient. Proclus s'élèvera contre cette exégèse [1]) mais Chalcidius l'avait adoptée [2]).

Ces deux catégories de divinités ont été — et en liaison manifeste avec cette exégèse — aussi considérées comme celles des dieux célestes d'une part et d'autre part de ceux qui sont au-dessous de la lune [3]). Or une telle opposition caractérise la théologie de Xénocrate, qui identifiait les Olympiens aux planètes et mettait au-dessous les démons invisibles [4]). Il y a toute chance — j'ai eu occasion de le dire — que l'exégèse de δαίμονες par „démons" remonte jusqu'à lui [5]).

En quoi consistent le rôle et l'intervention des „Nouveaux dieux"? Les exégètes néo-platoniciens soulignent le caractère dramatique du discours que le dêmiurge leur adresse [6]). Nous savons par Proclus que Jamblique l'avait commenté dans un traité spécial intitulé „Sur la harangue (la démégorie) de Zeus", le démiurge étant assimilé à Zeus [7]). Ce caractère dramatique souligne assez, qu'il s'agit pour Platon d'un mythe et l'on sait que le *Timée* est, pour lui, tout entier un mythe [8]). Ce caractère mythique doit nous aider sans doute à résoudre au moins en partie la première des deux difficultés alléguées plus haut.

---

[1]) *In Timaeum*, III, 153, 22 sq. Diehl. Proclus critique ceux qui voient là les démons infra-lunaires.

[2]) Chalcidius traduit: *At uero inuisibilium diuinarumque potestatum quae daemones nuncupantur*. . . et son commentaire, CXXVI, p. 326 Waszink, où il prétend bien, à l'inverse des modernes auxquels nous faisons allusion, que Platon, en disant que: „c'est une tâche qui nous dépasse" veut signifier qu'elle appartient à une contemplation qualifiée d'*epoptice*, sensiblement plus élevée que la physique!

[3]) PROCLUS, *op. laud*, III, p. 194, I 20 et suiv. Diehl. Pour Proclus, il s'agit encore de dieux au dessous de la lune, cf. n. 15.

[4]) XÉNOCRATE ap. STOBÉE, *ecl. phys.* I 1, 29b p. 36 W. d'apres AÉTIUS, — *Doxogr. gr.*, p. 304 b 1 et suiv. Diels (— frag. 15 Heinze) : θεὸν δ'εἶναι καὶ τὸν οὐρανὸν καὶ τοὺς ἀστέρας πυρώδους 'Ολυμπίους θεούς, καὶ ἑτέρους ὑποσελήνους δαίμονας ἀοράτους. 'Ετέρους signifie-t-il qu'en un certain sens (Cf. note précédente) les démons infralunaires sont encore des dieux? (La réciproque n'étant pas vraie).

[5]) Article cité, p. 225. Il faut compléter, je crois (Cf. *ibid.* n. 3) par PORPHYRE, *De abstinentia*, II, 37, avec la même opposition, remontant au *Timée*, des dieux visibles et des „démons" invisibles.

[6]) OLYMPIODORE, *Comm. in Alcibiad. pr.*, 2, 1-5, montre Platon qui ἐνθουσιᾷ θεόληπτος γενόμενος καὶ ὑποκρινόμενος τὸν δημιουργὸν . . . . . ; PROCLUS, *Im Tim.*, III, 199. 29 Diehl : ὁ δὲ χαρακτὴρ τῶν λόγων ἐστὶ ἐνθουσιαστικὸς <ὡς> διαλάμπων ταῖς νοεραῖς ἐπιβολαῖς . . . . . .

[7]) OLYMPIODORE, *loc. laud*, L'assimilation à Zeus se retrouve PROCLUS *in Tim.*, I, 308, 19 Diehl; d'apres Proclus, Jamblique énumérait les diverses triades de dieux. Il exposait τὴν δημιουργικὴν . . . . τάξιν.

[8]) *Timee*, 29 d : τὸν εἰκότα μῦθον. Cf. A. RIVAUD, *op. laud.*, p. 11 et suiv. P. 72 d : τό γε μὴν εἰκὸς ἡμῖν εἰρῆσθαι (a propos de la constitution de l'âme).

Platon est amené à mentionner successivement la création des corps et celle des âmes par le démiurge. Les „Nouveaux dieux" intervenant dans celle-ci, Platon veut mettre en tête la part qu'il faut attribuer respectivement au démiurge et aux „Nouveaux dieux" et il place donc là le discours des intentions du démiurge, afin de ne pas troubler la continuité de l'exposé de la création des âmes.

Du discours je retiendrai les deux paragraphes qui donnent les raisons de la tâche confiée aux „Nouveaux dieux". I) Le tout ne sera vraiment le Tout que s'il contient toutes les espèces de vivants. Mais ceux qui restent à créer seraient dieux s'ils devaient leur naissance au démiurge et participaient grâce à lui à la vie. Pour qu'ils soient mortels, il faut que le démiurge n'intervienne pas lui-même. [1]) 2) En fait la tâche sera partagée. Ce qui dans ces êtres est divin et hégémonique (voilà sans doute une des sources de la doctrine stoïcienne de l'hégémonikon) sera semé (σπείρας) et mis comme principe (ὑπαρξάμενος, traduit très inexactement par Rivaud) par le démiurge lui-même. Le reste appartiendra aux „Nouveaux dieux". Ils joindront dans la texture de l'être (προσυφαίνοντες très mal traduit aussi par Rivaud) le mortel à l'immortel et feront ainsi des vivants qu'ils développeront et recueilleront à leur mort [2]).

Il résulte ainsi qu'il y a dans la création un acte de moindre valeur qui est jugé indigne du démiurge. Le démiurge crée les âmes qu'il soumet aux lois de la métempsychose, métempsychose réglée elle-même par la conduite des âmes. Ici une phrase capitale, mais ambigüe[3]). On y trouve cette proposition finale: „afin de n'être pas responsable de la malice future de chaque être", encadrée entre deux membres de phrase: „Ayant donc établi pour eux toutes ces lois" (celles de la métempsychose) et „il les sema dans les divers crops célestes". On peut entendre en effet (c'est l'interprétation de Cicéron [4]) et de Pro-

---

[1]) 41 c : Δι' ἐμοῦ δὲ ταῦτα γενόμενα καὶ βίου μετασχόντα θεοῖς ἰσάζοιτ' ἄν· ἵνα οὖν θνητά τε ᾖ τό τε πᾶν τόδε ὄντως ἄπαν ᾖ, τρέπεσθε κατὰ φύσιν ὑμεῖς ἐπὶ τὴν τῶν ζῴων δημιουργίαν . . .

[2]) 41 cd : Καὶ θ'ὅσον μὲν αὐτῶν ἀθανάτοις ὁμώνυμον εἶναι προσήκει, θεῖον λεγόμενον ἡγεμονοῦν τε ἐν αὐτοῖς τῶν ἀεὶ δίκη καὶ ὑμῖν ἐθελόντων ἕπεσθαι, σπείρας καὶ ὑπαρξάμενος ἐγὼ παραδώσω. τὸ δὲ λοιπὸν ὑμεῖς, ἀθανάτῳ θνητὸν προσυφαίνοντες, ἀπερνάζεσθε ζῷα καὶ γεννᾶτε τροφήν τε διδόντες αὐξάνετε καὶ φθίνοντα πάλιν δέχεσθε.

[3]) 42 d : Διαθεσμοθετήσας δὲ πάντα αὐτοῖς ταῦτα (aux hommes, en fait à leurs âmes) ἵνα τῆς ἔπειτα εἴη κακίας ἑκάστων ἀναίτιος, ἔσπειρεν τοὺς μὲν εἰς γῆν κτλ.

[4]) *Timaeus*, 13, 48: *quae cum ita designasset seque, si quod postea fraudis aut uitii, euenisset, extra omnem culpam causamque posuisset.*

clus) [1]) que cette intention se rapporte aux dispositions réglant la
métempsychose. Dieu se décharge sur les âmes qu'il crée de la responsabilité du bien et du mal. Mais on pourrait l'entendre aussi de la
dispersion des âmes dans les astres, où elles sont remises aux „Nouveaux dieux". Désormais les ayant livrées à ceux-ci, Dieu passe toutes
les responsabilités aux „Nouveaux dieux". Philon, par l'écho manifeste, qu'il fait à ce texte et que j'ai signalé, (mais que déjà Colson avait
relevé) [2]) l'entend certainement ainsi. Il y avait des commentateurs
pour attribuer aux „Nouveaux dieux" la responsabilité de créer des
êtres faillibles.

La traduction de Chalcidius, qui suit le mouvement du texte de
Platon, est, commé lui, ambigüe [3]). Mais son commentaire dit clairement que, si le démiurge préside à la constitution des âmes, il a confié
à des puissances divines inférieures la tâche concernant „ce qui est
ajouté à la contexture des âmes" (allusion à 41 d) pour que les parties
déficientes, *vitiosae*, aient un autre créateur auquel le Dieu a confié
cette tâche [4]). Chalcidius paraît donc entendre comme Philon la phrase
ambigüe du *Timée*.

Après que les astres ont reçu leur âme et que les âmes individuelles
ont été créées, le démiurge confie aux „Nouveaux dieux" leur tâche.
C'est ici qu'intervient cette expression de „Nouveaux dieux" qui est
énigmatique et qui, on le voit par Proclus, suscitait des commentaires
assez divergents [5]). Ils auront à modeler les corps mortels. Puis il
y joindra tout ce qui d'âme humaine restait et qui devait s'ajouter. Il

---

[1]) *In Tim*, III, 300, 21 et suiv. Diehl, notamment p. 302, 29 et suiv. : ἵν' οὖν
ἀναίτιος ᾗ τῶν ἁμαρτημάτων ὁ θεός, ἐν ταῖς οὐσίαις αὐτῶν (des âmes) ἀπέθετο τοὺς
εἱμαρμένους νόμους. Proclus, *ibid.*, 303, 3 et suiv. rapproche á bon droit *Rép.*,
X, 617 de : αἰτία ἑλομένου, θεὸς ἀναίτιος.

[2]) *De opificio mundi*, Ch. 24, 75, p. 191 Arn. Les mots ἔδει γὰρ ἀναίτιον εἶναι
κακοῦ τὸν πατέρα τοῖς ἐκγόνοις, réminiscence évidente du *Timée*, suivent les
mots συμπαράληψιν ἑτέρων ὡς ἂν συνεργῶν relatifs aux auxiliaires du créateur.

[3]) *Platonis Timaeus*, 42, D et sq., p. 37 WASZINK: *Quibus cunctis fatalium legum
promulgationibus in istum modum patefactis et expositis, ne qua penes se deinceps ex reticentia
noxae resideret auctoritas, sementem fecit eiusmodi etc.*

[4]) *Comm. in Plat. Tim.*, CLXXXVI, p. 212 WASZINK: *Vnde, opinor, Platonem
animarum quidem exaedificationi deum opificem praefuisse dicere, eorum uero quae animis
subtexuntur aliis diuinis potestatibus inferioribus munus atque officium esse mandatum, ita
ut purae quidem animae sinceraeque et uigentes florentesque rationibus a deo factae sint,
uitiosarum uero partium, eius auctores habeantur hae potestates quibus ab opifice deo talis
cura mandata sit.*

[5]) 42 d : τὸ δὲ μετὰ τὸν σπόρον τοῖς νέοις παρέδωκεν θεοῖς . . . Cf. Proclus,
In remp., I, 127, 4 sq. Kroll, dans une étrange exégèse du rire „homérique"
des dieux (*Il.*, I, v. 599 et suiv.) : διό μοι δοκεῖ καὶ ὁ Τίμαιος τοὺς ἐν τῷ κόσμῳ
θεοὺς νέους ἀποκαλεῖν, ὡς ἀεὶ γινομένων καὶ παιδιᾶς ἀξίων προεστῶντας πραγμάτων !

faut entendre, comme la suite le montre, une partie de l'âme s'ajoutant à celle qui a été créée directement par le démiurge, et qui a été qualifiée de „divine" et d'„hégémonique" [1]. Par la suite ils dirigeront (ἄρχειν) et, autant qu'ils le pourront, ils gouverneront l'animal mortel pour lui éviter de s'attirer à lui-même des malheurs [2]). Il est important de remarquer que les „Nouveaux dieux" se voient ici confier, après leur mission démiurgique, une mission de gouvernement et je souligne au passage le verbe ἄρχειν.

Nous aurons seulement au paragraphe 69 c l'accomplissement de la première mission ainsi confiée aux „Nouveaux dieux" [3]. Il est remarquable que pour leur activité Platon emploie le terme de δημιουργεῖν. Il rappellera que le démiurge s'est réservé à lui-même de faire naître les réalités divines et qu'il confie à ses créatures la génération des êtres mortels. Même opposition du divin ou de Dieu et de mortel que plus haut. Les „Nouveaux dieux" imitent leur Père et, après avoir recueilli le principe immortel de l'âme, ils forgent autour de lui (περιετόρνευσαν) le corps mortel. Ils lui donnent comme „véhicule" tout le corps et ils construisent en outre en lui (c'est-à-dire dans le corps) un autre aspect de l'âme, le mortel, et la suite précise en détail que c'est l'aspect qui comporte les passions (δεινὰ καὶ ἀναγκαῖα), passions que Platon analyse en détail [4]. Je laisse de côté ce qui concerne la notion de „véhicule" [5] et je retiens de ce texte que les démiurges secondaires sont responsables à la fois du corps et de la partie mortelle de l'âme. Ainsi s'introduit une double opposition, celle du corps et de l'âme, celle de la partie divine et immortelle de l'âme et de sa partie mortelle, double opposition qui se résume pourtant en une,

---

[1]) 42 d (suite) : .... σώματα πλάττειν θνητά, τό τ' ἐπίλοιπον, ὅσον ἔτι ἦν ψυχῆς ἀνθρωπίνης δέον προσγενέσθαι,

[2]) 42 e : τοῦτο καὶ πάνθ' ὅσα ἀκόλουθα ἐκείνοις ἀπεργασαμένους ἄρχειν, καὶ κατὰ δύναμιν ὅτι κάλλιστα καὶ ἄριστα τὸ θνητὸν διακυβερνᾶν ζῷον.....

[3]) 69 c : καὶ τῶν μὲν θείων αὐτὸς γίγνεται δημιουργός, τῶν δὲ θνητῶν τὴν γένεσιν τοῖς ἑαυτοῦ γεννήμασιν δημιουργεῖν προσέταξεν. Οἱ μιμούμενοι παραλαβόντες ἀρχὴν ψυχῆς ἀθάνατον τὸ μετὰ τοῦτο θνητὸν σῶμα αὐτῇ περιετόρνευσαν ὄχημά τε πᾶν τὸ σῶμα ἔδοσαν ἄλλο τε εἶδος ἐν αὐτῷ ψυχῆς προσῳκοδόμουν τὸ θνητόν, δεινὰ καὶ ἀναγκαῖα ἐν ἑαυτῷ παθήματα ἔχον. Suit l'énumération des passions, dont on rapproche ce qui a été dit déjà, 42 ab. Notons, en passant, le lien établi dans les deux passages entre les passions et la nécessité (ἀνάγκη).

[4]) Le mot a déjà été employé, 41 e; Cf. aussi 44 e. Sur ces deux textes s'est fondée la doctrine néoplatonicienne de l'ὄχημα ou corps astral, sur laquelle cf. E. R. DODDS, édition de PROCLUS, The Elements of Theology, 1933; appendice II, p. 313-321.

[5]) PROCLUS, in remp. II, p. 90. 1. 20 Kroll : εἰ δέ τις ἐπ' αὐτὸ τὸ ἄλογον μεταβάς, ὅπερ ὁ Τίμαιος λέγει θνητὸν εἶδος ζωῆς ...

celle de l'immortel et du mortel mais qui a, on le voit, une double signification, cosmique et morale. Proclus interprètera le θνητὸν δαιμόνων (il dira inexactement ζωῆς) comme l'*alogon* et ailleurs, plus inexactement encore, fera de l'*alogon* (et non pas du corps) le „véhicule" du *logos* [1]).

Je remarquais tantôt que le discours adressé aux „Nouveaux dieux" concernait, au dire exprès de Platon, deux catégories, les dieux astraux et ceux qui ne se manifestent qu'à l'occasion. J'ai souligné que cette seconde catégorie est celle des ἄλλων εἶδος ψυχῆς, laquelle a été considérée par une exégèse tendancieuse, probablement due à Xénocrate, comme celle des Démons. En fait quand Platon montre les „Nouveaux dieux" à l'oeuvre, il n'est pas aisé de voir s'il a encore dans l'esprit les deux catégories, s'il leur attribue à toutes deux la même tâche. Il est bien évident en tout cas que du jour où on les a opposées comme la catégorie des êtres divins supra-lunaires et des êtres infra-lunaires, il ne fut pas possible de leur maintenir à toutes deux la tâche démiurgique. En tout cas chez les Néoplatoniciens nous voyons Chalcidius identifier expressément les „Nouveaux dieux" aux astres (*Stellis*) et à eux seuls [2]). Ici encore je songerais volontiers à Xénocrate et au rôle prépondérant que les planètes jouaient dans sa théologie [3]). Cette théologie qui oppose aux dieux ouraniens les démons infralunaires a dû s'appuyer sur son exégèse du *Timée*. Ainsi celle-ci par la considération des „Nouveaux dieux" conduisait tout net — et cela sans qu'il soit nécessaire de faire aucune place ni à l'Orient ni aux Chaldéens à ce rôle qui sera dévolu aux Planètes dans la Gnose. Non seulement elle conduisait à leur attribuer une fonction démiurgique mais même ce rôle malfaisant que l'on sait. En voulant en effet décharger le démiurge de toute responsabilité dans ce qu'il y a de mal dans le monde, Platon, bien que faisant de ses „Dieux nouveaux"

---

[1]) *Comm. of The Pr. Alcibiad*, 327, 1 et suiv., p. 152 Westerink : καὶ ἡ δημιουργία τὸ ἄλογον ὑπέταξεν ἡμῖν καὶ τῷ λόγῳ ἐν ἡμῖν οἷον ὄχημα παρεσκεύασεν αὐτῷ.

[2]) *Comment*. CCI, p. 220 WASZINK: *Consequenter deinde iubet factis a se diis, id est stellis, fingere humana corpora*; CXXXIX, p. 179 W: *illi enim optimates, id est stellae, non sunt intelligibiles sed sensiles, at uero fabricator eorum intelligibilis apprime*. Pour le curieux *optimates* Cf. CXXXIX, p. 179 W.: *quid ergo dicit deus? Di deorum, quorum idem opifex paterque ego. Praeclare. Fecit enim regem optimatibus sancientem, ut lex illis data etiam ad ceteras potestates atque animas commearet* Cf. OLYMPIODORE, in *Phaed.*, p. 88, I, 7 Norvin: l'expression les „Nouveaux dieux" s'applique à τὸ πλῆθος τῶν θεῶν; leur roi est le soleil.

[3]) Cic., *de nat deor.*, I, 34; CLÉMENT D'ALEXANDRIE, *Protr.* V. 66. 2 (= frag. 17 Heinze). H. C. PUECH art. *Archontiker* dans le *Reallexikon für Antike und Christentum* t. I, 1950, col. 642, cite Xénocrate, mais non le *Timée*.

des imitateurs fidèles du démiurge [1]), bien que soulignant à l'occasion que dans le mesure du possible ils agissaient au mieux [2]), il leur donnait pourtant en dépit de tout un rôle ambigu. Ce rôle ambigu apparaissait en particulier quand ils introduisaient dans le composé humain non pas tant le corps que la partie déraisonnable de l'âme, cette partie dont le *Timée* soulignait le rôle néfaste [3]).

De là à penser que ce rôle ambigu et sacrifié était un rôle mauvais, il y avait sans doute encore un pas à franchir, mais un pas seulement. Le dualisme de Numénius, spécialement dans sa partie psychologique avec les deux âmes, raisonnable et déraisonnable [4]), considérait probablement qu'il était fidèle à Platon et Platon par une de ces expressions aux contours indécis, dont il a le secret, (θνητὸν εἶδος ψυχῆς) se prêtait à l'exégèse dans le sens de Numénius. Mais on sait aussi que dans la théorie adoptée par la Gnose, les âmes, en descendant à travers les sphères planétaires, se voient progressivement dotées des passions, source de leurs misères [5]). Le *Timée* pouvait aussi conduire à cela. Ne s'y ajoutait seulement que l'idée d'une répartition des passions entre les différentes sphères planétaires.

Mademoiselle Pétrement fait quelque part cette remarque: ,,Si nous cherchons ce qui dans la Gnose est certainement antérieur au christianisme, nous ne trouvons guère que Philon'' [6]). Il est donc essentiel d'étudier ce qu'est devenue chez lui la théorie des dieux auxiliaires du *Timée*.

Or les exégètes qui se sont attachés à étudier les intermédiaires, les

---

[1]) 41 c : μιμούμενοι τὴν ἐμήν δύναμιν (le démiurge parle) ; 42 e : μιμούμενοι τὸν σφέτερον δημιουργόν ; 69 c : οἱ δὲ μιμούμενοι.

[2]) 42 e : κατὰ δύναμιν ὅτι κάλλιστα καὶ ἄριστα τὸ θνητὸν διακυβερνᾶν ζῷον Cf. 46 c, 68 e, 71 d : Μεμνημένοι γὰρ τῆς τοῦ πατρὸς ἐπιστολῆς οἱ συστήσαντες ἡμᾶς, ὅτε τὸ θνητὸν ἐπέστελλεν γένος ὡς ἄριστον εἰς δύναμιν ποιεῖν.....

[3]) 42 a; 69 c et sq.

[4]) H. C. PUECH. *Numénius d'Apamée et les théologies orientales au second siècle* dans les *Mélanges J. Bidez* II Bruxelles p. 771 insiste sur certaines influences orientales; R. BEUTLER dans le *P.W.* Suppl. VII 1940 s.v. *Numenios* col. 674-675; H. J. KRÄMER *op. laud.* p. 73. R. BEUTLER col. 765 14 et suiv. fait le rapprochement avec le *Timée* 69. Le fragment hermétiste (ap. JAMBLIQUE *De mysteriis* VIII 6) cité par S. PÉTREMENT *op. laud.* p. 187 selon lequel l'homme a deux âmes; l'une est du premier intelligible, participant aussi de la puissance du démiurge, l'autre est mise dans le second par la révolution des corps célestes, a manifestement aussi subi l'influence du *Timée*. Fragment 16 des ,,Fragments divers'' de l'édition Nock-Festugière IV p. 114-115. Cf. le Discours sacré d'Hermès *ibid.* t. I, p. 44 et suiv.

[5]) W. BOUSSET, article *Gnosis* dans le *P.W.*, VII, (1912) col. 1520, 1.24 et suiv. — entre bien d'autres.

[6]) *Op. laud.*, p. 216.

„puissances" ou encore les anges, n'ont fait aucun écho à cela. Chez Bréhier, je le disais, chez Mll Pétrement, nous ne trouvons même absolument rien [1]). Pourtant le *De opificio Mundi*, qui par son sujet même se présente comme une sorte de réplique hébraïque du *Timée*, nous dit au paragraphe 74 et suivants: „Or il était tout à fait convenable à Dieu, père de toutes choses, de faire à lui seul les êtres vertueux, à cause de leur affinité avec lui; pour les êtres indifférents, ce n'était pas incompatible, puisqu'ils n'ont pas non plus de part au vice qu'il hait. Mais pour les mixtes, c'était en partie convenable, en partie déplacé; convenable à l'égard de l'idée meilleure qui s'y mêle, déplacé à l'égard de l'idée opposée et plus mauvaise. Aussi est-ce à propos de la seule création de l'homme que, selon Moïse, Dieu prononça cette parole: „Faisons", ce qui indique qu'il s'adjoignit d'autres artisans pour l'aider, afin que les volontés et les actions irréprochables de l'homme de bien soient imputées à Dieu, guide de l'univers, et leur contraire à d'autres de ses subordonnés. Car il fallait que le Père ne fut pas responsable du mal envers ses enfants". Les épithètes de Père [2]), de Guide (ἡγεμῶν) viennent à Dieu de Platon. (Pour „guide" j'ai établi que l'origine était le mythe du *Phèdre* et ce qui y est dit de Zeus) [3]).

Il est amusant de constater que Philon a voulu retrouver dans la *Genèse* quelque chose de comparable au discours adressé par le Démiurge aux „Nouveaux dieux". Mais ces propos tiennent en un seul mot: „Faisons". Cette singulière exégèse a tellement plu à Philon qu'il l'a exposée à nouveau dans le *De fuga et de inventione* et là il précisera que par ce mot le père de toutes choses (ὁ τῶν ὅλων πατήρ) converse avec ses „puissances" (διαλέγεται ... ταῖς ἑαυτοῦ δυνάμεσιν) [4]). Là il

---

[1]) Mlle PÉTREMENT, p. 217, suit É. BRÉHIER pour les „intermédiaires", en particulier l'opposition de la puissance créatrice ou poétique (bonté) et de la puissance royale (justice) de Dieu. Elle relève le texte selon lequel la puissance royale crée le monde sublunaire, celle de la bonté le monde supérieur. Pas un mot des συνεργοί venus du *Timée*.

[2]) En particulier *Timée* 28 c. (texte auquel ont été attachées les spéculations sur le Dieu inconnu, Cf. le livre d'A. J. Festugière et mon article *Fulvius Nobilior et le Dieu ineffable* dans la *Revue de philologie*, XXIX, 1955, p. 172 et suiv. où j'ai attiré l'attention non seulement sur le curieux fragment de l'antiquité et consul romain du IIe s. av. J.-C., mais sur CICÉRON, *De nat. deor.*, I, 30).

[3]) *Sur une exégèse hellénistique du Phèdre* dans la *Miscellanea A. Rostagni*, Turin, 1963, p. 48 et suiv.

[4]) 69, cf. *De conf. ling.* (cité plus loin) φαίνεται διαλεγόμενός τισιν ὡς ἂν συνεργοῖς αὐτοῦ. Proclus et Olympiodore parlent, sans l'avoir vu (cf. *supra*, p. 343), de δημηγορία mais aussi de διάλογος: OLYMPIODORE *loc. laud.*: ὁ Ἰάμβλιχος ὑπομνηματίζων τὸν διάλογον; et PROCLUS, *in remp.*, II, 257, 22 Kroll: ἀλλ'

précisera le rôle des „puissances" en s'inspirant des autres passages du *Timée* relatifs aux „Nouveaux dieux" 41 c-d, 42 d-e et 69 c. Les „puissances" imitent l'art du Père: cf. Platon, 41 c, et 69 c. Elles façonnent (διαπλάττειν cf. Platon, 42 de (πλάττειν) [1]). Mais Philon laisse de côté le corps, ne s'intéresse qu'à l'âme. Les „puissances" façonnent donc la partie mortelle de l'âme — mortel faisant écho à la fois à 41 c-d à 42 e-d et à 69 c. — Pour l'âme mortelle il se souvient à la fois de 42 de et de 69 c, employant le terme de partie (μέρος) là où Platon parle de εἶδος. Mais l'εἶδος même n'est pas absent de sa mémoire, car il a sans doute suggéré ce qui est dit au paragraphe 74 des deux „idées" qui se trouvent mélangées dans l'être mixte, c'est-à-dire dans l'homme. Pour le partie immortelle, il la qualifie d'ἡγεμονεῦον ἐν ψυχῇ ce qui reprend son expression de 41 c-d, qui se joignait à θεῖον pour définir ce que la démiurge semait. Il y a joint cette idée de son cru, qu'il convenait que cette partie hégémonique fût l'oeuvre de celui qui est lui-même l'*hégémon* [2]). Mais il est intéressant de constater que cette partie de l'âme est aussi appelée τὸ λογικόν comme elle le sera dans le commentaire de Proclus [3]) ce qui suggère que sur ce point, comme sur bien d'autres, les commentaires des Néoplatoniciens reprennent ceux du Platonisme moyen.

Le *De confusione linguarum* prétendra découvrir dans la *Genèse* d'autres allusions à cette pluralité d'auxiliaires divins [4]). Outre I, 26 qui sera repris, Philon mentionnera aussi *Gen.* XI, 7, où l'auteur sacré écrit: „Venez et étant descendus confondons là-bas leur langage". Il est clair, dira-t-il, que Dieu y dialogue avec des personnages qui étaient ses auxiliaires (συνεργοῖς) Et en III, 22, Dieu dit: „Adam est né comme l'un de nous par sa connaissance du bien et du mal". Puis Philon développe l'idée du pouvoir monarchique de Dieu, se référant aux vers célèbres de l'*Iliade* II 204-205, pour ajouter: „Mais Dieu a autour de lui d'innombrables puissances, qui toutes sont les défenseurs et les sauveurs de ce qui est né (τοῦ γενομένου). Parmi elles

---

οὐχὶ τὸν ἐν Τιμαίῳ (p. 41 a) δημιουργὸν πρὸς τὰς ψυχὰς διαλεγόμενον βήματος εἶπεν δεῖσθαί τινος. On voit comment Philon fait écho à sa source du Moyen Platonisme.

[1]) 68 τὸν ἄνθρωπον ὥς ἂν μετὰ συνεργῶν ἑτέρων ἐδήλωσε διαπλασθέντα . . . 69 τὸ θνητὸν ἡμῶν τῆς ψυχῆς μέρος ἔδωκε διαπλάττειν· EMILE BRÉHIER, *op. laud.* p. 82, relève que l'homme idéal est fait par Dieu (ἐποίησεν), l'homme terrestre façonné (ἔπλασεν). Il ne dit rien de nos textes si révélateurs.

[2]) 69 ἡνίκα τὸ λογικὸν ἐν ἡμῖν ἐμόρφου, δικαιῶν ὑπὸ μὲν ἡγεμονεῦον ἐν ψυχῇ, τὸ δ' ὑπήκοον πρὸς ὑπηκόων δημιουργεῖσθαι.

[3]) Cf. *supra*, p. 341, n. 4; p. 347 n. 1.

[4]) 168-169.

figurent aussi celles qui châtient [1]). L'activité de ces „puissances"
intervient dans la création du monde incorporel et intelligible qui est
le modèle de celui-ci qui est visible. Certains les ont divinisées et non
seulement dans leur ensemble, mais aussi les plus belles de leurs parties,
soleil, lune et ciel tout entier et n'ont pas rougi de les appeler dieux".
Ici Philon critiquera et s'appuiera sur une autre parole de Moïse
(*Deut.* X, 17): „Seigneur, Seigneur roi des dieux", pour souligner la
différence entre le souverain et les sujets. A travers cette critique, qui
trahit l'embarras de son monothéisme, Philon laisse transparaître la
conception dont il s'inspire encore tout en s'en écartant. Puis il sera
question du choeur des Anges, et là encore on trouverait des réminis-
cences de Platon (du *Phèdre*), mais cette fois de sa démonologie [2]).
La conclusion du tout sera encore platonicienne: Dieu est cause des
seuls biens, et absolument pas d'aucun mal (180). Le schéma général
de ces pages s'inspire de la cosmologie platonicienne.

On aura remarqé cependant le point précis, où il s'écarte de Platon:
la divinisation des astres. Sont-ils ou non identifiés aux auxiliaires?
Ceux-ci en tout cas en 179 ont un rôle qui reste celui du *De Opificio
mundi* [3]). L'intention de Dieu est définie de la même manière: „Afin
qu'à lui (Dieu) soient rapportées seulement les actions droites de
l'homme, et à d'autres, ses fautes, il n'a pas paru convenable au
gouverneur suprême de fabriquer par ses propres moyens dans une
âme douée de logos le vice qui mène au péché (κακίαν) c'est pour cela
qu'il a confié à ceux qui sont après lui l'aménagement de cette partie [4]).
Et ici Philon ajoute cette idée qu'il fallait l'opposition du volontaire
à l'involontaire pour que le tout fût achevé", idée curieuse qui rappelle
sans doute *Timée* 41 c où l'intervention des „Nouveaux dieux" est

---

[1]) J'ai du laisser de côté (pour faire bref) le problème des puissances „qui
châtient". Mais, de même que pour la δίκη (*infra* p. 355, n. 1), il y a aussi des
antécédents platoniciens.

[2]) Philon évoque τὸν στρατὸν des anges, qui suit l'ἡγεμών assimilé á un
ταξιαρχοῦντι : cf. le texte fameux du *Phèdre*, 246-247a que les commentateurs
néoplatoniciens mettent en relation avec les „*Nouveaux* dieux" du *Timée* (ἔπεται
στρατιὰ θεῶν τε καὶ δαιμόνων κατὰ ἔνδεκα μέρη κεκοσμημένη). Cf. *Sur l'exégèse
hellénistique du Phèdre*, p. 145 et également *La religion astrale de Platon à Cicéron.
Rev. ét gr.*, LXV, 1952, p. 327. La métaphore se retrouve dans le *Corpus
hermeticum*, XVI, 10 (t. II), p. 235 Nock-Festugière).

[3]) Cf. *supra* p. 349.

[4]) Προσηκόντως οὖν τὴν τούτου κατασκευήν ὁ θεὸς περιῆψε καὶ τοῖς ὑπάρχοις
αὐτοῦ λέγων „ποιήσωμεν ἄνθρωπον", ἵνα αἱ μὲν τοῦ ἀνθρώπου κατορθώσεις ἐπ᾽
αὐτὸν ἀναφέρονται μόνον, ἐπ᾽ ἄλλους δὲ αἱ ἁμαρτίαι. Θεῷ γὰρ τῷ πανηγεμόνι ἐμπρεπὲς
οὐκ ἔδοξεν εἶναι τὴν ἐπὶ κακίαν ὁδὸν ἐν ψυχῇ λογικῇ δι᾽ ἑαυτοῦ δημιουργῆσαι·
οὗ χάριν ταῖς μετ᾽ αὐτὸν ἐπέστρεψε τὴν τούτου τοῦ μέρους κατασκευήν.

ainsi justifiée: „afin qu'il y ait des choses mortelles et que ce tout que voici (πᾶν τόδε) soit réellement (ὄντως) un vrai tout (ἄπαν)". L'étude stylistique minutieuse de Philon ferait ressortir avec quelle aisance il use de ces réminiscenses platoniciennes, les fondant les unes aux autres, selon une méthode qu'il n'a pu tenir que d'une longue fréquentation non pas tant des écrits de Platon que des milieux où on les commentait dans un esprit analogue de synthèse et d'exégèse. J'ai déjà dit que deux noms, Potamon et Eudore, nous servent à situer ces milieux alexandrins [1]).

Bien que dans le *De confusione linguarum* il ait opposé l'autorité de Moïse à ceux qui considéraient le soleil, les astres et le ciel (c'est exactement l'énumération du fragment 15 de Xénocrate) comme des Dieux [2]), dans le *De Opificio mundi* il avait défini le monde comme la demeure des dieux manifestes et sensibles. C'est évidemment les dieux visibles et engendrés du *Timée* 40 d, c'est-à-dire les astres [3]). Wolfson rapproche [4]) de ce texte du *De opificio mundi*, où on trouve une sorte d'essai de conciliation entre des positions contradictoires. „Il faut croire, dit Philon, que tous les dieux que les sensations examinent dans le ciel ne sont point des dieux souverains (αὐτοκρατεῖς) mais qu'ils ont reçu le rang de sujets; par nature ils sont exposés à rendre des comptes, mais en raison de leur vertu, ils ne seront pas obligés d'en rendre". Mais ensuite Philon applique aux astres une comparaison. Ils jouent le rôle des archontes dans une cité [5]). Le mot a frappé M. Heinrich Gundel qui rapproche l'expression de l'emploi dans le gnosticisme pour qualifier les sept planètes: il en verrait là le premier exemple [6]). Faut-il penser que Philon ferait écho aux Chaldéens ou à

---

[1]) *Études philoniennes*, p. 79 Cf. aussi *Philon d'Alexandrie* Rev. ét. gr., 72, 1959, p. 379 (à propos de J. DANIÉLOU, *Philon d'Alexandrie*, Paris, 1957).

[2]) Cf. *supra* p. 343, n. 4 (frag. 15 Heinze) à compléter par p. 347, n. 3 (frag. 17 Heinze).

[3]) *Études philoniennes*, p. 106.

[4]) H. A. WOLFSON, *Philo* I, 1947, p. 173.

[5]) *De spec. leg.*, I, 13 : Μωυσεῖ δ'ὁ κόσμος ἔδοξεν εἶναι καὶ γενητὸς καὶ καθάπερ πόλις ἡ μεγίστη, ἄρχοντας ἔχουσα καὶ ὑπηκόους, ἄρχοντας μὲν τοὺς ἐν οὐρανῷ πάντας ὅσοι πλάνητες καὶ ἀπλανεῖς ἀστέρες ὑπηκόους δὲ τὰς μετὰ σελήνην ἐν ἀέρι καὶ περιγείους φύσεις. La division des ἄρχοντες célestes et des ὑπήκόοι infralunaires correspond évidemment à la répartition entre dieux et démons déjà rappelée plus haut et remontant, selon nous, à Xénocrate.

[6]) Dans le *P.W.* XX, 2, 1950, art. *Planeten*, col. 2122, 17 et suiv. („Dieses Schlagwort dürfte seinen Vorläufer haben bei Philo. . ."). Sur les archontes, cf. W. BOUSSET, *ibid.* VII, (1912) art. *Gnosis*, col. 1510 et suiv.; art. *Gnostiker*, col. 1536, 50 et suiv.; ROBERT M. GRANT, *La gnose et les origines chrétiennes*, Paris, 1964, p. 56-57. Il y avait même une secte des „archontiques", sur laquelle voir H. C. PUECH, art. cité, *supra*, p. 347, n. 3.

des gnostiques qui lui seraient antérieurs? Certains seront tentés de le croire. Pourtant ici encore tout vient de Platon. Je notais déjà au passage le verbre ἄρχειν qui, dans le *Timée*, est appliqué aux „Nouveaux dieux" [1]), mais il faut songer aussi à d'autres dialogues que les commentateurs, en vertu de la méthode sur laquelle j'ai insisté, ne pouvaient manquer, et n'ont pas manqué, de rapprocher. Platon emploie deux fois le mot ἄρχοντες appliqué aux Dieux secondaires dans des dialogues qui, nous le voyons par les Néoplatoniciens, ont grandement été utilisés dans la théologie et dans la morale de l'Ecole. Le premier est dans le *Politique*. Nous y trouvons en effet la succession en trois points: Dieu suprême — Dieux subordonnés — Démons. Dieu veillait sur le mouvement circulaire de l'ensemble. Puis venaient des dieux gouverneurs (θεῶν ἀρχόντων) entre qui étaient réparties toutes les parties du monde, enfin les démons veillaient comme des pasteurs divins sur les êtres animés répartis en races et troupeaux [2]). Ce texte fécond n'a pas seulement donné naissance aux archontes, mais aussi „aux troupeaux des démons", expression que nous retrouvons à satiété dans la littérature postérieure [3]). Ce n'est pas simple suggestion de ma part, cela résulte formellement d'un texte du commentaire du *Premier Alcibiade* de Proclus [4]). Proclus critique ceux qui, comme Amélius, font de certains des dieux des démons, par exemple les planètes. Il faut suivre Platon qui dit que les dieux sont les archontes de tout et qui leur subordonne les troupes des démons. Suit par là-dessus un rappel du *Banquet* [5]).

A ce texte du *Politique* les exégètes pouvaient en joindre un autre

---

[1]) *Supra*, p. 346 n. 3 (*Timée*, 69 c).

[2]) *Politique*, 270 d : Τότε γὰρ αὐτῆς πρῶτον τῆς κυκλήσεως ἦρχεν ἐπιμελούμενος ὅλης ὁ θεὸς ὡς νῦν <καὶ> κατὰ τόπους ταὐτὸν τοῦτο, ὑπὸ θεῶν ἀρχόντων πάντ' ἦν τὰ τοῦ κόσμου μέρη διειλημμένα καὶ δὴ καὶ τὰ ζῷα κατὰ γένη καὶ ἀγέλας οἷον νομῆς θεῖοι διειλήφεσαν δαίμονες . . . .

[3]) J. BIDEZ et F. CUMONT, *Les Mages Hellénisés*, Bruxelles, 1938, t. II, p. 283 signalent le nom d'ἀγέλαι donné aux sphères astrales, le nom d'ἀγελεία donné à l'Heptade, et l'attribuent aux Babyloniens, Astanée, Zoroastre. Mais ἀγέλαι est très souvent appliqué aux démons.

[4]) 70, 10-15, éd. Westerink, p. 31 : ἀλλὰ οὐδὲ ἐκείνους ἐπαινέσομεν ὅσοι τῶν θεῶν τινας δαίμονας ποιοῦσιν, οἷον τοὺς πλανωμένους, καθάπερ 'Αμέλιος, ἀλλὰ πεισόμεθα τῷ Πλάτωνι τῷ τοὺς μὲν θεοὺς ἄρχοντας λέγοντι τοῦ παντός, ὑποτάττοντι δὲ αὐτοῖς τὰς τῶν δαιμόνων ἀγέλας. La référence au *Politique* pour n'est pas moins évidente dans *In Tim.* I, 152, 15 et suiv. Diehl, (Cf. 154, 10) ou encore à propos de *Timée*, 42 d dans *In Tim.* III, 260, 17 : καὶ κατ' ἀγέλας ἄλλαις (aux âmes) ἄλλους ἐφίστησιν ἡγεμόνας. Les Dieux cosmiques (*id est* : les astres) sont eux-mêmes ἀγελάρχαι (III, 308, 24 et suiv., cf. I, 154, 25)

[5]) *Banquet*, 202 d e.

tiré des *Lois* dans une page [1]) qui a eu, elle aussi, un très grand succès
et d'où dérive une autre expression à succès de la phraséologie
néoplatonicienne, celle de l'ἔσχατος μερισμός [2]). Platon veut y
montrer que l'action de la Providence s'exerce jusqu'au plus bas de
l'univers, jusqu'au dernier degré de la division. Il y a des archontes
qui sont préposés à chacune des parties. L'acte des archontes vient
ainsi, ici ,après celui qui „s'occupe du tout". Il n'est pas question
cette fois de démons qui leur seraient subordonnés. Mais il était aisé
à des exégètes désireux de systématiser Platon, de rappeler que Platon
montre les dieux exerçant à partir d'un certain étage de l'univers
leur décision à l'aide des démons. Et de fait Proclus fonde dans un
même développement les lois εἱμαρμένοι [3]) du *Timée* et l'acte du
Dieu poussé, grâce aux dieux *célestes*, jusqu'aux ἔσχατα.

Il est donc certain, je crois, grâce à Philon, que c'est à Platon que
remonte le rôle dévolu aux archontes planétaires par la gnose et qu'il
n'y a pas à chercher plus longtemps du côté de l'Iran, comme Darmesteter [4]) ou du côté de Babylone, comme Bousset [5]). Mais ce rôle
qui est positif chez Platon, qui se fait dans toute la mesure du possible
pour le bien, devient, on le sait, marqué dans la gnose d'un signe
négatif. Le Dieu suprême se dédouble. Le Dieu inconnu est le Dieu
bon, mais il reste inactif. C'est un Dieu créateur qui est responsable
de la création, et ce démiurge est considéré par Marcion comme le
Dieu juste [6]). Je relèverai en passant que cette idée restrictive et

---

[1]) *Lois*, X, 903 b-905 d. Ce mythe n'a pas eu moins d'importance que ceux, plus
connus, du *Gorgias*, du *Phédon*, du *Phèdre* et de la *République*.

[2]) P. ex PROCLUS. *in remp.*, I, 92, 13 Kroll (Kroll ne cite pas les *Lois* : OLYMPIO-
DORE *in Phaed.* 83, 13 Norvin (lié au mythe dionysiaque de Dionysos déchiré); *ibid.*,
111, 9. PROCLUS, *in remp.*, II 271, 17 et suiv. Kroll renvoie expressement aux
Lois. Proclus fond le *Timée* (en parlant de Zeus qu'il identifie au démiurge, cf.
sur cette identification *supra* p. 343, n. 7) et les *Lois* dans ce texte, significatif,
in Tim., I, 315, 19 n. Diehl : καὶ τοὺς εἱμαρμένους νόμους ἐκφαίνοντα καὶ πάσας
τάξεις τῶν ἐγκοσμίων θεῶν καὶ ζῷα ὑφιστάντα πάντα μέχρι καὶ τῶν ἐσχάτων, τὰ
μὲν παρ' αὐτοῦ μόνου γεννώμενα, τὰ δὲ διὰ μέσων τῶν οὐρανίων θεῶν.

[2]) X, 903 b : Πείθωμεν τὸν νεανίαν τοῖς λόγοις ὡς τῷ τοῦ πάντος ἐπιμελουμένῳ
πρὸς τὴν σωτηρίαν καὶ ἀρετὴν τοῦ ὅλου πάντ' ἐστὶ συντεταγμένα, ὃν καὶ τὸ μέρος
εἰς δύναμιν ἕκαστον τὸ προσῆκον πάσχει καὶ ποιεῖ. Τούτοις δ' εἰσὶν ἄρχοντες
προστεταγμένοι ἑκάστοις ἐπὶ τὸ σμικρότατον ἀεὶ πάθης καὶ πράξεως εἰς μερισμὸν
τὸν ἔσχατον <τὸ> τέλος ἀπειργασμένοι.

[4]) Cité par J. BIDEZ et F. CUMONT, *op. laud*, I, p. 31, n. 1. Darmesteter songeait
aux Amshaspands.

[5]) Art. *Gnosis*, dans *P.W.*, VII (1912), col. 1517, 25 et suiv.

[6]) P. ex. ROBERT M. GRANT, *op. laud*, p. 102, 111. Voir aussi S. PÉTREMENT,
op. laud., p. 116. Origine polémique contre cette distinction, cf. KRAEMER, *op.
laud.*, p. 290 n. 386.

presque péjorative de la justice a elle aussi ses antécédents dans le *Timée* et les *Lois* [1]). Mais je ne veux pas m'engager sur un chemin de traverse. Le Dieu juste de Marcion est ailleurs le Dieu de la *Genèse*, Jehovah, considéré comme un dieu mauvais [2]), et les archontes exécutant ses desseins sont eux aussi mauvais [3]). Ce signe négatif est assurément ce qu'il y a de plus original dans le gnosticisme. Mais il affecte en quelque sorte une structure qui, elle, est toute entière préfigurée dans Platon [4]).

Qui plus est, il y a aussi dans Platon quelque chose qui prépare ce signe négatif. Le démiurge, qui est le dieu bon, s'arrête à un certain moment dans sa création. Platon signale cet arrêt par des expressions que la gnose ne désavouerait pas pour son Dieu inconnu: „Et lui, ayant ordonnancé tout cela, resta immobile dans les dispositions qui lui sont propres selon son caractère" [5]). Proclus comparera cette attitude du démiurge au sommeil de Zeus dans l'*Iliade* [6]). S'il s'arrête, c'est parce qu'il ne veut pas prendre la responsabilité de ce qui va suivre, c'est-à-dire de ce qu'il y aura d'imparfait dans la création. Il aura dans l'homme créé seulement la partie raisonnable de l'âme. Il appartiendra aux auxiliaires de créer la partie déraisonnable. Or, il s'ensuivra sans doute que l'homme sera libre, mais cette liberté ne s'acquerra qu'en triomphant des passions dont la responsabilité, à bien considérer les choses, remonte aux „Nouveaux dieux", c'est à-dire aux Dieux astraux. Il y a là incontestablement un dualisme psychologique, qui annonce celui de Numénius, et ce dualisme a son

---

[1]) P. ex. *Timée*, 41 c τῶν ἀεὶ δίκη καὶ ὑμῖν ἐθελόντων ἔπεσθαι, (où il était tentant de donner une majuscule à Diké. Cf. la Diké que j'ai signalée chez Xénocrate par une correction qu'on a souvent adoptée (H. J. KRAEMER, *op. laud.*, p. 36); *Lois*, IV, et X, 904 c). Voir *Xénocrate et les orphiques*, p. 229.

[2]) Cf. GRANT, *op. laud.*, p. 52-55.

[3]) GRANT, *ibid.*, p. 56-57, 46-49.

[4]) La difficulté soulignée par S. PÉTREMENT, *op. laud*, p. 153: „Les dieux planétaires des Babyloniens étaient des dieux bons. Comment les retrouve-t-on dans la gnose sous l'aspect de puissances mauvaises, ou du moins aveugles et inexorables, qui s'opposent à la délivrance?" est résolue par le fait qu'il s'agit en fait bien plus des „Nouveaux dieux" du *Timée* que des „dieux planétaires des Babyloniens".

[5]) 42 e: Καὶ ὁ μὲν δὴ ἅπαντα ταῦτα διατάξας ἔμενεν ἐν τῷ ἑαυτοῦ κατὰ τρόπον ἤθει, μένοντος δὲ νοήσαντες οἱ παῖδες κτλ.

[6]) *In remp.*, II, 135, 22 et suiv. Kroll: 'Αλλ' ὥσπερ ὁ Τίμαιος τότε μὲν ἐνεργοῦντα παραδίδωσι τὸν τῶν ὅλων δημιουργὸν ... τότε δὲ ἐν τῷ ἑαυτοῦ κατὰ τρόπον ἤθει μένοντα καὶ ἀφ' ὅλων ἐξῃρημένον τῶν εἰς τὸ πᾶν ἐνεργούντων (an <θεῶν>? ego, cfr. 127, ll. 9-10), οὕτω δὴ πολὺ πρότερον οἱ μῦθοι (d'Homère) τοτὲ μὲν ἐγρηγορότα τὸν πατέρα τῶν ἐγκοσμίων πάντων, τοτὲ δὲ καθεύδοντα πρὸς ἔνδειξιν τῆς διττῆς ζωῆς παραλαμβάνουσιν.

explication dans la genèse même du cosmos. Comment l'homme qui ressent en lui douloureusement ce dualisme, qui plie sous le poids écrasant des passions, ne serait-il pas tenté de s'en prendre à ceux auxquels il doit cette partie mauvaise de sa nature? Il était fatal que ce rôle, dont j'ai dit qu'il était ambigu, fût considéré comme mauvais.

Je me rends parfaitement compte qu'il y a place aux origines de la gnose pour toute une série d'autres facteurs et je dis encore mon incompétence. Mais il est, je crois, grâce à Philon et à ses emprunts au *Timée*, historiquement certain, qu'il y a des ,,nouveaux dieux'' de ce dialogue aux archontes du gnosticisme une parenté profonde, que ceux-ci sont dans une large mesure nés de ceux-là et que le nom même d'archontes, qui ne figure pas comme tel dans le *Timée*, vient pourtant lui aussi de Platon.

LO GNOSTICISMO
E FILONE ALESSANDRINO

ÉLÉMENTS GNOSTIQUES CHEZ PHILON

PAR

MARCEL SIMON

Pour qui s'interroge sur les relations possibles entre la pensée de Philon et la pensée gnostique, un coup d'oeil sur la littérature philonienne récente s'avère des plus instructifs. Tandis que Bréhier, notant que ,,Philon n'a pas pris comme point de départ la philosophie grecque, mais cette théologie alexandrine qui devait produire les systèmes gnostiques et la littérature hermétique'' [1]), semble admettre tacitement une certaine parenté entre le penseur judéo-alexandrin et la gnose, Goodenough, tout en rappelant ,,les nombreuses analogies entre Philon et les formulations gnostiques et néoplatoniciennes'' [2]), n'en souligne pas moins que Philon ,,ne pouvait nourrir aucune sympathie pour cette parodie de philosophie, ce type de présentation mythologique auquel nous donnons le nom collectif de gnosticisme'' [3]). Et par ailleurs on cherche en vain dans l'index de l'ouvrage classique de Wolfson sur Philon les mots de gnose et de gnosticisme, tandis que pour Hans Jonas la pensée philonienne représente la première forme de la gnose [4]). Gnosticisant? Pré-gnostique? Ou sans rapport aucun avec la gnose? La réponse dépend largement de la définition que l'on retiendra de la gnose et du gnosticisme, et de ce qu'on pensera de leurs origines historiques. Sans aborder de front des problèmes si passionnément débattus et sur lesquels le présent colloque apportera sans doute quelque lumière, je prendrai comme terme de

---

[1]) E. Bréhier, *Les Idées philosophiques et religieuses de Philon d'Alexandrie*, 2ème éd., Paris, 1925, p. 317. Les éléments gnostiques de la pensée de Philon, tels que Bréhier les voit, sont brièvement résumés par S. Pétrement, *Le Dualisme chez Platon, les Gnostiques et les Manichéens*, Paris, 1947, pp. 217-219.

[2]) E. R. Goodenough, *An Introduction to Philo Judaeus*, 2ème éd., Oxford, 1962, p. 17.

[3]) *By Light, Light, The Mystic Gospel of Hellenistic Judaism*, New Haven 1935, p. 119.

[4]) H. Jonas, *Gnosis und spätantiker Geist*, II, I, Göttingen, 1954, pp. 70-121. C'est, à ma connaissance, l'un des seuls ouvrages récents sur la gnose qui fasse une place relativement importante à Philon, en se limitant d'ailleurs au problème de la connaissance de Dieu, théorique et mystique: cf. *Quod Deus immut.*, 142: ἡ τελεία ὁδός . . . τὸ δὲ τέρμα τῆς ὁδοῦ γνῶσίς ἐστι καὶ ἐπιστήμη θεοῦ. Cf. aussi R. McL. Wilson, *The Gnostic Problem*, London, 1958, pp. 30-63.

référence implicite le gnosticisme sous sa forme classique, telle qu'elle
nous apparaît dans les grands systèmes du IIème siècle et dont la
typologie a été récemment analysée par divers auteurs [1]).

A y regarder de plus près, la question qui nous occupe peut se
subdiviser en deux. Y a-t-il dans l'oeuvre de Philon des indications
relatives à tel courant de pensée judéo-alexandrin, mais non philonien,
que l'on pourrait déjà qualifier de gnostique? Et d'autre part, et
surtout, la pensée de Philon lui-même offre-t-elle des aspects gnostiques ou gnosticisants? Il est à peine besoin de préciser que je ne peux
faire plus, d'un côté comme de l'autre, qu'essayer de dégager quelques
traits. En ce qui concerne la seconde question en particulier, je me
bornerai à quelques remarques sur le seul problème des relations entre
Dieu d'une part, le monde et l'homme d'autre part.

A la première, une réponse résolument affirmative a été donnée par
M. Friedländer, *Der vorchristliche jüdische Gnosticismus*, Göttingen,
1898 [2]). L'auteur s'appuie essentiellement sur le passage fameux où
Philon critique et réfute les extrémistes de l'allégorisme, qui rejettent
le sens littéral de la Loi et s'estiment libres de ne pas la pratiquer [3]).
Wolfson n'a pas eu de peine à démontrer qu'il s'agissait là d'une tendance au sein de la communauté juive d'Alexandrie et non pas d'un
groupement séparé, d'une secte à proprement parler [4]). Rien par
ailleurs, dans le texte, n'autorise ou même n'invite à considérer ces
allégoristes comme des gnostiques ou des pré-gnostiques. La Loi
rituelle est seule, selon toute apparence, en question: nos allégoristes
ne sont pas des libertins. Par ailleurs, les grands docteurs gnostiques
n'allégorisent guère l'Ancien Testament et ses prescriptions. C'est
parce qu'ils les entendent à la lettre que souvent ils y reconnaissent
l'oeuvre d'un Dieu subalterne. L'exemple de Marcion, qui répudie
toute allégorie, est à cet égard particulièrement clair. La lettre de
Ptolémée à Flora, il est vrai, attache aux préceptes rituels une signification symbolique. Mais la discrimination qu'elle opère à l'intérieur

---

[1]) Références bibliographiques dans U. BIANCHI, *Le problème des origines du
gnosticisme et l'histoire des religions*, in *Numen*, XII, 3 (1965), p. 175, n. 31. Bilan de la
recherche philonienne moderne (jusqu'en 1954) dans H. THYEN, *Die Probleme der
neueren Philo-Forschung*, in *Theologische Rundschau, Neue Folge*, 23 (1955), pp. 230-246.
[2]) Cf., du même auteur, *Geschichte der jüdischen Apologetik als Vorgeschichte des
Christentums*, Göttingen, 1903, et *Die religiösen Bewegungen innerhalb des Judentums im
Zeitalter Jesu*, Berlin, 1905.
[3]) *De migr. Abrah.*, 89-90.
[4]) H. A. WOLFSON, *Philo*, I, Cambridge (Mass.), 1948, pp. 66-71.

de la Loi entre les commandements d'origine divine, bien que promulgués par un dieu subalterne, ceux dont Moïse est l'auteur et ceux qu'ont imaginés les Anciens du peuple n'en repose pas moins, pour l'essentiel, sur une exégèse littérale [1]). Les hyperallégoristes de Philon annoncent l'Epître de Barnabé plutôt que la lettre de Ptolémée qui peut être tenue, *cum grano salis*, pour le premier spécimen d'une exégèse critique, expliquant par des sources ou des strates rédactionnelles différentes les divergences ou contradictions qu'elle pense pouvoir noter dans un texte biblique. Lorsque les gnostiques „allégorisent", c'est généralement en un sens tout-à-fait différent, que Hans Jonas a bien mis en lumière sur les exemples d'Eve et du serpent, et de Caïn [2]). L'allégorie, ici, consiste à renverser le système de valeurs qui s'exprime dans le texte biblique. Le sens profond auquel on arrive ainsi trouve le bien là où le texte voyait et présentait le mal. Il contredit non seulement le sens littéral — ce que l'allégorie juive ne fait pas — mais aussi l'interprétation allégorique qu'une exégèse, juive ou chrétienne, attachée aux valeurs morales traditionnelles peut y ajouter.

Il n'y a rien de tel, apparemment, chez les allégoristes que critique Philon. Rien non plus, dans ce qu'il dit de Caïn ou du serpent, qui autorise à y voir, avec Friedländer, une allusion à des sectes, Caïnites ou Ophites, pré-chrétiennes. Il se tient, à propos de Caïn, dans les limites d'une allégorie très générale [3]). Caïn est l'ancêtre de ceux qui, comme Protagoras, disent que l'esprit humain est la mesure de toutes choses [4]). Pareille attitude entraîne immanquablement, aux yeux de Philon, le mépris et la violation des normes les plus sacrées de la morale. C'est un fait que les Caïnites, tels que les décrivent les hérésiologues chrétiens [5]), se caractérisaient par une vie licencieuse. Mais les développements que Philon consacre à Caïn, prototype des révoltés, ne le présentent jamais comme l'objet d'un culte, ce qu'il était effectivement pour la secte qui se réclamait de lui et qui reconnaissait en lui une Dynamis divine. Et lorsqu'il signale que, non contents d'élever pour eux-mêmes les cités du mal, ceux qui suivent

---

[1]) Sur les caractères particuliers de l'allégorie appliquée à la Loi par Ptolémée et l'école valentinienne, cf. l'introduction de G. QUISPEL à son édition de la *Lettre à Flora (Sources Chrétiennes)*, Paris, 1949, pp. 33 ss.

[2]) H. JONAS, *op. cit.*, I, Göttingen, 1934, pp. 216 ss; *The Gnostic Religion*, Boston, 1958, pp. 91 ss.

[3]) *De Sacr.*, 1, 2; *de Poster. Caini*, 15, 52; 16, 54; *quod det. pot.*, 12, 38-40.

[4]) *De Poster. Caini*, 11, 35.

[5]) IRÉNÉE, I, 31, 2; EPIPHANE, 37.

Caïn obligent les pieux Israélites à en faire autant, le passage, appuyé
sur *Exode*, I, 11, signifie simplement que les Juifs eux aussi sont
exposés à la contagion de la *hybris* païenne et d'une idéologie que l'on
dirait aujourd'hui humaniste, génératrice pour Philon de tous les
vices. Quant aux groupements ophites, il n'est certes pas impossible
que leur origine soit antérieure au christianisme. Mais ici encore
Philon n'est d'aucun secours. Il n'y a pas, dans les passages qu'il
consacre à la tentation d'Eve, le moindre indice permettant de supposer
qu'il pense à une situation concrète précise et attaque une ou plusieurs
sectes d'adorateurs du serpent [1]).

On serait tenté, à première vue, d'être moins catégorique en ce qui
concerne une autre secte mentionnée par les Pères, et que Friedländer
pense être elle aussi pré-chrétienne, celle des Melchisédéciens [2]).
Philon consacre un long passage à Melchisédech [3]). Il reconnaît en
lui ,,le Logos Prêtre, ayant l'Etre comme héritage''; et il explique
comme suit l'appellation de Prêtre du Très Haut conférée par la Bible
(*Gen.* 14, 18) à ce personnage: ,,Non pas qu'il y ait un autre dieu qui
ne soit pas le Très Haut — Dieu, étant unique, ,,est en haut dans le
ciel et en bas sur la terre, et il n'y en a pas d'autre en dehors de lui''
(*Deut.* 4, 39) — mais le fait qu'il a sur Dieu non des pensées basses et
terre à terre, mais très grandes, très en dessus de la matière et très
élevées est le motif de cette expression: le Très Haut'' (*Leg. Alleg.*,
3, 82). Si Philon prend soin de donner cette précision, c'est peut-être
qu'autour de lui des exégètes trop minutieux faisaient effectivement le
contresens qu'il veut prévenir. La remarque, à coup sûr, s'appliquerait
à un système dualiste de type gnostique, distinguant entre le Dieu
suprême et quelque Démiurge, mieux qu'au polythéisme vulgaire:
car dans ce cas on attendrait ,,d'autres'' plutôt que ,,un autre''. Il
reste qu'elle est faite en passant, et sans beaucoup d'insistance. Il
reste aussi que Philon n'hésite pas à intégrer Melchisédech — et à
quel rang! — dans sa propre théologie. L'aurait-il fait avec cette
aisance, et sans plus d'explications, si déjà autour de lui il s'était
trouvé des Juifs dissidents pour exalter le prêtre-roi aux dépens même
du monothéisme traditionnel? Il n'y a pas, dans le passage qu'il lui
consacre, l'ombre d'une polémique contre des sectateurs de Melchisédech, pas plus qu'il n'y en a dans les développements fameux de

---

[1]) *Leg. alleg.*, 2, 71-78; *de opif.*, 156-163.
[2]) *Op. cit.* et aussi *La secte juive des Melchisédéciens et l'Epître aux Hébreux*, in
Revue des Etudes Juives, 1882, V. pp. I ss., 188 ss., VI, pp. 187 ss.
[3]) *Leg. alleg.*, 3, 79-82.

l'Epître aux Hébreux sur le même personnage. Il est très vraisemblable que la secte ultérieure des Melchisédéciens a utilisé l'Epître comme son principal point d'appui. Elle ne semble pas, du reste, être proprement dualiste et distinguer deux dieux. Elle se contente de hausser Melchisédech au dessus du Christ. Si on veut lui chercher des antécédents pré-chrétiens, on les trouvera plus facilement chez Philon lui-même, dans son identification de Melchisédech au Logos, que dans un groupement juif dissident dont rien, chez Philon ou ailleurs, ne permet d'affirmer l'existence. Nous sommes ainsi amenés à notre seconde question: y a-t-il dans la pensée de Philon lui-même des éléments qu'on puisse qualifier de gnostiques?

Il faut noter d'emblée les limites du ,,gnosticisme" philonien. Elles sont données très clairement dans le récit biblique de la création et dans cette affirmation qui le ponctue comme un refrain: ,,et Dieu vit que cela était bon". La théodicée, la cosmologie et l'anthropologie de Philon s'agencent autour de cette vérité fondamentale qui, transposée en langage philosophique, s'exprime mainte fois dans son oeuvre. ,,Si l'on veut scruter la cause par laquelle cet univers a été fait, il me semble que l'on ne manquerait pas le but en disant ce qu'a dit un ancien (Platon, *Timée*, 29e) que le Père et le Créateur est bon. C'est grâce à cette bonté qu'il ne refuse pas l'excellence de sa propre nature à une substance qui n'avait rien de beau par elle-même, mais qui pouvait tout devenir" (*De opif.*, 21). Et encore: ,,A ceux qui cherchent le principe de la création, on pourrait très justement répondre que c'est la bonté et la grâce de Dieu qu'il a répandues gracieusement sur la race qui vient après lui; car tout ce qui est dans le monde et le monde lui-même est un don, un bienfait, une faveur de Dieu" (*Leg. alleg.*, 3, 78). Le monde, étant au même titre que le Logos, fils de Dieu, accomplit avec lui le service divin (συλλειτούργη) [1]. Un Dieu unique, qui est tout à la fois créateur et bon, dont la bonté se manifeste dans la création et qui communique à l'univers sensible comme un reflet de sa propre perfection, voilà qui semble exclure tout dualisme pessimiste.

Philon est cependant amené constamment, du simple fait qu'il combine et amalgame les doctrines bibliques avec des données philosophiques qui leur sont étrangères, à retoucher la belle rigueur de ce schéma. Il y arrive par des voies diverses, dont les spéculations hypostatiques représentent la plus connue. Déjà dans le premier

---

[1] *De mon.*, 2, 6, 227, cf. Bréhier, *op. cit.*, p. 170.

passage que je viens de citer, il affirme que „c'est une puissance
également qui crée le monde, une puissance qui a comme source le
bien réel" (*De opif.*, 21). Il faut, à coup sûr, ne pas oublier que pour
Philon les Puissances ne sont pas des réalités indépendantes, mais
qu'au contraire elles sont fondamentalement unes dans le Logos,
„lieu" (τόπος) des Idées, pensée de Dieu, principe et instrument de la
création [1]. De même, à propos des éléments qui régissent l'univers
matériel, il rappelle que le soleil, la lune et les autres astres ne sont pas
des dieux indépendants et souverains (αὐτοκράτορες) mais des
archontes. Ils gouvernent bien, comme leurs sujets, les êtres du monde
sublunaire, mais sans disposer du pouvoir souverain: ils ne sont que
les lieutenants du Père unique de toutes choses [2]. Il réfute ainsi tout
à la fois le polythéisme vulgaire, en remettant à leur vraie place, celle
de subalternes, les puissances astrales divinisées, et des theories du
type gnostique qui mettraient la volonté de ces puissances en opposition avec celle du Maître souverain de l'univers.

L'intervention de Puissances hypostasiées n'en amène pas moins
Philon à compromettre parfois l'unité de la création et l'unicité de
Dieu. Déjà l'analyse qu'il donne des noms divins est à cet égard
révélatrice. Le terme de *Kyrios*, qui dans la Septante traduit Jahveh,
se rapporte à l'activité de Dieu comme créateur et juge, tandis que
celui de *Theos*, équivalent de Elohim, se rapporte à sa bonté et à sa
miséricorde [3]. De ce qui n'est encore ici que deux aspects d'un seul
et même Dieu, Cerdon et Marcion, s'appuyant en particulier sur ces
différences de terminologie, feront deux dieux, le juste Démiurge de
l'Ancien Testament et le Père de bonté révélé par le Christ. La distinction philonienne entre Dieu et le Logos — désigné parfois, lui aussi,
comme Dieu (θεός, sans article) [4] va dans le même sens, en particulier
lorsqu'on nous dit que le Logos est „notre Dieu, à nous êtres imparfaits, tandis que pour les sages et les parfaits, c'est le premier Etre" [5].
Sans doute, Philon, se place ici sur le plan de la connaissance et de la
piété: selon qu'ils sont plus ou moins avancés en perfection, les hom-

---

[1] J. DANIÉLOU, *Philon d'Alexandrie*, Paris, 1958, pp. 153 ss.; cf. GOODENOUGH
An Introduction . . ., p. 110.
[2] *De spec. leg.*, 1, 3, 13. Sur les „archontes" gnostiques, puissances célestes
hostiles à Dieu, R. M. GRANT, *Gnosticism and Early Christianity*, New York, 1959,
pp. 62 ss.
[3] R. M. GRANT, *op. cit.*, p. 125 et *Notes on Gnosis*, in *Vigiliae Christianae* XI
(1957), pp. 145-147.
[4] *De somn.*, I, 39, 229, cf. DANIÉLOU, *op. cit.*, p. 156.
[5] *Leg. alleg.*, 3, 207.

mes réussiront à appréhender soit le seul Logos, soit l'Etre premier. Il ne songe pas à transposer cette distinction sur le plan de la cosmologie, en répartissant la création de l'univers entre ces deux Dieux. Il ne saurait le faire sans contradiction, puisqu'aussi bien le Logos est „le principe de la création entière, intelligible et sensible. . ., l'instrument par lequel Dieu accomplit la création" [1]).

Mais, sans parler même des résonances gnostiques de cette classification des hommes en parfaits et imparfaits en fonction de leur inégale connaissance de Dieu, on doit noter que Philon a néanmoins opéré, dans un autre contexte, cette dichotomie, ou plus exactement une trichotomie à l'intérieur de la création et de l'Etre créateur: „C'est l'Etre suprême qui a créé le monde intelligible; la puissance poétique a créé le ciel composé de la quintessence; enfin la puissance royale se réserve le monde sublunaire caractérisé par les changements". En résumant ainsi un passage des *Quaest. in Gen.*, 4, 8, Bréhier note fort justement qu'il y a dans ce curieux texte „une ébauche du démiurge des systèmes gnostiques postérieurs" [2]).

On entrevoit, derrière ces distinctions, le problème fondamental de la matière et du mal. C'est à lui donner une réponse que tend la diversité des systèmes gnostiques, avec leurs doctrines des émanations. La vue philonienne d'un univers étagé et d'une pyramide des puissances leur apparaît à bien des égards apparentée. La différence essentielle entre Philon et les gnoses concernerait peut-être, à ce propos, le point où s'insère la chute et avec elle l'intervention du mal. Pour les gnostiques, elle est généralement donnée dans la création même du monde matériel et dans „l'incarnation" de l'homme. Pour Philon, elle ne devrait être que consécutive à l'une et à l'autre qui sont en soi, étant, directement ou par puissance interposée, l'oeuvre de Dieu, des actes bons. Entre l'Etre premier et le Kosmos, même dans son aspect matériel, il y a des intermédiaires et une évidente dégradation, mais non pas solution de continuité ou rupture. Dieu n'est pas étranger au Kosmos. Le monde intelligible des archétypes est le modèle du

---

[1]) DANIÉLOU, *cp. cit.*, p. 156.
[2]) *Op. cit.*, pp. 150-151. Sur la relation précise des Puissances entre elles, avec le Logos et avec Dieu, cf. WOLFSON, *op. cit.*, II, index des sujets s.v. „Powers"; Z. WERBLOWSKY, *Philo and the Zohar* (Part II), in *Journal of Jewish Studies*, X (1959), p. 133: la Puissance créatrice et la Puissance royale sont si proches de „Celui qui Est" que le Père de l'univers se manifeste souvent comme une triade. Mais Abraham qui, à Mambré, l'avait vu tout d'abord ainsi, fut capable ensuite de l'appréhender directement dans son unicité, indépendamment des Puissances: *Quaest. in Gen.*, 4 2, et 4.

monde sensible, le monde sensible est le reflet du monde intelligible, et non pas son contraire. L'un et l'autre sont, comme le Logos, fils de Dieu [1]).

La pensée philonienne connaît cependant, à cet égard, bien des hésitations, voire des inconséquences et des contradictions. Elles se manifestent surtout à propos de l'anthropologie. C'est là, plus encore que dans la cosmologie, qu'apparaissent les affinités gnostiques de Philon. La distinction qu'il fait entre l'homme céleste et l'homme terrestre est bien connue [2]). Elle repose sur les deux récits que la Bible (*Gen.* 1, 26 ss. et *Gen.* 2, 7) donne de la création de l'homme: le premier se rapporte à l'homme céleste, le second à l'homme terrestre. „L'homme céleste en tant que né à l'image de Dieu, n'a pas de part à une substance corruptible et en un mot pareille à la terre; l'homme terrestre est issu d'une matière éparse, qu'il a appelée une motte: aussi dit-il que l'homme céleste a été non pas façonné, mais frappé à l'image de Dieu et que l'homme terrestre est un être façonné, mais non pas engendré par l'artisan" (*Leg. alleg.*, I, 31). „L'homme né à l'image de Dieu, c'est une idée, un genre, ou un sceau; il est intelligible, incorporel, ni mâle ni femelle, incorruptible de nature. Quant à l'homme sensible et individuel, Moïse dit qu'il est, dans sa constitution, une combinaison de substance terrestre et de souffle divin. . . mortel selon le corps, mais selon la pensée immortel" (*De opif.*, 134-135). Si nette que soit cette distinction elle n'équivaut pas cependant à une opposition. L'homme terrestre participe en quelque mesure de la perfection de l'homme céleste. En fait, c'est à lui surtout, „chef de file de toute notre race", que Philon s'intéresse [3]). Le portrait qu'il en trace en souligne toutes les éminentes qualités, intellectuelles, physiques et morales, et l'apparente par bien des traits à l'Adam-*Urmensch* de certaines apocalypses juives et de la littérature rabbinique [4]). Aussi bien „il est nécessaire que, d'un modèle de toute beauté, la copie soit de toute beauté". De fait, les données bibliques relatives à Adam sont réparties par Philon entre les deux hommes, sans qu'on saisisse toujours très bien le principe de cette répartition. C'est en particulier à l'homme terrestre qu'il rapporte parfois le „faisons l'homme à notre

---

[1]) Bréhier, *op. cit.*, p. 170.
[2]) Sur ce point, et sur la relation possible entre la pensée philonienne et les speculations pauliniennes (*I Cor.*, 15, 45-49) touchant le premier et le second Adam, cf. entre autres, W. D. Davies, *Paul and Rabbinic Judaism*, Londres, 1948, pp. 42 ss.
[3]) Cf. W. Bousset, *Hauptprobleme der Gnosis*, Göttingen, 1907, pp. 194 ss.
[4]) Davies, *op. cit.*, pp. 45 ss.; sur les rapports, chez Philon, entre l'homme céleste et l'homme terrestre, Bréhier, *op. cit.*, pp. 121-126.

image" de *Gen*, 1. 26, qui figure pourtant dans le récit de la première création, celle de l'homme céleste [1]).

„Pourquoi Moïse a-t-il attribué la création du seul homme, non à un artisan unique, comme celle des autres choses, mais apparemment à plusieurs?" (*De opif.*, 72). C'est, explique Philon, que certains êtres, végétaux par exemple, et bêtes brutes, ne participent ni à la vertu, ni au vice. D'autres n'ont aucune part au vice et ne participent qu'à la vertu: c'est le cas des astres — et aussi, précise-t-il ailleurs, des anges. D'autres encore „sont de nature mixte, comme par exemple l'homme, lieu des contraires ... biens et maux, belles actions et actions honteuses, vertu et vice. Or il était tout à fait convenable à Dieu, Père de toutes choses, de faire à lui tout seul les êtres vertueux, à cause de leur affinité avec lui; pour les êtres indifférents, ce n'était pas incompatible puisqu'ils n'ont pas non plus part au vice qu'il hait. Mais pour les mixtes, c'était en partie convenable, en partie déplacé, convenable à l'égard de l'idée meilleure qui s'y mêle, déplacé à l'égard de l'idée opposée et plus mauvaise. Aussi est-ce à propos de la seule création de l'homme que, selon Moïse, Dieu prononça cette parole: „Faisons", ce qui indique qu'il s'adjoignit d'autres artisans pour l'aider, afin que les volontés et les actions irréprochables de l'homme de bien soient imputées à Dieu, guide de l'univers, et leurs contraires à d'autres de ses subordonnés. Car il fallait que le Père ne fût pas responsable du mal envers ses enfants" (*De opif.*, 73-75) [2]).

Un autre texte précise la pensée de Philon sur ce point. „Dieu a autorisé ses puissances à façonner la partie mortelle de notre âme en imitant le talent qu'il déploya lui-même en formant l'élément rationnel qui est en nous. Car il estima juste que le souverain créât la faculté souveraine de l'âme, et que l'élément subalterne fût créé par des subalternes. Ce n'est pas, d'ailleurs, pour cette raison seulement qu'il a fait appel aux puissances qui lui sont associées, mais aussi parce que seule l'âme humaine peut concevoir le bien et le mal et faire l'un ou l'autre. Aussi Dieu a-t-il jugé nécessaire d'assigner la création des choses mauvaises à d'autres artisans, et de se réserver pour lui seul celle des choses bonnes" (*De fuga*, 69-70) [3]).

Ainsi l'intervention des Puissances permet d'expliquer l'existence

---

[1]) *De plant.*, 19; sur les difficultés de l'anthropologie philonienne, GOODENOUGH, *By Light, Light*, pp. 383-385 et W. VÖLKER, *Fortschritt und Vollendung bei Philo*, Leipzig, 1938, pp. 158 ss.

[2]) Cf. aussi *de conf. ling.*, 168-179, WOLFSON, *op. cit.*, I, pp. 269 ss.

[3]) Cf. WOLFSON, *op. cit.*, I, pp. 272 ss.

du mal dans l'homme et plus généralement dans le monde et de dégager toute responsabilité divine dans sa genèse. Elle rend compte de l'écart qu'il y a entre la perfection de Dieu et un univers imparfait. A l'inverse, il est vrai, lorsqu'elle s'applique à la mise en forme de la matière confuse, l'action des Puissances se traduit par un progrès, ,,mettant l'ordre là où est le désordre, limites et formes là où il n'y en a pas et, de façon générale, transformant ce qui est moins bon en quelque chose de meilleur, τὸ χεῖρον εἰς τὸ ἄμεινον'' (De spec. leg., I, 48). Il reste cependant que si Dieu n'intervient pas directement dans ce processus, c'est qu'il ne saurait se souiller à un contact impur: ,,Sa nature bienheureuse et sainte lui interdisait de toucher la matière illimitée et chaotique'' (De spec. leg., I, 329). La création du monde sensible apparaît ainsi comme une lutte que Dieu mène, par l'intermédiaire de ses Puissances, avec cette matière préexistante sur laquelle s'exerce son action de Démiurge. Philon précise bien que lorsque Dieu, au terme de la création, juge très bon tout ce qu'il a fait, cela ne s'applique pas à la matière qu'il a informée (τὴν δημιουργηθεῖσαν ὕλην), et qui est ,,sans âme, sans ordre, dissoluble, par nature périssable, irrégulière, inégale, mais seulement à ses propres travaux'' (Quis rer. div. her., 32, 160) [1]).

L'issue de la lutte n'est pas une victoire sans mélange, puisque la matière est toujours là. Et l'homme terrestre, dont le corps est une combinaison des mêmes éléments, terre, eau, air et feu, que le monde [2]), subit de façon toute particulière l'emprise de cette matière. Aux passages qui le magnifient s'opposent ceux qui parlent de lui en tant qu'être de chair. Il y a deux sortes de mort: ,,celle de l'homme est la séparation de l'âme et du corps, celle de l'âme la perte de la vertu et l'acquisition du vice ... Actuellement, lorsque nous vivons, l'âme est morte et ensevelie dans le corps comme dans un tombeau; mais par notre mort, l'âme vit de la vie qui lui est propre, et elle est délivrée du mal et du cadavre qui lui était lié, le corps'' (Leg. alleg., I, 105). La mort de l'âme est une conséquence, toujours menaçante, voire inéluctable, de son emprisonnement dans un corps; et la mort corporelle n'est pas un châtiment, mais une délivrance, qui la ramène à sa con-

---

[1]) Sur la matière incréée, BRÉHIER, op. cit., pp. 80-82, qui conclut: ,,Ainsi la création se fait sur une matière, mais cette matière n'est pas l'objet d'une création: l'action divine reste toujours celle d'un démiurge''; dans le même sens Z. WERBLOWSKY, op. cit., II, p. 115; en sens inverse (matière créée par Dieu), WOLFSON, op. cit., pp. 300-309, dont l'argumentation ne me paraît pas convaincante.

[2]) De opif., 146.

dition première: „Ce n'est pas le Seigneur (ὁ κύριος) qui fait mourir
Eir (*Gen.*, 38, 7), mais Dieu (ὁ θεός). Ce n'est pas en tant qu'il commande, en tant qu'il est un chef usant du pouvoir arbitraire de sa
force, qu'il détruit le corps, mais en tant qu'il use d'une bonté bienfaisante". Car „le corps est mauvais, insidieux envers l'âme, un cadavre,
une chose toujours morte" (*Leg. alleg.*, 3, 73 et 71). Mais cette vérité
n'est pas évidente pour tous: „C'est seulement lorsque l'intelligence
s'élève et est initiée aux mystères du Seigneur, qu'elle juge le corps
mauvais et hostile; au contraire, lorsqu'elle abandonne la recherche
des choses divines, elle le considère comme son ami, son parent et son
frère et, de fait, elle se réfugie dans les choses qu'il aime" (*Leg. alleg.*,
3, 71) [1]).

Pareille position devrait, semble-t-il, amener Philon à nier toute
participation, même indirecte, d'un Dieu essentiellement bon dans la
création de l'homme charnel. Mais la Bible l'en empêche, car le second
récit de la Genèse met, au même titre que le premier, l'acte créateur au
compte du Dieu unique. Il est trop évident que le recours à des collaborateurs, spécialement chargés de cet aspect de la création, ne résout
pas le problème. Leur accorder une certaine initiative, c'est entamer la
toute puissance de Dieu; en faire des instruments dociles c'est mettre
en question sa bonté même. De fait, la pensée de Philon apparaît
sur ce point particulièrement mal assurée. Il semble parfois vouloir
restreindre l'action directe de Dieu à la seule inspiration du souffle de
vie — le πνεῦμα qui est l'élément supérieur dans le νοῦς — dans un
corps fait par un artisan différent [2]). Et il précise d'autre part que
„l'homme de terre, c'est l'intelligence (νοῦς) au moment où Dieu
l'introduit dans le corps, mais avant qu'elle y demeure introduite.
Cette sorte d'intelligence serait en vérité semblable à la terre et
corruptible si Dieu ne lui insufflait pas une puissance de vie véritable"
(*Leg. alleg.*, I, 32). C'est avec raison que les interprètes ont reconnu
que Philon professait deux νοῦς, l'un d'origine divine, „empreinte,
fragment, reflet de la nature bienheureuse" (*de opif.*, 146) l'autre
purement humain, aspect ou élément, limité, faillible et presque
matériel, de la ψυχή, principe de vie physique [3]). Le premier seul,

---

[1]) Cf. *de gig.*, 28-32. Les sources platoniciennes de ces conceptions ont été
mainte fois notées; en particulier *Timée*, 41-42; *Phédon*, 64 ss.; *Gorgias*, 493 A;
Cratyle, 400 B.

[2]) *De plant.*, 18-19.

[3]) Sur la lutte, dans l'homme, entre l'âme rationnelle et l'âme irrationnelle,
WOLFSON, *cp. cit.*, I, pp. 423-432.

participant de la nature du Logos, peut être vraiment rapporté à Dieu. Mais Philon ne va pas pour autant jusqu'à attribuer explicitement la création du second à quelque puissance. Il déclare, bien au contraire, que „dès le début *Dieu* a fait du corps un cadavre", qu'il détruit ensuite „en tant qu'il use d'une bonté bienfaisante" (*Leg. alleg.* 3, 70 et 73).

Les âmes ainsi emprisonnées dans le corps ont d'abord vécu dans l'air d'une existence incorporelle. Elles se sont incarnées, pour leur malheur, parce qu'elles subissaient l'attrait de la terre et du corps (προσγειότατοι καὶ φιλοσώματοι) [1]). Pour qu'elles puissent se libérer de cette prison et de ce tombeau et remonter au lieu d'où elles sont venues, il faudra que le pneuma qui est en elles les arrache à la terre: „Car l'intelligence humaine n'aurait pas eu l'audace de monter assez haut pour s'attacher à la nature de Dieu si Dieu lui-même ne l'avait attirée vers lui" (*Leg. alleg.*, I, 38).

Deux exemples encore. Bréhier a signalé, sans d'ailleurs s'y arrêter, un texte fort curieux où Philon entreprend d'expliquer le verset de *Gen.* 6, 7: „Je vais effacer de la surface du sol les hommes . . . car je me repens de les avoir créés" [2]). La Septante, s'écartant du texte hébreu, traduit non pas „je me repens", mais „je suis irrité" (ἐθυμώθην ὅτι ἐποίησα αὐτούς). Peut-être, suggère Philon, l'auteur veut-il montrer que „les méchants sont nés par la colère de Dieu, les bons par sa grâce". Il donne donc au ὅτι de la Septante non pas le sens de „parce que", qui correspondrait ici au *ki* hébraïque, mais celui, également possible, de „en ce que" et il attribue à l'aoriste ἐθυμώθην une valeur passée très précise, comme exprimant une colère non pas consécutive à la création, mais qui se manifeste au moment même de l'acte créateur, mieux encore, qui en est la source. Le texte biblique pose dans toute son acuité le problème de l'impassibilité, de l'immutabilité et de la prescience divines. C'est à ce problème que s'attache Philon dans l'ensemble du traité et plus particulièrement lorsque, dans le passage qui nous intéresse, il repousse de propos délibéré l'interprétation courante du verset 7: „Remarquez bien le soin que Moïse apporte à l'expression de sa pensée. Il dit „j'ai été irrité en ce que je les ai faits", ἐθυμώθην ὅτι ἐποίησα αὐτούς et non pas, dans l'ordre inverse (οὐ κατ' ἀναστροφήν) „parce que je les ai faits, j'ai

---

[1]) *De somn.*, I, 138.
[2]) *Quod Deus immut.*, 70; BRÉHIER, *op. cit.*, p. 151, n. 4.

été irrité" διότι ἐποίησα αὐτούς, ἐθυμώθην [1]). Ceci impliquerait changement ou regret, chose qui ne saurait s'accorder avec l'universelle préscience de Dieu". Mais comme Philon, apparemment, ne se résigne pas non plus, placé devant un redoutable dilemme, à sacrifier la bonté souveraine de Dieu, il se hâte d'édulcorer, et en fait de détruire, par une interprétation allégorique, le sens qu'il vient de suggérer: le verset en question exprime en définitive ,,cette doctrine fort importante que la colère est la source des fautes, la raison celle des actions bonnes". Et il ajoute que Dieu, ,,se souvenant de sa parfaite et universelle bonté continue, malgré l'accumulation des péchés qui précipite à sa ruine la masse de l'humanité pécheresse, à tendre aux hommes la main du salut" (*Quod Deus immut.*, 72-73).

On est en droit de ne pas se tenir pour satisfait par cette explication, qui peut apparaître comme une dérobade. Et l'on songe immanquablement au parallèle qu'offre à ce passage l'Instruction sur les deux Esprits dans le Manuel de Discipline de Qumran [2]). Dieu a créé les deux Esprits de vérité et de perversion, de lumière et de ténèbres, et il a fondé sur eux toute son oeuvre. Sans doute, il ne s'agit pas chez Philon de créatures, ni même d'hypostases, mais seulement de deux sentiments opposés dans l'Etre divin lui-même et qui, s'empresse d'affirmer Philon, ne peuvent s'entendre que métaphoriquement. D'autre part, le texte qumranien ne dit pas explicitement que les deux Esprits antagonistes correspondent, comme leurs créateurs respectifs, aux deux catégories des bons et des mauvais. Il semblerait plutôt qu'ils se disputent l'humanité créée par Dieu et dotée par lui de la liberté de choix: les hommes ne sont pas au départ bons ou mauvais, ils le deviennent selon qu'ils suivent l'un ou l'autre voie. La phrase de Philon en revanche paraît affirmer, dans sa laconique brièveté, un déterminisme plus rigoureux, et une prédestination au bien ou au mal de chaque individu, selon qu'il est né de la colère ou de la grâce. Mais par delà ces différences, l'inspiration des deux textes est la même. L'un

---

[1]) La traduction française que A. Mosès a donnée du traité dans la collection bilingue *Les Oeuvres de Philon d'Alexandrie*, 7-8, Paris, 1963, me paraît sur ce point pour le moins ambiguë: ,,ma colère, c'est de les avoir créés (= ma colère consiste à les avoir créés)". Et je ne vois pas que l'on en soit réduit, pour expliquer la phrase, à recourir, comme l'auteur le dit en note, à ,,un à peu près ὅτι/ὅτε" (p. 99, n. 3), alors que le Dictionnaire grec de Bailly donne comme premier sens de ὅτι précisément ,,en ce que".

[2]) *Manuel de Discipline* (dit aussi *Rouleau de la Règle*), 3, 13-14, 26; cf. A. Dupont-Sommer, *Nouveaux Aperçus sur les Manuscrits de la Mer Morte* Paris, 1953, pp. 157 172 et *Les Ecrits Esséniens découverts près de la Mer Morte*, Paris, 1959, pp. 93-98.

et l'autre, plutôt que d'attribuer quoi que ce soit à une autre cause qu'à Dieu seul, et de diminuer ainsi son absolue souveraineté, lui imputent jusqu'à la paternité du mal, que cependant il abomine.

De ce texte on doit en rapprocher un autre, négligé par la plupart des études modernes sur Philon, et dont l'importance a été signalée par le P. Daniélou: „Dans toutes les âmes, au moment même de la naissance, pénètrent en même temps deux Puissances, l'une salutaire et l'autre malfaisante. Si la première obtient l'avantage, l'autre est rendue impuissante pour réaliser ses fins. Si, au contraire, c'est la seconde qui l'emporte, la salutaire n'obtient rien, ou seulement un gain tout à fait minime" (*Quaest. in Exod.*, I, 23) [1]). Les analogies avec l'instruction qumranienne sur les deux Esprits ont été soulignées par M. Dupont-Sommer [2]). Elles sont en effet frappantes. Mais la suite du texte est plus curieuse encore: „C'est par ces Puissances aussi que le monde entier a été fait"; et Philon explique que les diverses parties du Kosmos, y compris celles que dans d'autres passages il déclare n'être pas entachées de mal, portent la marque de cette double influence. Ainsi „un dualisme psychologique qui insiste sur les deux influences, bonne et mauvaise, qui se partagent l'âme humaine, a son fondement dans un dualisme cosmologique selon lequel l'univers est lui-même le produit de deux puissances opposées" [3]).

Nous ne possédons les *Quaestiones in Exodum* qu'en traduction arménienne. On aimerait connaître la formulation grecque précise de ce texte, et en particulier de la dernière phrase citée, relative au rôle des deux Puissances dans la création: sont elles simplement instrumentales entre les mains de Dieu (διά?), ou au contraire ont-elles par rapport à lui une certaine autonomie de volonté et d'action (ὑπό?)? C'est, sur un cas limite, tout le problème des Puissances philoniennes. Car il ne fait guère de doute que ce sont ici deux des *dynameis* habituelles, mais affectées cette fois, si l'on peut dire, — et c'est en cela surtout que le passage est exceptionnel — de signes contraires. En tout état de cause, nous sommes loin de la conception

---

[1]) *Philon d'Alexandrie*, pp. 53-57. L'intérêt du texte a été d'abord signalé par P. BOYANCÉ, *Les deux démons personnels dans l'antiquité grecque et latine*, in *Revue de Philologie*, 1935, pp. 189 ss., qui en cherche les sources non pas du côté iranien, mais plutôt du côté grec et plus précisément pythagoricien, mais est prêt, après la découverte des textes de Qumran, à interposer l'essénisme entre elles et Philon.

[2]) *Le problème des influences étrangères sur la secte juive de Qoumrân* in *Revue d'Histoire et de Philosophie Religieuses*, 1955, pp. 85-86.

[3]) P. BOYANCÉ, *Philon d'Alexandrie selon le P. Daniélou*, in *Revue des Etudes Grecques*, 1959, p. 378.

biblique d'une création sortie intégralement bonne des mains d'un Créateur bon et où l'intervention du mal résulte d'une sorte d'accident. Alors que dans le texte précédent les principes générateurs du bien et du mal, non hypostasiés, agissent pour ainsi dire en alternance, et dans la seule création de l'homme, leur action est ici présentée comme simultanée, dans un antagonisme dont le théatre est l'univers entier.

Il est temps de conclure. Mon propos n'est pas de résoudre les contradictions philoniennes, réelles parfois, et parfois peut-être simplement apparentes et liées à l'imprécision d'un vocabulaire où le même mot revêt, selon les cas, des sens très différents. Il n'est pas non plus de faire le partage entre ce que Philon doit à ses sources, platoniciennes, stoïciennes, orphiques ou autres, et ce qui est son apport personnel. Et je n'ai le loisir ni de développer, ni même d'esquisser un parallèle précis avec tel ou tel aspect de l'un ou l'autre des grands systèmes gnostiques. Je n'ai voulu que souligner quelques unes des affinités ou résonances gnostiques qu'offre la pensée de Philon.

Elles se ramènent essentiellement, me semble-t-il, dans les textes que j'ai étudiés, à un dualisme mitigé, ou embryonnaire. Hans Jonas, esquissant une typologie du gnosticisme, distingue un dualisme de type iranien, qui oppose dès le départ deux principes préexistants, le monde des ténèbres ou de la matière et l'Etre bon, et les spéculations de type syro-égyptien, qui font dériver le dualisme de la réalité existante d'un processus inhérent à la divinité unique elle-même et expliquent par une théorie des émanations la dégradation progressive de la lumière divine dans l'univers [1]). Plus récemment E. R. Dodds estime que les différents systèmes gnostiques mettent l'opposition à Dieu du Kosmos visible au compte de l'un des trois principes suivants: soit la matière ou les ténèbres, conçus comme une substance non créée par Dieu et qui résiste à sa volonté; soit le Destin, dont les agents sont les démons planétaires, qui coupent le monde de Dieu; soit enfin un principe personnel mauvais, seigneur de ce monde et, selon certains systèmes, son créateur [2]).

Qu'on adopte l'une ou l'autre de ces classifications, il est certain qu'aucun des types de gnosticisme qu'elles distinguent n'apparaît à

---

[1]) *The Gnostic Religion*, pp. 105 et 130-131.
[2]) E. R. DODDS, *Pagan and Christian in an Age of Anxiety*, Cambridge, 1965, p. 13.

l'état pur chez Philon, pour qui les catégories bibliques, si gauchies soient-elles, restent déterminantes. Il ne saurait admettre en particulier l'existence d'un principe mauvais, capable de contrebalancer l'action de Dieu dans le Kosmos, voire d'assumer la fonction créatrice. D'autre part, lorsqu'il parle des archontes, il prend bien soin, nous l'avons vu, de souligner qu'ils sont au service de Dieu, et non pas dressés contre lui, de même que les Puissances ne sont que les agents d'exécution de Dieu. En revanche, quand il admet l'existence d'une matière préexistante, que Dieu se contente d'informer et qui continue d'opposer un poids très lourd à l'action divine, il s'apparente au premier type de dualisme distingué par Dodds. Il ne manque pas de passages dans son oeuvre où il semble incliner soit au dualisme qu'on pourrait appeler secondaire — le type syro-égyptien de Jonas — qui, laissant intactes dans l'acte créateur la bonté et l'unicité de Dieu, explique l'apparition du mal par une dégradation ultérieure, soit même à un dualisme primaire — le type iranien de Jonas — où le mal est présent dès le départ. Il l'est alors du fait de la matière sur laquelle travaille Dieu, ou parce que la création d'une partie du kosmos et d'un élément dans l'homme est délibérément abandonnée par Dieu à des collaborateurs qu'il faut bien, vu le résultat, supposer imparfaits, ou enfin parce qu'une sorte de dichotomie est introduite — et c'est le cas du dernier des textes analysés — dans l'Etre divin lui-même, fût-ce très fugitivement. Seule, semble-t-il, sa conviction fondamentale que la Bible apporte l'authentique révélation du Dieu unique l'a retenu de s'engager plus avant sur une voie qui m'apparaît comme un acheminement vers le gnosticisme.

DISCUSSION

JONAS: M. Simon has chosen to approach the question of gnostic elements in Philo from the point of view of speculative doctrine, or objective metaphysics. There is no question that this does yield certain gnostic aspects or gnostic affiliations in Philo, as Prof. Simon has successfully demonstrated. But, as he has also been aware, in these directly theological topics Philo is naturally under the restraint imposed on him by his determination to be an orthodox Jew; and, consequently, whatever gnostic tendencies there were could not be given free rein by him in this province of his thought. There are, however, two other areas in Philo where this restraint does not operate, or does not operate to the same extent, and these are Philo's concept of virtue, and his concept of the knowledge of God, of *gnosis theou*. This whole Colloquium so far, including my own contribution, has somehow bypassed those two topics: our attention has been riveted to the aspect of objective, metaphysical, theological doctrine, to gnostic speculation in a word, and has ignored such subjects as, on the one hand, gnostic morality—things like asceticism, libertinism, and the whole complex of what one may call the disintegration of the classical concept of virtue under the impact of the gnostic attitude; and, on the other hand, the modalities of *gnosis* as a human act or human experience. This is something which belongs to the complete picture.

DANIÉLOU: Je me demande si avec Philon nous ne nous trouvons pas en face d'un problème surtout intérieur à l'histoire de la philosophie grecque, celui qui se pose depuis Platon, du dualisme de la matière et du monde intelligible. Le P. Orbe pense que c'est le seul dualisme radical connu dans toute l'histoire de la pensée. Mais ce problème apparaît d'une essence tout à fait différente de celui que nous nous posons à propos du gnosticisme. Les Juifs et ensuite les chrétiens ont rencontré ce problème: Origène hésitait à savoir si la matière était éternelle ou non, ce qui est un problème alors d'ordre strictement philosophique. Y-a-t-il une interférence entre ces deux dualismes? Dans quelle mesure devons-nous intégrer le dualisme platonicien dans nos recherches sur le gnosticisme?

A propos de ce qu'a dit M. Jonas; je crois que dans la question de la gnosis chez Philon il est très important de noter l'importance de la ,,Charis'', qui est une notion capitale chez lui. Il n'y a certainement pas chez lui une identification fondamentale à la manière platonicienne de l'âme individuelle et de la Divinité.

SIMON: Je serais tenté de penser, comme le Père Daniélou, que, pour l'essentiel, les problèmes que pose la pensée philonienne sous les aspects qu'il envisageait sont des problèmes intérieurs à l'histoire de la philosophie grecque. Je me demande cependant si les deux derniers textes que j'ai signalés peuvent s'expliquer uniquement à partir de cette philosophie et par ce développement interne sur lequel vous avez très justement attiré notre attention. Personnellement je serais tenté de penser que non et que sur ce point-là, au moins, il faut tenir compte d'autre chose qui nous autorise peut-être à ranger Philon parmi les pères, à certains égards les précurseurs, du gnosticisme à proprement parler. [Si le temps l'avait permis, on aurait pu aborder aussi la question des Thérapeutes].

DANIÉLOU: Je suis tout à fait d'accord. Par ailleurs, il est certain qu'il y a des contacts entre Philon et le milieu de Qumran quant à la doctrine des deux esprits.

BIANCHI: Je voudrais proposer de distinguer à ce propos: a) La *materia prima* en tant que question seulement philosophique et spéculative, qui ne concerne pas le gnosticisme, et qui ne concerne Philon qu'à moitié. b) La question de l'orientation du (néo-)platonisme par rapport à la matière: celle-ci est pour 50% la *materia prima* de la philosophie, pour le reste la matière infime et donc 'opposée', avec un accent un peu dualiste, pessimiste, anticosmique (surtout par rapport à l'homme). c) Le gnosticisme, où la matière [mais non pas toujours les éléments] est considérée d'un point de vue absolument anticosmique.[1])

SIMON: Je souscris volontiers à ces nuances. Il est certain qu'il n'y a pas de 100% chez Philon.

RENGSTORF: Ich erlaube mir, die Gelegenheit zu benutzen, um zwei Mitteilungen zu machen:

1. Aus dem Nachlass von Ludwig Früchtel ist an mich eine Sammlung der Philo-Fragmente gekommen, natürlich ohne die armenischen Fragmente. Wir hoffen, diese Sammlung im nächsten Jahre von Münster aus veröffentlichen zu können.

---

[1]) [Pour une conception de la matière en tant que limite-nécessité qui relie ces trois positions, tout en ne les confondant pas, vr. pp. XXIII suiv. et 21 n. 3].

2. Ausser dieser Sammlung hat Ludwig Früchtel einen für seine persönlichen
Arbeiten angelegten weitgehend vollständigen Index zu Philo hinterlassen, der
sich ebenfalls im Institutum Judaicum Delitzschianum in Münster befindet
und geeignet ist, zu einem kompletten Index oder einer kompletten Konkordanz ausgebaut zu werden.

Meine Mitarbeiter und ich sind gern bereit, auf Grund dieses Materials Auskünfte
zu geben. Als Supplement zu diesen Mitteilungen darf ich gewiss erwähnen,
dass die unter meiner Leitung seit fünfzehn Jahren vorbereitete Konkordanz zu
Flavius Josephus so gut wie fertig ist. Ein spezielles Namen-Wörterbuch, das die
Konkordanz entlasten soll und das von Professor Abraham Schalit von der Hebräischen Universität in Jerusalem bearbeitet ist, ist bereits gesetzt. Bis das Werk fertig
vorliegt, stehen wir auch mit Auskünften aus unserem Manuskript, das auf Vollständigkeit angelegt ist, gern zur Verfügung.

LO GNOSTICISMO E QUMRÂN

QUMRAN AND GNOSTICISM

BY

HELMER RINGGREN

One of the Thanksgiving Hymns from Qumran describes the process of salvation in the following way:

> Thou hast given them (the sons of thy good pleasure) knowl-
> edge of thy true counsel
> and made them wise in thy wondrous mysteries.
> For thy glory's sake thou hast cleansed man from transgression,
> to consecrate himself to thee
> from all unclean abominations and guilt of unfaithfulness,
> to unite himself with the sons of thy truth
> and to be in the same lot with the holy ones.
>
> (1QH XI, 9.11)

It appears from these lines that salvation includes, above all, three things: knowledge, purification or forgiveness, and communion with the holy ones. Corresponding to this is the fact that knowledge, or knowing, plays a very important part in the Qumran documents, esp. in the Thanksgiving Hymns. Now the question arises: Is there any connection between this emphasis on knowledge as the way of salvation and the properly Gnostic attitude? There are other facts that seem to suggest such a connection, such as the dualistic outlook and the predilection for such terms as light-darkness, truth-falsehood, etc. It would, however, be premature to draw such a conclusion without analyzing the concepts behind these terms and without considering them in their respective context. In this paper an analysis of the concept of knowledge, *daʿat*, in the Qumran documents will be attempted, followed by some general remarks.

There is no consistent terminology of knowledge in the Qumram writings. As a matter of fact, we find the whole gamut of terms for wisdom, insight, and understanding which we know from the O.T. wisdom literature used more or less interchangeably with *daʿat* and the verb *yādaʿ*. So, for instance, Kuhn's concordance lists 24 exemples of *bīnāh*, 26 of *śekæl*, 13 of *ḥokmāh*, 8 of *ʿormāh*, and 3 of *tūšiyyāh*; in addition there are numerous verbal forms of the roots *bīn* and *śkl*. But it is no exaggeration to say that *da'at* and *yāda'* are predominant.

Looking at these two terms, then, we first notice a great number of statements beginning with "I know" (*'ēda'* or *yāda'tī*). This formula has a long history: it occurs in the O.T., e.g. in the well known sentence, Job 19:25, "I know that my redeemer lives", which in its turn probably reflects some old standing expression. In the Ugaritic texts we find the phrase, "I know that Aliyan Baal lives." In other words, we are dealing with a standard formula of profession or proclamation of religious beliefs. Though the Hymns are no confessions of faith, we might expect these statements to contain some essential information concerning the nature and contents of saving knowledge according to the Qumran community.

First there is knowledge of God and his rule of the world, including creation and the predetermination of everything:

1QH XII, 11: I am wise (*maśkīl*); I know thee, my God,
    by the spirit thou didst put in me, which is trustworthy,
    I have listened to thy wondrous counsel.

The first column of the Hymn Scroll contains a description of God's wise and mysterious plan for the world, the distribution of mankind on earth, and God's providential predetermination of all events. In line 21, all this is summed up in the statement, "This I know through thy understanding, for thou hast uncovered my ear for marvelous mysteries."

It is worthy of notice that in both cases this knowledge is considered to be the result of divine revelation and a gift of grace, and furthermore, that it is concerned with 'mysteries' or 'secrets' (*rāz*).

Next, there are three passages concerning man's situation in general:

1QH XV, 12 f. I know that man is not able to order his way,
    nor can any man direct his own steps.
    I know that in thy hand is the shaping of each man's spirit.
1QH IV, 30 I know that righteousness does not belong to a man,
    nor to a son of man blamelessness of conduct.
1QH XVI, 1 I know that no man can be righteous without thy help.

Many other passages confirm the impression conveyed by these quotations: man is absolutely nothing, entirely dependent on God and totally sinful. This is too well known to require further elaboration. The emphasis is on God's sovereignty and omnipotence, as also in the following quotation:

1QH X, 16 I know that in his hand is the judgment of every living man,
and all his works are truth.

Another group of three statements contains the expression "I know that there is hope . . ." namely:

1QH III, 20 f. I know that there is hope
for him whom thou hast formed from the dust
for an eternal company (*sōd*).
1QH VI, 6 I know that there is hope
for those who turn from transgression
and abandon sin . . .
1QH IX, 14 (after mentioning forgiveness and repentance, the psalmist goes on to say:) I know that there is hope in thy grace and expectation in thy great power.

In other words: one of the objects of knowledge is the way of salvation, comprising repentance of sin, forgiveness through Gods grace, and "communion with the saints". To the three passages quoted should be added 1QH XI, 17, "I know that thine is the righteousness, and in thy grace is salvation . . . ." Cf. also 1QH XV, 22 f., "I know that no wealth can be compared with thy truth . . . and I know that thou hast chosen them."

The passages emphasizing the divine origin of knowledge are numerous. One characteristic instance is in 1QS XI, 3, "From the source of his knowledge he has opened up his light; my eye has gazed on his wonders, and the light of my heart (has seen) the mystery that is to be" [1]. This passage shows that knowledge comes from God and that it is conceived of as some kind of inner light which reveals hidden things not otherwise known.

A little earlier in the same concluding psalm of 1QS we learn that this knowledge should not be divulged to people who are not initiated:

1QS X, 29 f. With wise counsel I will conceal knowledge,
and with knowing prudence I will hedge about wisdom
with a firm limit, to preserve fidelity . . .

---

[1] For the question of light see 1QS XI, 5, "From the source of his righteousness is my judgment, and the light of my heart is from his wondrous mysteries".

Thus the wisdom or knowledge here referred to is considered to be esoteric, an exclusive privilege of those who have received it and have become members of the group ("entered the covenant")..

Finally, it should be pointed out that knowledge plays such an important part in the Qumran community, that its members can be referred to simply as "those who know" (*YD'YM*, probably *yaddā'īm*): 1QH XI, 14, "to stand ... together with the knowing ones in the choir of rejoicing." Similarly, in 1QH XIV, 17 the verb *yāda'* sems to be used absolutely in the sense of having knowledge: "I know through thy great goodness"—unless *yāda'be* means something like 'give heed to', 'pay attention to' (cf. Ps. 31:8).[1])

In order to confront these ideas with those current in Gnosticism, Davies (HThR 46 / 1953 pp. 119 ff.) adopted a summary of the Gnostic, or more specifically Hermetic, idea of knowledge given by Festugière in the Goguel jubilee volume of 1950. According to him, gnosis is 1) *gnosis theou*, knowledge of God, especially as saviour, 2) *gnosis heautou*, man's knowledge of himself and his nature: he is a spiritual being capable of returning to God and the spiritual world, and 3) *gnosis hodou*, knowledge of the way of salvation. Furthermore, 4) *gnosis* is a manifestation of divine help and grace and the result of revelation, and 5) the believers form a group of elect who should not reveal the secrets of revelation to those outside the group.

It is easily seen that there is affinity between these ideas and those of the Qumran community as set forth above. But it is also clear that there are essential differences. We shall briefly point to some of the most signifiant points of dissimilarity.

1. The God of Qumran is the God of the O.T., who is himself the creator; there is no creator of lower rank, or demiurge.

2. God has created good *and* evil; matter is not evil in itself; and there is no series of aeons between the spiritual (divine) world and the material world.

3. Man, as he is, is totally sinful and corrupt, and there is no hint at his origin in the spiritual world or his having a spark of eternal light within him, or the like.

4. The typically Gnostic language with terms such as sleep, intoxication, call, awakening, etc., is absent from the Qumran writings.

---

[1]) Thus S. HOLM-NIELSEN, *Hodayot* p. 160, n. 100 to XI, 9 with reference to XIV, 7 (which he nevertheless translates absolutely) and XVI, 6.

5. Predestination is known by some Gnostics; there are also traits of fatalism in some Gnostic circles. But *heimarmene* as something to be saved from is unknown in Qumran, for predestination rests on God's *rāṣōn*, or good pleasure. In Gnosticism fate is something negative, in Qumran it has a positive value as deriving from God.

These considerations shows that the question, "Is there a connection between Qumran and Gnosticism?" cannot simply be answered by Yes or No. In an earlier paper (SEÅ 24/1959) I suggested that the Qumran doctrine might be regarded as a kind of pre- or proto-Gnosticism, or that the Qumran sect could be a Jewish manifestation of a general trend of ideas which in the Hellenistic world produced Gnosticism in the narrow sense of the word. But I am aware that these are vague and inadequate formulations of a relationship that can only be sensed and is not capable of a more precise definition.

However, in questions like this, there are two extremes that should be avoided. Both of them have often been seen in the discussion of the Qumran documents. On one hand, comparison between certain traits in Qumran with similar phenomena in Pharisaism, primitive Christianity, Ebionitism, Karaitism, Gnosticism, and so on, is not adequate as long as the details are not placed in their respective context. If the details are not considered within the organic totality to which they belong, they remain interesting details and the similarity may well be incidental. We have to ask for the function of the detail in the ideology as a whole. On the other hand, it is too much to demand complete identity within a large complex of ideas in order to find some kind of connection established. It is useless to deny any connection between Qumran and the Johannine writings in the N.T. on the ground that there is not complete identity at all points. The general atmosphere is so similar and the details shared by the two groups of writings are too numerous to allow the conclusion that they are completely independent.

In the world of ideas it is hard to draw absolute borderlines. An idea or a trend of ideas may manifest itself in various ways in different milieus and still be the same, historically speaking. The Qumran sect could represent an early Jewish variation of the general tendency that manifested itself as Gnosticism even if all details do not fit the pattern exactly. There is a faint possiblity of a historical connection *via* Simon Magus—if there is a grain of truth in the tradition that he was the founder of Gnosticism. But of course, nothing can be proved, and it is equally possible that the connection is entirely on the general ideological level.

More interesting is the question of a possible relationship between Qumran and the Mandaeans. There are certain terminological parallels—some of them shared also by the Fourth Gospel—there are similarities in imagery (plantation etc.), there are the washings, and there is the Mandaean tradition of John the Baptist and the Jordan. This matter seems to be worthy of further investigation.

Another question that should be looked into concerns the relationship between Qumran and certain forms of Jewish mysticism that are sometimes referred to as Jewish Gnosticism, esp. the so called *hēkālōt* literature. There we find not only a terminological parallelism (*da'at, maḥšæbæt, 'æmæt, kābōd,* etc.), but also the same kind of restricted dualism as in Qumran. The "angelic liturgies" of Qumran also seem to indicate some connection with these later speculations.

DISCUSSION RINGGREN ET MANSOOR
[Les discussions des communications de
M. M. Ringgren et Mansoor ont été réunies]

RINGGREN: (About Qumranic „dualism"): For my part, I can easily explain almost everything in the Dead Sea Scrolls as radicalising developments of ideas that are present in the Old Testament; but I have completely failed to do so in the case of the two spirits. I am aware of the fact that the word *rûaḥ* might be used in a sense similar to the English use of „spirit" in such phrases as "spirit of friendship", and the like; there are cases in Hebrew which are comparable—and this would mean then that the doctrine of the two spirits is simply another way of expressing the idea of the two *yéẓèrs*, the *yéẓèr tobb* and the *yéẓèr ra'* in Rabbinic Judaism: the good inclination and the evil inclination. But the passage in the so-called Manual of Discipline has such a mythological ring that I hesitate to accept this interpretation. And, moreover, there are other references to these spirits that cannot be explained this way. So, at this particular point, I cannot avoid the conclusion that there must be some Iranian influence here.

BIANCHI: Perhaps the notion of the two „fountains" from which the spirits emanate may indicate their „fontal", (or, just etymologically, "radical") "inspiring" character, primary in respect to the two personal agencies mentioned in Man. Disc. (III, 13 ss.), the Prince of Lights and the Angel of Darkness: not in the sense that these are „personifications", but in the sense that in this case they function as *"inspired"* by the Fountain of Light and the Wellspring of Darkness. Perhaps there is here something similar to the two gathic spirits, when they "inspire" the daevic and human beings, with the considerable difference that the two spirits in Qumran are not simply created (what I would even deny for the gathic spirits) but also "appointed" by God. But, on the other hand, it would be difficult to admit historically a direct influence of the gathic spirituality on Qumran, the neo-Avestan Ohrmazd-Ahriman formula being at that time the standard expression of Iranian dualism As to Zurvan, the difficulty lies in his almost complete lack or personality, which contrasts *toto caelo* the vividness of Iahve. It seems to me safer to rely on the O.T. tradition, plus the demonism, generally spread in the Mediterranean and N. Eastern area at that time and whose *koryphaios* was Iranism (cf. Plutarch's *De Iside*), with perhaps the considerable impact of some pythagorizing elements about which cf. the notices on the Essenes given by Jos. Flavius (fall of the souls; veneration of the sun), and on the Therapeutae of Philo, whoever these could have been.

RINGGREN: I am perfectly aware of the difference, between Ohrmazd and Yahweh, and I think that the best parallels to the doctrine of the two spirits are found in Zurvanite texts—but there are also texts from Zoroastrianism which could be used as parallels. My main objection is that it is impossible to explain the doctrine of the two spirits exclusively on the basis of the Old Testament doctrine. So we will have to look somewhere else to find the source of this idea. I don't care so much if it is Zurvanism or Zoroastrianism, but it is Iranian anyway; I cannot find any parallel anywhere else, and I am unable to explain it on the basis of the Old Testament itself.

SCHUBERT: Ich möchte sagen, daß wir das Wort „Dualismus" nicht ungeschaut benützen dürfen, um einen Dualismus vom anderen abzuleiten oder zum anderen in Beziehung zu setzen. Der Dualismus in Qumran ist ein anderer als der gnostische und aus diesem Grunde ist das Wort „Dualismus" und auch der Begriff „Dualismus" zu schmal, um Qumran und Gnosis hier in Beziehung zu setzen.

Zweitens, da ich ja jahrelang die These der Herkunft der Gnosis aus Qumran vertreten habe, möchte ich nur deutlich sagen, der Lehrer der Gerechtigkeit hat seine Gemeinde nicht gegründet, damit wir für den Begriff, den wir schon vorher von Prägnosis hatten, jetzt einen Beleg finden. Wir können die Qumrangemeinde nicht als eine Gemeinde am Rande des Judentums betrachten. Die Qumrangemeinde stand völlig im Zentrum der apokalyptischen Tradition und die apokalyptische Tradition war im Zeitalter der Qumrangemeinde jedenfalls so beschaffen, daß zahlreiche Gruppen, ähnlich wie Qumran, in der Nachbarschaft von Qumran existiert haben. Es scheint mir wichtig, daß wir die Vorgeschichte, so gut sie rekonstruierbar ist, der Qumrangemeinde im Auge behalten und diese Vorgeschichte weist eindeutig auf priesterliche Traditionen im Alten Testament, die dann apokalyptisch verstanden wurden, naheschatologisch gedeutet wurden. Auch das Motiv der Himmelsreise im Qumran, soweit es überhaupt vorhanden ist, und in später ähnlichen Texten, geht auf diese priesterlichen Traditionen zurück. Vor allem, wie Johannes Maier eindeutig klargestellt hat, auch die priesterlich-apokalyptisch verstandene Tempelsymbolik; und aus diesem Grunde scheint mir viel wahrscheinlicher die Entwicklungen in Qumran zunächst geradlinig aus einer innerjüdischen Entwicklung zu verstehen. Das betrifft auch das Verhältnis Licht und Finsternis.

WIDENGREN: Ich möchte gerade als alttestamentlichen Exegeten Professor Schubert fragen, wo er im Alten Testament diese Lehre von den zwei Geistern findet.

SCHUBERT: Zunächst finden wir die Begriffe „Licht" und „Finsternis" ähnlich verwendet wie in Qumran bei Deutero-Isaias. Wenn wir weiter betrachten, wie die alttestamentliche Tempelsymbolik in präqumranischen Priesterkreisen ins Kosmische rückversetzt wurde, so ergibt es sich von selbst, daß auch die Begriffe „Licht" und „Finsternis" wie auch Gut und Böse einen kosmischen Ort erhalten.

RINGGREN: Ich muß gestehen, ich bin noch nicht imstande die Lehre von den zwei Geistern in dieser Lichtsymbolik zu finden.

MANSOOR: As Prof. Schubert has already mentioned, there is a definite reference in Isaiah to a God who creates *or*, light, and *hoshech*;. . . the second part gives *shalom* and *raᶜ*, peace and evil. And it is interesting to note that in the Dead Sea scroll of Isaiah they changed the word *shalom* into *tov*, to have the real dualism of *tov* and *raᶜ*. Therefore, I think perhaps the Qùmranites did rely on this particular dualism, basing it perhaps on the Old Testament.

RINGGREN: I think it could be based on the Old Testament, so to speak, read into it; but I hesitate a little before I say that it could be read out of it.

PRÜMM: Wenn man, z.B., an Kön. erinnert: „Und Gott sandte einen bösen Geist zu Ṣaul": Die ganze Art wie die Psychologie des alten Judentums ist sehr primitiv, und ich kann diesen Texten gerecht werden indem ich sage: Das ist eine primitive Erklärung der für den einfachen Menschen, der nichts weiß von Assoziatiopspsychologie, sehr schwer deutbaren Entstehung sehr entgegengesetzter Strebungen in einem und demselben Menschen. Jetzt kommt im Judentum nur dazu, daß der Monotheismus alles beherrscht, und sogar mit der bekannten Exklusion der „causa secunda". So habe ich also, von hier aus, eine sehr spürbare Linie zu der entwickelteren Lehre der zwei Geister in Qumran. Ein Einfluß von außen kann eine Beförderung dieser Entwicklung in Qumran gewesen sein. Denn diese Qumranleute stehen — wie alle Juden der damaligen Zeit — irgendwie in der hellenistischen Geistigkeit; sie können nicht ganz unberührt von ihr sein.

RINGGREN: Aber der Dualismus in der Gestalt in der er im Qumran vorliegt ist nicht allein aus diesen wenigen Stellen erklärbar. Es muß von außen her irgendwie ein neuer Anstoß gekommen sein.

LYONNET: Au sujet de la doctrine des „deux esprits" et de son origine possible ou moins dans l'Ancien Testament: Ezéchiel, dont l'influence est certaine sur la littérature de Qoumrân, considère précisément le don de l'esprit de Yahvé comme la caractéristique du temps messianique. Par ailleurs nous savons que, selon la doctrine juive, d'une façon générale, l'humanité anté-messianique est caractérisée par la domination du Yetser-ha-raᶜ, le „cor malignum" du IV. Esdras, qui correspond assez exactement au mauvais esprit de Qoumrân. Etant donnée cette double doctrine, il était, je crois, assez normal de se représenter de cette façon-là le temps actuel comme celui où luttaient encore dans l'homme „la chair et l'esprit", selon la formule paulinienne, ou „les deux esprits", selon celle de Qoumrân.

PHILONENKO: Le problème n'est pas de savoir si Dieu a pu envoyer un esprit mauvais à Saül ou s'il est fait mention dans l'Ancien Testament d'un „mauvais penchant". Le problème est de savoir si oui ou non il est fait mention de *deux esprits* dans l'Ancien Testament.

Pour la conférence du Prof. Mansoor: Il est vrai qu'il n'est pas fait mention dans les textes de Qoumrân d'une chute des âmes qui deviendraient prisonnières des corps. Il faut néanmoins rappeler que Flavius Josèphe dans sa notice du *De bello judaico* 2, 154 rappelle que, selon les Esséniens, „les âmes sont attirées vers le bas par quelque sortilège physique, mais que, quand elles sont libérées des liens de la chair, affranchies pour ainsi dire d'un long esclavage, elles sont alors dans la joie et s'élèvent vers le monde céleste". On pourra, peut-être, soutenir que Josèphe habille ici à la grecque des croyances juives, mais on aurait tort cependant d'écarter trop rapidement le témoignage de l'historien juif.

Pour la question du Sauveur on peut mentionner un texte trouvé dans la onzèmei grotte et publié par A. S. van der Woude dans les *Oudtestamentische Studiën, XIV*, paru à Leyde en 1965, sous le titre: „Melchisedek als himmlische Erlösergestalt in den neugefundenen eschatologischen Midraschim aus Qumran-Höhle XI". Ce personnage angélique a pour mission de proclamer la liberté aux captifs et d'arracher de la main de Béliar les fils de lumière. On le retrouve dans le *Testament de Dan* 5, 11 où il est dit du Messie qu',„il enlèvera à Béliar ses captifs, les âmes des saints". Il y a là, me semble-t-il, un parallèle avec les thèmes gnostiques qu'il faut signaler.

VAN BAAREN: I am sorry if I seem to introduce something which doesn't appear to refer to the problem; but I should like to say something about the religion of the Dinka, one of the Nilotic tribes. The Nilotic tribes have a very interesting conception of the deity: there is one central, supreme deity, but this deity appears in a number of manifestations, each of which has its own individuality, its own cult, its own name, but they are all parts of one supreme deity. And now, among the Dinka, you find the conception that there is one spirit, Makarit, who sends all the evil. You can't say „God is Makarit", because God of course is much more; but Makarit is God. So you find here a kind of beginning of a sort of internalized dualism within the person of the supreme god.

TRENCSÉNYI: Ich meine, daß es ein Dualismus im vorprophetischen Judentum gibt, nämlich die Gestalt des Azazel, dem man am Versöhnungstag den Sündenbock in die Wüste schicken muß. Das ist unbedingt Jahwé entgegengesetzt. Aber das ist dann nach dem Prophetismus ganz überwunden. Was die spätere Zeit betrifft, ob man die Vision in Sacharia die Formgestalt, die das Böse darstellt, dazu zahlen kann, das ist schon sehr fraglich.

ROBINSON: In relation to the New Testament, it seems to me that part of the historical problem has to do with the fact that there are lines of connection between Qumran and Nag Hammadi that run through the New Testament; and perhaps some of these intermediary stages would be also indirectly relevant to the terminological question. The definition that Prof. Ringgren gave of the content of salvation in the Hodayot was my point of departure. It is rather striking that these items that Prof. Ringgren lists at the bottom of his first page occur in Colossians I, 12-14, following directly on the phrase εὐχαριστοῦντες τῷ πατρί ("giving thanks to the Father. . ."), which is itself one of the few instances in the New Testament of much the same opening of a hymnic passage that one finds in the Hodayot formula itself. Thus one has one of the most clearly recognised parallels between Qumran and the New Testament in this hymn, a hymn which Eduard Norden already detected toward the opening of the century. The emphasis in Col. 1:12-14 on the saving transformation taking place in the baptismal context (cf. also Qumran's ablutions) was developed in Colossians and Ephesians, where one has the baptismal ascent of the soul, since at baptism one participates in Christ, both in "dying with" and also "rising with". This development recurs then as a heresy in II Timothy 2, 18: Hymenaeus and Philetus are misleading some by saying that the resurrection has taken place already.[1] Much the same view occurs however as doctrine in Nag Hammadi's "De Resurrectione", where Paul is quoted for this deutero-Pauline doctrine and expounded in the phrase "The resurrection has taken place already". [Dr. Martin Krause has subsequently called my attention to the fact that this doctrine is still further expanded in Nag Hammadi's "Exegesis on

---

[1] [See on this Wilson's paper, on p. . . . . Ed.]

the Soul" that he is editing]. Therefore there would seem to be a series of intermediary stages between the Hodayot and Nag Hammadi running through the
New Testament.

Another instance that I would give, in connection with the discussion yesterday
of canonical and non-canonical gospels, would be the movement from Jewish
wisdom literature, namely its collections of דְּבָרִים, "words" (of Lemuel, or of
other persons such as Ahikar outside of the Old Testament), to the apocalyptic
sayings in "Q", which is the same *Gattung* or *genre* to which the Gospel of Thomas
belongs. "Q" and "Thomas" should not be considered as belonging to the *genre*
of the "Gospel", but rather as instances of the *genre* of "*Logoi*", "sayings collections", to which the beginning of Thomas the Athlete from Nag Hammadi also
refers. I would suspect that, as "Q" was used and heard at the end of the first
Christian century within Christianity, its original apocalyptic orientation came to
be replaced by gnosticising ideas and dangers. This would be then one explanation
for the fact that "Q" survived as acceptable in the orthodox Church only on the
condition that it be subsumed within and taken up into the context of Mark's
Gospel by Matthew and Luke, as we have it today.

THE NATURE OF GNOSTICISM IN QUMRAN

BY

MENAHEM MANSOOR *

Definitions

It is the present writer's good fortune that it is not within his domain here to attempt to define Gnosticism; since it is his firm belief, at this stage of study, that this is tantamount to attempting the impossible. It would also be difficult to go deeply into the question of the relationship of the Qumran texts to what is technically called *gnosis*. In the first two centuries of our era, Gnosticism was often used to describe a very special type of knowledge: that of secret, mysterious, revealed, supernatural truths of which certain privileged groups were in possession. Within this meaning, the concept was very elastic and, therefore, included various forms of *gnosis* in the ancient world. St. Paul, for instance, speaks repeatedly of *gnosis* in his Epistles and most ancient Christians proclaimed theirs as the true *gnosis*, the true knowledge of the mysteries revealed by God.[1] It is generally maintained, however, that when we say "gnosticism" we mean the term for the heretical movements that arose in the second century, originally known only from the references and polemics of the Church Fathers. [2]

The Greek Gnostics did penetrate into Christianity in disguise, but as LaSor points out, the Christian church in the second century, when it became firmly established, resisted Gnostic intrusions because: 1) esoteric knowledge, for the initiated only, was presented in the place of faith, thus tending to divide the church into strata of believers, and also because; 2) the labeling of matter and therefore flesh, as evil led to a denial of the bodily resurrection.[3]

We have often heard it said that gnosticism did not rise in a vacuum. It is therefore necessary to clarify our ideas as to what preceded the period in which most of the best known heresies came into existence.

---

[1] J. VAN DER PLOEG, *The Excavations at Qumran: A Survey of the Judaean Brotherhood and its Ideas*, (London, 1956), p. 119.

[2] One immediate difficulty arises from the fact that not all heretical movements can be dated in the second century. For the time being, we have to be contented with a rough definition.

[3] Cf. W. S. LASOR, *Amazing Dead Sea Scrolls*, (1956), p. 141.

*) The Author is indebted to Mr. Mel Pasternak, research assistant, for his invaluable help in the preparation of this paper.

As Munck [1]) put it, what are the antecedents to second century gnosticism? In what sense are the similarities and parallels recently unearthed by the archaeological, historical and philosophically-inspired, historically valid?

Because of the difficulties in defining or determining the meaning of the words *gnosis* and *Gnosticism*, the discussion of the gnostic character of the Gumran and *NT* writings so far has generally remained fruitless. The problem of *gnosis* in Qumran and elsewhere, and the resulting confusion, is largely a matter of definition and terminological inexactitude.[2])

Origins

The origin of Gnosticism has been one of the most passionately discussed problems in the past sixty years. In modern times, as Grant pointed out,[3]) there have been four principal explanations of the origins of Gnosticism. Summing up the opinions of a considerable number of scholars, we can say that Gnosticism arose out of: 1) Hellenistic philosophy (the school of Festugière); 2) Oriental religions (Reitzenstein and his school), chiefly Iranian, Egyptian and Buddhist; 3) apocalyptic Judaism and especially heterodox currents of Jewish thought [4]) (the school of Albright, Quispel, Reicke, and Cullmann); and 4) Christianity. Moreover one of the most striking features of recent gnostic studies is the tendency to see in Judaism the source, or at least, the main channel, through which *Gnosis* entered the Graeco-Roman world. This is due to the growing interest shown by scholars in Jewish apocalyptic, the Qumran scrolls, Hellenistic Judaism—Philo in particular, the few hints of mystical movements

---

[1]) Cf. J. MUNCK, "The New Testament and Gnosticism," *ST*, 15 (1961), p. 191.

[2]) ROBERT P. CASEY has a good discussion of the various ideas of Gnosticism and a sketch of the development of critical studies of Gnosticism in the past fifty years, in his chapter on „Gnosis, Gnosticism and the New Testament," *The Background of the New Testament and its Eschatology*, in the *Dodd Anniversary Volume* edited by W. D. DAVIES and D. DAUBE (Cambridge, 1956), pp. 52-80. He points out that all religions assert a claim to special knowlegde and all religions based on revelation depend on the acceptance of revealed truth as necessary for salvation. If, then, these points (viz. special knowledge revealed and the necessity of reception of it for salvation) are taken as the basic definition of Gnosticism, then perhaps all religions are Gnostic. Obviously, this is not a satisfactory definition, but CASEY has helped to clarify the subject.

[3]) R. M. GRANT, *Gnosticism and Early Christianity*, (New York, 1959), p. 13.

[4]) See especially, G. QUISPEL, "Christliche Gnosis und Judische Heterodoxie", *ET* (1954), pp. 1-11.

in the Talmud, and other Jewish sources.[1]) This has occasionally been called the pre-Gnostic stage to which may be assigned the various trends of Hellenistic syncreticism, including the apocalyptic works, Philo, and the Qumran scrolls. The present writer believes that the attribution of characteristic gnostic ideas to Qumran and NT writings is erroneous and misguided.

The Eastern Mediterranean, in the last century before and the first two centuries of the Christian era, was in "profound spiritual ferment." The Qumran Scrolls add powerful support to the view, reasonably argued before, that Palestine was seething with eschatological movements and that the emergence of Christianity was anything but an isolated development. "The main features of this contemporary thought were: a) all phenomena are of a decidedly religious nature; this is the prominent characteristic of the second phase of a Hellenistic culture in general; b) all the various trends have to do with *salvation*; c) all exhibit an exceedingly transcendent (i.e. transmundane) conception of God and in connection with an equally transcendent idea of the goal of salvation; d) finally, all maintain a radical dualism of realms of being—God and the world, spirit and matter, soul and body, light and darkness, good and evil, life and death—and consequently an extreme polarization of existence affecting not only man but reality as a whole: the general religion of the period is a dualistic transcendent religion of salvation.[2])

Qumran though admittedly reflects all these features but should not be identified with them. For example, one of the characteristic elements of Gnosticism was dualism of the cosmological, matter-spirit type, rather than the ethical type we find in Qumran and in the New Testament.[3]) The Dead Sea Scrolls have reminded scholars of what they already knew, or should have known. There was a strong ethical dualism in late Judaism, where we encounter the two spirits of light and darkness which presumably go back to the ancient religion of Iran. In Judaism it was essential to modify the Iranian idea by holding that both spirits were created by the one God; this is the modification we meet in the scrolls. The development of this dualism has been set forth schematically by Professor K. G. Kuhn of Heidelberg.[4])

[1]) W. R. SCHOEDEL, "The Rediscovery of Gnosis. A Study of the Background to the New Testament," *Interpretation*, 16 (1962), p. 393.

[2]) MUNCK, *op. cit.*, pp. 192 ff.

[3]) Cf. LASOR, *op. cit.*, p. 141.

[4]) "Die Sektenschrift und die Iranische Religion", *ZTK*, 49 (1952), p. 352.

Because of the very nature of the gnostic cult, and for what gnosticism stands, it is unthinkable that the pious men of Qumran, or such men as Paul and John, were associated with the Gnostic ideas and terminology; although, admittedly, they did use language and phraseology which the Gnostics were later to adopt.[1]) Cullmann [2]) and Reicke [3]) have for many years defended the thesis that primitive Christianity took its origins, not only in official Judaism, but chiefly in some quasi-esoteric offshoot of Judaism. Cullmann's sound reasoning is as follows: In the past, as soon as Hellenistic influences could be shown in a New Testament writing, the immediate conclusion was—this must have been written very late. The Gospel of John is a case in point. Since Hellenistic elements such as dualism and predestination are found in the Gospel, it was believed that a very late origin was proved. Behind this false conclusion stood a false, or a least too schematic, conception of the origin of Christianity; namely, the idea that at first Christianity was merely Jewish, and then later became Hellenistic.[4]) The Qumran finds, as we shall see, confirmed Cullmann's theories.

Pre-Christian Gnosticism

This paper concerns particularly the so-called *gnosis* or "knowledge" of the late Hellenistic and early Christian eras, the presumed active period of the Qumran sect. The question whether the Qumranites were Gnostics in the technical sense is important for the understanding of the sect of Qumran and its place in the history of religion. We must therefore devote some attention to it.

To some degree it is a question of definition. What is meant when one speaks of Gnosticism? In the strictest sense, as it has already been explained, the term refers to a heretical form of Christianity that arose in the second century A.D. This Christian heresy, however, was not an entirely new or unique phenomenon; it was a strange amalgam of ideas both new and old, some of them going back all the way to ancient Babylonian religion. It is possible therefore to think of Gnosticism as a general movement of thought affecting other religions

---

[1]) For a comprehensive discussion see R. McL. WILSON, *The Gnostic Problem*, (London, 1958) pp. 98 ff.

[2]) "The Significance of the Qumran Texts," *JBL*, 74 (1955), p. 213 ff.

[3]) "Traces of Gnosticism in the Dead Sea Scrolls," *NTS* 1 (1956), pp. 138 ff.

[4]) *Op. cit.*, pp. 213 ff.

as well as Christianity.[1]) When we speak of Gnosticism in the Dead Sea Scrolls, therefore, the question is not whether they belonged to the general movement known as Gnosticism in a broader sense.[2]) From his study of the pseudo-Clementine literature,[3]) where ancient elements of primitive Jewish Christianity have been preserved, Cullmann [4]) came to the conclusion that there had existed, in pre-Christian times, on the edge of official Judaism, a form of Jewish Gnosticism which he argued, judged externally must be considered the cradle of earliest Christianity.[5])

Since this Jewish Gnosticism already shows Hellenistic influence, we must view the entire question of Hellenism *vs.* Judaism from a different perspective than has become habitual. Dr. Cullmann [6]) then goes on to argue that Qumran now furnished us with the evidence for this type of "esoteric" or peripheral Judaism, within which the roots of primitive Christianity lie. New and striking similarities are shown to have existed between the beliefs, practices, and customs of the Qumran group and the primitive *Church*.[7])

Pre-Christian and Apocalyptic Gnosticism

The Qumran Scrolls are very important for the evolution of this special Jewish *gnosis*. One may think especially of the fact that in some of these manuscripts the Hebrew word for "knowledge" and related terms occur with a striking frequency, and that the dualistic cosmology of the new texts seems to be rather like certain fundamental ideas of Gnosticism. Since the archaeological evidence now proves that the Qumran manuscripts are pre-Christian, or were at least written in the first Christian century, new light can now be thrown

---

[1]) M. BURROWS, *The Dead Sea Scrolls*, (1955), pp. 252 ff.

[2]) At the same time, the terms Gnostic and Gnosticism should not be used in such a broad way that their meaning becomes vague and confusing. They should be reserved for forms of religion, whether Christian or non-Christian, that exhibit at least the most characteristic features of Gnosticism as represented by the second century Christian heresy. (*Ibid.*).

[3]) *The Significance of the Qumran Texts for Research into the Beginnings of Christianity*, JBL 74 (1955), pp. 213 ff.; *L'Opposition Contre le Temple de Jerusalem, Motif Commun de la Théologie Johannique et du Monde Ambiant*, NTS 5 (1959), pp. 157 ff. See also *A New Approach to the Interpretation of the Fourth Gospel*, ET, 71 (1959).

[4]) *Le Probleme Litteraire et Historique du Roman Pseudo-Clementin: Etude sur le Rapport le Gnosticisme et le Judeo-Christianisme*, Paris 1930.

[5]) Cf. also, M. BLACK, *The Scrolls and Christian Origins*, New York 1961, p. 76.

[6]) CULLMANN, *op. cit.*, p. 213.

[7]) BLACK, *op. cit.*, p. 76.

upon the much debated question of a pre-Christian, Jewish Gnosticism of Palestinian origin.

However, it would be a mistake to believe that the Qumran texts represent an elaborate Gnosticism such as has been described by Christian heresiologists. We should like to emphasize that the Qumran texts are also connected with Old Testament traditions, especially with the apocalyptic tendencies of late Judaism. This is true, although the new texts are familiar with more abstract ways of thinking, and have apparently left behind them the use of concrete myths and visions that are so characteristic of Jewish Apocalyptic. So it seems possible to regard the Qumran texts as evidence for a gradual development from Jewish Apocalyptic to more philosophical theories such as Judaistic Gnosticism,[1] or "philosophy" alluded to in Col. ii, 8, or the philosophy of Philo. Thus, the Dead Sea Scrolls introduce us to a milieu in which Judaism has been invaded by Hellenistic terminology but, however, has not modified its essential nature. The existence of such a milieu has indeed been long suspected and even recognized but is now, if we accept the dating of the Qumran Scrolls which seems acceptable to most scholars, even more clearly established.[2]

One thing is observable when we seek to understand the circles in which the DSS emerged. These circles from Qumran seem to have placed a greater emphasis upon the concept of *knowledge*, whatever its exact connotation, than the more strictly Jewish circles. In 1QH, we find an even greater emphasis upon *knowledge* than in the Wisdom literature of the OT. This emphasis may well be due to the influence of Hellenistic factors.[3]

It is probably safe to infer that, when the DSS emerged, Hellenistic influences were sufficiently strong to color the *terminology* of the sect without radically affecting its thought. There is a parallel in the use

---

[1] REICKE, *op. cit.*, p. 137.

[2] W. D. DAVIES, *Knowledge in the Dead Sea Scrolls and Matthew*, *HTR*, 46 (1953), pp. 113 ff.

[3] Such Jewish and Hellenistic factors cannot be sharply distinguished in the first and preceding centuries even in Palestine itself. Cf. F. L. KNOX, *Some Hellenistic Elements in Primitive Christianity*, (1944), pp. 30 ff.; W. D. DAVIES, *Paul and Rabbinic Judaism*, (1948), pp. 1-16; SAUL LIEBERMANN, *Greek in Jewish Palestine*, (1942). According to S. LIEBERMANN and D. DAUBE in *HUCA*, 22, pp. 239 ff., even the Rabbinic methods of exegesis have been influenced by Hellenistic modes.

which the Fourth Gospel makes of Hellenistic terms while often retaining for them a Hebraic connotation.[1]

A number of scholars trace Qumran knowledge to Jewish sources, especially apocalypticism.[2] The Qumran texts have certainly strengthened this theory.[3] The Qumran texts—and especially 1QH—give much new knowledge about the subject under discussion. Many of the Qumran texts can be described as apocalyptic, such as the War Scroll, the Hymns, and the commentaries. Gershom Scholem, the leading authority on the history of Jewish mysticism, showed some twenty years ago before the discovery of the Qumran scrolls, that the beginnings of Jewish Gnosticism are found in the extra-canonical Apocalypses. The Qumran writings confirm his opinion.[4]

Scholem's work [5] in particular has compelled the recognition of mystical and pre-Gnostic currents within Palestinian Judaism. Here the Dead Sea Scrolls are highly significant; they confirmed the awareness which was already growing before their discovery that pre-Christian Judaism, although it does not reveal a fully-developed Gnosticism, did emphasize *da'ath* and exhibit incipient tendencies towards later Gnosticism: they made it clear that much that has often been labeled Hellenistic may well have been Palestinian and Semitic.[6]

The Terms "Know" and "Knowledge"

The words "know" and "knowledge" are repeatedly and strikingly used in the Qumran texts, and especially in 1QH, in ways that have

---

[1]) Cf. Davies, *op. cit.*, p. 136. See also K. G. Kuhn, *Die in Palastina gefundenen...*, *ZTK*, 47 (1950), pp. 192-211; W. Grossouw, *The DSS and the NT, SC* (1951), pp. 285 ff.

[2]) To mention only a few: B. Reicke, *op. cit.*, pp. 138 ff.; O. Cullmann, *op. cit.*, pp. 213 ff.; F. F. Bruce, *Second Thoughts on the Dead Sea Scrolls*, (London, 1956), p. 104; W. S. LaSor, *op. cit.*, p. 149; J. Licht, *The Doctrine of DST, IEJ*, 6 (1956), p. 97; D. Flusser, *The Dead Sea Sect and Pauline Christianity*, *SH*, 4 (1958), p. 250; J. Van der Ploeg, *op. cit.*, p. 119; R. M. Grant, *op. cit.*, pp. 112 ff.; K. Schubert, *The Dead Sea Community*, (New York, 1959), pp. 71-72; M. Burrows, *DSS*, pp. 252 ff.

[3]) For a comparitive study of Gnosticism and Jewish Apocalypticism see R. Schubert, *op. cit.*, pp. 71-72.

[4]) Cf. F. Marcus, *Judaism and Gnosticism*, in *Judaism*, (1955), pp. 351-364.

[5]) *Major Trends in Jewish Mysticism*, Jerusalem 1951; *Jewish Gnosticism, Merkabah Mysticism, and Talmudic Tradition*, New York 1960. See also his article on *Religious Authority and Mysticism*, in *Commentary*, (November, 1964), pp. 31 ff.

[6]) *The Bible in Modern Scholarship*, p. 181, and W. D. Davies, *Knowledge in the Dead Sea Scrolls and Matthew* 11:25-30, in *Christian Origins and Judaism* (Philadelphia, 1962), pp. 119 ff.; B. Reicke, *op. cit.*, pp. 137 ff.; K. G. Kuhn, *Die in Palastina gefundenen hebraischen Texte und das Neue Testament*, ZTK, 17 (1950), pp. 192 ff.; Helmer Ringgren, *The Faith of Qumran*, Philadelphia 1963, pp. 114 ff.

been associated with Gnosticism. The Qumran emphasis on *da'ath*
is quite unmistakable. Our colleague, Helmer Ringgren, has ably
discussed this aspect of the study, hence the present writer will
not deal with it. In a general sense, the *da'ath* of DSS and the *gnosis*
of Hellenistic mysticism are not unlike. But there the similarity
ceases. When we turn to the strict content of the Hellenistic *gnosis*,
we find that it differs radically from the *da'ath* of the DSS.

"Knowledge" for the elect also entailed divine knowledge, i.e.
the New Covenant of the sect. This ideal of divine knowledge, which
means studies of the Law and obedience to the Covenant, is a genuine
Jewish ideal without any primary relations to Gnosticism.[1]) There
is thus a strong emphasis on obedience by the members to God's
commandments in the Covenant. The word *brith* occurs in one form
or another many times in this context.[2]) Above all, it must be empha-
sized that knowledge is not in itself, according to the scrolls, the way
to salvation. Knowledge of the law is important, because only by
obedience to the last judgment be averted. This is the knowledge
and practice of the law. This knowledge surely cannot be identified
with Gnosticism. The study of the Law and the obedience to the
Covenant is a genuine Jewish ideal in both Biblical and post-Biblical
eras.[3]) In Qumran there is no knowledge available to man in himself,
for God has all knowledge and He communicates it to man as He
thinks fit. Gnostic doxologies of man's splendid epistemological
resources are not to be found in Qumran writings. And it may be
added that it is simply a question of God's acts and deeds, not of any
metaphysical secrets.[4]) Again, the idea of knowledge as the revelation
of a divine mystery, entrusted to a limited group, is characteristic of
Gnosticism. Salvation is attained by knowledge. The Gnostic idea

---

[1]) REICKE, *op. cit.*, pp. 138-139.

[2]) 1QH ii 28; lv 9, 24; vii 8; x 30; xv 15; xvi 7.

[3]) An important contribution on this "divine knowledge," especially as presented in 1QS is B. REICKE, *op. cit.*, pp. 137 ff. REICKE also refers to this special
aspect of divine knowledge which has bearing upon the New Testament, namely,
practical knowledge. The members not only have to be acquainted with all the
commandments of the Law, "they also need further instruction with regard to
correct behavior in each situation (of life) ... This means an ideal of *practical
knowledge* which also has parallels in the New Testament Epistles. One may think
of the specific knowledge of how to judge and behave in practical situations which
is supposed to be the fruit of Christian grace, and even the object of Christian
instruction, (*Rom* xv 14; 1 *Cor* viii 1-13; etc.".

[4]) See REICKE's excellent discussion on Qumran "Knowledge" in relation to
the *NT* and Gnosticism, *op. cit.*, pp. 139-140. Also BURROWS, *op. cit.*, pp. 253-255.

is that salvation comes through a comprehension of the nature of reality, of the soul's origin, nature and predicament. What is meant by knowledge in the Scrolls has to do with the wonders of God's creation, the fulfillment of the prophecy, and the meaning of the divine laws of the Old Testament that man must obey. [1]

Another basic feature of Gnosticism is not found in Qumran, that is the conception of the soul as a spark of the divine light that has become imprisoned in the world of matter. This is not the belief of the Qumran covenanters. To call the righteous "sons of light" and the wicked "sons of darkness" is quite a different matter. [2] Gnosticism regarded the soul as essentially pure, temporarily imprisoned in the world of matter, but needing only the knowledge of its origin, nature and true destiny to be freed and saved from the bonds of the flesh and to ascend through one sphere after another to its native abode. This saving knowledge, according to the Gnostics, is given by a divine Redeemer, who has descended from above to release the souls of men and lead them back to the realm of light. It would be difficult to find anything in the scrolls even faintly reminiscent of such conceptions. Points of contact between the Qumran scrolls and Gnosticism in other respects have been noted. Undoubtedly the scrolls contain ideas and ideals resembling those of the Gnostics at various points. On the whole, however, it seems unnecessary and only confusing to apply the term Gnosticism to the form in which such ideas appear in the scrolls.

Concluding Remarks

From the above study, it is clear that the concept of the knowledge in Qumran as represented by its writings does not show any direct traces of gnostic mysticism; certainly, the expression *da'ath* for "knowledge" is not to be identified with the gnostic term *gnosis*.[3] Although some scholars thought otherwise at the beginning, it is now becoming clear that the Qumran doctrine of knowledge stood outside the particular trend in the practice of gnosis, which is called Gnosticism, and flourished chiefly in the second and third Christian centuries. Thus, H. J. Schoeps, who had formerly denied the existence of a pre-Christian Jewish Gnosticism, had reversed his judgment

---

[1] BURROWS, *DSS*, p. 256.

[2] *Ibid.*, p. 259.

[3] Cf. M. MANSOOR, *The Thanksgiving Hymns*, Leiden 1961, p. 72; REICKE, *op. cit.*, pp. 140-141; VAN DER PLOEG, *op. cit.*, p. 119; BURROWS, *DSS*, pp. 260 ff.; R. McL. WILSON, *op. cit.*, pp. 70 ff.

following the publication of the scrolls.[1]) Subsequently he came to the conclusion that *Gnosis* is always pagan *Gnosis* and that the Jewish *pre-Gnosis* has in reality nothing to do with it.[2]) K. G. Kuhn, too, is quoted by Fritsch as speaking of "a Palestinian Jewish pietistic sect of gnostic structure"[3]), but in later articles draws some important distinctions between Gnosticism and the doctrines of the Dead Sea sect.[4]) As Van der Ploeg clearly explains, the doctrine professed at Qumran was too well and truly Jewish to be called gnostic by us, i.e. in the technical and historical sense in which the word is ordinarily used.[5]) The ideas and divine revelation and knowledge found in these writings bear closer resemblance to general Jewish Apocalyptic writings. In this connection, Reicke advances the view that there are good reasons for looking upon the scrolls as a stage on the way to Jewish gnostic speculations. The existence of a pre-Christian Jewish and Jewish-Hellenistic Gnosticism, which many scholars have found it necessary to presuppose, because of Col. ii, 8 and similar passages, seems to be confirmed by the pre-Gnosticism—of the scrolls. One may infer foreign influences upon the Jewish texts, whether Hellenistic or Persian, although there are no contemporary Persian documents to prove it.[6]) But either way, the new scrolls facilitate the assumption that the evolution of Jewish and Christian Gnosticism was also an internal process.

The problems of affinity with Gnosticism, Zoroastrianism, and Jewish apocalyptic thought have already introduced us to some of the most characteristic ideas in the Qumran texts. Whatever foreign influences may have affected the ideas of the Qumranites, their basic outlook and major doctrines were thoroughly Jewish, derived primarily from the Old Testament. The importance of the Torah, Law, and the prophets for them is enough to substantiate this.[7])

It is, for example, certain that the sect laid great stress upon knowledge, but as we have already shown, W. D. Davies rejects the temptation of connecting the references to knowledge in these writings with a second-century milieu, when gnostic movements were a

---

[1]) Cf. *ZRG*, 6 (1954), pp. 276 ff. and R. McL. WILSON, *op. cit.*, p. 73.
[2]) R. McL. WILSON, *op. cit.*, p. 74.
[3]) *ZTK* 67 (1950), p. 210, quoted by FRITSCH, *The Qumran Community*, p. 118, n. 11.
[4]) *ZTK*, 69 (1952), pp. 200 ff. and 296 ff.
[5]) VAN DER PLOEG, *op. cit.*, p. 119.
[6]) Cf. BURROWS, *op. cit.*, p. 262.
[7]) Cf. R. McL. WILSON, *op. cit.*, p. 76 and BURROWS, *op. cit.*, p. 255.

menace to Judaism, as to the Church.[1]) This knowledge again is
associated with the revelation of a divine mystery, and belonged to a
selected society, which is once more characteristic of Gnosticism.
But as Wilson clearly points out,[2]) the difference becomes apparent
as soon as we examine the nature of this knowledge, which is closely
associated with obedience and the Law and its commandments.[3])
This is surely not characteristic of Gnosticism in the second century
sense of the term.

As for the dualism in Qumran thought, there is indeed a dualism
of light and darkness, which strikingly recalls the Gnostic dualism,
but again there are important distinctions.[4]) As it has often been
pointed out by many scholars, the Qumran dualism appears to belong,
rather than to Gnostic thought, to the Iranian ideas which had been
adopted by, assimilated into Judaism and interpreted along the
principles of the Torah and the Prophets.[5])

Finally, two of the distinct characteristics of Gnostic thought are
lacking in Qumran. The concept of the soul as a spark of the divine
light imprisoned in the dark world of matter and the Gnostic myth
of the divine Redeemer do not appear in any of the scrolls so far
published. If Quispel is correct, "there would appear to be good
grounds for supposing that it was from Christianity that the concept
of redemption and the figure of the divine Redeemer were taken
over into Gnosticism.[6]) What is the general consensus of scholars
working on the scrolls concerning Gnosticism? In the present state
of our knowledge, it can be said with some confidence that the
Qumran sect, although it certainly belongs to the general milieu from
which Gnosticism arose, is not to be considered Gnostic. As Burrows
puts it, "on the whole, it seems unnecessary and only confusing to

---

[1]) *Op. cit.*, pp. 113 ff.
[2]) *Op. cit.*, p. 74.
[3]) BURROWS, *op. cit.*, p. 256.
[4]) Cf. WILSON, *op. cit.*, p. 74 and BURROWS, *op. cit.*, pp. 257 ff.
[5]) WILSON, *op. cit.*, pp. 259 ff. Cf. KUHN in *ZTK*, (1952), pp. 296 ff., who observes that BROWNLEE (*BASOR*, Suppl. Studies 10-12, New Haven, 1951) and DUPONT-
SOMMER (*RHR*, 142 (1952), pp. 5 ff.) have independently reached the same conclusion. SCHUBERT (*TLZ*, (1953), pp. 495 ff.) has his doubts. As Wilson pointed
out, however, even if the *ultimate* source was Iranian, thus the Qumran dualism
has been naturalized into Judaism. Cf. also S. E. JOHNSON, *Paul and the Manual of
Discipline*, *HTR*, 48 (1955), p. 161, and P. WINTER, *Twenty-Six Priestly Courses*, *VT*,
6 (1956), pp. 315 ff.
[6]) Cf. *The Jung Codex*, p. 78 and *Jew and Greek*, p. 314 ff.

apply the term Gnosticism to the form in which such ideas appear in the Dead Sea Scrolls".[1] With Qumran we are certainly close to Gnosticism, but we have not yet passed the point of transition between pre-*gnosis* and Gnosticism proper.[2]*

UNIVERSITY OF WISCONSIN

---

[1] *Op. cit.*, p. 259.

[2] For an excellent discussion of pre-Christian Gnosticism and its relation to Qumran and the *NT*, see WILSON, *op. cit.*, pp. 30-96.

* For the discussion, see on pp. 384-388.

ESSÉNISME ET GNOSE CHEZ LE PSEUDO-PHILON

Le symbolisme de la lumière dans le *Liber Antiquitatum Biblicarum*

PAR

MARC PHILONENKO

En 1893, M. R. James publiait quatre fragments apocryphes conservés en latin dans un manuscrit du XIe siècle [1] Le savant britannique pensait publier des textes inédits, et plus d'un s'y trompa. Ce fut L. Cohn, le savant éditeur des oeuvres de Philon, qui établit dans un article magistral que ces quatre fragments apocryphes étaient de simples extraits d'un ouvrage publié pour la première fois en 1527, à Bâle, sous le titre: *Philonis Judaei Antiquitatum Biblicarum liber* [2]). Son étude reste la meilleure introduction aux *Antiquités*. Résumons ses conclusions. L'attribution du *Liber Antiquitatum Biblicarum* à Philon ne saurait être maintenue. L'ouvrage est en réalité une histoire sainte d'Adam à Saül, un véritable midrash. La version latine qui nous l'a conservé, faite, sans doute, au cours du IVe siècle, est la traduction d'une version grecque qui repose elle-même sur un original hébreu. L'écrit est de peu postérieur à la prise de Jérusalem par Titus, en 70 ap. J.-C. Le *Liber Antiquitatum Biblicarum* ne porte pas la moindre marque d'une quelconque influence chrétienne.

Cohn a souligné l'intérêt du Pseudo-Philon qui doit être rangé parmi les témoins les plus anciens de la littérature haggadique. Nombreux sont, en effet, les parallèles entre le Pseudo-Philon et le Midrash.

E. R. Goodenough a rattaché le Pseudo-Philon à ce courant du judaïsme mystique auquel il a consacré un ouvrage qui a fait date [3]).

Pour notre part, nous nous sommes efforcés ailleurs de montrer que le *Liber Antiquitatum Biblicarum* doit être compté au nombre des Pseudépigraphes de l'Ancien Testament dont il y a lieu de reconnaître l'origine essénienne [4]).

---

[1]) M. R. James, *Text and Studies*, II, 3, Cambridge, 1893, p. 164-183.

[2]) L. Cohn, *An Apocryphal Work Ascribed to Philo of Alexandria*, JQR, 10, 1898, p. 277-332.

[3]) E. R. Goodenough, *By Light, Light*, New Haven, 1935, p. 265-266.

[4]) M. Philonenko, Remarques sur un hymne essénien de caractère gnostique, *Semitica*, XI, 1962, p. 43-54; Une paraphrase du cantique d'Anne, *Revue d'Histoire*

Ces diverses explications ne s'excluent nullement. Elles se trouvent, croyons-nous, ramenées à l'unité, lorsqu'on a reconnu le caractère essénien du Pseudo-Philon. Un des intérêts du Pseudo-Philon, c'est sa date relativement tardive pour un Pseudépigraphe de l'Ancien Testament, et qui le place à côté du *Quatrième livre d'Esdras* et de l'*Apocalypse syriaque de Baruch*. Or, et la coincidence est significative, c'est à la fin du Ier siècle que le mouvement gnostique prend son essor.

On se propose ici d'étudier un thème particulier, celui de la lumière chez le Pseudo-Philon. Ce thème tient une place considérable, aussi bien dans les textes juifs à basse époque que dans les textes gnostiques [1]). On voudrait, précisément, étudier dans le *Liber Antiquitatum Biblicarum* le passage d'un thème authentiquement juif à un thème proprement gnostique.

La lumière de la Loi

Dans le *Liber Antiquitatum Biblicarum*, la lumière, c'est d'abord la lumière de la Loi. Débora, sur le point de mourir, rassemble le peuple et déclare ((3, 3): „Maintenant donc, vous, mes fils, obéissez à ma voix tant que vous vivrez, et dans la lumière de la Loi dirigez vos sentiers".

Dans la lumière de la Loi! Nous retrouverons la métaphore à plusieurs reprises dans les *Antiquités*. Elle est empruntée à l'Ancien Testament, que l'on songe au *Psaume* 119, 105:

> „Ta parole est une lampe devant mes pas,
> et une lumière sur mon sentier".

ou encore au livre des *Proverbes* 6, 23:

> „Car le précepte est une lampe,
> et l'enseignement une lumière".

Ainsi donc, la Loi est une lumière. La chose est si vraie pour l'auteur des *Antiquités* que, pour lui, le don de la Loi se confond avec celui

---

et de Philosophie religieuses, 42, 1962, p. 157-168. On trouvera dans ces deux articles une bibliographie sur le *Liber Antiquitatum Biblicarum*.

Nous citerons les textes de Qoumrân dans les traductions d'A. DUPONT-SOMMER, *Les écrits esséniens découverts près de la mer Morte*[3], 1964.

[1]) Pour ce qui est du judaïsme, retenons l'ouvrage de S. AALEN, *Die Begriffe Licht und Finsternis im Alten Testament, im Spätjudentum und im Rabbinismus*, Oslo, 1951; pour l'hellénisme, R. BULTMANN, Zur Geschichte der Lichtsymbolik im Altertum, *Philologus*, 97, 1948, p. 1-36; pour la gnose, G. P. WETTER, *Phos*, Uppsala-Leipzig, 1915. Voir aussi G. WIDENGREN, *Mesopotamian Elements in Manichaeism*, Uppsala-Leipzig, 1946, p. 165-167.

de la Lumière. Avant de donner sa Loi au monde, Dieu annonce ainsi son dessein (11, 1):

> „Je donnerai une lumière au monde,
> et j'illuminerai les demeures,
> et je ferai alliance avec les fils d'hommes,
> et j'élèverai mon peuple au-dessus de toutes les nations".

Plus souvent encore, la Loi est comparée à une lampe.

On lit en 15, 6: „Et je les ai conduits devant moi jusqu'au mont Sinaï, et j'ai abaissé les cieux, et je suis descendu allumer une lampe pour mon peuple" [1]).

L'identification de la Loi et de la Lumière est même parfaite en un curieux passage (12, 2): „Et Aaron leur dit: Soyez patients, car Moïse viendra et il apportera pour nous un jugement et il allumera pour nous une Loi."

Dieu est Lumière et Illuminateur

Si Dieu donne sa lumière à son peuple, c'est qu'il est lui-même Lumière. Selon le Pseudo-Philon (22, 3): „Dieu a placé une lumière pour que l'on puisse voir ce qui est dans les ténèbres, puisque lui-même connaît ce qui se trouve dans les lieux secrets de l'abîme, et que la lumière demeure avec Lui". L'auteur des *Antiquités* s'inspire manifestement ici d'un passage de *Daniel* où il est dit de Dieu (2, 22): „C'est lui qui dévoile les choses profondes et cachées, qui connaît ce qui est dans les ténèbres; la lumière demeure avec lui. „Déjà l'auteur du livre des *Hymnes* découvert près de la mer Morte fait allusion au texte de *Daniel* (1 Q H 18, 3): „Car avec toi est la lumière". Mais le Pseudo-Philon majore sensiblement la portée du texte de l'Ancien Testament, lorsqu'il dit (12, 9): „Toi, tu es tout entier Lumière" [2]). Le thème est philonien [3]). Le philosophe alexandrin précise même dans son *De somnis* I, 75 que Dieu „est non seulement lumière, mais archétype de tout autre lumière. „L'idée que Dieu est lumière se trouve reprise dans la *Vie d'Adam et Eve*, en un hymne dont les accents gnostiques sont très nets (28):

> „Tu es le Dieu éternel et Très-Haut
> et toutes les créatures te rendent honneur et gloire.

---

[1]) Cf. *Il Baruch* 17, 4; 59, 2; 77, 16.
[2]) Cf. *Nombres Raba* 15, 6; *Apocalypse d'Abraham* 17; *I Jean* 1, 5; *Actes de Jean* 94.
[3]) Cf. F.-N. KLEIN, *Die Lichtterminologie bei Philon von Alexandrien und in den hermetischen Schriften*, Leiden, 1962.

Tu es la Vraie Lumière qui resplendit sur toutes
les lumières, la Vie vivante,
La Grande Puissance incompréhensible".

Parce qu'il est Lumière, Dieu est l'Illuminateur. Il déclare dans
un des nombreux discours que le Pseudo-Philon lui prête (53, 8):
„J'ai réellement illuminé la maison d'Israël en Egypte, et je me suis
alors choisi un prophète, Moïse, mon serviteur, et j'ai accompli par
lui des merveilles, et je me suis vengé de mes ennemis, comme je le
voulais. Et j'ai conduit mon peuple dans le désert, et je les ai illuminés
de sorte qu'ils voient. "L'allusion à la colonne de feu qui, selon le
livre de l'*Exode* 13, 20-22, précédait le peuple dans le désert est claire.
L'interprétation mystique que le Pseudo-Philon donnait certainement
de ce passage nous échappe malheureusement.

Quoi qu'il en soit, Dieu est d'abord celui qui illumine Israël par le
don de la Loi (23, 10): „Et je ne permis pas que mon peuple fut dis-
persé, mais je lui donnai ma Loi, et je les illuminai pour que, la
mettant en pratique, ils puissent vivre, prolonger leurs jours et ne pas
mourir. „Ailleurs, prévoyant l'infidélité d'Israël, le Pseudo-Philon fait
dire à Dieu (19, 6): „Ce peuple se lèvera, et il me cherchera, mais il
oubliera ma Loi, par laquelle je l'avais illuminé, et j'abandonnerai
leur race pour un temps".

La liturgie de la Synagogue paraît avoir conservé la trace de telles
conceptions. On trouve dans les Prières du matin une formule qui,
replacée à côté des textes que nous venons de citer, prend un relief
inhabituel: „Illumine mes yeux par ta Loi et rattache nos coeurs à tes
commandements, et unis nos coeurs dans l'amour et la crainte de ton
Nom" [1]). Cette traduction, philologiquement inattaquable, me paraît
devoir être préférée à celle, traditionelle celle-là, qui rend la formule
hébraïque par „éclaire mes yeux dans ta Tora", entendons „par l'étude
de ta Loi", et qui évacue le sens mystique de cette prière pour l'illumination, pour lui substituer une demande de l'intelligence de l'Ecriture.
Cette interprétation seconde a pour effet de substituer au sens essénien
et mystique une interprétation pharisienne et scholastique.

Les prophètes illuminateurs et illuminés

Si Dieu est illuminateur, ses prophètes le sont également. Relevons
dans les *Antiquités* une curieuse exégèse de *Genèse* 15, 9. On se souvient

[1]) Texte hébreu dans W. STAERK, *Altjüdische liturgische Gebete*, Berlin, 1930, p. 6.

du texte biblique. Yahvé ordonne à Abram de prendre „une génisse de trois ans, une chèvre de trois ans, un bélier de trois ans, une tourterelle et un pigeonneau. „Le Pseudo-Philon commente ainsi ce texte (23, 7): „La tourterelle, je la rendrai semblable aux prophètes qui naîtront de toi, et le bélier je le rendrai semblable aux sages qui se lèveront de toi et illumineront tes fils".

Débora, prophétesse inspirée, s'adresse au peuple en ces mots (33, 1): „Voici je vous exhorte, moi qui suis une femme de Dieu, et je vous illumine, moi qui appartient au sexe féminin".

Dans son cantique, Anne, annonçant la naissance de Samuel, s'écrie (51, 3):

> „Coulez, mamelles,
> et proclamez vos témoignages,
> car il vous est ordonné d'avoir du lait.
> Car il sera établi (prophète)
> celui qui boira votre lait,
> et le peuple sera illuminé par ses paroles".

Le prophète est donc pour le Pseudo-Philon un illuminateur. Nous sommes en présence d'une conception „illuministe" de la prophétie, attestée également dans l'*Histoire de la Captivité à Babylone* [1]). A Sédécias qui a fait jeter en prison le prophète Jérémie, un jeune homme demande, tel un accusateur: „O roi, qu'a donc fait ce prophète pour que tu le traites ainsi? Ne crains-tu pas Dieu, ô Roi, pour que tu jettes en prison le prophète du Seigneur et que tu éteignes le flambeau d'Israël, qui éclaire le peuple de Dieu?"

Des idées analogues sont développées dans la littérature qoumrânienne et dans les *Testaments des Douze Patriarches*, mais à propos du sacerdoce. On lit, par exemple, dans le *Livre des Bénédictions* (1QSb 4,27):

> „Et qu'il fasse de toi un objet de sainte [té] parmi son peuple et un flambeau [. . . pour briller] sur le monde dans la Connaissance et pour illuminer la face de beaucoup . . .!"

On lit de même dans le *Testament de Lévi* (18, 3):

> „Et son astre se lèvera dans le ciel comme celui d'un roi, illuminant la Lumière de la Connaissance, comme le soleil illumine le jour, et il sera magnifié dans le monde entier".

---

[1]) Texte carshouni et traduction française de L. LEROY, Un apocryphe carshouni sur la captivité de Babylone, *Revue de l'Orient chrétien*, 15, 1910, p. 255-274.

ou plus loin, toujours dans le *Testament de Lévi* (18, 9):

> „Sous son sacerdoce, les nations augmenteront dans la Connaissance sur la terre,
> et seront illuminées par la grâce du Seigneur”.

Encore ne faut-il pas opposer ici sacerdoce et prophétie. Ainsi, le Maître de justice qui était prêtre et prophète chante dans les *Hymnes* (1QH 4, 27):

> „Et par moi, tu as illuminé la face de beaucoup,
> et tu les as fait croître jusqu'a ce qu'ils fussent innombrables”.

Dieu est Illuminateur parce qu'il est Lumière, les prophètes sont illuminateurs parce qu'ils sont illuminés. Le Pseudo-Philon écrit (20, 3): „Josué prit les vêtements de sagesse et les revêtit, et ceignit ses reins de la ceinture d'intelligence. Au moment même où il mettait ses vêtements, sa raison fut embrasée et son esprit ébranlé”.

Balam avait demandé à Dieu (18, 4): „Et maintenant illumine ton serviteur” [1].

L'essénisme quomrânien connaît, lui aussi, ce don de l'illumination. Ainsi le Maître de justice confesse-t-il dans les *Hymnes* (1QH 4, 5):

> „Je te rends grâces, ô Adonaï!
> Car tu as illuminé ma face par ton Alliance”.

Dans le rouleau des Psaumes découvert dans la grotte 11, David est dit avoir reçu de Yahvé „un esprit d'intelligence et d'illumination” [2].

L'illumination du coeur

Cette illumination est une illumination intérieure, un phénomène intime. C'est une illumination du coeur. En 28, 3, on lit: „Qui parlera avant le prêtre, qui garde les commandements du Seigneur notre Dieu, puisque de sa bouche sort la vérité et de son coeur une lumière éclatante?” Ailleurs, dans un passage important sur lequel nous reviendrons, Dieu dit de Moïse (9, 8): „Moi, Dieu, j'allumerai pour lui ma lampe qui habitera en lui”. Ici encore, il s'agit d'une illumination du coeur comme le montre un passage parallèle du *Quatrième livre d'Esdras* (14, 25): „J'allumerai dans ton coeur la lumière d'intelligence”.

---

[1] Cf. *II Baruch* 21, 18.
[2] 11QPs^a 27, 4.

On reconnaît là un thème mystique typiquement qoumrânien. Citons quelques textes de la *Règle* (1QS 2, 3):

„Qu'Il illumine ton coeur par l'intelligence de vie, et qu'Il te favorise de la Connaissance éternelle".

et (1QS 11, 3-4):

Car de la source de la Connaissance, Il a fait jaillir la lumière qui m'éclaire, et mon oeil a contemplé Ses merveilles, et la lumière de mon coeur perce le Mystère à venir".

Le thème est repris dans „les interpolations mystiques" du *Siracide* dont le caractère essénien est assez clair (*Sir.* 2, 10): „Vous qui craignez le Seigneur, aimez-le, et vos coeurs seront illuminés". Sans parler de la *Deuxième Epître aux Corinthiens* (4, 6): „Le Dieu qui a dit: Que du sein des ténèbres luise la lumière! — a lui dans nos coeurs pour faire resplendir la connaissance de sa gloire, qui rayonne sur le visage du Christ".

En milieu gnostique, l'image est reprise dans les *Odes de Salomon* (10, 1):

„Le Seigneur a dirigé ma bouche par Sa Parole, et a ouvert mon coeur par Sa Lumière" [1]).

Lumière de vérité et lumière intelligible dans le portrait de Moïse

Dans les *Antiquités*, l'Illuminateur et l'Illuminé par excellence, c'est Moïse, puisqu'il apporte la Loi-Lumière' C'est à son propos qu' apparaît le plus clairement l'idée que le Pseudo-Philon se fait de l'illumination. Tout naturellement, les textes où il est question de la révélation de la Loi au Sinaï sont ici les plus intéressants.

Annonçant le venue de Moïse, Dieu déclare (9, 8): „Moi, Dieu, j'allumerai pour lui ma lampe qui habitera en lui et je lui montrerai mon alliance que nul homme n'a vue, et je lui dévoilerai ma magnificence, mes ordonnances et mes décrets, et une lumière éternelle pour qu'elle brille pour lui. „La formule est surprenante. Non seulement, Dieu dévoile à Moïse sa magnificence, ses ordonnances et ses décrets, en bref, la Lumière éternelle de la Loi, mais il allume en lui une lampe qui l'illumine d'un feu intérieur. La doctrine est typiquement philonienne. Un texte du *De migratione*, qui rappelle de façon frappante

---

[1]) Cf. aussi *Odes de Salamon* 7, 23; 32, 1; 34, 2.

celui des *Antiquités*, suffira à l'établir: „C'est pourquoi, Moïse, le Sage, s'il en fut, prend la précaution de rechercher les mots qui plaisent et qui persuadent dès le jour où Dieu commença d'allumer en lui le flambeau de la vérité au feu de la science et de la sagesse même de paroles immortelles" [1]). Selon Philon, c'est donc le flambeau de la vérité qui illumine le coeur de Moïse. La vérité est illumination. Tel est pour le Pseudo-Philon le sens profond de l'épisode du Buisson ardent (37, 3): „Et quand la vérité illuminait Moïse, c'est par un buisson d'épines qu'elle l'illuminait". On trouve dans l'*Asclepius* des formules qui montrent le caractère gnosticisant de telles formules; n'en citons qu'une seule :„l'homme alors, après avoir chassé de l'âme les ténèbres de l'erreur et acquis la lumière de la vérité, s'unit de tout son intellect à l'intelligence divine" [2]).

Que l'on nous permette enfin de produire un dernier texte du Pseudo-Philon sur l'illumination de Moïse au Sinaï (12, 1): „Et Moïse, alors qu'il était baigné d'une lumière invisible, descendit dans le lieu éclairé par la lumière du soleil et de la lune. Il triompha, par la lumière de sa face, de l'éclat du soleil et de la lune, mais il ne le savait pas".

Lumen invisibilis! La lumière qui resplendit sur la face de Moïse était une lumière invisible. Non point „une lumière bâtarde, mais une lumière authentique" [3]), non point la lumière d'ici bas, mais la lumière d'en haut, non pas la lumière sensible, mais la lumière intelligible. Le thème et la formule même, une fois encore, sont typiquement philoniens [4]). Un texte du *De opificio* permettra de le montrer: „Car l'intelligible surpasse le visible en luminosité et en éclat, autant, à mon avis, que le soleil surpasse les ténèbres; le jour la nuit; l'intellect qui conduit l'âme toute entière, les yeux du corps. Or, cette lumière invisible et intelligible a été créé image du Logos divin, du Logos qui explique sa genèse" [5]). Il y a plus. Si, selon le Pseudo-Philon, la face de Moïse surpasse en éclat celle du soleil et de la lune, c'est que le prophète a parlé à Dieu et que sa face a été caressée non par „le soleil visible", mais — pour reprendre encore une formule de Philon —

---

[1]) *De migratione* 76 (traduction J. Cazeaux).
[2]) *Asclepius* 29 (traduction A. J. Festugière).
[3]) Philon, *De mutatione* 5 (traduction R. Arnaldez).
[4]) Cf. F.-N. Klein, *op. cit.*, p. 39-40. On trouvera dans les *Actes de Pierre*, 21 un beau texte sur la lumière „invisible".
[5]) *De opificio* 30-31 (traduction R. Arnaldez).

par „la lumière suprêmement éclatante et rayonnante du Dieu invisible et très grand” [1]).

La lumière primordiale

Nous avons relevé les accents mystiques et gnosticisants de nombreux textes du Pseudo-Philon. Il nous reste maintenant à faire état d'un texte dont certains traits sont proprement gnostiques. Il s'agit d'un hymne que David aurait chanté à Saül pour chasser le démon qui le tourmentait [2]). Nous ne retiendrons ici que la première strophe de cet hymne (60, 2):

> „Les Ténèbres et le Silence existaient
> avant que le monde fût,
> et le Silence a parlé,
> et les Ténèbres se sont manifestées”.

Ainsi donc, les Ténèbres et le Silence existaient avant que le monde fût. L'importance de ce texte extraordinaire ne semble guère avoir été reconnue. C'est le récit biblique de la création qui a fourni à l'auteur le thème de ces spéculations (*Genèse* 1, 1-2: „Au commencement, Dieu créa le ciel et la terre. Or, la terre était un chaos, et il y avait des ténèbres sur la face de l'Abîme, et l'Esprit de Dieu se mouvait sur la face des eaux. Aux ténèbres primordiales, l'auteur a joint le Silence. *Le Quatrième livre d'Esdras* et l'*Apocalypse syriaque de Baruch* font de même. Les auteurs de ces deux apocalypses ont sans doute été amenés à affirmer la présence du silence initial par l'idée qu'un silence indicible devait avoir précédé la Parole. Mais le Pseudo-Philon s'engage dans une voie beaucoup plus hardie en posant l'existence d'une syzygie primordiale, Ténèbres et Silence. Le thème est typiquement gnostique. Qu'il suffise de rappeler le premier couple de l'Ogdoade valentinienne, Abîme et Silence. Le caractère sexuel du couple Ténèbres et Silence apparaît sans équivoque dans l'intermédiaire grec et l'original hébreu que l'on devine sous le latin. La syzygie primordiale est donc bien un couple au sens fort du terme. Ces spéculations réapparaissent dans les *Homélies* pseudo-clémentines, [3]) dans la gnose valentinienne [4]) et dans le mandéisme [5]).

---

[1]) *De somniis* I, 72 (traduction P. Savinel).

[2]) Voir notre étude, citée plus haut, p. 401 n. 4, Remarques sur un hymne essénien de caractère gnostique, où nous avons traduit et commenté cet hymne de David.

[3]) *Homélies* 2, 15-16.

[4]) IRÉNÉE, *Adversus Haereses*, I, 1, 1.

[5]) Voir E. S. DROWER, *The Secret Adam*, Oxford, 1960, p. 45 et 83.

De la syzygie Ténèbres et Silence émane ou devrait émaner une
seconde syzygie, Lumière et Logos. Au *fiat lux* de la *Genèse*, le Pseudo-
Philon substitue l'émission de la Lumière par les Ténèbres. Il sur-
monte ainsi tout dualisme. Lumière et Ténèbres ne sont plus deux
puissances antagonistes, mais complémentaires. Soulignons que la
Lumière n'est pas ici le fruit de l'union des deux membres de la
syzygie primordiale, mais qu'elle procède de l'un des deux membres
de ce couple. De même du Logos. Les *Extraits de Théodote* distinguent
fort bien ces deux modes de procession: „Tout ce qui provient du
couple est „plérome"; tout ce qui vient d'un seul est „image" [1]).
Un fait surprend. Cette seconde syzygie, dont tout demande l'apparition, en fait, n'apparaît pas. Le Pseudo-Philon n'avait nulle raison de
taire le rôle de la Lumière, dont il s'attache, nous l'avons vu, à
rehausser l'éclat tout au long de l'histoire d'Israël. Sans doute les
réserves de l'auteur portent-elles sur le second membre de la syzygie,
le Logos, dont le prestige pouvait porter atteinte au „Nom" divin,
et dont l'auteur rapporte à la strophe suivante la création. Quoi qu'il
en soit, nous trouvons dans le *Liber Antiquitatum Biblicarum* la plus
ancienne attestation d'une syzygie gnostique. Ce témoignage est d'une
valeur extrême.

Si notre démonstration a été correctement menée, on saisit dans le
Pseudo-Philon tout le développement d'un thème. Les origines en
sont scripturaires, les prolongements philoniens et essénisants,
l'aboutissement gnostique. A partir d'un exemple précis, on entrevoit
comment des ébauches de systèmes gnostiques ont pu apparaître en
milieu juif.

DISCUSSION

Mac Rae: Il ne m'est pas du tout clair comment le couple Ténèbres et Silence
dans ce texte puisse être bien une syzygie gnostique. Nous sommes renvoyés à un
parallèle où je ne vois pas de gnosticisme.

Philonenko: D'accord sur le caractère non gnostique du couple ténèbres et
silence dans le *Quatrième livre d'Esdras*. Dans le Pseudo-Philon, le problème est
différent: les Ténèbres se manifestent et le Silence parle !

---

[1]) *Extraits de Théodote* 32, 1 (traduction F. Sagnard).

GNOSTICISMO
E CORRENTI GIUDAICHE

CONSIDERAZIONI SULLE ORIGINI DELLO GNOSTICISMO IN RELAZIONE AL GIUDAISMO

DI

GIORGIO JOSSA

In due importanti scritti di alcuni anni fa O. Cullmann e H. Ch. Puech hanno posto in forte risalto la differenza tra la concezione greca e la concezione biblica del tempo [1]. Il pensiero greco concepisce il tempo come pura apparenza, immagine dell'eternità sprovvista di un proprio valore ontologico. Per il greco non vi è alcun progresso nella storia; il movimento della storia è ciclico, consiste in un continuo ritorno su se stesso, in una riproduzione eterna degli stessi avvenimenti [2].

Il pensiero biblico, e più precisamente il pensiero cristiano del Nuovo Testamento, sulla linea di quello giudaico del Vecchio, attribuisce invece al tempo un senso e un valore propri. La storia ha un inizio e un fine, il suo movimento è rettilineo e ascendente, i suoi momenti hanno il carattere dell'unicità e della irripetibilità. Lungo questa linea retta ascendente e attraverso questi momenti irripetibili diventa possibile un compimento, un piano divino si realizza progressivamente; nella loro unicità gli eventi sono infatti legati da una profonda continuità [3].

La tesi dei due studiosi, pur contenendo una gran parte di verità, pecca senza dubbio di una eccessiva generalizzazione. Per quanto riguarda il pensiero greco essa può valere nei confronti di Platone e del platonismo, come anche le recenti ricerche di C. Andresen [4] e M. Elze [5] sul medioplatonismo pagano e cristiano hanno ulteriormente confermato; ma non vale invece per il pensiero stoico, per il quale V. Goldschmidt [6] ha dimostrato l'importanza che esso attri-

---

[1]) O. CULLMANN, *Christus und die Zeit*, Zürich 1946 (traduzione italiana della 3ª edizione: Bologna 1965. Le citazioni che seguono si riferiscono a questa traduzione). H. CH. PUECH, *La gnose et le temps*, in *Eranos-Jahrbuch* 20 (1951), 57-113.

[2]) CULLMANN, *op. cit.*, 75, 85; PUECH, *op. cit.*, 60 ss.

[3]) CULLMANN, 74 ss.; PUECH, 67 ss.

[4]) *Logos und Nomos. Die Polemik des Kelsos wider das Christentum*, Berlin 1955, 276 ss.

[5]) *Tatian und seine Theologie*, Göttingen 1960, 103 ss.

[6]) *Le système stoïcien et l'idée de temps*, Paris 1953.

buisce all'esistenza nel tempo. In effetti ciò che il pensiero stoico nega è che la durata abbia in sè e per sè un valore di progresso, di maturazione. Ma ciò non significa che il tempo non abbia alcun valore. Significa invece che il modo reale del tempo è soltanto il presente; che la perfezione si raggiunge bruscamente, senza sviluppo graduale [1]).

Ma soprattutto per quanto riguarda il pensiero giudaico (e poi cristiano) è evidente la generalizzazione compiuta dai due autori. Cullmann parla del pensiero biblico come di un pensiero perfettamente uniforme. E' necessario invece ricordare come il pensiero della Bibbia non fosse così univoco a proposito del tempo e della storia come egli mostra di credere. Accanto alla tradizione dei profeti vi era quella dei saggi di Israele. Per questi ultimi le idee messianiche ed escatologiche non avevano alcun interesse. La situazione disastrosa in cui si era trovato il popolo giudaico dopo la crisi del 586 a.C. e ancor più forse al ritorno dall'esilio di Babilonia li aveva fatti ripiegare su se stessi, nella coscienza della necessità immediata di una riforma interiore. La speranza nella restaurazione compiuta dal Figlio di David attraverso uno sconvolgimento radicale che desse inizio a un mondo nuovo scompare in loro per dar luogo a questa ricerca di interiorità [2]). Il libro della Saggezza, che esprime forse nella maniera migliore questo atteggiamento, non cerca ad esempio, nella sua interpretazione degli avvenimenti, l'influenza che essi hanno avuto nella storia del suo popolo, ma il mistero nascosto che essi contengono [3]). La storia di Israele perde così il suo carattere di piano di Dio che tende verso una meta. Il senso del progresso continuo scompare. Il tempo non è più in cammino verso un fine stabilito, ma diviene la stoffa nella quale si ritagliano i vari pezzi di esistenza l'uno staccato dall'altro. Dall'idea di una salvezza comunitaria ci si leva così alla nozione del destino individuale [4]).

Non si può non notare una certa affinità con la concezione stoica del tempo illustrata sopra. In effetti negli stoici come nei saggi vi è una sostanziale indifferenza per gli avvenimenti passati e futuri. L'attenzione è rivolta più alla coscienza individuale che non alle vicende della comunità. Non vi è un vero progresso e compimento nel

---

[1]) GOLDSCHMIDT, *op. cit.*, 203, 211-212.

[2]) P. VOLZ, *Die Eschatologie der jüdischen Gemeinde im neutestamentlichen Zeitalter*, Tübingen 1934, 58 ss., 131 ss.; F. M. BRAUN, *Jean le Théologien 2. Les grandes traditions d'Israël et l'accord des Ecritures selon le quatrième Evangile*, Paris 1964, 117 ss.

[3]) VOLZ, *op. cit.*, 58-59, 182; BRAUN, *op. cit.*, 115 ss., 155.

[4]) VOLZ, 131 ss.; BRAUN, 117-118, 156 ss. Cfr. W. L. KNOX, *St. Paul and the Church of the Gentiles*, Cambridge 1939, 5 ss., 27 ss.

tempo; ciò che conta è l'istante della iniziativa individuale. Dobbiamo parlare dunque di una influenza ellenistica sul pensiero sapienziale? La cosa, se deve escludersi per i libri più antichi, è certa invece per i più recenti. Il Siracide, scritto verso il 190 a.C. in Palestina, è già un prodotto del giudaismo ellenistico [1]). E ancor più forte è naturalmente l'influenza ellenistica sulla Saggezza di Salomone, notevolmente posteriore al Siracide e originaria di Alessandria [2]). Le vicende stesse della Scrittura, con il rifiuto da parte dei giudei palestinesi di inserire il Siracide e la Saggezza di Salomone nel canone biblico, confermano del resto questa influenza dell'ellenismo. Non si deve infine dimenticare quale passo in avanti verso queste forme di giudaismo ellenistico abbia costituito la traduzione dei Settanta [3]).

Questa duplicità di atteggiamenti nei confronti della storia e della escatologia si ritrova nel giudaismo del I secolo. P. Volz, che ha dedicato un ampio studio all'escatologia delle comunità giudaiche dell'epoca neotestamentaria, rileva come, accanto all'apocalittica, che prosegue con maggiore o minore continuità la tradizione dei profeti, vi sia tutto un fiorire di tendenze che si ricollegano molto più al pensiero dei saggi di Israele e dei filosofi ellenistici e che trovano accoglienza soprattutto nel rabbinismo e nella sinagoga. L'aspetto più significativo di queste tendenze consiste in un sostanziale disinteresse per le speranze escatologiche e in un profondo desiderio di interiorizzare la propria fede [4]). La situazione politica ha determinato un certo scetticismo sulla possibilità di una futura realizzazione delle promesse messianiche e un vivo bisogno di approfondimento interiore. L'escatologia passa così in seconda linea, la vita comunitaria perde il suo valore di realizzazione più piena e completa della presenza divina. La fede consiste in un rapporto tra l'individuo e Dio, senza legame veramente necessario con gli eventi della storia e la vita della comunità [5]). Questa riaffermazione della interiorità si esprime principalmente in una vigorosa polemica anticultuale che non è limitata al rimprovero dei profeti contro il carattere troppo esteriore delle cerimonie, ma si traduce nell'affermazione di una religione fondata non più sulla celebrazione del culto, bensì sull'osservanza della Legge.

---

[1]) R. H. CHARLES, *The Apochrypha and Pseudepigrapha of the Old Testament* 1, Oxford 1913, 269.

[2]) E. SCHÜRER, *Geschichte des jüdischen Volkes im Zeitalter Jesu Christi* 3[4], Leipzig 1909, 505 ss.; CHARLES, *op. cit.* 527 ss.

[3]) SCHÜRER, *op. cit.*, 424 ss.

[4]) VOLZ, 9-10, 51 ss. Cfr. KNOX, *op. cit.* 27 ss.

[5]) VOLZ, 10, 51 ss., 132 ss.; BRAUN, 115 ss.

Come le vicende storiche della comunità perdono importanza nei confronti del destino individuale dei singoli, così la celebrazione comunitaria del culto passa in seconda linea di fronte all'osservanza individuale della Legge. Il centro della religione non è più il Tempio, ma la sinagoga [1]).

E' questo senza dubbio l'atteggiamento della Diaspora. In Filone ad esempio, che è il principale rappresentante di questa tendenza, l'affermazione della interiorità della fede e l'identificazione del giudaismo con la Legge derivano da una sostanziale indifferenza verso l'escatologia che lo collega chiaramente alla letteratura sapienziale, in particolare alla Saggezza di Salomone. Il rapporto con Dio è per lui un fatto individuale, che non passa attraverso la comunità storica, ma si realizza indipendentemente dai destini della comunità [2]). L'influenza stoica agisce nella stessa direzione. Alla realizzazione di un disegno obiettivo di salvezza che si compie nella storia gli stoici sostituiscono il raggiungimento della salvezza attraverso le decisioni attuali del singolo. La salvezza non è più nella partecipazione alla vita della comunità storica, bensì nella determinazione dell'individuo.

Strettamente imparentato con Filone, il quarto libro dei Maccabei ne conserva il disinteresse per le speranze escatologiche. Nessun accenno al futuro del popolo eletto, alla restaurazione della sua potenza temporale. Ciò che interessa l'autore è il destino degli individui, non l'avvenire del popolo. L'influenza della letteratura sapienziale si combina anche qui con quella del pensiero stoico. L'autore è molto più sensibile al regno spirituale della virtù che non all'impero temporale messianico [3]).

Ma tale atteggiamento non è soltanto della Diaspora ellenistica, bensì del farisaismo stesso. Come ha notato giustamente Volz[4]), è tutto il farisaismo che è orientato verso un'interpretazione del giudaismo non più escatologica. Da tempo c'era nella stessa Palestina un movimento di opposizione al culto del Tempio e alla classe sacerdotale a esso deputata: i Sadducei. I Farisei si erano posti a capo di questo movimento, come un'alternativa concreta a quella dei sacerdoti. La loro religione era fondata sulla interiorità, sul rispetto assoluto della

---

[1]) M. SIMON, *Verus Israël. Etude sur les relations entre chrétiens et juifs dans l'Empire romain*, Paris 1948, 27 ss.

[2]) E. BRÉHIER, *Les idées philosophiques et religieuses de Philon d'Alexandrie*[2], Paris 1925, 3 ss.; VOLZ, 59 ss.

[3]) A. DUPONT-SOMMER, *Le quatrième livre des Machabées*, Paris 1939, 33 ss.; SIMON, *op. cit.* 67 ss

[4]) *Op. cit.*, 10.

Legge. Era una religione del libro, non del Tempio. E il suo centro era quindi la sinagoga [1]). Questo atteggiamento era una prosecuzione della tradizione sapienziale degli scribi. Ma c'era in esso, come del resto negli ultimi libri dei saggi, l'influsso ellenistico che non aveva risparmiato neppure i giudei di Palestina [2]).

Qualcosa di analogo si ritrova del resto anche in alcune delle sette legate ai Farisei. In primo luogo nella setta di Qumran. Ma forse anche in quella misteriosa setta degli Ellenisti di cui Stefano appare come il principale rappresentante. E anche qui sembra che l'influsso ellenistico abbia notevolmente contribuito a determinare tali posizioni [3]).

Questo atteggiamento rabbinico sostanzialmente indifferente alle speranze escatologiche si esprimeva in un certo uso del metodo allegorico di interpretazione dei testi. Anche questo è sorto nella Diaspora ellenistica, ad Alessandria. Il primo a usarlo sembra sia stato il filosofo Aristobulo, verso la fine del secondo secolo a.C. [4]). Un altro esempio è il trattato di Aristea a Filocrate, scritto intorno al 100 a.C. [5]). L'esponente maggiore di tale tendenza è però ancora una volta Filone. L'allegoria è in lui la naturale conseguenza dell'atteggiamento volto a una spiritualizzazione e interiorizzazione della fede giudaica, lo strumento, offerto dal pensiero stoico, per raggiungere lo ideale, anch'esso stoico, della saggezza e della quiete interiore [6]). Come per Aristobulo, così per Filone, il ricorso al metodo allegorico non significa ancora svuotamento della realtà dei fatti, mitizzazione della storia di Israele. I racconti delle Scritture conservano infatti il loro valore storico, reale. E la Legge mosaica va osservata scrupolosa-

---

[1]) SIMON, 27 ss. Cfr. dello stesso autore, *Les sectes juives au temps de Jésus*, Paris 1960, 26 ss.

[2]) S. LIEBERMAN, *Hellenism in Jewish Palestine*[2], New York 1962, 19 ss.; F. M. ABEL, *Histoire de la Palestine depuis la conquête d'Alexandre jusqu'à l'invasion arabe* 1, Paris 1952, 109 ss.

[3]) Per Qumran cf. BRAUN, *Essénisme et Hermétisme*, RT 54 (1954), 523 ss.; DUPONT-SOMMER, *Le Problème des influences étrangères sur la secte juive de Qumrân*, RHPR 35 (1955), 75 ss., 86 ss. Per gli Ellenisti cf. CULLMANN, *Secte de Qumrân, Hellénistes des Actes et quatrième Evangile*, in *Les manuscrits de la Mer Morte*, Paris 1957, 68, 73; SIMON, *St. Stephen and the Hellenists in the Primitive Church*, London 1958, 9 ss.

[4]) R. M. GRANT, *The Letter and the Spirit*, London 1957, 31 ss. In senso diverso L. GOPPELT, *Typos. Die typologische Deutung des Alten Testaments im Neuen*, Gütersloh 1939, 62 ss., secondo il quale Aristobulo arriva al limite dell'interpretazione razionalistica, ma non ancora a quella allegorica.

[5]) GOPPELT, *op. cit.*, 64-65; GRANT, *op. cit.*, 32.

[6]) BRÉHIER, *op. cit.*, 35 ss.; GOPPELT, 48 ss., 59 ss.

mente. Tuttavia anch' egli, al di là del senso letterale, cerca il senso profondo della Scrittura [1]).

Ma anche questo atteggiamento nei confronti dei Testi sacri non è esclusivo della Diaspora ellenistica. In maniera più ridotta esso è presente nel giudaismo palestinese. In particolare i metodi letterali dei rabbini rivelano influenze ellenistiche. Il trattamento del testo della Bibbia offre paralleli notevoli con quello greco di Omero [2]).

Per quanto rapido e poco esauriente, questo discorso mostra come in tutta quanta la Diaspora e, in Palestina, tra i Farisei e le sette a essi legate l'esigenza di una interiorizzazione della fede giudaica conducesse a motivi che potremmo qualificare pre-gnostici nella concezione del tempo e della storia. Attraverso l'indifferenza per le speranze escatologiche e l'uso del metodo allegorico si prepara quella svalutazione del significato degli eventi storici in quanto tali che condurrà poi a una idea puramente mitica del tempo.

Questo nuovo atteggiamento è il prodotto di una situazione complessa. Esso risale anzitutto alla condizione politica di Israele sotto il dominio dei sovrani ellenistici e poi di Roma. Il rilievo di Simon [3]) sul carattere disperatamente ottimistico del giudaismo non può farci dimenticare la situazione drammatica dei giudei nel primo secolo. Il giudeo vive senza dubbio un momento particolarmente tragico della sua esistenza. Il dominio di Roma pesa fortemente su di lui. Gli impedisce soprattutto di sentirsi partecipe pienamente di una comunità storica. Gli spezza i legami con la sua nazione e con la sua tradizione e lo costringe in tal modo a ripensare sulla storia del suo popolo. Per quanto il dominio di Roma sia stato in definitiva sopportabile, è certo che il giudeo non poteva sentirsi a proprio agio nello Impero romano. La sensazione di estraneità a un mondo politico e culturale che non era il proprio e la consapevolezza d'altra parte di costituire sempre meno un'alternativa concreta a questo mondo dovevano essere ben forti.

Ma questo orientamento del pensiero giudaico del primo secolo nei confronti del tempo e della storia ha trovato particolare alimento nel pensiero ellenistico. L'indifferenza per la realizzazione delle speranze escatologiche e la sostituzione della concezione della Saggezza intemporale a quella escatologica del Figlio dell'uomo sono certa-

---

[1]) BRÉHIER, 61 ss.; GOPPELT, 49 ss.; H. A. WOLFSON, *Philo* 1, Cambridge 1948, 115 ss.; GRANT, 32 ss.

[2]) LIEBERMAN, *op. cit.*, 19 ss.

[3]) *Verus Israël*, 20 ss.

mente anteriori a ogni influenza ellenistica, ma hanno ricevuto un impulso notevolissimo dall'incontro con l'ellenismo.

Ma anche l'esigenza profonda di una interiorizzazione della fede giudaica trova alimento nella filosofia greca. Questa esigenza si incontra e viene facilmente a coincidere con tutto l'orientamento del pensiero ellenistico volto a un'accentuazione dei valori della vita interiore.

Stoica è infine anche l'allegoria cui fanno ricorso Aristobulo e Filone, e in forma molto minore gli stessi Farisei.

Questa tendenza a una svalutazione della storia a favore del mito non era però ancora una concezione dualistica e pessimistica nei confronti del mondo. L'incontro del giudaismo con l'ellenismo non poteva da solo portare a una concezione pessimistica del mondo, perchè nè il giudaismo nè l'ellenismo possono essere qualificati pessimisti. Occorreva dunque qualche elemento nuovo per provocare la crisi. E nel corso del primo secolo qualche elemento nuovo si è verificato. In primo luogo la caduta di Gerusalemme nel 70. Fino al 70 in effetti non si vedono tracce di vero e proprio dualismo cosmologico. L'apocalittica conserva il suo orientamento decisamente escatologico, anche se più o meno pessimistico, più o meno zelota. Il rabbinismo, d'altra parte, pur movendo verso una concezione cosmologica, non è ancora veramente dualista. Soltanto Filone rivela qua e là una cosmologia di tipo dualistico. E' significativa ad esempio la sua accentuazione della trascendenza di Dio rispetto al mondo, che a volte lo porta a intendere la materia quasi come male e a far ricorso al Logos come a un potere intermedio tra Dio e il mondo [1]). Ma questo orientamento filoniano è conseguenza di precoci influenze platoniche, ricevute attraverso il Timeo o quanto del Timeo si trovava nel sistema sincretistico di Posidonio [2]). Non è possibile quindi dedurne, come fa Theiler [3]), l'esistenza, fin dai tempi di Tiberio, di un vero e proprio acosmismo.

Lo stesso vale per tutti gli altri rappresentanti del giudaismo ellenistico precedenti al 70 da noi esaminati. E così è anche per i Farisei.

---

[1]) Bréhier, 69 ss., 83 ss., 112 ss.; Wolfson, *op. cit.*, 295 ss.; *Philo* 2, Cambridge 1948, 94 ss., 110 ss.; W. Theiler, *Gott und Seele im kaiserzeitlichen Denken*, in *Recherches sur la tradition platonicienne*, Genève 1955, 68 ss.; R. McL. Wilson, *The Gnostic Problem*, London 1958, 41 ss.

[2]) Wolfson, *Philo* 1, 300 ss.; Theiler, *op. cit.*, 68 ss.; Wilson, *op. cit.*, 41.

[3]) *Op. cit.*, 67 ss.

E' noto anzi che essi non condividevano il pessimismo degli scrittori apocalittici nei confronti del mondo. La diffidenza per l'escatologia si traduceva infatti anche in loro in un'affermazione della sovranità della ragione, identificata naturalmente con la Legge mosaica.

E' stata la caduta di Gerusalemme che ha affrettato il processo da una concezione escatologica a una cosmologica e ha offerto anche la base per una cosmologia dualistica. Qui la nota tesi di Grant [1]) sulle origini dello gnosticismo dal fallimento delle speranze apocalittiche conserva parte del suo valore. La caduta di Gerusalemme ha certamente influito molto sulla coscienza religiosa e politica del giudaismo, rendendo sempre più insopportabile la sua situazione nell'Impero romano. E se i veri sconfitti sono stati, per ragioni antitetiche, gli zeloti e i Sadducei, è certo che anche i Farisei, gli Esseni e i giudei della Diaspora hanno sentito il peso religioso e politico della catastrofe.

Simon veramente ha messo in guardia contro una sopravalutazione delle conseguenze della caduta di Gerusalemme e della distruzione del Tempio sul pensiero giudaico. Egli riconosce pienamente il valore politico dell'avvenimento, ma nega che sul piano religioso esso abbia costituito una rottura radicale. Rabbinismo e apocalittica continuarono in realtà a vivere, esasperando soltanto le proprie tendenze, esclusivistiche o zelote. Ricevettero cioè dalla caduta di Gerusalemme una spinta ulteriore, piuttosto che un arresto [2]). Ma se questo può essere stato vero per una parte di Israele, e precisamente per quei Farisei, già da tempo organizzati più intorno alla Legge che intorno al Tempio, che costituiranno poi il giudaismo chiuso ed esclusivistico del Talmud, e per quegli apocalittici già da tempo intenti a compilare apocrifi veterotestamentari che continueranno ad alimentare movimenti messianici e zeloti, non lo è stato certamente per i giudei della Diaspora, nonchè per buona parte degli aderenti alle altre sette palestinesi e degli stessi Farisei. Nonostante l'importanza crescente della sinagoga il Tempio conservava una venerazione tutta particolare. Era pur sempre il simbolo dell' unità e dell'indipendenza nazionale; la migliore se non l'unica possibilità che i giudei ancora avessero di sentirsi veramente membri di un'autonoma comunità politica. Come proprio Simon ha notato ottimamente, „riunendosi nelle feste solenni, sotto l'egida del Sommo Sacerdote, nella cinta sacra dove nessun

---

[1]) *Gnosticism and Early Christianity*, New York 1959.
[2]) *Op. cit.*, 19 ss., 26 ss., 50-51.

romano poteva entrare, i giudei potevano avere per un momento l'illusione di essere ancora liberi e padroni a casa propria" [1]). La caduta di Gerusalemme ha infranto quest'ultima illusione, ha spezzato definitivamente i vincoli che ancora legavano i giudei alla propria tradizione storica e alla propria comunità etnica. E poichè nel giudaismo l'orgoglio nazionalistico è politico e religioso insieme, è certo che la domanda sul valore delle profezie del Vecchio Testamento, sul significato della storia del popolo eletto e sulla verità stessa del dio che attraverso quelle profezie aveva parlato e in quella storia si era manifestato, si è fatta più insistente e angosciosa.

Se Gerusalemme era stata distrutta, voleva dire che la Scrittura li aveva ingannati: il dio che in essa aveva parlato e si era rivelato non era il dio supremo, ma una potenza inferiore, il mondo da lui creato non era opera buona, le profezie erano ingannatrici, la storia stessa di Israele era un mito, non la realizzazione delle promesse divine. Quelle tendenze, presenti nel giudaismo dell'epoca neotestamentaria, a interpretare diversamente il Vecchio Testamento, quella inclinazione a vedere in esso più un insegnamento di carattere morale e filosofico che non la rivelazione progressiva di Dio, quella polemica soprattutto contro il culto e il Tempio di cui sopra abbiamo parlato si traducevano ora in un rifiuto totale della propria tradizione.

A differenza di Grant, riteniamo però che questa cosmologia dualistica venga molto più dal rabbinismo che non dall'apocalittica. E' vero infatti che l'apocalittica è più pessimistica del rabbinismo e che ciò potrebbe farla apparire più vicina alla cosmologia dualistica dello gnosticismo che non il rabbinismo. Ma il vero passaggio che lo storico deve spiegare non è quello da un dualismo meno pessimistico a uno più pessimistico bensì quello da un dualismo escatologico a uno cosmologico. E su questo piano il rabbinismo è più vicino allo gnosticismo che non l'apocalittica. Il dualismo apocalittico conserva infatti un carattere escatologico. Esso non rifiuta *il* mondo, ma *questo* mondo in quanto dominato dal male. Ciò è tanto vero che Grant, per sostenere il passaggio dall'apocalittica allo gnosticismo, deve ipotizzare nella prima una crisi radicale a seguito della caduta di Gerusalemme che avrebbe appunto causato il crollo delle speranze escatologiche e la loro sostituzione con una visione sostanzialmente cosmologica.

Sembra molto più naturale invece pensare che la caduta di Gerusalemme, anzichè provocare questa crisi radicale nell'apocalittica, che è

---

[1]) *Op. cit.*, 27.

negata dalla maggior parte degli storici, abbia soltanto affrettato quel processo dall'escatologia alla cosmologia che nell'ambiente rabbinico della sinagoga era già abbastanza avanzato.

D'altro canto, questa reinterpretazione della storia nazionale da parte dei giudei avveniva adesso non più tanto nelle categorie del pensiero stoico, per tanti versi ancora abbastanza affine a quello sapienziale, bensì in quelle della filosofia platonica, che veniva prendendo il posto della prima [1]). Questo fatto ha una rilevante importanza. La caduta di Gerusalemme non avrebbe provocato probabilmente così gravi conseguenze nella concezione giudaica del mondo se questa non si fosse contemporaneamente incontrata col pensiero platonico. A differenza dello stoicismo, che ha una concezione fondamentalmente monistica dei rapporti tra Dio e mondo, spirito e materia, il platonismo si caratterizza infatti fin dall'origine per una accentuazione particolare della trascendenza di Dio e un certo dualismo di spirito e materia. Certo questa trascendenza assoluta di Dio e questo dualismo di spirito e materia sono ancora abbastanza lontani dal dualismo metafisico gnostico. Basta infatti l'idea di creazione, presente nella filosofia di Platone, in particolare nel Timeo, per impedire lo slittamento in un dualismo radicale. Ma appunto noi sappiamo che il Timeo di Platone non era del tutto chiaro sul tema della creazione e veniva interpretato in maniere diverse. I medioplatonici del gruppo di Albino non credevano affatto alla creazione ma, spiegando allegoricamente il testo del Timeo, consideravano il mondo come un principio coeterno a Dio. Dio avrebbe dato origine soltanto al divenire del mondo, non al mondo stesso. E' un vero e proprio dualismo metafisico di principi [2]). Plutarco e Attico credevano invece alla creazione da parte del Demiurgo, ma la intendevano semplicemente come una ordinazione della materia precosmica nel cosmo. Come cosmo il mondo ha dunque un'origine, ma come materia è eterno. E la materia è così egualmente un principio che si oppone metafisicamente a Dio [3]). D'altra parte Platone non aveva neppure

---

[1]) Su questa sostituzione v. però O. GIGON, *Die Erneuerung der Philosophie in der Zeit Ciceros*, in *Recherches sur la tradition platonicienne*, cit. 47 ss., secondo il quale un primo rinnovamento della filosofia che dà più spazio al pensiero platonico e aristotelico accanto a quello stoico è avvenuto già al tempo di Cicerone, sulla scia di Antioco di Ascalona, come appare anche dal primo libro delle Tusculane, la cui fonte principale è appunto Antioco.

[2]) ANDRESEN, *op. cit.* 277-278. Cfr. R. E. WITT, *Albinus and the History of Middle Platonism*, Cambridge 1937, 119 ss.

[3]) ANDRESEN, 280 ss.

molto ben chiarito i rapporti tra il creatore (Demiurgo) e il Sommo Bene, sicchè anche tra coloro che ammettevano questa forma di creazione solo alcuni, come appunto Plutarco e Attico, identificavano i due principi, mentre altri tendevano a considerarli distinti. E considerare distinti il Sommo Bene e il Demiurgo significava evidentemente allontanare Dio dal cosmo, cercando di spiegare il rapporto tra di loro con l'intervento di intermediari. Il dualismo, non evitato sufficientemente con l'idea di creazione, si ripresentava in tutta la sua pericolosità in questa accentuazione del distacco tra l'uomo e Dio [1]).

Ma soprattutto sul problema del tempo la visione platonica portava a conseguenze più radicali di quella stoica. Anche qui ci sarebbe da distinguere la posizione di Albino da quella di Plutarco e Attico. Per il primo infatti il tempo non ha alcun valore ontologico, perchè è sprovvisto di qualunque carattere di essere. Sorto com'è insieme col mondo sensibile, esso è l'immagine mobile del vero essere immobile ed eterno. Nei confronti dell'immobile eternità appartiene alle forme ingannevoli dell'empiria [2]). Per Plutarco e Attico invece, poichè il tempo non è sorto col mondo sensibile, ma è già dato invece con la materia precosmica, esiste cioè prima del cosmo, esso è qualcosa di più: una forma della mobilità della materia, una immagine di Dio come eternità nel movimento [3]). Ma in realtà la differenza tra i due orientamenti è minore di quanto potrebbe credersi a prima vista. Per tutto il medioplatonismo, per quanto diversi possano essere i motivi dominanti delle varie scuole, non esiste infatti una metafisica del tempo, nè quindi la possibilità di una interpretazione filosofica o teologica della storia. Il tempo è soltanto l'immagine dell'eternità. La storia è sprovvista quindi di valore reale [4]).

E' cosi che il dualismo platonico, approfondito ulteriormente dal medioplatonismo, ha offerto al giudaismo deluso nelle sue già scosse speranze escatologiche dalla caduta di Gerusalemme lo strumento migliore per reinterpretare tutta la storia di Israele in chiave di cosmologia dualistica. Allora ogni fiducia nel valore del tempo è realmente scomparsa. Il significato del divenire storico è andato effettivamente perduto. La storia narrata nella Scrittura era un in-

---

[1]) Il caso di Numenio di Apamea, benchè singolare e leggermente più tardo, è al proposito significativo. PUECH, *Numénius d'Apamée et les théologies orientales au second siècle*, Mélanges Bidez 2, Bruxelles 1934, 755 ss.

[2]) ANDRESEN, 278 ss., 288. Cfr. WITT, *op. cit.*, 128 ss.

[3]) ANDRESEN, 286 ss.

[4]) ANDRESEN, 288 ss.

ganno, cosi come era un inganno la speranza di un futuro migliore per il popolo di Israele. La caduta di Gerusalemme era precisamente la fine delle speranze giudaiche, la presa di coscienza che quelle speranze erano state mal riposte. E' evidente allora la necessità di cercare in se stessi la possibilità di salvezza, la necessità quindi di una profonda riforma interiore e di un netto distacco dal mondo. E ciò ha tolto veramente al mondo quel po' di valore che ancora gli si attribuiva. Ha significato la rinunzia a sperare la salvezza su questa terra per aspettarla invece fuori del mondo. Era la fuga dal mondo, il rifiuto del mondo. Se la storia non ha senso, se lo svolgersi del tempo non reca con sè nulla di veramente positivo per la salvezza, la vita nel mondo non ha valore, l'esistere stesso non ha significato. La salvezza allora non può realizzarsi che fuori del mondo; non può avere anzi nessun rapporto sostanziale col mondo, con l'esistenza nella storia, nel tempo [1]).

La reinterpretazione della storia di Israele non avviene però dovunque nello stesso modo. La Siria e l'Egitto sono fin dall'inizio, a quanto sembra, i due centri maggiori di questa cosmologia dualistica che sfocerà ben presto nello gnosticismo. L'Asia conserva invece, nel pensiero giudaico come in quello cristiano, un orientamento fondamentalmente escatologico e apocalittico. La differenza dipende da vari fattori. La Siria e l'Egitto sono proprio i due paesi dove più intensa è stata l'immigrazione di giudei dalla Palestina dopo il 70. Sono quindi, in questo periodo della dinastia dei Flavi, due veri e propri centri di raccolta di quel giudaismo deluso ed esasperato che avrebbe dato vita agli ultimi movimenti zeloti da un lato e alle prime correnti gnostiche dall'altro. Essi sono anche i due paesi dove con ogni probabilità prima e con più forza si è affermato il platonismo, sostituendosi allo stoicismo. Eudoro, Ario Didimo e Filone erano tutti originari di Alessandria. E da Alessandria veniva Ammonio, il maestro di Plutarco.

Non si deve dimenticare infine la situazione politica particolare dei giudei di Antiochia e Alessandria. Da un lato infatti essi si alimentavano a quello spirito di ostilità nei confronti dell' Impero romano che si era particolarmente diffuso nelle classi locali più elevate e che è testimoniato molto bene dalla raccolta dei cd. Atti dei martiri pagani [2]). Dall'altro però non si erano in nessun modo assimilati alla popolazione

---

[1]) PUECH, *La gnose et le temps*, 84 ss.
[2]) M. ROSTOVTZEFF, *The Social and Economic History of the Roman Empire* 1[2], Oxford 1957, 115 ss.; H. A. MUSURILLO, *The Acts of the pagan Martyrs. Acta Alexandrinorum*, Oxford 1954, 267 ss., 273 ss.

greca, nei confronti della quale vivevano in regime di separazione, oggetto continuo di diffidenze e di rancore. Ad Alessandria come ad Antiochia l'ostilità dell'elemento locale nei confronti dei giudei era infatti grandissima. Assumeva a volte perfino l'aspetto di *pogroms* [1]).

In Asia invece la minore ripercussione dei fatti del 70 e la minore portata dell'influenza platonica, unite con una tradizione di sostanziale fedeltà delle classi più elevate all'Impero romano, non hanno provocato alcuna rottura clamorosa col passato e col mondo, bensì hanno portato avanti senza scosse quel processo di ellenizzazione del giudaismo iniziato già alcuni secoli prima. In Asia non c'è stata anzitutto una forte immigrazione dalla Palestina di quei giudei sconvolti dalla caduta di Gerusalemme che sarebbero stati gli artefici principali della reinterpretazione della religione giudaica in chiave gnostica. Inoltre il platonismo, che doveva offrire gli strumenti più adatti per tale reinterpretazione, non ha avuto quella diffusione rapida e completa che ha avuto in Siria ed Egitto con Filone o Ammonio.

Ma soprattutto la situazione politica dell'Asia era diversa da quella della Siria e dell'Egitto. Durante il periodo dei Flavi lo stabilimento della *Pax Romana* e la convinzione dell'eternità dell'Impero garante di pace e felicità generali, uniti a un diffuso miglioramento delle condizioni economiche, avevano introdotto in Asia un'era di prosperità quale il paese non aveva mai conosciuto [2]) e avevano creato, almeno nelle classi più elevate, una fiducia nell'Impero che si esprimeva, ad esempio, nell' adesione incondizionata al culto imperiale. In tale clima la situazione dei giudei non poteva non essere profondamente diversa da quella di Alessandria e di Antiochia. In realtà essi godevano di un regime di completa tolleranza, se non addirittura di privilegio. Ma d'altra parte si erano completamente assimilati alla popolazione greca. L'elemento locale non aveva dunque ragioni di odio o pregiudizi verso di loro.

Mentre la Siria e l'Egitto, perduta ogni speranza di alternativa messianica al dominio romano, conducono dunque a termine, attraverso una radicalizzazione del pensiero giudaico, quel processo dalla escatologia alla cosmologia già iniziatosi con la tradizione dei saggi di Israele e l'ellenizzazione del giudaismo, l'Asia si mantiene in una

---

[1]) H. I. Bell, *Jews and Christians in Egypt*, Oxford 1924, 11 ss.; Rostovtzeff, *op. cit.*, 117.

[2]) D. Magie, *Roman Rule in Asia Minor to the End of the third Century after Christ* 1, Princeton 1950, 582. V. però anche A. H. M. Jones, *The Greek City from Alexander to Justinian*, Oxford 1940, 129 ss.

posizione di equilibrio che, mentre accoglie tanto la tradizione dei saggi quanto l'ellenismo, conserva però in gran parte intatto l'orientamento escatologico del suo pensiero. Sembra in effetti che, mentre in Siria ed Egitto affiorano le prime tendenze gnostiche, fondate su un forte dualismo cosmologico, in Asia prevalgano ancora gli orientamenti apocalittici e zeloti, legati a una visione escatologica. Per quanto infatti sia difficile stabilire con certezza il luogo d'origine della maggior parte degli scritti giudeocristiani, sembra che dalla loro provenienza si possano trarre elementi molto significativi. E' ad esempio estremamente probabile che opere come l'Ascensione di Isaia, il Vangelo di Pietro e le Odi di Salomone, dove affiorano evidenti motivi di cosmologia gnostica, siano di origine siriaca. Analogamente prodotti che fanno ormai parte del filone gnostico come l'Apocalisse di Pietro e l'Apocrifo di Giovanni provengono con ogni probabilità dall' Egitto. Al contrario, scritti quasi sicuramente asiatici, come l'Apocalisse di Giovanni e il IV e il V dei Libri Sibillini, conservano un orientamento decisamente escatologico, anche se fortemente pessimistico e dualistico. Lo stesso gnosticismo del resto si afferma in Siria ed Egitto con il dualismo cosmologico di Menandro, Saturnilo, Marcione, Basilide e Valentino, mentre in Asia ha come principale manifestazione il pensiero escatologico e apocalittico di Cerinto, cui segue più tardi una parte almeno della letteratura, anche essa di orientamento essenzialmente escatologico, dei primi Atti apocrifi degli Apostoli.

DISCUSSIONE

DANIÉLOU: Cette crise du judaïsme aurait trouvé dans le platonisme son idéologie. Or, les traités de Nag Hammadi présentent très peu de traces de philosophie platonicienne.

JOSSA: Ho parlato di un filone soltanto dello gn. e in questo filone un incontro del giudaismo, soprattutto sapienziale e rabbinico, con il pensiero (medio-) platonico mi sembra documentabile. Cosi, p. es., la dottrina della creazione dell'uomo da parte di dèi inferiori mostra qualche affinità con la dottrina di Albino sul Demiurgo. Cfr. anche, in Basilide, il carattere insondabile della Divinità. Sec. Quispel, la „filialità" tripartita conduce al medioplatonismo. D'altra parte Tertulliano definisce Valentino *Platonicae sectator* e sec. Ippolito, nella dottrina del Padre, del Pleroma e del Kenoma egli ha utilizzato la 2. lettera di Platone.

GNOSTICISMO, GIUDAISMO E CRISTIANESIMO: TIPOLOGIE PARTICOLARI

DIE „HIMMELSREISE DER SEELE" AUSSERHALB UND INNERHALB DER GNOSIS

VON

CARSTEN COLPE

Das Thema dieses Beitrages folgt den Vorschlägen, die das Komitee dieses Symposions mir bei der koordinierenden Vorbereitung machte. Man hatte zunächst das Problem der Chronologie gnostischer Texte, danach das Mythologumenon von Abstieg und Befreiung der Seele ins Auge gefaßt und abschliessend (Brief vom 19. August 1965) angeregt, beide Themen in gegenseitiger Beleuchtung zu behandeln, d.h. bei einer Untersuchung über die Vorstellungen von der Himmelsreise der Seele besonders auf die Zeiten und die historischen Milieus zu achten, in denen sie ausgeprägt, festgehalten und überliefert worden sind.

Ich glaube der hiermit verlangten historischen Differenzierung am besten dadurch gerecht werden zu können, daß ich zunächst die vorgnostische Vorstellung von der Himmelsreise von der gnostischen Vorstellung unterscheide. Diese Unterscheidung dürfte auch der Lösung eines weitergreifenden Problems, der Definition von Gnosis überhaupt, dienlich sein. Danach wäre dann Rezeption und eventuell Umwandlung dieser Vorstellung in der Gnosis zu ermitteln, womit der erwünschte Beitrag über die Anfänge dieser zuvor definierten religiösen Bewegung und deren literarische Bezeugung gegeben wäre. Danach kann dann, soweit möglich, eine Skizze der Veränderungen des Konzepts von der Himmelsreise innerhalb der Gnosis versucht werden, die sich ebenso an eine zeitliche Ordnung ihrer Zeugnisse anlehnen muß, wie sie ihrerseits innere Indizien für die Aufstellung einer solchen Chronologie zu liefern vermag.

Die vor- und außergnostische Vorstellung von der Himmelsreise der Seele (HdS) findet sich in zunächst verwirrend erscheinender Mannigfaltigkeit über die ganze Erde verbreitet. Doch ordnet sich diese Mannigfaltigkeit, sobald man feststellt, daß die HdS nur in den Religionen voll ausgeprägt ist, die unter anderem eine schamanistische Struktur haben, ja daß sie ganz offenbar fest an das interreligiöse Phänomen des Schamanismus gebunden ist. Damit ergibt sich einmal

das Problem der Verbreitung des Schamanismus in seiner gegen-
wärtig-ethnologischen Horizontale wie in seiner urgeschichtlichen
und parahistorischen Vertikale, zum anderen die Frage, welche der in
diesen beiden Dimensionen nahezu uferlos variierenden, durch das
deutsche Wort „Seele" niemals zu deckenden Vorstellungen zum
Schamanismus gehören, insbesondere Bestandteil seiner Ekstasetechnik sind. Eine detaillierte Antwort müßte für viele Epochen,
geographische Gebiete, Völker und bezeugende Überlieferungen
gesondert gegeben werden und ist nicht nur im Rahmen eines kurzen
Referates ein hoffnungsloses Unterfangen.

Es ist jedoch eine sachgemäße Möglichkeit, die Mannigfaltigkeit
der Schamanismen und ihrer Seelenvorstellungen selbst zum Grund-
begriff der Darstellung zu erheben, da auf diese Weise gezeigt werden
kann, welche Möglichkeiten die Gnosis hatte und teilweise auch
tatsächlich ergriffen hat, Mannigfaltigkeit solcher Art zu rezipieren
und durchzuhalten, wie sie aber andererseits diese Mannigfaltigkeit
einengen und schließlich zu einem ganz bestimmten, schlechterdings
ihr Wesen beinhaltenden Erlösungskonzept verdichten mußte. Die
Mannigfaltigkeit insbesondere der Seelenvorstellungen muß dabei im
folgenden terminologisch häufig typisierend ausgedrückt werden,
wobei sich als begriffliches Signum für einen solchen Typus leider
wieder kein anderes anbietet als das Wort „Seele". Nur gelegentlich
kann aus diesem Typus eine historische belegbare und begrifflich
in ein Wort verdichtete spirituelle Individualität herausgenommen
werden, deren der Typus viele zusammenfaßt, und deren vergleich-
bare Züge er aneinander angleicht und steigert.

Wir sind mit diesen Überlegungen wissenschaftsgeschichtlich
ein volles Jahrhundert von jenem Gelehrten entfernt, für den das,
was für uns nur ein nominalistischer Typus ist, eine historische
Realität war, der aber, indem er diese aufzuweisen versuchte, mit der
modernen Erforschung der Seelen- und spirituellen Erlösungsvor-
stellungen recht eigentlich begonnen hat. Edward Burnett Tylor
entwickelte seit 1865 seine Theorie des Animismus [1]) und legte sie
in seinem epochemachenden Werk „Primitive Culture" [2]) ausführlich

---

[1]) E. B. TYLOR, *Researches into the Early History of Mankind and the Development
of Civilization*, London 1865.
[2]) E. B. TYLOR, *Primitive Culture*, London 1871. Deutsch: *Die Anfänge der Cultur*,
Leipzig 1873. Nachdruck in zwei Bänden: New York 1958, hiernach zitiert. Zur

dar. Was uns daran interessiert, ist nicht das evolutionistische Grundprinzip, das letztlich den personhaften Gottesgedanken über eine
Reihe von Zwischenstufen aus dem Seelenglauben und Totenkult
ableiten wollte [1]), sondern die Entdeckung der überragenden Rolle,
welche Seelen- und Geistervorstellungen bei den Naturvölkern
spielen und in früheren, wenn auch wohl nicht den anfänglichen
Epochen der ganzen Menschheit gespielt haben müssen. Tylor
beschrieb auch unter dem Stichwort "the savage theory of dae-
moniacal possession and obsession" bereits eine Reihe von Phänomenen, die man heute dem Schamanismus zuordnen muß [2]). Seither
hat die ethnologische Forschung in den Seelenvorstellungen erstaunliche Nuancen herausgearbeitet, von denen für unser Thema diejenigen am interessantesten sind, die sich im Gebiet der deutlichsten
Ausprägung des Schamanismus nachweisen lassen, die zentralasia-
tischen und sibirischen nämlich, die namentlich von Wilhelm
Schmidt [3]) und Ivar Paulson [4]) untersucht worden sind. Im Zusammenhang damit hat neuerdings der Schamanismus große Aufmerk-
samkeit gefunden. Aus der Fülle der Theorien seien als besonders
repräsentativ für seine gegenwärtig-ethnologische Horizontale die
von Mircea Eliade [5]), Laszlo Vajda [6]) und Dominik Schröder [7]),
für seine urgeschichtliche und parahistorische Vertikale die von

---

Kritik an der Einheitlichkeit der „Seele" in savage societies vgl. A. HULTKRANTZ,
RGG V³ Sp. 1634; F. HERRMANN, *Symbolik in den Religionen der Naturvölker*,
Stuttgart 1961, S. 16-30.

[1]) Zur Kritik vgl. Nathan SÖDERBLOM, *Das Werden des Gottesglaubens*, Leipzig
1916, S. 10-32; Adolf E. JENSEN, *Mythos und Kult bei Naturvölkern*, Wiesbaden 1951,
S. 331-339; W. E. MÜHLMANN, RGG I³, Sp. 389 ff.; Ugo BIANCHI, *Probleme der
Religionsgeschichte*, Göttingen 1964, S. 6 f.

[2]) Bd. 2, S. 210-228; vgl. auch Register s.v. Demons and Ecstasy.

[3]) W. SCHMIDT, *Der Ursprung der Gottesidee*, Münster, Bd. 9, 1949; Bd. 10,
1952; Bd. 11, 1954; Bd. 12, 1955, jeweils in den Abschnitten über den Schamanismus.

[4]) *Die primitiven Seelenvorstellungen der nordeurasischen Völker*, Stockholm 1958;
Seelenvorstellungen und Totenglaube bei nordeurasischen Völkern, in: *Ethnos* 25, 1960,
S. 84-118, abgedruckt in: *Religions-Ethnologie*, hsg. v. C. A. SCHMITZ, Frankfurt
1964, S. 238-264, danach zitiert; *Die Religionen der nordasiatischen (sibirischen)
Völker*, in: *Die Religionen der Menschheit*, hsg. v. Chr. M. Schröder, Bd. 3, Stuttgart
1962, S. 1-144.

[5]) Mehrere frühere Arbeiten zusammenfassend und weiterführend in: *Schamanismus und archaische Ekstasetechnik*, Zürich und Stuttgart 1957.

[6]) Zur phaseologischen Stellung des Schamanismus, in: *Uralaltaische Jahrbücher* 31,
1959, abgedruckt in: *Religions-Ethnologie* S. 265-295.

[7]) Zur Struktur des Schamanismus, in: *Anthropos* 50, 1955, abgedruckt in: *Religions-
Ethnologie* S. 296-334.

Hans Findeisen [1]) und Karl Josef Narr [2]) hervorgehoben. Was sich aus diesen Forschungen so weit als gesichert herauskristallisiert, daß es für unser spezielles Thema Beachtung verdient, ist dies:

Die Ekstase, wichtigstes und konstitutives Element des schamanischen Phänomens schlechthin, ist nicht möglich, ohne daß ein Jenseits und eine Seele vorausgesetzt wird. „Wie die Seele und das Jenseits im einzelnen beschaffen sind, variiert je nach der historischen Ideologie" [3]). Eine Art Definition dessen, worum es sich hier bei der „Seele" handelt, ergibt sich aus einer Beantwortung der Frage, aus welchen Gründen oder gar zu welchem Zwecke die „Seele" den Schamanen in der Ekstase verläßt. Zweierlei tritt hier in den Gruppen oder Stämmen, die zur Aufrechterhaltung ihrer Ordnung des Schamanen bedürfen, immer wieder hervor: Krankenheilung und Jagdmagie. Paulson vermutet, daß die Krankenheilung sogar seine ursprüngliche Grundfunktion gewesen ist, an die sich die anderen mit der Zeit ankristallisiert haben. „Da man sich dachte, die Krankheit beruhe darauf, daß die Seele der betreffenden Person aus dem Körper gewichen und in die Gewalt der draußen lauernden Gefahren und Geister geraten sei, war es die Aufgabe des Schamanen, die verschwundene Seele aufzusuchen und sie zurückzubringen, damit der Kranke wieder genese" [4]). Der Schamane entäußert sich dazu seiner Freiseele oder auch einer Körperseele als einer sog. sekundären Freiseele und sendet sie hinter der verlorenen Seele des Erkrankten her. Wo die Krankheit nicht auf Seelenverlust, sondern auf Besessenheit durch einen bösen Geist zurückgeführt wird, muß der Schamane mit einer Seele, unter Umständen unter Herbeirufung von Hilfsgeistern, in den Kranken eindringen, den bösen Geist aus ihm vertreiben und bis weit nach außerhalb verfolgen. Wie sich diese außerordentlich interessanten exorzistischen Praktiken in concreto vollziehen, kann hier leider nicht beschrieben werden [5]).

---

[1]) *Schamanentum, dargestellt am Beispiel der Besessenheitspriester nordeurasiatischer Völker*, Stuttgart 1957 (Urbanbücher 28); *Sibirisches Schamanentum und Magie*, Augsburg 1958.

[2]) *Bärenzeremoniell und Schamanismus in der Älteren Steinzeit Europas*, in: *Saeculum* 10, 1959, S. 233-272.

[3]) SCHRÖDER, a.a.O. S. 303.

[4]) PAULSON, *Die Religionen der nordasiatischen Völker*, S. 136.

[5]) Vgl. PAULSON S. 125-138; ELIADE S. 208-248; A. FRIEDRICH und G. BUDDRUS, *Schamanengeschichten aus Sibirien*, München-Planegg 1955, S. 44-51, 65-91, 185-207; L. VAJDA, a.a.O. S. 268-290; FINDEISEN S. 121-140 uö.; dazu die Besprechung von PAULSON in: *Ethnos* 24, Stockholm 1959, S. 223-227.

Auch die Jagdmagie, besser vielleicht: die häufig mit Hilfe ma-
gischer Praktiken vollbrachte Jagdhilfe, geschieht über die Seelenreise. Der Schamane muß seine Seele ausschicken, um zu erkunden,
wo die Jäger oder Fischer seiner Gruppe einen guten Fang machen
können. Seine Seele muß die Seelen wilder Tiere einfangen und in
besondere Tierfiguren bringen, die so zu besitzen und manchmal
zusätzlich noch zu beschießen den Jägern und Fischern ihre Beute
garantiert. Die Seele des Schamanen muß aber auch die Wildgeister
beschwichtigen, aus deren Mitte einer der ihrigen herausgerissen
worden ist. Und sie muß als Psychopomp die Seelen ins Jenseits
geleiten oder zurückgeleiten, die der Tiere, damit der Herr der Tiere
sie einstmals wiedersenden kann, auf daß aus den oftmals rituell
bestatteten Knochen neue Tiere wiedergeboren werden können,
und die der Menschen, damit sie den Lebenden nicht lästig fallen [1]).
Die Eigenart aller dieser Seelenreisen hängt nun noch sehr davon
ab, wo und wie das Jenseits vorgestellt wird, in das sie führen, als
himmlische Welt, als jenseits der erfahrbaren geographischen Dimensionen liegendes Reich auf der Erde oder als Unterwelt. Himmlische
und ferne irdische Welt sind immer als Ort des Heils zu verstehen,
die Unterwelt ist häufiger Ort des Unheils, kann aber auch Ort des
Heils sein. Die Qualifikation dieser Orte hängt mit dem Wesen der
Götter zusammen, zu denen die Reise geht. Mircea Eliade hält die
Verbindung der schamanischen Seelenreise mit dem Hochgott-
glauben bzw. der Vorstellung von einer Himmelsgottheit für primär.
Nach ihm soll das Durchbrechen der Ebene zwischen irdischer und
himmlischer Welt dazu dienen, die abgerissene leichte Verbindung
der Menschen zu den Göttern wiederherzustellen [2]). In der Tat
begegnet man dem Schamanismus überwiegend in Gebieten, wo die
Vorstellung einer Himmelgottheit nicht gänzlich bedeutungslos ist,
ja die mythische Begründung des Schamanismus wird häufig durch
Exemplifikation an der Möglichkeit einer Seelenreise in den Himmel
oder zu einem höchsten Himmelswesen gegeben. — Pater Wilhelm
Schmidt hingegen, der in den vier letzten Bänden seines „Ursprungs
der Gottesidee" dem Schamanentum der innerasiatischen Völker
etwa 620 Seiten widmet, hält diesen „weißen" Schamanismus für
eine „Reaktion der Hirtenkultur" mit ihrer Himmelsreligion auf das
Eindringen des „schwarzen" Schamanismus; dieser sei der eigentliche und primäre. Der schwarze Schamanismus entstamme einer

---

[1]) Nach Paulson, *Die Religionen der nordasiatischen Völker*, S. 135.
[2]) M. Eliade, *Schamanismus*, S. 276, 319, 324, 464 f.

agrarischen Kultur, deren Ideologie um Erde, Mond, Ahnen und Unterwelt kreise. Seine stärkste Ausprägung finde er in der ekstatischen Bessenheit, die im völligen Verlust des Bewußtseins bestehe und sich physisch in krampfartigen Konvulsionen des Schamanen äußere. Ihre höchste Steigerung erfahre sie in der schamanistischen Besessenheit, in der das Ich durch ein anderes Selbst ersetzt werde [1]. Wir können die Frage hier nicht entscheiden, müssen aber darauf hinweisen, daß die Qualifizierung der Schamanismen als „schwarz" und „weiß" in die Irre führen würde, wollte man ihn in Analogie zur schwarzen und weißen Magie verstehen. Denn auch das schwarze Schamanisieren, selbst wenn es in die Unterwelt als Ort des Unheils führt, dient nicht dazu, dem Menschen zu schaden, wie es die schwarze Magie tut, sondern ihm zu nützen.

Doch ist zu diesem archaischen Komplex abschließend zu bemerken, daß die Seelenreise keine mystische Vorstellung ist, die die individuelle Erlösung des Menschen ausdrückt oder ihr dient. Die Beschaffenheit des gegenwärtigen Zustandes von Welt und Mensch ist nach der zugrundeliegenden Ideologie nicht derart, daß eine Erlösung aus ihm nötig würde. Die gegenwärtige Beschaffenheit soll ja gerade beibehalten und gegen Not und Krankheit geschützt werden, und daß dies gelingt, darin besteht das Heil. Und was die Seele unternimmt, um dies zu erlangen, kann deswegen auch keine unio mystica sein, wie immer auch diese sonst verstanden werden mag.

Versuchen wir nun, aus dem hiermit skizzierten Bereich in den hochkulturlichen Bereich weiterzugehen, so werden wir auf zwei Überlieferungszusammenhänge gewiesen, die mindestens Beachtung in diesem Zusammenhang verdienen, einen in Iran und einen in Griechenland. Nach der Ansicht des schwedischen Iranisten H. S. Nyberg ist Zarathustra ein Ekstatiker gewesen, den sein religiöses Erlebnis dem Schamanen sehr nahe gerückt hat [2].

Nyberg glaubt in dem Gatha-Wort „maga" den Beweis dafür zu haben, daß Zarathustra und seine Schüler ein ekstatisches Erlebnis hervorzurufen wußten, und zwar durch rituelle Gesänge, die in einem abgeschlossenen Raum im Chor gesungen wurden. In diesem heiligen Raum (maga) war die Verbindung zwischen Himmel und Erde ermöglicht, und damit wurde der heilige Raum zu einem „Zentrum".

---

[1] Zusammenfassung nach FINDEISEN S. 203.

[2] H. S. NYBERG, *Die Religionen des Alten Iran*, deutsch von H. H. Schaeder, Leipzig 1938, bes. S. 146-151 und 160-74; zustimmend G. WIDENGREN, *Die Religionen Irans*, Stuttgart 1965, S. 73.

Nyberg stützt sich dabei auf die ekstatische Natur dieser Verbindung und vergleicht das mystische Erlebnis der „Sänger" mit dem Schamanismus in eigentlichen Sinn [1]). Außer an diese Ekstase wäre an die von Zarathustra abgelehnte, aber bei mehreren iranischen Völkern, insbesondere den Skythen bezeugte Trance im Hanfrausch zu erinnern.

Was Griechenland anlangt, so wagt kein Geringerer als E. R. Dodds für das 5. Kapitel seines Buches „The Greeks and the Irrational" die Überschrift „The Greek Shamans and the Origins of Puritanism" [2]), nachdem schon Erwin Rohde, der übrigens durch Tylor auf das lange vernachlässigte Gebiet der griechischen Seelenvorstellungen hingewiesen worden war, eine Reihe von in Griechenland bezeugten Ekstase-Traditionen zusammengestellt hatte [3]). Dodds durchmustert die Hadesmythen, die Orphik, die pythagoreische Seelenwanderungs- und die platonische Anamnesis-Lehre und einige Epimenides-, Zalmoxis- und Hermes-Traditionen und findet überall mehr oder weniger schamanistische Strukturen wieder.

Nybergs wie Dodds' Interpretationen haben die überwältigende Mehrheit der Iranisten und der Altphilologen gegen sich. In der Tat liegt die integrierende Verbindung zwischen Seelenvorstellung und Ekstasetechnik, wie wir sie als für den eigentlichen Schamanismus konstitutiv erkannt hatten, so nicht vor, und auch daß hier eine Metamorphose einer archaisch-schamanischen in eine hochkulturliche Vorstellung stattgefunden habe, läßt sich nicht beweisen. Dennoch sollte man Nybergs und Dodds' Thesen angesichts der Tatsache als Frage stehen lassen, daß in historischer Zeit Traditionen vom Seelenflug im engeren Sinne nirgends in reicherer Fülle bezeugt sind als in Iran und in Griechenland. In Iran wäre auf das 19. Kapitel des Videvdad (90-111), auf den 2. und 3. Fargard des sog. Hadōxt-Nask bzw. den 22. Yašt, das 2. Kapitel des Menōik xrat (114-198), die Datastān i dinik (20 f., 31), das Buch von Arda Viraf (161 f.), das Zartušt-name und den Bahman-Yašt zu verweisen. Wie schon aus W. Boussets bahnbrechender Besprechung dieses Materials [4]) her-

---

[1]) Zusammenfassung nach ELIADE S. 379. Kritik an der Deutung von *maga* bei WIDENGREN S. 91 f., an der Gesamtkonzeption bei W. B. HENNING, *Zoroaster-Politician or Witch-Doctor?*, Oxford/London 1951, S. 19-34.

[2]) Berkeley-Los Angeles-London 1951, Nachdruck 1963, S. 135-178.

[3]) E. ROHDE, *Psyche. Seelenkult und Unsterblichkeitsglaube der Griechen*, 2Bde, Leipzig und Tübingen ²1898, Reg. s.v. ἔκστασις, Entrückung, Seelenwanderung.

[4]) *Archiv für Religionswissenschaft* 4, 1901, S. 155-163, Nachdruck Darmstadt 1960, S. 24-32.

vorgeht, handelt es sich hier überall um den Aufstieg einer deutlich individuierten „Seele" durch verschiedene, farbig ausgemalte Himmelsräume. Ekstasepraxis gehört in den meisten Fällen dazu. Aber eine vorgängige Beziehung der Seele zu dem Himmel, in den sie eingeht, sei sie kosmologischer, sei sie substantieller Natur, ist nicht erkennbar. Das ist ein wichtiges Charakteristikum. Ob es sich aus einer älteren Makrokosmos-Mikrokosmos-Spekulation entwickelt hat, in welcher etwa Vayu als Hauchseele des Kosmos und des Menschen fungiert [1]), sodaß sich die Individuierung der Seele erst mit zunehmender Verselbständigung des Kosmosbildes ergeben hätte, oder ob die akosmische Individualität der Seele auch schon auf den frühesten Stufen der in den genannten Pahlavi-Zeugnissen endenden Entwicklungsreihe gedacht wurde, läßt sich nicht mehr sagen.

In der griechischen Überlieferung läßt sich bemerkenswerter Weise das Material typologisch zwei großen Vorstellungskomplexen zuordnen, nämlich dem eben skizzierten von der lediglich räumlichen Einbeziehung einer individuierten Seele in eine himmlische Szenerie und der Makrokosmos-Mikrokosmos-Spekulation. Die ersteren werden vorbereitet in den Heilsvorstellungen der griechischen Orphiker [2]), sie sind ausgebildet in der damit vielleicht zusammenhängenden platonischen Vorstellung von der Befreiung der menschlichen Seele von den Fesseln des Leibes und ihrer Rückkehr in die Ideenwelt [3]), ferner in den in Plutarchs Schrift „De facie quae in orbe lunae apparet" [4]), in der Inschrift des Antiochos von Kommagene [5]) und in Lukians Nekyomantia bezeugten Vorstellungen [6]) sowie in der hellenistischen Astrologie und noch bei Seneca [7]). Phänomenologisch scheint mir dieser Komplex näher zur iranischen Vorstellung zu gehören als der sogleich zu skizzierende; ob auch genetisch, steht

---

[1]) So WIDENGREN, *Religionen Irans* S. 8.

[2]) E. ROHDE, *Psyche* Bd. 2, S. 109-115.

[3]) *Phaidr.* 249 A, *Rep.* 614 DE, *Phaido* 80 D.

[4]) Besprochen von BOUSSET a.a.O. S. 250-253/59-62, zusammen mit Stellen aus *De sera numinis vindicta.*

[5]) H. DÖRRIE, *Der Königskult des Antiochos von Kommagene im Lichte neuer Inschriften-Funde* (AAG 3, 60), Göttingen 1964, S. 190.

[6]) Kap. 6 berichtet von der Hadesfahrt des Menippos, doch ordnet BOUSSET a.a.O. S. 164 f./33 f. die Stelle auf Grund der geschilderten Praxis mit Recht den Himmelfahrten zu. Vgl. auch H. D. BETZ, *Lukian von Samosata und das Neue Testament* (TU 76), Berlin 1961, S. 82 f.

[7]) Nat. praef.; ep. 65, 15 ff.; A. WLOSOK, *Laktanz und die philosophische Gnosis* (AAH 1960, 2), Heidelberg 1960, S. 33-43.

dahin, doch dürfte diese Möglichkeit hier eher zu erwägen sein als beim folgenden Komplex.

Die Makrokosmos-Mikrokosmos-Spekulation ist hier in ihrer spiritualisierten Form in Betracht zu ziehen, d.h. in der Form, wo sowohl Makrokosmos wie Mikrokosmos mit ihrer sie eigentlich nur durchwaltenden Seele nahezu identisch werden. Mensch wie Kosmos werden damit zu Wesen voll gegenseitiger Spiegelbilder und Analogien. Sie sind konsubstanzial, wobei ihre Substanz weder materiell noch spirituell zu denken ist. Von der Menschengestalt des Mikrokosmos her ergibt sich eine entsprechende Gestalt auch für den Makrokosmos, jedenfalls in den meisten Fällen. Der Himmelsaufstieg der menschilchen Seele ergibt sich hier, da sie nicht so individuiert ist wie in der eben skizzierten Form, auf abgeleitetere Weise. Der irdische Mensch paßt sich in der Ekstase oder im Sterben spirituell dem Makroanthropos, d.h. dem Kosmos, ein. Dabei erhebt er sich mit seinem wesentlichsten Teil, dem Träger der Seele, die sein Selbst ausmacht, häufig dem Haupte. So erhebt sich die Seele teils, teils weitet sie sich kosmisch aus. Die Vorstellung des Sich-Erhebens verdrängt die des Sich-Ausweitens, je hypostatisch konzentrierter und damit individuierter die Seele ist. Hierher gehören, mit vielen Varianten im Einzelnen, die „Aufstiegs"-Vorstellungen des mittleren Platonismus, insbesondere Philos von Alexandrien, der Hermetik, der sog. Mithrasliturgie, der Oracula Chaldaica und des Neuplatonismus [1]). Ekstasepraxis kennen von diesen Überlieferungen alle außer der erstgenannten.

Ein besonderes Problem stellen die jüdischen Traditionen dar. Die Auffahrt des apokalyptischen Sehers zur Schau himmlischer Geheimnisse, wie sie uns das aethiopische und slavische Henochbuch, die Ascensio Jesajae, der babylonische Talmudtraktat Chagiga (14 b ff.), das Testamentum Levi (2 ff.), das griechische Baruchbuch und die Himmelfahrt des Mose schildern [2]), wäre dem erstgenannten Vor-

---

[1]) Dazu im Einzelnen A.-J. FESTUGIÈRE, *La Révélation d'Hermès Trismégiste* Bd. 3: *Les Doctrines de l'Âme*, Paris 1953.

[2]) Vgl. BOUSSET a.a.O. S. 138-148/7-17. Übersetzungen bei E. KAUTZSCH, *Die Pseudepigraphen des Alten Testaments*, Tübingen 1900, und P. RIESSLER, *Altjüdisches Schrifttum außerhalb der Bibel*, Augsburg 1900. Die *Ascensio Jesajae* folgt als Kap. 6-11 dem *Martyrium Jesajae* (bei RIESSLER S. 481 fälschlich „Himmelfahrt"), Übersetzung von J. FLEMMING u. H. DUENSING bei E. HENNECKE-W. SCHNEEMELCHER, *Neutestamentliche Apokryphen* 2. Aufl., 2. Bd., Tübingen 1964, S. 454-468. Besprechung der Talmudstelle und ihrer Nachwirkung in der jüdischen Mystik bei G. SCHOLEM, *Die jüdische Mystik in ihren Hauptströmungen*, Frankfurt 1957, S. 55 f., 73 f., 392 Anm. 17.

stellungskomplex von der räumlichen Einbeziehung der Seele in eine
himmlische Szenerie zuzuordnen (und wird denn auch gern aus dem
Iran abgeleitet), wenn die Anthropologie theoretisch strenger und zum
Spiritualismus tendierender, und wenn damit die Seelenvorstellung
ausgebildeter wäre. Aber stark individuiert ist die Sehergestalt, und
eine Theorie über ihre Konsubstantialität mit dem Himmel ist
nirgends erkennbar. Auf der andern Seite ist diese Theorie bei den
Geist- und Wissensbegriffen der sog. jüdischen Weisheitsliteratur
einschließlich mancher Qumran-Texte voll entwickelt [1]), aber dafür
fehlt hier, wenn man von dem auch hierher gehörigen Philo von
Alexandrien absieht [2]), die Makrokosmos-Mikrokosmos-Idee ebenso
wie die Aufstiegsvorstellung. Ob die Auffahrtsvorstellung der
Apokalyptik und die Konsubstantialitäts- oder gar Identitätstheorie
der Weisheitsliteratur Adaptationen der vergleichbaren Lehren aus
Iran und Griechenland im Judentum darstellen, oder ob sie hier
elementare Gedanken sind, ist ein Problem, das an dieser Stelle
nicht erörtert werden kann.

Der Übergang von den hier skizzierten iranischen, griechischen
und jüdischen Seelenvorstellungen zu den gnostischen ist leichter
nachzuzeichnen als der Übergang von den archaischen zu den
hochkulturlichen, wenn auch der Unterschied zwischen den zugrundeliegenden Gesamtideologien hier vielleicht noch größer ist
als dort. Die Triebkraft bei der Ausbildung der hochkulturlichen
Seelenvorstellungen war nicht das Verlangen nach Heilerhaltung des
irdischen Lebens im Diesseits, sondern nach Vollendung des zeitlich-
diesseitigen Lebens in einem ewigen Jenseits, sei es daß sich das Leben
in einer Seele dort einfach fortsetzt, sei es daß es sich dort steigert,
sei es daß es dort ausgleichend Lohn oder Strafe empfängt [3]). Das
Leben in der zeitlich-irdischen Welt hat dabei den Stellenwert der
Vorläufigkeit oder des zeitlichen Auftakts. Es ist noch nicht etwas,
wovon der Mensch erlöst werden will.

Das wird es erst in der Gnosis. Die Seelenvorstellungen treten

---

[1]) Vgl. H. LEISEGANG, Art. *Sophia*, *Pauly-Wissowa* Reihe 2, Bd. 3 (= 3A),
Stuttgart 1929, Sp. 1019-1039, insbes. Sp. 1031 f.; ders., Art. *Logos*, *Pauly-Wissowa*
Bd. 13, 1927, Sp. 1035-1081, insbes. Sp. 1069-1078; F. NÖTSCHER, *Zur theologischen
Terminologie der Qumran-Texte*, Bonn 1956, S. 38-87.

[2]) Z.B. *Quis rer. div. her.* 155; *Migr. Abr.* 220; *Vit. Mos.* II 117-135; *Spec. Leg.* I
84-97. Zum Aufstieg J. PASCHER, *He Basilike Hodos. Der Königsweg zu Wiedergeburt
und Vergottung bei Philon von Alexandreia*, Paderborn 1931.

[3]) Belege zu diesen drei Möglichkeiten bei F. HEILER, *Erscheinungsformen und
Wesen der Religion*, Stuttgart 1961, S. 517-526.

damit in den Dienst der Erlösungsidee, und zwar in einer ganz spezifischen Weise, die durch die große religionsgeschichtliche Metamorphose mitbestimmt ist, welche zur Gnosis hinführt. Im Verlauf dieser Metamorphose wird die diesseitige Welt mit dem Leben darin vom Vorläufigen zum Wertlosen, ja Teuflischen und Widergöttlichen. Damit wird es zum Problem, auf welche Seite die Seele gehört, auf diese oder auf jene, himmlische, göttliche, ewige. Die Antwort ist von letzter Kühnheit: die Seele wird mitgespalten. Sofern sie eine Hypostase ist, wird diese Spaltung begrifflich genau durchgeführt. Sofern sie Substanz hat, reicht das logische Vermögen nicht aus, ihre finstere Seite exakt zu qualifizieren, und man beschreibt sie via analogiae als dem Schlaf, der Trunkenheit oder dem Vergessen anheimgefallen. Von einer qualifizierten Spaltung auch der Substanz kann man also nicht reden. Aus noch nicht in allen Einzelheiten durchsichtigen Gründen, von denen ein wichtiger sogleich zu nennen sein wird, wird der obere Teil der Seele zum Erlöser des unteren Teils, der erlöst werden muß. Da der untere Teil mit dem oberen substantialiter identisch war und die hypostatische Identität im Erlösungsvorgang wiederhergestellt wird, spricht man bei der Seele auch von einem Erlöser, der erlöst werden muß, salvator salvandus. Ein Seelenflug findet, wie in den vorgnostischen Überlieferungen, in der Ekstase oder nach dem Tode statt, aber er hat nun den Wert einer vorweggenommenen oder endgültigen Erlösung. Es fliegt entweder der untere Teil der Seele zu ihrem oberen empor, oder es fliegt der obere Teil, nachdem er zum unteren hinabgefahren ist, mit diesem zusammen in die himmlische Heimat zurück. In dieser Form ist die Seelenlehre dem wissenschaftlichen Bewußtsein weiter Kreise, namentlich soweit sie vom Neuen Testament her an der Spätantike interessiert sind, am eindrücklichsten geworden, und da die gnostische Erlöserlehre in der Tat einen Prototyp der Seelenlehre ausgebildet hat, findet man gern „Gnosis" signalisiert, wo von der HdS die Rede ist. Demgegenüber ist festzuhalten, daß das Mythologem von der HdS nicht schon als solches gnostisch ist, sondern erst da, wo es in die salvator-salvandus-Konzeption eingefügt ist.

Ist auch dies alles den vorgnostischen Seelenvorstellungen gegenüber völlig neu, so besteht doch in mythographischer Hinsicht eine deutliche Kontinuität zu diesen, und zwar eindeutig soweit sie zur Makrokosmos-Mikrokosmos-Idee gehören. Vom salvator salvandus ist der obere Teil ein konzentrierter Makro- und der untere Teil ein konzentrierter Mikrokosmos. Deshalb hat es mit der Individualität der gnostischen Seele immer wieder seine Schwierigkeiten. Die Verbindung zur Makro-Mikrokosmos-Idee ist aber auf zweierlei Weise tief begründet: einmal weil sich — und dies ist zugleich der eben angekündigte Grund für die Erlöserwerdung der Seele — die Seele in der erlösenden, weil Erkenntnis vermittelnden Predigt eines Propheten manifestiert [1]), dessen menschliche Gestalt in die jenseitige Heimat der Seele hinausprojiziert wird; zum andern weil es der Gnosis nicht nur um die Erlösung des Menschen, sondern auch um die des Kosmos ging.

Der Grad, in welchem die Vorstellung von der HdS in die salvator-salvandus-Konzeption eingefügt ist, und die Deutlichkeit, mit welcher ihr Zusammenhang mit der Makrokosmos-Mikrokosmos-Idee erkennbar ist, sollen die phänomenologischen Kriterien sein, nach denen bestimmt werden kann, was als gnostische Vorstellung von der HdS zu gelten hat [2]).

Als früheste Möglichkeit kommt die Deutung in Betracht, die Simon Magus sich und seiner Gnossin Helena gegeben hat. Indem er sie als Ennoia des höchsten Vaters auffaßte, die in die unteren Regionen hinabgestiegen sei und die Engel und Mächte zeugte, von denen diese Welt gemacht sei, um darin von ihnen zurückgehalten zu werden und viel Schmach zu erleiden [3]), faßt er sie als salvanda auf. Indem er sich als die große Dynamis Gottes erklärt, die gekommen sei, damit sie die Ennoia aufrichte und befreie (assumeret et liberaret), macht er sich zum salvator. Die substantielle Identität zwischen Dynamis und Ennoia unterliegt keinem Zweifel, die hypostatische wird begrifflich nicht ausgesprochen, aber durch die geschlechtliche Vereinigung beider symbolisch mitgesetzt. Der über die beiden Personen hinausgehende Bezug von Erlösungsbedürftigkeit und -vollzug auf die Dinge der Welt wird durch die Wendung

---

[1]) Nähere Begründung bei C. COLPE, *Die Thomaspsalmen als chronologischer Fixpunkt in der Geschichte der orientalischen Gnosis*, in: JbAC 7, 1964 S. 77-93.

[2]) Es kann sich im folgenden nur darum handeln, die wichtigsten Typen herauszustellen. Zur Gewinnung der oben ohne Begründung aufgestellten phänomenologischen Kriterien aus dem gnostischen Material selbst vgl. meine Arbeit *Die religionsgeschichtliche Schule* (FRLANT 78), Göttingen 1961, S. 175-191. Die mit Hilfe der Kriterien gewonnene Typologie zeigt zugleich eine innere Genesis an, innerhalb derer de facto jedoch zahlreiche Abweichungen und Rückläufe vorkommen, und mit der sich erst recht die Abfassungszeiten der Texte nicht decken.

[3]) IREN. I 23, 2.

„ad emendationem venisse rerum" [1]) sichergestellt. Der Aufstieg
von Ennoia und Dynamis ist endgültig nach dem Tode ihrer Träger
zu denken, der Aufstieg der durch sie mitrepräsentierten Weltseele,
nachdem die Welt aufgelöst ist [2]).

Im Perlenlied der syrischen Thomasakten ist die salvator-salvandus-
Konzeption dreifach ausgebildet: Im Verhältnis beider Größen zueinander stehen Königssohn und Perle, Brief und Königssohn,
Kleid und Königssohn. Auch hier ist an der Substanzgleichheit
dieser Gestalten angesichts ihrer gemeinsamen Herkunft aus dem
Königreich des Ostens nicht zu zweifeln. Die hypostatische Wieder-
identifizierung beim Aufstieg wird durch Aufnahmen der Perle,
Empfang des Briefes und Anlegen des Kleides so weit ausgesprochen,
wie es in Symbolen eben geht. Die historische Existenz eines Propheten, dem Simon vergleichbar, der sich mit Kräften der oberen,
hier durch ein östliches Königreich symbolisierten Welt identifiziert
und im Vollzug seiner Sendung zu erlösenden macht, ist zu postulieren, wenn sich auch hinter den märchenhaften Zügen des ganzen
Liedes nicht mehr erkennen läßt, um wen es sich handelte. Nur die
kosmische Dimension des salvandum läßt sich nicht erkennen, und
auch die Einreihung des Königssohnes unter Vater, Mutter, Bruder
und zwei Beschützer wird man nur gezwungen als Reflex eines
Systems kosmischer Kräfte deuten können. Ob die Individuierung
der salvanda und der salvatores durch ihre Symbolisierungen als
Perle, Königssohn, Brief und Kleid erzwungen ist, oder ob darin
die iranische Anschauung nachwirkt, in der wir die kosmische
Dimension ebenfalls vermißten?

In phänomenal anderer Weise als die Erlöser Simon und Königssohn agiert der Anthropos in der sog. Naassenpredigt der
Ophiten [3]). Er vertritt die Seele oder das Selbst der Welt, und als

---

[1]) IREN. I ,23, 2.
[2]) solvi mundum, IREN. I 23, 3. Die Kosmologie der Megale Apophasis bei
HIPP. *Ref.* VI 9, 3-18, 7 fügt sich analog dazu. Der kosmische Raum (οἰκητήριον)
heißt hier sogar direkt ἄνθρωπος ; die ἀπέραντος δύναμις, die in ihm wohnt,
zerfällt als Feuer in eine κρυπτά und eine φανερά φύσις (9, 5). Die verborgene
Feuerkraft, mit der gezeugten Welt identisch, ist in ihren sechs Wurzeln νοῦς und
ἐπίνοια, φωνή und ὄνομα, λογισμός und ἐνθύμησις nur mehr δύναμις (Möglichkeit), nicht mehr ἐνέργεια (Aktualität). In der aristotelischen Terminologie von
der Überführung der δύναμις in ἐνέργεια wird die Aufhebung der διπλῆ φύσις,
die Zurücknahme der gezeugten Welt ins ἀγέννητον πῦρ (12, 1-3) und damit der
Erlösungsvorgang beschrieben. Die sechs ῥίζαι, lauter seelische oder geistige
Potenzen, fliegen wieder empor.
[3]) HIPP. *Ref.* V 7, 2-9, 9.

solcher unterliegt er einer großen inneren Spannung: er ist einmal
als oberer Anthropcs das Selbst des Kosmos und wird auch „unge-
prägter Logos" (7, 33), Adamas, Archanthropos, „großer", „sehr
schöner" oder „vollkommener" Mensch genannt (7, 6 f. 30.36), zum
andern aber ist er auch der in allen Einzelwesen ausgestaltete „innere
Mensch" (7, 36), auch „geprägter" (7, 33) und ähnlich genannt.
Die Spannung scheint aktualisiert worden zu sein, indem der untere
innere Mensch als von oben in den Leib herabgestiegen verstanden
wird. Der obere Mensch gilt teils als diesem ganzen Götterschicksal
gegenüber entrückt und selbständig bleibend (8, 2), teils als mit-
geknechtet, ins Gebilde des Vergessens hinabgetragen und darin
leidend (7, 7 f.). Die Aktualisierung dieser Spannung aber wird
merkwürdig schwach ausgemalt: es heißt nur, daß der Mensch
von oben „herabgefallen" (7, 36), „heruntergebracht" oder „abwärts geflossen" sei. Auf diese Weise ist der obere Mensch der
pneumatische Teil des irdischen Menschen geworden, welchem in
Übereinstimmung mit der klassisch-gnostischen Trichotomie der
psychische und der sarkische Teil zugeordnet sind [1]). Dieser Teil
muß daran erinnert werden, daß er vom oberen Menschen hierher
abgesunken ist. Die Gestalt, die diese Erinnerung besorgt, wäre
der Erlöser. Aber wir können dem Text nicht entnehmen, daß
ein eigens Gesandter als solcher auftritt. Es ist nur vom kyllenischen
Hermes, dem Seelenurheber und -geleiter, die Rede [2]), und in Paralle-
lität dazu von dem „Christus, dem in allen Geborenen als Menschensohn vom ungeprägten Logos geprägten" (7, 33). Beide Male muß
es sich um die hypostasierte Fähigkeit des inneren Menschen zur
Selbsterinnerung handeln, ohne daß dabei eine selbständig hypostasierte Figur von außen an ihn herantritt und mithilft. Der innere
Mensch steigt wieder auf — das ist seine Wiedergeburt, durch die
er rein pneumatisch und mit dem oberen Menschen ganz und gar
wesensgleich wird. Der Anthropos ist also ein Symbol für den
abwärts und wieder aufwärts fließenden Strom des Werdens, das
nichts anderes bedeutet als der im Kreise von oben nach unten und
von unten nach oben fließende Okeanos (7, 38), der in derselben
Richtung fließende Jordan (7, 41) und die sich in den Schwanz

---

[1]) Nach 7, 7 f. bildet die ψυχή das Bindeglied zwischen dem oberen und dem
unteren Menschen.

[2]) Er wird 7, 29 f. im Anschluß an HOMER, *Od.* 24, 1 ff. eingeführt und heißt
Logos.

beißende Schlange (9, 9 ff.). Sie alle sind zugleich Symbole für das
seelische Selbst des Kosmos, und mehr ist auch der Anthropos in der
Naassener-Predigt trotz seines Herab- und Hinaufsteigens im Grunde
nicht [1]. Das Selbst ist hier also ein sinkendes und sich von selbst
wieder erhebendes Prinzip, d.h. es ist akzentuierter in Bewegung
gesetzt als in anderen Überlieferungen, wo es mehr in statischer
Spannung verharrt. Das wird auch durch die Gestalten bestätigt,
mit denen es über seine Ausprägung „Mensch" gleichfalls allegorisch
gleichgezetzt werden kann: Adonis, Osiris, vor allem aber mit Attis.
Die salvator-salvandus-Konzeption wird hier nur halb erreicht,
weil die Spannung zwischen oberem und unterem Menschen nicht
bis zum vollen Dualismus zerrissen ist.

In der Lehre der Valentinianer ist der gegenseitige Übergang
zwischen dem kosmischen Makroanthropos und seinem es eigentlich
nur durchwaltenden seelischen Selbst aufs schönste dadurch ausgedrückt, daß der „Antitypos des vor allem Sein vorhandenen Unge-
zeugten" bei Epiphanius (Pan. haer. 31, 5, 5) Anthropos und der
ihm entsprechende „Vater aller Dinge" bei Irenäus (I 1, 1) Nous
heißt. In ihm ist das universale kosmische Pleroma vollendet, worin
der Anthropos als untergeordnete Hypostase noch einmal erscheinen
kann [2]. Innerhalb dieses Pleroma ist bereits das, was der Horos tut,
Erlösung: er begrenzt und reharmonisiert das in Unordnung geratene
Pleroma, das also genau wie der Anthropos in der Naassener-Predigt,
nicht ganz zerreißt. Dem Seelenflug entspricht hier der Aufstieg der
gefallenen Sophia, nachdem sie die Enthymesis, von der sie befallen
war, als eigene Hypostase von form- und gestaltloser Substanz
zurückgelassen hat. Sie wird dann als untere Sophia oder Achamoth
Materialursache für diese Welt. Aber der genetische Zusammenhang
der Erlösergestalten Horos, Jesus oder Christus mit den Äonen-
reihen führt merkwürdigerweise nicht in diese Welt hinein und
also auch nicht aus dem spekulativen Konzept des Systems heraus.
Die Erlösung geschieht, indem man die in Kosmogonie mündende

---

[1] Vgl. in 8, 4 die Identifikation des aufwärts fließenden Jordans mit dem mann-
weiblichen Menschen, die R. REITZENSTEIN, *Studien zum antiken Synkretismus aus
Iran und Griechenland*, Berlin und Leipzig 1926, S. 166 durch Emendation des
Abschnittes 7, 40 γεννᾶται — 8, 4, 1. Hälfte beseitigt hat.

[2] W. BOUSSET, *Hauptprobleme der Gnosis* (FRLANT 10), Göttingen 1907,
S. 163, trifft deshalb das Wesen der Sache nicht, wenn er nur sagt, der Anthropos
stehe erst an 3. oder 4. Stelle der Äonenreihe und rage deshalb nicht besonders
hervor.

Entwicklung der Ontologie erkennen lernt. Das geschieht durch die Lehrschriften, wie denn auch der bei Epiphanius erhaltene Lehrbrief der Form nach zum Typus des Offenbarungsbuches uralter Herkunft gehört. Diese Dignität haben die Lehrschriften zwar noch öfter in der Gnosis, jedoch sind sie dann auch, und sei es nur über die Person ihrer Verfasser, an das spekulative Erlösungssystem angeschlossen, insofern nämlich, als ihr Verfasser selbst als eine Figur im System gilt. Bei den Valentinianern dagegen kennen wir einen solchen Zusammenhang nicht. Wir erfahren nur, daß Valentinus ein neugeborenes Kind gesehen und es gefragt haben soll, wer es sei; es habe geantwortet, es sei der Logos [1]). Die dogmatische Fixierung der Erlösung bei den Valentinianern hat also keine andere Qualität als die, welche in den anderen gnostischen Systemen der präexistente und der posthume Erlösungsvorgang haben. Die in der Geschichte am konkreten Menschen geschehende Erlösung, zu der diese beiden Vorgänge Archetyp und Wiederholung bzw. Vollendung sind, hat im valentinianischen System keinen Ort. Das valentinianische System stellt also in typologischer Hinsicht eine Zwischenform dar zwischen den Systemen, in denen das Selbst hinabsinkt, verfällt, wiedererweckt wird und im Wiederaufstieg den von ihm erfüllten Menschen erlöst, und den Systemen, wo ihm die wichtigste seiner Sonderhypostasierungen in personifizierter Gestalt erweckend entgegentritt.

Unter diesen ist vor allem das manichäische System zu nennen. Es steigen herab in der Präexistenz der Urmensch, in der gegenwärtigen Existenz Jesus der Glanz, der Lichtnous und die Apostel, in der Postexistenz eine ganze Reihe von seelengeleitenden Gottheiten. Das salvator-salvandus-Konzept ist mit absoluter begrifflicher Schärfe beim Lichtnous durchgeführt. Die Hauptfigur in der Präexistenz ist als Hypostase nur salvandus (und salvatus!), die Figuren der Postexistenz nur salvatores. Die makrokosmische Dimension von Fall und Erlösung ist im Urmensch-Mythus so eindeutig und voll ausgebildet, daß man viele andere gnostische Systeme fälschlich von da aus interpretieren konnte. Der Seelenflug

---

[1]) Hippolyt, Ref. VI 42, 2. Valentin entwickelte seinen tragischen Mythus aus dieser unmittelbar lebendigen Anschauung des in die Welt geratenen Logos. Parallelen: die nach Andrapolis verschlagene Flötenspielerin (= Dirne) in den Thomasakten und die ins Bordell gesteckte Helena als Sinnbilder der gefallenen Sophia.

wird im Aufstieg des Urmenschen, nachdem der „Ruf" ihn erreicht hat, vorweggenommen und mit mehreren anthropologischen Begriffen, die mit dem Nous und seinen Äquivalenten in den andern Sprachen verbunden sind, breit ausgeführt.

Wir waren in unseren letzten Diskussionen schon häufiger an jenen Punkt gekommen, wo wir zu konstatieren hatten, daß Vorstellungen und Begriffe, die uns aus der Gnosis geläufig sind, auch außerhalb der Gnosis vorkommen. In solchen Fällen hatten wir uns zu entscheiden, ob wir sie „nicht-", „prä-", „proto-", „subgnostisch" oder ähnlich nennen sollten. Ebenso, wie wir namentlich beim Dualismus zu solchen Unterscheidungen gezwungen waren, müssen wir sie auch bei der Vorstellung von der HdS machen. Denn es muß vermieden werden, daß dieses Mythologumenon ein oder gar der Index wird, der zweifelsfrei Gnosis anzeigt.

Sollte mit den vorstehenden Ausführungen gelungen sein, dies zu zeigen, so werden wir dafür mit dem neuen Problem der Kontinuität und Diskontinuität konfrontiert. Dies ist ein allgemein geschichtstheoretisches Problem, aber es wird in der Periode, in welche die Gnosis fällt, besonders akut. Ist man darauf aus, Kontinuitäten zwischen gnostischen und nichtgnostischen Traditionen zu finden, so setzt man de facto eine Einteilung der ganzen Religionsgeschichte in zwei große Komplexe voraus, einen gnostischen und einen nichtgnostischen. Dann ist „prägnostisch" alles, was in einem geographischen Bereich auftritt, in welchem später Gnosis entstand. Den hierin eingeschlossenen Typ von Kontinuität sollten wir nicht anerkennen. Auf der anderen Seite gibt es Indizien, die uns „prägnostisch" zu sagen gestatten, und wir müssen Kriterien dafür finden, mit deren Hilfe wir in den inneren Strukturen eines historischen Ablaufs, der von der „Prägnosis" zur Gnosis führt, Kontinuität von Diskontinuität scheiden können. Die letztere scheint beim Vergleich des Aussagegehalts von Überlieferungen entscheidender zu sein und gestattet auch sonst adäquatere Gliederungen der ganzen Religionsgeschichte, darf aber gerade bei der Gnosis, die aus so vielen in der Religionsgeschichte begegnenden Spiritualismen ihr Erlösungskonzept entwickeln kann, nicht zum alleinigen Abgrenzungsmerkmal gemacht werden.

Wir müssen also die Elemente, in denen wir Diskontinuität als notwendig für die Abgrenzung von Gnosis erachten, mit den Elementen ausbalancieren, in denen uns Kontinuität für eine substantiierte Definition von Gnosis nötig zu sein scheint.

DISKUSSION

CLOSS: .. Zarathustra erweist sich nicht nur durch das, was bei kritischer Prüfung der Nyberg'schen Interpretation von Aussagen über Ekstase bei Zarathustra in den Gāthās im Blickfeld der Religionsethnologie von vornherein überzeugend scheint, sondern auch durch seine Eigenschaft als Dämonenbekämpfer und vor allem durch die Bestattungsweise in seiner Religion im Zusammenhang mit seinen Aussprüchen über das knochenhafte Sein, die sich beide aus dem Skelettschamanismus am leichtesten erklären, mit großer Sicherheit als ein aus dem Schamanismus erwachsener Religionstifter. An die Stelle der Hanfekstase trat bei Zar. die Beflügelung durch heilige Lieder, durch die nicht mehr in schamanischer Weise Geister herangelockt, sondern die höchsten Ordnungswesen um die Bekundungen ihrer heilvollen Gesinnung angerufen wurden. Ein Einfluß auf die Vorstellung von der Himmelsreise schon im Diesseits kann bei der Weiterentwicklung des Mazdaismus kaum direkt von Zarathustra ausgegangen sein, sondern eher von Relikten und Neu-aktivierungen des Schamanismus in seinen späteren mit volksreligiösen Elementen vermischten Stadien. Und dies stimmt gut überein mit dem grundlegenden Unterschied, den ich in meinem Referat zwischen der Prägnosis (Erkenntnis der heilvollen Zusammengehörigkeit des Menschengeistes mit dem göttlichen Ordnungsdenken) des Zarathustra und der „Vollgnosis" im Manichäismus, in dessen iranischen Texten, wie zu erwarten, *danyšn* (L. J. ORT) und in koptischen Liturgien *saunĕ* (J. RIES) genannt, und damit dem Gnostizismus im allgemeinen aufgezeigt habe.

TRENCSÉNYI-WALDAPFEL: Weist auf die schamanische Figuren im alten Griechenland (Abaris usw.) und auf die Himmelsreise der Seele im röm. Kaiserkult hin.

VAN BAAREN: Il faut préciser le sens du terme 'âme', selon les différents cas.

Mlle PÉTREMENT: Il y a plusieurs textes de Platon qui impliquent que l'âme doit se sauver de ce monde.

COLPE: Den Hinweisen von Herrn TRENCSÉNYI-WALDAPFEL habe ich nichts hinzuzufügen und danke dafür. Zur Frage von Frau Dr. PÉTREMENT: Es muß jedenfalls zwischen dem Mittelplatonismus und Platon unterschieden werden. Die Unterschiede zwischen Platon und der Gnosis scheinen, was die HdS anlangt, tatsächlich geringer zu sein als die zwischen dem Mittelplatonismus und der Gnosis. Hier liegt noch ein ungelöstes Problem vor. Zu den Beiträgen von Herrn CLOSS und Herrn VAN BAAREN: Man kann natürlich fragen, warum man von 'Himmelsreise der Seele' sprechen soll, wo doch das Wort 'Seele' nur eine ungenügende Übersetzung der Begriffe ist, mit denen wir es zu tun haben. So können wir anstatt Seele (jetzt wieder mit Bezug auf das manich. System) einfach auch 'Geistbegriffe' sagen, wobei Geist ein Mittelding zwischen materieller und spiritueller Qualität ist, — es kann sich ja verdichten zur Materie. Auf der menschlichen Seite ist ja das „Selbst", das geistige Selbst des Menschen, fünffach gegliedert. Auch dieses habe ich mir erlaubt mit dem Wort „Seele" zusammenzufassen. Die Begriffe sind bekannt, um die es sich handelt. Und ich glaube schon, daß man sagen darf, daß für den Manichäismus ein zentrales Anliegen ist, die menschliche „Seele" aus dem Körper, und die „Weltseele" aus der Welt herauszuführen, jedenfalls für die *electi*. — Reichhaltig sind die Seelenvorstellungen der Naturvölker, und eine detaillierte Antwort auf die Frage, welche zum Schamanismus und bes. zu seiner Extasetechnik gehören, ist immer notwendig. In der neueren ethnologischen Literatur kann man aber genauere Informationen darüber finden.

Anmerkung: Eine thematisch erweiterte und nach den Ergebnissen des Colloquiums verbesserte Fassung dieses Referats wird als Aufsatz mit dem Titel *Die Himmelsreise der Seele als philosophie- und religionsgeschichtliches Problem* in der *Festschrift für Joseph Klein*, Göttingen 1967, erscheinen.

LE MAUVAIS GOUVERNEMENT DU MONDE D'APRÈS LE GNOSTICISME

PAR

JEAN DANIÉLOU

Les textes gnosticistes présentent d'ordinaire un double caractère. D'une part on y retrouve des structures empruntées des courants religieux contemporains. Il y a un gnosticisme d'origine juive, un gnosticisme d'origine chrétienne, un gnosticisme d'origine pythagoricienne. Par ailleurs ces diverses structures sont interprétées en fonction d'une doctrine qui, elle, est toujours substantiellement la même, celle d'une certaine forme de dualisme dans laquelle le κόσμος — et en particulier le monde stellaire — sont l'oeuvre d'un démiurge étranger au plérôme divin. Ce dualisme n'est ni juif, ni grec, ni chrétien. Il est le gnosticisme. Et les origines en restent encore discutées. Nous voudrions étudier ce processus à partir d'un thème particulier, le mauvais gouvernement du monde.

Ce thème est caractéristique du gnosticisme primitif. Commençons par en donner quelques exemples. Dans sa notice sur les Simoniens, Irénée cite une sorte d'hymne où nous lisons: ,,Comme les anges administraient (διοικούντων, Hippolyte) mal le monde, parce que chacun d'eux voulait la primauté (φιλάρχειν, Hippolyte), Il (le Sauveur) est venu pour restaurer toutes choses'' (*Adv. haer.*, I, 16, 2). Ce texte ne remonte pas à Simon lui-même, mais à son école. Il est sûrement antérieur à 180. On notera que pour l'auteur les archanges et les anges ont été créés par la Pensée de Dieu, mais ils se sont révoltés contre lui. Plus important est le thèmes des rivalités qui les opposent pour la primauté. Ce sont ces rivalités qui entraînent des troubles dans l'administration du monde. Il semble que ces troubles soient essentiellement les conflits entre les nations, auxquelles sont préposés les anges et qu'ils entraînent dans leurs rivalités.

Ceci va se trouver beaucoup plus explicitement chez Basilide. Les anges du ciel le plus inférieur, celui que nous voyons et qui est le 365e, ,,ont fait tout ce qui est dans le monde et se sont partagés la terre et les nations qui s'y trouvent. Leur prince est celui que l'on appelle le dieu des Juifs. Et parce que celui-ci a voulu soumettre les autres nations à son peuple, c'est-à-dire aux Juifs, tous les autres princes se sont dressés contre lui et ont réagi. C'est pourquoi les autres nations se sont dressées contre sa nation" (I, 19, 2). Nous avons ici des données nouvelles. Le monde — c'est-à-dire ici l'ensemble du ciel et de la terre — est l'oeuvre de la catégorie la plus inférieure des anges. D'autre part ces anges se sont répartis les nations. Iahweh, l'ange d'Israël, a prétendu à l'hégémonie. D'où ces conflits entre nations, reflets des conflits entre les anges. L'oeuvre du Sauveur sera de dissoudre ce cosmos et de libérer aussi les âmes qui sont captives des princes créateurs de ce monde (I, 19, 2).

Certaines de ces données se retrouvent dans d'autres systèmes gnosticistes. Pour Satornil, ,,le monde et tout ce qu'il contient a été fait par sept anges" Et ,,le dieu des Juifs est un de ces anges" (I, 18). Pour Carpocrate, ,,le monde et ce qu'il contient a été fait par des anges très inférieurs au Père inengendré" (I, 20, 1). Pour Marcion, le cosmocrator, qui a fait le monde est ,,l'auteur des maux, l'ami des guerres" (I, 25, 1). Pour les Séthiens, résumés par Irénée, le créateur du monde est le proarchonte, né du désir de Sophia. C'est lui ,,qui a fait le firmament du ciel; les puissances, les anges, les firmaments et les choses terrestres; le mal, la jalousie, le mépris, la vengeance, la violence" (I, 27, 2).

Ici nous passons à une perspective nouvelle. Dans les premières notices les anges étaient les créatures du Dieu suprême. Seul le monde visible était l'oeuvre des anges — et des anges de la catégorie la plus inférieure. Et c'est ce monde seul qui était mal gouverné, à cause des querelles des anges. Mais ici, c'est le monde entier des anges et tous les cieux qui sont leurs habitats qui deviennent l'oeuvre du proarchonte. Ceci est encore plus net dans la notice d'Irénée sur les Ophites. Pour cette notice, l'origine du monde est une force issue de l'Esprit, l'élément féminin du plérôme. Cette force en se dilatant consitue le huitième ciel, le ciel suprême. Elle engendre sept fils, Ialdabaoth, Iao, Sabaoth, Adonaï, Eloïm, Oreus et Astaphée. Ceux-ci, ,,siègeant dans les cieux selon l'ordre de leurs générations, sont les créateurs des cieux, des vertus, des puissances et des anges, qui leur sont soumis, et régissent indivisiblement les choses célestes et les choses terrestres" (I, 28, 3). Mais ces fils entrent en conflit (διαστασίασαι, Théodoret) avec Ialdabaoth au sujet de la primauté. Ialdabaoth alors se tourne vers la matière et de son union avec elle naît Νοῦς, ,,qui a forme de serpent, et ensuite Πνεῦμα, Ψυχή, et toutes les choses mortelles. C'est de là que naît tout oubli, malice (κακία), jalousie, Vengeance (ἐρινύς) et mort (θάνατος)" (I, 28, 3).

Nous retrouvons ici le thème du conflit des anges avec le premier d'entre eux pour la primauté. Mais ce conflit est transposé au plan des cercles planétaires. Chaque archonte préside un ciel et ses anges. Par ailleurs les maux terrestres ne procèdant plus directement des conflits des archontes. Ils se situent à un plan inferieur, résultant de l'union de Ialdabaoth et de la matière. Le drame se déploie à des niveaux successifs. On remarquera que déjà dans l'hymne simonien le monde terrestre et son ciel étaient l'oeuvre de la catégorie la plus inférieure des anges. Mais le monde angélique procédait du Vrai Dieu. Le désordre n'apparaissait qu'au niveau de ce qui est sous le firmament. Cette opposition rejoint les vues traditionnelles, aussi bien grecques que juives. L'élément nouveau qui apparaît ici est que le désordre et la dispute apparaissent dans le monde céleste et chez ses anges. La frontière est en quelque sorte reculée. Le mauvais gouvernement du monde terrestre est encore une conséquence des conflits des archontes pour la primauté, mais c'est une conséquence indirecte.

La question du gouvernement du monde par les anges se retrouve dans d'autres systèmes gnostiques. Ainsi les marcosiens disent „que la terre a été divisée en douze zones (κλίματα) et que dans chaque zone une puissance venant des cieux (gouverne) la partie qui se trouve dans son axe, celle-ci suscitant des enfants à la puissance dont émane l'influx (ὑπορροίαν, Hippolyte)". (I, 17). On trouve une vue analogue chez le gnostique Justin, que nous fait connaître Hippolyte: „Quand tout eut été créé, comme le raconte Moïse, le ciel, la terre et tout ce qu'ils renferment, les douze anges de la Mère (Eden) furent répartis en quatre groupes chargés de commander (ἀρχάς). Chacun de ces quatre groupes est appelé fleuve: ce sont le Phison, le Géon, le Tigre et l'Euphrate. Ces douze anges parcourent les quatre parties du monde, qu'ils embrassent de leurs circuits (συμπεριπεπλεγμένοι), et gouvernent le monde, ayant reçu d'Eden une sorte de préfecture (σατραπική) sur le monde. Ils ne restent pas toujours dans les mêmes lieux, mais ils tournent autour du monde comme dans une sorte de choeur cyclique, changeant sans cesse de résidence et cédant à d'autres les lieux qui leur avaient été assignés selon les espaces du temps . . . Ce torrent du mal, variable selon le fleuve, c'est-à-dire selon le groupe d'anges qui gouverne (ἐπικράτησις), promène sans cesse autour du monde son flot intarissable" (Elench., V, 26, 11-14). Ceci a sa cause dans la volonté d'Eden, qui se venge ainsi des parcelles d'Elohim, son époux infidèle, incorporées au cosmos.

Bien des éléments sont différents ici de que nous avions rencontré, en particulier la doctrine des anges préposés aux zones terrestres, sur laquelle nous reviendrons. Mais il est intéressant de noter qu'ici encore les maux répandus sur l'humanité — et en particulier les maladies — apparaissent liés à des conflits qui opposent les puissances célestes, Elohim et ses douze anges, Eden et les siens. C'est en tant qu'instrument de la vengeance d'Eden contre Elohim et ses anges que les anges d'Eden perturbent l'existence des hommes. Ainsi à travers des formulations différentes, voyons — nous persister le lien entre les conflits entre les anges et le mauvais gouvernement du monde, qui est un thème commun des divers systèmes gnostiques que nous avons rencontrés.

Mais cette conception est-elle gnosticiste? Il faut relever d'abord que nombre d'éléments en sont juifs, chrétiens ou grecs et se retrouvent chez des auteurs qui n'ont rien de gnosticiste. Il faut ici reprendre les idées une à une. D'abord le thème d'une administration du cosmos par les anges est un thème commun de la pensée antique, aussi bien juive que grecque et chrétienne. Cette administration a divers aspects dans nos textes. Il y a la répartition des nations entre les anges. C'est le thème des anges des nations. Il apparaît dans la traduction des LXX (*Deut.*, 32, 8). On le trouve dans le *Livre des Jubilés* (IV, 25). Il prendra un extraordinaire développement chez Origène. Mais il fait partie également de la tradition grecque. Celse et Julien le connaissent. D'autre part l'idée que, tandis que les nations sont confiées à des anges, Israël est la part de Iahweh, se trouve dans le *Testament de Nephtali* et dans les *Reconnaissances clémentines* (II, 42). Notons toutefois qu'ici il s'agit de soixante-douze anges.

Un autre conception du gouvernement des anges apparaissait dans d'autres textes, celle qui les met en relation non avec les nations, mais avec les zones qui entourent la terre et donc avec les climats. Ici nous sommes en présence d'un autre courant, celui qui se rattache à l'astrologie. Nos textes assimilent ici aux anges du judaïsme les puissances astrales. Il s'agit d'une conception originellement chaldéenne. Elle est exposée et discutée par Bardesane dans le *Livre des lois des pays*: „Les Chaldéens disent que la terre est divisée en sept parts qui sont appelées *climata* et sur chacune de ces parts commande un des sept" (41; P S, II, 601 A). Les sept parts sont en relation avec les sept planètes. Origène parle des anges présidant les uns aux zones torrides, les autres aux zones glaciales. Ceci fait particulièrement penser aux zones de Justin. Celui-ci compte douze zones en relation avec les signes du zodiaque.

La question que cette administration du monde par les anges puisse être mauvaise est également une doctrine commune. On la rencontre chez des auteurs chrétiens à date ancienne. André de Césarée cite une phrase de Papias, disant „qu'à certains anges, Dieu a donné de présider à l'administration (διακόσμησις) de la terre et qu'il leur a ordonné de bien y présider. Mais il arriva que l'ordre de ceux-ci n'aboutit à rien" (9; Preuschen, p. 96). Mais surtout cette doctrine de la mauvaise administration du monde par les anges prend un grand développement chez Athénagore. Il y a „un esprit qui est autour de la matière, créé par Dieu comme tous les autres anges et à qui il avait confié l'administration (διοίκησις) de la matière et des formes de la matière" (24). Il était préposé au premier firmament. „Or il se montra négligent et coupable dans l'administration des choses qui lui étaient confiées" (24). Il en résulte „qu'il gouverne et administre de façon contraire à la bonté de Dieu, comme on peut le voir. C'est pourquoi certains ont cru que le monde était gouverné par la fortune" (25).

Irénée de son côté parle d'„un chiliarque administrateur, gardien du lieu destiné à l'homme et placé à la tête de compagnons de service" (Dem., 11). Cet archange „s'enorgueillit et se pervertit dans l'administration de ce qui lui avait été confié", ajoute Méthode d'Olympe (Res., 1.37). Cette tradition est d'origine juive. Mais, comme l'a bien vu Wey [1]), elle rejoint chez Athénagore des conceptions philosophiques. En effet l'idée d'une âme de la matière, désordonnée, vient de Platon et se trouve, à l'époque des origines chrétiennes, reprise par Plutarque et par Numénius. Des vues analogues a celles d'Athénagore se retrouvent dans les écrits hermétistes [2]). Chez les platoniciens, il s'agit d'un dualisme entre le monde astral harmonieux et le monde sublunaire désordonné. Chez les chrétiens le prince de la matière a été créé bon et c'est parce qu'il se pervertit qu'il introduisit le désordre.

Nous avons noté chez le gnostique Justin que les maladies étaient attribuées aux anges d'Eden. Ici encore il s'agit d'une tradition commune. Plutarque attribue les pestes aux mauvais démons. On remarquera que Justin parlait spécialement des épidémies qui se

---

[1]) *Die Funktionen der bösen Geisten bei den griechischen Apologeten*, 1957.
[2]) Voir A. FESTUGIÈRÈ, *Sur une traduction d'Athénagore*, *REG*, 41 (1943) 370-375.

déplacent sur la surface de la terre. Plus généralement le lien des maladies et des démons se retrouve chez d'autres écrivains chrétiens, comme Tatien. A côté des maladies, Basilide leur attribue les guerres. C'est le cas chez Plutarque et plus tard chez Synésius (*Reg.*, 1229 C). Clément d'Alexandrie dit que les démons poussent les hommes à s'entretuer (*Protrept*, III, 42, 1). Pour Athénagore, ,,ils produisent des attaques désordonnées qui entraînent les hommes en sens divers, individuellement ou par nations" (25). Ainsi tous les maux, qui donnent à l'existence terrestre son apparente absurdité et que les païens attribuent au destin, viennent pour les chrétiens des anges déchus. Ceci nous conduit à un dernier trait de l'hymne simonien: les rivalités des anges pour la primauté. Plusieurs thèmes interviennent ici. *L'Ascension d'Isaïe* montre les anges du firmament en perpétuelles rivalités: ,,Il descendit dans le firmament où habite le prince de ce monde et il donna le mot de passe à ceux de gauche, et ils ne le louèrent pas, mais, par envie, ils luttaient l'un contre l'autre car il y a là un pouvoir du mal et des rixes pour des riens" (X, 29). De même les anges de l'air ,,se volaient et s'opprimaient l'un l'autre". Nous avons vu de la même manière les anges du firmament chez Athénagore agités de mouvements désordonnés. La relation des guerres entre les peuples et les rivalités des anges pour la primauté sera plus développée par Eusèbe, qui établira un lien entre le polythéisme et les guerres des nations.

L'Ascension d'Isaïe se situait comme Basilide et l'hymne simonien au niveau des anges du firmament, présidant aux nations. Mais nous avons vu chez les Ophites et chez Justin ces conflits se situer au niveau planétaire. La même chose se retrouve chez Bardesane: ,,Toutes les fois que la nature dévie de sa ligne, cette déviation provient du destin, parce que les chefs et les administrateurs de qui vient cette mutation qu'on appelle horoscope s'opposent entre eux . . . C'est à cause de ces divisions et de ces oppositions qui existent entre les puissance, que certains s'imaginent que le monde n'est pas régi par une loi" (*Lib. Leg.*, 22). Mais Bardesane explique, comme le faisait Athénagore, que ces influences se suppriment par la liberté, mais composent avec elle. On remarquera que l'(apparent) désordre du monde se rattache à deux thèmes distincts fondamentaux: l'un est celui du désordre immanent à la matière et à ce qui en est proche: c'est le thème de Plutarque, d'Athénagore, de Synésius; l'autre rattache le desórdre à l'influence des astres: c'est le thème de Tatien, des Hermétistes, de Bardesane.

Mais qu'y a-t-il alors dans nos textes qui exprime la doctrine gnosticiste proprement dite? Prenons d'abord l'hymne simonien et l'exposé de Basilide, qui témoignent d'une gnose archaïque. On y trouve d'abord l'idée que le monde terrestre est l'oeuvre non de Dieu, mais des anges. Cette idée n'est ni juive, ni chrétienne. Mais par contre elle correspond à une ligne platonicienne. Dans le *Timée*, ce sont les anges qui façonnent l'homme matériel. La même idée se retrouve chez Plutarque. Dans la perspective dualiste qui est celle du platonisme, il ne s'agit pas proprement de création. La matière est un principe permanent. Les anges ont seulement à l'organiser. Par ailleurs l'idée d'une création du corps par les anges se trouve chez Philon et dans des courants juifs hétérodoxes. Comme l'a bien vu Orbe, cette forme de dualisme est plus platonicienne que gnosticiste et n'est donc pas un caractère du gnosticisme.

Mais qu'en est-il des anges eux-mêmes? Pour les Simoniens, les Basilidiens, les Carpocratiens, ils sont des créatures du Dieu suprême. Nous sommes donc en présence de l'opposition de deux mondes: les cieux et leurs anges sont le monde lumineux créé par Dieu, la terre est un monde ténébreux créé par les anges. Cette conception n'est pas gnosticiste. Mais les choses changent chez les Séthiens, dans l'école valentinienne, chez Justin ou les Ophites. A l'opposition cieux-terre se substitue l'opposition plérôme-kénôme. La frontière n'est plus le firmament, mais le huitième ciel. Le démiurge appartient au Kénôme. C'est donc le monde entier des cieux et des anges qui constitue le monde inférieur, issu du désir malheureux d'un des éons. Très particulièrement le monde des anges, assimilé à celui des sept *cosmocratores* planétaires, devient un monde mauvais dont les parcelles du Plérôme tombées dans le Kénôme sont captives. Ici nous sommes en présence de quelque chose de nouveau. Pour les Juifs et pour les chrétiens, il y a des anges mauvais, mais c'est par suite d'une chute et ils ont été créés bons. De même les astres ne deviennent maléfiques chez Tatien que par l'influence des mauvais démons. Mais plus encore cette vision répugne à toute la tradition grecque. Pour celle-ci le monde céleste est un monde divin. L'ordre des astres est l'expression même de ce caractère. Assimiler les astres à des démons est le blasphème par excellence. Le seul point où la tradition grecque fournisse ici un point de départ est l'astrologie, avec sa doctrine de la dépendance des réalités sublunaires par rapport aux astres. Mais ceci est envisagé aussi bien par les stoïciens que par les platoniciens comme l'expression d'un ordre divin. Or c'est précisément ceci qui est retourné dans le gnosticisme. Les astres sont des forces mauvaises. Et tous les maux qui sont dans le monde doivent leur être attribués. Ils sont l'expression d'un univers gouverné sans intelligence. Il semble que nous soyons en présence d'un trait authentiquement gnosticiste.

D'autre part les textes valentiniens nous mettent en présence d'une conception de l'origine du cosmos, aussi bien céleste que terrestre, qui est nouvelle. Pour la tradition grecque, de façon générale, il a son principe à la fois dans l'Un et dans le Multiple, qui sont des principes permanents. Il y a donc un dualisme originel d'ordre physique. Pour la tradition juive et chrétienne, tout ce qui n'est pas Dieu est créé par Dieu par une décision libre — et en tant que créé par Dieu est bon. Seul le péché introduira le désordre proprement dit. Pour les gnosticismes la substance du monde matériel provient du péché de Sophia et se trouve être ainsi étrangère au monde véritable. C'est une conception beaucoup plus pessimiste. Mais c'est aussi la conception la moins dualiste qui soit, puisqu'ultimement le monde sensible est destiné à être totalement évacué, son existence n'ayant aucune raison positive. Nous avons là une forme de mépris du monde sensible, qui n'est ni chrétienne, ni platonicienne et qui paraît à nouveau caractéristique du gnosticisme. On remarquera qu'elle ne se trouve pas chez Simon et chez Basilide.

Par contre il y a un trait qui est absolument commun à toutes les doctrines gnosticistes, de Basilide aux Séthiens et aux Ophites: c'est celui qui fait du dieu des Juifs, ou Iao, ou Ialdabaoth, le premier des anges, qu'il s'agisse des anges du firmament inférieur comme chez Basilide ou de la sphère planétaire supérieure comme chez les Valentiniens et les Ophites. Il est évident que nous avons ici un arrière-plan juif. C'est une doctrine juive commune, nous y avons fait allusion, que d'enseigner qu'alors que Yahweh a réparti les nations entre les anges, il s'est réservé le seul Israël. Il faut remarquer que cette doctrine coexiste avec une autre, selon laquelle l'ange d'Israël est Michel, le premier des sept archanges. En milieu judéo-chrétien (*Hom. Clem.*, XVIII, 4; *Pasteur d'Hermas*, Sim., VIII, 3, 3) le premier des Archanges est appelé le Fils de Dieu. On voit ainsi qu'il y avait des éléments dans la tradition juive qui permettaient d'arriver à la conception de l'identification de Yahweh avec un ange, à partir du fait qu'il était le protecteur d'Israël en face des anges protecteurs des nations.

Mais en même temps cette conception gnosticiste apparaît comme la plus radicalement anti-juive qui puisse être. Le fait de rabaisser Iahweh, le dieu créateur de la totalité de l'univers, le dieu qui avait

élu Israël et fait avec lui une alliance éternelle, au niveau d'un ange du
firmament ou du monde planétaire, est radicalement étranger à la foi
juive et judéo-chrétienne. C'est là d'autre part ce qui constitue le trait
le plus commun des gnosticismes originels, de Simon à Basilide, de
Marcion à Valentin. C'est évidemment à partir de là que tout ce qui est
en relation avec Iahweh, la création angélique et humaine, la Loi
juive et l'Alliance, va être considéré comme l'expression d'un monde
inferieur auquel on opposera le vrai Dieu et le Plérôme. Mais ces
vues, qui sont l'antijudaïsme même, relèvent cependant d'un contexte
qui ne peut être que juif. C'est ici où les vues de R. M. Grant nous
paraissent très suggestives, quand il voit dans le gnosticisme en tant
que tel non l'évolution de doctrines dualistes antérieures, mais une
situation historique, celle de l'apostasie d'une partie d'Israël déçue
dans l'espérance qu'elle avait mise en Iahweh.

Nous pouvons en venir à cette conclusion: le mauvais gouvernement du monde est une thèse proprement gnosticiste. Pour les Grecs
le désordre est un pôle opposé à l'ordre, mais qui fait partie de la
nature même de l'Univers. Pour les Juifs et les Chrétiens, le monde est
bien gouverné par un Dieu sage et bon; le désordre y est introduit par
le péché, mais n'empêche pas le monde d'être gouverné par Dieu.
Pour les gnosticistes au contarire l'Univers à la fois stellaire et terrestre
est l'oeuvre d'un démiurge inférieur, qui le gouverne mal. Dans la
présentation de cette conception, les gnosticistes introduisent nombre
de données empruntées aux grecs, aux juifs et aux chrétiens. Nous en
avons 1elevées quelques-unes. Mais dans son essence elle apparaît
comme une sorte de parodie de l'Ancien Testament qui ne prend sa
signification que dans une révolte au sein du judaïsme.

DISCUSSION

PÉTREMENT: Dans le Timée les dieux inférieurs créent le corps humain et la
partie déraisonnable de l'âme humaine; ils ne créent pas le monde; c'est le Dieu
supérieur qui crée le monde. Il semble par conséquent que l'idée gnostique que
les anges ou le Démiurge ont créé le monde ne peut pas venir du platonisme.
Le P. Daniélou met une différence trop grande entre les gnostiques, pour qui le
monde est mauvais parce qu'il a été créé par des anges mauvais, et les auteurs
chrétiens, pour qui le monde est mauvais parce qu'il est gouverné par des anges
devenus mauvais. De toute façon le monde serait mauvais. Finalement, si des gens
voulaient se révolter contre Iahvé, ce pouvait être aussi bien des chrétiens que des
Juifs. Et si l'on considère certains caractères du gnosticisme, le gn. est moins loin
du christianisme que du judaïsme.

DANIÉLOU: Pour la 1. question, c'est aussi ma pensée. Simplement, dans la ligne platonicienne, il y a une participation des anges à la création. Pour la 2., le fait que le mal soit la conséquence d'une faute personnelle ou que le mal soit substantiellement une réalité constitue une différence fondamentale entre la vision chrétienne et la vision gnostique, où la matière n'est pas susceptible de rédemption. Finalement, il faut insister sur l'importance donnée à la révolte contre Iahweh dans le gnosticisme: mais dès les tout premiers textes chrétiens, bien avant St. Irénée, le souci se marque de la continuité de l'Ancien et du Nouveau Testament. Il y a eu une hostilité des chrétiens au judaïsme qui est réelle, mais l'hostilité des gnostiques est absolument différente.

JONAS: I am in full agreement with everything except the final point: I see as strongly as he does the element of revolt in Gnosticism, but I find it difficult to place this revolt within Judaism. I realize that his is a tentative hypothesis, and I will treat it as such and name a few reasons against it.

Did the gnostic revolt originate as a revolt of the Jews against the adversity of their fortunes, a rebound from disappointed apocalypticism? But as a Jewish response to the catastrophe of the year 70 we have, in the next generation, the uprisings in Cyrenaica, Egypt, on Cyprus, and finally Bar Kochba and Rabbi Akiba. Jewish apocalyptics were a hardy breed, and their response to the historical adversity of their fortunes bespeaks a very different psychological condition from the one which the hypothesis of an inner-Jewish reaction resulting in gnosticism must assume.

But there are other people besides diehards. So let us assume for a moment that there were circles that reacted differently, namely in the sense of a repudiation of their own God—which of course was not what Bar Kochba and Rabbi Akiba did; but there may have been such. What would have been their reasoning? They would have concluded either that the power that rules the world had betrayed them, or that their God was not really the power that rules the world. (For the failure of Jewish hopes was not a failure of hopes concerning the eternal destiny of their souls, but a failure of hopes concerning the Messianic kingdom to come in this world.) In other words, let down by their God, they would have had to impugn either his good faith or his power. But in none of the gnostic derogations of the Demiurge is it said that he is not the effective ruler of this world; and he is generally said to favour the Jews. Whenever the distribution of the nations of the earth among the archons is described, it is the master of them all, the Creator himself, who chooses the Jewish people for his own: thus he is by the Gnostics supposed to promote their cause; and to have the power to do so—in worldly terms.

The typical gnostic criticism is indeed not that this God failed his elect. Let us look at the first thing that happened on the gnostic side after the final collapse of the Messianic Bar Kochba revolt. It almost coincided with the appearance of Marcion. Now what does Marcion say of the relation between the Creator God and the Jewish people? He says: they are his property, and he uses his power in their favour. He doesn't put it beyond this God that he will even make good the Messianic promise to his people. The Son of David may yet come and fulfill the hope of the Jews. Only, by Marcion's terms, this would be a mere this-wordly fulfilment, entirely unrelated to the issue of true salvation.

If such was the gnostic view, I really cannot see how the gnostic revolt should reflect Jewish disappointment of apocalyptic hopes.

DANIÉLOU: How do you explain in this case the importance of the struggle against Yahweh, even in gnostic writing? The Jews in this period were not important.

JONAS: I deny that the Jews were unimportant at that period, and that there was not sufficient reason among non-Jews who were forcefully exposed to Jewish influence, to react strongly against the exorbitant claims of the Jewish God. Let us remember one thing. The numerical proportion of Jews in the Ancient World, their status, their physical power, let alone their spiritual power—their sheer physical power in certain regions of the Ancient World was such as it has never been before or after in the whole of history. It cannot be compared in any way with the Jewish situation in the modern world. Ancient Jewry could not have submitted to Auschwitz as modern Jewry had to submit because it was defenceless. Not only were the Jews at that time not defenceless, they were agressive and very often the attackers. These are things which, in the writing of Jewish history, are sometimes glossed over. Let me bring in a personal memory. In the Second World War, when serving with the British Army, I was for a time stationed on Cyprus and got interested in the Jewish aspect of its history. I learnt that for a long period of time there had been a local law forbidding Jews to land on the island, threatening them with death even in the case of shipwreck. Why? During the great Jewish revolt of 117, under Trajan, when everywhere in the Near East the Jews arose against Roman rule, the Jews of Cyprus made themselves for a time masters of the island and reportedly massacred the whole Greek population of Salamis. Dio Cassius puts the number of victims at 240000. This is almost certainly exaggerated. But whatever the real numbers, an Imperial army was needed to crush the revolt, and in the final outcome the Jews of Cyprus (probably to a large extent the descendants of the ancient Phoenician population on the island) were completely exterminated. But such had been the terror of the Gentiles that by special law Jews were banned from the island for all time—a law, needless to say, which fell into disuse with the lapse of time.

I mention the story merely to illustrate a fact which we are apt to overlook nowadays, namely, the actual power relations in the ancient world. The Jews were for quite a period a considerable nuisance to the nations of the Gentiles; and they not only hoped for a Messianic kingdom, but were more than once active in promoting it. Theirs was, on the scale of Mediterranean humanity, a world cause. And I can well imagine—again this is a tentative hypothesis, perhaps not much stronger than yours, but somewhat more plausible—that, on the one hand the influence which this unique religion exerted was very strong; and, on the other, the reaction against the Jewish presence was also very strong. In fact, the togetherness of these two things: of a really powerful spiritual presence on the one hand, and a very irksome physical presence on the other, may have bred the atmosphere in which Jahweh together with his Jews—and He is taken together with them— became suitable objects to symbolize the degraded principle of the world and that which, in the world, particularly represents this degraded principle.

GNOLI: Si l'hypothèse du P. Daniélou est vraie, pourquoi le gnosticisme s'est-il répandu bien au dehors d'Israël? Je pense que la révolte gnostique est un fait plus général; toute l'atmosphère des premiers siècles est de révolte antitraditionnelle, contre les cultes nationaux, en quelque mesure ,anti-religieuse'.

DANIÉLOU: Dans l'ensemble des textes gnostiques connus, c'est toujours le Dieu d'Israël qui est en question, et non pas ni Zervan, ni Jupiter.

SCHUBERT: Wir haben einen Beleg dafür, wie Teile des Judentums auf das Phänomen reagierten, das wir in christlicher Terminologie Parusieverzögerung nennen würden. Wir wissen, dass spätestens vom Ende des 1. Jahrhunderts n. Chr., praktiziert sicher vom 2. Jahrhundert an, eine routinmässige Himmelsreise zur Sicht von Gottes Thron möglich war. Und diese routinmässige Himmelsreise ist zu unterscheiden von dem Entrücktwerden der Apokalyptiker. Henoch 14, Henoch 71, Testamentum Levi, sind psychologisch völlig anders zu verstehen als die Himmelsreisen, von denen dann später die Hekalottexte berichten. Der Weg zur Schau von Gottesthron sollte hier eigentlich etwas vorwegnehmen, was man in der Endzeit allgemein zu erleben hoffte. Dass diese Schau von Gottes Thron bei der Auferstehung den Gerechten gegeben wird, wird im syrischen Baruch 51 deutlich ausgesagt. Wir haben auch zumindest einen Beleg, der mir jetzt bewusst ist (es wird mehrere geben) in den grösseren Hekalot, wo die Schau von Gottesthron mit folgenden Worten verbunden wird: „Wann wird er aufsteigen, um die Herrlichkeit Gottes zu sehen? Wann wird er die Endzeit der Erlösung sehen?" — Auch diese Angaben sollten auf dem Gottesthron stehen. Sodass es zumindest anzunehmen ist, dass in Kreisen, bei denen tatsächlich eine Enttäuschung gegenüber der apokalyptischen Erwartung eingetreten ist, der Versuch gemacht wurde, aber ein innenjüdischer Versuch, ein innerhalb des pharisäischen rabbinischen Trends möglicher Versuch, die endzeitliche Erlösung vorwegzunehmen in individueller Erfahrung.

Man könnte sagen, das wir im Qumran sehr deutlich den Satz haben „dass die Erde sich wälzt auf den Wegen der Bosheit zur Zeit der Herrschaft Belials". Das h. die Erde ist zur Zeit der Herrschaft Belials tatsächlich unter der Verwaltung böser Mächte; aber die Kosmologie von Qumran und der Apokalyptik einerseits und die Kosmologie der Gnosis andererseits unterscheiden sich in wesentlichen Punkten. In der Kosmologie der Gnosis ist auch die Oberwelt von den bösen Machten beherrscht; im Qumran ist es die Unterwelt und die Mittelwelt wo die Menschen sind, soweit die Menschen sich diesem Bösen stellen. Die Oberwelt bleibt immer gut. Das ist sozusagen das echt jüdische, was Qumran von der Gnosis radikal unterscheidet.

FRICKEL: Il faut distinguer deux positions: 1) l'âme humaine considérée comme une semence divine qui se trouve dans le monde (selon une économie du Dieu suprême); 2) cette âme divine de l'homme se trouve dans la matière contre sa volonté (gnostiques).

LE MYTHE DES SEPT ARCHONTES CRÉATEURS PEUT-IL S'EXPLIQUER À PARTIR DU CHRISTIANISME?

PAR

SIMONE PÉTREMENT

I. *Les Puissances dans le Nouveau Testament*

Dans les épîtres pauliniennes, il est question de „puissances" régnant sur le monde et qui ne semblent pas être seulement les autorités sociales. Paul semble entendre aussi par là des sortes d'êtres invisibles qui domineraient l'univers, et ces êtres, il les regarde d'ordinaire comme s'opposant au Christ et vaincus par lui. Par exemple, il parle des „archontes de cet éon" qui n'ont pas connu la sagesse de Dieu et qui, par suite de cette ignorance, ont „crucifié le Seigneur de la gloire" (I Cor. 2, 6-8). Ailleurs il parle des „cosmocrators de cette ténèbre" (Eph. 6, 12). Parfois il mentionne des „principautés" (*archai*), des „dominations" ou „autorités" (*exousiai*), des „puissances" (*dunameis*), des „seigneuries" (*kuriotêtès*) (Rom. 8, 38; I Cor. 15, 24; Col. 1, 16; 2, 10, 15; Eph. 1, 21; 6, 12). Dans l'épître aux Ephésiens (6, 12), ces puissances, jointes aux „cosmocrators" et comprenant le diable, sont désignées comme les ennemis auxquels doivent résister les chrétiens. Dans d'autres épîtres, on voit qu'elles ont été vaincues par le Christ à sa crucifixion et qu'elles seront détruites par lui encore plus complètement à la fin du monde (Col. 2, 15; I Cor. 15 24; cf. 2, 6). Il est vrai que, dans l'épître aux Colossiens (1, 16; 2, 10), il est dit qu'elles ont été créées par le Christ et pour lui, et qu'il est leur „Tête"; mais apparemment elles ont dévié à un certain moment puisque, dans cette même épître, on voit qu'il a dû les vaincre (2, 15). Paul parle aussi d'„anges" qui semblent parfois être des puissances cosmiques (Rom. 8, 38; Col. 2, 18). Il parle encore de „prétendus dieux" dont il nie la divinité mais non l'existence (I Cor. 8, 5). Il faut sans doute aussi reconnaître des sortes de puissances dans les „éléments du monde", que Paul, dans l'épître aux Galates (4, 8-9), paraît assimiler aux dieux, et dans l'épître aux Colossiens (2, 8-20), aux anges. Enfin l'on pourrait encore citer d'autres expressions de Paul qui paraissent se rapporter à des puissances cosmiques invisibles, et il n'y a presque aucune de ses épîtres où ce genre d'êtres n'apparaisse sous une forme ou sous une autre [1]).

A-t-on le droit de penser qu'il s'agit toujours du même genre d'êtres? Les noms que nous avons cités ne pourraient-ils pas désigner parfois simplement les autorités sociales? Ce pourrait être le cas, à la rigueur, pour les „archontes de cet éon". Mais en général, les „principautés", „dominations" etc. ne peuvent pas être seulement les autorités sociales. Dans l'épître aux Ephésiens (3, 10; 6, 12), il est dit que ces puissances sont *dans les cieux*. Dans l'épître aux Colossiens (2, 8-20), elles semblent assimilées aux anges et aux „éléments du monde". Dans l'épître aux Romains (8, 38-39), elles sont associées aux anges ainsi qu'à la „hauteur" et à la „profondeur" (mots mystérieux qui désignent probablement l'espace supraterrestre et les lieux souterrains). Dans la première épître aux Corinthiens (8, 5), les prétendus dieux sont „soit au ciel soit sur la terre". Dans cette même épître (15, 24-26), la mort est comptée parmi les „puissances". Il faut aussi se rappeler que, dans la Bible des Septante, les noms de puissances, d'autorités, de principautés, d'archontes sont employés pour désigner des êtres angéliques. Le plus probable, et qui nous semble généralement admis, est que ces noms chez Paul désignent à la fois les autorités sociales et les puissances de la nature qui agissent à travers elles.

Quelquefois Paul semble donner à ces puissances un chef, ou il les remplace par une puissance unique. Dans la seconde épître aux Corinthiens (4, 4), il parle du „Dieu de cet éon", et dans l'épître aux Ephésiens (2, 2), de l'„archonte de la domination de l'air", expression qui désigne sans doute le chef des puissances qui règnent au dessus de la terre sans être pourtant dans le plus haut ciel. Cette figure du chef des puissances annonce celle du „prince de ce monde" (littéralement „archonte de ce monde") qu'on trouvera dans le Quatrième Evangile (12, 31; 14, 30; 16, 11).

Paul, en effet, n'est pas le seul dans le Nouveau Testament à parler de puissances cosmiques qui sont des sortes d'anges. L'auteur de l'épître aux Hébreux laisse entendre que le monde présent est soumis à des anges quand il dit (2, 5): „Car ce n'est pas à des anges que Dieu a soumis le monde à venir dont nous parlons". L'auteur du Quatrième Evangile parle, nous l'avons dit, de l'„archonte de ce monde". Luc, sans employer cette expression, considère évidemment le diable

---

[1]) Si l'on excepte les Pastorales qui sont probablement inauthentiques.

comme l'archonte du monde quand il lui fait dire: „Je te donnerai toute cette puissance et la gloire de ces royaumes, car elle m'a été abandonnée et je la donne à qui je veux" (4, 6). Matthieu exprime la même idée (4, 8). Luc semble penser aussi que Satan, jusqu'à une certaine époque de la vie du Christ, avait sa demeure *dans le ciel*, au dessus de la terre; il fait dire au Christ, après la mission des soixante-douze disciples: „Je voyais Satan qui était tombé du ciel comme un éclair" (10, 18). La même conception se trouve dans le Quatrième Evangile, mais là c'est au moment de la crucifixion que le diable tombe du ciel (12, 31). On trouve de nouveau cette idée dans l'Apocalypse (12, 5-9). Dans la première épître de Pierre, il est dit du Christ qu'il est monté aux cieux, „les anges, les dominations et les puissances lui ayant été soumis" (3, 22).

Dans la grande majorité de ces textes, ces puissances sont considérées comme mauvaises ou du moins comme ignorantes. Les seuls textes douteux sont ceux de l'épître aux Colossiens, où elles apparaissent comme soumises au Christ; mais nous avons vu que, dans la même épître, il est dit que le Christ les a vaincues. Dans la première épître aux Corinthiens (15,25), elles sont appelées *ennemis* du Christ, et dans l'épître aux Ephésiens (6, 12), „esprits du mal". Le „dieu de ce siècle", l'„archonte de la puissance de l'air", le „prince du monde", le dragon de l'Apocalypse sont évidemment mauvais, et de même le diable, maître des royaumes de ce monde pour Luc et pour Matthieu.

Nous voyons donc que pour Paul, pour Jean et pour d'autres auteurs du Nouveau Testament, le monde est dominé par des sortes de puissances plutôt mauvaises que bonnes. La présence de cette conception dans le Nouveau Testament n'est guère douteuse et nous croyons que presque personne ne la nie. Ce qui par contre n'est pas reconnu en général, c'est l'importance qu'elle a dans la théologie de Paul et celle de Jean. On la regarde souvent comme l'effet de la dépendance de Paul et de Jean à l'égard de leur temps, et cette dépendance concernerait, pense-t-on, l'accessoire mais non l'essentiel de leur pensée. Mais, comme l'a remarqué Cullmann, „en considérant que toutes ces questions sont plus ou moins accessoires et qu'elles forment un cadre *déterminé par les conceptions de l'époque*, la plupart des commentateurs . . . établissent dans le Nouveau Testament une distinction arbitraire entre des affirmations centrales et des affirmations secondaires. Il nous faut répéter qu'il n'existe qu'un seul critère objectif pour déterminer ce qui est essentiel: les plus anciennes confessions de foi. Or. . . dans ces très brefs résumés des vérités révélées, les premiers chrétiens mentionnent presque régulièrement les puissances invisibles" [1]). En outre, Gustave Aulén a montré que la théorie de la Rédemption et même la christologie, dans le Nouveau Testament et dans l'Eglise primitive, sont étroitement liées à la représentation de ces puissances [2]).

II. *L'origine de cette conception*

Faut-il maintenant supposer un gnosticisme préchrétien pour expliquer cette conception chez Paul, chez Jean et ailleurs dans le Nouveau Testament? Il nous semble que ce n'est pas nécessaire. En effet, le judaïsme d'une part suffit à expliquer l'idée que des puissances ou des anges gouvernent les choses de ce monde; le christianisme d'autre part suffit à expliquer que ces puissances ou ces anges aient été considérés comme mauvais ou tout au moins comme ignorants.

a) On sait que, selon les spéculations du judaïsme tardif, chaque genre de choses ou de phénomènes a son ange qui le régit. Le livre des *Jubilés* cite „les anges de l'esprit du feu, les anges de l'esprit des vents, les anges de l'esprit des nuages, et de l'obscurité, de la neige, de la grêle, etc." (2, 2). Le livre d'*Hénoch* nomme l'esprit de l'éclair et du tonnerre, l'esprit de la mer, l'esprit de la gelée, l'esprit de la neige, etc. (*I Hén.* 60, 14-22). Cette mythologie s'explique peut-être par une influence des religions païennes, les dieux des païens ayant été considérés par les Juifs comme étant des anges (et ainsi subordonnés au Dieu unique). En tout cas les anges semblent jouer, dans le judaïsme tardif, le même rôle de maîtres et de symboles des forces naturelles que les dieux dans le paganisme [3]).

Cette mythologie rend compte du fait qu'il y a pour Paul et pour d'autres chrétiens des premiers temps un lien entre „les anges" et „le monde", et presque une sorte d'équivalence parfois entre les deux expressions. Quand Paul dit (I Cor. 6, 3): „Ne savez-vous pas que nous jugerons les anges?" c'est sans doute simplement la répétition de ce qu'il a dit au verset précédent: „Ne savez-vous pas que les saints jugeront le monde?" Quand il rappelle aux Colossiens qu'ils sont „morts aux éléments du monde", c'est qu'il veut les mettre en garde

---

[1]) *Christ et le temps*, Neuchâtel, 1947, p. 138.

[2]) *Christus victor, la notion chrétienne de Rédemption*, Paris, 1949.

[3]) On retrouvera ces anges préposés aux éléments, aux phénomènes et à la vie de la nature dans certains écrits chrétiens des premiers siècles. Cf. J. DANIÉLOU, *Théologie du judéo-christianisme*, Tournai, 1957, p. 142.

contre le „culte des anges", comme si c'était la même chose d'être soumis aux anges ou aux éléments du monde (Col. 2, 18-20). Quand l'auteur de l'épître aux Hébreux écrit: „Ce n'est certes pas aux anges qu'il vient en aide, mais c'est à la postérité d'Abraham" (2, 16), il exprime peut-être une idée analogue à celle de Jean quand il fait dire au Christ: „Je ne prie pas pour le monde, mais pour ceux que tu m'as donnés" (Jn. 17, 9). Quand, dans l'*Ascension d'Isaïe*, il est parlé de ce qu'a vu d'avance Isaïe „sur le jugement des anges et sur la destruction de ce monde" (1, 5), il semble bien que ce soit la même chose qui est répétée deux fois. *Quand les premiers chrétiens parlent des anges, ils entendent parfois les anges du monde et ces anges représentent pour eux le monde lui-même.* Cela peut fort bien s'expliquer par le mythe juif dont nous avons parlé.

b) Mais cette explication reste insuffisante pour rendre compte du caractère mauvais ou de l'aveuglement de ces anges. Car les anges régissant les phénomènes du monde n'étaient pas en général, dans le judaïsme, des anges mauvais. Le judaïsme connaissait, il est vrai, des anges qui avaient encouru la colère de Dieu, mais il les considérait comme ayant été dépouillés de leur pouvoir, comme ayant été châtiés et emprisonnés depuis fort longtemps [1]). Il connaissait aussi des démons, des satans, des anges chargés de châtier, mais il ne les regardait pas comme régnant sur tout l'univers, et de plus il les regardait comme ayant reçu de Dieu leur fonction. Sans doute, il faut distinguer plusieurs sortes de judaïsme, à l'époque où le christianisme est né. Dans les sectes apocalyptiques, qui annonçaient la fin du monde, il est évident que la conception du monde n'était pas optimiste. Ces sectes préparaient le gnosticisme, mais elles préparaient aussi et peut-être d'abord le christianisme. Cependant, même dans les écrits apocalyptiques juifs, nous ne voyons pas en général que des anges mauvais gouvernent le monde. Dans le livre des *Jubilés*, on lit que Dieu a détruit depuis longtemps presque tous les démons nés des anges coupables; il n'en a laissé vivre qu'un sur dix, ayant épargné ce dixième à la prière de Mastêmâ, c'est-à-dire de Satan, qui lui a exposé que sans leur aide il ne pourrait pas remplir son office, qui est de châtier (10, 8-9). Dans *Hénoch*, il n'est pas dit qu'un démon sur dix seulement a survécu; mais il est dit que les descendants des anges coupables ont été détruits devant eux avant leur emprisonnement (*I Hén.* 10, 9, 12 et 15; 12, 6; 14, 6), et d'autre part il est parlé avec admiration des lois du monde, et les anges qui règnent sur les astres,

---

[1]) Cf. *Jub.* 5, 6-9; *I Hén.* 10, 4-6, 11-13; 18, 14-16; 88, 3; CDC, 2, 18; 1QH, 10, 34.

sur les éléments et sur toute créature n'y sont pas considérés comme mauvais [1]). Dans les apocalypses d'Esdras et de Baruch, les anges sont en général les serviteurs obéissants de Dieu et l'on ne voit pas qu'il y ait des anges du monde qui oppriment l'homme. Seul l'ange de la mort apparaît dans *Baruch* comme un ennemi de l'homme (ce qui se comprend), mais lui aussi est représenté en quelque façon comme un serviteur de Dieu (21, 23). Dans les *Psaumes de Salomon*, le jugement futur est un jugement sur les rois et sur les peuples, non sur les anges. Dans le *Manuel de discipline*, il est dit que les deux Esprits, le Prince des lumières et l'Ange des ténèbres, se trouvent à égalité (en égale proportion) jusqu'au moment du jugement (1QS 4, 16-17 et 25). Dans les hymnes de Qumrân, les anges des astres (l',,Armée des cieux", les ,,Vaillants des cieux", les ,,Fils du ciel", l',,Armée de la connaissance", les ,,Saints") ne sont pas regardés avec hostilité, bien au contraire. En somme, dans l'apocalyptique juive, le siècle présent est mauvais en ce sens que les forces du mal y combattent les forces de la lumière, mais le monde ne leur est pas entièrement soumis. Il y a du mal, mais ce mal ne recouvre pas le monde entier comme il semble le faire dans la première épître de Jean (5, 19).

Volz, remarquant qu'on ne trouve nulle part dans l'apocalyptique juive des expressions comme ,,le Dieu de ce siècle" ou ,,le prince de ce monde", pour désigner le diable, écrivait: ,,Une comparaison de la littérature juive avec celle du Nouveau Testament sur ce point montre que le dualisme dans le Nouveau Testament est dans l'ensemble plus tranché que dans le judaïsme de la même époque. Dans le Nouveau Testament, Satan est. . . un adversaire de Dieu et le maître du monde; dans le judaïsme, il ne perd jamais si complètement le caractère d'un instrument de Dieu" [2]).

Les anges du monde étaient-ils considérés par les Juifs comme *ignorants*? Sans doute, ils pouvaient penser que les anges ne connaissent pas l'essence de Dieu, dans la mesure où elle est inconnaissable pour toute créature. Sans doute, ils pensaient qu'ils ne sont pas aussi sages que Dieu [3]). Mais ils ne les regardaient pas comme particulièrement

---

[1]) Cf. *I Hén.* 5, 1-4; 18, 5; 60, 14-22; 75, 1; 80, 1.

[2]) P. VOLZ, *Die Eschatologie der jüdischen Gemeinde im neutest. Zeitalter*, Tübingen, 1934, pp. 87-88. — Il faut remarquer que des textes comme Isaïe 24, 21-23 ne signifient pas que les astres ou le monde soient mauvais, mais que toute la nature participera au bouleversement apporté dans le monde humain par l'intervention de Dieu en faveur d'Israël. Cf. Isaïe 13, 10-11; 34, 4, etc.

[3]) Job 4, 18-19 (,,S'il trouve de la folie dans ses anges, combien plus chez ceux qui habitent l'argile!") signifie seulement que nul ne peut être aussi sage que Dieu

ignorants ni aveugles. Dans les hymnes de Qumrân, les anges des astres sont appelés, comme nous venons de le voir, l'Armée de la connaissance, les Esprits de connaissance. Il est vrai que, dans l'une des parties anciennes du livre d'Hénoch, il est question d'une ignorance des ,,pasteurs'' et que ces pasteurs représentent des anges, probablement les anges des nations (*I Hén*. 89, 74). Mais ce qu'ignorent ces anges, c'est simplement le jugement qui leur est réservé, le jugement final, comme tous les êtres l'ignorent. Ici encore nous rencontrons l'apocalyptique et nous ne sommes pas loin du christianisme ni du gnosticisme. Mais nous n'y sommes pas tout à fait. Car les anges ignorants du gnosticisme sont ignorants *parce qu'ils ne connaissent pas le vrai Dieu*; et déjà les archontes pauliniens sont ignorants de cette façon, puisqu'ils ont, sans le connaître, crucifié le Seigneur de la gloire. Or les anges du judaïsme connaissent le vrai Dieu. Même les satans, qui à l'occasion lui adressent des demandes [1]). Même les anges des nations, qui ont été chargés par lui de châtier Israël (bien que parfois ils dépassent ses ordres en châtiant trop durement) [2]).

C'est par cette conception des ,,anges des nations'' que certains savants ont cru pouvoir expliquer le jugement pessimiste porté sur les anges du monde par les plus grands écrivains du Nouveau Testament. On trouve en effet dans le bas judaïsme l'idée que chaque nation est gouvernée par un ange, excepté Israël dont le chef n'est pas un ange mais Dieu lui-même [3]). Or les anges des nations païennes étaient évidemment regardés par les Juifs comme des anges malfaisants, chargés de tromper les peuples en les induisant à leur rendre un culte qui n'était dû qu'au seul Dieu d'Israël; chargés aussi de châtier et d'opprimer Israël pendant un certain temps [4]). Si les dieux païens de la nature pouvaient être transformés par le judaïsme en anges bienfaisants, il ne pouvait évidemment pas en être de même des dieux des

---

et que par rapport à lui les anges même sont fous. Cf. Job 15, 15; 25, 5; 1QH 12, 28-30.

[1]) Cf. Job 1, 6-12; *Jub*. 10, 8-11.

[2]) Cf. *I Hén*. 89, 61: ,,Vois tout ce que les pasteurs font à ces brebis, car ils en font périr plus que je ne leur ai commandé''. La même idée, mais sans mythologie, se trouve p. ex. dans Isaïe 10, 5-7; 47, 6.

[3]) Ecclésiastique 17, 17; *Jub*. 15, 31-32. Chez Daniel (10, 13-21), Israel a lui-même un ange, qui est Michel.

[4]) Cf. *Jub*. 15, 31-32: ,,Toutes les nations ont un esprit qui les gouverne pour les égarer. Mais sur Israël Il n'a pas établi d'ange ou d'esprit, car Lui seul en est le gouverneur; et Il les garantira et les réclamera de la main de ses anges et de ses esprits et de toutes ses puissances. . .''.

cités et des nations, étant donné l'antagonisme inévitable entre le nationalisme d'Israël et celui des autres peuples. Cependant le fait même que ces anges étaient conçus comme établis par Dieu pour égarer les peuples et châtier Israël, montre que sans doute ils n'ignoraient pas Dieu dont ils avaient reçu les ordres. En outre, *on ne voit pas que chez Paul il soit question spécialement des anges des nations*. Les anges dont il parle, ou les „puissances", semblent avoir rapport à la nature tout entière. Sans doute, ils ont aussi rapport aux autorités politiques, puisqu'ils sont responsables de la mort du Christ. Mais s'ils étaient derrière Pilate, n'étaient-ils pas aussi derrière Caïphe? Bien plus, *il y a pour Paul un lien certain*, comme nous le verrons, *entre la vénération des anges du monde et le judaïsme*. Alors pourquoi s'agirait-il des anges des nations?

En réalité, le motif pour lequel Paul regarde les puissances du monde comme mauvaises ou du moins aveugles, ce motif est assez clair et s'explique assez par le christianisme lui-même.

Comme le feront les gnostiques, Paul, dans un certain texte, considère les archontes comme ignorants plutôt que comme mauvais. Et pourquoi ignorants? Parce qu'ils n'ont pas connu la sagesse de Dieu; „car s'ils l'avaient connue, ils n'auraient pas crucifié le Seigneur de la gloire". Autrement dit, c'est la crucifixion qui montre l'aveuglement des archontes. Et comment ne le montrerait-elle pas?

Est-il difficile de comprendre que le supplice d'un juste est une accusation contre le monde? que c'est un motif d'en nier la valeur, au moins dans une certaine mesure? On nie ou on limite la valeur du monde parce qu'il a condamné le vrai bien, parce qu'il ne l'a pas reconnu.

Que signifie l'ignorance des archontes, dans le gnosticisme, sinon l'ignorance du monde à l'égard du vrai bien, à l'égard du vrai Dieu qu'il n'a pas reconnu dans le juste? Or Jean affirme à plusieurs reprises, directement et sans métaphore, que *le monde n'a pas connu Dieu.* „Le monde a été fait par lui et le monde ne l'a pas connu (Jn. 1, 10)". „Père juste, le monde ne t'a pas connu (17, 25)". „Je prierai le Père et il vous donnera un autre Paraclet. . ., l'Esprit de vérité, que le monde ne peut recevoir, parce qu'il ne le voit ni ne le connaît (14, 17)". „Si le monde ne nous connaît pas, c'est qu'il ne l'a pas connu (I Jn. 3, 1)". Paul aussi l'affirme: „Le monde, par le moyen de la sagesse, n'a pas connu Dieu dans la sagesse de Dieu (I Cor. 1, 21)".

Ce sont les affirmations de Paul et de Jean au sujet du monde qui expliquent leur jugement sur les puissances cosmiques. Que disent-ils en effet du monde, quand ils parlent clair et sans métaphore ? Paul dit: „Pour que nous ne soyons pas condamnés avec le monde. . . (I Cor. 11, 32)" „Que jamais je ne me glorifie sinon en la croix de Notre Seigneur Jésus-Christ, par qui le monde a été crucifié pour moi et moi pour le monde (Gal. 6, 14)". „Nous n'avons pas reçu, nous, l'esprit du monde, mais l'esprit de Dieu (I Cor. 2, 12)". „Selon les éléments du monde et non selon le Christ. . . (Col. 2, 8)" Il faut sans doute ajouter à ces textes ceux où il parle de l'„éon présent", ou si l'on veut du „siècle", car certains passages montrent qu'il ne fait guère de différence entre le siècle et le monde [1]): „Le Seigneur Jésus-Christ qui s'est livré lui-même afin de nous arracher à l'éon présent qui est mauvais . . . (Gal. 1, 3-4)" „Ne vous modelez pas sur l'éon présent (Rom. 12, 2)".

Jean dit: „Si le monde vous hait, sachez qu'il m'a haï avant vous (Jn., 15, 18)". „Le monde me hait parce que j'atteste que ses oeuvres sont mauvaises (7, 17)". „J'ai vaincu le monde (16, 33)". „Tout ce qui est de Dieu est vainqueur du monde (I Jn. 5, 4)". „N'aimez ni le monde ni rien de ce qui est dans le monde. Si quelqu'un aime le monde, l'amour du Père n'est pas en lui. Car tout ce qui est dans le monde, la convoitise de la chair, la convoitise des yeux et l'orgueil de la vie, vient non pas du Père mais du monde (2, 15-16)". „Eux, ils sont du monde . . . Nous, nous sommes de Dieu (4, 5-6)". „Le monde tout entier gît sous le pouvoir du Mauvais (5, 19)".

Nous ne voulons pas dire qu'il n'y ait pas autre chose chez Paul et même chez Jean. Il y a aussi chez eux des affirmations favorables au monde, quoique moins nombreuses, chez Jean surtout. Nous voulons seulement rappeler que toute une part de leur pensée implique une volonté passionnée de se détacher du monde, et que cela explique suffisamment leur jugement sur les anges du monde. Cette passion contre le monde s'explique elle-même suffisamment par l'image de la Croix.

Ce ne sont pas d'ailleurs seulement Paul et Jean qui parlent ainsi au sujet du monde. Que dit par exemple l'auteur de l'épître aux Hébreux? „Par la foi il condamna le monde et devint l'héritier de la justice (11, 7)". Que dit l'épître de Jacques? „Se garder de toute souillure du monde. . . (1, 27)". „Ne savez-vous pas que l'amitié

---

[1]) I Cor. 1, 20: „Où est-il, le raisonneur de ce *siècle*? Dieu n'a-t-il pas frappé de folie la sagesse du *monde*?" I Cor. 3, 18: „Si quelqu'un pense être sage en ce *siècle*, qu'il devienne fou afin de devenir sage. Car la sagesse du *monde* est folie devant Dieu".

pour le monde est inimitié contre Dieu? Qui veut être ami du monde se rend ennemi de Dieu (4, 4)". La notion d'*étranger*, c'est-à-dire étranger au monde, qui est si caractéristique du gnosticisme, se trouve aussi dans le Nouveau Testament: le chrétien est un étranger, un exilé, comme le gnostique [1]).

Nous pensons donc que les anges ignorants du Nouveau Testament ne sont pas autre chose que le monde ignorant, le monde qui a condamné le Christ. Cette conception ne vient pas d'une autre source que du christianisme. Elle persistera d'ailleurs chez des chrétiens non hérétiques [2]) sous la forme du mythe suivant lequel les anges n'ont pas reconnu le Christ quand il est descendu sur la terre. Ce mythe de la descente cachée se trouve déjà dans l'*Ascension d'Isaïe*, où l'on voit clairement qu'il est en rapport avec la crucifixion [3]).

III. *Passage au mythe des anges créateurs*

Ce que nous ne trouvons jamais chez Paul ni chez Jean, ce que nous ne trouvons même jamais dans des textes chrétiens non hérétiques, c'est l'idée que les anges ont *créé* le monde. Ils le dominent, ils peuvent même l'avoir dominé dès le commencement, mais ils ne l'ont pas créé; c'est-à-dire que l'essence des choses n'est pas mauvaise. Les choses sont seulement soumises à une loi mauvaise, mais cette loi peut être levée.

C'est sans doute à partir du moment où elle enseigne que les anges ont créé le monde, que la gnose s'écarte vraiment de Paul et de Jean. Comment les gnostiques ont-ils franchi ce pas? On peut penser qu'ils l'ont franchi directement à partir de l'idée que les anges dominent le monde, en renforçant simplement cette idée. Nous croyons cependant qu'ils n'y sont parvenus que par un détour, par le fait qu'un autre élément s'est joint au mépris de la puissance et du monde. Cet autre élément, c'est la lutte contre le judaïsme.

Il y a en effet dans les mythes gnostiques au moins un indice qui montre qu'une autre cause s'est jointe à la volonté de dévaluer le monde. Cet indice, c'est que le chef des anges créateurs est identifié à Iahvé. Si l'on avait voulu seulement dévaluer le monde et non pas aussi critiquer le judaïsme, n'aurait-on pas dit que Iahvé n'a pas créé directement le monde mais l'a fait créer par des anges? C'est ainsi que,

---

[1]) Cf. II Cor. 5, 6; Philip. 3, 20; Hébr. 11, 13-16; 13, 14; I Pierre, 1, 1 et 17; 2, 11.
[2]) P. ex. Ignace d'Antioche, Justin, Irénée.
[3]) *Asc. Is.* 9, 13-15: l'ignorance des cieux à l'égard du Christ était destinée à rendre possible la crucifixion.

d'après Philon, Dieu n'a pas créé directement la partie irrationnelle de l'âme d'Adam, mais l'a fait créer par des anges, parce qu'il ne lui convenait pas de créer directement ce qui peut être cause de péché [1]). Mais il ne viendrait pas à l'idée de Philon de dire que Iahvé lui-même n'est qu'un ange. Dire que le créateur n'est qu'un ange et continuer à l'identifier à Iahvé, cela indique qu'il s'agissait de combattre le judaïsme au moins autant que de s'opposer au monde. Et c'est probablement la polémique contre le judaïsme qui a conduit à franchir la limite qu'avaient gardée Paul et Jean dans leur dépréciation du monde. On a voulu dévaluer le Créateur lui-même, non pas tant à cause de la création, mais parce que le Créateur, c'était le Dieu de la Loi, le Dieu de l'Ancien Testament. Le mépris des puissances qui gouvernent actuellement l'univers n'eût pas entraîné nécessairement le mépris de l'origine et de l'essence même des choses.

(En effet, il ne l'entraîne pas chez Paul ni même chez Jean).

On sait que le christianisme se libéra du judaïsme et dut en conséquence se défendre contre lui. Quelle qu'ait pu être l'attitude du Christ lui-même à l'égard de la Loi [2]), la critique de certains principes du judaïsme apparaît en tout cas très tôt après sa mort chez un groupe de ses partisans, chez les „hellénistes" dont le chef, Etienne, fut pour cette raison lapidé. Et la forme que prend cette critique n'est pas sans rapport avec les mythes gnostiques et pourrait en expliquer en partie la genèse.

Dans le récit des *Actes*, les hommes qui accusent Etienne de prêcher contre le Temple et contre la Loi sont qualifiés de faux témoins. Mais le discours qui est mis ensuite dans la bouche d'Etienne montre qu'il prêchait réellement contre le Temple. Cela signifie qu'il s'opposait sur un point capital au judaïsme orthodoxe. Car l'obligation de ne sacrifier à Dieu que dans le Temple de Jérusalem était le fondement de l'unité juive, de la nation juive. Quant à la Loi, Etienne ne

---

[1]) *De opif.* 72-75; *De confus.* 176-179. C'est sans doute à cette théorie de Philon ou à des théories analogues que fait allusion Justin (*Dial.* 62, 3), et peut-être aussi le passage du IVe traité du Codex Jung cité par G. QUISPEL dans *Der gnostische Anthropos* (*Eranos-Jahrbuch*, 22, 1953), p. 201.

[2]) Le Christ a bien pu dire: „Ne croyez pas que je sois venu pour abolir la Loi...". Il n'en est pas moins vrai que, même chez Matthieu, on voit qu'il en usait assez librement à l'égard de la Loi. Il est possible en outre que, dans la dernière période de sa prédication, il ait envisagé une réforme profonde de la Loi, réforme qu'il symbolisait peut-être par la destruction du Temple et sa réédification. Il semble en tout cas avoir prédit la destruction du Temple, et cette prédiction même indique un certain détachement à l'égard de ce qui était encore le centre et un élément essentiel du judaïsme orthodoxe.

dit-il rien contre elle? Il l'attaque peut-être elle aussi, sous une forme qui n'est pas claire pour les hommes de notre temps, mais dont ceux qui connaissent le gnosticisme pourraient deviner le sens: à plusieurs reprises, avec une insistance visible, Etienne mentionne le fait que Moïse s'est entretenu avec un ange sur le Sinaï (Actes, 7, 30; 35; 38; 53). Sans doute, cela peut se fonder sur certaines paroles bibliques: la Bible dit parfois „l'ange de Iahvé" pour dire Iahvé, et cette expression se trouve justement dans l'Exode au moment de la première apparition de Iahvé sur le Sinaï (la suite montre qu'il s'agit de Iahvé lui-même). Cela peut aussi se fonder sur certaines traditions juives d'après lesquelles Iahvé, au Sinaï, était accompagné d'anges. Mais enfin, selon la Bible et le judaïsme, c'est surtout avec Dieu que Moïse avait parlé sur le Sinaï, et c'est de lui qu'il avait reçu la Loi [1]). Pourquoi Etienne parle-t-il toujours de l'ange plutôt que de Dieu? Et pourquoi dit-il finalement à ses auditeurs: „Vous qui avez reçu la Loi selon des commandements d'anges et qui ne l'avez pas observée"?

Il faut remarquer que la colère des Juifs qui l'écoutent éclate à ce moment-là. Est-ce parce qu'il leur dit qu'ils n'ont pas observé la Loi? Ils devaient être habitués à ce reproche qui leur est fait constamment dans l'Ancien Testament, et d'ailleurs les désobéissances mentionnées par Etienne étaient des faits anciens et reconnus. N'est-ce pas plutôt parce qu'il leur dit que la Loi a été donnée „selon des commandements d'anges"? En effet, dans l'épître de Paul aux Galates (3, 19), on retrouve l'affirmation que la Loi a été prescrite par des anges, c'est-à-dire n'a pas été prescrite par Dieu lui-même, et là il s'agit bien de dévaluer la Loi. Le moyen dont semble se servir Etienne et dont Paul se sert sûrement pour déprécier la Loi, est exactement celui dont les gnostiques se serviront pour déprécier le monde. S'agit-il là de deux processus parallèles et sans lien entre eux? Remarquons en tout cas que c'est la Loi d'abord, et non le monde, que des chrétiens ont représentée comme l'oeuvre des anges.

Remarquons aussi qu'on pouvait passer de cette idée à l'autre. Si c'est un ange qui parle dans la Loi, on pouvait en conclure que Iahvé, le créateur du monde, n'est qu'un ange. Car c'est Iahvé qui parle dans la Loi.

Il n'est pas certain, il est vrai, que les paroles prêtées à Etienne dans les *Actes* expriment ce qu'il a pu réellement penser. Peut-être

---

[1]) Les ordonnances de la Loi sont toujours mises dans la bouche de Iahvé lui-même.

l'auteur des *Actes*, Luc, a-t-il reconstruit la pensée d'Etienne à partir de sa propre doctrine, qui était plus tardive et fondée sur celle de Paul. Peut-être même le personnage d'Etienne est-il entièrement légendaire, comme on l'a parfois supposé. Mais Paul du moins dit certainement que la Loi a été „édictée par des anges et par l'entremise d'un médiateur" [1]). Il ajoute qu'il ne faut pas croire, malgré cela, que la Loi s'oppose aux promesses de Dieu. Mais la Loi est inférieure, dit-il, à la promesse faite à Abraham, parce qu'elle a été donnée par des intermédiaires tandis que la promesse émanait de Dieu seul. Ce n'est pas d'ailleurs le seul texte où Paul établit un lien entre la Loi et les anges. Dans plusieurs passages de ses épîtres, il laisse entendre que la pratique de la Loi est un culte des anges plutôt que de Dieu.

Il nous faut ici nous séparer de certains exégètes. Les savants ont étrangement brouillé ce qui est si clair chez Paul pour qui le lit sans préjugé: qu'il considère les pratiques juives comme un culte des anges. Quand il combat le culte des anges dans l'épître aux Colossiens, certains nous disent que c'est le gnosticisme (un genre de gnosticisme) qu'il combat; et c'est l'un des principaux arguments qu'on emploie pour soutenir que le gnosticisme existait déjà du temps de Paul. Mais tout d'abord le gnosticisme n'est pas un culte des anges. Bien plutôt c'est pour abaisser le monde que les gnostiques le représentent comme l'oeuvre des anges. Ces anges créateurs dont ils parlent, ces archontes, ce sont pour eux des puissances inférieures sinon mauvaises, et bien loin de leur rendre un culte, ils veulent enseigner à les dépasser, sinon à les mépriser. On a bien plutôt raison de reconnaître les gnostiques dans ces hommes que l'épître de Jude et la seconde épître de Pierre accusent de blasphémer les „gloires", c'est-à-dire les anges. Si l'on a raison de les reconnaître ici, on ne peut les reconnaître là.

Dans l'épître aux Colossiens, Paul dit: „Que personne ne vous séduise en se complaisant dans d'humbles (ou basses) pratiques, dans un culte des anges" (2, 18). Or il avait dit presque immédiatement auparavant: „Que nul ne s'avise de vous critiquer pour des questions de nourriture ou de boisson, ou en matière de fêtes annuelles, de nouvelles lunes ou de sabbats". Et presque immédiatement après il dit: „Puisque vous êtes morts avec le Christ aux éléments du monde, pourquoi vous plier à des ordonnances comme si vous viviez encore en ce monde? „Ne prends pas, ne goûte pas, ne touche pas", tout cela

---

[1]) Gal. 3, 19. Le médiateur est sans doute Moïse.

pour des choses vouées à périr! Voilà bien les prescriptions et les doctrines des hommes!" A quoi ces paroles peuvent-elles s'appliquer sinon au judaïsme? Et qu'y a-t-il de gnostique dans la doctrine qu'elles combattent?

Les raisons pour lesquelles W. Michaelis [1]), par exemple, voit quelque chose de gnostique dans cette doctrine sont les suivantes: d'abord il manque, pour qu'elle soit conforme à l'image ordinaire du judaïsme, les références à la circoncision et à la Loi (mais il reconnaît lui-même qu'on trouve des allusions „indirectes" à la circoncision et à la Loi dans Col. 2, 11, 14); ensuite cette doctrine prêche l'ascétisme (mais les passages qu'il cite, 2, 16 et 20, ne parlent que d'interdictions alimentaires ou de se garder de certains contacts, et peuvent donc se comprendre comme concernant le judaïsme); enfin elle prêche un culte des anges et des éléments du monde (mais outre que ce n'est pas du tout gnostique, la comparaison qu'il fait lui-même avec Galates 4, 3, 9 montre que le judaïsme pouvait être compris par Paul comme un culte des éléments du monde, et par conséquent des anges). Il faut aussi remarquer que le verset 2, 14 met clairement et non pas „indirectement" un rapport entre les „puissances" et la Loi. E. Percy a bien vu que les adversaires de Paul, dans Colossiens, n'adoraient pas consciemment les anges, mais que c'est Paul qui interprète ainsi leurs pratiques, et que ces pratiques n'étaient pas autre chose que les observances juives [2]). C'est aussi l'interprétation d'Origène [3]) et de saint Jérôme [4]).

La seule chose qui pourrait faire supposer qu'il s'agit d'une doctrine gnostique, c'est que Paul donne à cette doctrine le nom de „philosophie" (2, 8). Mais c'est une erreur sur le sens du mot „gnose" qui conduit à cette interprétation. En fait la gnose, au début, n'était pas plus une philosophie que le judaïsme ou le christianisme. Si elle a pu être plus tard considérée comme une philosophie, le judaïsme aussi pouvait l'être. Et ce qui montre que c'est de lui qu'il est question ici, c'est non seulement la mention des sabbats, des nouvelles lunes, des interdictions alimentaires, des interdictions de contact, mais aussi l'expression qui est associée au mot de philosophie: „selon les éléments du monde".

Paul dit dans l'épître aux Galates, qui est tout entière dirigée

---

[1]) *Einleitung in das Neue Testament*, 2e éd., Berne, 1954, p. 213.
[2]) *Die Probleme der Kolosser- und Epheserbriefe*, Lund, 1946, pp. 149-169.
[3]) *Comment. in Cant. canticorum*, II, Baehrens, pp. 160-161.
[4]) *Epist.* CXXI, 10, 10-15, Hilberg, III, pp. 44-46.

contre l'observation de la Loi: „Nous aussi, quand nous étions enfants, nous étions asservis aux éléments du monde. Mais quand vint la plénitude du temps, Dieu envoya son Fils né d'une femme, né sujet de la Loi, afin de racheter les sujets de la Loi et de nous conférer l'adoption filiale (4, 3-5)". Et plus loin: „Mais maintenant que vous avez connu Dieu, ou plutôt qu'il vous a connus, comment retournez-vous encore à ces faibles et misérables éléments auxquels de nouveau vous voulez vous asservir? Observer des jours, des mois, des saisons, des années! Vous me faites craindre de m'être inutilement fatigué pour vous (4, 9-11)".

Dans ce dernier texte, les mots „comment retournez-vous" pourraient indiquer que les éléments du monde, pour Paul, sont aussi les dieux du paganisme, ou qu'ils règnent d'une façon quelconque sur les païens. Car les Galates venaient du paganisme. Cela n'empêche pas qu'on retournerait, selon lui, aux éléments du monde en observant la loi juive, de sorte qu'il met un lien entre les éléments du monde et la Loi.

Ce lien apparaît aussi, comme nous l'avons dit, dans l'épître aux Colossiens. On y voit que les esprits célestes (les puissances) ont voulu, par le moyen de la Loi, réduire les hommes en esclavage, mais qu'ils ont été vaincus par le Christ. „Il a effacé, au détriment des ordonnances légales, la cédule de notre dette qui nous était contraire; il l'a supprimée en la clouant à la croix. Il a dépouillé les principautés et les puissances en les traînant dans son cortège triomphal (2, 14-15)".

L'auteur de l'épître aux Hébreux, qui est un paulinien, met sans doute lui aussi un rapport entre le judaïsme et le culte des anges. Car son épître, dans l'ensemble, est destinée à montrer la supériorité du christianisme sur l'ancien culte juif. Or, dans tout le début de l'épître, il argumente pour prouver que le Fils est supérieur aux anges. Pourquoi le ferait-il s'il ne pensait que le judaïsme est en quelque façon un culte des anges [1])?

On peut encore ajouter que les chrétiens des premiers siècles ont parfois accusé les Juifs d'adorer les anges. Or la littérature talmudique n'explique pas cette accusation, car on n'y voit jamais que les Juifs adorent les anges. D'où viendrait donc ce reproche sinon de la tradition chrétienne et du fait qu'on interprétait ainsi certains passages du Nouveau Testament? Le plus important de ces passages était

---

[1]) C'est d'autant plus vraisemblable qu'il pense, lui aussi, que la Loi a été donnée par des anges (2, 2).

sans doute celui de l'épître aux Colossiens sur le culte des anges: on le rapportait au judaïsme et c'était bien comprendre l'intention de l'auteur.

Certes nous ne croyons pas que Paul ait jamais considéré le Dieu de la Genèse comme un ange. Mais critiquer la Loi et la regarder comme donnée par des anges, comme soumettant les hommes aux anges, cela préparait à regarder le Dieu de la Loi comme un ange, et par suite aussi le Dieu de la Genèse.

Sans doute, on n'aurait pu conclure du rejet de la Loi au rejet du Créateur si l'on n'avait été disposé par ailleurs à se détourner du monde. Mais la critique de la Loi et la critique du monde allaient dans le même sens et se renforçaient l'une l'autre.

Enfin, si l'on considère à quelle époque s'est formée l'idée que le Créateur ou les créateurs sont un autre principe que le vrai Dieu, on trouve que c'est probablement à une époque où la rupture entre le christianisme et le judaïsme était consommée et où l'hostilité au judaïsme était devenue très vive chez la plupart des chrétiens.

Il n'est pas sûr, en effet, que les premiers gnostiques dont parlent les hérésiologues, Simon et Ménandre, aient enseigné la distinction du Dieu créateur et du vrai Dieu. Il est vrai qu'Irénée leur attribue l'idée que le monde a été créé par des anges (ce qui implique peut-être [1]) que Iahvé n'est qu'un ange). Mais il est possible qu'il confonde leur doctrine sur ce point avec celle de leurs disciples ou avec d'autres doctrines plus tardives. Justin, qui est plus ancien que lui et qui était samaritain comme Simon et Ménandre, ne sait pas qu'ils aient distingué le Dieu créateur du Dieu suprême. Immédiatement après avoir parlé d'eux en les attaquant, il attaque Marcion et c'est à lui qu'il reproche âprement d'avoir blasphémé le Créateur en l'opposant à un autre Dieu plus élevé. Il n'aurait pas manqué de faire le même reproche à Simon et à Ménandre s'il avait su que telle était leur doctrine [2]. Dans le système attribué par Hippolyte à Simon, il n'y a pas de distinction de Dieu et du Démiurge, et Hippolyte ne parle d'anges créateurs que dans la partie de sa notice qui est tirée d'Irénée [3]. En outre, Mgr. Cerfaux a montré que, dans les *Homélies* pseudo-clémen-

---

[1]) Peut-être, car cela pourrait aussi signifier que Iahvé a créé par l'intermédiaire des anges. Il serait le Créateur, quoique par des intermédiaires, et en même temps le vrai Dieu.

[2]) *I Apol.* 26. Cf. *I Apol.* 56; *Dial.* 120.

[3]) *Philos.* 6, 19-20. Cette partie contredit d'ailleurs la précédente, où la ,,Puissance infinie'' apparaît comme créatrice.

tines, un passage où Simon est représenté comme se disant au dessus du Dieu créateur a été remanié par le compilateur, et que la mention du Dieu créateur ne se trouvait pas, probablement, dans la source la plus ancienne [1]). Ailleurs encore la comparaison des *Homélies* et des *Reconnaissances* semble montrer qu'il n'était pas question du Dieu créateur dans la source [2]). Quispel avait sans doute raison de penser que la distinction du Dieu créateur et du Dieu suprême n'est pas antérieure à la fin du Ier siècle [3]). Il est très possible que Simon et Ménandre aient seulement enseigné que le monde est *gouverné* par des anges [4]) et que ces anges oppriment et persécutent ici-bas l'Esprit Saint, dont la Mère pourrait être un symbole. (S'il en était ainsi, ils ne seraient pas très loin de Paul, du moins si l'on refuse de croire qu'ils se soient donnés eux-mêmes pour des sauveurs ou pour le Dieu suprême. Simon surtout, si l'on en croit certaines parties de la notice d'Irénée, peut avoir enseigné des idées assez proches de celles de Paul. Cela expliquerait que Paul ait pu être représenté sous les traits de Simon dans les écrits pseudo-clémentins).

Cérinthe et Satornil sont donc peut-être les premiers, ou parmi les premiers, qui ont enseigné la distinction du Dieu créateur et du vrai Dieu. Or ils enseignaient à une époque où le christianisme, dans les communautés issues du paganisme, devenait de plus en plus hostile au judaïsme et à la Loi. L'évangile de Jean témoigne de cette hostilité. Si pour Jean le Dieu créateur reste le vrai Dieu, d'autres pouvaient conclure du rejet absolu de la Loi au rejet de Iahvé, le Créateur [5]).

---

[1]) *La Gnose simonienne*, II (*Recherches de science religieuse*, 16, 1926), p. 7. Il s'agit de *Hom.* 2, 22.

[2]) Comparer *Recogn.* 2, 12 et 15, avec *Hom.* 2, 25-26. — Là où Simon attaque le Dieu créateur, c'est, comme on sait, Marcion qui est représenté sous les traits de Simon.

[3]) *Gnosis als Weltreligion*, Zurich, 1951, p. 60; *Der gnostische Anthropos*, p. 199.

[4]) IRÉNÉE, *Adv. haer.* I, 23, 3: ,,Cum enim male *moderarentur* Angeli mundum. . ." Cette expression pourrait être plus authentique que les passages où Irénée parle d'anges créateurs. Il est vrai que d'après Tertullien (*De resurr.* 5), Ménandre enseignait que le corps humain était l'oeuvre des anges. Mais cela n'irait guère plus loin que la théorie de Philon et il ne s'ensuivrait pas nécessairement que pour lui les anges avaient créé le monde. En outre, il se peut que Simon et Ménandre aient enseigné la création du monde par les anges, mais sans nier que le vrai Dieu ait été créateur. Dieu aurait créé par les anges, et ceux-ci n'auraient pas été coupables en créant mais en gouvernant mal ensuite et en retenant l'*Ennoia* captive. C'est avec Satornil seulement que le Créateur est abaissé, qu'il devient lui-même un ange, et que par suite la création elle-même est sûrement abaissée.

[5]) Cf A. D. NOCK, *A Coptic library of Gnostic writings* (*Journal of theol. studies*, N.S., 9, 1958), p. 322.

On remarquera que rejeter Iahvé, et par suite le Dieu créateur, c'était d'une part combattre le judaïsme, d'autre part l'accepter dans la mesure où c'est le judaïsme qui enseigne que Iahvé a créé le monde. Mais c'est un trait constant du gnosticisme d'emprunter des images ou des formules au judaïsme pour combattre le judaïsme lui-même. C'est aussi une caractéristique du premier christianisme, par exemple chez Paul.

IV. *Passage au mythe des Sept*

C'est aussi par l'opposition au judaïsme qu'on peut expliquer le mythe des sept archontes créateurs.

L'idée qu'il y a sept anges principaux n'était pas étrangère au judaïsme ni au plus ancien christianisme. On a souvent cité le passage du livre de Tobie où l'ange Raphaël dit: ,,Je suis l'un des sept anges saints qui présentent les prières des saints et qui vont devant la gloire du Saint (12, 15)". Ces sept archanges apparaissent de nouveau dans la littérature concernant Hénoch [1]). Dans un fragment d'écrit liturgique découvert près de la Mer Morte, il est question de sept ,,Princes suprêmes" (on dirait en grec sept archontes), qui sont les plus hauts dignitaires de la hiérarchie angélique [2]). L'Apocalypse de même parle de ,,sept Esprits présents devant le trône de Dieu", de ,,sept Esprits de Dieu en mission par toute la terre", etc. [3]). Dans le *Testament de Lévi* (en grec), oeuvre probablement judéo-chrétienne, sept archanges apparaissent à Lévi [4]). Chez Hermas, il est question de six anges ,,créés les premiers"; ils entourent le Christ qui semble conçu comme un septième ange, quoique très supérieur aux six autres, et ils sont chargés de gouverner toutes les créatures [5]). Chez Clément d'Alexandrie, on trouve de nouveau, mentionnés à mainte reprise, des anges ,,protoctistes" ou ,,protogones" qui sont au nombre de sept. Clément leur attribue ,,la plus grande puissance" et les appelle ,,archontes des anges" [6]).

On regarde ordinairement cette conception comme inspirée par l'astrologie. Il est vrai que Clément paraît mettre ses anges protoctistes

---

[1]) *I Hén.* 20 (recension grecque); 81, 5; 87, 2; 90, 21-22.

[2]) Cf. A. DUPONT-SOMMER, *Les écrits esséniens découverts près de la Mer Morte,* 2e éd., Paris, 1960, pp. 428-430.

[3]) Apoc., 1, 4; 5, 6. Cf. 3, 1; 4, 5; 8, 2.

[4]) *Test. de Lévi*, 8.

[5]) *Pasteur*, Vision III, 4, 1. Cf. Simil. V, 5; Simil. IX, 3 et 12.

[6]) *Strom.* 5, 35, 1; 6, 143, 1; *Ecl. proph.* 51, 1-52, 1; 56, 7-57, 1; *In Joh. epist. prim.* 2, 1; Fr. 59; *Exc. e Theod.*, 10-12 et 27.

en rapport avec le destin [1]). Mais il met aussi une relation (quelle qu'elle soit) entre les anges et les *jours* („les anges, dit-il, ont été appelés jours") [2]). Dans le *Traité de la triple récompense de la vie chrétienne*, il est dit que Dieu a créé au commencement sept princes des anges, et ces princes sont identifiés aux sept jours de la création [3]). Saint Augustin aussi dira que Dieu a créé d'abord une lumière intelligible et que cette lumière intelligible, ce sont les anges; que ce sont eux que le Livre désigne sous le nom de jours [4]). Dans certains écrits juifs, on voit que les sept jours de la création pouvaient être personnifiés [5]). On peut donc se demander si les archanges juifs et chrétiens n'étaient pas d'abord en relation avec les sept jours de la Genèse plutôt qu'avec les planètes [6]).

On pourrait croire que c'est à peu près la même chose, puisque les jours de la création sont aussi ceux de la semaine (dont ils sont représentés comme le prototype), et puisque ceux-ci sont consacrés aux planètes. Mais justement ce n'est pas la même chose; car la semaine planétaire ne semble pas avoir été connue des Juifs à l'époque préchrétienne et n'apparaît même pas chez les Babyloniens. Il faut distinguer, comme on sait, entre la semaine de sept jours et la semaine planétaire. La semaine de sept jours semble avoir été connue très anciennement chez certains peuples; en tout cas elle était en usage chez les Juifs. Mais quelle qu'en soit l'origine (qu'elle soit ou non fondée sur la révolution de la lune), les jours n'étaient pas nommés d'après les planètes ni consacrés aux planètes. La semaine planétaire est probablement une invention d'astrologues utilisant la science hellénistique [7]), et l'usage n'en paraît pas antérieur soit à la seconde moitié du Ier siècle avant Jésus-Christ (si l'on pense que la désignation du sabbat chez Tibulle comme „jour de Saturne" implique déjà l'existence de toute la semaine planétaire), soit à la seconde moitié du Ier siècle après Jésus-Christ (si l'on pense comme Rordorf que le

---

[1]) *Ecl. prophet.* 56, 7.

[2]) *Op. cit.*, 56, 5.

[3]) R. REITZENSTEIN, *Eine frühchristliche Schrift...* (*Zeitschr. f. d. neutest. Wiss.*, 15, 1914), p. 82.

[4]) *De Genesi ad litt.*, en particulier 4, 21 sqq.; *De civit. Dei*, 11, 9.

[5]) Cf. M.-TH. D'ALVERNY, *Les anges et les jours*, I (*Cahiers archéologiques*, 9, 1957), p. 283.

[6]) Cf. J. DANIÉLOU, *op. cit.*, p. 325 et aussi pp. 92, 125, 173.

[7]) Boll a montré qu'elle suppose la connaissance d'un certain ordre des planètes, l'ordre Saturne-Jupiter-Mars-Soleil-Vénus-Mercure-Lune, qui n'a été connu que par les Grecs (*Real-Encycl. der class. Altertumswiss.*, VII, 1912, col. 2557-2560).

sabbat peut avoir été appelé „jour de Saturne" bien avant la diffusion de la semaine planétaire) [1]. Cet usage semble s'être répandu d'abord en Italie, où l'on en trouve les plus anciens témoignages. Dans la partie du monde où l'on parlait grec, le plus ancien témoignage connu de Boll est celui de Plutarque [2]. Rordorf pense que l'usage de la semaine planétaire n'est attesté en général que vers la fin du Ier siècle après Jésus-Christ. De toute façon donc la semaine planétaire n'a sans doute pas été connue en Orient avant la fin du Ier siècle ou le début du second. Ainsi les archanges, pour Clément d'Alexandrie, pouvaient être à la fois des jours et des planètes (s'ils étaient des jours et s'ils étaient des planètes), car à son époque la jonction était faite entre les jours de la création ou de la semaine et la série des sept planètes. Mais la question est de savoir s'ils ont *d'abord* été les planètes ou s'ils ont représenté *d'abord* les jours de la création.

Peut-être d'ailleurs n'étaient-ils d'abord ni l'un ni l'autre. Peut-être y avait-il sept archanges simplement parce que sept était un nombre sacré, et que, dans la Bible et les écrits juifs, beaucoup de choses vont par sept, comme dans l'Apocalypse et les écrits judéo-chrétiens. Mais les archontes gnostiques semblent bien être en rapport avec le récit de la Genèse. En effet, ils sont représentés comme créateurs. Or l'idée que les planètes ont créé le monde ne semble pas résulter de l'astrologie; tout au plus pourrait-on dire que, selon l'astrologie, les planètes gouvernent le devenir et la génération; mais créer le monde, c'est autre chose. Au contraire, on peut dire que les jours de la création sont créateurs, en ce sens qu'ils ont fait apparaître le monde et l'homme. Les archontes sont surtout en rapport avec la création de l'homme, et l'on comprend pourquoi quand on voit que leur présence sert toujours de nouveau à justifier la parole de Dieu dans la Genèse: „Faisons l'homme". Ce pluriel pouvait suggérer qu'il y avait eu plusieurs créateurs, et si l'on a imaginé qu'ils étaient sept, c'est peut-être parce que le Dieu de la Genèse est le Dieu des sept jours, parce qu'il crée au moyen de sept jours comme au moyen de sept puissances qu'il aurait appelées à collaborer avec lui.

Monoïme, d'après Hippolyte, parlait des six premiers jours de la création comme de six „puissances" (*Philos.*, 8, 14, 1). On pouvait en effet considérer soit qu'il y avait eu sept puissances, à la création, soit qu'il n'y en avait eu que six. Car les six premiers jours ont pu

---

[1] Cf. W. RORDORF, *Der Sonntag*, Zurich, 1962, pp. 29-32, 39.
[2] *Op. cit.*, col. 2574.

être représentés comme étant en quelque sorte des anges, et le septième, plus sacré, comme étant en quelque sorte Dieu lui-même. Il faut remarquer que les archanges juifs et judéo-chrétiens sont tantôt six et tantôt sept. Dans un passage d'*Hénoch* (*I Hén.* 20), l'un des manuscrits parle de sept anges, les autres, de six. Chez Hermas, nous avons vu qu'il y a en un sens sept anges, mais qu'en un sens il n'y en a que six, le Christ étant et n'étant pas un ange. Dans le *Traité de la triple récompense*, Dieu crée d'abord sept princes des anges, puis il en choisit un comme fils, de sorte qu'il ne reste plus que six anges-archontes. Chez les gnostiques aussi, Ialdabaoth est tantôt en dehors de la série des sept, tantôt considéré comme l'un d'eux.

Il est vrai que les archontes ont été identifiés aux planètes. Mais cette identification ne semble pas apparaître très tôt. Irénée ne parle pas des planètes quand il parle des gnostiques du Ier siècle. Il n'en parle même pas à propos de Satornil, qui est le premier à qui il attribue l'idée de *sept* anges créateurs. Il n'en parle pas non plus expressément à propos des grands gnostiques du second siècle, bien que chez Valentin et chez tous ceux qui parlent de l'ogdoade et de l'hebdomade l'idée des cieux planétaires soit implicite [1]. Il n'en parle clairement que dans son 30e chapitre, à propos des Ophites et des Séthiens. Et là, s'il dit bien que la ,,sainte hebdomade" est identifiée par eux aux ,,sept étoiles", il dit aussi que, selon eux, il y a sept ,,jours" qui sont appelés ,,la sainte hebdomade", et que, de ces sept jours, chacun a choisi parmi les Juifs son ,,héraut" pour être honoré par lui comme un dieu (*Adv. haer.* I, 30, 9-10). Ainsi l'hebdomade, pour les Ophites, ce sont des astres, mais ce sont aussi des jours, et l'on voit bien là que les jours pouvaient être personnifiés. On voit aussi que l'hebdomade était en rapport avec le judaïsme et que les sept anges sont en même temps des noms de Iahvé dans l'Ancien Testament. Autrement dit, ils représentent tous Iahvé, comme si celui-ci était un Dieu à sept visages et à sept noms.

Il est possible que Satornil ait déjà mis ses sept créateurs en rapport avec les planètes. Mais s'il l'a fait, il y a une explication facile qui se présente à l'esprit. C'est à peu près à partir du IIe siècle, comme nous l'avons vu, que la semaine planétaire a été connue en Orient. Des puissances qui représentaient les sept jours de la création, et par suite, de la semaine, ont pu facilement être assimilées aux planètes dont ces

---

[1] C'est seulement en parlant de Ptolémée et de ses disciples qu'il dit que pour eux les cieux sont des anges (*Adv. haer.* I, 5, 2).

sept jours portaient désormais les noms. Certains Pères de l'Eglise (saint Basile, saint Grégoire de Nysse, saint Jean Chrysostome) sauront bien dire que l'hebdomade représente le Temps (plus encore que le monde), et qu'elle représente le Temps parce qu'elle représente la Semaine [1]). D'autres Pères (saint Hilaire, saint Jérôme) sauront que l'opposition de l'hebdomade et de l'ogdoade signifie l'opposition du judaïsme et du christianisme [2]).

Nous ne savons pas si Satornil était particulièrement hostile aux planètes. (Cette hostilité aux planètes serait un peu étrange, et surtout serait étrange l'idée que les planètes ont créé le monde et l'homme). Mais nous savons qu'il était extrêmement hostile au judaïsme. L'antijudaïsme chrétien de son époque semble avoir été poussé chez lui à un très haut point. Il enseignait que le Christ était venu dans le monde *pour combattre le Dieu des Juifs* (Irénée, *Adv. haer.* I, 24, 2). Or le nombre sept était le nombre sacré du judaïsme, et cela indépendamment du nombre des planètes.

Le nombre sept était le nombre sacré du judaïsme parce que c'était le nombre des jours de la création, d'après la Genèse, et aussi (ce qui explique le récit de la Genèse) parce que le judaïsme était la religion du sabbat, du septième jour.

Il n'est peut-être pas impossible que le nom de Iahvé Sabaoth ait été interprété comme signifiant Dieu des Sept ou Dieu des sabbats [3]). Le mot ,,sabbat", en tout cas, est interprété par Théophile d'Antioche, au IIe siècle, comme signifiant septième jour (*Ad Autol.* 2, 12). Le récit des sept jours et le sabbat liaient étroitement le nombre sept à la religion juive. On sait avec quel enthousiasme Philon parle du nombre sept et quels éloges il lui donne. Le judaïsme pouvait être regardé comme la religion de l'hebdomade.

Or non seulement Satornil enseigne à une époque où l'antijudaïsme est fort chez les chrétiens, non seulement il le pousse lui-même à l'extrême, mais il y a un fait plus précis dont il faut tenir compte: c'est vers le début du second siècle, donc à peu près à l'époque de Satornil, que disparaît généralement l'observation du sabbat dans les communautés chrétiennes. A vrai dire, les chrétiens venus du paganisme n'avaient sans doute jamais observé le sabbat; Paul avait blâmé

---

[1]) Cf. J. DANIÉLOU, *Bible et liturgie*, Paris, 1951, pp. 355-372.
[2]) *Ibid.*, p. 349.
[3]) JOH. LYDUS (*De mens.* 4, 53) semble interpréter Sabaoth comme venant de ,,sept". Il peut y avoir eu confusion entre les mots hébreux signifiant respectivement ,,armée", ,,sept" et ,,repos".

vigoureusement ceux qui étaient tentés de l'observer. Mais les chrétiens venus de judaïsme continuaient à l'observer, au Ier siècle, et Paul lui-même ne s'oppose pas à cet usage (Rom. 14, 5). Peut-être même y avait-il quelque réunion pour la prière le jour du sabbat, même pour ceux des chrétiens qui ne venaient pas du judaïsme [1]). Au contraire, peu après le début du second siècle, Ignace d'Antioche témoigne que même les chrétiens venus du judaïsme renoncent à observer le sabbat (Magn. 9, 1-3), et Rordorf, qui a étudié récemment cette question, affirme que pendant tout le second siècle on ne verra plus fêter le sabbat chez les chrétiens de la grande Eglise [2]). Il faut remarquer qu'Ignace d'Antioche est un contemporain de Satornil et vivait dans la même ville; or il combat la tentation d'observer le sabbat et donne en exemple aux pagano-chrétiens les chrétiens venus du judaïsme qui eux-mêmes ne l'observent plus.

Ce renoncement au sabbat, qui caractérise le second siècle, ne s'est pas fait sans une polémique, sans des spéculations destinées à montrer la supériorité du „huitième jour" sur le septième. On trouve de telles spéculations chez le Pseudo-Barnabé, chez Justin, chez Clément d'Alexandrie [3]). L'une de ces spéculations est celle qui concerne les sept cieux (l'hebdomade) et le huitième ciel (l'ogdoade). Carl Schmidt a montré qu'elle est liée à la désignation du dimanche comme huitième jour [4]).

Cette spéculation suppose, il est vrai, la connaissance de l'astronomie hellénistique. Mais le motif profond n'en est pas un motif scientifique. Elle a d'ailleurs commencé par être simplement une spéculation sur les sept cieux (sans qu'il soit question du huitième). Or une telle spéculation ne pouvait guère être tirée directement de l'astronomie. En effet, si l'astronomie antique connaissait sept sphères planétaires, elle connaissait aussi, au delà de ces sphères planétaires, une huitième sphère, celle des étoiles fixes, et il aurait été naturel de placer Dieu dans cette huitième sphère, la plus haute, la mieux réglée, la plus semblable à l'éternité; ou de le mettre encore au delà. Cependant, d'après les plus anciens écrits où se trouve cette spéculation,

---

[1]) Cf. H. RIESENFELD, *Sabbat et Jour du Seigneur* (*New Test. essays, studies in memory of T. W. Manson*, Manchester, 1959, pp. 210-217).

[2]) *Op. cit.*, p. 140.

[3]) BARNABÉ, 15, 8-9; JUSTIN, *Dial.* 24, 41, 138; CLÉMENT D'ALEX., *Strom.* 6, 138, 1 sqq.

[4]) *Gespräche Jesu mit seinen Jüngern nach der Auferstehung*, Leipzig, 1919, pp. 276-281. Cf. J. DANIÉLOU, *Théol. du judéo-christian.*, pp. 131-138.

Dieu siège dans le septième ciel [1]). Cela montre que le nombre des cieux
était imaginé, non pas de façon précise d'après l'astronomie, mais
plutôt d'après le nombre des jours de la Genèse, ou parce que sept
était un nombre sacré. Dieu siège dans le septième ciel parce qu'il est
encore, dans ces écrits, le Dieu du septième jour, Iahvé, et parce que
sept est encore un nombre vénéré.

Mais pour les chrétiens du second siècle, Dieu est le Dieu du huitième jour, du dimanche, jour de la Résurrection. D'où un abaissement du sabbat et de l'hebdomade, un abaissement du septième ciel et
des autres cieux inférieurs, un abaissement des anges liés à ces cieux.
On voit par là que la théorie de Satornil pourrait être liée à l'évolution
du christianisme de son temps.

Non seulement le gnostique Théodote, mais Clément d'Alexandrie
assimile l'ogdoade au ,,Jour du Seigneur" [2]). La même assimilation se
trouve dans l'*Epître des apôtres* (18), qui n'est pas gnostique. Le
Père Daniélou a sans doute raison quand il dit que la doctrine de
l'ogdoade n'a pu naître que dans le christianisme et que c'est là que
les gnostiques l'ont prise. Il a montré que les raisons pour lesquelles
Reitzenstein la croyait antérieure au christianisme ne peuvent guère
être retenues [3]). Quant à Scholem, qui croit que cette idée est d'origine
grecque, mais qu'elle a pénétré sans doute dans le judaïsme antérieurement à la séparation du judaïsme et du christianisme, son raisonnement
ne paraît pas légitime. Il trouve l'ogdoade mentionnée chez un rabbin
babylonien de la fin du IIIe siècle, et il dit qu'il n'est pas vraisemblable
qu'une influence grecque se soit exercée en Babylonie d'abord;
qu'il faut donc que l'ogdoade soit entrée plus anciennement dans le
judaïsme; et que, puisqu'elle se trouve aussi dans le christianisme tout
en étant dépourvue d'éléments chrétiens, elle a pu entrer dans le
judaïsme avant sa rupture avec le christianisme [4]). Mais c'est supposer
d'une part que la doctrine de l'ogdoade ne contient aucun élément
chrétien, ce qui resterait à prouver; ensuite que les chrétiens n'ont pu
l'emprunter directement à l'hellénisme; enfin que le rabbin babylonien
ne pouvait subir aucune influence de la part de son entourage. Car en
Babylonie, au IIIe siècle, il y avait des gnostiques chrétiens, Mani en
est un exemple; et ces gnostiques connaissaient l'ogdoade.

Si l'ogdoade des gnostiques est essentiellement chrétienne, leur

---

[1]) Cf. *Asc. Is.*, passim; *Test. de Lévi*, 2-3; *II Hén.* 3-9.
[2]) Cf. J. DANIÉLOU, *Bible et liturgie*, pp. 352-354.
[3]) *Op. cit.*, pp. 347-354.
[4]) *Jewish Gnosticism*, New York, 1960, pp. 65-69.

conception de l'hebdomade comme puissance inférieure et à dépasser l'est aussi, du moins à l'origine.

Assurément cette question est très obscure. Car on ne sait pas bien comment est née la théorie des sept cieux, qui paraît être, dans le christianisme, un stade antérieur et une condition préalable de celle du huitième ciel. Comme nous l'avons dit, elle ne se rattache pas aussi bien qu'on le pense à l'astronomie. Si elle est apparue, soit dans le judaïsme soit dans le judéo-christianisme, antérieurement à la diffusion de la semaine planétaire, il n'est même pas besoin de celle-ci pour expliquer que les sept jours de la Genèse aient été assimilés, soit par Satornil soit par d'autres, aux sept cieux planétaires. Car une fois formée l'idée d'un huitième ciel, correspondant au ,,huitième jour'', on rejoignait l'astronomie et les sept premiers cieux devenaient les cieux inférieurs et planétaires. Mais il est possible que la théorie des sept cieux soit elle-même en rapport avec l'apparition de la semaine planétaire. Elle apparaît elle aussi, semble-t-il, vers la fin du Ier siècle. Et comme la semaine n'a que sept jours, correspondant à sept sphères, il serait naturel qu'on n'eût d'abord compté que sept cieux, ceux des planètes, et qu'il n'eût été question du huitième que par suite de la désignation paradoxale du dimanche comme huitième jour par les chrétiens. (Ce paradoxe s'explique par le fait que le dimanche venait après le sabbat, qui était le septième jour, et que pour les chrétiens il était à la fois le huitième jour et le premier).

Ainsi la dégradation de l'hebdomade pouvait venir de deux côtés. D'une part, la dégradation de Iahvé entraînait directement celle des sept jours de la Genèse, qui se sont trouvés identifiés aux planètes par l'usage de la semaine planétaire. D'autre part, la polémique contre le sabbat et en faveur du huitième jour, la polémique contre le nombre sept, entraînait la critique de l'idée que Dieu siège dans le septième ciel; on a pu vouloir montrer qu'il y a un huitième ciel, ce qui était en effet la conception des astronomes, et les sept premiers cieux ont été par là réduits au rang de cieux planétaires. Des deux côtés, l'on aboutissait finalement aux planètes, mais pour des motifs religieux. Le point de départ n'aurait pas été une influence particulière de l'astronomie ni de l'astrologie; le point de départ aurait été l'opposition au judaïsme chez les chrétiens de la première moitié du second siècle.

A partir de là, évidemment, la spéculation sur les planètes pouvait se développer. Elle s'accordait avec la dévaluation du monde. Les planètes étaient représentées par les astrologues comme régnant, en un sens, sur les évènements de l'univers. Elles pouvaient donc symboliser le monde. Surtout elles pouvaient figurer le temps (à cause de la semaine). Or le Christ a vaincu le monde; il a aussi vaincu le temps puisqu'il apporte la vie future, la vie éternelle. On peut donc dire qu'il a vaincu les planètes. Cette spéculation paraît impliquée déjà par ce que dit saint Ignace d'Antioche quand il compare le Christ à une étoile nouvelle qui a troublé les autres astres et rendu impossible la magie (Eph. 19, 2-3). Il faut se rappeler, encore une fois, qu'Ignace d'Antioche est contemporain et concitoyen de Satornil.

Ce n'est pas parce que des hommes cherchaient à échapper au Destin comme à une tyrannie insupportable qu'ils ont imaginé des mythes où les puissances du Destin figuraient en tant que puissances inférieures. Mais c'est parce que le Christ, par sa crucifixion et sa résurrection, a fait apparaître comme vain l'ordre du monde, et comme vaine la religion des sept jours (devenus planétaires), que des chrétiens ont réduit le Destin et ses dieux et ses planètes au rang de puissances inférieures. On n'a regardé le Destin comme une puissance inférieure que lorsqu'il est apparu comme vaincu par un autre pouvoir [1]).

S'il en est ainsi, le plus ancien gnosticisme paraît suivre le christianisme pas à pas. Il paraît se former peu à peu en développant et poussant à l'extrême certaines idées chrétiennes. Nous avons dit que Simon peut avoir enseigné des doctrines peu différentes de celles de Paul. (Simon était peut-être un schismatique plutôt qu'un hérétique. Le récit des Actes peut signifier qu'il voulait avoir le droit de consacrer lui-même les nouveaux chrétiens dans son domaine). Ménandre, qui se rattache assez mal à Simon, peut avoir partagé certaines idées avec l'évangéliste que nous appelons Jean et qui est son contemporain. (Par exemple, l'idée que ceux qui ont reçu le baptême ne meurent pas, rappelle que, dans le Quatrième Evangile, ceux qui croient ont la vie éternelle et ne mourront jamais). Cérinthe aussi a pu partager certaines idées avec Jean, son contemporain. (Il serait trop long de le montrer. Disons seulement que l'idée que le Dieu créateur, c'est-à-dire Iahvé, n'est qu'une Puissance très inférieure au Dieu véritable, pourrait

---

[1]) Chez Tatien, on trouve l'idée que les chrétiens sont affranchis du Destin, conçu comme influence des astres. C'est l'idée même dont Anz faisait l'idée centrale du gnosticisme. Il pensait que des hommes s'étaient sentis opprimés par le Destin et avaient cherché à s'en délivrer. Mais l'idée qu'on trouve toujours, c'est que le Destin est *déjà vaincu*. Les gnostiques ne *cherchent* pas la délivrance; ils la *connaissent déjà*. Pour eux, *elle a déjà été apportée* par le Sauveur.

avoir été inspirée par l'antijudaïsme et l'anticosmisme de Jean, dont elle serait l'aboutissement extrême. Rappelons aussi que les écrits johanniques ont pu être attribués à Cérinthe). Satornil, à son tour, se rattache assez mal à Simon et à Ménandre, mais il a des rapports avec le christianisme de son temps, particulièrement celui d'Antioche.

Les savants qui étudient ce problème verront peut-être, à notre hypothèse, des objections que nous n'apercevons pas. En attendant de les connaître, nous voulons ici prévenir deux objections possibles. D'abord il est vrai que les sept planètes apparaissent déjà comme des puissances coupables dans une partie ancienne du livre d'Hénoch (*I Hén.* 18, 13-16; 21, 3-5). Mais les planètes du livre d'Hénoch ne sont pas des archontes; elles ne dominent pas le monde entier; elles ne sont pas liées au récit de la création. Elles ont été châtiées et enchaînées par Dieu, et le texte dit que c'est parce qu'elles „ne sont pas venues en leur temps". Par conséquent, la seule raison, semble-t-il, de la condamnation des planètes dans cet écrit est leur nom d'astres errants et le fait que leur marche autour du ciel est plus lente que celle des astres fixes, de sorte qu'en effet elles retardent et ne viennent pas en leur temps.

D'autre part, les récits gnostiques concernant la création du corps de l'homme rappellent la théorie de Philon, selon laquelle la partie déraisonnable d'Adam a été créée par des anges, et il se peut que des gnostiques aient connu cette théorie. Mais la grande différence, c'est que les anges philoniens obéissent à Dieu et ne sont pas des puissances ignorantes et rebelles. Ils sont certes inférieurs à Dieu, mais ils agissent par son ordre, et le nombre sept (qui d'ailleurs n'apparaît pas à cette occasion) est chez Philon un nombre saint. En outre, les anges philoniens ne créent pas le monde. Le mythe gnostique ne se comprend pas sans *ce renversement des valeurs apporté par le christianisme et que les gnostiques voulurent pousser à l'extrême.*

DISCUSSION

PRÜMM: Chez St. Paul, le cosmos qui existe après la rédemption est le cosmos sauvé (2 Cor. 5, 19) — cfr. aussi Rom. 14 (pureté de toutes les choses; les „forts"). Par ailleurs, il est bien connu que Paul souvent ne considère pas tous les aspects dans tel ou tel texte. Pour 2 Cor. 4, 4 il faut considérer aussi l'occasion spécifique.

BIANCHI: Il y a aussi un gnosticisme sans démiurge-rival (hermétisme).

DANIÉLOU: Qu'aurait de spécifique le christianisme à voir avec ces spéculations mentionnées sur le sept qui sont bien juives? (Elles sont absentes p. ex. chez Paul).

Mlle Pétrement: J'ai reconnu que certains textes pauliniens expriment une conception du monde qu'on peut dire optimiste. Mais il y en a bien plus où le monde est conçu de façon négative, et chez Jean c'est encore plus net. Le texte sur les „forts" annonce lui-même certaines tendances gnostiques. Certains gnostiques pensaient que la morale était indifférente parce que les choses du monde, étant inférieures, n'avaient aucune importance. Paul dit que c'est parce que les chrétiens sont morts, en un sens, au monde, qu'ils n'ont pas besoin d'observer la Loi et que certaines choses pour eux sont sans importance.

Bianchi: Evidemment, non pas dans le sens anti-éthique (éliminant le Décalogue etc.).

Mlle Pétrement: Non, bien entendu. Mais l'attitude anti-éthique pourrait avoir été une exagération de l'antinomisme. Et d'ailleurs la plupart des gnostiques ne rejetaient pas la morale.

Il y a moins d'anticosmisme dans les *Hermetica* que chez la plupart des gnostiques — cela tend déjà vers Plotin. Mais il y a une descente. Dans le traité le plus gnostique, le *Poimandrès*, le démiurge apparaît; il y est distinct du Dieu suprême.

Que le fait d'attribuer un caractère sacré au nombre sept soit un trait du judaïsme, c'est justement ce que j'ai dit. Mais il y a aussi des spéculations sur ce nombre dans le christianisme. Chez les chrétiens du Ier siècle, ce nombre est encore privilégié, surtout chez les judéo-chrétiens, et en général il reste lié à des choses vénérables. A partir de Satornil, au contraire, une branche du christianisme en fait le nombre des puissances ennemies du Christ, justement parce qu'il symbolise le judaïsme. Je dis „une branche du christianisme", car Satornil est décrit comme un chrétien.

LE THÈME DE LA FORNICATION DES ANGES

PAR

YVONNE JANSSENS

I. *Le thème juif*

On lit au chapitre VI de la Genèse: „Lorsque les hommes commencèrent à se multiplier sur la face de la terre et que des filles leur furent nées, les fils de Dieu virent que les filles des hommes leur agréaient et ils prirent pour femmes toutes celles qui leur plurent" (v. 1 et 2). Le fruit de cette fornication, ce sont les géants (bien que le texte ne le dise pas d'une manière très explicite). D'autre part, la position de cet épisode étrange et obscur au début du récit du déluge a fait supposer parfois que le déluge en était le châtiment. Mais dans l'histoire même du déluge, il n'y a plus aucune allusion à cette union entre fils de Dieu et filles des hommes.

Ces quatre versets ont fait couler beaucoup d'encre. Outre les problèmes auxquels nous venons de faire allusion, on s'est demandé principalement si l'expression „fils de Dieu" désignait des anges ou simplement des hommes pieux? (certains auteurs précisent même qu'il s'agirait des Séthites par opposition aux descendants impies de Caïn). La difficulté théologique majeure provient de la contradiction entre la nature spirituelle des anges et la concupiscence charnelle.

Nous ne pouvons évidemment entrer ici dans les détails de cette controverse: pour les gnostiques, il s'agissait bien des anges, et tel est l'objet de notre exposé.

La littérature juive d'époque plus récente se montre plus explicite et les apocryphes multiplient les détails sur cette fornication des anges et sur ses conséquences. Citons principalement le début du chapitre VI du Livre d'Hénoch, proche de la Genèse, mais beaucoup plus précis: „Or, lorsque les enfants des hommes se furent multipliés, il leur naquit en ce jour des filles belles et jolies; et les anges, fils des cieux, les virent, et ils les désirèrent, et ils se dirent entre eux: „Allons, choisissons-nous des femmes parmi les enfants des hommes et engendrons-nous des enfants" (v. 1 et 2).

Les Jubilés IV, 15 donnent une raison différente de la descente des anges: „Dans ses jours (de Iared), les anges du Seigneur descendirent sur la terre, ceux qu'on appelle les veilleurs, afin d'apprendre aux enfants des hommes à pratiquer le droit et l'équité sur la terre". Ici, il ne s'agit plus de „fornication", mais dans le Livre d'Hénoch, les anges enseignent également toutes sortes d'arts aux hommes: ils „prirent des femmes, chacun en choisit une, et ils commencèrent à aller vers elles et à avoir commerce avec elles, et ils leur enseignèrent les charmes et les incantations, et ils leur apprirent l'art de couper les racines et la (science) des arbres" (VII, 1). Il est vrai qu'ils leur enseignent aussi et surtout des sciences funestes: „Azazel apprit aux hommes à fabriquer les épées et les glaives, le bouclier et la cuirasse de la poitrine, et il leur montra les métaux et l'art de les travailler, et les bracelets, et' les parures, et l'art de peindre le tour des yeux à l'antimoine, et d'embellir les paupières, et les pierres les plus belles et les plus précieuses et toutes les teintures de couleur, et la révolution du monde. L'impiété fut grande et générale; ils forniquèrent et ils errèrent, et toutes leurs voies furent corrompues" (VIII, 1 et 2). Comme on le voit, le thème de la fornication est ainsi lié à l'idée d'une révélation de secrets aux hommes.

Plusieurs chapitres du Livre d'Hénoch seront encore consacrés à la chute des anges et à leur châtiment, quelque peu édulcoré à la prière des bons anges. Là aussi, les femmes enfantent les géants, mais ceux-ci sont malveillants (ce qui n'était pas le cas dans la Genèse): ils dévorent tout et veulent aussi dévorer les hommes. Ceci est d'ailleurs une conséquence du péché dont ils sont le fruit: „Vous donc, saints, spirituels, vivant d'une éternelle vie, vous vous êtes souillés dans le sang des femmes et vous avez engendré avec le sang de la chair; selon le sang des hommes vous avez désiré, et vous avez fait chair et sang comme font ceux qui meurent et qui périssent. C'est pourquoi je leur ai donné des femmes pour qu'ils les fécondent, et qu'ils en aient des enfants, qu'ainsi toute oeuvre ne cesse pas sur la terre [1]... Et maintenant les géants qui sont nés des esprits et de la chair seront appelés, sur la terre, esprits mauvais, et sur la terre sera leur séjour... Les esprits des géants, des nephilim, qui oppriment, détruisent, font irruption, combattent, brisent sur la terre et y font le deuil, ne mangent aucune nourriture et n'ont point soif, et sont inconnaissables, ces esprits s'élèveront contre les enfants des hommes et contre les femmes,

---

[1] Notons en passant que les oeuvres de la chair ne sont nécessaires que pour les races qui meurent et qui ont donc besoin de se reproduire. D'où la continence des spirituels, chère à certains gnostiques, et tout spécialement aux Encratites.

car ils sont sortis d'eux" (XV, 4-5, 8, 11-12). On voit ici au moins une origine des puissances mauvaises, ennemies des spirituels, qui se retrouvent dans la plupart des systèmes gnostiques.

Une dernière citation des apocryphes nous montre encore l'évolution du thème, toujours dans le même sens: ,,Ce sont les Gregoroi qui sont tombés, rejetés par le Seigneur, avec leur prince Satanael... (Hénoch voit leur châtiment). Venus sur terre au mont Hermon, ils souillèrent la terre par leurs actions avec les femmes. Les géants sont les démons nés d'eux" (Livres des Secrets d'Hénoch, XVIII, 3 et 6).

II. *Intervention du thème dans la Gnose*

a) Chez les Gnostiques, nous retrouvons le thème, encore reconnaissable mais assez modifié, dans l'*Apocryphon de Jean* [1]).

Rappelons tout d'abord que, dans ce texte, le Créateur du monde n'est pas Dieu, mais Ialdabaoth, premier archonte (confondu aussi avec Saclas, le diable). Il se fait appeler Dieu et c'est un ,,Dieu jaloux" (Ex. 20, 5).

Tout à la fin de l'ouvrage [2]) apparaît notre thème, avec force détails qui n'existent pas ailleurs. Contrairement à ce qui se passe dans le récit de la Genèse, la fornication des anges se place ici *après* le Déluge (qu'il n'est donc pas question de considérer comme un châtiment de la chute des anges). Ialdabaoth envoie ses anges aux filles des hommes pour en faire naître une postérité (σπέρμα). N'obtenant d'abord rien, ils prennent l'apparence des époux des femmes qu'ils veulent séduire. Leur apportant de l'or, de l'argent et des présents divers, ils causent de graves soucis aux hommes et les induisent en erreur (πλάνη), asservissant ainsi la création tout entière (χτίσις). Ils prennent des femmes et engendrent des enfants des ténèbres; ils ferment et durcissent leurs coeurs. Le thème de la fornication des anges est donc mis en rapport avec le Mal chez les hommes.

Ce dernier point apparaît plus nettement encore chez les *Séthiens*. D'après l'exposé de leur système dans le *Syntagma* d'Hippolyte [3]), la Mère — cet élément féminin que les gnostiques introduisent dans la

---

[1]) Cf. l'exposé de G. Mac Rae.

[2]) Voir spécialement l'édition de M. KRAUSE et P. LABIB, *Die drei Versionen des Apokryphon des Johannes im Koptischen Museum zu Alt-Kairo*, Wiesbaden, 1962, p. 192 à 195. Les différentes versions (y compris celle du ms. de Berlin) présentent parfois des variantes sensibles. Les limites imposées par la présente édition ne nous permettent pas de les comparer comme nous aurions voulu le faire.

[3]) Ouvrage perdu. Cité ici d'après PSEUDO-TERTULLIEN c. 8, PHILASTER *Haer.* 3, EPIPHANE, *Haer.* XXXIX.

divinité — voulait faire enlever par Seth leur puissance aux anges qui avaient créé le premier couple, et fonder une race pure d'hommes. Pour punir la fornication des anges avec les femmes, la Mère aurait provoqué le déluge (présenté donc expressément ici comme un châtiment de la chute). Mais ces anges, à l'insu de la Mère, introduisent aussi Cham dans l'arche, de manière à ce que la semence du mal ne disparaisse pas.

L'*Hypostase des Archontes* et, avec plus de détails, le *Traité sans Titre* [1]), nous offrent un autre exemple de fornication des anges: les anges des archontes s'éprennent d'Eve qu'ils trouvent auprès d'Adam. Mais Eve se moque d'eux, les aveugle, et ils s'unissent en réalité à son „image" qu'elle laisse auprès d'eux sans qu'ils s'aperçoivent de la substitution [2]). Un autre passage du Traité sans Titre [3]) rappelle nettement les anges du Livre d'Hénoch apportant aux hommes la magie et d'autres sciences.

Sans doute y a-t-il encore une allusion à Gen. VI, ou mieux aux apocryphes, dans la *Pistis Sophia*, rappelant que les formules magiques ont été apportées ici-bas „par les anges qui ont commis la transgression" (παραβαίνειν) (ch. 15, éd. Schmidt, p. 15, 20-22).

Allusion plus précise à Gen. VI chez *Héracléon*: on se demande, dit-il, si les anges qui sont descendus vers les filles des hommes seront sauvés. Ajoutons cependant que, d'après le contexte (fr. 40), il s'agit là d'anges du démiurge, qui a ses anges, comme le Sauveur a les siens. Les anges du Sauveur sont représentés symboliquement par les disciples qui l'accompagnent. A chaque âme correspond un ange qui lui sera uni dans le plérôme.

b) Ceci nous amène à parler d'un autre aspect du rôle des anges dans la gnose, et tout spécialement dans la gnose *valentinienne*, qui semble bien être en rapport avec notre thème: celui des „syzygies" ou de l'union des anges avec les „pneumatiques". Ce thème est assez longuement développé dans le système valentinien qu'Irénée attribue plus ou moins explicitement à *Ptolémée* (Adv. Haer. I, 1-8): des anges apparentés au Christ ont été produits en même temps que lui pour être ses satellites (I, II, 6). Achamoth (la seconde Sophia), délivrée de

---

[1]) Cf. l'exposé de A. Böhlig.

[2]) *Hypostase des Archontes* 137, 17 à 30, d'après la trad. de H. M. Schenke dans Leipoldt-Schenke, *Koptisch-gnostische Schriften aus den Papyrus-Codices von Nag-Hamadi*, Hamburg, 1960, p. 73. — *Traité sans Titre* 164, 11 à 165, 15: A. Böhlig et P. Labib, *Die koptisch-gnostische Schrift ohne Titel aus Cod. II von Nag Hammadi*, Berlin, 1962, p. 81-83.

[3]) P. 171, 8 ss.

ses passions, regarde ces „lumières" qui accompagnent le Sauveur et est enceinte du fruit pneumatique, à l'image des anges du Sauveur (I, IV, 5). On voit ici comment les gnostiques ont pu interpréter la „fornication" des anges: c'est par un simple regard que Sophia est enceinte (cf. l'Evangile selon Philippe, où la génération des spirituels se produit par un simple baiser). Le fruit qu'engendre Achamoth est le pneuma qu'elle dépose secrètement dans le souffle du Démiurge et qui deviendra la semence pneumatique dans les âmes (I, V, 6). Après avoir déposé leur âme, les „pneumatiques", devenus purs esprits, s'unissent aux anges de la suite du Sauveur (I, VII, 1), comme chez Héracléon.

Enfin chez *Théodote*, il y a également des anges qui accompagnent le Sauveur. Jésus est lui-même un ange du plérôme. Les anges ont besoin des pneumatiques pour entrer avec eux dans le plérôme (*Exc.* par. 35). Ils considèrent donc les pneumatiques comme une partie d'eux-mêmes (par. 22).

Il est vraisemblable que, dans tout ceci, le thème de la fornication des anges ait joué, mais il a en quelque sorte été inversé. Au lieu d'être une chute, l'union des anges avec les hommes est au contraire sal-vatrice. Les anges ont besoin des pneumatiques pour entrer dans le plérôme; les âmes, de leur côté, se sauvent en s'unissant aux anges. Et ce n'est sans doute pas sans raison que ces anges accompagnent pré-cisément le Sauveur.

Le thème du γάμος et de la *chambre nuptiale*, si longuement développé dans l'Evangile selon Philippe, est dans la même ligne. Ce mariage est un mystère. Il n'est pas charnel, mais il est pur; il n'appartient pas à la passion mais à la volonté [1]. C'est dans le mystère de la chambre nuptiale que le gnostique reçoit la lumière (et se sauve, par consé-quent). C'est là que la perfection et le secret de la Vérité se découvrent, que le Saint des Saints se manifeste (133, 18 à 134, 6). C'est un grand mystère (112, 31-32). Là aussi, il s'agit d'une union avec les anges: lors de la Transfiguration, Jésus fait grandir ses disciples pour les rendre capables de le voir et demande dans son action de grâces qu'ils soient unis aux anges (106, 8 à 14). Et un peu plus bas (113, 23 ss.), il est explicitement question de cette union de l',,image" (c'est-à-dire de l'homme) et de l'ange.

---

[1] 120, 5-8. Dans nos citations, le premier chiffre est celui de la page, le second celui de la ligne de l'édition photographique de Pahor Labib, reproduite dans toutes les éditions de l'Evangile selon Philippe. Cf. par exemple W. C. TILL, *Das Evangelium nach Philippos*, Berlin, Walter De Gruyter & Co, 1963.

III. *Parallèles*

La simple présence des „*anges*" dans les différents systèmes gnostiques est assez significative (dans les „Hermetica", au contraire, ils sont à peu près inexistants). Elle semble bien indiquer une dépendance de la *Genèse*, considérée comme une *cosmogonie* (intérêt primordial des gnostiques). Or, parmi les passages cosmogoniques de la Genèse, un des plus proches des cosmogonies païennes, dérivant même de celles-ci [1]), se trouve être le passage sur l'union des anges et des filles des hommes. C'est vraisemblablement là que les gnostiques ont puisé l'idée de l'intervention des anges dans les cosmogonies. En recourant aux thèmes des anges, ils ont cherché à surmonter le dualisme „Esprit-matière". Le monde est mauvais, et les gnostiques se refusent à en attribuer la création à Dieu lui-même. D'où l'apparition, dans leurs systèmes, d'un „démiurge" inférieur, ange ou archonte, et, conséquemment, le rejet de la Loi et de tout l'Ancien Testament, dont l'auteur n'est pas considéré comme le vrai Dieu. Antijudaïsme donc, mais, en même temps, référence à l'Ancien Testament et contacts littéraires incontestables.

Il nous faut considérer à part le *Livre de Baruch*, cet hybride de gnose et d'apocalypses dont Hippolyte nous communique une partie du contenu (*Phil.* V, 23 à 28). Texte fantasque et érotique, dans lequel les allusions à l'Ancien Testament, et en particulier à la Genèse (Eden, Israël, le serpent, Elohim. . .) se trouvent curieusement mêlées à la mythologie (Priape, Aphrodite, Héraclès, etc.). Les anges y tiennent une place importante, analogue à celle qu'ils ont dans les apocryphes.

Nous y trouvons d'autre part une attitude qui nous paraît intéressante pour notre sujet: en s'élevant vers les régions supérieures du ciel, Elohim a montré aux hommes la voie de l'ascension vers le *Bien*; mais en délaissant Eden (qui se venge en provoquant parmi les hommes adultères et divorces, pour tourmenter le Pneuma qu'Elohim avait déposé en eux) — il a été à l'origine du *mal*. Ainsi, le bien et le mal ont eu la même origine. Peut-être en est-il de même du thème de la fornication des anges, cause, elle aussi, de bien et de mal: dans le judaïsme, l'union des anges avec des êtres humains est une chute, source de nombreux maux. Chez les gnostiques, elle est nécessaire au

---

[1]) Que l'on songe par exemple au thème du mariage des dieux et des héros avec des mortelles dans la mythologie grecque. Cf. le „Catalogue des femmes" d'Hésiode: *Hesiodi Catalogi sive Eoearum fragmenta*. Collegit, disposuit, critica commentatione instruxit Aug. TRAVERSA, Naples, 1951.

salut des pneumatiques, et même parfois indispensable aux anges eux-mêmes pour leur permettre d'entrer dans le plérôme.

Il se peut d'autre part qu'il y ait un souvenir de notre mythe dans l'union d'Elohim, principe inférieur (angélique?) avec la femme-serpent, Eden, qui, de plus, regarde sans cesse les anges, comme Sophia dans le système de Ptolémée. En tout cas, le désir amoureux et sa satisfaction jouent ici un grand rôle.

Conclusion

Le thème de la fornication des anges tel qu'il figure au chapitre VI de la Genèse ne se retrouve pas à l'état pur chez les gnostiques (sauf peut-être une allusion savante chez Héracléon). Il semble pourtant avoir particulièrement attiré l'attention. Il avait été un centre d'attraction littéraire, il le reste dans la gnose. Chez les gnostiques, c'est dans l'Apocryphon de Jean qu'il est le plus reconnaissable, avec cependant une série de détails qui le rapprochent davantage du judaïsme tardif (Livre d'Hénoch ou Jubilés).

Des thèmes connexes s'appuient vraisemblablement sur le thème judaïque, et plus spécialement sur les apocryphes. C'est le cas pour le thème des ,,syzygies". Mais, répétons-le, il y a là comme un renversement du thème: pour remonter, les âmes s'unissent aux anges du plérôme (c'est donc le contraire de la chute).

Dans la littérature judaïque encore, les gnostiques ont puisé l'idée que les anges apportent aux hommes toute espèce de sciences et en particulier la magie.

Enfin, c'est peut-être avant tout dans le thème de la Genèse que les gnostiques ont puisé l'idée d'anges intermédiaires, pour essayer de résoudre le dualisme ,,Esprit-matière".

Même dans les ,,cosmogonies" les plus fantasques et les plus ahurissantes (Baruch), les contacts littéraires avec la Bible sont constants.

DISCUSSION

SCHOEPS: Dieses Thema: ,,La fornication des anges" ist explosiv. In der Henochtradition und bei Pseudoklemens bzw. in den Κηρύγματα Πέτρου hat es eine Richtung genommen, die darauf hinausläuft, den ersten Menschen Adam durch den Fall der Sethiden in der sechsten Menschheitsgeneration für sündenfrei zu erklären, ihn zum ,,heiligen Adam" zu ernennen. So soll nämlich dem Fall des Urmenschen, der in die Materie fällt und sich in den Fesseln der Materie verfängt, die Gegenposition entgegengestellt werden. Das alles ist im Stil der Henochtradition vorgetragen, sprengt natürlich alle traditionellen Vorstellungen und ist in der Intention strikt antignostisch: ein Stück antignostischer Theologie. Wenn man nämlich Adam für sündenfrei erklärt, muss natürlich eine andere Erklärung gegeben werden, wann und wodurch die Sünde in die Welt gekommen ist. Da bietet sich nun die Genesisgeschichte vom Fall der Engel an. Es ist dies m.W. in der ganzen patristischen Literatur einzig dastehend, ein Stück spezifisch ebionitischer Theologie.

BIANCHI: Aber halten Sie nicht, Herr Professor Schoeps, gerade bei dieser zweiten Option, dem Fall der verheirateten Engel, einen Zusammenhang zwischen der ebionitischen und der gnostischen Richtung für möglich?

SCHOEPS: Den Ebioniten ging es darum, den „wahren Propheten" Adam, der mit Christus auf der gleichen Stufe steht, vom Makel der Sünde zu befreien. Deshalb entfallen in dieser Frage alle Versuche der gnostischen Spekulation über den gefallenen Urmenschen, den zu erlösenden Erlöser usw.

SCHUBERT: Ich möchte nur kurz zu der Bemerkung von Professor Schoeps hinzufügen, dass diese judenchristliche Tradition nichts anderes als eine Radikalisierung von Ansätzen darstellt, die sich schon in der Henoch- und Jubiläentradition finden. Auch dort wird — obwohl man noch vom sündigen Adam weiss — wenig von diesem, aber viel vom Fall der Engel gesprochen und der Verstrickung der Menschen in die Sünden der Engel.

CRAHAY: Le très intéressant exposé de Mlle Janssens permet peut-être d'apercevoir le point de départ d'un mythe gnostique. Pour cela, il convient, par delà Hénoch, de remonter à la *Genèse*. Les géants mentionnés en 6, 4 sont appelés *nephilîm* (LXX: *gigantes*), terme qui évoque naturellement le verbe *nâphal*, tomber. Fondée ou non, cette étymologie populaire a pu fort bien amorcer un mythe de chute, de descente, qui n'est peut-être pas originel. On remarquera qu'ailleurs (*Nombres*, 13, 22 et 33), ces géants sont appelés „fils d'Anaq", expression qui, probablement, recouvre le pré-hellénique *anakes* et conserve une certaine tradition historique concernant les anciens habitants de Chanaan.

ZANDEE: Il faut distinguer ce thème de la fornication des anges du thème du mariage céleste.

JONAS: As a point of typology: we have the fornication of the angels; we have the seduction of the archons, which is not quite the same, though certainly a related theme. We have furthermore in gnosticism the very curious theme of abortions, of abortive births and their unattractive, yet viable products; and finally, we have the motif of rape—that the highest archon, the Creator of the World himself is enflamed by lust to Eve and rapes her (in the Apocryphon of John). It would be interesting to determine typologically the relation of these different themes.

SLEEP AND AWAKENING IN GNOSTIC TEXTS

BY

GEORGE MacRAE

The correlative Gnostic themes of sleep and awakening have been studied with such thoroughness by H. Jonas [1]) that it might seem superfluous to discuss them further. But there are several 'textbook' examples of this imagery in the published Nag Hammadi works which can be used as a key to unlock some observations on the evolution of Gnostic systems and the origin of the imagery itself.

The most outstanding occurrence of the 'call of awakening' in the new material is to be found in the longer ending of the *Apocryphon of John* (AJ) in Codd. II, IV.[2]) This passage describes, in the first person, the repeated descents of 'the perfect Pronoia of the All' into the lower world to awaken someone from his deep sleep, and it has rightly been recognized as in some degree extraneous to the main body of the AJ narrative.[3]) Jonas suggests that we have here an intrusion of the 'Iranian' type of Gnosis into a 'Syrian' context,[4]) but I should like to propose that the reason for the apparent heterogeneity of the passage lies elsewhere.

Where the narrative ends in the shorter version of the Berlin Codex (BG) and Cod. III, the Savior in the longer version seems to identify himself as the perfect Pronoia of the All, the richness of the light, the remembrance of the Pleroma (or of the Pronoia), etc., epithets which hardly seem appropriate to the Savior himself. But the introductory framework of the book presents him appearing to John as the Father, the Mother and the Son;[5]) the implication of

---

[1]) *Gnosis und spätantiker Geist*, vol. I, 3rd ed. (Göttingen 1964), pp. 113-139; *The Gnostic Religion*, 2nd ed. (Boston 1963), pp. 68-91.

[2]) Cod. II, 30:11—31:25; Cod. IV, 47:1—49:6 (fragmentary); M. KRAUSE and P. LABIB, *Die drei Versionen des Apokryphon des Johannes*, ADAIK I (Wiesbaden 1962).

[3]) E.g. by J. DORESSE, *The Secret Books of the Egyptian Gnostics* (London 1960), pp. 209-211; S. GIVERSEN, *Apocryphon Johannis*, ATD V (Copenhagen 1963), pp. 270-273.

[4]) *Gnosis*, p. 390; *Gnostic Religion*, p. 306.

[5]) Cod. II, 2:14.

the work is that the Savior is Christ, though this is not stated.[1]) The concluding passage of Cod. II, therefore, is not extraneous to the work in that it identifies the revealer as a female figure. For the writer of this version, it was indeed the Savior who, as the Pronoia of light, penetrated three times into the world.[2]) The first time, 'the foundations of chaos were shaken, and I concealed myself from them because of their wickedness, and they did not know me.' The second time the shaking of the foundations threatened to crush the inhabitants of chaos: 'And again I fled up to my root of light so that they would not be destroyed before the time.' But the third time the mission was successful:

I said, 'He who hears, let him arise from his deep sleep.' And he wept and shed many heavy tears. He wiped them away and said: 'Who is it who calls my name? And whence has this hope come to me while I am in the bonds of prison?' And I said, 'I am the Pronoia of the pure light, I am the thought of the Virgin Spirit who raises you up to the glorious place. Arise and remember that you are the one who has heard, and dwell at your root—which is I, the merciful—and protect yourself from the angels of poverty and the demons of chaos and all who cling to you. And be in a state of watchfulness against the deep sleep and the entanglement [3]) of the inside of the underworld.' And I raised him up (or: awoke him) and sealed him in the light of the water with five seals so that death would have no power over him from that time on.[4])

This is a classic example of the call of awakening which Jonas has described principally on the basis of Mandean and Manichean examples. The one to be awakened is imprisoned in darkness in the material world of the body; he receives a call from beyond that world and is awakened. Even the three elements which Jonas has outlined as the content of the call are present here: [5]) the soul is told to *remember* his divine origin (the 'root'); the *promise* of salvation is present in the note of hope; and the moral *instruction* to stay awake follows. If we

---

[1]) In fact it is not improbable that the figure of Christ in AJ was superimposed at a secondary stage in its composition. On the inessential role of Christ in the work see W. C. van Unnik, *Newly Discovered Gnostic Writings*, SBTh 30 (London 1960), pp. 76-77.

[2]) The world is called the darkness, the prison, the chaos, Amente: '... in gnostic thought the world takes the place of the traditional underworld and is itself already the realm of the dead, that is, of those who have to be raised to life again,' Jonas, *Gnostic Religion*, p. 68; cf. *Gnosis*, p. 113.

[3]) So Giversen translates the Coptic *čales* as a form of *čalj* meaning 'entanglement'. The Coptologist J. Drescher has privately pointed out to me the resemblance of the word to the Akhmimic *jales*, Sahidic *jooles* meaning 'moth' or 'corruption,' which might be a more apt translation.

[4]) Cod. II, 31:5-25.

[5]) *Gnosis*, p. 127; *Gnostic Religion*, p. 81.

take the awakening theme as a guide and trace it throughout AJ, we
may be able to fill in the scheme of the triple descent into the world.
For in the alternation of divine action and demonic reaction which
characterizes the author's view of OT history in the second part of
the book, aptly described by Jonas as 'move and counter-move,'[1])
we can discover three stages of 'history' in which the divine light
begins to manifest itself in man and then (in the first two) is repressed
anew by the Demiurge and his powers.

The first episode consists of the creation of man through the
expulsion from Paradise. Following the account of the creation of the
material body, the 'tomb' or 'the bonds of matter' inflicted upon
Adam in retaliation for the Ennoia or Epinoia of divine light in him,
it is said that 'the Ennoia of the pre-existent light is in him; it awakens
his thought.'[2]) This does not imply that the first awakening took
place before the Paradise events, but merely indicates the story about
to be told. The notion of sleep enters the account of the events in the
garden by way of a 'corrective' exegesis of Gen 2:21, the creation of
Eve, for which the First Archon brings a sleep (Coptic *ebše*) upon
Adam which the Savior explains as ἀναισθησία.[3])

What is important here is the fact that the theme of the sleep of the
soul is introduced as an integral part of the Gnostic myth, arising
out of the exegesis of the Genesis story. It may not be original in this
setting, for it could have been drawn from the syncretism otherwise
evident in the Gnostic myths. But it is striking that in almost all
cases where this image occurs in Gnostic literature there is demonstrable Jewish influence, usually arising from the Genesis account.
Thus even if sleep is felt to be a natural metaphor for the human lack
of saving knowledge, the Gnostics of AJ and other works felt it to be
derived from the creation story. The strongest arguments for an
Iranian origin of the notion have been put forward by R. Reitzenstein,
who cited chiefly Mandean and Manichean examples.[4]) But this
does not necessarily show immediate Iranian influence on the formation of the Gnostic systems. On the one hand, if the theme is

---

[1]) *Ibid.*, p. 397; pp. 203-204.
[2]) BG 55:15-18; ed. W. C. TILL, *Die gnostischen Schriften des koptischen Papyrus
Berolinensis* 8502, TU 60 (Berlin 1955).
[3]) BG 58:16—59:1; cf. Cod. II, 22:22-25. In Cod. III, 29:2-7 the Greek word
ἔκστασις instead of the Coptic *ebše* is used (cf. Gen 2:21 LXX); the same version
also uses λήθη (26:12; 32:13) for *ebše*. In the Cod. II ending the Coptic *hinēb* also
occurs, and both Coptic words are found in the garden story, 22:20 and 23:31.
[4]) Cf. *Das iranische Erlösungsmysterium* (Bonn 1921), pp. 5-6, 135-136.

originally Iranian, it may have already been absorbed into the syncretistic milieu that affected Judaism, and on the other hand, the Mandean and Manichean mythologies are indebted to syncretistic Judaism as well as to any other source. At least it may be said that in some of the earliest Gnostic sources at our disposal, the theme of sleep and awakening is presented as part of the Genesis myth in its Gnostic interpretation.[1]

The creation of Eve is merely an attempt on the part of the Archons to deprive Adam of the element of light within him, the 'Epinoia of light' which, in the Gnostic exegesis of Genesis, is the real 'helper' (Gen 2:18) that was given to Adam, the real Zoe (i.e. Eve, Gen 3:20).[2] 'The darkness' (i.e. the Archons) puts Adam to sleep and removes from him, not a rib as Moses said, but 'a part of his power,' which is able to transmit true life and is therefore called Zoe, 'the mother of the living.' Immediately after her creation, 'the Epinoia of light appeared (and) removed the veil which was over his mind. And he became sober (νήφειν) from the drunkenness of darkness.'[3] The idea of intoxication is closely allied to sleep in other sources too.[4]

Yet another reference to awakening appears in this context, one which likewise ultimately remains unsuccessful as long as man is in the power of the First Archon Ialdabaoth and his powers. The Savior himself plays the role of awakener:

'I appeared in the form of an eagle upon the tree of knowledge, which is the Epinoia from the Pronoia of pure light, in order that I might instruct them and awaken them from the depth of sleep.'[5]

In the shorter version of AJ it is merely stated that 'the Epinoia taught him knowledge through the tree in the form of an eagle', but even this version does not lack all trace of the Savior's role in the Paradise story.[6] This almost completely extraneous appearance of

---

[1] In his communication to this Colloquium A. Böhlig also remarks that the awakening of Adam is an element of Jewish tradition, referring to a parallel in the *Pirqe Mashiaḥ*.

[2] Cod. II, 20:14-19. In BG 53:4-10 and Cod. III 25:6-11, the Father is said to have sent his spirit forth as a helper; the Epinoia is the element of spirit or of light in the world.

[3] Cod. II, 23:5-8; cf. BG 59:20—60:2. Cod. III, 30:1-2 speaks of 'the drunkenness of death.'

[4] Cf. JONAS, *Gnosis*, pp. 115-118; *Gnostic Religion*, p. 71.

[5] Cod. II, 23:26-31; cf. BG 60:18—61:3.

[6] Cf. BG 57:8—58:1.

the eagle in the context of the *Weckruf* invites comparison with what is one of the best known examples of the call to awaken, the letter from the king to the youth in the *Song of the Pearl*, which begins, 'Rise up and awake from your sleep!' and which flies to its addressee 'like an eagle, the king of all birds.'[1] Preuschen pointed out the similarity between this image and the sustained picture of the letter-bearing eagle in the Syriac *Baruch* 77:19 ff.[2] These parallels do not necessarily suggest relationships, however. In pagan mythology the eagle is the symbol of Zeus and is the traditional opponent of the serpent,[3] and in the syncretistic background of Gnosticism, this may be enough to account for the image in AJ, especially as the Savior contrasts his own role with that of the serpent in encouraging Adam to eat of the trees of Paradise.

The first episode of the Gnostic salvation history ends with the temporary triumph of the evil Archons: Adam and Eve are expelled from Paradise and begin the dolorous cycle of reproduction. But there is also a hopeful eschatological note which looks forward to the coming of the Savior.[4] If this episode, taken as a whole, corresponds to the first descent of the Pronoia described briefly in the longer ending of AJ, we must verify in it the few details given in the latter.[5] The speaker states that he entered the darkness (the lower, material world), persevered until he came to the midst of the prison (the body of Adam), and hid himself because of their wickedness (i.e. the Archons), and they did not know him (the struggle with the Archons). The reference to the shaking of the foundations may mean merely that great disturbances were caused by the Archons, e.g. the expulsion from Paradise and its consequences.[6]

The narrative is interrupted at this point by a dialogue between John and the Savior about the various categories of 'souls' and their

---

[1]) *Acta Thomae* 110-111.

[2]) *Zwei gnostische Hymnen* (Giessen 1904), p. 70.

[3]) Cf. T. SCHNEIDER and E. STEMPLINGER, art. 'Adler,' *RAC*, vol. I, pp. 87-94. In some patristic writing, e.g. St. Ambrose, esp. in exegesis of Ezek 1, the eagle is a symbol of Christ. This is possible in AJ also, but unlikely as Christ is not mentioned in the context (unless we simply equate the speaker with him).

[4]) Cod. II, 25:9-16; cf. BG 64:4-13.

[5]) Cod. II, 30:16-21.

[6]) *Ibid.*, 14:25-26; the only occurrence of this expression outside the longer ending supports this interpretation. GIVERSEN (*Apocryphon Johannis*, p. 270) calls this merely 'one of the usual signs of the revelation or of the intrusion by heavenly powers into the world of darkness.' Compare Cod. II, 1:33 and the similar Jewish figure in the Qumran *Hodayoth* 3:12-13.

destiny.[1]) When John inquires about the 'counterfeit spirit,' the
Savior resumes his account of the struggle between the light and the
Archons. This episode is not as sharply defined as the Paradise story,
but it can be regarded as the second phase of history represented in
the summary account at the end of the book by the second descent
and withdrawal of the Pronoia of light. Just as in the first instance,
there is first a résumé of the story about to be told, intimating the
eventual success of the Pronoia only in the third stage of history.
Of those who are ignorant of their destiny, the Savior says:

> In those the counterfeit spirit has become powerful and led them astray, and it
> weighs down the soul and draws it to works of wickedness and casts a sleep upon
> it. And when it has come forth, it is given to the powers which come from the
> Archon, and they bind it with bonds and cast it into the prison and wander about
> with it until it wakes from sleep and receives knowledge. And when in this way it
> becomes perfect, it will be saved.[2])

The main body of the second episode begins as the first one did,
with an assertion of the role of the 'Epinoia of the Pronoia of light'
who has awakened the thought of the seed of the perfect generation.[3])
Then the jealous First Archon reacts with three counter-moves:
first the begetting of fate (εἱμαρμένη), a syncretistic element integrated into the Jewish setting;[4]) second the flood, from which the
Pronoia saves the men of the unwavering generation; and third the
sending of the angels in disguise with a counterfeit spirit to procreate
generations of men ensnared by the material world. Here the Epinoia
or Pronoia is not mentioned; it has apparently again withdrawn from
the world and left men in the sorry state described at the end of the
work.[5])

The third descent, which does not correspond to any part of the
AJ narrative, must be the present time at which the Savior in con-
versation with John is awakening men and revealing the mystery,
the secret teaching. Although the shorter version of AJ lacks this
summary of the three descents, it ends with a somewhat obscure

---

[1]) Cod. II, 25:16—27:30; BG 64:13—71:2.
[2]) Cod. II, 26:36—27:11; cf. BG 68:17—69:13.
[3]) Cod. II, 27:33—28:5. The passage is not entirely clear in any of the versions;
BG 71:5-13 attributes the redemptive initiative to the merciful Mother.
[4]) See esp. Cod. II, 28:21-32; on Heimarmene in Gnosticism see JONAS,
Gnosis, pp. 156-210; *Gnostic Religion*, pp. 254-265.
[5]) Cod. II, 30:2-11; very briefly in BG 75:7-10.

passage that seems to allude to the present coming of the Savior as a
further act of mercy on the part of the Father (or Mother).[1])

It is clear from the foregoing analysis that the longer ending of
Cod. II is as much a part of the 'Syrian' or Sophia gnosis as any other
part of the work and cannot therefore be regarded as a different type of
gnosis superimposed on AJ. How then shall we account for its origin
and its singularity? For it is not simply a literary summary appended
to bring the work to a conclusion; the detailed description of the third
descent precludes this. The most satisfactory explanation seems to me
to be that it is a Gnostic liturgical fragment probably recited at a
ceremony of initiation much in the manner of a Christian baptismal
homily or hymn. This context would explain the very rapid allusions
to the Gnostic salvation history and the longer and more detailed
account of the actual awakening of the initiate. The hymnic quality
of the passage, e.g. the repeated refrain, 'I am the Pronoia, I am the
light, etc.,' was first noticed by J. Doresse.[2]) Giversen has pointed out
that the 'sealing' must refer to a ritual act, but he does not identify
the passage itself as cultic.[3]) We cannot point to a clear model for such
a Gnostic cultic discourse or hymn as this, for most reconstructions
of Gnostic liturgies are hypothetical. I should like merely to refer to
one such reconstruction of a Gnostic mystery-initiation by P. Pokorný
which is based largely on an analysis of the Naassene homily in
Hippolytus and on the Hermetic tractates I and XIII.[4]) Without going
into the details of the hypothesis, it is striking to note how readily
the ending of AJ fits into this scheme, which was devised without
reference to our text. The heart of the ceremony is the call of awakening, and there are also a handing on of Gnostic paradosis, a spiritual
baptism, and a parenetic element, all of which are prominent in the
AJ passage. In addition to the awakening, the 'sealing' must refer
to some sort of Gnostic baptism. The 'five seals' doubtless alludes
to the five kings over 'the depth of the underworld,' mentioned
earlier in AJ.[5])

A rapid survey of other occurrences of the image of sleep and the
call of awakening in Gnostic sources will enable us to make some

---

[1]) BG 75:10—76:6; Cod. III, 39:11-22.
[2]) *The Secret Books*, p. 209.
[4]) *Apocryphon Johannis*, p. 271.
[4]) 'Epheserbrief und gnostische Mysterien,' *ZNW* 53 (1962), pp. 160-194;
esp. pp. 178-180.
[5]) Cod. II, 11:6-7; BG 41:14-15.

further observations on this theme in Gnosticism. In all the published Coptic Gnostic works which contain the account of human origins, the theme is present as part of the story of Adam in the garden: *Hypostasis of the Archons*,[1]) the *Untitled Work* of Cod. II,[2]) the *Sophia Jesu Christi* and *Letter of Eugnostos*,[3]) and the *Apocalypse of Adam*.[4]) Even in such a work as the *Gospel of Mary* there is passing mention of 'the bonds of sleep,'[5]) and in several of the works the theme recurs often as in AJ. Two of these works are notable in that they may possibly provide evidence of pre-Christian, or at least non-Christian, use of the theme of sleep and awakening in Jewish contexts: the *Letter of Eugnostos*,[6]) of which the full text is not yet available, and the *Apocalypse of Adam*.[7]) In the latter the creation of Eve is not mentioned, but Adam recalls that he 'slept in the thought of his heart' and was awakened by three mysterious visitors with the words:

'Awake, Adam, from the sleep of death! And hear about the Aeon and the offspring of that man upon whom life has come. . .'

With its association of sleep and death, its call to awaken, and the general presentation of the revealer-redeemer as the 'Phoster of Gnosis,' this work provides the closest parallel to the famous Christian example of the *Weckruf* in Eph 5:14,[8]) but there is no reason to assume that it borrows from the latter.

Other examples of the theme, besides the Mandean and Manichean ones, are well known from patristic sources and we need not discuss them here in any detail. These include the *Excerpta ex Theodoto* 2-3, the Peratae in Hippolytus, *Ref.*, V. 14.1, and the Naassenes in *Ref.*, V. 7.30-33, which quotes Eph 5:14 but seemingly in support of an

---

[1]) P. LABIB, *Coptic Gnostic Papyri*, vol. I (Cairo 1956), pl. 137:3-13.

[2]) A. BÖHLIG and P. LABIB, *Die koptisch-gnostische Schrift ohne Titel aus Codex II von Nag Hammadi* (Berlin 1962), esp. pp. 163-164.

[3]) The BG text of *Sophia Jesu Christi* is in Till, *Papyrus Berolinensis* 8502, see esp. pp. 103-106; also pp. 94, 120, 122. The Cod. III version of this work and also of *Eugnostos* is correlated in Till's apparatus; the latter apparently contains all the references to sleep except those on pp. 120, 122.

[4]) A. BÖHLIG and P. LABIB, *Koptisch-gnostische Apokalypsen aus Codex V von Nag Hammadi* (Halle-Wittenberg 1963), text. pp. 65-66.

[5]) In TILL, *Papyrus Berolinensis* 8502, p. 17:13.

[6]) Cf. M. KRAUSE, 'Das literarische Verhältnis des Eugnostosbriefes zur Sophia Jesu Christi,' *Mullus. Festschrift Theodor Klauser* (Münster 1964), pp. 215-223.

[7]) BÖHLIG, *Apokalypsen*, p. 95; cf. K. RUDOLPH, review in *TLZ* 90 (1965), cols. 361-362; G. MACRAE, 'The Coptic Gnostic Apocalypse of Adam,' *The Heythrop Journal* 6 (1965), pp. 27-35.

[8]) In *Sophia Jesu Christi* 105:15—106:3 there is also a linking of enlightenment and awakening.

existing element in its own tradition.[1]) In the Hermetic literature the most notable examples are in I. 27-28 and VII. 1-2,[2]) which show how the theme exists completely independently of Christianity. We can be much less certain, however, that it is independent of Judaism, for both these books of the *Corpus Hermeticum* show other evidence of some acquaintance with Jewish tradition, and C. H. Dodd has argued that the Hermetic writer would naturally have regarded sleep as a result of the Fall in Genesis.[3]) The instance of the theme in the alchemistic work cited by Reitzenstein [4]) indicates how widespread the notion came to be. The examples in *Odes of Solomon* 8:2; 15:2, etc., however, are neither certainly Gnostic nor certainly independent of the Ephesians passage. Finally, we may mention the Latin addition to Sir 24:45, which has been proposed as a possible (but unlikely) source for Eph 5:14.[5])

One other Coptic Gnostic work deals at length with our theme and must be discussed here, the *Evangelium Veritatis* (EV). From the very nature of this work, it may be expected that sleep and wakefulness would play a large part in it, for it is a meditation on the nature of man enlightened by gnosis. Unlike many other works from Nag Hammadi, EV is a tissue of allusions to the NT, so that we can learn from it much about the Christian Gnostic understanding of the meaning of Christ and the redemption but must be cautious in estimating its fidelity to non-Christian or pre-Christian traditions. There is an extended reflection on the role of sleep in pp. 17-18: it is nothingness by comparison with truth, it comes from and is one of the tools of error (πλάνη, the 'villain' of EV), it has no place near the Father though it exists because of him, gnosis is its opposite and eliminates it, and through Jesus Christ God 'enlightened those who were in darkness as a result of sleep.' All of this is familiar to the reader of the AJ, but the manner of expression is quite different. Like error and truth, sleep (or oblivion) is personified, yet remains abstract.

Some details of the EV discussion of sleep illuminate points that are obscure in the call of awakening as we find it in the longer ending

---

[1]) I.e. even apart from the citation of Odyssey 24:1-4. Cf. POKORNÝ, 'Epheserbrief und gnostische Mysterien,' p. 187.

[2]) A. D. NOCK and A.-J. FESTUGIÈRE, *Corpus Hermeticum*, vol. I, 2nd ed. (Paris 1960), pp. 27-28, 81.

[3]) *The Bible and the Greeks* (London 1935), pp. 159-160.

[4]) *Das iranische Erlösungsmysterium*, p. 6.

[5]) Cf. F. J. DÖLGER, *Sol Salutis*, 2nd ed. (Münster 1925), p. 366, who mentions but does not accept this suggestion.

of AJ, where the obscurity may result from the condensed character of a liturgical recital. For example, the awakened soul in AJ asks, 'Whence has this hope come to me?' Hope is a rare concept in the vocabulary of Gnosticism, but we find in the same context of EV the assertion that the gospel is a revelation of hope, a discovery for those who seek the Father.[1]) In the AJ passage it is the revelation of gnosis symbolized by the call of awakening which provides the soul still imprisoned in the body with a foretaste of reunion in the Pleroma. Another obscurity in the AJ passage is the question, 'Who is it who calls my name?' In fact no name has been mentioned. But in the EV there is an extended explanation of the use of one's name in the call of awakening.[2]) If a name was actually used in the Gnostic rite of initiation, it is naturally omitted when the liturgical passage is cited in a literary work. Finally, the exhortation of AJ 31:15-16 to 'dwell at your root,' paralleled there only in 30:30, also receives its explanation from various EV passages.[3]) The 'root' is a Gnostic commonplace for the celestial origin of man; the point here is its proximity to the theme of sleep and awakening in both EV and AJ. Our use of passages from EV to elucidate the theme of sleep in AJ [4]) is not meant to imply that both works emanate from the same 'school' of Gnosticism— although apparently both were at one time used by the same Gnostics —but merely to show that the theme has many common features in different Gnostic systems and is a fundamental mode of Gnostic expression.

At the end of this survey we may ask what is the earliest more or less datable occurrence of the Gnostic image of sleep and awakening. This must be Eph 5:14, whether it be regarded as authentically Pauline or not. We have argued that some occurrences in the Gnostic writings reflect a non-Christian and very possibly a pre-Christian usage, but these cannot be dated with any assurance. Many commentators have noted that despite the introductory formula, Eph 5:14 is not citing any Scripture passage or combination of passages, but

---

[1]) P. 17:2-4; ed. M. MALININE et al., *Evangelium Veritatis* (Zürich 1956) and *Supplementum* (1961). Cf. also p. 35:2-3 and the comments of J. E. MÉNARD, *L'Evangile de Vérité* (Paris 1962), p. 171.

[2]) Pp. 21:25—22:9.

[3]) P. 41:23-28; see also 17:29-30 (in the context of sleep); 28:16-17; 41:16-19;. 42:33-34.

[4]) To the passages mentioned above add the description of human life as a dream (or nightmare) and the acquiring of gnosis as an awakening in EV, pp. 29-30.

rather an early liturgical work, most likely a baptismal hymn.[1]) That the hymn uses and adapts language borrowed from early Gnostic sources seems to me the only acceptable explanation.[2]) It may even be legitimate in the light of the preceding analysis of the theme to go further and say that it borrows its language from some kind of Gnostic liturgical homily or hymn.[3]) But to assert that Ephesians uses the language of Gnosticism is not to assert that Ephesians is itself Gnostic. There can be no doubt that the author of the letter has adapted his chosen terminology to an ethical and eschatological purpose that has no place in the speculations of Gnosticism. The very use of Gnostic terminology in this applied sense may indicate that the author is polemizing against Gnosticism.

Perhaps something further can be learned from the background of Eph 5:14. The only passage referred to by the commentaries as having a verbal similarity to the phrase καὶ ἐπιφαύσει σοι ὁ Χριστός is a line from an Orphic hymn in which it is said of Bacchus: οἷς ἐθέλεις θνητῶν ἠδ' ἀθανάτων ἐπιφαύσκων.[4]) The fact that Eph 5:14 uses the language of Gnosticism, and that this language in turn exhibits features arising from Jewish contexts (the call of awakening with its *Sitz-im-Leben* in the Gnostic exegesis of Gen 2-3) and from Hellenistic ones (the Orphic language of enlightenment) seems to me symptomatic of the encounter from which Gnosticism resulted.[5]) U. Bianchi has presented a sketch of Gnostic origins in which, given

---

[1]) Cf. H. Schlier, *Der Brief an die Epheser* (Düsseldorf 1957), pp. 240-242. A. Wlosok, *Laktanz und die philosophische Gnosis* (Heidelberg 1960), pp. 159-164, attempts to reconstruct the origin of the hymn, as an elaboration of Prv 6:9, 11 (LXX), by accepting as original the expanded citation of it in Clement, *Protrepticus* VIII. 84.1-2. I find the reconstruction unconvincing, but her analysis contains many valuable observations.

[2]) So, e.g., R. Bultmann, *The Theology of the New Testament*, tr. K. Grobel, vol. I (London 1952, 1965), pp. 174-175; Jonas, *Gnosis*, p. 133; *Gnostic Religion*, p. 85; and others. K. G. Kuhn, 'Der Epheserbrief im Lichte der Qumrantexte,' *NTS* 7 (1960-61), pp. 334-346, has tried to show that the Judaism of Qumran affords adequate grounds for the development of Eph 5:14 as well as of other passages in the Epistle, but he offers no convincing parallel for this kind of language. Where Qumran does offer material for comparison, this is at best the Jewish 'pre-Gnostic' substratum, e.g. *Hodayoth* 3-4, which Kuhn cites. See also F. Mussner, 'Beiträge aus Qumran zum Verständnis des Epheserbriefes,' *Neutestamentliche Aufsätze, Festschrift J. Schmid* (Regensburg 1963), pp. 185-198.

[3]) So Pokorný, 'Epheserbrief und gnostische Mysterien,' pp. 187-188, but without reference to the Nag Hammadi examples.

[4]) W. Quandt, *Orphei Hymni*, 2nd ed. (Berlin 1955), p. 36 (50:9).

[5]) Compare the similar argument, also based on Eph 5:14, in Wlosok, *Laktanz*, p. 161.

the syncretistic background, the principal factors are the meeting between certain Jewish ideas and the dualism and anticosmicism of Orphic speculation.[1]) If we have studied it to some extent in isolation from the whole Gnostic context, our theme may not serve as a positive argument for this view of the origins of Gnosticism, but it is into such a picture that our understanding of the theme best fits.[2])

DISCUSSION

ADAM: Der „Ruf" ist im Perlenlied mit dem Adler nur verglichen, und zwar entspricht der Flucht des Briefes dem Adler. Hier zeigt sich eine typische Haltung der Gnosis (da würde ich voll übereinstimmen); hier ist eine Dynamisierung, die noch nicht eine Personifizierung ist. Während in einer typischen Weise die gleiche Vorstellung noch in Daniel IV, 28, anders vorkommt.

WIDENGREN: Points to the eagle's very considerable rôle in the Syrian mythology. In Pahlavi the word *gōhr* means as a substance.

GNOLI: cite l'expression *gōhr i x^varr*, „la substance du *x^varanah*". L'iconographie du *x^varanah* est liée à un oiseau rapace (cfr. Vərəthraghna sur les monnaies kushana).

KRAUSE: ... Ich möchte auf einen Text in Kodex 13 hinweisen, der noch nicht veröffentlicht ist, aber der sehr viele Parallelen zu diesem Sondergut in Kodex 2 bringt. Da haben sie nämlich auch das dreifache Kommen der Protennoia. Ich meine also, daß wir hier eine Erlöserfigur haben, die verschieden bezeichnet wird, — in Kodex 13 als Protennoia; hier die Pronoia des „Alls".

MACRAE: In mentioning the association of the Pearl and the eagle, the only point I wished to make, although I may not have expressed it clearly enough, was that the connotation involving the call of awakening in the *Song of the Pearl* and the metaphor of the eagle is at least striking when we find the eagle being inserted into the similar context of the call of awakening—rather gratuitously, it seems—in the *Apocryphon of John*. I would be quite willing to admit that the ending of the *Apocryphon of John* is secondary in time as well as in nature to the rest of the work, that is, to admit that the earlier part of the work, the shorter version, may well have been followed by an apocalyptic passage which has since been omitted. In its place the liturgical formulation is inserted. Indeed, I think it probably represents a slightly later stage in the transmission of a work when a liturgical formulation could be appended to it in this fashion.

---

[1]) 'Le problème des origines du gnosticisme et l'histoire des religions,' *Numen* 12 (1965), pp. 161-178.

[2]) Only after completing this study have I seen W. FOERSTER, 'Vom Ursprung der Gnosis,' *Christentum am Nil*, ed. K. Wessel (Recklinghausen 1964), pp. 124-130, which argues that the 'Ursprung' of Gnosticism is the 'call.'

LO GNOSTICISMO E IL CRISTIANESIMO

GNOSIS, GNOSTICISM AND THE NEW TESTAMENT

BY

R. Mc.L. WILSON

The title of this paper has been deliberately chosen to underline the necessity for precision of definition in this field of research, to suggest that we have to deal not with two entities only but with three; and that, difficult as it may be to draw the lines of distinction, the distinctions are none the less present, and the ignoring of them can only cloud the issue and make confusion worse confounded. "All is not gold that glitters", says the proverb; nor is everything that looks or sounds "gnostic" of necessity the guarantee of a developed and fully-articulated Gnosticism.

Of the three terms in the title, only the third can be called "clearly defined": the New Testament consists of the twenty-seven books of the Church's canon, no more and no less. With the other terms, however, it is another matter. For some scholars they are interchangeable, for others they are distinct; and in either case they may be applied to widely different sets of phenomena.[1] On the traditional definition, which prevailed for centuries, Gnosticism is a Christian heresy of the second century, the result of the impact of Christianity upon the Gentile world and of the consequent efforts, on one side or the other, to assimilate Christian teaching to the ideas and the thinking of the contemporary environment. This definition has the advantage of providing a limited and well-defined field of research, a group of systems which, for all the variety between the views of one group and those of another, yet present common factors enough to justify our considering them as different aspects of a single phenomenon. All are Christian, or a least considered themselves to be Christian, although they diverge in greater or less degree from what was to become the orthodox tradition of the Church. All of them, again, are strongly influenced by the Christian scriptures, although their

---

[1] An attempt has been made in this paper, not altogether successfully, to carry into effect a suggestion by the late Professor Kendrick Grobel: the adjective „Gnostic" with a capital refers to the developed Gnosticism of the second century, „gnostic" without the capital refers to Gnosis in the wider and vaguer "modern" sense of the term.

interpretation of these scriptures is sometimes remote from any sound standards of exegesis. And these conclusions are re-inforced by the evidence of the Nag Hammadi documents so far published, for all of these, with the notable exception of the Apocalypse of Adam,[1]) make considerable use of New Testament motifs and terminology, and frequently of quotations or allusions. It may be that in certain cases material originally non-Christian has been Christianised,[2]) but that is another matter; in their present form, which is the form in which they were used by their owners, these documents display abundant evidence of Christian and indeed specifically New Testament influence.

The deficiencies of the traditional definition become apparent, however, a). when we endeavour to probe into the origins of this movement; b). when we extend the range of our studies beyond the history of Christian doctrine to take account of the contemporary environment as a whole; and c). when we discover in the New Testament itself, or in the contemporary Philo of Alexandria, what appear to be affinities with, or anticipations of, the later Gnostic theories.

a). This second-century Gnosticism is not simply a deviation *within* Christianity, but the amalgamation of Christian ideas with ideas drawn from other sources. The question then arises of identifying these alien sources, and of determining the extent of their influence. Was it the Christian or the alien element that was the dominant factor? And if some of our second-century documents present a Christianising of non-Christian material, was this *non*-Christian material also *pre*-Christian? If so, was it in this pre-Christian

---

[1]) See BÖHLIG-LABIB, *Koptisch-gnostische Apokalypsen aus Codex V von Nag Hammadi*, Halle-Wittenberg 1963, esp. p. 90; cf. BÖHLIG, *Oriens Christianus* 48 (1964) pp. 44 ff., G. W. MACRAE, *Heythrop Journal* vi (1965) pp. 27 ff. There are passages at which it is possible to point to Christian *parallels*, but it is extremely doubtful if these passages can be shown to be definitely due to Christian *influence*.

[2]) E.g. the Gospel of Mary (see *New Testament Studies* 3 (1957) pp. 236 ff.). Unfortunately the key document, the Epistle of Eugnostos, has not yet been published (see most recently M. KRAUSE, *Das literarische Verhältnis des Eugnostosbriefes zum Sophia Jesu Christi*, in *Mullus* (Festschrift Theodor Klauser), *Jahrb. f. Antike u. Christentum*, Ergänzungsband 1, 1964, 215 ff.). If Eugnostos, as Krause argues, is the basis of SJC, then we have a clear case of Christianisation. The Apocryphon of John also (ed. Till, TU 60, 1955; S. Giversen, Copenhagen 1963 (Codex II); M. KRAUSE and P. LABIB, *Die drei Versionen des Apokryphon des Johannes*, Wiesbaden 1962) seems to have a Christian framework as the setting to a largely non-Christian text.

form already integrated *into a system*, so that only a minimum of adaptation was necessary to transform it into the Gnosticism we know? Such questions are sometimes answered with greater confidence than is justified by the evidence at our command.

b). The early Church, however, did not exist in a vacuum, in some theologically aseptic safety-zone to which no germ of false doctrine could gain admission. It was part of the world of its time, and subject to the influence of its environment, influence at first predominantly Jewish but later in increasing measure Gentile, and in particular, from a certain stage onwards, the influence of Greek philosophy. Hence, when we endeavour to understand the development of early Christianity, and especially of Gnosticism, we have to take account of similar phenomena outside the Church: the Corpus Hermeticum, for example, which is at least semi-Gnostic and which, as the Nag Hammadi discovery shows, could be used and studied by the adherents of at least one Gnostic school of thought; or such fragments as we possess of the Middle Platonist Numenius;[1]) or even perhaps Plotinus himself, at least in his earlier period.[2]) Such evidence certainly suggests that what we call "Gnosticism" was not merely a phenomenon *within* the Christian faith. But was it a movement outward from Christianity, a gradual de-Christianising, with the Hermetica as the final term, the point at which Christian influence has entirely disappeared? Or was there a parallel development within Christianity and without, so that the Hermetica and the Christian Gnostic schools may be seen as the pagan and the Christian manifestations of the same *Zeitgeist*? Or is the movement from paganism into Christianity, the influencing of developing Christian thought in certain circles by a way of thinking already in itself largely fully developed? How much that is commonly labelled "Gnostic" is in fact commonplace second century Platonism? How do we distinguish what is specifically Gnostic from what is merely Platonic, and from what is both Gnostic and Platonic? Is the mere fact that a given term or concept occurs in the context of Gnostic theory a sufficient reason for labelling it as Gnostic, and proceeding to assume that at all times and in all places this term or concept must at all costs be given

---

[1]) Cf. E. R. DODDS in *Entretiens Hardt* V, Vandoeuvres-Genève 1957, pp. 3 ff., and his later comment (p. 185): "Numenius was very Gnostic."

[2]) Cf. H. C. PUECH in *Entretiens Hardt* V, pp. 161 ff.; J. ZANDEE, *The Terminology of Plotinus and of some Gnostic Writings*, Ned. Hist.-Arch. Inst., Instanbul 1961.

a Gnostic significance? It has been done—but this is to use a bull-dozer for the weeding of a rockery. This is one of those points at which the scholar's task becomes one of the most extreme delicacy, for he has to determine so far as may be possible whether two closely similar statements are in fact the same, or whether one is Gnostic and the other simply Platonic or Stoic or something else. It may even happen that an identical form of words occurs in both places, because the Gnostic writer has adopted and adapted the work of his Platonic or Stoic or Christian precursor, giving to it a new and Gnostic significance. Are we at liberty then to attach the label "Gnostic" to these precursors?

c). The same problem confronts us when we move back from the second century into the first. It is not difficult to find in the pages of Philo numerous points of contact with the later Gnostic systems,[1]) or to detect in the New Testament examples of imagery and terminology which immediately recall the Gnostic usage. But, bearing in mind the clear evidence for Gnostic use of the New Testament itself in the second century, is it legitimate to label such imagery and terminology "Gnostic", or is this not to view the first century through the spectacles of the second? Were these concepts, and this terminology, already Gnostic before their use in the New Testament, or did they only *become* Gnostic through their subsequent employment *in the context of the developed Gnostic systems*?

This raises the vexed question of a pre-Christian "Gnosticism", on which it has been said: "The objection to speaking of Gnosticism in the first century A.D. is that we are in danger of hypostatising certain rather ill-defined tendencies of thought and thus speaking as if there were a religion or religious philosophy, called Gnosticism, which could be contrasted with Judaism or Christianity. There was, of

---

[1]) Cf. C. H. Dodd, *The Interpretation of the Fourth Gospel*, Cambridge 1953: "If they (the terms "Gnostic" and "Gnosticism") refer, as by etymology they should refer, to the belief that salvation is by knowledge, then there is a sense in which orthodox Christian theologians like Clement of Alexandria and Origen, on the one hand, and Hellenistic Jews like Philo ... should be called Gnostics" (p. 97). "But it is difficult to trace in the extant Gnostic literature anything of that genuinely mystical piety which shines through Philo's extravagant allegories" (p. 101). Detailed documentation must be renounced on grounds of space, since it would involve listing not only the Philonic passages but their Gnostic parallels, and indicating the points of resemblance. On the whole, Philo belongs to the "pre-gnostic" stage rather than to Gnosticism proper. See generally R. McL. Wilson, *The Gnostic Problem*, London 1958.

course, no such thing".[1]) "Pre-Christian Gnosticism", writes Giovanni Miegge, "may be, in reality, nothing more than an unknown something postulated by the science of religions, one of those invisible stars the position of which astronomers determine by calculating the deviations in the movements of neighbouring stars".[2]) On this two things must be said: 1). It is open to question whether it is valid to use an analogy from astronomy in this way, unless simply as a vivid illustration. The planet Uranus, which was in fact discovered where the astronomers expected to find it, is a solid mass which was already there and able to exert a gravitational pull upon its neighbours. We have no ground for assuming that the mere development of a sufficiently powerful religio-historical telescope will disclose the existence of a pre-Christian Gnosticism. 2). Miegge goes on to quote a passage from Bultmann, and what Bultmann is talking about is *ideas*. "Even though the ideas have to be worked out in the mass and in detail from documents which are later than the Gospel according to St. John, that the ideas themselves date back to a period prior to the Gospel remains certain beyond a shadow of doubt." Now it is a fact that particular ideas can be traced far back into the pre-Christian period, to ultimate origins in Egypt or Babylonia or Persia. It is this very fact which gives point and significance to a colloquium on the origins of Gnosticism composed of historians of religion. But were these ideas already Gnostic in the lands of their origin? Or at what point do they become Gnostic?

In modern research there has been an increasing willingness to recognise the existence of the "rather ill-defined tendencies of thought" already mentioned, and in this sense to speak not of Gnosticism but of „gnosis". This is, I think, legitimate enough, provided we are aware of the distinction and do not fall into the error of identifying the two.[3]) The ideas are there, even certain combinations

---

[1]) ALAN RICHARDSON, *An Introduction to the Theology of the New Testament*, London 1958, p. 41.

[2]) G. MIEGGE, *Gospel and Myth in the thought of Rudolf Bultmann*, ET London 1960, p. 30. The quotation referred to below is from BULTMANN, *Das Evangelium des Johannes*, pp. 11-12. The translation is that of Miegge's translator, Bishop Stephen Neill.

[3]) Cf. J. MUNCK in *Current Issues in New Testament Interpretation*, ed. Klassen and Snyder, London 1962, pp. 224 ff. While agreeing entirely with Munck's main position, I cannot feel that his suggestion of "syncretism" for "gnosis" in the vague modern sense is fully adequate. "Syncretism" itself is an ambiguous term, and it is already employed in two distinct, though related, senses. To add a third would only increase the confusion. Personally I prefer the term "pregnosis".

of ideas;[1]) the terminology is there, and we can even trace certain manifestations of the Gnostic way of thinking;[2]) but from gnosis to Gnosticism is still a considerable development. It is dangerous in the extreme to assume that what is gnostic (in the sense of gnosis) already implies all that is meant by Gnostic (in the sense of Gnosticism). How far does the presence of "gnostic" ideas, or "gnostic" terminology, imply the presence of a full-scale Gnostic myth? Ought we not rather to make due allowance for growth and development? Is it, for example, possible to trace a development from a vague and ill-defined gnosis in the background of the New Testament, through an incipient but growing Gnosticism in the New Testament period itself, to the final emergence of the full Gnostic systems of the second century? If there was such a development, then to interpret New Testament texts in the light of the second-century systems may be seriously misleading. On the other hand, of course, neglect of the second-century systems may lead us to overlook clues of vital significance for the understanding of the development, and of the New Testament itself. But in the present state of research the greater danger appears to be that of reading back, the more especially when we endeavour to hold up a mirror to St. Paul in order to identify the opinions of this opponents and, failing to find what we seek, conclude that he was mistaken, or ill-informed, and that he was entertaining Gnostics unawares.

A few examples, chosen more or less at random and easily multiplied, may serve for illustration. (1). In his Corinthian correspondence Paul has occasion to deal with the question of the resurrection, since at Corinth there were people who denied it. Now in the Pastorals (2 Tim. 2:18) we find the heresy that the resurrection has already taken place, and it is sometimes affirmed that this is the position already maintained by Paul's opponents in Corinth.[3]) In point

---

[1]) I owe the suggestion of "certain combinations of ideas" to a lecture delivered in St. Andrews by Professor H. Chadwick.

[2]) Cf. A. D. Nock, *Harvard Theological Review* 57 (1964) pp. 255 ff., who writes (p. 276) that the relation of the Nag Hammadi texts to the New Testament "seems to me to vindicate completely the traditional view of Gnosticism as Christian heresy with roots in speculative thought," and again (p. 278) "in general apart from the Christian movement there was a Gnostic way of thinking, but no Gnostic system of thought . . .; a mythopoeic faculty, but no specific Gnostic myth." J. Daniélou, *Théologie du Judéo-christianisme*, Tournai 1958, p. 82, can speak of "la gnose en tant qu'attitude et non en tant que système."

[3]) W. G. Kümmel in Lietzmann, *An die Korinther*[4] Tübingen 1949, p. 192, argues against the assumption that the Corinthian opponents maintained only the

of fact there is no clear evidence for this in the Corinthian letters. The question in 1. Cor. 15:12 is πῶς λέγουσιν ἐν ὑμῖν τινες ὅτι ἀνάστασις νεκρῶν οὐκ ἔστιν; not, be it noted, οὐκ ἔσται. The point is not that there *will be* no resurrection (because it has already taken place), but that there *is* no such thing. This may be adequately accounted for on the assumption that Paul's opponents maintained the "Greek" view of the immortality of the soul and had no regard whatever for a resurrection of the body. The "gnostic" interpretation of the passage is then the result of reading back from the Pastorals. Assuming Paul's opponents to be Gnostics, we interpret in the light of the heresy behind the Pastorals. Then we employ the results to confirm the theory that Paul's opponents were Gnostics — which looks remarkably like arguing in a circle. Such devious expedients are quite unnecessary on the assumption that Paul was dealing with a plain denial of the possibility of resurrection. The heresy combatted in the Pastorals then results from a misunderstanding of Paul's teaching about union with Christ as presented, for example, in Romans 6. Later Gnostic development, for example in the Gospel of Philip,[1] shows clear evidence of Gnostic reflection upon Paul's own teaching,

---

immortality of the soul (so Lietzmann himself, op. cit., p. 79) on the ground that the idea of resurrection of the flesh does not occur in the New Testament, and is first attested in 2 Clement and Hermas. It is however surely possible that the issue in the first instance lay between the "Jewish" doctrine of resurrection and the "Greek" theory of the immortality of the soul, without much reflection on the precise nature of the resurrection, or of the resurrection body. Debate as to whether the resurrection involved a reconstitution of the physical body or the substitution of a spiritual one, or whether the spiritual body was to be put on *over* the physical or substituted for it, would represent a later stage of reflection within the Church, although not necessarily very much later (Cf. now C.F.D. Moule in NTS 12 (1966) pp. 106 ff.). Robertson and Plummer (International Critical Commentary, Edinburgh 1953, p. 347) quote Aeschylus, Eum. 647 and add "that is just what these Corinthians declared." They find no evidence of "such theories as those of Hymenaeus and Philetus (2 Tim ii. 17, 18)." Cf. also J. Héring, *The First Epistle of St. Paul to the Corinthians*, ET London 1962, pp. 162 f. It may be questioned whether justice is done to James Moffatt's lengthy note (Moffatt Commentary, London 1938, pp. 240 ff.) by simply listing him, as Kümmel does, among upholders of the spiritualising "Gnostic" position. Space will not admit of adequate treatment of Schmithals' discussion, *Die Gnosis in Korinth*, Göttingen 1956, pp. 70 ff.

[1] Cf. "Saying" 23 (pl. 104.26-105.19 in Labib's photographie edition), on which see R. McL. Wilson, *The Gospel of Philip*, London 1962, pp. 87 ff. See also the *De Resurrectione* (Epistula ad Rheginum), ed. Malinine, Puech, Quispel and Till, Zürich and Suttgart 1963; J. Zandee, *De Opstanding in de Brief aan Rheginos en in het Evangelie van Philippus*, in *Ned. Theol. Tijdschrift* 16, pp. 361 ff; W. C. van Unnik, *The Newly Discovered Gnostic "Epistle to Rheginus" on the Resurrection*, in *Journal of Eccles. History* XV (1964), pp. 141 ff.

and on the Corinthian letters in particular. The mythological imagery of the garments of the soul may be older,[1]) but this is not to say that it was either gnostic or Gnostic when it was used by Paul.

(2). Turning to matters of terminology, we may begin with one which presents no real problem. Ἀποκατάστασις occurs once only in the New Testament, at Acts 3:21, where it refers to a restoration of the order of creation. The word is of course familiar in the context of Stoic thought, for the restoration of all things after the cosmic conflagration at the end of each world-cycle, but there is no need to import the full Stoic conception into Acts. Nor is there any ground for understanding the term in the light of later Gnostic theories, in which it is used, for example, for the restoration of Sophia to the Pleroma. The Gnostics may be influenced in some measure by Stoicism, but the common element is simply the term itself and the idea of the restoration of an original ideal state of affairs. Due attention must be paid to the differences in context and in content if we are not to draw completely false conclusions.

(3). Reference to the Pleroma is a reminder that this is a technical term in Valentinianism, but here we are confronted by a rather more intricate problem. The word occurs in the New Testament no fewer than seventeen times,[2]) but not all of these occurrences are relevant to the present purpose. No doubt the Gnostics could, and probably did, adapt some of them to their own theories—in some cases it would be extremely interesting to see how they did so, e.g. with Mark 2:21 and its Matthaean parallel, when the word means simply the patch sewn on to fill up the hole, or Mark 6:43, 8:20,

---

[1]) "There is clear evidence of a tradition that the "tunics of skin" with which God clothed man after the Fall were the garments of mortality" (C. H. DODD, *The Bible and the Greeks*, London 1935, p. 193). It can be found in Philo, Valentinianism and the Corpus Hermeticum. E. R. DODDS (*Proclus: The Elements of Theology*, 2nd ed. Oxford 1963, pp. 306 ff.) notes that the word χιτών seems to have been an Orphic-Pythagorean term for the fleshly body; that in Philo we find a slightly different application of the metaphor; and that the fiery χιτών of the Corpus Hemeticum X. 18 belongs to a different circle of ideas. But it is precisely the convergence of such different traditions that is important for the origin of Gnosticism. For Qumran cf. F. NÖTSCHER, *Zur theologischen Terminologie der Qumran-Texte*, Bonn 1956, pp. 102 ff. Cf. further G. W. H. LAMPE, *The Seal of the Spirit*, London 1951, pp. 111 ff., and for Gnostic use R. McL. WILSON, *The Gospel of Philip*, London 1962, index s.v. "Clothing" and references there.

[2]) Matt. 9:16 // Mk 2:21; Mk 6:43, 8:20; John 1:16; Rom. 11:12, 25, 13:10, 15:29; 1 Cor. 10:26; Gal. 4:4; Eph. 1:10, 23; 3:19, 4:13; Col. 1:19, 2:9. Cf. Delling in TWB vi. 297 ff.; C. F. D. MOULE, *Scottish Journal of Theology* 4 (1951), pp. 79 ff., and *The Epistles to the Colossians and Philemon*, Cambridge 1957, pp. 164 ff.

where it refers to the filling of the baskets with the fragments left over—but this is no justification for our importing a Gnostic sense into every case. That would be to read the New Testament with Gnostic eyes. In general, the ordinary meanings of "fulness", "fulfilment" or "full complement" are entirely adequate, although it may be noted from these three alternatives that the word has several shades of meaning. Indeed, as Delling remarks,[1]) it is used in a variety of senses even in the single letter to the Romans.

The crucial passages for our purpose occur in Ephesians and Colossians, although it should be noted at the outset that Ephesians, in addition to the three passages to be mentioned, includes a fourth in which the word is certainly employed in a non-technical sense (Eph. 1:10). Usage in this letter also is therefore by no means uniform. Interpretation of the remaining Ephesian passages is complicated by problems of exegesis, which need not be entered into here, but it is at least open to question whether the word itself is really used in a Gnostic sense, or whether a simple non-technical use in the sense of "fulness" or "full complement" does not meet all requirements. The strongest case for a Gnostic sense is probably Eph. 4:13, where the context includes a reference to a "perfect man" and also a contrast with νήπιοι, both typical features of later Gnosticism; but have we to do here a). with the influence of gnosis upon the author of Ephesians, or b). with the raw materials out of which the Gnostics later developed their ideas and their speculations? [2]) At any rate, none of the passages lends itself particularly well to interpretation in terms of the Valentinian Pleroma of the aeons, or of the πλήρωμα or heavenly counterpart of the soul. A closer parallel is provided by the "evidently non-technical" use of the word at John 1:16.[3])

Of the first occurrence in Colossians (1:19) Dibelius [4]) writes that the meaning is not developed but presupposed. The word was therefore a technical term of the Colossian Gnostics, only they used it not of Christ but of the στοιχεῖα. Once again, however, it is legitimate to ask if a simple or non-technical sense is not completely adequate. As Moule observes,[5]) "in 2:9 the phrase is specifically

---

[1]) op. cit., p. 300.
[2]) Cf. SCHNEIDER, TWB ii. 945.
[3]) MOULE, SJT 4 (1951) p. 80; cf. C. K. BARRETT, *The Gospel according to St. John*, London 1958, p. 140; BULTMANN, *Johannesevangelium*, p. 51 f.
[4]) *Hbuch z. NT*, 3rd ed. 1953, p. 18.
[5]) *Epistles to the Colossians and Philemon*, p. 166.

Πᾶν τὸ πλήρωμα τῆς θεότητος and ἡ θεότης cannot possibly be equated
with the Gnostics' hierarchy of beings lying between God and the
world: it must mean 'deity', 'Godhead' ", and there are other reasons
to support the rendering "the entirety, the sum total of the divine
attributes." Moreover it is a striking fact that certain elements in
later Gnostic speculation appear to originate in these very passages,
the Valentinian idea of Jesus, the perfect fruit and star of the Pleroma,
and the Peratic theory of the Jesus who incorporates in himself
elements of each of the three primal ἀρχαί. [1])

In itself, then, this term should not be claimed as specifically
"gnostic", nor should it have a "gnostic" interpretation imposed
upon it at all costs. On the other hand a sweeping rejection of any
relation to gnosis or to Gnosticism would be equally erroneous.
The whole complex of ideas and conceptions in the wider context of
both letters is such as to suggest that here we have to deal with
something already in process of developing into what we know as
Gnosticism in the second century; but it is just in such conditions,
where so much is still obscure, that the greatest care is necessary,
and the greatest precision of definition.

(4). The word σοφία presents a peculiarly intricate problem. How
far does it refer to the human quality of wisdom, how far to the
divine or semi-divine hypostasis Wisdom? Were people in the ancient
world conscious of such a distinction? The English language employs
the convention of marking such hypostases or personifications with a
capital, but other languages do not, and there are cases in which
it is notoriously difficult for the English translator to decide whether
to capitalise or not. Now there is evidence for a whole tradition of
Wisdom speculation in the Jewish Wisdom Literature, from Proverbs
through Sirach and the Wisdom of Solomon to Aristobulus and
Philo:[2]) and there is also evidence in the New Testament for something like a Wisdom-Christology — Paul for example can speak of
"Christ the power of God and the wisdom of God".[3]) But how far
are these two strands of tradition to be connected, and what is their
relation to the later Gnostic speculations in which Sophia is the last
of the aeons, whose fall from grace sets the whole cosmic process in

---

[1]) Iren. I i. 4 (p. 23 Harvey); Hippol. *Phil.* VI. 32.1, 2, 4, 9 etc. (Valentinians);
Hippol. V. 12.5, cf. VIII 11.2, X. 7.6 (Peratae).

[2]) Cf. Wilckens in TWB vii., esp. pp. 508 ff.

[3]) 1 Cor. 1:24, cf. 1:30.

motion? There are here not only contacts and similarities, but also differences, to which due attention is not always paid.

The word itself occurs in some forty-nine passages in the New Testament, of which no fewer than thirteen occur in the first two chapters of 1 Corinthians. This has suggested to some scholars that Paul in these chapters is engaging in a polemic against a Wisdom-Christology other than his own, in fact a gnostic theory; but it is at least open to question whether a plain commonsense interpretation is not fully adequate. The wisdom of this world the wisdom of men, is ordinary human wisdom, manifested in eloquence and skill in debate, over against the wisdom of God, who possesses this quality to perfection. There is admittedly a Gnostic ring in Paul's σοφίαν δε λαλοῦμεν ἐν τοῖς τελείοις ,[1]) and it is possible that there was an incipient Gnosticism in Corinth, but sweeping generalisations and far-reaching conclusions which ignore differences of detail may be thoroughly misleading.

Two further terms may be discussed more briefly: (5). ἀνάπαυσις in Gnostic usage, with particular reference to the Gospel of Thomas, has recently been discussed by Philipp Vielhauer.[2]) That this is "a specifically Gnostic concept" is clear enough from the evidence supplied, but when does it become Gnostic? Four of the New Testament occurrences are definitely non-technical, while the fifth is Matt. 11:29, part of the "Johannine thunderbolt in the Synoptic sky." Eschatological and soteriological it may be here, but is it Gnostic? As for the theme of "rest" in Hebrews, the word used is not ἀνάπαυσις but κατάπαυσις. Does this difference have any significance? And, more important, can we claim "Gnostic" influence when the whole passage is based upon the LXX version of a text from the Psalms?[3]) This would involve carrying the origins of Gnosticism very far back indeed!

(6). The word αἰών normally relates to time, whether in refesence to a period or epoch, or to eternity. In Gnosticism it has come to be applied to the emanations from the primal deity in the Valentinian system. Now the great majority of New Testament occur-

---

[1]) 1 Cor. 2:6 On τελείος cf. P. J. du Plessis, ΤΕΛΕΙΟΣ: *The Idea of Perfection in the New Testament*, Kampen n.d.

[2]) *Apophoreta* (Festschr. E. Haenchen), Beiheft 30 zur ZNW, Berlin 1964, pp. 281 ff. In the same volume (pp. 269 ff.) W. C. van Unnik discusses the motif of the opening heavens, which appears in the Apocryphon Johannis but also elsewhere and in very varied contexts.

[3]) Ps. 94:11 LXX; cf. also Acts 7:49 and Is. 66:1.

tences can be adequately explained in terms of time, on occasion
in terms of the doctrine of the two ages, ὁ αἰὼν οὗτος (sometimes
almost equivalent to ὁ κόσμος in the sense of the world over against
God) and ὁ αἰὼν ὁ μέλλων, but there are two passages which refer to
τὸ μυστήριον τὸ ἀποκεκρυμμένον ἀπὸ τῶν αἰώνων, [1]) and here
some scholars interpret in terms of the Gnostic aeons. Such an
interpretation is indeed suggested by the reference immediately
following in Ephesians to the ἀρχαί and ἐξουσίαι ἐν τοῖς ἐπουρανίοις,
but is it legitimate to identify the αἰῶνες with these ἀρχαί without
more ado, especially in view of the predominantly different usage
of the word in the New Testament, and even in Ephesians itself?
It is one thing, with Lohmeyer,[2]) to say "Nun handelt es sich um ein
Geheimnis, das seit Äonen und Generationen verborgen ist", to
conclude that the reference is to a time before creation, and then to
ask from whom the secret could have been concealed, drawing the
conclusion that it could only have been spiritual and angelic powers.
To identify the αἰῶνες with such powers, and so to claim a "gnostic"
influence here, is quite another matter.[3])

It may be noted further that the Jewish doctrine of the Two Ages
is not identical with the Platonic theory of the visible and the intelligible worlds, although they could be and were readily assimilated.
Such points of convergence merit closer investigation as "growing
points" for the development of Gnosticism.

Sweeping rejection of "gnostic" influence of any kind in the New
Testament would be no less mistaken than the Pan-gnostizismus
which finds such influence everywhere. The point of the above
discussion is not to deny the possibility of such influence, but to
question whether it is so widespread as is sometimes alleged; and in
particular to give warning against the tendency to assume that words
and concepts employed by the later Gnostics in a technical sense are

---

[1]) Eph. 3:9, Col. 1:26. Cf. 1 Cor. 2:7 πρὸ τῶν αἰώνων.

[2]) *Der Brief an die Kolosser* pp. 81 f.

[3]) Cf. SASSE, TWB i. 208: "Die im hellenistischen Synkretismus so wichtige
Vorstellung von einem personhaften Αἰών oder persönlich gedachten αἰῶνες ist
dem NT fremd" (contra REITZENSTEIN, *Das iranische Erlösungsmysterium*, and
BAUER, *Wörterbuch* 4th ed., 1952, p. 50). SASSE (loc. cit.) finds in IGN. *Eph.* 19:2,
and in certain circumstances already in the canonical Eph. (2:2), "ein Eindringen
einer mythologischen Vorstellung des Synkretismus in die christliche Gedanken-
welt, die später in der Gnosis eine so bedeutende Rolle gespielt hat." It is precisely
such points of growth and development which require to be more precisely
identified. On the whole question see further CARSTEN COLPE, *Die religionsgeschichtliche Schule*, Göttingen 1961, pp. 209.

already to be considered technical Gnostic terms in the New Testament. As James Barr has emphasised in another connection,[1]) due consideration must be given to the context, for it is often the context alone, not the word or concept in itself, which carries the Gnostic significance.

One further point: investigation of the origins of Gnosticism involves comparison of several different religious traditions in several different languages.[2]) There is consequently an ever-present danger of bringing something to the text from an alien tradition, and therefore finding evidence which is not really there. The Coptic word $m\bar{n}tr\overline{mn}h\bar{e}t$, for example, means the quality possessed by a man of understanding, for which one possible English rendering might be "wisdom". This however suggest an original Greek σοφία, but in point of fact σοφία is not among the Greek equivalents for the Coptic word in Crum's Dictionary, nor is it ever rendered by this word in the Sahidic New Testament. On the contrary there are two cases in which σοφία appears as a loan word in the same phrase, which shows that the two

---

[1]) *The Semantics of Biblical Language*, Oxford 1961, e.g. p. 249: "many of the most important words of the New Testament were not technical absolutely, but only in certain syntactical combinations." Over against the idea of the "language-moulding power of Christianity," of the "new content" given to certain words in Christian use, Barr argues that the new content of the Gospel was expressed linguistically in *sentence form*, and that it is the sentence (or larger literary complex) which is the real linguistic bearer of the theological statement, not the word in itself. In other words, the "new content" is not given to the words as such but is linked to their use in a given *context*. *Mutatis mutandis*, there is much in this argument that is highly relevant for the study of Gnosticism and of "Gnostic terminology".

The word πνεῦμα, and indeed the whole complex of terms relating to "flesh" and "spirit", has been deliberately left out of consideration, since adequate treatment would require too much space. It may be legitimate enough to speak of Jewish "pneumatics" (D. GEORGI, *Die Gegner des Paulus im 2 Kor.*, Neukirchen 1964, pp. 114 ff.), and Reitzenstein was to a certain extent justified in calling Paul a "pneumatic"; moreover there may be a line of continuity between these "pneumatics" and the later Gnostics; but does Paul's use of these terms necessarily imply the existence in his time of the fully-developed Gnostic classification of mankind into spiritual, psychic and material? Or is this another point at which we can detect anticipations, the germ so to speak which later developed into full growth?

[2]) Cf. C. H. DODD, *The Bible and the Greeks*, London 1935, p. xi: "Translation is an impossible art, for the words of one language seldom or never convey precisely the same ideas as the corresponding words of another language. Besides philological differences in the words themselves, there are differences in the associations which the words have acquired in different contexts of thought and experience."

are distinct.[1]) Again, the systematic schematisation necessary for purposes of investigation may have its dangers. The theme of the Seduction of the Archons is found in Manicheism, and according to Geo Widengren [2]) it occurs also in Zervanite lore. It also appears in Gnosticism, so that here we might seem to have a chain of connection, from Mani back through Gnosticism to ancient Zervanite lore. But closer examination suggests reservations here. For one thing, the Gnostic theory, whatever its ultimate origins, has a biblical orientation of a kind, and hence has passed into Gnosticism through the medium of Judaism.[3]) Mani's doctrine may be derived more directly from Zervanism, but this does not necessarily mean that

---

[1]) Cf. R. McL. WILSON, *New Testament Studies* 9 (1963) pp. 297 f. See also Bo REICKE, *New Testament Studies* 1 (1954) pp. 137 ff., who warns against identifying *da'at* in the Dead Sea Scrolls with "the more abstract 'gnosis' of Gnosticism."

[2]) G. WIDENGREN, *Mani and Manicheism*, ET London 1965, pp. 56 ff. (the myth of the Seduction), 138 (also in Zervanite mythological lore). On the latter page Widengren observes that H. C. Puech is probably right in saying that Indian, Iranian and Christian elements in Manicheism are not influences integral to the system from the start but later and secondary features, "the result of a deliberate effort of adaptation on the part of its founder." Such detailed discrimination between different stages of development requires to be carried much further. In this connection the two final paragraphs of K. G. KUHN's article in *Zeitschr. f. Theologie u. Kirche* 49 (1952) pp. 315-6 are highly relevant to the present discussion.

[3]) Full discussion of this theme would require a study in itself. Here only a summary sketch can be given. The immediate starting-point, for present purposes, appears to be the late Jewish myth of the seduction of Eve, which may already lie behind John 8:44 (Rabbinic refs. in *New Testament Studies* 6 (1960) p. 301 f.). This form is used by the Ophites, the Gnostic Justin and the Apocryphon of John (refs. in WILSON, *The Gnostics Problem*, index s.v. Eve; DORESSE, *The Secret Books of the Egyptian Gnostics*, ET London 1960, index s.v. Eve), A second stage is represented by the *Hypostasis of the Archons* (pl. 137.11-31 and 139.33-140.3; see SCHENKE in LEIPOLDT-SCHENKE, *Koptisch-gnostische Schriften aus den Papyrus-Codices von Nag-Hamadi*, Hamburg-Bergstedt 1960, pp. 73 f. and 75, with the additional note on p. 83) and the anonymous treatise from Codex II (see BÖHLIG-LABIB, *Die koptisch-gnostische Schrift ohne Titel aus Codex II von Nag Hammadi*, Berlin 1962, p. 81; pl. 164. 12 ff. of the text). Here the archons seek to have their will with Eve, but are thwarted by the substitution of a counterfeit for the "real" Eve. The Manichean myth appears to be a further development. Similar speculations underlie the references to the "virgin whom no power defiled" in the Gospel of Philip ("saying" 17) and elsewhere (cf. WILSON, *The Gospel of Philip* pp. 80 ff., also pp. 105 f. on "saying" 42). Further references in PUECH, in HENNECKE-SCHNEEMELCHER, *NT Apocrypha i*, ET London 1963, p. 325 (p. 238 of German edition); JONAS, *The Gnostic Religion*, New York 1958, index s.v. Eve (Jonas refers "for the full material concerning the origin and gnostic use of this mythological motif" to CUMONT, *Recherches sur le Manichéisme*, Brussels 1912 pp. 54 ff. This work was not available to me for consultation).

Zervanism should be made responsible for the Gnostic theory.[1]) We have to consider not only what has been taken over, but the use which has been made of it. To trace nearly every element in Manicheism back to the Zervanite heresy is to deprive Mani of any originality, nor would he be the only one to suffer in such a way. The great tragedians of ancient Athens were no less original for the fact that their themes and subjects were already given, and known to their public, in Greek mythology. In their case it is the dramatic presentation of the story which is all their own. In the case of religious leaders, even of heretics, it is the total synthesis which they have created out of the material lying to their hand.

To sum up, while the gnostic movement in the broader sense is certainly wider than Christianity, and while we may reasonably speak of "gnostic" or "gnosticising" tendencies in the pre-Christian period, it is dangerous in the extreme to attempt too rigid a drawing of the lines, or to attempt to find anything like the developed Gnosticism of a later period at this early stage. In particular there are dangers in a loose and ill-considered use of the label "gnostic" in relation to concepts and terminology, for some "gnostic" concepts only become gnostic in the context of the Gnostic systems, and may be entirely neutral in other contexts. And finally, we perhaps need to reconsider the place of the New Testament in the whole development. The New Testament period was not a period of pure and unsullied doctrine, free from all taint of heresy, but a period in which there was a considerable degree of theological experiment, some of which ultimately came to be branded as heretical. It is probable that what eventually became the "orthodox" and the "heretical" traditions continued for some time side by side, mutually influencing one another, before the lines of division became distinct.[2]) And in the effort to understand the development of Gnosticism in the traditional

---

[1]) WIDENGREN notes, for example, that the theory that the good and evil powers were brothers was abhorred by Manicheism (op. cit. p. 45; on p. 84 it is said to be Zervanite). The Gospel of Philip ("saying" 10; cf. Wilson op. cit., p. 72 f.) expressly says "The light and the darkness, life and death, the right and the left, are brothers one to another").

[2]) Cf. D. GEORGI, *Die Gegner des Paulus*, p. 40: "*Die* Kirche gab es in neutestamentlichen Zeit so wenig wie *die* Gnosis oder *die* gnostische Häresie." Clear lines of distinction were drawn only later. It is a striking fact that some of the closest parallels to the Gnostic Gospel of Philip are to be found not in Gnostic texts but in Irenaeus, and not in his extracts from Gnostic documents but in his own Demonstration of the Christian faith.

sense, due place must be given to the influence of the New Testament itself, and to the significance of reflection upon it, and speculation relating to some of the problems which it presents.

DISCUSSION

JONAS: After having said (in connection with Bultmann) that by the standards of gradual growth which dominate certain conceptions of historical process we must postulate a pre-history in which this growth has taken place; that in other words we cannot imagine that a gnostic system jumps out of the head of Zeus, Prof. Jonas continued: Now of course we ask the question: why not? I would say that if we regard gnosticism as a systematic principle, that is something that of necessity explicates itself in systems, then we must wait for the evidence of a developed gnostic system in the first century P.C. or perhaps even A.C. until we can speak with certainty in this sense of pre-Christian gnosticism; and I myself would incline very much to accept as gnostic evidence only that making part of a system, and not that which furnishes elements from potential systems and by way of metaphors, ideas and so on. So far, I would be very much in agreement with Professor Wilson because this would lead one to begin to speak of gnosticism seriously, where all the testimony starts, and that happens to be in patristic testimonies of the IInd century. Nevertheless one point of divergence I must also stress. When we look at these systems, I don't think we can characterize them or their genesis as due to the impact of Christianity on the pagan world. If I look for instance at the Naassene document, its origin, its process of composition, of conception, it cannot be understood as the result of the impact of Christianity on the pagan world. I would say that here certain aspects of Christianity, in name of the figure of Jesus, have been appropriated into something which has had its own genesis. Where and when this genesis is to be placed is indeed the main question; to understand the genesis in terms of the impact of Christianity on the pagan world, where the pagan world itself did not furnish something gnostic on its own part seems to me impossible.

WILSON: What I mean is the effect produced when Christianity entered into a predominantly pagan, not Jewish environment, although there may have been people who had undergone Jewish influence.

ARAI: Ich bin gerne beriet, Professor Wilson, Ihrem Rat folgend, die Terminologie „Gnosis" und „Gnostizismus" umgekehrt zu gebrauchen. In diesem Zusammenhang darf ich hier vorschlagen, die gnostische Bewegung im 2. und 3. Jahrhundert von heute ab nicht „Gnosis", sondern „Gnostizismus" zu nennen, das gilt besonders für denjenigen, die auf Deutsch „Gnosis" oder „Gnostizismus" sagen wollen. Ich halte aber das „Neue" des Gnostizismus für gnostische Geisteshaltung, die aber nicht Ihrer Terminologie „Gnosis" oder „Prägnosis", entspricht. Diese ist also keine historische, sondern eine ideologische Größe, die in verschiedenen Religionen und Philosophien ohne Zusammenhang miteinander auftauchen kann, und ich halte diese für sehr wichtigen gnostischen Wesenszug.

WILSON: It is pretty much a question of definition. What it is important seems to be that we should settle upon clarity in the use of terms. I would not think that it is enough to distinguish gnosis and pre-gnosis: I prefer to distinguish Gnosticism, referring to the IInd century group of sects; and something wider, and vaguer, which requires exploration and clarification.

SCHUBERT: Hilft es uns weiter, wenn wir in der Terminologie „Gnostizismus" von „Gnosis" unterscheiden? Denn wir können ja religionsphänomenologisch unterscheiden zwischen einer gnostisierenden Möglichkeit, die immer wieder an verschiedenen Zeiten, verschiedenen Orten historische Gegebenheit wird. Aber uns geht es ja hier um ein Phänomen der Spätantike und hier, wenn wir in der Spätantike bleiben wollen, so sind wir immer gezwungen zu rekurrieren auf ein Phänomen das wir nicht in Händen haben und das wir „Prägnosis" nennen.

WILSON: I think we need to have the comprehensive idea of the meaning and the significance of the movement as a whole, but I think we must also try to distinguish the process of development, in chronological sequence. It seems to me that sometimes the phenomenological approach gathers everything in, and puts it all on one level, and then it is a very natural thing to transfer all this back, wherever any particular aspect appears.

BIANCHI: Je propose que le terme „gnosticisme" implique par son suffixe un certain type d'insistance sur un certain type de gnose, qui implique dans le „gnostique" [à partir d'un appel d'en haut] le réveil de la (con)science de son âme divine [et ceci partout dans le monde où cette idée se manifeste; — de plus, l'hypothèse historique que ces manifestations dispersées (Inde, Proche Orient, Méditerranée) soyent autant liées historiquement et chronologiquement (à partir du VIe s. av. J.-C.) que le sont, peut-être, les concepts particuliers d'âme, de connaissance etc. impliqués dans cette même idée.]

JUDENCHRISTENTUM UND GNOSIS [1])

VON

H. J. SCHOEPS

Das Thomas-Evangelium aus Nag Hamâdi in Ägypten gilt als ein Dokument früher Gnosis, wenn nicht praegnostischer Art. Einige seiner Jesuslogia — im Ganzen sind es bekanntlich 114 — scheinen geradezu auf Milieu und Denkkreis des alten Judenchristentums zurückzuverweisen. Besonders auffällig hierfür ist das Logion 12 mit seiner zugunsten des Herrenbruders Jakobus erfolgten Entstellung des Petrusbekenntnisses von Matth. 16, 16 f.

Die Jünger sagten zu Jesus: Wir wissen, daß du von uns gehen wirst. Wer ist es, der über uns groß sein soll? Jesus sagte zu ihnen: Wohin ihr gekommen seid, ihr werdet zu Jakobus, dem Gerechten (ὁ δίκαιος), gehen, dessenwegen der Himmel und die Erde entstanden sind.

Daß Jakobus den Primat über die ganze Kirche nach dem Willen Jesu haben solle, ist auch die Meinung des pseudoclementinischen Romans (Rec. 1, 43). Es gibt aber noch weitere, vielleicht nicht ganz so deutliche Parallelen und Übereinstimmungen in der asketischen Tendenz wie die keineswegs gnostische Abwertung des weiblichen Geschlechtsprinzips (Logion 114-Hom. 3, 27; 19, 23; 20, 2 u.ö.) [2]) und anderes. Gleichwohl ist es aber sicher, daß die Logia des Thomas-Evangeliums von einem Gnostiker gesammelt worden sind und zu einem Corpus gnostischer Schriften gehört haben. Nun ist auch von den Pseudoclementinen, die eine hohe Phantastik zeigen, schon weil ihr literarischer Kern eine antike Romanfabel darstellt, gnostische Überarbeitung behauptet worden. Diese ist mir aber nicht wahr-

---

[1]) Ich zitiere meine eigenen Bücher unter folgenden Siegeln:
Theol. JChr. = *Theologie und Geschichte des Judenchristentums*, Verlag I. C. W. Mohr, Tübingen, 1949;
AfZ = *Aus frühchristlicher Zeit / Religionsgeschichtliche Untersuchungen*, Verlag I. C. W. Mohr, Tübingen, 1950;
Studien = *Studien zur unbekannten Religions- und Geistesgeschichte*, Musterschmidt-Verlag, Göttingen, 1963.

[2]) Vgl. *Studien* 104 ff., wo ich nachweise, daß die geschlechtliche Aufteilung des Kosmos und die Abwertung des Weiblichen zervanitischen Ursprungs sein dürfte.

scheinlich. Zumindest für die judenchristliche Quelle des Clemens-romans, die Κηρύγματα Πέτρου (= K.Π.) genannt wird, und für den ihr verwandten Stoff judenchristlicher Acta Apostolorum (Rec. 1, 43-44; 54-71; Hom. 17, 13-20) trifft es in dieser Form nicht zu. Auch G. Quispel hat sich jüngst in diesem Sinne erneut geäußert: „The pseudoclementine writings may be somewhat phantastic, but certainly are not gnostic" [1]).

Nach meiner Auffassung spiegelt dieses Schriftum vielmehr gerade die aus der aktuellen Situation des separierten Judenchristen-tums entstandene antignostische Frontstellung der Ebioniten wider. Der terminologischen Deutlichkeit halber möchte ich aber betonen, daß ich die im 2. nachchristlichen Jahrhundert mächtige Gnosis für eine rein pagane Denkbewegung halte, die lediglich jüdische und christliche Anleihen aufgenommen hat, zumal ihr gewisse Tendenzen im jüdischen und christlichen Schrifttum der Zeit entgegenzukommen schienen. Unbeschadet mancher Oberflächenberührungen ist aber der „Sitz im Leben" beide Male ein vollständig anderer; lediglich in der Gestalt Marcions und in der von ihm ausgegangenen Bewegung liegt eine echte Überlappung von Christentum und Gnosis vor.

Das Hauptdokument, des ebionitischen Judenchristentums, die 10 Bücher Κηρύγματα Πέτρου (nach dem Rec. 3, 75 erhaltenen Katalog) lassen m.E. klar erkennen, daß dieses der zweiten Hälfte des zweiten Jahrhunderts angehörende Werk eine von einem gelehrten Ebioniten verfaßte Kampfschrift ist, der offenkundig literarische Dokumente zugrunde liegen, die zum Zwecke einer wirksamen Bekämpfung der gnostischen, speziell wohl marcionitischen Gefahr zusammengestellt wurden. Mindestens 8 der 10 Bücher sind schon nach Titulatur und Inhalt von antignostischer Tendenz.

Ohne die verwickelten literarischen Verhältnisse des clemen-tinischen Romans hier erneut diskutieren zu wollen, ist mir nur wichtig, daß Themen der jüdischen Tradition in diesem literarischen Werk dazu benutzt worden sind, um gnostische Widersacher z.T. mit ihren eigenem Argumenten zu bekämpfen. Und diese Themen konnten deshalb benutzt werden, weil sie Antworten auf die von den Gnostikern aufgeworfenen Fragen bedeuten, Antworten aus bibli-schem Geistesgut auf eine Thematik, die im zweiten nachchristlichen Jahrhundert hüben wie drüben reif geworden war. Wir wollen sie

---

[1]) *Gnosticism and the New Testament*, in *Vigiliae Christianae* XIX (1965), 65.

hier zusammenstellen und in gedrängter Form zu diskutieren versuchen:

1. Monotheismus oder Vielgötterglaube ist das Thema der Dialoge des 4. Buches K.II. In ihnen wird von Petrus als ebionitischem Sprecher der Magier Simon bekämpft, der hier aber nicht als „Simon qui est Paulus", sondern als Repräsentant der ganzen Gnosis — Marcion eingeschlossen — auftritt. Übrigens hat Marcion nach patristischem Zeugnis (Irenäus III, 4; Eusebius IV, 11, 2) über den Simonianer Cerdon mit dem historischen Magier einen direkten Zusammenhang. Simon behauptet immer wieder (z.B. Rec. 2, 36-46; Hom. 4, 13; 18, 1-2 u.ö.) die Existenz zweier Götter: des höchsten Gottes (ἀνώτατος θεός) und des Weltschöpfers (δημιουργός), der laut Rec. 2, 57 vom guten Gott mit der Weltschöpfung beauftragt, sich schließlich selbst für diesen ausgegeben habe. Hom. 18, 1-3 erklärt Simon, daß beide schon deshalb nicht identisch sein können, weil ein und derselbe Gott nicht zugleich gut und gerecht sein würde. Die Möglichkeit ὅτι τοῦ αὐτοῦ ἐστιν ἀγαθὸν εἶναι καὶ δίκαιον sollte man ihm erst einmal beweisen. Jesus habe laut Matth. 19, 7 den guten Vatergott in den Himmeln gemeint und nicht den „gerechten" jüdischen Weltschöpfer. Das ist nun penetrant marcionitisch (vgl. die Belege Theol. JChr. 308, Anm. 1). Petrus tritt ihm als Verfechter der μοναρχία τοῦ θεοῦ entgegen und antwortet mit der jüdischen Lehre, daß Güte und Gerechtigkeit zwei Middoth des höchsten Gottes seien. Rec. 3, 38 erklärt er, daß es ohne Gerechtigkeit Güte überhaupt nicht geben könne, Hom. 4, 13 daß Gott Richter und Sündenvergeber in einer Person sei, weil er τῇ φύσει ἀγαθὸς καὶ δίκαιος ist. Der klementinische Jesus hält dem gnostischen Simon das *Schema* als jüdisches Glaubensbekenntnis entgegen (Hom. 3, 57). Ebenso heißt es Hom. 3, 10 in Paraphrasierung von Deut. 4, 35: ὅτι εἷς ἐστιν θεός, οὗτος τὸν κόσμον κτίσας καὶ ἄλλος οὐκ ἔστιν πλὴν αὐτοῦ. Gott könne nicht ἑτέροις συνάρχειν (Hom. 2, 43); wer nicht daran glaube, daß nur εἷς θεός ist, habe keine „monarchische Seele".

2. Da die gnostische Polemik gegen die Einheit Gottes aus dem Alten Testament herausgeführt wird (Hom. 8, 16) — Simon sammelt alle Stellen, an denen seiner Meinung nach der Demiurg verrät, er sei nicht der einzige und höchste Gott; z.B. Gen. 1, 26, Deut. 4, 34, Ps. 81, 1 u.ö. —, hat die ebionitische Abwehr die Theorie der falschen Perikopen erfinden lassen (K.II. 1. Buch, 2. Hälfte). Durch sie sollen alle zweideutigen und mißverständlichen Bibelstellen ausgemerzt

werden, die von Gott Unwürdiges (z.B. Mangel an Vorauswissen)
oder Anthropomorphes auszusagen scheinen, damit Marcion nicht
über pusillitates, informitates, incongruentia und malignitates des
Schöpfergottes frohlocken könne". So wird in Hom. 2, 43-44 ein
Katalog von 24 derartig kompromittierenden Schriftstellen geboten.

Da die Ebioniten diese Lehre von den falschen Perikopen als
Bestandteil des Evangelimus Jesu vertreten haben, bemühten sie
sich auch darum, aus Jesusworten des N.T. die Ungereimtheiten
des A.T. aufzuklären. Ich habe Theol. JChr. 173 f. nachgewiesen,
daß es sich hierbei um eine spezifisch antimarcionitische Polemik
handelt. Ebenso hat es auch das 8. Buch K.II., das sich wider-
sprechende Worte Jesu behandelt, mit der Abwehr gnostischer
Evangelienkiitik bzw. allegorischer Umdeutungsmethoden (wie in
der Pistis Sophia) zu tun. Marcions und anderer Gnostiker Verfahren, mit Bibelzitaten ihre Lehre zu begründen, wird vom klemen-
tinischen Petrus folgendermaßen charakterisiert: „Die Schrift leitet
nicht irre, sondern offenbart die in jedem gleich einer Schlange
verborgene, gegen Gott im voraus gefaßte böse Gesinnung. Jeder
geht an die Schrift mit seiner dem Wachs gleichenden Gesinnung
heran und drückt, da er alles in ihr findet, je nach dem wie er sich
Gott denkt, seine Gesinnung an ihr ab wie Wachs. Da nun jeder,
was immer er über Gott denken mag, in der Schrift vorfindet, so
entlehnt der eine aus ihr die Bilder vieler Götter, wir aber das Bild
des Wahren Gottes indem wir aus unserer Gestalt den wahren Typus
erkennen" (Hom. 16, 10).

3. „*Unde malum et qua re*" ist, wie Tertullian (de praescr. 7; adv.
Marc. 1, 2) feststellt, eine brennende Frage aller gnostischen Richtungen gewesen, ja der eigentliche Grund ihrer „Ketzerei", weil sie
nämlich zu lange darüber nachgedacht hätten. Die in Hom. 19-20
(Buch 6; z.T. auch 2) ausführlich entwickelte und sehr eigentümliche
Vorstellung vom Ursprung des Bösen aus einer von Gott voraus-
gesehenen, aber doch selbsttätig zustandegekommenen Mischung
entgegengesetzter Elemente hat die Funktion, die gnostischen Lehren
von einem uranfänglichen bösen Weltprinzip durch eine mit biblischen Vorstellungen besser harmonisierende Erklärung zu über-
winden. Die klementinische Lehre, die ich AfZ. 40-45 genauer
entwickelt habe, ist ein ganz singulärer Versuch, das Theodizee-
problem zu lösen, wie Gott von der Urheberschaft des Bösen ent-
lastet werden kann, ohne daß seine Würde als Weltschöpfer Einbuße
erleidet. Die übliche jüdische wie christliche Auskunft ist ja, daß eine

urzeitliche abscessio diaboli stattgefunden habe oder aber, daß das
Böse vom Menschen verschuldet worden sei, wobei sich freilich dem
Verstand, wenn er weiter forscht, die Annahme einer von Natur aus
bösen Materie aufdrängt. Die klementinische Antwort, die die
Erklärung des aus Adams Fall fortwirkenden Bösen ablehnt, führt
tatsächlich über die immer gleichen Aporien des Theodizeeproblems
produktiv hinaus.

Gleichzeitig hat sie damit auch die wichtige Position der Wahl-
freiheit (z.T. Buch 10), da der Mensch in den Weltgegensätzen
zwischen Gut und Böse ἀντεξούσιος, d.h. zur freien Entscheidung
befähigt sei (Hom. 2, 15-18; 7, 3; 20, 2 u.ö.), gerade gegenüber
gnostischer εἱμαρμένη und Weltverfallenheit so wirkungsvoll
gewahrt, daß sie sogar dem Teufel am Ende des Weltprozesses
zugebilligt werden kann.

4. Ebenso ist die ebionitische Syzygienlehre (Buch 6) als eine
Antwort auf den gnostischen Dualismus, speziell wohl auf die Lehre
Marcions, aufzufassen. Auch eine schon mehrfach gemachte Beobachtung (Hilgenfeld, Lehmann, Harnack) daß der Marcionschüler
Apelles in seinen Syllogismen eine ähnliche Auffassung vertreten
habe (bei ihm ist Untergott der angelus igneus, der Erfinder der
falschen Perikopen; Hom. 2, 38 ist der πονηρός „in gerechter
Absicht" ihr Urheber), hat einen gewissen Erkenntniswert. Selbst
wenn die Priorität unentscheidbar ist, so haben doch die K.Π.
so gut wie Apelles zwischen Marcions radikaler Verwerfung des
A.T. und der kirchlichen Tradition einen mittleren Weg gebahnt.
Das Prinzip der Syzygie nach den K.Π. besagt, daß das Gute nicht
unvermittelt in die Geschichte eintritt wie Christus, der gute Gott bei
Marcion [1]), sondern der Irrtum selbst Herold der Wahrheit ist, diese
also wesentlich Reaktion gegen den Irrtum. A. Hilgenfeld [2]) urteilte
treffend: „Das Wahre des gnostischen Dualismus soll in den judenchristlichen Monismus aufgenommen werden". Der Widerspruch in
der physisch-sittlichen Welt wie der Gegensatz Recht-Unrecht im
menschlichen Leben, der die Gnosis auf zwei göttliche Urprinzipien
zurückschließen ließ, werden durch die Syzygientheorie auf Gott

---

[1]) Vgl. TERTULLIAN, adv. Marc. 1, 19: *Anno XV Tiberii Christus Jesus de caelo
manare dignatus est, spiritus salutaris. IV, 7: Anno XV principatus Tiberii proponit
Christum descendisse in civitatem Galilaeae Capharnaum utique de caelo creatoris, in quod
de suo ante descenderat.*

[2]) *Die clementinischen Recognitionen und Homilien nach ihrem Ursprung und Inhalt*,
Jena 1848, 196.

selbst zurückgeführt, der trotz seiner Einheit alles Geschaffene hat in Gegensätzen aufgehen lassen, aber den Dualismus geordnet und das Weltgesetz der Syzygie in geschichtlichen Persönlichkeiten zur Entfaltung gebracht hat [1]). Denn μονὰς οὖσα τῷ γένει δυάς ἐστιν (Hom. 16, 12).

5. Endlich hat auch die zentrale Lehre vom wahren Propheten (Buch 1) einen antimarcionitischen Aspekt, weil durch sie der Messias Jesus an die grossen Gestalten der atl. Frömmigkeit gebunden wird, die bereits Boten der Schechina waren, indem in ihnen bereits das gleiche θεῖον πνεῦμα wirksam gewesen ist. Und dies war um so notwendiger, als manche gnostische Richtungen wie etwa die Kainiten — weit radikaler noch als Marcion — das A.T. als religiös wertlos verworfen und gerade die Bösewichter der Bibel zu Organen der Lichtwelt erklärt hatten, während „die Gerechten" wie Henoch, die Patriarchen und besonders Moses in ihren Augen rettungslos Verlorene waren. Insbesondere ist die starke Parallelisierung von Moses und Christus apologetisch zu verstehen, daß den Gnostikern gegenüber wahres Judentum und Jesusoffenbarung in eins zusammengefaßt werden können. Die in Hom. 8,7 formulierte Behauptung, daß Moses und Jesus die Verkünder der gleichen Lehre seien, daß die Liebe zu Moses und Jesus die höchste Stufe der Religion sei und daß von Gott gesegnet werde, wer das Alte als das Neue begriffen habe, hat zweifellos auch einen antimarcionitischen Aspekt. Die inhaltliche Totalidentifizierung von Moses und Jesus, A.T. und N.T., ist die radikalste Gegenposition, die zu Marcion oder zu den Kainiten überhaupt denkbar war. Denn im Gegensatz zur Lehre vom Demiurgen habe Jesus keinen andern Gott gelehrt als den im A.T. geoffenbarten. Damit wird auch Jesus zum Träger der Lehre des 9. Buches K.II.: Lex, quae a deo posita est, justa est et perfecta et qua sola potest facere pacem (Rec. 3, 75).

Dies wären die wichtigsten Lehrpositionen antignostischer Art, die die Ebioniten des pseudo-klementinischen Romans vertreten haben. Es ist selbstverständlich, daß die Bekämpfer der Gnosis auf die gnostischen Fragestellungen eingegangen sind — wie hätten sie anders kämpfen sollen! — Es gehört schon eine starke Voreingenommenheit dazu, wenn man aus dem Nachweis der gnostischen Thematik auch die Frondeure zu Gnostikern

---

[1]) Dazu richtig HILGENFELD a.a.O. 282 f.: „Es ist unmöglich, zu einer richtigen Einsicht in das Wesen dieses Systems zu gelangen, solange man nicht die Lehre von den Syzygien in dieser prinzipiellen Bedeutung auffaßt".

werden läßt. Jonas z.B. hat dies im Ernst vertreten und deshalb auch in Origenes und Plotin Repräsentanten der Gnosis sehen können. Im clementinischen Roman räumt aber sogar die gnostische Sammelfigur Simon dem Gegner Petrus ein, daß er wohl wisse, alles von ihm Vorzutragende müsse seinen Gesprächspartner vor Entsetzen erstarren lassen und diesem als wilde Blasphemie erscheinen (Rec. 2, 37). So groß wird also von dem gnostischen Sprecher selber der Abstand zur judenchristlichen Welt empfunden. Und die vergleichsweise nüchtern rationalen Klementinen sprechen ihrerseits von dem „Geist der Raserei" (πνεῦμα λύσσης), der ihrer Taufforderung entgegenstünde (Hom. 11, 26). In ihrem Wesen ist Gnosis ja auch göttliche Trunkenheit ohne Wein (θεία καὶ νηφάλιος μέθη). In den Augen ihrer Gegner freilich ist sie ein höchst verwerflicher Taumeltrank. Das alles sind auch die Gründe, die schon den alten *August Neander* feststellen ließen: „Wir müssen die Richtung der Clementinen als eine selbst nicht dem Gnostizismus angehörende, sondern als eine den Gipfel des jüdischen Standpunkts darstellende dem Marcionitismus entgegensetzen. Den dem Marcionitismus am meisten entgegengesetzten Gipfelpunkt des Judaismus sehen wir darin, daß die Clementinen im Christentum gar nichts Neues anerkennen, sondern nur eine Wiederherstellung des reinen Mosaismus daraus machen". (Allgem. Gesch. d. christl. Religion u. Kirche 11, 76). Das hat August Neander so vor mehr als 125 Jahren gegen Ferdinand Christian Baur formuliert. Und Neander hat in dieser Frage schärfer gesehen und richtiger geurteilt als seine Widersacher. Es spricht aber für das hohe wissenschaftliche Ansehen, das F. Chr. Baur mit Recht besitzt, wenn auch seine Irrtümer, verursacht durch die widersprüchlichen und oft so wirren Notizen der patristischen Häresiologen, liebevoll gepflegt und durch die Generationen weitergereicht werden. Denn man hat sich von seinen engeren Schülern über die *Ritschl, Harnack, Bousset* bis zu Oscar *Cullmann* und Rudolf *Bultmann* immer aufs neue das Märchen vom „gnostischen Parteistandpunkt der Pseudoklementinen" vorerzählt und daran fest geglaubt.

Da mit dem Schlagwort „Entmythologisierung" heute häufig an unrechten Stellen Mißbrauch getrieben wird — gewiß auch zum Leidwesen seines Urhebers —, täte man am Ende gut daran, das Postulat einmal richtig anzuwenden. So laßt uns denn die „gnostischen Ebioniten" entmythologisieren! Es hat sie nämlich nie gegeben— wenigstens in Syrien und in Palästina nicht.

Die Elkesaiten sind aber trotz gewisser Berührungen eine ganz andere Erscheinung gewesen.

Aus einer unvoreingenommenen Betrachtungsweise ergibt sich nämlich, daß es die Nachkommen der Urgemeinde Jesu, die Enkel der Judaisten von Jerusalem gewesen sind, die für die gemeinsame Sache der bedrohten christlichen Wahrheit in die Bresche gesprungen sind, als in der Mitte des 2. christlichen Jahrhunderts die junge christliche Kirche einer Sturzflut gnostischer Ideen gegenüberstand, als Marcion und Valentin zur Bildung von Gegenkirchen schritten und niemand wissen konnte, welchen Ausgang dieser Entscheidungskampf auf Leben und Tod wohl nehmen würde. Offenbar sind es die Judenchristen gewesen, die die geistige Auseinandersetzung in vorderster Linie geführt und den Ansturm des Feindes abgewehrt haben. Die klugen Kirchenväter aber haben ihre gelehrten Werke contra Haereses — von Justins verlorenen Schriften abgesehen — erst viel später zu einem Zeitpunkt geschrieben, als das Ganze abgeflaut oder schon vorüber war. Es ist wichtig, sich klarzumachen, daß nach allen Anzeichen die Auseinandersetzung mit Simonianern, Marcioniten usw. mindestens auf syrischem Boden nicht von der Rechtgläubigkeit, sondern vom Ebionitismus geführt worden ist. In Theol. JChr. 306 habe ich das „ein neues Resultat für die christliche Kirchengeschichte" genannt. Die ganzen Kontroversen um die Gnosis oder Antignosis des pseudoclementinischen Romans fielen in sich zusammen, wenn man sich endlich zu einer sauberen Terminologie entschließen würde. Gnosis als Weltanschauung ist wie eingangs festgestellt, immer paganer Art, sie meint stets Selbsterlösung des Menschen durch rechte Erkenntnis.

„Ihr besonderer Charakter ist etwa der einer Theosophie und Anthroposophie zugleich" [1]). Gewiß hat sich die Gnosis auch jüdische und christliche Elemente amalgamieren können, ebenso wie umgekehrt Judentum, Christentum und Ebionitismus gnostische Elemente, weshalb man für das 2. und 3. Jahrhundert überhaupt von einem sich ausbreitenden Synkretismus sprechen kann. Aber Synkretismus ist schließlich nicht gleich Gnosis. Auch das heterodoxe Judentum der frühchristlichen Zeit hat genügend synkretistische Elemente in sich aufgenommen. Es ist aber sprachlich wie sachlich unerlaubt, deshalb von einem „gnostischen Judentum" sprechen zu

---

[1]) So A. BÖHLIG, *Synkretismus, Gnosis, Manichäismus,* im *Katalog* zur Ausstellung „Koptische Kunst", Essen 1963, 43.

wollen. Denn letzten Endes bleibt doch Gnosis immer *Weltanschauung* und kann sich nicht zur Heilslehre eines Offenbarungsgottes umwandeln, der Absolutheitsanspruch stellt und von seinen Gläubigen die Gottesfurcht der Kreatur verlangt. Das aber ist die Position der Ebioniten wie der Juden und der Christen..

DISKUSSION

JONAS: Wenn man von „pagan" spricht, muß man doch unterscheiden zwischen dem, was an heidnischer Religiosität und Mythologie bekannt ist aus der vorgnostischen Zeit, und diesem sehr merkwürdigen neuen Denktypus, der sich nun in der Gnosis äussert und der selber eine Transformation des Paganen darstellt: sodass man doch sagen muss, dass hier eine neue Art die Welt zu betrachten, in einer zeitgenössischen Gemeinschaft, bei allem Gegensatz, mit der christlichen Erlösungslehre steht, und generell mit den Tendenzen zur Transzendenz, zum Dualismus usw., die die grosse Woge der Zeit sind. „Pagan" könnte dann also nur verstanden werden in dem sehr spezifischen Sinne, der selber etwas neues anzeigt, und darf nicht einfach gleichgesetzt werden mit allem, was weder jüdisch noch christlich ist.

Mlle PÉTREMENT: Le Prof. Schoeps a tout à fait raison quand il dit que le judéo-christianisme, par l'intention tout au moins, est juste le contraire du gn., et que le prétendu gn. des écrits ps.-clém. est en réalité un anti-gnosticisme. Mais je ne suis plus d'accord avec lui quand il dit que le gn. était essentiellement païen. Il me semble qu'il y a eu dans le christianisme, dès le début, deux tendances opposées: celle des judéo-chrétiens et celle qui se rattache à Paul et à Jean. Je crois qu'elles ont toujours persisté l'une et l'autre. Il me semble que le christianisme actuellement tend à se rapprocher du judéo-christianisme, et c'est pourquoi l'on ne comprend plus le gn. comme issu du christianisme. Issu; je ne dis pas qu'il soit chrétien, cela dépend de la définition du mot chrétien; mais je dis qu'il peut être issu du christianisme.

Je crois qu'on s'interdit de comprendre le gn. quand on dit sans précautions et sans réserves que pour le gn. l'homme se sauve lui-même. On ne comprendrait pas le sentiment gnostique, la nostalgie d'un autre monde, le regret de la patrie, la prière, l'appel à un Révélateur et le prix attaché à la révélation. Sans doute la révélation révèle à l'homme sa nature la plus profonde, mais il a besoin qu'elle lui soit révélée. Devenir soi-même c'est d'abord devenir autre.

ADAM: In der gesamten alt-orientalischen Welt bemerken wir ja eine gewisse Abwertung des weiblichen, einfach die Unterbewertung der Frau, ohne daß hiermit ein gnostischer Zug verbunden ist. Im Christentum ist dieser Zug zweifellos überwunden worden; in der Auferstehung wird man weder freien noch sich freien lassen; weiter an dem Zug des Neuen Testamentes, daß hier nicht von ἀδελφαί geredet wird, sondern daß in den Briefanschriften nur von ἀδελφοί geredet wird. Ich bin der Meinung, daß in der Gnosis eine Abwertung des männlichen Prinzips vorliegt. Das ist nirgendwo, weder im Judentum noch im Christentum festzustellen.

SCHUBERT: Wir haben eine zumindest analoge Syzygienlehre auch im pharisäisch-rabbinischen Judentum und zwar in einer Weise, die ebenfalls als Polemik gegen den gnostischen Dualismus verstanden werden kann, zu nächsteinmal in

En doršin (Ḥagiga II), sehr undeutlich noch im Zusammenhang mit der Apostasie Achers, aber dann sehr deutlich in dem sonst so unklaren „Sepher Jezira",
wo expressis verbis gesagt wird: „Zu allem, was der Heilige, gepriesen sei ER,
geschaffen hat, hat er sein Gegenstück geschaffen"; und dann werden einige
Gegensatzpaare expressis verbis genannt. Ich glaube, das liegt ganz ähnlich, wie
Sie es für das Juden-Christentum gesagt haben.

BIANCHI: Gibt es doch auch einen eigenen, amphibologisch bedingten gnosti-
schen Antifeminismus.
Vgl. S. 9-13, S. 21, und, im letzten Aufsatz dieses Bandes, *sub* III, c und d.
Vgl. auch die Diskussion S. 495 anfangs, über das Motiv der verheirateten Engel].

SCHOEPS: Zunächst einmal habe ich Herrn Jonas voll zuzupflichten, da die
Bezeichnung „Pagan", oder „Paganismus" rein negativ ist; es ist also nur die
Abgrenzung, dass es nicht jüdisch und nicht christlich ist. Man müsste das nun
positiv fassen, das ist mir aber zu schwierig, darum bemüht sich unser ganzer
Kongress ja dauernd. Mir kommt es ja nur auf die negative Grenzlinie an, und
da sind wir ja wohl völlig einig.
Ich darf M.me Pétrement sagen, dass meine Sympathien für den Ebionitismus
begrenzt sind; ich halte sie für insofern gegeben, dass ich immer Sympathien für
unterlegene Gruppen habe und diese Gruppe ist nun wirklich von dem geschichtlichen Schauplatz hinweggefegt worden und man ist ihr nicht gerecht
geworden und hat ihre effektive Bedeutung in der gelehrten Forschung lange Zeit
unterschätzt. Aber in der Sache halte ich die ebionitische Position für eine Unmöglichkeit: sie *musste* untergehen. Denn diese Position zwischen Kirche und
Synagoge als die eines Jesusgläubigen Judentums, das aber die christologischen
Attribute wegfallen lässt, war nicht haltbar. Für das Versiegen ihrer Parusienaher-
wartung konnten sie nichts; die hatten die anderen auch nicht mehr. Aber die
Katholiken konnten sie sakramental transponieren, die Ebioniten nicht, weil sie
kaum Sakramente ausgebildet hatten.
Der Antifeminismus, nach dem Professor Bianchi gefragt hat, das ist eine
äusserst merkwürdige und beunruhigende Position, denn es ist ja wohl nicht so,
daß wir von einem gnostischen Antifeminismus sprechen können. Joh. Leipoldt,
Die Frau in der ant. Welt u. im Christentum, 1954, hat alle möglichen Stellen
aus gnostischen Schriften zusammengestellt, die für das genaue Gegenteil,
nämlich für die Hochwertung der Frau, des weiblichen Prinzips, in gnostischen
Kreisen sprechen. Wo kommt aber nun diese antifeministische Position her? Da
waren mir am eindrucksvollsten die Parallelen, die man im zervanitischen Schrifttum finden kann, die also aus Iran herüberkommen, obwohl ich hier keinerlei
Entscheidung wage. Ich sehe nur, dass hier eine, innerhalb des christlichen Schrifttums, ganz singuläre Abwertung des weiblichen Geschlechtsprinzips vorliegt,
die wir nun auch im Thomas-Evangelium interessanterweise, wenigstens an einer
Stelle, klar ausgesprochen finden. Aber hier ist wahrscheinlich für die Forschung
noch ein weites Feld zu beackern.

SAINT PAUL ET LE GNOSTICISME

L'épître aux Colossiens

PAR

STANISLAS LYONNET

Cette contribution à l'étude des „origines du gnosticisme" a un objet très limité: elle voudrait seulement essayer de répondre à la question suivante: l'épître aux Colossiens suppose-t-elle l'existence d'un gnosticisme ou du moins de tendances proprement gnostiques soit que l'auteur s'en inspire soit qu'il les combatte. Autrement dit, dans quelle mesure peut-on utiliser l'épître en question pour l'étude du gnosticisme?

Il fut un temps où la réponse affirmative allait de soi [1]). Aujourd'hui les exégètes se montrent de plus en plus réservés [2]); non seulement un grand nombre, catholiques et non catholiques, expliquent la doctrine enseignée dans l'épître indépendamment de toute influence de systèmes gnostiques ou même de tendances proprement gnostiques, mais ce qu'on appelle „l'hérésie colossienne" ne leur semble pas elle-même

---

[1]) Ainsi JOH. WEISS, *Das Urchristentum*, p. 368-373; M. DIBELIUS, *An die Kolosser*[3], notamment les „Excursus" aux titres significatifs: „Die Vorstellung von Christus als Weltseele und Weltschöpfer", p. 14-17; „Christus das Haupt aller Weltelement", p. 27-39, et „Die Gnosis von Kolossae", p. 38-40; E. KÄSEMANN, *Eine Urchristliche Taufliturgie*, dans la *Festschrift R. Bultmann*, 1949, p. 133-148; G. BORNKAMM, *Die Häresie des Kolosserbriefes*, dans *Th. Lit. Zeit.* 73, 1948, c. 11-20 ou *Das Ende des Gesetzes*, 1952, p. 139-156; W. MICHAELIS, *Einleitung in das N.T., p.* 1961, p. 213. — Mgr L. Cerfaux reconnaît au moins des „mises au point dues à l'influence gnostique" (*Dict. de la Bible. Suppl.* s.v. „Gnose" [1948], col. 694.).

[2]) Par exemple, C. MASSON, *L'épître de saint Paul aux Colossiens* (Commentaire du N.T., vol. X, 1950), notamment les trois „Excursus" sur „le Christ médiateur de la création" (p. 100-101), „les éléments du monde" (p. 122-124) et „le culte des anges" (p. 133-134). — Voir aussi son étude sur *L'hymne christologique de l'épître aux Colossiens*, dans la *Rev. de Théol. et de Phil.*, 36, 1948, p. 138-142. — Plus récemment l'ouvrage de HARALD HEGERMANN, *Die Vorstellung vom Schöpfungsmittler im hellenistischen Judentum und Urchristentum*, Berlin, 1961, exclut pratiquement toute influence proprement gnostique (v.g. à propos de la notion de „corps du Christ", contre E. KÄSEMANN, p. 138-157; ou à propos de l'hérésie colossienne, contre M. Dibelius et G. Bornkamm, p. 163). Sur l'ouvrage de H. Hegermann, on peut voir *Verbum Domini*, 41, 1963, p. 102-107. Sans compter les études de E. PERCY, *Die Probleme der Kolosser und Epheserbriefe*, 1946, spécialement p. 137-178; ou de J. DUPONT, *Gnosis. La connaissance religieuse dans les épîtres de saint Paul*, 1949, passim (voir *Biblica* 37, 1956, p. 1-38).

dépendre de tels systèmes ou de telles tendances, au moins directement. Il s'ensuit que l'épître ne saurait être utilisée comme une source de notre connaissance du gnosticisme, sinon peut-être en ce sens que la doctrine de l'épître a pu servir de point de départ aux spéculations postérieures des gnostiques.

Assurément le vocabulaire de l'épître aux Colossiens présente une affinité indubitable avec celui des gnostiques: plérôme, éons, éléments du monde, angélologie, sans compter ce que Mgr Cerfaux nomme les „termes de gnose" [1]). Mais de telles coïncidences par elles-mêmes ne prouvent pas grand chose, du moment que les gnostiques ont certainement utilisé saint Paul et nommément notre épître. Valentin lui emprunte le terme de plérôme et le nom de ses éons [2]). Toute la question est de savoir s'il lui conserve le même sens. Au delà du vocabulaire il faut donc remonter à la doctrine. Je me limiterai à trois exemples: l'importance donnée à la connaissance religieuse, le rôle cosmologique attribué au Christ, le dualisme impliqué par les affirmations concernant l'angélologie.

1. *L'importance donnée à la connaissance religieuse*

Tous les exégètes le reconnaissent, Col. (et tout autant Eph.) fait à la connaissance religieuse comme telle une place singulièrement plus grande que les épîtres antérieures. Face à des courants de pensée ou la connaissance religieuse était l'instrument même du salut (v.g. hermétisme, etc.), Paul en aurait subi l'influence ou du moins s'en serait inspiré dans son exposé du christianisme pour mieux les réfuter. Il exalte donc la „gnosis", tandis qu'auparavant, v.g. dans 1 Cor., tout son effort tendait à la déprécier: „la gnose enfle, c'est la charité qui édifie" (1 Cor 8, 1; cf. 13, 2, etc.).

---

[1]) *DBS*, art. cit. p. 694. Il s'agit des verbes γινώσκω et ἐπιγινώσκω et des substantifs correspondants: „Ces mots sont à peu près techniques pour désigner la connaissance religieuse. Ils apparaissent plus souvent dans les épîtres de la captivité, précisément lorsque l'Apôtre s'est vu en face d'un mouvement gnosticisant".

[2]) A propos du terme πλήρωμα que Mgr Cerfaux était enclin à attribuer à l'usage gnostique (*DBS*, col. 694), H. J. Holtzmann notait déjà que le terme ne revêt son sens technique qu'avec Valentin et que l'usage de Philon fournit tout ce qu'il faut pour expliquer soit l'usage gnostique soit celui de Col.-Eph. Dieu s'appelle πλήρης et πλήρων et il répand la plénitude de ses puissances suprasensibles d'abord dans le Logos, le πληρέστατος αὐτοῦ λόγος, et il reproche à Pfleiderer de dériver „encore" cette notion du syncrétisme gnostique (*Lehrbuch der neutestamentlichen Theologie*, 2e ed. 1911, II, p. 277 n.1) .

Sans doute, l'Apôtre savait „se faire tout à tous, Juif avec les Juifs, païen avec les païens, pour les gagner tous à Jésus-Christ" (1 Cor 9, 20-22). Sans doute également, les „termes de gnose" sont généralement employés en un sens défavorable en 1 Cor., toujours favorable en Col. [1]). Cependant, même dans 1 Cor., Paul affirme que le christianisme comporte une „sagesse" — le passage a même été largement utilisé pour montrer que Paul s'inspirait de systèmes gnostiques [2]) —; mais surtout il importe de préciser quel genre de connaissance religieuse est exaltée dans Col. Le contexte ne permet aucun doute. Radicalement différente de la connaissance religieuse telle qu'on la rencontre dans l'hermétisme [3]) et plus encore peut-être dans les systèmes gnostiques postérieurs, elle se rapproche au contraire de celle dont parle l'Ancien Testament pour qui toute la religion consiste également à „connaître Dieu", au sens biblique de l'expression qui pratiquement équivaut à „faire sa volonté" [4]). Telle était précisément la „connaissance de Yahvé" que devait procurer la „nouvelle alliance" annoncée par Jérémie (Jér 31, 31 ss.) où chacun recevrait le don d'une „loi intérieure" gravée dans le coeur et non plus sur des tables de pierre, identifié par Ezéchiel au don de l'Esprit (Ez 36, 27) et qui aurait pour effet que „tous connaîtront Yahvé, des plus petits aux plus grands", sans avoir besoin de „s'instruire mutuellement" (Jér 31, 34), et „marcheront selon ses lois, observant et suivant ses coutumes" (Ez 36, 27): une connaissance de Dieu, par conséquent, toute entière ordonnée à rendre l'homme docile à la volonté de Dieu.

Or telle est exactement la pensée de Paul, quand, dans l'action de grâces de Col., il déclare qu'il „prie sans cesse" pour ses correspondants et „demande à Dieu de les combler quant à la pleine connaissance de sa volonté en toute sagesse et intelligence spirituelle" (Col 1, 9); et pour que nul ne se fasse illusion, il tient à préciser le but qu'il se propose: „afin, continue-t-il, que vous marchiez (περιπατῆσαι, le

---

[1]) Ainsi Col 1, 9-10 et 28; 2, 1-3; 3, 10.

[2]) En particulier, l'allusion à l'ignorance des archontes qui ont crucifié le Seigneur de la gloire (1 Cor 2, 8). Voir, par ex., le commentaire de H. LIETZMANN, p. 12; ou M. DIBELIUS, *Etudes Théol. et Rel.*, 5, 1930, p. 296 ss.

[3]) V.g. CH 1, 1-3: „Que veux-tu entendre et contempler, et, l'ayant compris νοήσας, apprendre et connaître γνῶναι? — Je veux apprendre la réalité τὰ ὄντα et comprendre νοῆσαι sa nature et connaître Dieu γνῶναι τὸν θεόν".

[4]) Cf. Osée 4, 2: „Il n'y a ni sincérité ni amour ni connaissance de Dieu dans le pays, mais parjure et mensonge, assassinat et vol, adultère et violence, meurtre sur meurtre". Cette „connaissance de Dieu" est ce que Jérémie appelle „la connaissance des voies de Yahvé" (Jér 5, 4-5).

terme biblique qui désigne la ,,conduite morale") d'une manière digne du Seigneur pour lui plaire en tout, portant du fruit en toute bonne oeuvre et croissant par (ou ,,dans") la connaissance de Dieu" (v. 10) [1]).

Saint Paul parle le langage de l'AT et du Judaïsme: qui veut ,,plaire à Dieu" doit ,,faire sa volonté" et donc s'appliquer d'abord à connaître cette volonté; seulement, pour l'Apôtre, disciple du Christ, cette volonté ne se trouve pas fixée une fois pour toutes dans un code de lois écrites dont il s'agirait seulement de scruter les paroles, comme à Qumrân [2]); elle consiste essentiellement à ,,imiter Dieu" selon la doctrine du sermon sur la montagne: ,,Soyez miséricordieux comme votre Père céleste est miséricordieux" (Lc 6, 36), un Dieu, précisera le NT, devenu visible dans le Christ incarné [3]).

Nous sommes donc très loin de la connaissance de Dieu exaltée dans le gnosticisme: pour saint Paul comme pour la Bible, son objet est moins Dieu en lui-même que Dieu dans sa façon de se comporter avec les hommes et donc au premier chef dans son dessein de salut, ce que Paul appelle ,,le mystère" par excellence, ce que Eph 1, 9 nommera ,,le mystère de la volonté de Dieu", mystère d'amour s'il en fut, dont le Christ est la révélation, ,,en qui se trouvent cachés tous les trésors de la sagesse et de la connaissance" (Col 2, 3); exactement comme Paul avait pu dire des Juifs en se plaçant à leur point de vue qu'ils ,,possédaient dans la loi l'expression même de la connaissance et de la vérité" (Rom 2, 20).

S'il est certain que Col. accorde à la connaissance religieuse une place considérable, bien plus que les épîtres précédentes, il suffit sans doute de préciser de quel genre de connaissance il s'agit pour que disparaisse toute véritable ressemblance avec le gnosticisme.

2. *Le rôle cosmologique attribué au Christ*

C'est généralement à propos du rôle attribué par Col. au Christ non plus seulement dans la rédemption des hommes mais dans la création

---

[1]) Le sens n'est pas différent dans les autres passages qui mentionnent cette connaissance: 1, 28; 2, 2; 3, 10.

[2]) Cf. 1QS VI, 6-7: ,,Il ne manquera pas, là où sont réunis dix hommes, quelqu'un qui scrute la loi de jour et de nuit, continuellement, en se relayant l'un l'autre" (ou bien ,,pour connaître les devoirs de chacun").

[3]) Pour les auteurs du N.T. la véritable norme de l'agir moral du chrétien est l'agir même de Dieu, en particulier son amour, norme à laquelle le N.T. renvoie sans cesse: v.g. Rom 15, 2-3 et 7; Phil 2, 2-8; Eph 4, 32-5, 2; 5, 25-26; Jn. 13, 34, etc. Au reste déjà l'A.T. suggérait une norme semblable: cf., par ex., Deut 10, 16-19.

de l'univers que l'on invoque de préférence l'influence de la doctrine gnostique et notamment des „spéculations philosophico-religieuses qui postulaient entre le Dieu-Esprit et le monde matériel un ou des intermédiaires auxquels celui-ci devait l'existence: monde intelligible des platoniciens, logos de Philon, Homme primitif du mythe iranien et bientôt les éons des gnostiques" [1]). Au moins pouvait-on penser que Paul espérait ainsi combattre plus efficacement une doctrine qui était censée attribuer aux anges la création du monde.

En soi rien ne s'oppose à une telle explication. Les spéculations des Colossiens concernant le rôle des anges — à supposer qu'ils leur aient attribué un tel rôle — ont pu fournir à Paul l'occasion d'examiner plus profondément la place du Christ. Mais l'explication s'impose-t-elle?

On a justement remarqué que, sur ce point précis, les affirmations de l'épître ne présentent pas de trace d'une polémique explicite, comme d'ailleurs l'emploi du terme de „plérôme", si souvent mis en avant dans le même but [2]).

D'autre part, le même rôle cosmologique du Christ est très nettement affirmé, sinon décrit, déjà en 1 Cor 8, 6, et de façon encore plus explicite si l'on adopte l'interprétation très probable proposée par le P. Sagnard: „Cependant, pour vous, il n'y a qu'un seul Dieu le Père, de qui viennent toutes choses (ἐξ οὗ τὰ πάντα) et vers qui nous allons (καὶ ἡμεῖς εἰς αὐτόν); et un seul Seigneur Jésus-Christ par qui viennent toutes choses (δι' οὗ τὰ πάντα) et par qui nous allons (vers le Père) (καὶ ἡμεῖς δι' αὐτόν)"; sans parler de Rom 8, 19 où Paul semble bien déclarer que la rédemption opérée par le Christ s'étend à l'univers matériel lui-même. Si dans Col., il nomme explicitement les anges, ce n'est pas nécessairement parce que les Colossiens leur attribuaient un rôle dans la création; il suffit qu'ils en aient fait d'une

---

[1]) C. MASSON, op. cit., p. 100-101. Il ajoute: „On s'étonne que des hommes comme M. Dibelius et avant lui J. Weiss aient parlé sans sourciller, à propos de Col. 1, 16, de Christ comme âme du monde et créateur du monde, sans s'apercevoir qu'ils recouraient, pour essayer de rendre compte de cet aspect de la christologie paulinienne, à des conceptions qui lui étaient totalement étrangères". Pour E. KÄSEMANN, Col 1, 15 ss, seraient „une composition pré-chrétienne et gnostique" décrivant „le drame transhistorique et métaphysique du Sauveur gnostique" (Eine Urchristliche Taufliturgie, p. 137). Sur le sujet, voir H. Hegermann, op. cit., p. 138-157.

[2]) Cf. ci-dessus, p. 539 n. 2 Au contraire, en 1 Cor 15, 46, Paul semble s'opposer directement à une conception analogue à celle de Philon sur les „deux Adam", dont le premier est „céleste" (celui de Gen 1, assimilé à l'idée de l'homme dans la pensée divine) et le second, „terrestre" (celui de Gen 2). Selon Paul, „ce n'est pas le premier qui est spirituel, mais le second" (à savoir le Christ).

certaine façon des puissances rivales du Christ, et nous verrons que tel était le cas.

Pour décrire ce rôle cosmologique du Christ, les deux titres utilisés par l'hymne de Col 1, 15, la plupart des exégètes le font remarquer, celui d'image de Dieu et celui de premier-né de toute créature, ne sont ni l'un ni l'autre inconnus de la Bible. Le premier évoque la création du premier homme „à l'image de Dieu" et plus encore ce que la littérature sapientielle disait de la Sagesse de Dieu „reflet de la lumière éternelle et image de son excellence" (Sag 7, 26); le second rappelle ce que la même littérature disait également de la Sagesse, à savoir que „le Seigneur l'a engendrée comme début de ses voies, avant le temps", qu'il l'a „établie au début (ἐν ἀρχῇ), avant de faire la terre", etc. avec une allusion manifeste au premier mot de la Genèse: ἐν ἀρχῇ (Prov 8, 22 ss.).

Encore faut-il expliquer pourquoi saint Paul tient ainsi à assimiler le Christ à la Sagesse et à le faire précisément en ce passage.

Assurément c'était pour lui un moyen d'exalter le Christ au-dessus des „puissances". Il y a cependant une autre raison — ce pourrait être la principale — que le prof. W. D. Davies a heureusement soulignée, tout en regrettant qu'on ne lui accorde pas généralement l'importance qu'elle mérite: il y voyait même „une clé" pour comprendre ce qu'il appelle „la christologie de sagesse des épîtres pauliniennes" [1]. Pour saint Paul, ainsi d'ailleurs que pour tout le NT, notamment le IVe évangile, le Christ remplace la loi comme médiateur de justification et de salut. Rien donc d'étonnant que Paul et le NT en général aient donné au Christ les attributs et le rôle que le Judaïsme contemporain donnait à la loi précisément en tant que médiatrice de justification et de salut [2].

---

[1] W. D. Davies, *Paul and Rabbinic Judaism*, 1948, p. 149-150.

[2] Il suffirait de songer comment, dans le IVe évangile, le Christ est successivement assimilé à la parole de Dieu, à la manne, à la vigne ou au cep, ou encore au puits qui donne l'eau vive (cf. à Qumràn le document Sadocite, CD 3, 16; 6, 3-9) comme chez Paul au rocher du désert (1 Cor. 10, 4). De même, ce que le Judaïsme entendait de Moïse montant au Sinaï pour donner la loi est systématiquement appliqué par Paul au Christ montant au ciel pour donner l'Esprit (v.g. Rom 10, 6; Eph 4, 8; cf. le Targum des deux passages), selon l'affirmation de Jean 1, 17: „Le loi fut donnée par l'intermédiaire de Moïse; la grâce et la vérité nous sont venues par Jésus-Christ". Et comme, pour Jean, l'eau est manifestement le symbole de l'Esprit, la même conception se retrouve du début de l'évangile (le Christ „ôte le péché" en „baptisant dans l'Esprit": 1, 29 et 33), jusqu'à la fin (au Calvaire, il „livre l'Esprit", symbolisé par l'eau qui jaillit du côté ouvert par la lance selon la prophétie de Zacharie explicitement citée, 19, 30 et 37; cf. Zach 13, 1), en passant

Ceci nous ramène au contexte général de Col. L'épître entend combattre des doctrines dont l'origine juive est manifeste [1]): elle s'en prend à des gens pour qui la religion consiste à célébrer ,,fêtes annuelles, nouvelles lunes et sabbats'' (Col 2, 16), exactement comme chez les judaïsants de Galatie: ,,jours, mois, saisons, années'' (Gal 4, 10), à se préoccuper ,,d'observances concernant nourriture et boisson'' qui, on le sait, tenaient une place importante dans le Judaïsme (aliments purs et impurs, abstinence de chair étouffée et de sang, etc.) et plus encore dans les sectes juives (Esséniens, Thérapeutes, Qumrân, Jean-Baptiste et ses disciples, etc.). Il n'est pas jusqu'à ce ,,culte des anges'' (qui n'est pas nécessairement une idolâtrie, évidemment étrangère au Judaïsme), qui ne rappelle la place occupée par les anges dans le Judaïsme tardif, et notamment chez les Esséniens où, selon Flavius Josèphe, le novice s'engageait ,,par des serments très redoutables'' à ,,conserver le nom des anges'' [2]), et à Qumrân où ces noms étaient inscrits sur les boucliers protecteurs du camp (1QM 9, 13-16); et si à Colosses les convertis semblent rattacher ce ,,culte'' à des ,,visions'' (ἃ ἑώρακεν), on sait que le deuxième livre des Maccabés mentionne des cavaliers célestes participant à la bataille [3]), exactement comme les anges dans ,,le combat des fils de lumière contre les fils de ténèbres'' (1QM 12, 8-9), et que les ,,visions d'anges'' font partie des prérogatives du ,,peuple des saints de l'alliance'' qui n'est pas seulement un peuple de ,,gens instruits dans la loi, qui possèdent la science, entendent la loi du Vénérable'', mais aussi d'hommes qui ,,voient les anges saints, reçoivent des révélations et entendent les mystères profonds'' (1QM 10, 9-11). D'ailleurs la littérature juive contemporaine ne manque pas d'allusions à des visions et révélations par l'intérmédiaire des anges, indépendamment même de l'apocalyptique; ainsi, dans le livre des Jubilés, c'est ,,l'ange de Dieu'', distinct de Yahvé, qui ,,descend du ciel'' et par Hénoch ,,enseigne aux hommes la justice'' (évidemment la loi à pratiquer), et leur révèle ,,le calendrier'' pour qu'ils puissent ,,observer exactement les jours, les mois et les sabbats'' (Jub 4, 15), ce même calendrier dont parle le Manuel de discipline de Qumrân, chargé de régler l'observation des fêtes annuelles, mensuelles et hebdomadaires (1QS 10, 1 8).

---

par Jn 4, 10 et 7, 39. A leur tour les apôtres reçoivent l'Esprit pour le communiquer aux hommes et ainsi ,,remettre les péchés'' (Jn 20, 22). Sur le puits et la loi, voir A. JAUBERT, dans *Mélanges H. de Lubac*, I, p. 72-73.

[1]) Cf. *Biblica* 37, 1956, p. 27-37; 43, 1962, p. 428-432.

[2]) FLAVIUS JOSÈPHE, *Bell. Jud.*, II, 8, 7.

[3]) 2 Macc 2, 21; 3, 25 ss.; 5, 2-4; 10, 29 s.; 11, 8.

Le rapprochement avec Col 2, 16 s'impose, mais aussi avec Gal 4, 10. Or avec ce dernier texte, nous sommes en pleine polémique antijudaïsante. Pour le Judaïsme contemporain de Paul, du moins tel que Paul le suppose, à tort ou à raison (et je pense que c'est avec raison), Dieu justifie ou justifiera Israël par l'intermédiaire d'une loi qu'il lui a précisément donnée à cette fin. Pour Paul, au contraire, le Christ est le seul et unique médiateur: c'est par lui seul, plus précisément en accueillant par la foi son Esprit et non en pratiquant une loi, que l'homme est justifié (Gal 2, 16): à la médiation de la loi, dont les anges étaient considérés comme les gardiens, Paul oppose donc l'unique médiation du Christ. D'un côté, Moïse montant au Sinaï pour donner la loi à Israël; de l'autre, le Christ montant au ciel pour donner l'Esprit au peuple de Dieu auquel désormais appartient de droit l'humanité tout entière [1]).

Or pour ce même Judaïsme la loi n'était pas seulement l'unique instrument de la justification des hommes; elle avait également joué un rôle dans la création du monde: ,,Bienheureux sont les Israélites'', déclarait Rabbi Aqiba, ,,parce qu'il leur a été donné l'instrument par lequel a été créé le monde'' (Pirke Abôt, 3, 14). Il suffit en effet de se rappeler ce qui a été dit ci-dessus du rôle que la littérature sapientielle assignait à la Sagesse dans la création du monde et, d'autre part, de se rappeler également que le Judaïsme interprétait de la loi tout ce qui était dit de la Sagesse, selon une doctrine dont les parties récentes de l'AT lui-même portent plus d'une trace: ainsi l'invitation à rechercher la Sagesse insérée au livre de Baruch, que les Juifs lisaient justement à la fête de Kippur, — un passage dont on trouve certains échos dans la polémique de 1 Cor 1, 17 ss. contre la ,,sagesse de ce monde'', ainsi que l'a relevé E. Peterson [2]) — et qui s'achève sur ces mots: ,,Elle est le livre des préceptes de Dieu, la loi qui subsiste éternellement. . . . Reviens, Jacob, saisis-la, marche vers la splendeur, à sa lumière; ne cède pas à un autre ta gloire, à un peuple étranger tes privilèges'' (Bar 3, 29-4, 4). Ou bien la déclaration non moins explicite du Siracide: ,,Avant les siècles, dès le commencement, il m'a créée; éternellement je subsisterai. . . En Sion je me suis établie, dans la cité bien-aimée j'ai trouvé mon repos. . . Venez à moi vous tous qui me désirez. . . Ceux qui me mangent auront encore faim et ceux qui me

---

[1]) Cf. ci-dessus p. 543 n. 2.
[2]) E. PETERSON, 1 *Kor.* 1,18*s und die Thematik des jüdischen Busstages*, dans *Biblica* 32, 1951, p. 97-103.

boivent auront encore soif; celui qui m'obéit n'aura pas à en rougir
et ceux qui font mes oeuvres ne pécheront point. Tout cela n'est autre
que le livre de l'alliance du Dieu Très-Haut, la loi promulguée par
Moïse, laissée en héritage aux assemblées de Jacob" (Sir 24, 9-23). En
particulier il est certain que les Rabbins appliquaient à la loi ce que les
Proverbes disaient du rôle de la Sagesse à la création: ,,Yahvé m'a
engendrée comme début de ses voies. . . Quand il affermit les cieux,
j'étais là, quand il assigna son terme à la mer. . . Quand il affermit les
fondements de la terre, j'étais à ses côtés, comme le maître d'oeuvre"
(Prov 8, 22-30).

Le contexte immédiat où est inséré l'hymne christologique de
Col 1, 15 ss ne peut que confirmer une telle explication. Les vv. 9-14
présentent une problématique typiquement juive, comme le soulignait
déjà E. Lohmeyer: phraséologie et notions, tout dérive de l'AT.
Notamment les vv. 13 et 14 avec l'évocation du ,,royaume", de la
,,rédemption", du ,,pardon des péchés". Bien plus, cette dernière
notion était, pour les Juifs, indissolublement liée avec la fête du 10
Tishri, le ,,jour des pardons" selon la suggestive traduction de Dhor-
me; mais on sait également que la fête du 10 Thishri était, à l'époque
de Paul et depuis assez longtemps déjà, non moins indissolublement
liée à la ,,fête du nouvel an", qui se célébrait le 1er Tishri et constituait
comme un prélude à la fête du 10; et il est enfin non moins certain
que la fête du nouvel an évoquait à la pensée des Juifs l'action de
Dieu dans le cosmos, comme en témoigne la liturgie de ce jour,
aussi bien que la description que nous en a laissée Philon. Est-ce
même une simple coïncidence due au hasard si le participe εἰρηνο-
ποίησας désignant Dieu comme ,,artisan de paix" ne se trouve chez
Paul que dans ce seul passage (avec le passage parallèle de Eph 2, 14
qui en dépend) et chez Philon, sous la forme de l'adjectif εἰρηνοποιός,
dans le seul passage de ses oeuvres où il décrit la fête du nouvel an [1].
D'ailleurs, on sait que l'AT, bien loin d'opposer l'action de Dieu dans
la création de l'univers et son activité de ,,rédempteur" en faveur de
son peuple, utilise la seconde pour éclairer la première: la création fait
partie de l'histoire du salut; elle l'inaugure; et, par exemple, l'auteur
du Psaume 136, pour célébrer ,,l'amour éternel de Dieu" au cours de
l'histoire, commence par décrire longuement les merveilles de la

---

[1] PHILON, *De spec. leg.* II, 192 (ou *De septennario* 22), éd. Cohn-Wendland, V,
p. 132. Voir *L'hymne christologique de l'épître aux Colossiens et la fête juive du nouvel
an*, dans *Rech. Sc. Rel.* 48, 1960, p. 93-100.

création (vv. 1-9) et poursuit, sans aucune solution de continuité, en évoquant la sortie d'Égypte et les prodiges de l'Exode (v. 10 ss.).

Si donc Paul se proposait de souligner l'unique médiation du Christ dans la justification et le salut — et tel est certainement le but de l'épître aux Colossiens — il n'avait pas besoin de connaître le mythe iranien ou les spéculations des systèmes gnostiques, si tant est qu'ils existaient déjà, pour attribuer au Christ un rôle dans la création de l'univers; et, ce faisant, il était tout naturel qu'il recourût aux expressions dont l'AT se servait précisément pour décrire le rôle cosmologique de la Sagesse divine, ainsi d'ailleurs que certaines notions couramment utilisées par la philosophie populaire d'alors: σῶμα ou πλήρωμα, comme l'a justement noté le P. Dupont après Ernst Percy [1]).

3. *L'angélologie et le dualisme*

En faveur de l'existence d'une doctrine proprement gnostique à l'époque de l'épître aux Colossiens, on invoque plus encore ce qui y est dit des anges: la polémique de l'épître contre le „culte des anges" qu'elle oppose à celui du vrai Dieu serait déjà en fait une polémique contre le gnosticisme ou „un genre de gnosticisme" [2]).

Cependant, à supposer que les Colossiens aient rendu aux anges un véritable „culte" ou du moins qu'ils leur aient attribué un rôle dans la création de l'univers, comme le faisait déjà parfois le Judaïsme [3]), ils n'avaient certainement pas l'intention de déprécier par ce moyen l'univers matériel jugé indigne d'être créé directement par Dieu. La vénération que les Colossiens manifestaient pour les anges irait plutôt à l'encontre des tendances gnostiques les plus profondes. Aussi R. M. Grant, à propos des hérétiques de Colosses, se montre-t-il très catégorique. Il déclare sans hésiter: „En tout cas, dans la mesure où nous pouvons les reconstituer, leurs idées ne sauraient être utilisées pour démontrer la présence d'une pensée gnostique dans l'Église à l'époque où l'épître aux Colossiens a été écrite" [4]).

Mais il ajoute: „C'est plutôt Paul qui évolue en direction du gnosti-

---

[1]) J. DUPONT, *Gnosis*, en particulier p. 429, 471, 493. Cf. *Biblica* 37, 1956, p. 15 et 28. C'était déjà l'avis de H. J. Holtzmann pour πλήρωμα (ci-dessus p. 539 n. 2).

[2]) C'est ce que note Mlle PÉTREMENT dans sa relation à ce colloque. Elle ajoute même: „C'est là un des principaux arguments qu'on emploie pour soutenir que le gnosticisme existait déjà au temps de saint Paul" (ci-dessus, p. 472).

[3]) On sait que le Targum, par exemple, les associe à l'oeuvre créatrice de Dieu: c'est aux anges que Dieu s'adresse en disant: „Faisons l'homme à notre image, à notre ressemblance" (Gen 1, 26).

[4]) R. M. GRANT, *La gnose et les origines chrétiennes*, trad. fr. p. 139.

cisme". Et il avait dit peu auparavant: „Il semble que les Colossiens aient été moins dualistes que Paul lui-même". En effet, la doctrine que Paul oppose aux hérétiques se rapproche, elle, de ce que l'on s'accorde à reconnaître comme le plus typiquement gnostique dans le gnosticisme. Car, pour Paul, ces anges qui président au gouvernement du monde et que vénéraient les Colossiens, sont devenus, au moins dans la pensée des Colossiens, des rivaux du Christ et, dans cette mesure même, des adversaires de Dieu et du Christ, qui les „ont dépouillés de leur pouvoir et donnés en spectacle à la face du monde", et Paul les compare à ces captifs de marque dont la présence rehaussait le triomphe du général victorieux montant au Capitole (Col 2, 15). Selon l'expression de R. M. Grant, ce sont des anges „démonisés". Afin de réfuter plus efficacement les erreurs des Colossiens, Paul aurait donc, ici du moins, adopté une doctrine dualiste empruntée au gnosticisme.

Il faut d'abord remarquer que cette représentation du Christ triomphant des „puissances" n'est aucunement propre à l'épître aux Colossiens. Paul l'avait utilisée, pour ne citer qu'un exemple, dans le passage de 1 Cor 15 où il résume toute l'histoire du salut, depuis Adam jusqu'à la parousie, et en souligne les deux moments essentiels: la résurrection du Christ comme „prémices" et son retour, „consommation" de l'histoire, quand le Christ, „après avoir réduit à l'impuissance toute principauté, domination et puissance", y compris „la mort", „se soumettra à son tour à Celui qui lui a tout soumis, afin que Dieu soit tout en tous" (1 Cor 15, 22-28). Le contexte littéraire est révélateur. Nous sommes en pleine apocalypse juive.

Or l'apocalyptique héritait une telle représentation de l'AT, où le salut d'Israël est obtenu par la victoire de Yahvé sur les ennemis de son peuple; et, par exemple, dans Ezéchiel, c'est précisément le combat eschatologique contre Gog, roi de Magog (Ez 38-39), — devenu dans les traditions plus récentes Gog et Magog (cf. Apoc 12, 7) — qui prélude à la constitution de la communauté messianique figurée par le temple symbolique (Ez 40 ss).

Le NT conserve la même représentation et la rédemption est conçue comme une victoire de Dieu par son Christ sur des ennemis, à la seule différence que ces ennemis ne sont plus „les nations" qui désormais font partie, elles aussi, du „peuple de Dieu", mais la puissance „satanique", „l'adversaire" sinon de Dieu lui-même, du moins de son dessein salvifique en faveur de l'homme [1]), déjà figurée par le

---

[1]) Sag 2, 24 parle explicitement de „l'envie du diable"; de même FLAVIUS JOSÈPHE, *Antiquités judaïques*, I, 1, 4 (§ 42): „Le serpent qui vivait familièrement

serpent de la Genèse dont la défaite finale se trouvait annoncée dès les premières pages de la Bible (Gen 3, 15). Dans toute une partie de la littérature juive, ces ennemis ayant pris la place des nations, s'était ainsi constituée une eschatologie qu'on a nommée ,,transcendante et céleste'' pour la distinguer de l'eschatologie ,,nationale'' [1]).

Il est vrai, dans l'épître aux Colossiens, cette représentation offre un aspect particulier. Les anges énumérés en Col 1, 16: ,,trônes, seigneuries, principautés, puissances'' dont il est dit qu'ils furent créés par le Christ et pour le Christ, semblent, au moins partiellement identiques aux ,,principautés'' et aux ,,puissances'' dont il est dit en Col 2, 15 qu'elles furent dépouillées par le Christ. La raison paraît obvie, et le gnosticisme n'a rien à y voir. Les anges sont ,,dépouillés'' en ce sens que, vénérés par les Colossiens comme les protecteurs de la loi, chargés de veiller à son observation, ils avaient en fait pris la place du Christ, du moment que les Colossiens, selon toute vraisemblance, faisaient de la loi, exactement comme les Galates, un véritable instrument de justification: d'où les ressemblances si manifestes entre les deux épîtres dans la manière de désigner les observances incriminées et de les assimiler très intentionnellement à des rites païens [2]).

Mais il est clair que, pour Paul comme pour l'AT, les anges ne sont pas les créateurs d'un monde *mauvais*: le dualisme, si dualisme il y a, ne peut être que moral, nullement ontologique. Le mal ne provient pas du créateur quel qu'il soit, mais du péché, celui de l'homme (et pour le Judaïsme, également celui des anges, dont Paul ne parle pas). Sans doute, pour Paul, le péché de l'homme semble avoir eu des répercussions dans l'univers matériel lui-même; mais Paul dit seulement que celui-ci a été soumis, en suite du péché, à la ,,vanité'' ($\mu\alpha\tau\alpha\iota\acute{o}\tau\eta\varsigma$), non pas à la ,,corruption'' ($\varphi\theta\rho\acute{\alpha}$), bien que nombre

---

avec Adam et la femme, jalousait le bonheur dont il estimait qu'ils jouiraient en obéissant aux préceptes''.

[1]) Cf. B. Rigaux, *L'antéchrist et l'opposition au Royaume messianique dans l'Ancien et le Nouveau Testament*, ch. VII: ,,Les nations, l'antéchrist et Béliar dans les apocalypses apocryphes'', notamment p. 193 ss.

[2]) C'est ce que suppose l'emploi de l'expression ,,éléments du monde'' en Gal 4, 9 s.: aux Galates séduits par la loi mosaïque Paul reproche de vouloir ,,s'asservir à nouveau, comme jadis au temps où ils étaient païens, à ces éléments sans force ni valeur: observer des jours, des mois, des années''. En Col 2, 8 et 20 l'expression sert également à désigner à la fois les pratiques juives et les rites païens. De même, le terme choisi par Paul en Gal 5, 15 pour désigner la circoncision évoque la castration pratiquée par les prêtres du culte de Cybèle. Une intention semblable pourrait expliquer l'énigmatique $\grave{\epsilon}\mu\beta\alpha\tau\epsilon\acute{\upsilon}\omega\nu$ de Col 2, 18 (cf. *Biblica* 43, 1962, p. 417-435).

de Pères de l'Église et d'exégètes aient confondu les deux termes [1]).
En réalité, Paul suppose seulement que l'état actuel de l'univers
même matériel n'est pas l'état définitif, qu'il n'est pas destiné à être
anéanti mais transformé, autrement dit que Dieu n'a rien créé pour la
mort mais pour la vie: une affirmation simplement chrétienne et qui
n'a certes rien de gnostique.

Assurément on peut abuser des affirmations de Paul, comme on le
fera plus tard, pour exprimer une pensée proprement gnostique, mais
ce sera en donnant aux termes de Paul et à ses représentations un sens
radicalement différent.

DISCUSSION

MARROU: Moi-aussi je suis persuadé qu'il n'y a chez Paul ni gnosticisme, ni
même racine dialectique de gnosticisme, — sinon en ce sens que le texte de
l'Epître aux Colossiens pouvait se prêter au contresens! Certes le gnosticisme est
bien lui aussi une forme d'opposition au judaïsme, mais il ne serait pas exact de
voir nécessairement du pré-gnosticisme dans toute forme d'une telle opposition:
il y a plusieurs manières de s'opposer au judaïsme. On pourrait dire, de façon plus
précise, que St. Paul est, dans un sens, antinomique: c'est à la Loi qu'il s'oppose
et non, comme l'a bien vu le P. Lyonnet, à l'Ancien Testament en général. On est
frappé de voir, dans la littérature chrétienne du second siècle, le titre de „Loi",
Νόμος, attribué au Christ. Cette expression apparaissait déjà dans la plus ancienne
apologie chrétienne dont on ait conservé le souvenir, le *Kērugma Petrou*, rédigée
peu après l'an 100; nous savons par Clément d'Alexandrie que dans le *Kērugma
Petrou* le Christ était appelé Λόγος καὶ Νόμος. Il y a là quelque chose d'extrêmement important: nous voyons comment l'antinomisme issu de Paul avait pu
aboutir à faire de l'enseignement de Jésus une „Loi" nouvelle. S'il y a dualisme
chez Paul, c'est un dualisme moral et non pas ontologique. De même, il faut distinguer entre le kosmos en tant qu'il se réfère aux hommes et le monde cosmique;
et il me semble que αἰών dans le N.T. et chez Paul en particulier a un sens historique,
avant d'avoir un sens cosmique: une période de l'histoire du monde, celle-ci
étant marquée, bien entendu, par le péché des hommes.

GRANT: D'accord avec votre exposé, et sur le fait que la situation de Col. est
la même que celle de Gal. Mais pourquoi Col. ne cite jamais l'A.T.?

DANIÉLOU: Je crois qu'il n'y a pas de gnosticisme chez St. Paul mais je crois
qu'il y a de la gnose. II Cor dit que la seule connaissance qui importe est la connaissance de Jésus Christ crucifié, mais il ajoute, à la fin de l'épître, qu'il a été

---

[1]) La „vanité" est en effet une qualité d'ordre moral et non physique, celle
d'une chose privée de sa valeur authentique et de son sens (cf. Rom 1, 21;
Eph 4, 17; 1 P 1, 18); la „corruption" au contraire désigne une qualité d'ordre
physique, par exemple celle des aliments destinés à être consommés (Col 2, 22)
ou celle des corps destinés à la mort par opposition à l'état du „corps spirituel"
(1 Cor 15, 42 et 50). Le péché de l'homme n'a pas changé la nature de l'univers
matériel; mais celui-ci a cessé d'exercer son rôle providentiel: au lieu de conduire
l'homme à sa fin, il l'en détourne; la créature devient une de ces „idoles" appelées
précisément „vanité" par la Bible.

élevé au troisième ciel et qu'il a entendu des choses qu'il n'a pas le droit de répéter. Je pense que ceci nous montre d'une manière tout à fait certaine que si St. Paul pense que la foi au Christ est la seule chose qui importe du point de vue du Salut, il y a cependant chez lui une connaissance des secrets célestes qu'il partage avec l'apocalyptique juive de son temps et qui est, à proprement parler, ce qui pour moi constitue la gnose, non pas le gnosticisme, qui est une doctrine particulière; comme l'a très bien dit tout à l'heure M. Schoeps, la gnose en tant que connaissance des secrets célestes est commune à cette époque aux juifs, aux chrétiens et aux gnosticistes.

BIANCHI: I Tim. atteste-t-elle l'existence d'un gnosticisme contraire au vin et au mariage?

LYONNET: Paul vénère profondément l'A.T.; ce qu'il critique c'est l'usage que certains courants du judaïsme tendaient à en faire, conservant ce qui est de la *Tora* (limitée à l'aspect légaliste) et ne s'intéressant guère à l'aspect prophétique, qui se trouve déjà dans le Deut. (où apparaît une conception très peu légaliste de la loi), et que le N.T. (et en partic. St. Paul) reprend. Cette assimilation du Logos au Nomos prouve que les premiers chrétiens ont eu une vue profonde de ce qui faisait la différence entre le christianisme de St. Paul et le judaïsme. Non que ceci ait été compris aussitôt et par tous; la raison principale de tant d'oppositions est qu'il détrônait la loi du rôle qu'on lui attribuait, pour le donner au Christ. Autre chose est dire que ce monde a besoin d'être sauvé (comme le suppose St. Paul) et autre chose qu'il est mauvais en soi. Paul dit une fois que le monde matériel sera délivré de la corruption et qu'il a été soumis à la vanité. Mais il faut distinguer ματαιότης et φθορά: la 'vanité' est une qualité d'ordre moral. L'univers est destiné — dit-il expressément — à participer de façon mystérieuse à la condition de „gloire' et de „liberté' des, enfants de Dieu'.

L'αἰών vient du judaïsme, qui oppose celui d'avant et celui d'après le messie.

Il est possible qu'à Colosses on ait souligné davantage le rôle de la Loi assimilée à la sagesse, comme instrument de la création. Les citations implicites de l'A.T. ne manquent pas (même absence de citations formelles, mais même polémique dans Rom.). Paul oppose en Col 1, 13 un royaume de ténèbres à un royaume de lumière (cf. Rom 13, 11) — le dualisme est moral, nullement ontologique, en recourant à des expressions courantes (et qui se trouvent dans l'A.T.). De même pour la connaissance des secrets célestes, selon le langage de l'apocalyptique. Il n'y attache pas un importance exceptionnelle. Pour la polémique de I Tim. contre la condamnation du vin et du mariage, on peut se demander si celle-ci est nécessairement gnostique, le judaïsme contemporain, p. ex. Qumrân, offrant des mentions analogues.

GNOSTIC AND CANONICAL GOSPEL TRADITIONS
(with special reference to the Gospel of Thomas)

BY

TORGNY SÄVE-SÖDERBERGH

The importance of the Chenoboskion library for the study of Gnosticism in general, and especially for Gnostic gospel traditions, is evident, if we survey what other sources of a comparatively early date are still extant. Most of the other evidence consists largely of quotations or general remarks in the patristic literature, where the polemic purpose may easily tinge the descriptions and even the quotations. Other texts can only be dated on more or less uncertain grounds or are clearly of a late date, such as e.g. the Manichaean texts and large parts of the Mandaean literature.

In the discussion about the origin of Gnosticism its relations to early Christianity has always played a fundamental role. I have therefore thought it useful to make a few remarks on the Gnostic gospel traditions (especially as they occur in the Chenoboskion library) and their relation to the canonical gospels, which may be of importance for the history of early Gnosticism and its origin. It is an immensely complicated problem which has given rise to a vast literature, and I shall concentrate on some methodological and source-critical aspects.

In this connection the Gospel of Thomas is of special interest, both because it is perhaps the text in the Chenoboskion library which can best illustrate these problems, and because it has already been subjected to a detailed analysis by several scholars.

But first a few words about the Chenoboskion library as a whole. It is not without importance to settle the question, whether it belonged to *one* Gnostic sect, i.e. if one dogmatic system can explain all the different texts, or if the texts could at least have been acceptable to one and the same congregation of Gnostic believers. Even a superficial analysis of the dogmas of the different texts reveal the impossibility to bring them under a single denominator, and a detailed study of e.g. the attitude towards the OT or of central notions and ideas bears out the conclusion that the library cannot reflect the dogmas of one sect, however broadminded and syncretistic. It is hard to believe that all these texts were even acceptable in all details to one and the same congregation or single Gnostic believer.

It is often taken for granted that the texts have been collected by a Gnostic congregation or by a Gnostic believer. But this is by no means certain. The library can quite as well have been brought together for haeresiological purposes, let us say by persons who like Epiphanius wanted to collect a Panarion against the Gnostics.

A colophon to a Hermetic text, quoted by Doresse,[1]) may be an indication in this direction (I use Doresse's French translation as the Coptic version is not available to me):

"C'est le premier discours que je vous ai copié. Mais il y en a beaucoup d'autres qui sont parvenus entre mes mains: je ne les ai pas transcrits, pensant qu'ils sont déjà arrivés jusqu'à vous. Car j'hésite à vous les copier en supposant qu'au cas où ils vous seraient déjà parvenus, ils vous ennuieraient. En effet, les discours d'Hermès qui sont venus entre mes mains sont très nombreux."

This rather gives the impression that the writer has been asked to collect Gnostic and similar texts for another purpose than that of a believer. A congregation or a believer would hardly react against receiving copies of the same text, especially not if it belonged to their holy scriptures, and the vague reference to other Hermetic texts strengthens this impression. The existence of several copies of the Apokryphon Johannis is hardly incompatible with this view, as different versions are represented and as the writer seems to excuse himself of such mistakes. But a final judgement can only be passed, when the whole library has been published.

Thus each text should be judged and analysed more or less as an isolated phenomenon, not as part of a unity, which the Chenoboskion library does not at all represent.

Puech's [2]) excellent enumeration and treatment of the known Gnostic gospels and similar texts clearly demonstrate that we have to rely almost exclusively on the Coptic texts for the study of this apocryphal tradition, at least if we restrict ourselves to those of an early date and to original texts.

The other gospels are as a rule known either as a title only or from short quotations which may easily give a false impression of what the whole text once represented.

---

[1]) *Les Livres secrets des gnostiques d'Egypte* (1958) p. 166.
[2]) In HENNECKE, *Neutestamentliche Apokryphen* (3. Aufl. 1959), pp. 158 ff.

Of the extant texts we can, in this connection, leave out the so-called Evangelium Veritatis, which is certainly not the Gospel of Truth ascribed to Valentinus, but a baptismal homily of Valentinian type.

Other texts such as the Apokryphon Johannis can hardly be regarded as gospels either, and others again are obviously of too late a date to be of interest here, even if isolated passages may be of importance. Apart from the unpublished texts such as the Dialogue of the Saviour and the Book of Thomas the Athletes, we have to rely mainly on the Gospel of Thomas and the Gospel of Philip.

Neither the Gospel of Thomas, nor the Gospel of Philip represents a homogeneous unity, a literary composition as a whole, but they contain a number of more or less freestanding logia.

The analysis of such texts must follow a double line:

1. an analysis of the principles and dogmas of the compiler of these logia, that is to establish as far as possible an interpretation of each gospel as a collection, and the principles for the choice made by the compiler.

2. an interpretation of each logion separately as an isolated entity. In the latter case it is sometimes possible to admit two interpretations—a more general Christian one, and a more typical Gnostic one.[1]) Both interpretations may be correct, representing either different chronological stages or different synchronic aspects.

It is important to keep the two types of analysis apart—the analysis of the text as a whole and the analysis of each logion—, otherwise it may easily lead to such general statements as Grant's [2]) sweeping characterization of the Gospel of Thomas:

"The Gospel of Thomas shows how Gnostics understood, or rather, misunderstood, Jesus and his gospel. It shows how they constructed a bridge between their own faith and that of the Christian church. It is probably our most significant witness to the early perversion of Christianity by those who wanted to create Jesus in their own image. Thus it stands, like Lot's wife, as a new but permanently valuable witness to men's desire to make God's revelation serve them. Ultimately it testifies not to what Jesus said but to what men wished he had said."

---

[1]) Cf. WILSON, *The Gospel of Philip* (1962), p. 66.
[2]) *The Secret Sayings of Jesus* (1960) p. 18.

This harsh judgement is a striking contrast to the views held by e.g. Quispel,[1]) who was of the opinion that the Gospel of Thomas contains an independent and very old gospel tradition and that it is possible to find in this gospel, in a revised and secondary form, traces of the Aramaic tradition from which the so-called source Q was derived.

In his analysis of the text Gärtner [2]) takes an intermediary attitude, acknowledging (as does also Grant to a certain extent) the possibility of the presence of such old traditions, but finds them extremely difficult to define.

The problem whether such sources as the Gospel of Thomas contain a tradition of equal antiquity and equal historicity as the synoptic tradition has been much discussed, and from a methodological point of view Grant's statement (op. cit., p. 90) is of interest:

"Historical analysis can give some assistance in settling this kind of debate, but the ultimate issue is both historical and theological. The question is whether one accepts the king's portrait" (using the image of Irenaeus) "as painted by the Church or the various potraits as painted by the Gnostic teachers of the second century. If it should appear that the Gnostic portraits are ultimately based on the Church's gospels, along with some distortions added by the Gnostics themselves, then the greater antiquity of the Church's picture of Jesus should lead to its acceptance on historical grounds. Even if some of the Gnostic material should seem to be thoroughly trustworthy, they can be accepted by the Church only with the greatest caution. Those who transmitted such materials did not stand within the Christian community."

To start first with the elements which look "orthodox", i.e. which are in a line with the canonical tradition, the method used to ascertain their age and character, that is their historicity, is as a rule simply a comparison with the versions in the canonical texts.

If the Gnostic version contains the same nucleus, but differs in that some detail or element is either lacking or has been added, the analysis too often consists only of a statement, that the Gnostic version is dependent on or derived from the canonical version—it has been remodeled or distorted, either inflated or conflated.

---

[1]) *The Gospel of Thomas and the New Testament*, in *Vig. Christ.* 11 (1957), pp. 189 ff., and *Some Remarks on the Gospel of Thomas*, in *NT Studies* 5 (1959), pp. 276 ff.

[2]) *The Theology of the Gospel according to Thomas* (1961).

To such scholars the canonical version represents the true, original version, and the possibility of the existence of an independent source is often neglected, even in such cases where the canonical versions differ from one another. That is, more or less the method is used as that of the church fathers and haeresiological writers of the second and third centuries, and exceptions to this rule occur, as we know, also in the texts of these writers—as e.g. when Origenes does not reject as entirely apocryphal the logion No. 82 of Thomas, whereas in another context he condemns the Gospel of Thomas (or some similar text) as such (Grant, op. cit., p. 88).

Such a method has little in common with modern historical source criticism. Even a word for word rendering in a Gnostic gospel of a logion or element occurring in the canonical version does not a priori prove any kind of dependence. Of course both may quite as well derive from a common source. A difference does not either prove that we have to do with a re-wording or distortion of the canonical version. This would be true, even if we did not have such explicit statements as those of Luke and John that already in their time different narratives existed from which they have chosen those which appeared to them most trustworthy.

If a Gnostic tinge or a Gnostic element occurs together with a "canonical nucleus," this is often adduced as a criterion that the difference is secondary.

Entirely Gnostic logia are only too often a priori regarded as being of a later date, especially if we can explain them in the light of some dated Gnostic system or theology.

Thus e.g. Gärtner and others have placed the main trend of the Gospel of Thomas in a Valentinian environment whereas the Gospel of Philip would either represent a slightly earlier stage (Wilson [1]) or a later development (Gärtner).

If this reasoning were sound and correct, we could indeed more or less dismiss the Gnostic gospel tradition when we want to discuss the origin of Gnosticism, as this tradition would represent a secondary stage.

From a methodological point of view this way of dating Gnostic elements is dangerous, especially with regard to such elements in these gospels consisting of isolated logia which do not represent a

---

[1] *The Gospel of Philip* (1962), pp. 10 f.

whole coherent dogmatic system but only a fragment of it—in a contrast e.g. to the Gospel of Truth.

As a parallel we may use the Mandaean texts and their dating. At a certain time there was a general tendency to regard them as a rather late phenomenon. I have elsewhere [1]) adduced what seems to me objective proofs that the Manichaean Psalms of Thomas are secondary to the main Mandaean theologoumena and that parts of them are a direct loan from Mandaean texts. The central part of Mandaism could thus with good reason be regarded a pre-Manichaean. On other grounds, which, however, in my opinion are more subjective, Rudolph [2]) has dated Mandaism still earlier and regards it to be one of the oldest Gnostic systems.

We still know far too little about the different Gnostic systems and their history to be able to judge the originality of each of them. The different elements in a comparatively well documented system as that of Valentinus are difficult to date—we do not know in how far they were original innovations and how much was taken over from an earlier Gnosticism of which only scanty fragments remain or which is entirely lost.

To use the affinity or even entire identity of a notion or part of a Gnostic system in some of these Gospels with a dated other Gnostic sect or system as a proof of its date presupposes a vaster knowledge of the development of Gnosticism than we really possess. Admirable evolutionary models have been worked out by different scholars, but the factual background is only too often fragmentary and scanty.

Wilson has rightly stressed the danger to interpret different terms, which are clearly Gnostic in the second century, as being really Gnostic and belonging to a Gnostic system already in the first century. This reasoning is perfectly sound, but should in my opinion also be used, so to say, the opposite way. Only because a notion is known to be Gnostic in the second century, it should not therefore a priori be assigned to that century, if we cannot otherwise prove such a date of the text in which it occurs.

Wilson's reasoning applies, however, mainly to such texts, which are dated with some certainty to early Christianity, and to the canonical texts. I should like to add a few remarks on this problem—in how far Gnostic elements existed already within the earliest Christian com-

---

[1]) *Studies in the Coptic Manichaean Psalm-book* (1949), pp. 85 ff.
[2]) *Die Mandäer* (1960).

munity. In other words—were Gnostic faith and "orthodox" Christianity opposed entities or even different to start with? Were Gnostic ideas acceptable to the first congregation and were they, originally, incompatible with the preaching of Jesus?

It is, I think, a more or less generally accepted view that the problem "orthodox"—"haeretical" is typical rather of the second and later centuries than of the first century before the Church reacted against e.g. Marcion's canon by starting to create a canon of its own. The canon of the Church is the result of a purging process started and accomplished with a direct anti-Gnostic purpose. Much which could be tolerated and accepted before the conflict between the Church and Gnostic sects and before Gnosticism became a real danger to orthodox Christianity, had to disappear when the crisis in Christianity started.

This we know, but nevertheless there is a reluctance to admit the presence of an accepted Gnostic faith within the first Christian community. And this reluctance is partly due to the fact that the choice made by the Evangelists among different traditions and the principles used when purging such Gnostic traits are in a way still accepted. The canon often still remains a canon also for the historian of the early Church.

This is what Grant has characterized as the theological aspect of the problem and which is difficult to combine with an objective historical method.

In this connection it is useful to remember that Christianity was influenced by Gnosticism already from the beginning when it reached Egypt and that the "Gospel of the Egyptians" perhaps came to Egypt before the canonical versions. It is also interesting to see how e.g. an antignostic text like the Epistula Apostolorum despite this tendency and purpose was influenced by Gnostic ideas to such a degree that it could no longer be accepted as orthodox. And in apocryphal writings, accepted by the Church and dating from a time when the conflict between the Church and Gnosticism was acute, it is easy to find many Gnostic elements.

The character of different early (and which are early?) Gnostic traits within early Christianity are difficult to define in detail, but their presence is equally hard to disprove or deny. Perhaps the preaching of Jesus was not at all incompatible with an early form of Gnosticism, or, to put it less provocatively, perhaps his teaching was sometimes adapted by himself and his first followers to such a form as to be understood and appreciated by people used to a more sophissticated Gnostic way of thinking. Or should we perhaps better use the term pre-Gnostic, if we want to reserve the word Gnostic (and Gnosticism) for more fully developped coherent systems with all the characteristics common to later Gnostic thinking.

In my opinion it is difficult to understand e.g. the first chapter of the Gospel of John if we entirely exclude Gnostic or pre-Gnostic notions. This chapter (especially if compared to Gen. I) seems to be written for a public thinking in Gnostic terms.

The same may apply also to different passages in Paul, and, on the other hand, the Qumran texts, following Ringgren's analysis, seem to reflect a state of mind similar to that which I suppose to be characteristic of e.g. the intended reader of John's prologue, thus showing (as well as other texts in a more developed form) the existence of this religious attitude well before the canonical gospels.

To regard Gnosticism as the result of the impact of Christianity on the ancient world implies the assumption that Gnosticism is secondary to Christianity, an assumption which cannot be proved on the basis of the available evidence. It is also a theory which, with this background, is difficult to assess, if original Christianity and contemporary Gnosticism cannot, with ordinary source-critical historical methods, be sharply defined, and separated from one another.

The problem of the origin of Gnosticism is difficult to solve for several reasons.

First because the definition of Gnosticism partly depends on preconceived ideas, and, secondly, because the early sources both of Gnosticism and early Christianity are often vaguely dated, fragmentary and scanty and difficult to use for a purely historical analysis, if modern source-critical methods should be applied, where contemporary, disinterested and unpartial primary sources should furnish the framework. And such sources are indeed very few, perhaps too few to permit a final solution of the problem.

DISCUSSION

WILSON: First of all your point about the possibility that the texts do not all come from the same group sheds new light on a point which I think has not been given sufficient notice. The discovery was made in an area where there was a monastery of Pachomius. I remember feeling at the time that it was rather strange that there should have been a gnostic community somewhere in the close vicinity of an orthodox Pachomian monastery. It may be that this would support your point about the heresiological use.

A second point is about this question of dating. Now, you have referred to my effort in my edition of the Gospel of Philip, where I have made a tentative attempt to get a comparative dating of the three gnostic gospels. But I came to the conclusion that it was not possible. I think, however, that we can get a rough location of the Gospel of Philip, because the closest affinities are with the Marcosians, as represented by Irenaeus, and with the Excerpta ex Theodoto, which would mean that this is not a product of early Valentinianism, but a comparatively late one.

There is another illustration you might have used: Prof. Van Unnik's list of the New Testament elements in the Gospel of Truth, which he used as a basis for the conclusion that practically the whole of our New Testament was already known and used and recognised as authoritative in Rome sowemhere about 145 to 150, which in terms of the history of the Canon is rather early, remarkably early; but, in point of fact, this argument could quite possibly be turned the other way and used as the basis for proving that, because the Gospel of Truth quotes freely from all these sources therefore it cannot possibly be so early, therefore it cannot possibly be by Valentinus himself. So there are all these other possibilities that we have to take into account.

RINGGREN: I perfectly agree on the point you are making that it should not be taken for granted that, in comparing the gnostic gospels and the synoptic gospels, the synoptic and canonical gospels are always right—a priori we cannot take this for granted. But I would like to ask a question: Do you mean that, if we continue along the line of thought that you have sketched here, it might turn out that, for instance, the Gospel of John or the writings of Paul, in which we find certain "gnostic" terminology, might have understood Jesus better than the synoptic Gospel? In other words, would it be theoretically possible that Jesus was more gnostic than the synoptic Gospels would have us believe?

SÄVE-SÖDERBERGH: This is a difficult question, but let us put it another way. If you were a Gnostic of Valentinian creed for instance, would you be satisfied with the synoptic gospels?

RINGGREN: No.

SÄVE-SÖDERBERGH: This is exactly the answer. I think that early Christianity had perhaps also a more sophisticated public which expected some of the questions to be answered which were of fundamental importance for those thinking in what we may call pre-Gnostic or proto-Gnostic terms. The Gospel of John and some hints in Paul were probably intended for such a public.

It is, however, a difficult analysis, and my main point is that we should not always take Christianity for what it is in the canonical texts. It may well, to start with, have been much wider, and was then restricted thanks to the struggles between the heresies and the orthodox "Grosskirche". I think everybody agrees that the question of orthodoxy and heresy is more a problem of the 2nd century than of the 1st century.

BIANCHI: Je comprends ce que vous dites quand vous vous refusez d'accepter le terme orthodoxie pour ce qui est du premier siècle. Mais vous admettez aussi la possibilité que des conceptions typiquement gnostiques, telles qu'elles résultent des textes gnostiques du deuxième siècle, puissent avoir existé déjà dans le Ier siècle. D'autre part vous admettez la possibilité que dans le Ier siècle des conceptions aient pu exister qui étaient prégnostiques et dans lesquelles le triage entre ce qui est, disons, orthodoxe et ce qui est gnostique dans le sens du IIme siècle ne pourrait se faire. Alors je voudrais que vous m'aidiez à résoudre cette antinomie: d'une part vous admettez dans le Ier siècle la possibilité de l'existence de conceptions typiquement gnostiques selon le modèle du gnosticisme du IIme siècle — et c'est la phrase que dans votre texte vous avez opposé à M. Wilson—; d'autre part, vous admettez que dans le Ier siècle des conceptions aient pu exister, prégnostiques, dans lesquelles le triage entre christianisme et gnosticisme ne serait pas tout à fait clair ,comme on pourrait l'admettre en se référant au terme d'orthodoxie.

A ce propos j'ai cité dans mon Rapport [1]) une question que votre texte m'a présentée à l'esprit. Vous avez dit qu'un certain nombre de logia de l'Evangile de Thomas admettent deux interprétations: une interprétation plus généralement chrétienne et une interprétation plus typiquement gnostique. Alors il me semble qu'en disant ceci vous admettez l'existence, au moins pour l'Evangile de Thomas, de deux points de référence: une référence typiquement chrétienne et une référence typiquement gnostique: Or, il faut bien que *un* logion déterminé ait eu originairement *un* sens. D'ailleurs, ces deux références supposent deux milieux historiques et deux *backgrounds* idéologiques différents. (P. ex., le *background sōma-sēma* grec et hellénistique).

SÄVE-SÖDERBERGH: Your first point is question of definition. I have used the term "pre-Gnostic" because we have agreed, more or less, to reserve the term "Gnosticism" for the developed Gnostic systems as we find them in the 2nd century A.D. and onwards. The existence of the whole systematic finesse of these systems already in the first century cannot, with the sources now available, be proved, nor, for that case, its non-existence. But we do find at least some of the fundamental notions and attitudes typical of these later systems.

If the term "Gnostic" is used as an adjective referring to Gnosticism and not to the wider term Gnosis, we need a different adjective for such cases where the presence of a developed Gnosticism cannot be proved, either because they represent an eatlier stage of development or simply because the source material is not yet sufficient. I have chosen the word "pre-Gnostic", but "proto-Gnostic" may be better.

Your second question refers to my statement that it is possible to admit two different interpretations of certain logia in the Gospels of Thomas and Philip. This is just an observation resulting from a study of the texts. You can read a logion and think that you understand it properly without having the slightest notion of Gnosis or Gnosticism. Then you put on your Gnostic glasses, so to say, and you understand something quite different. The same observation has, by the way, been made also by other interpreters of these texts, e.g. by Wilson.

Several explanations of this fact are possible. If we assume the (unwarranted) existence of an original Christianity of a more or less "orthodox" character, i.e. a faith corresponding to what can be deduced exclusively from the canonical texts, there are at least two ways to explain the nature and origin of such logia:

1) Such a logion had from the beginning a purely Christian character and background and was then taken over by a Gnostic compiler because a Gnostic interpretation was easy to apply.

2) It may originally have had a Gnostic background, survived in the texts of the Christian church thanks to the equally possible Christian interpretation, and was then taken up by a later Gnostic compiler.

---

[1]) Now final article, *sub* III d.

If, however, early Christianity (and the teachings of Jesus) implied a wider and less well-defined faith and theological system before the differences between "orthodox" Christianity and Gnosticism had been worked out thanks to the conflicts between these religious groups, the background of such a logion would be the wider framework of such a system which was later split into two main groups—Christian and Gnostic. The simpler, more obvious Christian interpretation would then be intended for the general public, so to say, the Gnostic one for the more sophisticated readers or listeners. Or, the words of Jesus were worded so that they could be interpreted and understood, already when spoken, differently by different listeners according to their religious background and attitudes. Such logia had perhaps a special value exactly because of the possibility of a double interpretation—a phenomenon often observable in oriental religious texts.

Other explanations are also possible, but, in order not to lengthen my contribution, I have just pointed out that "both interpretations may be correct, representing either different chronological stages or different synchronic aspects".

URCHRISTLICHES KERYGMA UND „GNOSTISCHE" INTERPRETATION IN EINIGEN SPRÜCHEN DES THOMASEVANGELIUMS

VON

K. H. RENGSTORF

I.

Ohne jede Frage gehört das im Jahre 1946 in Nag Hammâdi als Teil einer umfangreichen gnostischen Bibliothek ans Licht gekommene koptische „Evangelium nach Thomas" [1]) auch selbst in den Zusammenhang jener antiken Geisteshaltung oder Bewegung, die wir die Gnosis zu nennen pflegen. Um so bemerkenswerter ist es, dass das Bild, das die Sammlung bietet, alles andere als einheitlich ist. Ausgesprochen gnostisch anmutende Sprüche wechseln mit solchen ohne eine auffällige gnostische Färbung. Es fehlt nicht einmal an Worten, die sich entweder überhaupt nicht oder nur unerheblich und dann vorwiegend bloss in der Form von kanonischen Jesus-Worten unterscheiden. Andere, bisher unbekannte Sprüche sind sogar von einer Art, dass man niemals auf den Gedanken kommen würde, sie könnten je für einen Gnostiker etwas Besonderes bedeutet haben, wenn sie nun nicht in einer unzweifelhaft gnostischen Handschrift aus der Zeit um 400 vorlägen, wie sie das „Evangelium nach Thomas" ist.

Diese wenigen einleitenden Sätze, die angesichts der Bekanntheit des Gegenstandes nicht näher belegt zu werden brauchen, machen es sicher, dass die Forschung es in dem „Evangelium nach Thomas" mit einer sehr komplexen Problematik zu tun hat. Was hier Fragen über Fragen aufwirft, ist natürlich zunächst einmal das Ganze, und das gilt sowohl hinsichtlich seiner Form als einer reinen Spruchsammlung als auch hinsichtlich des Materials als solchen und seiner Vorgeschichte sowie hinsichtlich der die Auswahl und die Anordnung der Sprüche bestimmenden Konzeption. Aber auch jeder einzelne Spruch steckt oft genug voller Probleme, und zwar gerade dann, wenn er auf

---

[1]) A. Guillaumont, H.-Ch. Puech u.a., *Evangelium nach Thomas*, Leiden 1959.

den ersten Blick keinerlei gnostische Tendenz erkennen läßt. Nicht anders steht dort, wo mehrere Sprüche eine Gruppe bilden, ganz abgesehen davon, dass hier die richtige Abgrenzung noch zusätzliche Schwierigkeiten machen kann.

Es ist einfach dieser vielfach zwielichtige Charakter des „Evangelium nach Thomas", der es geraten sein lässt, von der Betrachtung des Ganzen immer wieder zur Untersuchung seiner einzelnen Elemente zurückzukehren. Für eine Beschäftigung mit der einzelnen Sprucheinheit spricht indes auch, dass sie eher als das Ganze einen Beitrag zur Lösung der Frage in Aussicht stellt, wie sich im Thomas-Evangelium Gnostisches und Nichtgnostisches zueinander verhalten bzw. wo gegebenenfalls die Motive für die gnostische Interpretation oder das gnostische Verständnis eines von Haus aus nichtgnostischen Spruches liegen. Die Aufgabe ist um so lockender, als die Spruchsammlung doch wohl auf eine griechische Vorlage zurückgeht, die ihrerseits noch in das 2. Jahrhundert gehört und die sich im Zuge ihrer Übernahme durch koptische Kreise sicher nicht nur sprachliche Veränderungen hat gefallen lassen müssen.

Ich wende mich nunmehr dem letzten Spruch bzw. der letzten Einheit des „Evangelium nach Thomas" zu. Unter Nr. 114 nach der landläufigen Zählung [1] sind ein Wort des Petrus und ein Wort Jesu miteinander verbunden. Mir scheint, dass sowohl jedem einzelnen der beiden Worte als auch der Spruchgruppe, die sie zusammen an ihrem Ort bilden, einiges abzugewinnen ist, was geeignet ist, nicht allein ihr eigenes Verständnis zu fördern, sondern auch etwas mehr Licht auf das fallen zu lassen, was sich zunächst hier, dann aber in dem ganzen Text als Gnosis darstellt.

II.

An seinem heutigen Ort bildet der Spruch 114 eine Art Fortsetzung bzw. Abschluss eines Gesprächs zwischen Jesus und seinen Jüngern über den Zeitpunkt des Anbruchs des Reiches, das an Luk. 17, 20 f. erinnert, wo es allerdings nicht Jünger sind, die Jesus die Frage nach dem Termin stellen, sondern Pharisäer (Nr. 113). Dann geht es so weiter:

> Simon Petrus sagte zu ihnen: Mariham möge von uns weggehen; denn die Frauen sind des Lebens nicht würdig!

---

[1] A.a.O., S. 56 f.

Jesus sagte: Siehe, ich werde sie führen, damit ich sie männlich mache, daß auch sie zu einem lebendigen Geist wird, der euch Männern gleicht; denn jede Frau, wenn sie sich männlich macht, wird in das Reich der Himmel eingehen.

Dies Stück wird in der Regel mit einem anderen Logion zusammengenommen, das nach der üblichen Zählung die Nr. 22 trägt und folgendermassen lautet:

Jesus sah kleine (Kinder), die gesäugt wurden. Er sagte zu seinen Jüngern: Diese kleinen (Kinder), die gesäugt werden, gleichen denen, die in das Reich eingehen. Sie sagten zu ihm: Werden wir, indem wir klein sind, in das Reich eingehen? Jesus sagte zu ihnen: Wenn ihr die zwei (zu) eins macht und wenn ihr das Innere wie das Äussere macht und das Äussere wie das Innere und das Obere wie das Untere und wenn ihr das Männliche und das Weibliche zu einem Einzigen macht, damit das Männliche nicht männlich (und) das Weibliche (nicht) weiblich ist, wenn ihr Augen anstelle eines Auges macht und eine Hand anstelle einer Hand und einen Fuß anstelle eines Fusses, ein Bild anstelle eines Bildes, dann werdet ihr in das Reich eingehen [1]).

In der Tat lässt sich eine gewisse Gemeinschaft zwischen den beiden Stücken nicht leugnen. Unbeschadet dessen, dass das Logion 22 zu den schwierigsten Stücken im „Evangelium nach Thomas" überhaupt gerechnet werden muss [2]), ist leicht zu sehen, dass es hier wie dort um das ewige Heil geht, das mit dem Eingehen in das Gottesreich empfangen wird. Indes tragen beide Stücke doch auch ihr ausgeprägtes eigenes Gesicht. So spielt in Logion 114 die Vorstellung ογωτ, die in Logion 22 das Zentrum bildet und hier offensichtlich einen sehr nahen Bezug auf die Vollendung hat [3]), überhaupt keine Rolle. Aus diesem Grunde empfiehlt sich Zurückhaltung gegenüber der naheliegenden Versuchung, die beiden Logien ohne weiteres zur gegenseitigen Interpretation zu benutzen. Wenn auch beide Male von der Überwindung der Differenziertheit der Menschen in Männlich und Weiblich als für den Eingang in das Reich unerlässlich die Rede ist, so sind doch die Gesichtspunkte, unter denen es dazu kommt, beide Male ganz verschieden. Während nämlich in Logion 114 nur das Weibliche genannt ist, und zwar unter betonter, ja absoluter Absetzung vom Männlichen, steht es mit ihm in Logion 22 so, dass sich in der Spannung zwischen dem Männlichen und dem Weiblichen offensichtlich alle polaren Spannungen, die das Bild der unerlösten Welt kennzeichnen, nicht allein zu höchster Anschaulichkeit verdichten, sondern auch am schmerzlichsten und nachhaltigsten

---

[1]) A.a.O., S. 16-19
[2]) B. Gärtner, *The Theology of the Gospel of Thomas*, London 1961, S. 218
[3]) Gärtner, a.a.O., S. 221 f.

fühlbar werden. Von da aus gehört das Logion 22 ohne Frage näher zu Logion 11 als zu Logion 114 [1]). Vor allem aber darf nicht übersehen werden, dass nur in Logion 114 neben dem Hinweis auf den mit der geschlechtlichen Differenziertheit der Menschen verbundenen sozusagen heillosen Zustand auch der Weg angegeben wird, auf dem er überwunden werden kann.

Wenden wir uns also nun dem Logion 114 allein zu, so bedarf es vor allem anderen einer klärenden Feststellung. Sie betrifft die Verteilung der Rollen auf die verschiedenen Personen, die genannt werden. Da erhebt sich Protest gegen die Anwesenheit einer Frau im Jüngerkreise. Diese Frau ist Mariham, die sicher mit der Maria Magdalena der kanonischen Jesus-Überlieferung identisch ist. Wortführer gegen sie ist Petrus. Daran ist insofern nichts Verwunderliches, als die koptische gnostische Literatur Petrus nicht nur auch sonst im Konflikt mit Maria Magdalena zeigt [2]), sondern ihn überhaupt als notorischen Frauenfeind darstellt [3]). In dieser Hinsicht bilden der Erz-Jünger und Mariham in dieser Literatur geradezu feste Figuren. Das überhebt der Notwendigkeit, die Frage zu stellen und zu beantworten, ob es etwas Besonderes an Mariham gewesen sei, was die Ablehnung des Jüngers herausgefordert habe. Es wird eben als sicher gelten dürfen, dass es für das „Evangelium nach Thomas" ausschliesslich die Weiblichkeit Marihams ist, die Petrus auf ihre Entfernung dringen lässt, nicht aber etwa ein in ihr verkörpertes weibliches Pneumatikertum oder etwas Ähnliches [4]). Wichtiger als das ist allerdings, dass Petrus zwar als Frauenfeind eingeführt wird, dass sich das Logion selbst aber gerade nicht als frauenfeindlich gibt. Im Gegenteil, Jesus nimmt in ihm Mariham und in ihr die Frau überhaupt für sich in Anspruch. Es geschieht durch ein Wort Jesu, das die völlige Integration der Frau im Reich der Himmel durch ihn selbst in feste Aussicht stellt. So ist Jesus in unserm Logion geradezu der Gegenspieler des Petrus, und das in einem Bereich, der die Gnosis stark beschäftigt hat. Nötigt das nicht zu der Annahme, dass unser Logion aus einer Tradition stammt, die jedenfalls nicht durch eine typisch gnostische Frauenfeindlichkeit geprägt war?

Es ist eine Frage für sich, wieso ausgerechnet Petrus, der doch

[1]) Die damit aufgeworfene Frage muss hier allerdings auf sich beruhen.
) Vgl. etwa *Pistis Sophia* Kap. 72.
[3]) Ebd.
) So O. Cullmann, Th.L.Z. 85 (1960), Sp. 329.

nach den uns überkommenen neutestamentlichen Nachrichten selbst noch als Apostel verheiratet gewesen ist [1]), zu dem Frauenfeinde werden konnte, als der er in der koptischen gnostischen Literatur begegnet. Vorerst ist indes zu klären, was sich etwa an Vorstellungen oder Erinnerungen in dem hier Jesus in den Mund gelegten Wort verbirgt, durch das er entgegen seinem Jünger auch den Frauen den Zugang zum Himmelreich zusagt. Sicher gibt es kein kanonisches Wort Jesu, das hier zur Erklärung herangezogen werden könnte. Man wird aber — in Ermangelung von etwas anderem — auch nicht einfach auf die Vorstellung zurückgreifen dürfen, die Paulus Gal. 3, 28 formuliert hat und nach der mit anderen polaren menschlichen Spannungen auch die zwischen Mann und Frau dadurch aufgehoben wird, dass beide als Glaubende „einer in Christus Jesus" werden [2]). Wenn das, was dies Pauluswort zum Ausdruck bringt, auch durchaus im Horizont unseres Logions liegen könnte, so führt doch von seiner Formulierung aus kein unmittelbarer Weg zu ihm hin. Zudem weist die Fassung des Logions selbst deutlich in eine andere Richtung. Nach ihr tendiert es nämlich keineswegs auf ein Existenzverständnis, vor dem die schöpfungsmässigen und gesellschaftlichen Maßstäbe ihre Relevanz verlieren, sondern auf einen neuen Schöpfungsakt, durch den der natürliche Zustand der Gespaltenheit des Menschen in Mann und Frau (vgl. Gen. 1, 27: זָכָר וּנְקֵבָה) [3]) sein Ende findet.

Angesichts dessen ist es daher relativ unwichtig, ob man meint, in diesem Zusammenhang das Wort des synoptischen Jesus aus dem Streitgespräch mit Sadduzäern, das den Auferstandenen den Status von Engeln zuspricht (Mk. 12, 25 und Par.), zur Erklärung heranziehen zu sollen. Dagegen wird es richtig sein, zu diesem Zweck auf einen Zusammenhang bei Paulus zurückzugreifen, der es ausdrücklich mit der Auferstehung als neuem und letztem Schöpfungsakt zu tun hat, der aber streng christologisch ausgerichtet ist. Wenn unser Logion Jesus sagen lässt, er werde die Frau zu einem lebendigen Geist (ⲛⲟⲩⲡ̅ⲛ̅ⲁ ⲉϥⲟⲛϩ) werden lassen, so erinnert das nämlich überraschend an jene Äusserung des Paulus über den auferstandenen Christus, die ihn als πνεῦμα ζωοποιοῦν, im Unterschiede von Adam als ψυχὴ ζῶσα, bestimmt (1. Kor. 15, 45). Es sieht geradezu so aus,

---

[1]) 1. Kor. 9.5.
[2]) So E. HAENCHEN, *Die Botschaft des Thomas-Evangeliums*, Berlin 1961, S. 69.
[3]) Die Stelle hat schon das vorchristliche Rabbinat beschäftigt.

als sei das, was Paulus in dieser Hinsicht kerygmatisch *über* den auferstandenen Christus und seinen Status bezeugt, in unserm Logion in
eine *Selbst*aussage Jesu umgeformt worden, und zwar im Blick auf
die Folgen, die das, was sie besagt, für diejenigen hat, welche ihm
zugehören: Da er selbst zum πνεῦμα ζωοποιοῦν geworden ist,
vermag er alle, welche, um mit Paulus zu sprechen, „in ihm" sind,
seinerseits zu dem werden zu lassen, was er selbst ist. Man darf dabei
allerdings nicht übersehen, dass Paulus im Zusammenhang mit seiner
christologischen Äusserung 1. Kor. 15, 45 diese Konsequenz seinerseits nicht zieht. Was das Logion 114 des Thomas-Evangeliums über
den neuen Status der Frau auf Grund des Handelns Jesu an ihr
aussagt, wird man also, zumindest nicht unmittelbar, auch nicht aus
dem christologischen Satz des Paulus 1. Kor. 15, 45 ableiten dürfen.

Gegen die Möglichkeit einer unmittelbaren Ableitung aus 1. Kor.
15, 45 spricht weiter, dass Paulus das, was ihm hier auszusprechen
wichtig ist, an das durch Gen. 2, 7 gegebene Stichwort ἄνθρωπος
'Αδάμ anknüpft, während für unser Logion — entsprechend der von
ihm aufgenommenen Fragestellung — das Stichwort „männlich"
(ϩⲟⲟⲩⲧ) unentbehrlich ist. Nun lässt sich zwar darauf hinweisen,
dass im Corpus Paulinum eine weitere Stelle vorkommt, in der
Christus sehr betont und offensichtlich auch sehr bezugreich als
ἀνὴρ τέλειος bezeichnet wird (Eph. 4, 13). Indes deutet unser
Logion in keiner Weise an, dass die damit angerührte Vorstellung
ihm für seinen Zweck wichtig ist. So kann auch sie bei seiner Interpretation nicht entscheidend helfen. Ja, selbst wenn sich zeigen
liesse, dass zwischen der Christologie des Briefes an die Epheser und
der Christologie des Thomas-Evangeliums Beziehungen vorhanden
sind, würde sich daran nichts ändern.

So muss es dabei bleiben, dass unser Logion zwar einen deutlichen
Bezug auf den Auferstehungsglauben im Sinne des Glaubens an
einen neuen, an den lebendigen Christus gebundenen Schöpfungsakt
hat, wie er sich bei Paulus 1. Kor. 15, 45 mittels einer Wendung ausdrückt, die das Logion deutlich aufnimmt (ⲛⲟⲩⲡⲛⲁ ⲉϥⲟⲛϩ), dass
aber die Erklärung der spezifischen Ausdrucksweise des Logions
doch anderswoher kommen muss. Um so mehr liegt es nahe, in der
Umwelt dieses koptischen Textes selbst nach einem für dessen
allgemeines Vorstellungsmilieu charakteristischen Vorstellungskreise
zu suchen, der sich zur Interpretation des Logions eignet. Ein solcher
Vorstellungskreis muss allerdings nicht nur in der Umwelt des
Thomas-Evangeliums nachweisbar sein; er muss auch zwei Be-

dingungen genügen. Zunächst muss es in ihm um Leben gehen, das nicht mehr endet, weil es zugleich neu und endgültig ist. Daneben aber muss er auch die Überwindung der Spannung oder des Gegensatzes zwischen Männlich und Weiblich in der Weise implizieren, dass das Weibliche im Männlichen zu seiner Vollendung kommt, und zwar dadurch, dass das durch eine schlechthin männliche Gestalt auf Grund besonderer Vollmacht bewirkt wird.

Diesen beiden Bedingungen genügt nun in einer überraschenden Weise ein Teil des Osiris-Mythus. Dass unser Logion möglicherweise zu diesem in Beziehung stehe, hat zuerst Johannes *Leipoldt* bemerkt [1]). Leider begab er sich nicht ganz auf die richtige Fährte. Er zitierte nämlich als eine Art Parallele zum letzten Satz unseres Logions einen Satz aus einer Klage der Isis um den toten Osiris, der jenem zwar in der Form nahekommt, aber in der Sache auf etwas ganz anderes hinausläuft: „Ich machte mich zum Manne, obwohl ich eine Frau war . . . . .”; denn hier geht es, wie sich aus dem Zusammenhang ergibt [2]), nicht um das Aufgehen von Isis als Frau in dem männlichen Osiris, sondern um das Weiterleben des Namens des toten Gottes auf Erden in seinem Sohne Horus, den Isis ihm gebiert [3]). Wenn schon Isis zu Wort kommen sollte, dann hätte es näher gelegen, eine andere Osiris-Klage anzuführen, nach der der Gott Mann und Weib in derselben Weise in Leben und Tod umfängt: „Dir gehört, was im Leben und im Tod ist; dir gehört, was Mann und Weib ist” [4]). Indes ist dieser Satz so allgemein, dass auch von ihm entscheidende Hilfe nicht erwartet werden kann. Diese kommt hingegen aus jenem Vorstellungskreise, nach dem der Tote oder die Tote zu Osiris wird und dadurch zu einem ewigen Status kommt, der den früheren Status im zeitlichen Leben in jeder Hinsicht absolut überhöht.

Wir besitzen Darstellungen des geheimnisvollen Vorgangs, in dessen Verlauf der Tote zu Osiris wird, auf ägyptischen Grabtüchern der römischen Kaiserzeit. Ein besonderes anschauliches und eindrucksvolles Beispiel bietet ein in Berlin befindliches Tuch aus

---

[1]) J. LEIPOLDT—H.-M. SCHENKE, *Koptisch-gnostische Schriften aus den Papyrus-Codices von Nag-Hamadi*, Hamburg-Bergstedt 1960, S. 26 Anm. 1.
[2]) A. BERTHOLET, *Religionsgeschichtliches Lesebuch* 10: H. KEES, *Ägypten*, Tübingen 1928, S. 30.
[3]) Das hat LEIPOLDT früher auch selbst erkannt (vgl. *Von Epidauros bis Lourdes*, Leipzig 1957, S. 275 Anm. 22), es aber dann nicht mehr beachtet.
[4]) BERTHOLET-KEES, a.a.O., S. 18.

spätantoninischer Zeit, also aus der Zeit um 180 n. Chr. Siegfried *Morenz*, dem wir die Bearbeitung und die religionsgeschichtliche Einordnung dieses Tuches verdanken[1]), hat nachweisen können, dass die abgebildete Szene, in der Anubis den Toten zu seiner Mumie in der Gestalt des Osiris führt, jenen Akt wiedergibt, in dem der Tote — der als Toter schon an sich Osiris ist — nunmehr im Zuge der genau geregelten Begräbnisriten endgültig und für immer Osiris wird[2]). In diesem Falle handelt es sich um einen Mann. Indes hat *Morenz* mittels eines weiteren Berliner Leinentuches, das der Haarfrisuren wegen noch dem 1. Jahrhundert n. Chr. angehören wird[3]), nachweisen können, dass das Glück des Werdens zu Osiris nicht nur männlichen, sondern auch weiblichen Toten offenstand; denn hier ist es eine Frau, die in derselben Weise wie der Mann auf dem ersten Tuch Osiris zugeführt wird, um ihm gewissermassen eingefügt zu werden, wobei in diesem Falle sinngemäß eine weibliche Gottheit, wohl Hathor, die Funktion des Psychopompos übernommen hat[4]). So wird man sagen dürfen, dass im Werden zu Osiris, das Männern wie Frauen gewährt wird, im Ägypten der römischen Kaiserzeit jene Spannung zwischen Männlich und Weiblich zur Lösung kommt, die als eine das Gesicht dieses Äons bestimmende Urspannung im Logion 114 des Thomas-Evangeliums auf Lösung drängt. Die Lösung aber erfolgt so, dass den beiden für ein sachgemässes Interpretament des Logions zu stellenden Anforderungen voll und ganz Genüge getan wird.

---

[1]) S. MORENZ, *Das Werden zu Osiris. Die Darstellungen auf einem Leinentuch der römischen Kaiserzeit* (Berlin 11 651) *und verwandten Stücken*, in: *Staatliche Museen zu Berlin* I, Berlin 1957, S. 52 ff.; vgl. auch A. HERMANN, *Ägyptologische Marginalien zur spätantiken Ikonographie*, in: JbAC 5 (1962), S. 69 Anm. 50; 72 ff., sowie ders., *Das Werden zu einem Falken*, in: JbAC 7 (1964), S. 39 ff., mit dem wichtigen Hinweis, dass es auf christlicher Seite in Ägypten bewusst negative Äusserungen über den Falken gibt (S. 43 Anm. 24). Da die Deutung der Tücher durch Morenz nicht unbestritten ist (vgl. PARLASCA [s.u. Anm. 3] S. 381), so ist es um so wichtiger, dass OVID (*Met.* IX 666 ff.) in seiner aretalogischen Erzählung von Ligdus und Telethusa die Lebendigkeit der Überzeugung erweist, durch den Eingriff einer ägyptischen Gottheit, hier der Isis, könne ein Mädchen zu einem Mann werden (Hinweis von I. TRENCSÉNYI-WALDAPFEL nach meinem Vortrag; vgl. auch dessen Aufsatz *Éléments égyptiens dans la poésie latine de l'âge d'or*, in: *Ann. Univ. Scient. Budapest*, Sect. philol. VI, 1965, S. 3 ff., besonders S. 10 f.; vgl. noch unten S. 574: Diskussion).

[2]) MORENZ, a.a.O., S. 59 ff. Vgl. die nebenstehende Abbildung!

[3]) So K. PARLASCA, *Zur Entstehung der Mumienportraits*, in: ZDMG 111 (1961), S. 381 (hier auf Tafel II Abb. 1 ein weiteres Tuch, das sich in Moskau befindet). MORENZ, a.a.O., S. 65, hatte für das 4. Jahrhundert n. Chr. plädiert.

[4]) MORENZ, a.a.O., S. 65 f.

Zu S. 570 f.: Toter mit Osiris. Bemaltes Leinentuch aus der Zeit
um 180 aus Ägypten (Staatliche Museen zu Berlin, Ägyptische
Abteilung Nr. 11 651).

Bei genauerer Prüfung mag noch mehr am Logion 114 zu entdecken sein, was in Beziehung zu dem besprochenen Gedankenkreise steht. So kann der Umstand, dass das Wort Jesu wahrscheinlich weniger auf ein „Führen" als auf ein „Ziehen" geht[1]), durchaus eine Entsprechung in den Darstellungen auf den Tüchern darin haben, dass Osiris hier auf die Toten eine magische Anziehungskraft auszuüben scheint. Aber Einzelheiten spielen ohnehin keine entscheidende Rolle mehr für die Erkenntnis, die sich von dem vorgelegten Material aus hinsichtlich der Interpretation des Logions geradezu aufdrängt: Hier ist ein Theologumenon der ägyptischen Volksfrömmigkeit der Zeit benutzt worden, um ein paulinisches Christologumenon, das in eine Selbstaussage Jesu umgesetzt ist, anschaulich und zugleich in einer einleuchtenden Weise annehmbar zu machen. Ohne dass das gesagt würde und in einer Sammlung von Sprüchen Jesu auch gesagt werden könnte, erscheint damit in diesem Logion Jesus als der, der Osiris weit überbietet, da man bei ihm und durch ihn sogar „zu einem lebendigen Geist wird", also viel mehr als das empfängt, was Osiris seinen Gläubigen zu gewähren vermag.

Man sollte diesem Interpretationsversuch nicht entgegenhalten, dass in seiner Auswirkung unser Logion den Rahmen, in dem es erhalten ist, sprengen müsste. Zunächst übersehe man nicht, dass er zwei typischen ägyptischen Anschauungen Rechnung trägt, nämlich dem ausgesprochen positiven Verhältnis zur Leiblichkeit und der herkömmlichen hohen Schätzung der Frau. Ausserdem kommt er dem Gewicht entgegen, das religiöse Riten von jeher in Ägypten gehabt haben; denn Sein in Christus ist für das gesamte frühe Christentum an den Empfang der Taufe gebunden, auch wenn davon nicht ausdrücklich die Rede ist. Vor allem aber spricht in unserm Logion, wenn die hier aufgedeckten Bezüge richtig gesehen und eingeordnet sind, nicht der irdische Jesus, sondern der auferstandene und erhöhte Herr, der auch der Garant des Lebens für die Seinen ist. Endlich darf nicht übersehen werden, dass, wenn richtig interpretiert ist, das Logion ein Stück frühen christologischen Kerygmas enthält, das bereits seinerseits, erkennbar an seiner Umformung zu einem Jesus-Wort, durch eine bestimmte Interpretation gegangen ist.

Gerade hinsichtlich der beiden letzten Punkte bietet nun das Thomas-Evangelium hinreichend Raum. Die ganze Spruchsammlung präsentiert sich selbst in ihrem Eingang als eine Zusammenstellung der

---

[1]) So LEIPOLDT, a.a.O., S. 28.

„geheimen Worte, die der lebendige Jesus sagte" und verbindet damit ein Wort des Thomas als des Sammlers und des Redaktors, das auf die Unerlässlichkeit der ἑρμηνεία der mitgeteilten Sprüche Jesu hinweist. Gegen die vorgetragene Auslegung des Logion 114 sollte man deshalb auch das Selbstverständnis des Thomas-Evangeliums nicht ins Feld führen, schon deshalb nicht, weil die Schrift mit ihrem letzten Logion gewissermassen zu ihrem Anfang zurückkehrt [1]).

III.

Das Ergebnis unserer Überlegungen mahnt zur Vorsicht bei der Zusprechung des Prädikats „gnostisch" in Fällen wie dem hier besprochenen. Ohne jede Frage ist das Logion 114 des Thomas-Evangeliums von einer Art, dass es bei einer ersten Bekanntschaft mit ihm selbst dazu herausfordert, es für typisch gnostisch zu erklären. So besteht kein Grund zur Verwunderung, wenn das bis jetzt ganz allgemein geschehen ist. Nun hat es sich indes wahrscheinlich machen lassen, dass dasjenige an ihm, was in diese Richtung zu zwingen scheint, gerade keine selbständige Bedeutung hat. Es dient vielmehr lediglich dazu, ein „kanonisches" Christologumenon in einer neuen kerygmatischen Situation so zu aktualisieren, dass es begriffen werden und damit durchschlagen kann. Die angenommene Aktualisierung dürfte im übrigen genau der Situation gemäss sein, der sich das Christentum in den ländlichen Bezirken Ägyptens im 2. Jahrhundert gegenübergesehen hat — also in jener Zeit, in der das „Evangelium nach Thomas" wahrscheinlich aus Syrien nach Ägypten gekommen ist.

Damit soll bezüglich anderer Sprüche dieser Schrift nichts präjudiziert sein. Die hier vorgeführten Überlegungen und ihr Ergebnis lassen nicht nur Raum dafür, dass andere Logien gnostisch sind; sie schließen prinzipiell nicht einmal ein — allerdings doch wohl nur sekundäres — gnostisches Verständnis des Logion 114 aus. Entscheiden lässt sich die Frage, ob ein Spruch als gnostisch anzusprechen ist oder nicht, allerdings nur von Fall zu Fall und nur mittels einer speziellen Analyse und nicht schon auf Grund einer Terminologie oder von Vorstellungen, die fremd oder unsachgemäß anmuten, wenn man vom urchristlichen Kerygma herkommt. Hierbei bedarf es der genauen Unterscheidung von kerygmatischer Substanz

---

[1]) Vgl. gerade auch Logion 22.

und von unter Umständen gewagten Interpretamenten zum Zweck einer Aktualisierung des Überkommenen. Was das Interpretament betrifft, so ist im Logion 114 schon fast die Grenze des Tragbaren erreicht. Indes darf nicht übersehen werden, dass es seinen Kern im Auferstehungskerygma hat und dass sich dieses, in enger Verbindung mit der Verkündigung vom Leben und Sterben Jesu, überall in der alten Kirche als besonders widerstandsfähig gegenüber Umdeutung oder Auflösung erwiesen hat. In dieser Hinsicht hat sich die Lage im Ägypten des 2. christlichen Jahrhunderts von der uns besser bekannten in Kleinasien [1]) sicher nicht unterschieden.

Kühne Interpretationen bringen immer die Gefahr mit sich, dass es unter ihnen zu einer Veränderung des Interpretierten kommt, ohne dass das gewollt ist. Man wird daher gut tun, immer, wenn man einen Text auf seinen gnostischen Charakter zu untersuchen hat, im Auge zu behalten, dass sich mit homiletischer Auslegung in jeder Form die Gefahr der Entstehung von Interpretationen verbindet, die ihrer Art nach gnostisch aussehen, ohne es doch zu sein, und die vielleicht sogar gnostisch weiterwirken. Jedenfalls erscheint damit ein Gesichtspunkt, der sich bei der schwierigen Beschäftigung mit gnostischen oder scheinbar gnostischen Texten wenigstens da und dort als nützlich erweisen könnte [2]).

Zum Schluss noch eine kurze Bemerkung zur Rolle des Petrus in unserm Logion! Das Bild der Frauenfeindlichkeit, das er uns vielfach in den koptischen gnostischen Texten bietet, stammt, wie bereits gesagt wurde, sicher nicht aus den geschichtlichen Erinnerungen der Kirche an diesen Jünger und Apostel. Es wird also auf einer Konstruktion beruhen, die ihrerseits wieder nur aus Polemik geboren sein kann. Wo aber könnte diese ihren „Sitz im Leben" haben? Ich möchte hier nur eine Frage stellen: Ist es möglich, dass in diesem Petrus ein westliches bzw. ein von Rom her bestimmtes Christentum abgelehnt wird, das die Frau als Frau abwertet und das dies etwa auch in der Forderung des Zölibats zum Ausdruck gebracht hat? Es ist bekannt, dass sich die ägyptische Kirche in dieser Hinsicht

---

[1]) Vgl. dazu H.-W. BARTSCH, *Gnostisches Gut und Gemeindetradition bei Ignatius von Antiochien*, Gütersloh 1940, bes. S. 167.

[2]) Es hat seinen guten, mit der Sache gegebenen Grund, wenn sich im Judentum schon in den ersten Jahrzehnten des 2. Jahrhunderts Misstrauen und Widerspruch gegen die der Homilie analoge Haggada bemerkbar gemacht und wenn sie seitdem den Weg des Judentums begleitet haben. Vgl. dazu L. BAECK, *Aus drei Jahrtausenden*, Berlin 1938, S. 176 ff.: Der alte Widerspruch gegen die Haggada.

schon verhältnismässig früh, wohl aus landschaftlich-religiöser Tradition heraus, prinzipiellen radikalen, asketischen Bestrebungen versagt hat. In unserm Logion mag sie in gewisser Weise Christus als ihren auferstandenen Herrn als Zeugen für das Recht ihres Protests gegen frauenfeindliche Strömungen in der Kirche in Anspruch nehmen. Wird aber so dieser Protest gewissermassen durch Christus selbst legitimiert, so liesse sich daraus möglicherweise noch ein ungefähres Datum für die definitive Formulierung unseres Logions herleiten. Wir würden mit ihr doch wohl eher in das 3. als in das 2. Jahrhundert zu gehen haben. Das aber würde einschließen, daß das Thomas-Evangelium auch noch nach seinem Übergang von Syrien nach Ägypten und damit in eine andere sprachliche Gestalt unter den neuen Verhältnissen redaktionellen Veränderungen unterworfen worden wäre. Jedenfalls bedarf die Frage, was in ihm spezifisch ägyptisch ist, auch neben derjenigen nach seiner theologischen Besonderheit sorgfältiger Beachtung [1].

DISKUSSION

TRENCSÉNYI-WALDAPFEL: Was den ägyptischen Hintergrund des Logions 114 betrifft, so haben wir auf ganz unerwartete Weise bei Ovid eine Angabe, wo die Göttin Isis die Verwandlung einer weiblicher Person in einen Mann vollbringt (Mythos von Iphis). Die andere Frage ist die verhältnismässig späte Datierung des Th. Ev.: wenigstens bis zum Ende des 2. Jhd.: Log. 102 enthält eine ganz konkrete Anspielung auf Lukians *advers. doctum.*

---

[1] Martin KRAUSE und Walther WOLF waren so freundlich, mir einige Auskünfte zu geben. Dafür möchte ich ihnen auch an dieser Stelle danken.

EARLY SYRIAC CHRISTIANITY — GNOSTIC?

BY

A. F. J. KLIJN

Since W. Bauer's *Rechtgläubigkeit und Ketzerei im ältesten Christentum*, Syria, and in particular the city of Edessa, is considered to be the region in which after a period of syncretistic-gnostic Christianity, the rise of orthodox Christianity can clearly be recognized and described[1]). G. Bornkamm showed in his *Mythos und Legende* that the Acts of Thomas, belonging to the pre-orthodox stage of Syriac christianity, renders a clear picture of the so-called "Erlösermythos".[2]) Finally A. Adam, in his *Die Psalmen des Thomas und das Perlenlied als Zeugnisse vorchristlicher Gnosis*, pointed to the Hymn of the Pearl in the Acts of Thomas as a document in which the pre-Christian Erlösermythos has been expressed in an almost classical way.[3])

In these studies the idea "gnosis" is approached as a phenomenon of the history of religions.[4]) This has to be done, since for this early period "gnosis" as a heresiological problem can not be applied. Significant for the Erlösermythos are:

1. The redeemer is sent from heaven.

2. He puts down his heavenly glory, clothes himself in earthly dress, descends to the realm of darkness and appears to the powers as a man. These do not recognize him, although they hear his voice.

3. He conquers the powers.

4. The redeemer has come to redeem those who believe in him. They are related with him because they are strangers upon earth, like the redeemer himself. He opens the gates of Hades and shows a way on high to all those who were imprisoned upon earth.[5])

---

[1]) *in: Beiträge zur historischen Theologie* 10, Tübingen 1964² (herausgeg. v. G. Strecker, first impr. 1934), p. 6-48.
[2]) *in: Forsch. z. Rel. u. Lit. des A.u.N.T.*, n. F. 31, Göttingen 1933.
[3]) *in: Beih. Zeitschr. f. d. neutest. Wissensch.* 24, Berlin 1959.
[4]) Cf. BORNKAMM, o. c., p. 8-9.
[5]) Cf. BORNKAMM, o.c., p. 9-13.

In a study by Abramowski it was shown that the same ideas can be found in the Odes of Solomon.[1])

Starting from these facts the Acts of Thomas have been placed between Bardaisan and Manichaeism in the history of the oldest Christianity in Syria. According to Bornkamm: "Sie gehören als wichtigste Quelle zur unmittelbaren Vorgeschichte des Manichäismus".[2]) This supposition is corroborated by the many parallels between the Acts of Thomas and Manichaean literature.

With the help of the gnostic Erlösermythos one was able to point to the agreement between the different representatives of Syriac Christianity and, further, it was possible to show that Syriac Christianity moved into the direction of Manichaeism.

Although these studies proved to be very helpful for the understanding of the rather heterogeneous documents of this period, they failed to show the uninterrupted line from early Syriac Christianity to the later orthodox period.

Nevertheless, the following proofs are available for the gradual development of early Syriac Christianity to the orthodoxy of the time after the third century:

1. The Hymn of the Pearl is considered to be a classical example of the Erlösermythos with its redeemed redeemer. The Hymn was handed down in two manuscripts: the Greek U of the Acts of Thomas and the Syriac B. M. add. 14.654 dating from 936, also containing the entire Acts. It is generally agreed that the Syriac text shows the original wording much better than the Greek version. In other words: for 750 years of orthodoxy in the Syriac church nobody thought it necessary to alter the original Syriac version of the Hymn of the Pearl. In the Greek speaking church, however, some alterations were made in the text in order to make it concur with more orthodox views.[3])

2. Everyone agrees that in the text of the Acts of Thomas the Greek version is superior to the Syriac text. A comparison of the two versions shows where a later Syriac church tried to correct the text according to its own views. It appears that these corrections took

---

[1]) R. ABRAMOWSKI, Der Christus der Salomooden, in: Zeitschr. neutest. Wissensch. 35, 1936, p. 44-67.

[2]) BORNKAMM, o.c., p. 121 and ADAM, o.c., p. 83.

[3]) See also M. BENNET, Actes de Saint Thomas, Apôtre. Le Poème de l'Âme. Version grecque remaniée pas Nicétas de Thessalonique, in Analecta Bollandiana XX 1901, p. 159-164.

place in some passages with a mythological character (for example in the hymn of the heavenly marriage), in passages which speak about God and in those which show too great a distinction between man's body and soul.[1]) These alterations were gradually introduced into the text, since the fragmentary Syriac text of the Acts from the fifth or sixth century shows far fewer alterations than the manuscript in the British Museum.[2])

This means that the Acts of Thomas could be accepted by the Syriac church of a later period with only very slight corrections. The explanation of this striking fact is not to be found in a remark of Bornkamm: "Dass die Akten auch in katholischen Volkskreisen weithin unbefangen gelesen und geschätzt werden konnten, ist nicht verwunderlich, da die Übersetzung der gnostischen Mythen in Legenden für kritiklose Leser das häretische Gift weithin unwirksam gemacht zu haben schien".[3])

This statement is not acceptable. In the first place it is improbable that the Acts of Thomas, continuously read, corrected and translated, should have been in the hands of "kritiklose Leser" all the time. Next it would appear that both Ephrem and Jacob of Serug, scholars who also cannot be reckoned among "kritiklose Leser", read and quoted from the Acts.

The conclusion is unavoidable that the Acts of Thomas were accepted by orthodox circles, even with "the heretical poison" of which Bornkamm speaks. True, this was not done without some corrections. But—and this appears to be very important—these corrections were not made in Christological passages. We have only to point to chapter 10 of the Acts of Thomas which deals with the work of Christ. This chapter shows the Erlösermythos throughout. The only difference between the Greek and the Syriac text is that in the Greek text Christ descends to this world and in the Syriac text he goes to Hades in order to liberate man. In an other publication I pointed to the Christology of the orthodox Doctrine of Addai [4]) which is again in agreement with the contents of the Acts of Thomas

---

[1]) See A. F. J. KLIJN, *The Acts of Thomas, in: Supplem. to Novum Testamentum* V, Leiden 1962, p. 13-16.

[2]) Sinai 30, ed. A. Smith Lewin, *in Acta Mythologica Apostolorum* III and IV, London 1904.

[3]) G. BORNKAMM, *Thomasakten, in:* Hennecke-Schneemelcher, *Neutestamentliche Apokryphen,* II. Band, Tübingen 1964,[3] p. 297-372, p. 308.

[4]) ed. G. Phillips, London 1876.

and the Odes of Solomon as far as these writings speak about Christ.[1])
Developments are only to be seen with regard to man whose soul is
going to play a more and more important part. There is no need to
discuss the Hymn of the Pearl again. Whatever its real meaning—
and personally I disagree with those who call this hymn an "Er-
löserlied" [2])—it was accepted by the Syriac church.

From all this we may conclude that the Erlösermythos is of no
avail to those who try to sketch the development of the church in
Syria from its earliest period until its orthodox stage. What is called
Erlösermythos is something which can be found in Syriac Christianity old and new, orthodox and heretic.

This does not mean that the Erlösermythos is not showing variations. We have already pointed to the difference between the Acts of
Thomas and the Odes of Solomon and the Acts of Thomas and the
Doctrine of Addai. It is, however, symptomatic that those working
with the standard of the Erlösermythos constantly fail to see
these differences and in this way fail to notice that early Syriac
Christianity was a complex entity in which those who are responsible
for the Gospel of Thomas possessed ideas different from those who
wrote the Odes of Solomon and the Acts of Thomas.[3]) The influence
of Jewish-Christianity on the one hand and that of Tatian and Bardaisan on the other hand upon Syriac Christianity can only be dis-
cerned by a careful analysis and comparison of the contents of their
writings and not by an outwardly applied rule.[4]) The development
from the early period to orthodoxy is also not to be shown by the
theory of the Erlösermythos, but only by reading such writings
as Ephrem's *Adversus Haereses* [5]) and his *Prose Refutations of Mani,
Marcion and Bardaisan*.[6]) Here we see what a later church has to say
about heresy. And anyone reading these writings will be astonished

---

[1]) A. F. J. KLIJN, *The Influence of Jewish Theology on the Odes of Solomon and the
Acts of Thomas, in: Aspects du Judéo-Christianisme*, Paris 1965, p. 167-179.

[2]) See A. F. J. KLIJN, *The so-called Hymn of the Pearl (Acts of Thomas ch. 108-113),
in: Vig. Christ.* 14, 1960, p. 154-164.

[3]) See A. F. J. KLIJN, *Das Thomasevangelium und das alt-syrische Christentum, in
Vig. Christ.* 15, 1961, p. 146-159.

[4]) See KLIJN, *The Influence...*

[5]) *Des heiligen Ephraem des Syrers Hymnen contra Haereses*, ed. E. Beck, *in: Corp.
Script. Christ. Orient.* 169 (Syriac) and 170 (German), Louvain 1957.

[6]) *S. Ephraim's Prose Refutations of Mani, Marcion, and Bardaisan*, by C. W.
Mitchell, vol. I, London-Oxford 1912; by the late C. W. MITCHELL, A. A. BEVAN
and F. C. BURKITT, vol. II, London-Oxford 1921.

how little Ephrem has to say against it. Again, the main complaints are dealings with ideas about creation and the doctrine of God.

The foregoing brings us to the conclusion that the term "gnosis"—in the sense of a heresiological problem or a phenomenon of the history of religions—does not show us anything of what we want to know about Syriac Christianity, its origin and development into heresy and orthodoxy. As a heresiological problem it fails to show anything about the early stage of Syriac Christianity, because heresy was no problem in that time, and as a phenomenon of the history of religions it fails to show the difference between this early stage and the time in which orthodoxy prevailed, because there is an ininterrupted line from one stage to the other. We have to be constantly aware that the term "gnosis"—whatever its definition—is an artificial standard which was not created by the early church itself, but by scholars who tried to catch heterogeneous, but nevertheless related trends.[1] And since these trends are more than elsewhere available in Syria, the word "gnosis" must be avoided in order to get a clear picture of the history of the Syriac church.

---

[1] See for a discussion of the term R. P. CASEY, *The Study of Gnosticism, in Journ. of Theol. St.* 36, 1935, p. 45-60.

PROBLEMI MANDEI E MANICHEI; TRASMISSIONE DEI TESTI

PROBLEME EINER ENTWICKLUNGSGESCHICHTE DER MANDÄISCHEN RELIGION

(als Beitrag zur Frage nach dem Ursprung des Gnostizismus) *)

VON

KURT RUDOLPH

In den letzten 75 Jahren ist seit W. Brandt keine große Synthese der mandäischen Studien zustande gekommen, die zu einer sachgemäßen Geschichte der mandäischen Religion (= MR) geführt hätte. Daran sind sowohl der Mangel an Interesse als auch die schwierige Quellenlage schuld. Die wenigen ausgewiesenen Spezialisten allerdings haben wichtige Arbeiten geliefert, vor allem waren sie alle fest von dem hohen (vorchristlichen) Alter der mandäischen Überlieferung überzeugt (Nöldeke, Brandt Lidzbarski), was die jüngste Forschung nur bestätigt hat. Eingebürgerte Vorurteile und eine eingefleischte Skepsis haben dem Fortgang der mandäischen Studien allerdings bis heute mehr geschadet als genützt [1].

W. Brandt hat gleich anfangs den Mut besessen, eine Geschichte der MR zu schreiben [2]. Für ihn stand der vorchristliche Ursprung der Sekte fest, den er im alten Mesopotamien suchte. Die „altmandäische Schule" war nach ihm eine polytheistische Naturreligion, zu der „chaldäische Philosophie" und weiterhin griechische, persische, jüdische und gnostische Elemente traten. Eine jüngere Richtung schuf dann zwischen 300-600 n. Chr. die monotheistische „Lichtkönigslehre", die allerdings die alte polytheistische Schicht nicht verdrängte. Der Zerfall der Gemeinde, bes. unter dem Islam führte zu weiterer Zersplitterung, deren die erlahmende Tätigkeit der Priester nicht mehr Herr werden konnte. Es gelang ihnen nur notdürftig, die verschiedenen Traditionen zu sammeln. Einen tiefen christlichen oder jüdischen Einfluß auf die MR bestritt Brandt; der

---

*) Der zum Kolloquium vorliegende Beitrag musste in seiner ersten Hälfte stark gekürzt werden. Ich behalte mir eine Veröffentlichung des vollständigen Textes an anderer Stelle vor.

[1] Vgl. jetzt dazu auch R. MACUCH, *Anfänge der Mandäer* (in: F. ALTHEIM-R. STIEHL, *Die Araber in der alten Welt*, 2. Bd., Berlin 1965, S. 76-190), S. 140.

[2] *Die mandäische Religion*, Leipzig 1889.

erstere ist nur im Zuge der Polemik in einigen Anpassungen greifbar (Offenbarungstätigkeit eines Erlösers in Jerusalem, der Name „Nāṣōräer").

Die weitere Forschung setzt nun gerade bei den von Brandt vernachlässigten Elementen ein, bei den jüdischen, gnostischen und christlichen. W. Bousset und R. Reitzenstein haben das Verdienst, den gnostischen Charakter der MR erst richtig ins Licht gesetzt zu haben. Manche kühnen Hoffnungen, die letzterer auf einzelne mand. Texte setzte, haben sich allerdings nicht bewahrheitet. M. Lidzbarski hat sich verschiedentlich zu den allgemeinen Fragen der MR geäußert, bes. in den Einleitungen zu seinen mustergültigen Textausgaben und -übersetzungen. Seine philologischen und historischen Argumente begründeten die seitdem weithin akzeptierte These von der syrisch-palästinischen Heimat der Sekte (Haurān-Gebiet, Ostjordanland), aus der sie „wahrscheinlich schon vor dem Untergang des jüdischen Reiches" (70. n. Chr.) abgewandert sind [1]). Einige zentrale Lehren, wie die Taufe im „fließenden Wasser", das Brot-Wasser-Mahl, die Forderung der Mildtätigkeit (*zidqa*) und „Aufrichtigkeit" (*kušṭa*) und „Gemeinschaft" (*laufa*) unter den Brüdern [1]), die Zentralprinzipien Licht und Leben, gehören bereits in diese Zeit [2]). Aus der Auseinandersetzung mit dem spätbabylonischen Sternglauben und dem syrischen Kult der Muttergöttin in den östlichen Wohnsitzen entstand der bekannte Komplex von Rūhā, Ur und den „Sieben". Auch der antichristliche Zug entstand erst jetzt im Kampf gegen die christliche Mission; dagegen ist der Antijudaismus älter [3]). Die eigentliche Schriftstellerei setzte ebenfalls erst im Osten ein (s.u. Macuch). L. war von der vorchristlichen (häretisch-)jüdischen Herkunft der Sekte fest überzeugt.

Auf den Bahnen Reitzensteins und Lidzbarskis bewegten sich die Mehrzahl der Forscher. Erst Schou Pedersen [4]) gab eine auf Textanalysen gegründete neue Einschätzung, indem er dem Mandäismus ein judenchristliches Stadium zuschrieb, aus dem die zahlreichen jüdischen und auch christlichen Elemente zu erklären seien. Eine Ableitung aus diesem Bereich lehnte er jedoch ab (er verstand

---

[1]) *Ginzā Einleitung*, S. X; *Orient. Lit. Ztg* (OLZ) 25, 1922, Sp. 56; *Ztschr. f. d. neutestamentl. Wiss.* (ZNW) 26, 1927, S. 74.

[2]) *Ginzā Eltg.*, S. X u. VIII.

[3]) Ibid. S. XI f.; VIII f.

[4]) *Bidrag til an Analyse af de mandaeiske Skrifter*, Kopenhagen 1940 (teol. Dissertation).

„Judenchristentum" mehr phänomenologisch). „Zentrales religiöses Element" und einheitliche Klammer der MR ist auch für ihn der gnostische Grundgedanke von der Erlösung der Seele durch Mandā dHaijê, ein Grundzug, der sich vor allem in dem Linken Ginzā findet. Den Antijudaismus leitet P. aus dem christlichen Antijudaismus als solchen her. Ist diese Auffassung auch nicht haltbar [1]), so hat P. doch eine wichtige Feststellung getroffen, nach der die Massiqtā-Hymnen des Linken Ginzā und die Grundlehren des sog. „Moralkodex" im Rechten Ginzā, Buch I und II/1 zum gemeinsamen ältesten Gut der mand. Literatur gehören. Dieses ist aber gnostisch und jüdisch, nicht christlich.

Der wichtigste Beitrag nun, der dieses Ergebnis chronologisch auf sichere Füße gestellt hat, stammt von T. Säve-Söderbergh [2]). Er wies durch Vergleich mit den manichäischen Thomas-Psalmen unwiderlegbar nach, daß ein Großteil der GL-Hymnen u.a. kultischer Texte mindestens im 3. Jh. n. Chr. existiert haben muß. Auf diesem Fundament kann jede weitere Arbeit aufbauen [3]). Eine zusammenfassende Darstellung auf Grund der bisherigen Forschung lieferte dann Geo Widengren [4]), der auch gewisse Anliegen Brandts erneut zur Geltung brachte [5]).

Die von Widengren angenommenen drei Schichten der MR können weitgehende Zustimmung beanspruchen (bis auf gewisse Eigenwilligkeiten, für die mehr die Methode als das Material entscheidend ist): die jüdisch-westsemitische Schicht, die mesopotamische (spätbabylonische) und die iranische (vor allem parthische). Die iranische Komponente ist nach W. auch bereits für die erste Schicht anzusetzen (iran. Einfluß in Syrien und Palästina). Mesopotamisches Material (außer Lehnworten nur geringen Umfangs- kann, wenn man

---

[1]) Vgl. K. RUDOLPH, *Die Mandäer* I, Göttingen 1960, S. 117 f.

[2]) *Studies in the Coptic Manichaean Psalmbook*, Uppsala 1949.

[3]) Vgl. A. ADAM, *Die Psalmen des Thomas und das Perlenlied als Zeugnisse vorchristlicher Gnosis*, Berlin 1959, S. 39 ff.; C. COLPE, *Die Thomaspsalmen als chronologischer Fixpunkt in der Geschichte der orientalischen Gnosis*, in: *Jahrbuch f. Antike u. Christentum* 7, 1964, S. 77-93. Es ist hier nicht der Ort, sich mit den sehr voneinander abweichenden Auffassungen auseinanderzusetzen. Die Geschichte der „orientalischen Gnosis" an den Thomaspsalmen aufzuhängen oder sie als maßgehendes Kriterium zu verwenden, erscheint mir zu eng.

[4]) *Die Mandäer*, in: *Handbuch der Orientalistik*. Hrsg. von B. Spuler. Bd. VIII, Teil 2: Religionsgeschichte des Orients in der Zeit der Weltreligionen, Leiden 1961, S. 83-101.

[5]) *Mesopotamian Elements in Manichaeism*, Uppsala-Leipzig 1946.

an die gediegenen Ausführungen W. Baumgartners denkt [1]), gleichfalls schon dafür in Anspruch genommen werden [2]). Jedenfalls ist
auch nach W. an der vorchristlichen palästinisch-jüdischen Herkunft
der mandäischen Gnosis nicht zu zweifeln. Derselben Auffassung hat
sich auch die hochverdiente Erforscherin der MR Lady E. S. Drower
in ihrem Buch „The Secret Adam" (1960) angeschlossen.

Der jüngste Versuch, ein geschichtliches Bild von der Entwicklung
der mand. Gemeinde bis zur frühislamischen Zeit zu zeichnen,
stammt von R. Macuch [3]). Seine Ausführungen sind für unsere
Fragestellung sehr bedeutsam und lassen sich kurz so zusammenfassen:

1. Die Ansichten Lidzbarskis über die bekannten zentralen mand.
Termini technici *manda*, *naṣuraia* und *iardna* sind nicht zu erschüttern,
auch *kušṭa* und *gufna* zeigen inhaltliche Berührungen mit den johanneischen Texten [4]).

2. Das Nāṣāräertum ist von Anfang an eine vom offiziellen Judentum getrennte Erscheinung, die sich in zwei Formen fortentwickelte:
im palästinischen Judenchristentum und im mandäisch—mesopotamischen Nāṣōräismus. Letzterer ist durch Abwanderung nach dem
Osten entstanden; der zurückgebliebene Teil ging im Judenchristentum auf. Ein Zusammenhang von westlichem und östlichem Nāṣāräertum war den Einsichtigen schon immer klar gewesen [5]).

3. Die Haran-Gawaita-Legende [6]) ist trotz ihres verworrenen
Charakters eine wichtige historische Quelle (auch wenn sie nach
M. nur 5% geschichtlichen Wert besitzt!). Sie beweist nach M.,
daß die Sekte z.Zt. des Königs Artabanus III. (reg. 12-38 n. Chr.) in
Harān und Medien eindrang, von wo sie sich bis nach Süden aus-
breitete. Im Laufe dieser Wanderungen kam es zur Ausbildung eines
nord- und eines südbabylonischen Zweiges; nur der letztere über-

---

[1]) *Der heutige Stand der Mandäerfrage* (*Theol. Ztschr. Basel* VI, 1950, S. 401-410);
Zur Mandäerfrage (*Hebrew Union College Annual* XXII, 1950/1, S. 47-71).

[2]) Vgl. RUDOLPH, *Mandäer* I, S. 195 ff.

[3]) Vgl. Anm. 1! *Zur Frühgeschichte der Mandäer*, in: *Theol. Lit. Ztg* (ThLZ) 90,
1965, Sp. 650-660.

[4]) H. H. SCHAEDERS und F. ROSENTHALS Kritiken sind hierfür nicht stichhaltig
(*Anfänge* S. 96 f.; vgl. auch *Mandäer* I, S. 113 f.).

[5]) Vgl. jetzt auch M. SIMON, *Die jüdischen Sekten zur Zeit Christi*, Köln 1964,
S. 101; ferner *Mandäer* I, S. 116 f., 229 f.

[6]) Vgl. bereits *Alter und Heimat des Mandäismus nach neuerschlossenen Quellen*,
in: ThLZ 82, 1957, Sp. 401-408.

lebte. Eine Auseinandersetzung mit diesen Thesen muß ich mir hier schenken [1]). Was M. nicht glaubhaft mit diesem frühen Exodus verbinden kann, ist die von ihm selbst akzeptierte Beziehung zum johanneischen Traditionskreis und zu den anderen westsyrischen und palästinischen gnostischen Überlieferungen. M.E. ist ein Exodus im 1. Jh. noch zu früh, wenn er auch etappenweise vom Ostjordanland bereits bis nach Syrien in dieser Zeit in Gang gekommen sein mag. Wir wissen darüber nichts. Das Eindringen in das parthische Gebiet erfolgte wohl erst im 2. Jh., auf alle Fälle also in der Arsakidenzeit [2]).

4. Der Zusammenhang zwischen der mandäischen Schrift und den im Tang-e Sarvak entdeckten elymäischen Inschrifte aus dem 2./3. Jh. n. Chr. legen es nahe, die mandäische Schrift als das gesuchte Bindeglied zwischen der nabatäischen und elymäischen Schrift anzusehen [3]). Die These bedarf noch der Überprüfung; sie hat vieles für sich. Es ist aber noch nicht sicher, ob die späteren Mandäer tatsächlich die Träger und „Erfinder" dieser Schrift einst gewesen sind. Können sie nicht auch ihre Schrift aus der südbabylonischen aramäischen Kursive entwickelt haben? Sekten sind ein guter Nährboden für derartige Erscheinungen.

5. Von großer Bedeutung für die chronologische Fixierung mandäischer Texte oder Textsammlungen sind die Kolophone der Kopisten, auch wenn man sich — wie schon Lidzbarski erkannte — keine übertriebene Vorstellungen von diesen Angaben machen darf. So läßt sich offenbar aus der Nachschrift zum Qolastā (Kanonisches Gebetbuch Teil 1) zeigen, daß diese wichtige liturgische Textsamm-

---

[1]) Vgl. den ausführl. Beitrag! Meine Argumente sind: 1. Die HG-Legende ist eine sekundäre Bearbeitung älterer Überlieferungen, die uns auch im GR greifbar sind. 2. Der Quellencharakter der HG-Rolle ist vom historischen Gesichtspunkt höchst problematisch und seine Deutung im Einzelnen nur unter Vorbehalt möglich. 3. Macuch gibt diesen Zustand selbst zu („fiktiver Bericht"), zieht aber m.E. nicht die notwendigen Folgerungen daraus. 4. Der Verf. (oder Redaktor?) hatte keine klaren Vorstellungen mehr über die älteste mand. Geschichte und taucht diese in ein phantastisches Licht. 5. Wertvoll sind allein manche Angaben über Leben und Schicksal der Gemeinde (auch über ihre eschatologischen Lehren hier!) und der erhaltene Hinweis auf eine Einwanderung in die östliche Heimat unter den Arsakiden.

[2]) Vgl. *Anfänge* S. 126! Macuchs Angabe in: *Zur Frühgeschichte* Sp. 650, ich hätte die Zerstörung Jerusalems in das 3. Jh. n. Chr. gesetzt, muß auf einem Irrtum beruhen. Eine weitere Diskussion über die Identifizierung des mysteriösen Ardban (Artabanus) behalte ich mir vor. Ein *non liquet* ist in dieser Frage vorläufig wohl angebracht!

[3]) Das Beweismaterial und die neue Lesung der relevanten Texte: *Anfänge* S. 139-158; *Frühgeschichte* Sp. 655-660.

lung für Taufe und „Totenmesse" in die 2. Hälfte des 3. Jh.s datiert werden kann (als ältester Kopist und Redakteur wird Zāzai ḏGawazta bar Naṭar aus Ṭib genannt) [1]). Allerdings sind die mand. Zeitangaben für uns noch nicht restlos entschlüsselbar, so daß gewisse Unsicherheiten bestehen bleiben. Es zeigt sich aber auch sonst eine relative gute Überlieferung der mand. Texte, bes. der liturgisch-kultischen. Diese Tatsache bestätigt auf jeden Fall die Untersuchungen Säve-Söderberghs [2]). Auch von dieser Seite aus ist also die kultisch-liturgische Überlieferung als die zuverlässigste zu betrachten. In ihr haben wir das älteste Gut der Gemeinde vor uns. M. macht es außerdem als durchaus sicher, daß schon vor dem Einbruch des Islams größere Sammlungen der mand. Literatur bestanden haben, so daß schon zu Mohammed der Ruf von den „Büchern" besitzenden Ṣābiern dringen konnte [3]). Es waren dafür sowohl innere Gründe (Umschrift der empfindlichen Rollen in die haltbaren Codices) als auch äußere (Gemeindezerfall) maßgebend, die unter dem Islam noch verstärkt wurden.

Die Skepsis gegenüber der mand. Literatur ist also auch von der Redaktionsgeschichte her nicht begründet. Die vormanichäische Existens einer mand. Überlieferung und Gemeinde ist heute mehr denn je gesichert.

Die kurze Besprechung von Macuchs anregenden und vielfach neue Wege beschreitende Abhandlung hat uns nun zu dem Punkt geführt, an dem eine Zusammenfassung der mir als augenblicklich gesichert erscheinenden Forschungsergebnisse am Platz ist. Ich möchte das tun, indem ich zugleich die eigenen traditionsgeschichtlichen Untersuchungen dazu in Beziehung setze [4]) Macuchs Ausführungen zur äusseren Geschichte der Mandäer bedürfen der Ergänzung durch eine Textanalyse. Nur auf diese Weise ist ein vollständiges Bild vom Werden der mand. Gemeinschaft und ihres Glaubens möglich.

Darüber hinaus bedarf es immer wieder der Feststellung, dass wir es bei den Mandäern mit einer ausgeprägten Kultgemeinde zu tun haben, in deren Zentrum der Taufritus steht. Ich halte diese kultische

---

[1]) *Anfänge* S. 139; 159 ff.; auch *Frühgeschichte* Sp. 660; *Handbook of Classical and Modern Mandaic*, Berlin 1965, S. LXV.

[2]) Aus denen die Konstanz einzelner liturgischer Texte für das 3. Jh. einigermaßen gut demonstriert werden kann.

[3]) Vgl. bereits meine *Mandäer* I, S. 36 f.

[4]) *Theogonie, Kosmogonie und Anthropogonie in den mandäischen Schriften. Eine literarkritische und traditionsgeschichtliche Untersuchung*, Göttingen 1965 (hier alle Belege!).

Äusserung für den Kern der mandäischen Gemeinde; daher ist sie eine Taufsekte. Der Nachweis ihres Ursprungs im Jordangebiet und der spätjüdischen Waschungs- und Tauchbadpraxis ist von E. Segelberg und mir in jüngster Zeit erneut durchgeführt worden [1]. Die älteste Stufe ist daher, sofern man darüber sichere Aussagen machen kann, in dieser uns leider durch mangelnde Nachrichten nur schwach erkennbare Taufsektenwelt verwurzelt. Als ein wichtiges Kenneichen dieser Kreise ist die Verwendung der Wurzel *ṣbj* für den Taufvorgang anzusehen. Über die Vorgeschichte dieses Stadiums ist m.E. nichts mehr festzustellen, blosse Vermutungen helfen uns nicht weiter. Wie es schon im Hinblick auf die essenischen Qumränleute schwierig ist, Motiv und Voigeschichte ihies Exodus aus dem Kulturland sicher zu eruieren, so erst recht für die Nāṣōräei, die darüber keine Tradition mehr besitzen.

Bereits die älteste Form dessen, was wir heute „Mandäismus" nennen, war eine Absplitterung vom offiziellen Judentum. Solcher Absplitterungen hat es offenbar mehr gegeben als wir ahnen können. Die Vielgestaltigkeit und relative Uneinheitlichkeit des Spätjudentums ist nicht nur durch die Qumränfunde und die bahnbrechenden Arbeiten Goodenoughs, Scholems u.a. bewiesen worden, sondern wird neuerdings durch die von Margalioth vorbereitete veröffentlichung der jüdischen Zaubertexte aus Palästina weiter bestätigt werden [2]. Berechtigte Hoffnung besteht jedenfalls, dass das bekannte Bild vom Spätjudentum einer immer stärkere Revision unterzogen werden wird, besonders durch die Untersuchungen jüdischer und israelischer Spezialisten.

Die Durchsetzung eines jüdischen Substrats mit fremden Gut, seien es iranische, spätbabylonische, syrische oder griechische Elemente ist also als Wurzel des mandäischen Nāṣōräismus zu betrachten. Die einmal (in vorchristlicher Zeit) eingesetzte Abdrängung führte mit zentrifugalem Tempo in den Synkretismus der gnostischen Strömungen. Die Träger dieser frühen mandäischen Gnosis waren offenbar uns schwer erhellbare Kreise des unteren Priestertums und vor allem der Weisheitslehrer. In den Traditionen der Weisheitslehrer, in denen ja bekanntlich gerade in Israel schon früh das fremde Gut der Nachbarreligionen verarbeitet wurde, war am ehesten mit

---

[1] E. SEGELBERG, *Maṣbuta*, Uppsale 1958; RUDOLPH, *Die Mandäer* II. *Der Kult*, Göttingen 1961.

[2] Briefliche Mitteilung von G. SCHOLEM-Jerusalem (14.2. 1965).

solchen zentrifugalen Kräften zu rechnen, vor allem, wenn man damit beschäftigt war, das Weltgeschehen, die „Höhen" und „Tiefen" der göttlichen Mysterien zu durchforschen und man sich nicht scheute aus anderen Glaubenslehren zu lernen. Die sozialen Aspekte dieser Bewegungen sind uns leider bisher nur schwach greifbar. Sie stehen weithin in Gegensatz zur offiziellen Lehre und Herrschaft.

In den mandäischen Überlieferungen über die Theo-, Kosmo- und Anthropogonien gibt es eine Reihe solcher Züge, die auf ein synkretistisches Judentum hinweisen, das in den Strudel der Gnosis geriet, wie wir es auch für andere gnostische Texte verschiedentlich voraussetzen müssen (Nag' Hammādi-Texte). Der altsemitische, im Judentum — bes. auch in den Sprüchen Salomos — wirksame Lebensbegriff hat durch Verjenseitigung zur Gottesgestalt des Mandäismus geführt. „Das Leben ist siegreich" ist die ständig wiederkehrende Formel der mand. Literatur. Die Überhöhung des Gottes „Leben" (*Haijê*) durch ein abstrakteres Prinzip, nämlich des *Mānā* (ein iranosemitisches Lehnwort) ist offenbar bereits früh erfolgt im Zuge der gnostischen Transzendentalisierung der Gottesidee und der Hypostasierung des unsterblichen menschlichen Selbst (Seele = *Mānā*). Dieser Licht- und Lebenswelt gegenüber ist die Finsterniswelt ursprünglich Ausdruck des altsemitischen Theologumenons vom Chaosmeer, im Mandäischen vorgestellt als „Schwarzes Wasser". Die Weltschöpfung im „Schwarzen Wasser", ist das Werk eines Schöpfungswesens, hinter dem der jüdische Demiurg steckt, der uns im Mandäischen mit verschiedenen Namen entgegentritt (Jō-Rabbā,Ēl, Adōnai, Qādōš u.s.) [1]). Er ist auch Vater der bösen Planeten und Tierkreiszeichen, der „Sieben" und „Zwölf", die er mit Rūhā, dem dämonisierten Schöpfergeist, schuf. Ich sehe dahinter eine häretischgnostische Interpretation der priesterlichen Schöpfungsgeschichte von Genesis 1. Die Einrichtung der Erde „Tibil" erinnert ebenfalls an biblisch-at-liche Berichte: ein alter Listencharakter der Schöpfungsstaten ist hier leicht nachweisbar.

Aus gleichen Ursprüngen zehrt die ältere Vorstellung von der Anthropogonie, wobei vor allem das spätjüdische, so bedeutsame Theologumenon von der Schaffung des Adamkörpers als eines Mikrokosmos Pate gestanden hat. Die gnostische Interpretation mit Hilfe des Anthroposmythos hat hierbei tiefeingreifend und neugestaltend gewirkt. Im Mandäischen sind sehr alte Züge dieses gnos-

---

[1]) Widengren, *Die Mandäer* S. 89.

tischen Theologumenons erhalten geblieben. Die Überlieferung von den Adamssöhnen oder Adamiten, ursprünglich offenbar vorbildliche Nāṣōrāer und „Gerechte", Urtypen des mandäischen Frömmigkeitsideals, und die Traditionen über ihre Errettung vor den drei Katastrophen des Wassers, Feuers und Schwertes, verraten jüdischen Tenor. Die neuedierte „Adamapokalypse" öffnet uns gerade für diesen Überlieferungskomplex die Augen und zeigt uns in welcher Weise jüdische Traditionen in der Gnosis verarbeitet worden sind. Das Material des 11. Buches des Rechten Ginzā weist zu diesem Text sehr affällige Parallelen auf, ganz abgesehen von deutlich sichtbaren baptistischen Zügen auch in der Adamapokalypse [1]). Weiteres at-liches und jüdisches Material lässt sich leicht aus den Onomastika entnehmen [2]).

Im Mittelpunkt der altmandäischen oder nāṣōräischen Lehre stand auch bereits das Offenbarungsgeschehen in der Urzeit. Adam erhält die „Gnosis des Lebens", ein Vorgang, der durch immer neue Auslegung und Bearbeitung zu einem schwer durchschaubaren Komplex der mandäischen Überlieferung wurde. Die „Gnosis des Lebens" (*manda dhaijê*) wurde personifiziert und vornehmlicher Offenbarungträger oder Erlösungsgestalt, während der Körperadam vom „Verborgenen Adam" (*adam kasia*) belebt wird. Die Vermittlung der Gnosis durch den „Erlösungsrufer" war zugleich mit der Übergabe der heilsnotwenigen Kultriten verbunden: für eine gnostische Kultgemeinde war der Erlösungscharakter der „Erkenntnis" zugleich an den überlieferten Vollzug der Riten, in erster Linie der Taufe (*maṣbuta*), gebunden. Die „Erlösung" oder „Rettung" durch Gnosis und kultische Technik realisiert sich im „Aufstieg der Seele" zum heimatlichen Lichtreich. Dieser Seelenaufstieg, der stark von iranischen Gedanken geprägt ist, erhielt eine eigene kultische Gestaltung in Form einer „Seelenmesse" (*masiqta*). In den ältesten liturgischen Texten, über deren Alter ich berichtet habe, steht Erlösung und Seelenaufstieg immer eng zusammen. Der Offenbarer, Heilsvermittler ist auch der Erlöser und Seelengeleiter ins Jenseits. Die bekannte gnostische Dämonisierung der sublunaren Sphäre ist

---

[1]) A. Böhlig-P. Labib, *Koptisch-gnostische Apokalypsen aus Codex V von Nag Hammadi im Kopt. Museum zu Alt-Kairo*, Halle 1963 (Sonderbd. der WZ Univ. Halle-Wittenberg), S. 93 ff.; dazu Rudolph, ThLZ 90, 1965, Sp. 362; A. Böhlig, *Die Adamapokalypse aus Codex V von Nag Hammadi als Zeugnis jüdisch-iranischer Gnosis*, (in: *Oriens Christianus* 48, 1964, S. 44-49), S. 46 f.

[2]) Kurz zusammengestellt von Widengren, a.a.O., S. 89 ff.

ja besonders schön und ausführlich im Mandäischen belegbar und den Gnosisforschern vertraut. An dem hohen Alter einiger dieser Traditionen aus dem Linken Ginzā und den Liturgien ist nicht zu zweifeln. Der Fall der Seele in die Finsternis, die nach alter mandäischer Lehre mit der irdischen Welt zusammenfällt, oder mikrokosmisch gesehen in den Körper oder „Rumpf", und ihre Befreiung zur glücklichen Rückkehr vermittelst des Offenbarungs- und Erlösungsrufes und der kultischen Verrichtungen ist das Zentralthema dieser alten Texte, bzw. des alten Nāṣōraismus. Das Herz der mandäischen Frömmigkeit schlägt heute wie damals in diesem Geschehen: der Befreiung von der Welt der Finsternis und des Todes.

Auch in den moralischen Vorschriften, die uns manche alte Partien des Ginzā überliefern, spürt man jüdisches Erbe, ja wie ich schon in meinem ersten Mandäerbuch zum Ausdruck brachte, Züge spätjüdischen Gesetzesradikalismus [1]). Asketische Vorschriften sind mit der Zeit abgeschwächt worden, doch waren sie im Mandäischen offensichtlich nie radikal ausgeprägt, abgesehen von einer allgemeinen Weltfeindschaft. Eine Abwertung des Weiblichen, mythologisch in alten Traditionen von der Entstehung und Rolle Evas greifbar, hat das Gebot der Ehe und Kindererzeugung nicht beseitigen können. Dieser für eine gnostische Religion auffällige Zug erklärt sich sehr gut aus der jüdischen Herkunft der Sekte; bekanntlich stellt schon die Beschränkung auf die Monogamie im Spätjudentum eine Einschränkung dar [2]). Die Mandäer vertreten also eine recht hausbackene Gnosis.

Auf eine in die mandäische Frühgeschichte zurückgehende Polemik gegen andere Sekten und Propheten weisen Stellen aus dem 1. und 2. Ginzātraktat (§§ 167-174) [3]). Einige alte Begriffe, wie *bhirê ẕidqa*, *mara drab(b)uta*, *r(ab)ba*, *raẕa*, finden sich bekanntlich im Qumrānschrifttum wieder, ebenso baptistische Terminologie und Bilderrede [4]).

Dieses knappgezeichnete Bild der ältesten mandäischen Religionsstufe, erhält dann in den neuen östlichen Wohnsitzen eine Bereicherung und Ausgestaltung, die aber zugleich auch zu Ver-

---

[1]) MANDAER I, S. 86 mit Anm. 3.
[2]) Ibid. S. 85 mit Anm. 2.
[3]) Vgl. dazu PEDERSEN, *Bidrag* S. 150 ff. u. 219.
[4]) Vgl. meinen Aufsatz in der *Revue de Qumran* 4 (Nr. 16), 1964, S. 523 ff. Die in diesem Zusammenhang gleichzeitig erwähnte Verwendung at-licher Psalmenmotive bedarf noch einer generellen Untersuchung für den Gesamtbereich der Gnosis (vgl. bes. Oden Salomos, Thomaspsalmen).

wirrung und Auflösung der alten Lehren führen. Es ist hier vor allem zu sprechen von der sogenannten „monistischen" Tendenz, die sich in zahlreichen Überlieferungen niedergeschlagen hat. Man führt Welt- und Menschenschöpfung auf den Lichtkönig und einen seiner direkten Boten zurück und bearbeitet die älteren dualistischen Traditionen entsprechend. Die Frage nach dem Ursprung und der Entstehung dieser mandäischen Richtung oder Schule, die offensichtlich bei der Sammlung und Schlussredaktion der Texte die herrschende war, lässt sich aus Mangel an Material schwer beantworten. Brandt dachte bekanntlich an persischen Einfluss, vielleicht ist auch manichäische Anregung wirksam gewesen (Ausgestaltung von Licht- und Finsternisreich). Andeutungsweise habe ich meinen letzten Arbeit [1]) an ältere Wurzeln dieser Lehre erinnert, wie die Rolle des „Lebens" als Ursprung des „lebenden Wassers" und der Seele. Vielleicht sind auch Kreise dafür verantwortlich zu machen, die bewusst an einem verborgenen Überlieferungsstrang jüdisch-monotheistischen Glauben anknüpfen im Zuge einer Auseinandersetzung mit dem östlichen Juden- und Christentum. Nähere Untersuchungen sind hier noch nötig. Der Islam hat diese Entwicklung sicherlich verstärkt und bestärkt, doch ist, wie wir gesehen haben, die Hauptmasse der Literatur in vorislamischer Zeit entstanden und schon teilweise redigiert worden. Arabische Lehnworte sind selten anzutreffen und treten erst im neumandäischen Dialekt und einigen jungen Traktaten auf.

Aus der Haran-Gawaita-Schrift wissen wir von unterschiedlichen Lehre, gegen die sich die offizielle Richtung — vielleicht die monistische Schule — durchsetzen musste. Es wird da unter den Nāṣōräern von erstklassigen, mittelmässigen und minderwertigen gesprochen (Z. 96), ja auch von „unorthodoxen Leuten" (*anaša d laṭaksa* (Z. 97). Rūhā, der böse Geist, stiftete unter den Nachkommen Johannes des Taufers Verwirrung an, verdreht Worte, Lehren und Gebete (Z. 100 f.). 86 Jahre vor der arabischen Eroberung trat ein Ethnarch namens Qīqel auf (Z. 108 ff.), der auf Anraten der Rūhā falsche Schriften und Lehren verbreitete, was zu einem Schisma in der Gemeinde führte. Er bekehrte sich zwar wieder von seinem Irrtümern und versuchte den angerichteten Schaden zu heilen, aber einige seiner Schüler und Parteigänger, die, wie es heisst, „aus der Wurzel der Juden" waren, gaben die falschen Schriften nicht aus den Händen,

---

[1]) *Theogonie* S. 205 f.; 343.

so dass sie erhalten blieben. Solche Nachrichten, die leider nur ganz
singulär sind, erklären uns sehr gut, warum in den Texten mitunter
so unterschiedliche Lehrüberlieferungen nebeneinander vorhanden
sind: Wertvolles neben Minderwertigem, Erhabenes neben Lächer-
lichem, Altes neben Neuem, oder auch Ketzerisches neben dem
später zur Herrschaft gelangten offiziell Anerkannten. Auch im
Mandäismus hat sich eine Orthodoxie herausgebildet, die im Grunde
genommen gegenüber der alten Lehre ebenso häretisch ist, wie die
von ihnen bekämpften Lehren. Die Zerstreuung und der spätere
Zerfall der Gemeinde förderten einerseits den Prozess der Uneinheitlichkeit, andererseits aber den der notwendigen Kanonisierung und
Unduldsamkeit gegen andere Auffassungen. So ist uns sicherlich
manche wertvolle Schrift verlorengegangen, obwohl die Mandäer
lange Zeit hindurch einmal Formuliertes und zur Tradition gehöriges
weitergaben, wie man aus dem heutigen Zustand der Literatur leicht
feststellen kann. Die blühende Phantasie hat sich bis heute bei ihnen
erhalten, wie ihre Legenden und Volkszählungen zeigen [1]).

In die Zeit des östlichen Aufenthaltes setze ich auch die Ausbildung
der uns in den geheimen, nur Priestern zugänglichen Ritenkommen-
taren bewahrten Spekulationen über Mikro- und Makrokosmos, den
kosmischen Adam, die himmlische und finstere Welt, die Ausdeutung
zeremonieller Vorgänge zu tiefsinnigen oder banalen Mysterien. Es
ist die Welt, die man in Lady Drowers Buch über den „Secret Adam"
nachlesen kann und die, wenigstens in der heutigen Form, nicht zur
ältesten Weisheit des Nāṣōräertums gehört, aber einige bemerkens-
werte Vorstellungen entwickelt hat, die man als Zwischenglieder zur
Ausbildung jüdischer Esoterik und Qabbalah, sowie zur ismailitischen
Gnosis betrachten kann. Nicht zu leugnen sind natürlich einige
Vorstufen in der älteren mand. Überlieferung, die zur Entstehung
der jüngeren Priesterweisheit geführt haben, auch an externen
Zeugnissen aus gnostischen Texten dazu fehlt es nicht.

Ich habe in meiner erwähnten Arbeit fernerhin auf einen Prozess
der Klerikalisierung und Ritualisierung aufmerksam gemacht. Darunter verstehe ich die sichtlich ablesbare Auslegung alter mytholo-
gischer Überlieferungen mit Hilfe ritualistischer Ideen. Aus
himmlischen Wesen werden Typen himmlischer Priester; bes. der

---

[1]) Siehe E. S. DROWER, *The Mandaeans in Iraq and Iran*, Leiden 1962, S. 249 ff.;
ferner auch die Berichte von Petermann, Siouffi und die Texte, die J. de Morgan
aufzeichnete (*Mission scientifique en Perse* T.V, 2, Paris 1904).

fehlsame und dann rehabilitierte Priester ist ein beliebtes Thema dieser Art. Grund für diese Erscheinung ist offenbar, dass die Pflege des Schrifttums schon in vorislamischer Zeit immer mehr aus der Gemeinde der Nāṣōräer in die Hände einer engen Priesterschaft geriet, die die Scheidung zwischen „Laien" oder „Mandäern" und Priestern und Nāṣōräern einleitete und förderte. Diese klerikale Elite, wenn man so sagen darf, behielt sich besondere Schriften als ihr Eigentum vor, bzw. verfasste derartige Werke, eine Entwicklung die dem alten Mandäismus völlig fremd war, da in ihm jeder ein Nāṣōräer war, der sich der Gemeinde anschloss. Die kultischen Funktionäre hatten wohl aus einsichtigen Gründen eine besondere Stellung schon früher inne, aber keine ausschliessliche, bevorzugte oder gar erbliche. Der Begriff „Jünger" wurde zum term. techn. für „Priester" (*tarmīda*). Die genannten Entwicklungen sind also während des östlichen Aufenthalts eingetreten und haben das Gesicht der mand. Gemeinde zusehends bis zum heutigen Tage geprägt.. Darin liegt allerdings für den Religionshistoriker eine ihm vertraute Erscheinung der geschichtlichen Entwicklung einer religiösen Gemeinde vor. Nach menschlichem Ermessen ist das Schicksal der heutigen Gemeinde besiegelt.

Dieser Überblick, sollte zeigen, dass die Probleme einer Entwicklungsgeschichte der mandäischen Religion sehr kompliziert sind und noch keine endgültigen Lösung gefunden haben. Die eigentliche Arbeit liegt noch vor uns, vor allem die Untersuchung der von Lady Drower neu entdeckten und edierten Texte. Fest steht jedoch die Tatsache, dass die wertvollste und ältere mandäische Literatur auf eine längere Lehrentwicklung und damit auch der Geschichte der Sekte selbst hinweist. Sie umspannt einen langen Zeitraum der vorislamischen Ära, der bis in die vorchristliche Zeit zurückreicht. Eine Konstanz der mandäischen Lehre über Jahrhunderte hinweg anzunehmen, wie sie Macuch voraussetzt[1]), indem er nur das Zeugnis der Kolophone, also das Zeugnis der mandäischen Überlieferer und Abschreiber selbst, berücksichtigt, bringt uns einer Religionsgeschichte der Mandäer noch nicht näher[2]). Massgebend

---

[1]) *Anfänge* S. 120.
[2]) Vgl. auch *Handbook* S. LXVII, wo gesagt ist, daß uns das Studium der Kolophone mehr Information über die Geschichte der mandäischen Literatur geben soll als diese selbst, was ich sehr bezweifle, wenigtens für die wichtige Frage nach der Frühzeit (anders steht es im Hinblick auf spätere Redaktionsgeschichte).

und Kriterium dafür darf allein der Inhalt der überlieferten Texte selbst sein. Gerade die Vielfalt der Überlieferungen und Lehren beweist sehr deutlich die lange Geschichte und das hohe Alter des Mandäismus, den man natürlich trotz dieser Vielgestaltigkeit kein blosses Mosaik von einzelnen Sekten oder Gedanken nennen kann. Er ist, wie kürzlich wieder Macuch, betont hat, ein „einheitliches Phänomen"[1]), dessen Bedeutung für die spätantike Religionsgeschichte des Orients, speziell für das häretische Judentum und die Gnosis, nicht unterschätzt werden darf. Diese Erkenntnis ist zum Glück bei den Fachgelehrten eher im Steigen als im Schwinden begriffen. Die Tragik liegt darin, dass dies zu einer Zeit erfolgt, in der die letzten Vertreter dieser Religion dem unaufhaltsamen Urtergang entgegengehen, nach ihrem Glauben in das Reich des Lebens und Lichtes, nach dem sie sich immer gesehnt haben.

---

[1]) *Anfänge* S. 170.

IL SALTERIO MANICHEO E LA
GNOSI GIUDAICO-CRISTIANA

DI

FRANCESCO S. PERICOLI RIDOLFINI

La recensione del lavoro di Alfred Adam dal titolo „Die Psalmen des Thomas und das Perlenlied als Zeugnis der vorchristlicher Gnosis" (Berlino 1959) affidatami dalla Rivista degli Studi Orientali della Università di Roma, mi spinse ad affrontare il medesimo argomento, non tanto per farne uno studio completo ed esauriente, quanto per mettere in evidenza degli elementi di valutazione che l'Adam aveva, secondo il mio parere, arbitrariamente tralasciato. Conclusione del mio lavoro fu lo studio, pubblicato nel 1963 sulla medesima rivista, dal titolo „I Salmi di Tommaso e la gnosi giudeo-cristiana". In esso, contrariamente all'Adam, che vedeva in quei carmi l'espressione di una gnosi precristiana di netta impronta partico-iranica, concludevo che, a mio parere, nei Salmi di Tommaso si riconosceva chiaramente l'espressione di un pensiero gnostico propriamente appartenente ad ambienti giudaico-cristiani.

I risultati che ritenevo di aver raggiunto erano particolarmente avvincenti e tali da suscitare entusiasmo ed impegno nella prosecuzione delle ricerche e degli studi sul resto del Salterio Manicheo. Del resto, già da una rapida lettura del Salterio Manicheo e dal modo stesso con cui esso si presenta nella sua veste redazionale, non sembra azzardato avanzare l'ipotesi che esso non costituisca un insieme organico di carmi aventi, se non un comune autore, almeno una comune ispirazione. Le varie parti in cui esso è articolato, i differenti titoli di cui queste sono munite, le diversità di tono e di impostazione ideologica, sono tutti elementi sufficienti per poter ragionevolmente supporre che esso risulti costituito da una raccolta di carmi provenienti da ambienti diversi, tutti riducibili al comune fondo gnostico, in buona parte di origine non manichea, ma accettati ed usati dalle comunità manichee, ed esplicitamente adattati a tale dottrina solo in modo esteriore, mediante, per lo più, l'aggiunta di dossologie finali.

Tuttavia nulla può affermarsi di certo senza un accurato esame del testo. Di tale esame, che sto conducendo con la valida collaborazione dei miei assistenti e discepoli, che qui voglio pubblicamente ringraziare, intendo comunicare alcuni risultati che si riferiscono al secondo gruppo dei Salmi di Eraclide, gruppo che, nell'edizione dello Allberry, va da p. 187 lin. 1 a pag. 202 lin. 26.

Desidero subito avvertire che l'esame di tali testi ha dato risultati analoghi a quelli dell'esame condotto sui Salmi di Tommaso; pertanto anche il secondo gruppo dei Salmi di Eraclide ci è parso espressione di ambienti gnostici giudaico-cristiani e da ciò consegue il titolo stesso della presente comunicazione.

Il primo carme del gruppo (ed. Allberry, p. 187 lin. 1 — p. 187 l.36) parafrasa ed espone in forma lirica il passo di Giov. 20, 15-17, cioè l'apparizione di Gesù a Maria dopo la Resurrezione. In esso si mette ben poco in evidenza la resurrezione e si tace l'imminente ascensione, mentre si dà molto risalto all'insegnamento di Gesù. Maria vi appare come coordinatrice degli apostoli e Simone Pietro come il principale depositario della rivelazione gnostica di Gesù.

La posizione di preminenza di Maria è consona al concetto gnostico della donna tramite di gnosi, concetto che si rileva sufficientemente in vari passi del Vangelo di Tommaso (136 ss.; 249 s.) e nel 16° Salmo di Tommaso.

Gesù in questo carme si qualifica come fratello, maestro e Signore, con evidenti riferimenti a Giov. 13, 13; 20, 17, ed Ebrei 2, 11-12.

Il secondo carme (ed. Allberry, p. 188 lin. 1 — p. 188 lin. 24) è costituito da una preghiera rivolta al „guardiano" perchè apra la porta, fermi le lacrime dell'orante oppresso, cancelli il suo peccato e lo protegga dal ladro che è con lui nella casa. Si invoca la misericordia divina perchè bruci le scorie dell'orante e al termine della sua lotta lo incoroni e gli metta la candida veste.

Notevolissime sono le consonanze con il „Miserere" (Ps. [Vulg.], 50) e con altri Salmi biblici (cfr. Ps. [Vulg.], 24 e 30); sono riecheggiati temi di alcuni Salmi di Tommaso (cfr. 4, 9 e 11) e vi ritorna, come nei Salmi di Tommaso 7, 16 e 17, il concetto della corona come premio finale della lotta con evidente allusione a Giac. 1, 12, I Cor. 9, 25, II Tim. 4, 8, Apoc. 2, 10, mentre la candida veste richiama Apoc. 3, 5.

Nel terzo salmo (ed. Allberry, p. 188 lin. 25 — p. 189 lin. 29) ci troviamo di fronte ai seguenti temi: l'esortazione alla solida costruzione spirituale avente Cristo come fondamento, concetto, questo, espresso nel 16° salmo di Tommaso, nel Pastore di Erma (Vis. III e

Simil. IX) e che si ricollega ad accenni contenuti in I Petr. 2, 4 ss., Matt. 21, 42, I Cor. 3, 10-15, Efes. 2, 20-22 e nel Vangelo di Tommaso, 169; l'esortazione all'ornamento interno e non esterno, presente nei Salmi di Tommaso 13, nel Vangelo di Tommaso 204 e che si richiama a Matt. 23, 27; l'invito alla sobrietà e vigilanza, che ritroviamo (oltre che alla fine del quinto salmo di questo medesimo gruppo) nei Salmi di Tommaso 13, 15 e 18 e nel Vangelo di Tommaso 56 ss., 74 e che si ricollega a Matt. 24, 42, e al precetto della veglia notturna stabilito nella essenica Regola della Comunitá (1QS, 6 7-8). Il carattere gnostico di questa composizione è ben definito dalla uguaglianza che in esso si stabilisce tra costruzione spirituale, comandamento e conoscenza (ⲥⲁⲩⲛⲉ = γνῶσις).

In questi primi tre salmi la stretta aderenza a scritti del N.T. che meglio riflettono la catechesi giudeo-cristiana, i notevoli rapporti con il libro biblico dei Salmi, il ritorno di temi cari a scritti giudaico-cristiani, come il Pastore di Erma, o che molto probabilmente esprimono un indirizzo di gnosi giudaico-cristiana, come il Vangelo di Tommaso, le relazioni stesse che vi si rilevano con i Salmi di Tommaso, sono tutti elementi a mio giudizio sufficienti per poter considerare questi componimenti come espressione di quei medesimi ambienti giudeo-cristiani presso i quali riteniamo che siano sorti i Salmi di Tommaso. Si consideri inoltre che il loro carattere manicheo, in senso specifico, è espresso solo dalla dossologia finale, che appare come elemento aggiuntivo ed estraneo al contenuto essenziale della composizione.

Una particolare osservazione è opportuna per il terzo salmo ove compare una distinzione tra παρθενεία e ἐγκράτεια. I due concetti di παρθενεία e ἐγκράτεια sono frequenti nelle „Omelie" manichee, ove sembrano rappresentare le note distintive delle classi degli „Eletti" e degli „Uditori". A parte il fatto che nel salmo manca ogni accenno a tale corrispondenza, ma si puntualizza soltanto la preminenza della παρθενεία, simboleggiata dall'oro, sulla ἐγκράτεια simboleggiata dall'argento, giova a questo proposito osservare che tale preminenza è una concezione comune che troviamo attestata anche in ambiente ortodosso: nella XII Conferenza di Cassiano, (ed. Pichery [Sources Chrétiennes, 54], pp. 120-146) l'Abbate Cheremone si sofferma a spiegare il diverso grado di perfezione che distingue la continenza (ἐγκράτεια) dalla più elevata purezza (cfr. capp. 10 e 11).

Il quarto salmo del II gruppo di Eraclide (ed. Allberry, p. 189 lin. 30 — p. 191 lin. 17) sviluppa in forma lirica il passo di Apoc. 3, 14 ove l'epiteto di ὁ ἀμήν è attribuito al Logos divino. L'epiteto viene, nel salmo, attribuito a tutte e tre le persone della Trinità divina, di cui il salmo stesso rappresenta un inno di lode.

Il punto stesso di partenza dell'intera composizione permette, a mio parere, di ritenere anche questo salmo come espressione di gnosi giudaico-cristiana. Può però apparire di ostacolo a tale conclusione il fatto che al concetto di Amen-Padre venga aggiunto quello di Amen-Madre (ed. Allberry, p. 190 lin. 24), che potrebbe sembrare un elemento di indubbio carattere manicheo. Tuttavia, prescindendo da quanto si dirà appresso sulla presenza di tale concetto nel pensiero di Filone, occorre considerare che, a conclusione della sequenza di lodi, il salmista dice: ,,Il Padre, il Figlio, lo Spirito Santo, questa è la perfetta chiesa" (ed. Allberry, p. 190 lin. 25-26). E' perciò evidente che nel pensiero del salmista nessun altro è presente all'infuori delle tre persone divine, per cui il concetto di Amen-Madre, non trovando riscontro nella conclusione del carme, o deve intendersi come un'ulteriore specificazione del concetto di Amen-Padre (come, sulla base della concezione filoniana, sarei propenso a ritenere) o come una interpolazione manichea.

Il salmo si conclude con una scena che avviene sul Monte degli Ulivi ove l'Amen-Figlio rievoca le vicende della passione e resurrezione in senso decisamente doceta. Anche questo carme si conclude con la solita dossologia manichea.

Il quinto salmo del gruppo (ed. Allberry, p. 191 lin. 18 — p. 193 lin. 12) è una parafrasi poetica della parabola delle vergini savie e delle vergini stolte (Matt. 25, 1-13). Alle parole di condanna, che lo sposo pronuncia contro le vergini stolte e contro tutti gli operatori di iniquità, segue l'enunciazione del concetto che i bambini sono maestri dei vecchi, concetto che si ricollega strettamente a quanto espresso in Vangelo di Tommaso, 6.

Segue una lunga rassegna degli apostoli e delle donne del N.T., di cui si espongono le note caratteristiche, e quindi delle donne manichee e di Mani stesso. Questo tratto, di netta origine manichea, presenta chiari i caratteri della interpolazione, provocata, quasi naturalmente, dalla precedente rassegna degli apostoli. Tuttavia non escluderei che debba considerarsi interpolato anche il tratto contenente la rassegna degli apostoli: infatti, dopo aver nominato i vari personaggi, il salmo continua con un invito a mettere l'olio nella lampada e a non addormentarsi (vigilanza), sviluppando perciò un concetto che rappresenta la naturale continuazione del ragionamento iniziato con la parabola e che appare interrotto dalla rassegna degli apostoli e dei personaggi manichei.

E' chiaro che il concetto fondamentale di questo salmo è la necessità della vigilanza; esso pertanto si ricollega su questa base al terzo salmo della raccolta ed ai già indicati passi del Vangelo di Tommaso, dei Salmi di Tommaso e della Regola della Comunitá in cui si esorta alla vigilanza; ma è soprattutto evidente come esso si ispiri direttamente al passo di Matt. 24, 36-25, 13, in cui, oltre la parabola, sono enunciati insistenti inviti alla vigilanza. Sembra quindi ragionevole considerare anche questo salmo, esclusa la interpolazione manichea, come espressione di gnosi giudaico-cristiana.

Nel sesto salmo (ed. Allberry, p. 193 lin. 13 — p. 197 lin. 8) domina la figura di Gesù, di cui sono poeticamente riassunte la figura, la vita, la missione. E' chiaro che in un componimento cosí impostato i riferimenti neo-testamentari sono innumerevoli. Emerge chiaramente che l'intento principale dell'autore è quello di affermare la dottrina del docetismo. Altri elementi caratteristici non vi si riscontrano, per cui il salmo presenta caratteri gnostici generici e non offre spunti per ostacolare la sua attribuzione ad ambienti gnostici giudaico-cristiani.

L'ultimo salmo del gruppo (ed. Allberry, p. 197 lin. 9 — p. 202 lin. 26) mostra delle note consonanti con il manicheismo. In esso è raffigurato un ,,messaggero inviato dai cieli", ,,figlio del figlio del Padre", che annuncia al ,,Primo Uomo" novelle di vittoria e di salvezza e narra ciò che avviene nella ,,Terra della Luce". Compaiono nel carme entità proprie della speculazione manichea: l'Aria vivente, il grande Spirito della Terra della Luce, la Madre dei viventi, ed inoltre l'Intelligenza (ноⲧⲥ), il Pensiero (ⲙⲉⲉⲩ), la Dottrina (ⲥⲃⲱ), il Consiglio (ⲥⲁϫⲛⲉ), l'Intenzione (ⲙⲁⲕⲙⲉⲕ); il tema fondamentale è la liberazione del Primo Uomo dalla prigionia delle tenebre e del male per opera dell'Inviato celeste.

Ci troviamo di fronte ad un carme prettamente manicheo aggiunto al gruppo dei Salmi di Eraclide? Prima di dare una risposta a tale domanda occorrono alcune considerazioni.

Prendendo in esame le entità che compaiono nel Salmo, osserviamo che, a prescindere da ноⲧⲥ indicata in copto con lo stesso termine greco, quelle indicate con i nomi copti di ⲙⲉⲉⲩ, ⲥⲁϫⲛⲉ, ⲙⲁⲕⲙⲉⲕ trovano corrispondenza nelle entità della gnosi simoniana, in un tipo di speculazione, cioè, che risente comunque dell'ambiente giudaico. Infatti ⲙⲉⲉⲩ e ⲥⲁϫⲛⲉ corrispondono, tra altri, ai termini greci λογισμός e ἐπίνοια (cfr. Crum, Copt. Dict., p. 200a, 616a), ⲙⲁⲕⲙⲉⲕ a λογισμός e ἐνθύμησις (cfr. Crum, id., p. 162 a-b): ed è proprio nella gnosi simoniana, secondo la testimonianza dell'Elenchos di Ippolito (che si basa essenzialmente sulla Ἀπόφασις μεγάλη attribuita a Simone, della quale conserva alcuni frammenti) che compaiono le entità νοῦς — ἐπίνοια, λογισμός — ἐνθύμησις (cfr. *Elenchos*, IV, 51; VI, 12; VI, 13; VI, 18; VI, 20, X, 12; PG. XVI (3), 3122; id. 3211; id., 3211 e 3214; id., 3222; id., 3226; id., 3426; ed. Wendland, in GCS, p. 75 lin. 32-33; p. 138 lin. 12-13; p. 138 lin. 26 e p. 139 lin. 9; pp. 144-145 (passim); p. 148 lin. 22; p. 273 lin. 12-13). Il termine copto ⲥⲃⲱ con cui è indicata un'altra entità, corrisponde in greco a σοφία e σύνεσις (cfr. Crum, id., p. 319 b) ed occorre tener presente che σοφία, σύνεσις, e νοῦς sono eoni del pleroma valentiniano. Presente nella gnosi valentiniana è anche il concetto di un uomo primordiale, di un προὼν ἄνθρωπος, come ce lo attesta chiaramente il noto passo della lettera di Valentino citato da Clemente d'Alessandria in II Strom., 8, 36. Si consideri finalmente che la gnosi valentiniana deve molto alla speculazione giudaica, come ha ben messo in rilievo il Peterson (cfr. voce *Valentino*, in Enciclopedia Cattolica, XII, 979-981).

Molto significativo è il fatto che il concetto di una „Madre" universale è ben presente in Filone (De ebrietate, 30 s.), per il quale tale Madre universale altro non è che un'ipostasi divina identificabile con la Sapienza.

Occorre inoltre osservare come, relativamente alla entità denominata nel salmo „grande Spirito della terra della Luce" venga spontaneo il parallelo con gli „Spiriti della Luce" in genere, e con il „Principe delle Luci" in ispecie, di cui si parla nei testi di Qumran (1QS, 3, 20).

Per quanto concerne il dualismo luce-tenebre, bene-male, espresso chiaramente nel salmo in questione, occorre non dimenticare che una antica tradizione (*Acta Archelai*, 67 s., ed. Beeson, in GCS, pp. 96-98) fa risalire a Basilide l'impostazione di un sistema dualistico, ma soprattutto che il dualismo luce-tenebre, bene-male, pur senza trascendere al piano ontologico, è elemento essenziale della spiritualità giudaico-essenica. Così si esprime in proposito la Regola della Comunità (1QS, 3, 19-21): „Nella fonte della Luce (sono) le origini della verità e dalla scaturigine della Tenebra (provengono) le origini della malvagità. In mano al Principe delle Luci (è) il dominio di tutti i figli della giustizia: nelle vie della Luce essi camminano; e in mano dell'Angelo dellor Tenebra (è) ogni dominio dei figli della malvagità: e nelle vie della Tenebra essi camminano".

Di fronte ad un simile stato di cose sarebbe scientificamente lecito classificare come manicheo, sic et simpliciter, l'ultimo dei Salmi di Eraclide, questo carme cioè che conclude un gruppo di composizioni nelle quali appaiono evidenti i caratteri di una speculazione gnostica giudaico-cristiana? E a dare una risposta ci aiuti anche la considerazione che il cristianesimo si sviluppa sull'humus dell'ebraismo essenico o essenizzante e che molti aspetti della spiritualità essenica si trasferiscono in ambiente cristiano; era perciò naturale che nelle correnti giudaizzanti, le quali durante il I secolo si andavano determinando sempre più chiaramente in seno al cristianesimo tendendo progressivamente verso posizioni eterodosse, riaffiorassero motivi speculativi propri degli ambienti essenici. A questa considerazione ritengo opportuno aggiungere anche l'altra, da me avanzata nel mio studio sui Salmi di Tommaso, che cioè le sette giudaico-cristiane, orami su posizioni sempre più eterodosse e sempre più a contatto con ambienti orientali influenzati da concezioni partico-iraniche, cercassero, a fine di proselitismo, di riesumare dal loro partimonio ideologico motivi speculativi che meglio potevano creare un clima di comprensione con gli ambienti con cui erano a contatto. In conclusione ci sembra che anche l'ultimo dei Salmi di Eraclide possa non a torto ritenersi espressione di speculazioni tutt'altro che estranee agli ambienti gnosticizzanti giudaico-cristiani.

MANI'S CONCEPTION OF GNOSIS

BY

L. J. R. ORT

As a rule Mani's religion is typified as a form of gnosticism. Likewise Mani himself is described as a gnosticist. In my opinion this tendency is correct. Nevertheless, I think that it could be most useful to examine a number of texts, in which Mani expresses his own conception of gnosis. In order to start this examination in the right way, we should investigate Mani's own writings.

First of all we wish to discuss the Middle Persian text M 49 II. This text was published by W. B. Henning (SPAW, Phil.-Hist. Klasse, Berlin, 1933. Mitteliranische Manichaica aus Chinesisch-Turkestan, II, pp. 307-308). The fragment in question contains a part of Mani's autobiography and an English translation runs as follows: "I said: 'You . . . . . and from your hand . . . . and other things you have given and brought me'. And now he himself accompanies me and protects me and keeps me. And (with the help of) his strength I fight (against) Āz and Ahrmēn. And I teach mankind wisdom and knowledge and save them from Āz and Ahrmen. And these things of the gods and the wisdom and knowledge of the gathering of the souls, which I received from the Twin-Spirit . . . . . by the Twin-Spirit . . . . . before my own family . . . . . . I stood. And the path of the wise (men) I seized and these things, which the Twin-Spirit had taught me, I then started to speak and to teach to (my) father and the elders of (my) family. And when they heard (this), they were astonished. And as a wise man, who may find and plough the seed of one (or: a) good and fruitful tree in uncultivated ground . . . . . and may bring him to well-worked and cultivated ground . . . . ." From this text we learn that Mani received certain things from his so-called Twin-Spirit. These gifts were given to Mani before he started to preach. The purport of the Twin-Spirit's teaching is thoroughly religious: Mani states that he received "things of the gods", "wisdom", and "knowledge of the gathering of the souls". In my opinion the terms *xrd 'wd d'nyšn 'yg rw'ncynyẖ* (wisdom and knowledge of the gathering of the souls) describe in an excellent way the conception of gnosis, which Mani received from the Twin-Spirit. The term *d'nyšn* (i.e. knowledge, *gnosis!*) relates to the purification and the salvation of the human soul.

We can not digress on the character of Mani's Twin-Spirit here. Yet we should mention a number of conclusions from our investigations into the nature of the Twin-Spirit: Mani's Twin-Spirit expands the following activities (1) he is sent to Mani in order to prepare him for his work as a religious preacher and teacher; (2) he initiates Mani in all secrets regarding the salvation of mankind; (3) he is the divine instrument by means of which Mani receives his vocation; (4) he accompanies Mani always; (5) he is also involved in Mani's activities as a religious author; (6) he also accompanies Mani in the hour of his death and he accomplishes Mani's final glorification.

These conclusions show that the contacts between Mani and his Twin-Spirit are the source of Mani's religious authority. As a result of this authority Mani teaches mankind wisdom and knowledge. In order to gain a better expression of Mani's preaching we may quote from a Chinese Manichaean document, which was published by G. Haloun and W. B. Henning (Asia Major, New Series, Volume III, Part 2, London, 1952, pp. 188-196). This document is called "The Compendium of the Doctrines and Styles of the Teaching of Mani, the Buddha of Light". In this compendium we read the following passages: "He (i.e. Mani), because of His great compassion opposing the demonic forces and personally receiving the pure instructions from the Venerable Lord of Light, became incarnate and is therefore called the Apostle of Light. Being most sincere, profoundly intelligent, devoted and firm, and strong in argument, He is called the King of Law of Perfect Wisdom. . . . Brightness is that by which he penetrates the inside and the outside, all-wisdom is that by which He comprehends men and gods, insurpassibility is that by which His place is high and venerable, and being Healing King is that by which he distributes the remedy of law . . . . Were it not so, why should He have been born bodily in the royal palace: accomplished in spirit and understanding the Way, perceiving the Principles and realizing the Roots, wise in counsel and extraordinarily straight, in His bodily condition singularly refined, in His reasoning embracing heaven and earth, having thorough knowledge of sun and moon; when explaining the two primeval (causes) perfectly just, when proclaiming the Self-Nature defining everything, when expounding the Three Epochs profoundly scholarly, when arguing the primary and

secondary cause fully conclusive; exterminating the false and pro-
tecting the right, removing the impure and exalting the pure; in His
words simple, in His mind straight, in His conduct correct, in His
testimonies true. . . . . . The teaching expounds the principle of light,
thus removing the delusion of darkness; the doctrine explains
the two Natures, taking discrimination (between them) for its
particular method".

Another text may also explain the nature of Mani's wisdom and
knowledge. We mean the Middle Persian text M 5794 I published by
W. B. Henning (SPAW, Phil.-Hist. Klasse, Berlin, 1933. Mitteliranische Manichaica aus Chinesisch-Turkestan, II, pp. 295-296).
This text was written by Mani and contains a list of advantages of his
religion. Mani states that his religion will become manifest in every
country and in every language. He adds that his religion will not
be confused after his own death, but that it will remain until the end.
In the third place Mani states that his religion will save the souls,
which could not "finish their works" in their own (former) religions.
The fourth paragraph of this most interesting text reads as follows:
"This revelation of mine of the two principles and the living books,
wisdom and knowledge are more and better than those of the earlier
religions". In this passage we come across the so-called two principles, which were also mentioned in the Chinese document, which
we quoted before. It is quite clear that Mani's wisdom and knowledge bears on his revelation of the two principles. One of Mani's
main subjects was the doctrine of the two principles, viz. Light and
Darkness. Moreover, it is interesting to see that this part of the text
M 5794 I adds the "living books". We should keep in mind that
Mani's way of spreading his wisdom and knowledge was to write
a canon of holy books. We may even say that Mani's importance
as a religious leader culminates when he appears as an author. His
books were written as the result of Mani's religious authority. When
we study the books of the Manichaean canon we see that Mani
covered the whole field of religion in his books. We meet with
chapters of cosmogony, cosmology, anthropology, theology, eschatology and liturgy. After having read Mani's books, we are deeply
impressed by the immense variety of subjects, which are dealt with
by Mani. Apart from these books Mani published another book, in
which he wished to make his wisdom and knowledge better known,
viz. the so-called Ārdahang (i.e. The (Book of the) Drawing). In this
work Mani painted his religious standpoints so that they could

become clear to everyone who saw them. Unfortunately the Book of the Drawing has been destroyed. We only have a small fragment of Mani's Commentary on the Book of the Drawing at our disposal. We need, however, not doubt the fact that Mani's Book of the Drawing contained pictures which covered the whole field of Mani's religious knowledge.

Naturally the question arises why Mani spread his religious knowledge and wisdom in the form of books. In my opinion we should— on account of Mani's own attitude—keep in mind the following arguments (1) as Mani's books formed the central part of his revelation, the very existence of Mani's books guaranteed his ever-lasting presence in the world; Mani is where his books are; (2) Mani's books had to be translated and propagated. This means that Mani's disciples could represent their master by means of his books; (3) the fact that Mani ventured to fix his religious wisdom and knowledge includes a great advantage: the occurrence of dogmatical and practical disputes could be reduced to a minimum, as people could always consult Mani's own opinions. On account of these arguments we may state that the Manichaean churches owed their very existence to the works of Mani. By means of Mani's writings the Manichaean communities possessed the same knowledge and wisdom as their great master. Therefore Mani himself ordered his disciples to multiply his books. The Middle Persian text M 2 published by W. B. Henning (ibid., pp. 301-306) informs us that Mani told his disciple Adda to preach in Egypt. In order to enable Adda to do this, Mani sent him "three scribes, (a copy of) the Gospel, and two other writings". Here we see that Mani's books played a part in the missionary activities of Mani himself. The same text M 2 relates that Mani ordered Mar Ammo, another disciple, to go to the Western region of Chorasan. Mar Ammo had to take with him Prince Ardabān (who could speak the language of the region in question), brethren-scribes (who could produce new copies of Mani's books), and a book-painter (who could illustrate the books, and who could also produce a new copy of the Book of the Drawing). Thus the text M 2 shows that from the very beginning the existence of the (new) Manichaean communities was very closely connected with Mani's books, in which he had written his wisdom and knowledge.

Another aspect of Mani's wisdom and knowledge should be mentioned next. This aspect is described by Mani himself in one of his autobiographical passages, viz. in the Parthian text M 566 I. This text was published by F. W. K. Müller (Handschriften-Reste in Estrangelo-Schrift aus Turfan, Chinesisch Turkestan II, Aus dem Anhang zu den AKPAW vom Jahre 1904, Berlin, 1904, p. 87). This text can be restored according to the researches of W. B. Henning, so that we gain an impression of its contents. M 566 I describes Mani's encounter with one of the Sassanian kings, in all probability King Shapur. The king asks Mani: "Whence are you?" Mani's answer runs as follows: "I am a doctor from Babylon". M. 566 I Verso relates that Mani heals a girl. This girl asks "Whence are you, my God, my Life-giver, and my . . . . ." This text shows that Mani announced himself to the king as a physician. In my opinion we should understand this term in a double sense (other Manichaean texts force us to accept these two explanations of the term "doctor"!): a) I am a doctor in the normal sense of the word; b) I am a doctor, viz. by means of divine assistance I can perform miraculous healings. Moreover, we should add that the Coptic Manichaica also call Mani a doctor in a third sense, viz. a physician, who heals all spiritual sicknesses (= the sins of men).

Mani's activities as a doctor are also mentioned in the Middle Persian text M 3 (published by W. B. Henning in his article Mani's last journey, BSOAS, X, 1942, pp. 948-953). In this text Mani's last audience with the Persian King Bahram I is described. When the king states that he thinks that Mani is a bad doctor, Mani answers: "Always I have done good to you and your family. Many and numerous were your servants whom I have freed of demons and witches. Many were those from whom I have averted the numerous kinds of ague. Many were those who were at the point of death and I have revived them . . . . ." From this text it appears that Mani could not only heal purely bodily diseases, but that he also mastered the evil spirits. Mani's wisdom and knowledge also made him an able physician. In my opinion we should attribute Mani's qualities as a physician to his special "miraculous power" (Middle Persian: wrc). This term appears in two most interesting texts, viz. M 5569 and M 47. The Parthian text M 5569 (published by W. B. Henning in SPAW, Phil.-Hist. Klasse, Berlin, 1934. Mitteliranische Manichaica aus Chinesisch-Turkestan, III, pp. 860-862) deals with Mani's death. In contrast with many other texts, this fragment describes Mani's death as an event full of triumph and happiness. The author of M 5569 states that Mani laid aside the warlike dress of the body and that he took place in a vessel of Light and that he took the divine garment etc. When the question arises how Mani could do such a thing, the text M 5569 tells us: "He (i.e. Mani) flew by divine, miraculous power like a swift lightning and a bright sight hastening to the radiant path of light and to the moon-chariot, the assembly (-place) of the gods, and he remained with the Father, the god Ormizd". In this passage we come across the term "miraculous power" (wrc!). This specific power enables Mani to enter the paradise of Light. In my opinion this very wrc also inspired Mani's activities as a physician. Here we should add certain data from the Parthian text M 47 (published by F. W. K. Müller: Handschriften-Reste in Estrangelo-Schrift aus Turfan, Chinesisch Turkestan II, Aus dem Anhang zu den AKPAW vom Jahre 1904, Berlin, 1904, pp. 82-84). This particular text contains a (legendary) story, in which we hear that Mani converted king Shapur's brother, Mihršāh, to his religious standpoints. The beginning of M 47 states that Mihršāh was a fierce enemy of "the religion of the Apostle (i.e. Mani)". Mihršāh had arranged a wonderful garden. Here Mani meets the prince. The latter asks Mani: "Is there in the Paradise, which you praise, such a garden as this garden of mine?" Mani does not answer this question. The text describes the following events: "Then the Apostle (i.e. Mani) understood this unbelieving thought. And then by (his) miraculous power he showed the Paradise of Light with all gods, deities and the immortal Spirit of Life, and garden(s) of every kind and the other fine aspects, which there are. Then he (i.e. Mihršāh) fell unconscious for three hours. And what he saw, he kept in (his) heart the memory (of it)". Once again we come across the expression "wrc". Here Mani uses his miraculous power to convince "the unbelieving thought" of Mihršāh.

These quotations show that Mani could dispose of a miraculous power, which enabled him to distribute his knowledge and wisdom by means of a vision. Mani's wrc also enabled him to fly to the Paradise of Light in the hour of his death. In my opinion this same miraculous power (although the texts do not use the expression wrc in connection with Mani's miraculous healings) enabled Mani to act as a physician. Especially when the Coptic Manichaica tell us that Mani, the physician, heals all spiritual diseases (viz. the sins of men), this expression reminds us of Mani's wrc, which e.g. "cured" Mihršāh of his "unbelieving thought(s)".

Now we should examine the texts, in which Mani uses the term knowledge (gnosis!). In the previous paragraph we examined a

number of aspects of this term in connection with Mani himself. Now
we wish to enumerate certain texts, in which Mani uses the expression in connection with others, mainly in connection with the
adherents of his religion.

First of all we wish to refer to the text M 9. This Middle Persian
text was written on a double sheet. The first part of the text, M 9 I,
deals with knowledge as the prerequisite of salvation. The second
part, M 9 II, contains an essay on body and soul. M 9 I and M 9 II
were written by Mani and published by W. B. Henning (SPAW,
Phil.-Hist. Klasse, Berlin, 1933. Mitteliranische Manichaica aus
Chinesisch-Turkestan, II, pp. 297-300).

Especially the text M 9 I is most important. Here Mani states that
wise people are able to understand (or: to know) the unlimited,
un-mixed, and eternal qualities of the Paradise, although they live in
a limited, mixed (viz. the two principles of Light and Darkness), and
temporal world. Mani rightly adds that when someone does not see
the limited and transitory (existence of) good and evil and the inter-
mingling of these two, one can not fulfill the commandment of
reaching good and leaving evil. This complicated expression means
that one can only do good and shun evil, when he sees that this world
consists of a mixture of good and evil. This knowledge teaches
insight into the existence of the two principles. Mani continues by
saying that when a soul does not see the profit which springs from
the knowledge of the eternal, un-mixed, and unlimited (principle of)
Good, this soul needs a guide and leader, who shows the right way of
salvation. Mani concludes his remarks as follows: "I have stated
in this book in many passages that the higher or lower degree of
knowledge of a person is the origin of the degree of mixture,
which . . .". Although the text is not complete, it is clear that Mani
sees a connection between the knowledge of a person and the degree
of mixture (of good and evil) in his soul. Another incomplete sentence (at the end of M 9 I Recto) mentions the term "knowledge" as
follows: "And when the soul does not see the knowledge, which
has come to it by means of 10.000 (= innumerable) (re) births . . . . ".
Here we meet again with the expression d'nyšn, which we have
already found in the fragment M 49 II. The text M 9 I Verso mentions
the word d'nyšn twice. This particular passage relates to knowledge,
which is given to mankind by means of the writings by Mani.

It is evident that the text M 9 I is most important for the explanation of Mani's conception of "gnosis". I think the quotations

show that Mani's conception of knowledge always bears on the two principles and their mixture. As soon as a man realizes the condition of the world (and at the same time of his own soul!) he receives knowledge about salvation. This salvation is given by Mani, and by his preaching, and also by his writings. The last fact is clearly stated by the text M 9 II, an essay on body and soul. In this text the human soul consists of a substance, which is completely different from the human body. Moreover—as Mani says—this substance is mixed and connected with the spirit of the body. Here Mani remarks that he has—in this book—explained the essence and the substance of the soul many times, so that this knowledge is indubitable. Again the word d'nystn is used here by Mani.

Another quotation from one of Mani's books should be added here. The Middle Persian text M 8251 I contains a number of precepts for the Manichaean "Hearers". It is most interesting to see the resemblances and the differences between the "Hearers" and the Manichaean "Elect". The latter are—naturally—the most important section of the Manichaean communities. Nevertheless Mani enumerates a number of points, which unite Hearers and Elect, in the text M 8251 I (published by W. B. Henning, ibid., pp. 308-311). It is worth mentioning that Mani states that the Hearers are strongly connected (lit. "mixed") with the Elect by means of their knowledge. The word used by Mani here, is the well-known term d'nyšn. We may conclude from this passage in M 8251 I Recto that in Mani's opinion the knowledge was at the disposal of *all* members of the Manichaean churches. This is a most important conclusion, because it proves that the knowledge (given by Mani) is no secret possession of a limited number of specially initiated adepts. Naturally the knowledge and wisdom preached by Mani relate to supernatural an superhuman matters. But Mani did not want to found a religion of "mysteries". He wished to spread the knowledge and insight. All members of the Manichaean communities could obtain this knowledge. Moreover, all people should become Manichaeans. The knowledge offered by Mani and by his writings spread (intentionally, as we have seen in the text M 2 e.g.) over the world.

This enumeration of Mani's use of the term knowledge should be followed by a short paragraph, in which we wish to deal with a few examples of this term in the Manichaean literature. It will be interesting to mention the use of the term knowledge in the Coptic

Manichaica. The sources in question give us an impression of the use of the term "wisdom and knowledge" in a certain region during a certain time.

First of all we wish to refer to the Coptic Kephalaia (published in Stuttgart, 1940). Chapter I of the Kephalaia contains Mani's answers to the question of his disciples about the coming of the apostles in the world. Perhaps the Coptic Kephalaia should be considered to be full of apocryphal texts. Yet, if the words ascribed to Mani were not spoken by the prophet at all, these texts contain most interesting products of Manichaean believers. Therefore we should review these texts here. In the first chapter Mani enumerates his forerunners, who acted as apostles in the world. Then he speaks about his own coming. He states that the Living Paraclete (i.e. the Twin-Spirit we found in the text M 49 II) came down to him and that this Paraclete revealed all mysteries to him. After the enumeration of these mysteries Mani concludes (Kephalaia, p. 15) that he went out to preach. Undoubtedly Mani means that he went to a number of countries in order to preach the knowledge given to him by the Living Paraclete. One of the mysteries revealed should be mentioned: "He (i.e. the Living Paraclete) informed me (i.e. Mani) about the mystery of the Tree of Knowledge from which Adam has eaten, (so that) his eyes could see" (Kephalaia, p. 15, lines 12-13). In Chapter XXXVIII Mani again deals with the knowledge revealed by his preaching. He states that kings could not lead him astray, for he knew the Truth. Moreover, Mani says that he has given "his sons" the armour of wisdom. He also gave the sources of wisdom to his followers. Finally Mani has sown the Truth in all countries, far and near, and he has sent apostles and envoys to all countries (Kephalaia, p. 101, lines 3-29).

The Coptic Psalm-Book (Part II, published in Stuttgart, 1938) also refers to the knowledge preached by Mani. First of all one of the Psalms to Jesus (Number CCXLVIII, page 57, lines 19-23) contains the following passage: "The Light has shone forth for you, o you that sleep in Hell, the knowledge of the Paraclete, the ray of Light; drink of the water of memory, cast away oblivion. He that is wounded and desires healing, let him come to the physician". This passage strongly reminds us of the text M 5794 I, in which Mani stated that his religion will save the souls, which could not "finish their works" in their former religion. Moreover, it is striking to see the connection between the "knowledge of the Paraclete" (i.e. in my opinion Mani) and the work of the "physician." Another Psalm to

Jesus (Number CCLXI, page 75, lines 28-30) states: "I have known the way of the holy ones, these ministers of God who are in the church, the place wherein the Paraclete planted the Tree of Knowledge." Here we hear that the Paraclete (i.e. Mani) made the Tree of Knowledge (this is the same expression we found in the Coptic Kephalaia, p. 15) accessible to the Manichaean believers. Finally another Psalm to Jesus (Number CCLXVIII, page 86, lines 14-18) contains the following passage: "The Sects of Error—I have not mingled with them, for thou hast . . . . me since my youth. I have not defiled my tongue with blasphemy because of the knowledge which thou gavest me and the separation of these two races, that of Light and that of Darkness". Here the author of the psalm connects the knowledge with the doctrine of the two principles. Again it is Mani, who distributes this knowledge to mankind.

The term used by the Coptic Kephalaia is in our opinion the Coptic translation of the Middle Persian expression *d'nyšn*.

DISCUSSION

RIES: Mani als Arzt: ist es eine physische oder mehr eine symbolische Aktivität?

ORT: M. 566 I is speaking of Mani as healing a girl. In M 3, when Mani meets King Bahram I, he answers: "Many people I have healed. I healed so and so many, who were on the point of dying". A normal doctor, but also a doctor with special gifts.

RIES: Ich glaube, in der Liturgie, bes. in den Bemahymnen, muß man ziemlich Mani als Arzt der Seele ansehen.

ORT: This is correct.

JONAS: "Jesus the physician" is a fixed combination in the Manichean doctrine, having a direct relation to the wounded condition of the souls in the universe: they were wounded in the primordial struggle of Primal Man; their "wound" consists in their being torn from him and swallowed by the Darkness; and so any activity which operates toward the awakening and extrication of the souls from the embrace of Darkness is an operation of healing. "Wounded" is the epithet for the constant condition of the souls in the world, not for an occasional sickness. Therefore I ask myself whether Mani's saying to the King is not intended as a double-entendre.

ORT: Of course the two sides should be considered. But, first of all, in the Coptic psalms, there is a long enumeration of wounded souls and of all the cures and medicines Mani has in his medicine chest, which is right from your standpoint. On the other hand, there is this condition—and of course many writers who did not like Mani very much made the most of it—namely, that Mani could not cure one of the members of the family of the King; one of them died upon his hands. So this does not point to the spiritual or the symbolical side, but to a real activity as a physician.

LA GNOSE DANS LES TEXTES
LITURGIQUES MANICHÉENS COPTES

PAR

JULIEN RIES

La présente recherche a fouillé les diverses collections d'hymnes de la bibliothèque manichéenne de Médînet Mâdi [1]) dont la publication intégrale tarde toujours [2]). De l'eucologe partiel publié par Allberry en 1938 [3]), nous avons analysé les hymnes de bêma [4]), les hymnes à Jésus [5]), les hymnes d'Héraclide [6]), les hymnes diverses [7]), les hymnes sans titre [8]), les hymnes des pélerins [9]), et un groupe d'hymnes de Thomas [10]).

Notre recherche s'est attachée au vocable *saunĕ*, relevé dans le Psalm-book. Dans 29 textes le mot copte subachmimique *saun ĕ* est un substantif correspondant de γνῶσις, 28 textes utilisent une forme verbale de *saunĕ* signifiant γινῶσκειν, 20 textes enfin présentent la scriptio *senouôn*, une variante subachmimique de *saunĕ*, spéciale aux textes manichéens [11]). L'analyse des 77 textes retenus nous permet d'entrevoir la signification du vocable γνῶσις dans la liturgie manichéenne copte [12]).

---

[1]) C. SCHMIDT et J. POLOTSKY, *Ein Mani-Fund in Aegypten*, S.P.A.W., Berlin, 1933.

[2]) A. BOEHLIG, *Die Arbeit an den koptischen Manichaica*, dans Wissenschaftliche Zeitschrift der Martin-Luther-Universität, Halle-Wittemberg, X, 1961, p. 157-162.

[3]) C. R. C. ALLBERRY, *A Manichaean Psalm-book*, Stuttgart, 1938.

[4]) C. R. C. ALLBERRY, p. 1-47.

[5]) ALLBERRY, p. 49-97.

[6]) ALLBERRY, p. 97-110; p. 187-202.

[7]) ALLBERRY, p. 110-113.

[8]) ALLBERRY, p. 115-132.

[9]) ALLBERRY, p. 133-186.

[10]) ALLBERRY, p. 203-227.

[11]) W. E. CRUM, *A Coptic dictionary*, Oxford, 1939, p. 369-370.

[12]) Dans les références au texte du Psalm-book d'Allberry nous procédons comme suit: le sigle Ps. M. précède le numéro de l'hymne dans l'édition princeps, celle-ci reproduisant d'ailleurs la numérotation du manuscrit copte. Quand ce numéro existe, il est suivi d'afford de l'indication de la page de l'édition princeps, ensuite de la référence au verset. Quand nous avons affaire à une hymne sans numéro, il y a simplement mention de la page et du verset de l'édition d'Allberry.

§ I. La doctrine revelée par Mani est une gnose

I. *La doctrine de Mani est une révélation*

Le prophète de Babylone présentait sa religion comme une révélation [1]). L'hymne de bêma 223, une pièce capitale du recueil pascal,
nous livre quelques précieuses indications sur cette doctrine révélée [2]).
Cette hymne est une version liturgique d'un document essentiel de la
catéchèse manichéenne, *l'Epistula Fundamenti*, réfutée par Augustin [3]).

Chaque année, la fête de bêma, parallèle aux fêtes pascales des
chrétiens, rassemblait élus et auditeurs autour d'un trône à cinq
gradins sur lequel se dressait, inondée de lumière et entourée de
fleurs, l'image de Mani [4]). Le saint jour célébrait à la fois l'anniver-
saire de la Passion de Mani, la puissance missionnaire de sa gnose et
le pardon des péchés annonciateur du jugement final. Chanté à
l'occasion de cette fête, cette hymne était destinée à donner aux
fidèles une catéchèse annuelle dela doctrine: les deux principes
lumière-ténèbres, la lutte des deux royaumes, lemythe de l'homme
primordial avec le déroulement cosmogonique, la doctrine des trois
temps aboutissant à la vision eschatologique manichéenne du royaume
de la lumière enfin restauré.

Vers la fin de l'hymne 223, l'assemblée qui vient de célébrer la
doctrine dualiste du salut, s'arrête un instant. Puis elle proclame d'une
façon solennelle: ,,Voilà la gnose (*saunĕ*) de Mani. Louons-le, exhal-
tons-le. Heureux l'homme qui met en lui sa foi. Il vivra avec tous les
justes" [5]).

Dans un autre texte, malheureusement fort mutilé, cette doctrine
porte le nom ,,gnose de vérité" [6]).

2. *Un don de Mani aux hommes*

Selon l'hymne 234, la doctrine du prophète est un don fait aux
hommes par la volonté du Père. Le Paraclet du Père, Mani, a fixé
spécialement le jour de bêma, afin de continuer directement la trans-

---

[1]) H. C. Puech, *Le Manichéisme*, Paris, 1949. G. Widengren, *Mani und der
Manichäismus*, Stuttgart, 1961.
[2]) Ps. M. 223, 9-11.
[3]) P. L. XLII, col. 173-206; Zycha, C.S.E.L. XXV, VI, I, p. 191-248.
[4]) C. R. C. Allberry, *Das Manichäische Bema-Fest*, Z.N.W., t. 37, Berlin, 1938,
p. 2-10.
H. C. Puech, R.H.R., t. 120, Paris, 1939, p. 93-97.
[5]) Ps. M. 223, II, 26-28.
[6]) Ps.M. 221, 5, 22-23 et Ps. M. 282, 103, 20.

mission de son message: „Par la volonté de ton Père, ô bien-aimé, tu as répandu sur nous le grand don de ta gnose" (saunĕ) [1]).

La voix douce et pénétrante du fondateur personnifiée et entendue d'une façon mystique dans la célébration pascale, ajoutée à la vision de son portrait dressé sur l'estrade richement drapée, donne un nouvel élan à chaque disciple [2]). Et l'hymne d'Héraclide qui parle de cette révélation [3]) conclut: „Ta gnose (saunĕ), ta vérité, ta sagesse illuminent l'âme" [4]).

3. L'arbre de la gnose

L'allégorie des deux arbres, fréquente dans la littérature de la secte, donne au rédacteur des formules nouvelles [5]).

L'assemblée célèbre Mani, elle acclame son image dressée au sommet des gradins. Groupée devant le bêma illuminé, la foule tressaille d'allégresse, consciente de la présence du juge de l'univers [6]). Unissant dans la même célébration le bêma et le prophète, la liturgie les compare à un arbre, l'arbre de la gnose (saunĕ). Les disciples mangent de cet arbre et voici que leurs yeux s'ouvrent, leur aveuglement tombe [7]). Les sectes, elles, continuent à manger des autres arbres. Aussi, elles restent aveugles et nues [8]). Mani est l'arbre de la gnose (saunĕ), il est le Paraclet, le Seigneur venu du Père [9]). Il est la porte de la lumière, il est la route du ciel [10]).

Dans une hymne à Jésus nous trouvons la même doctrine [11]). Rassemblés pour une prière liturgique, les élus glorifient Jésus, au moment où il doit juger un élu quittant son corps mortel. Dans cette mise en scène d'un jugement particulier, la défense de l'âme manichéenne est très simple: „J'ai connu le chemin des élus, ces ministres de Dieu dans l'église, la place où le Paraclet a planté l'arbre de la gnose (saunē) [12]).

---

[1]) Ps.M. 234, 31, 20-24.
[2]) Ps. M. 283, 104, 31-32.
[3]) Ps. M. 283, 105, 22-23.
[4]) Ps. M. 283, 105, 27-28. Remarquons la distinction entre gnose (saunĕ) et sagesse (σοφία), la distinction est permanente dans nos textes liturgiques.
[5]) Ps. M. 229, 24-25.
[6]) Ps. M. 229, 24, 17-23.
[7]) Ps. M. 229, 25, 6-8.
[8]) Ps.M. 229, 25, 10-11.
[9]) Ps. M. 229, 25, 30-31.
[10]) Ps. M. 229, 25, 3.
[11]) Ps. M. 261, 75, 11-16.
[12]) Ps. M. 261, 75, 28-31.

4. *La gnose de Mani illumine l'âme*

L'hymne à Jésus 248, implore le secours du Sauveur pour l'âme prisonnière de l'erreur et du monde. Jésus est identifié au Paraclet dont la lumière brille à l'intérieur de l'âme comme une lampe qui éclaire. Ainsi l'âme pourra discerner ce qui est lumière et ce qui est ténèbres [1]. Jésus le sauveur de même que ses apôtres et ceux qui ont appartenu au royaume de lumière ont révélé l'essence de l'ennemi, les ténèbres [2]. Aussi la liturgie proclame: ,,La lumière a lui pour vous, vous qui dormez dans le schéol; ce rayon de lumière c'est la gnose du Paraclet" [3].

Le thème de l'illumination de l'âme par la gnose du Paraclet revient dans une hymne d'Héraclide: ,,Ta gnose (*saunĕ*), ta vérité, ta sagesse illuminent l'âme et mènent le combat pour elle" [4].

Une hymne des pélerins constitue une imposante titulature christologique [5]. Les pélerins demandent à Jésus l'illumination de l'âme [6] et lui décernent les titres ,,sagesse des sages et gnose (*saunĕ*) des illuminateurs" [7].

Concluons: la doctrine de Mani est une gnose, venue du Père par la révélation du Paraclet. Le don de la gnose que Mani fit aux hommes est un don actuel, toujours présent au milieu d'eux. Chaque année en effet le prophète redescend dans les assemblées de son Eglise le jour de bêma. Dans le murmure et l'allégresse de la célébration liturgique, surtout dans le chant de l'hymne du fondement, il renouvelle sa gnose et son élan missionnaire. Mani d'ailleurs reste planté dans son Eglise, comme l'arbre de la gnose.

§ II. La gnose manichéenne est une adhésion de l'homme aux mystères de Dieu

La liturgie manichéenne éclaire très fort un second aspect du problème de la gnose, l'adhésion de l'homme aux mystères révélés. C'est une deuxième signification du vocable *saunĕ*, γνῶσις et γινῶσκειν.

---

[1]) Ps. M. 248, 56, 15-21.
[2]) Ps. M. 248, 57, 15-18.
[3]) Ps. M. 248, 57, 19-22.
[4]) Ps. M. 283, 105, 27-29.
[5]) Ps. M. p. 166-167.
[6]) Ps. M. p. 166, 23.
[7]) Ps. M. p. 167, 8-9.

I. *La gnose est une adhésion aux mystères révélés*

L'hymne 222 chante le bêma comme le grand signe de la rémission des péchés [1]). C'est le jour du pardon.

Le trône dressé au milieu des fidèles est l'instrument de ce pardon, personnification véritable du Paraclet, Mani: ,,Pardonne les péchés de ceux qui connaissent (*saunĕ*) tes mystères, ceux à qui fut révélée la connaissance (*saunĕ*) des secrets d'en-haut par l'intermédiaire de la sagesse sainte et infaillible de la sainte Eglise du Paraclet, notre Père" [2]) L'adhésion du fidèle à la gnose est la garantie du pardon des péchés.

La saisie des mystères révélés est liée à deux hypostases essentielles dans la gnose de Mani, le cri et l'audition, le *tôchme* et le *sôtme*, les deux hypostases en action depuis le premier cri, lancé par l'homme primordial prisonnier des ténèbres et entendu du Père de la Grandeur [3]). La saisie de la gnose l'adhésion du fidèle à la *saunĕ* est liée à l'hypostase *sôtme*, écouter [4]).

La litanie christologique d'une hymne des pélerins contient une invocation analogue: ,,Jésus, sainte sagesse, gnose qui aide à comprendre" [5]). Il en est de même du dernier chant de cette petite collection si intéressante: ,,La gnose de Dieu qui est dans mon coeur" [6]).

La piété manichéenne se porte alternativement sur Jésus, l'auteur de la mission et sur Mani, le Paraclet chargé de la mission de révéler.

Aussi, ne doit-on pas trouver étonnant de voir des manichéens considérer parfois leur gnose comme une adhésion personnelle à Jésus. ,,Viens vite à moi, Jésus, le Dieu fort, viens à moi. Je te vénère, dans un cri d'innocence j'ai crié vers toi, car je te sais (*saunĕ*) le sauveur des âmes" [7]).

Exactement la même pensée domine le thème de Jésus lumière: ,,Jésus, ma lumière que j'ai aimé, place-toi près de toi. J'ai adhéré à la gnose (*saunĕ*) de ton espérance qui m'a appelé vers toi" [8]). ,,Jésus, ma véritable espérance qui me fait rester dans la gnose, aide-moi et

---

[1]) Ps. M. 222, 7-8.

[2]) Ps. M. 222, 8, 22-25.

[3]) La liturgie de l'Eglise de Mani est un relai de ce cri du salut. Voir Ps. M. 253, 63, 26-28; Ps. M. 248; Ps. M. 245, 53, 28; Ps. M. 243, 50, 21; Ps. M. 246, 55, 10; Ps. M. 247, 56, 23; Ps. M. 255, 66, 19.

[4]) Ps. M. 232, 30, 8.

[5]) Ps. M. p. 167, 39.

[6]) Ps. M. p. 186, 19 et 21.

[7]) Ps. M. 255, 65, 29-32.

[8]) Ps. M. 268, 85, 23-26.

sauve-moi" [1]). Terminons par la citation de deux invocations litaniques : „Jésus, gnose pour aider à comprendre" [2]). „Il (Jésus) a semé la semence dans la terre de ceux qui ont la gnose (*saun ĕ*)" [3]).

2. *La gnose est l'adhésion au dualisme*

„J'ai connu (*saun ĕ*) et accepté comme vérité ce qui est et ce qui sera, ce qui est mortel et ce qui est immortel, qui est le roi de lumière c'est-à-dire l'arbre de vie et qui est ténèbres, c'est-à-dire l'arbre de mort" [4]). L'adhésion au dualisme a une conséquence logique, la marche sur une route qui n'est pas celle des pécheurs. Le rédacteur de cette hymne à Jésus l'exprime clairement.

La même doctrine ressort de l'hymne 258 : „Comme tu le sais (*saun ĕ*) ô âme qui aimes Dieu, tu habites une maison peu solide. . ." [5]). Le signaculum oris doit empêcher le fidèle entré dans la gnose, de souiller sa langue par le blasphème : „Je n'ai pas souillé ma langue en blasphèmes et cela à cause de la gnose (*saunĕ*) que tu m'as donnée, la séparation des deux races, celle de la lumière et celle des ténèbres" [6]). Le manichéen doit toujours savoir (*saun ĕ*) que la chair est corruption [7]).

Une des rares hymnes à la Trinité trouvée dans le répertoire liturgique, au milieu de spéculations dualistes à propos du Père, du Fils, de l'Esprit, débouche sur la morale des disciples : „Le sceau de la bouche est le signe du Père, la paix des mains est le signe du Fils, la pureté virginale est le signe de l'Esprit-Saint. L'amour divin est le signe du Père, la connaissance (*saun ĕ*) de la sagesse est le signe du Fils, l'observance des commandements est le signe de l'Esprit-Saint" [8]). Cette connaissance amène à la pratique de la morale dualiste [9]).

De la sorte, la gnose manichéenne est comparée au vêtement que l'on met [10]), à la route qui nous mène [11]).

---

[1]) Ps. M. 270, 88, 24.
[2]) Ps. M. 183, 13.
[3]) Ps. M. 194, 28.
[4]) Ps. M. 255, 66, 25-30.
[5]) Ps. M. 258, 70, 14-16.
[6]) Ps. M. 268, 86, 15-18.
[7]) Ps. M. 241, 45, 11.
[8]) Ps. M. 115, 31-33; 116, 1-3.
[9]) Ps. M. 225, 16, 1-4, la catéchèse de Mani au roi de Perse; Ps. M. 185, 18-19 qui lie gnose et commandement; même thème dans Ps. M. 171, 9; 176, 21; 177, 2.
[10]) Ps. M. 163, 24 et 178, 28.
[11]) Ps. M. 168, 3-4 et 135, 5 et 9.

3. *Le phénomène de l'aveuglement par ignorance*

L'entrée dans la gnose donne la vie, le refus de la gnose condamne l'âme à une ignorance mortelle.

L'hymne du fondement découvre la grande infériorité du royaume des ténèbres, son ignorance de ce qui se passe dans le royaume de la lumière [1]). Cette ignorance est comme la marque des ténèbres [2]). Elle caractérise les ennemis de Mani, notamment ses meurtriers [3]) et fait d'une partie des hommes, des étrangers au royaume [4]). L'ignorance, le refus de la connaissance sont les signes de l'ennemi de la lumière [5]).

Au terme de cette deuxième piste de nos recherches, la gnose apparait comme la rencontre de la révélation du Paraclet, elle est adhésion aux mystères d'en-haut, aux dogmes et à la morale dualistes; elle est pour l'homme, dès à présent, l'entrée dans la lumière. Le manichéen est dans la vérité est la joie dès qu'il accepte de connaître la révélation du Paraclet, dès qu'il entre pleinement dans cette doctrine des deux races et des deux royaumes et accepte d'y conformer sa vie. L'élu authentique est un gnostique.

§ III. La connaissance en vue du salut

Notre recherche nous a mis sur une troisième piste dans l'hymnaire du Fayoum, celle où voisinent les deux vocables, *saunĕ* et sa variante subachmimique *senouôn*, considérée par Crum comme spécifique aux textes coptes manichéens [6]). Il s'agit toujours d'une connaissance dans le domaine du salut, mais d'une connaissance plus pratique, préliminaire et préparatoire en quelque sorte à l'adhésion dualiste.

A. *Jésus et Mani connaissent leurs fidèles*

Mani, le propète, à chaque fête de bêma, paraît dans ses fonctions de juge de ses communautés. Mystiquement assis sur le trône, il fait l'appel des disciples pour pardonner leurs fautes. Mani connaît (*saunĕ*) les consciences [7]).

---

[1]) Ps. M. 223, 9, 11 et 9, 24-25.
[2]) Ps. M. 223, 10, 19.
[3]) Ps. M. 228, 24, 2.
[4]) Ps. M. 246, 54, 19-20; Ps. M. 253, 63, 25.
[5]) Ps. M. 268, 86, 30; 117, 5; 162, 28; 178, 6.
[6]) W. E. Crum, *A coptic dictionary*, Oxford, 1939, p. 369-370.
[7]) Ps. M. 241, 45, 28.

Le juge est aussi un grand médecin, bien au fait de l'art de guérir [1]). Il sait (*saunĕ*) guérir chaque homme.

L'hymne 241 est la dernière du recueil pascal. Elle constituait le chant final de la célébration le jour de bêma. Le rédacteur s'attarde quelque peu à souligner le rôle de Mani, ce médecin qui sait (*saunĕ*) comment guérir chaque plaie et qui trouve toujours la médication appropriée [2]).

Jésus est lui aussi, médecin et juge. „Il sait (*saun ĕ*). Il reconnaît l'homme couché à demi-mort au milieu du chemin. Tous passent, sauf les fidéles qui reconnaissent (*senouôn*) l'âme blessée" [3]).

La connaissance de Jésus détermine sa sollicitude. Il connaît (*saun ĕ*) tout ce qui se passe dans le coeur de ses disciples [4]). Il connaît aussi la force de celui qui l'invoque [5]). Quand le rédacteur décrit la connaissance de Jésus, comme celle de Mani, relative aux fidèles, il utilise le vocable *saunĕ*. Pour désigner au contraire la connaissance des disciples, c'est la forme *senouôn* qui apparaît dans le texte.

B. *Les disciples de Mani connaissent*

1. *Les signes du salut*

Dans la religion dualiste les signes du salut ont une grande importance puisqu'il s'agit d'interprêter tout le cosmos autour de deux pôles, lumière — ténèbres et de faire entrer la morale dans les trois signacula, oris, sinus, manuum.

a) Un premier signe est le bêma, signe de la rémission des péchés et du jugement. Chaque fidèle doit connaître ce signe (*senouôn*) placé au milieu de l'Eglise par le Verbe afin de rappeler le jugement définitif [6]).

b) Un autre signe, c'est la route, la route des élus, les ministres de Dieu dans l'Eglise où le Paraclet a planté l'arbre de la gnose (*saunĕ*). Celui qui, durant sa vie a rejeté ses ennemis, le monde et ses richesses, la chair mortelle, pour suivre le Seigneur, celui-là aura reconnu (*senouôn*) la route [7]).

---

[1]) Ps. M. 241, 46, 1.
[2]) Ps. M. 241, 46, II.
[3]) Ps. M. 239, 40, 24.
[4]) Ps. M. 269, 88, 5.
[5]) Ps. M. 269, 88, II.
[6]) Ps. M. 222, 7, 12-15.
[7]) Ps. M. 259, 75, 27-31.

Les fidèles ont reconnu (*senouôn*) la route, ils se sont munis de provisions. Cette route est la gnose (*saunĕ*) de Dieu, les victuailles en sont les commandements [1]).

c) Un troisième signe est la croix de lumière. L'expression, spécifique de la secte, désigne les parcelles lumineuses éparses dans la création, que les élus, par leur vie, libèrent graduellement [2]). L'élu a reconnu (*senouôn*) la croix de lumière qui donne la vie à l'univers. Sur cette croix trébuche l'aveugle qui n'a pas la gnose (*saun ĕ*) [3]). Il faut savoir distinguer le bien du mal [4]).

d) Le grand signe, c'est l'Eglise. Les pélerins en marche déclinent l'identité du peuple élu [5]). „C'est ton peuple, ce sont tes brebis". Elles doivent entrer par la porte. Le royaume que beaucoup ne connaissent pas (*senouôn*) est en route [6]). Ce royaume, c'est l'Eglise, ce signe qui fera tomber dans le feu ceux qui l'ignorent (*senouôn*) [7]).

2. *Les sauveurs, Jésus et Mani*

Jésus est la source d'eau vive, le révélateur des mystères du Père, le chef du royaume, la porte du pays de la lumière, le bon arbre du commandement et de la gnose (*saunĕ*). Le nom "Jésus" baigne dans la grâce. "Heureux celui qui te trouve, bienheureux celui qui te connaît (*senouôn*). Car ceux qui le connaissent (*senouôn*) ne goûteront pas la mort" [8]).

A côté de cette hymne à Jésus, d'une grande inspiration, une hymne d'Héraclide présente elle aussi un intérêt tout particulier [9]). Elle débute par un emprunt à Joa XX, 16-17, la rencontre de Jésus et de Marie-Madeleine après la résurrection: „Marie, Marie, reconnais-moi (*senouôn*); ne me touche pas. Sèche les larmes de tes yeux et reconnais-moi, ton maître (*senouôn*)".

---

[1]) Ps. M. 135, 3-10.
[2]) Voir à ce sujet la catéchèse manichéenne: A. Boehlig, *Kephalaia*, Stuttgart, 1940, spécialement le Kephalaion 80, p. 192-193, le Kephalaion 85, p. 208-213 et le Kephalaion 65, p. 158-164.
[3]) Ps. M. 268, 86, 24-30.
[4]) Ps. M. 262, 77, 9.
[5]) Ps. M. 156, 21-26.
[6]) Ps. M. 156, 24.
[7]) Ps. M. 171, 18.
[8]) Ps. M 185, 3-23
[9]) Ps M 187, 2-6.

Il faut aussi connaître Mani, le Paraclet saint qui a institué le jour de bêma [1]). Aussi l'élu n'hésite pas à chanter: ,,Depuis que je te connais, mon Esprit, je t'ai suivi et je t'ai aimé" [2]).

L'hymne au Christ p. 122 du recueil jette une grande clarté sur l'utilisation des deux vocables *saunĕ* et *senouôn*. L'élu s'adresse à Jésus.

,,Je te reconnais Dieu, la terre te reconnaît homme" [3]). La forme verbale *senouôn* exprime cette connaissance dont le sujet est le disciple. La liturgie répond: ,,Personne ne me connaît (*saun ĕ*) sauf le Père qui m'a envoyé" [4]).

Pour parler de la connaissance intime du Père à l'égard de Jésus, le rédacteur se sert de *saun ĕ*. Puis à nouveau l'élu s'interroge: ,,Qui peut te connaître (*senouôn*) et te comprendre?" [5]).

3. *Toute la vie du manichéen consiste à connaître pour distinguer*

Souvent le rédacteur emploie le verbe *pôrc*, qui indique la séparation radicale [6]). La séparation est conséquence de la connaissance: ,,J'ai connu mon âme et son corps qui pèse sur elle. J'ai connu qu'avant la création déjà ils furent ennemis mortels" [7]). Entre les deux il y a une séparation totale. ,,Heureux l'homme qui a reconnu . . ." [8]).

Ce n'est pas au hasard que le rédacteur utilise *saun ĕ* et *senouôn* pour parler de la connaissance en vue du salut dans la gnose dualiste de Mani. L'emploi du vocabulaire répond à une conception doctrinale. Quand le sujet qui connaît est le Père, Jésus ou Mani, c'est le mot *saunĕ* qui apparaît invariablement: c'est une connaissance profonde des consciences, des remèdes, des besoins des âmes et de la communauté. Par ailleurs, invariablement aussi la forme verbale *senouôn* désigne la connaissance qui a les disciples comme sujet: connaissance des signes du salut, connaissance de leurs sauveurs, distinctions et options à faire pour rester fidèles au dualisme.

---

[1]) Ps. M. 234, 31, 20-24.
[2]) Ps. M. 169, 21.
[3]) Ps. M. 122, 9-10.
[4]) Ps. M. 122, 11.
[5]) Ps. M. 122, 17.
[6]) Ps. M. 248, 56, 21-25.
[7]) Ps. M. 248, 56, 26-27.
[8]) Ps. M. 251, 61, 7.

Conclusions

Au terme de cette recherche, les conclusions semblent claires. La gnose, dans la liturgie manichéenne copte, signifie trois couches de „connaissance", différentes et complémentaires.

1. La doctrine dualiste du prophète de Babylone se présente comme *une gnose révélée destinée à illuminer l'âme, (saunĕ)*.

2. L'attitude de l'homme en face des mystères révélés est *une adhésion qui elle aussi porte le nom gnose*. Le salut dépend de cette adhésion de l'homme au dualisme, avec comme conséquence indispensable, une vie morale basée sur la séparation radicale, lumière — ténèbres, (γνῶσις, γινώσκειν, *saunĕ*).

3. L'adhésion aux mystères dualistes se déroule au milieu d'une série de signes et phénomènes où *la connaissance joue un rôle primordial*, que ce soit la connaissance qu'ont les Sauveurs de leurs disciples ou la connaissance des disciples capables, grâce à la gnose qu'ils possèdent, de distinguer, d'interpréter et de choisir, (γινώσκειν, *saunĕ* et *senouôn*).

Le manichéisme se présente comme une gnose révélée, une gnose parfaite qui exige de l'homme le saut dans le mystère dualiste.

MAKARIUS UND DAS LIED VON DER PERLE

VON

GILLES QUISPEL

Das Lied von der Perle ist enthalten in den *Thomasakten* (c. 108-113), die etwa um 225 n. Chr. in Edessa geschrieben wurden [1]. Der Autor benutzte das *Thomasevangelium*, wie Henri-Charles Puech bewiesen hat [2]. So würde man erwarten, dass das *Thomasevangelium* auch für die Interpretation des Liedes von der Perle nützlich wäre.

Dem steht die Annahme entgegen, dass das Lied von der Perle nicht vom Autor der *Thomasakten* herrührt, sondern sogar vorchristlich und iranischer Herkunft ist. Diese Auffassung hat Hans Jonas neuerdings temperamentvoll verteidigt, unter Berufung auf mandäische und naassenische Quellen [3]. Auch Geo Widengren meint noch immer im Perlenliede den Schlüssel zum Beweis einer vorchristlichen, iranischen Gnosis zu finden [4]. So auch, mit anderen Argumenten, Alfred Adam [5]. Im Hintergrunde steht Richard Reitzenstein mit seinem iranischen Mythos des erlösten Erlösers; beteiligt ist die Bultmannschule, welche diese Theorien der religionsgeschichtlichen Schule begeistert übernommen hat und hartnäckig daran festhält.

Mir scheint es aber, dass der Rückzug auf entfernte Gebiete der iranischen, mandäischen und naassenischen Religion unnötig ist, wenn das Gedicht sich aus dem Geiste des syrischen Christentums erklären lässt. Das ist nun meiner Ansicht nach in der Tat der Fall.

Wir setzen die letzte Übersetzung des Liedes, von Günter Bornkamm, voraus (Neutestamentliche Apokryphen³, II, 1964, S. 349-353).

Zum Verständnis dieses Gedichtes trägt das *Thomasevangelium* dreierlei bei: erstens enthält es eine Version des Gleichnisses von der

---

[1] Vergleiche zum Folgenden:
A. F. J. KLIJN, *The so-called Hymn of the Pearl*, V.C., XIV, 3, 1960 S. 154-164;
Das Lied von der Perle, in *Eranos Jahrbuch* 1965, Zürich 1966, S. 1-24.
[2] *Neutestamentliche Apokryphen³*, I, Tübingen 1959, S. 206-207.
[3] *The Bible in modern Scholarship*, New York 1965, S. 279-286.
[4] *Iranisch-semitische Kulturbegegnung in parthischer Zeit*, Köln, 1960, S. 27: „ein Dokument parthischer Gnosis".
[5] A. ADAM, *Die Psalmen des Thomas und das Perlenlied als Zeugnisse vorchristlicher Gnosis*, Berlin 1959.

Perle, welche als Grundlage des Perlenliedes aufzufassen ist; zweitens enthält es einige Logien über die Begegnung mit dem Schutzengel, welche die Ausführungen des Perlenliedes über die Begegnung mit dem himmlischer Kleide verständlich machen; drittens spricht es vom Ausziehen des ägyptischen Gewandes bei der Wiederkehr.

1) Das Perlengleichnis im *Thomasevangelium* weicht stark von Matthäus (13, 45) ab und lautet folgendermassen:

„Jesus sagte: Das Reich des Vaters gleicht einem Handelsmann, der Ware hat, der eine Perle gefunden hat. Jener Händler ist klug. Er verkaufte die Ware (und) kaufte sich die einzige Perle. Sucht auch ihr nach dem Schatze, der nicht aufhört zu bestehen, dort, wohin keine Motten dringen, um zu fressen, und (wo) auch kein Wurm zerstört" (Log. 84).

Man muss sich deutlich machen, dass dies eine Version des Gleichnisses ist, welche nicht von Matthäus stammt, sondern einer unabhängigen Tradition entnommen ist. Dass diese nun auch besser ist als die kanonische Überlieferung, wie Joachim Jeremias zeigt [1]), ist für unsere Zwecke nicht wichtig. Es genügt, wenn feststeht, dass die Version des *Thomasevangeliums* nicht der redaktionellen Arbeit des Autors, sondern einer festen Tradition zu verdanken ist. Das geht nun aus folgenden Tatsachen hervor: wie das *Thomasevangelium* sagen Ephrem Syrus [2]), das Leben von Rabbula [3]), Aphraates [4]) und der syrische Mystiker Isaak von Nineve [5]), dass der Kaufmann klug ist.

Das wird weder im *Diatessaron* noch in dem kanonischen Text gesagt: die Variante ist also einer freien, in Syrien bekannten Tradition entnommen.

Woher diese Tradition stammt, zeigen die *Pseudo-Klementinen*, *Recognitiones* 3, 62: „Der wahre Prophet (Jesus) hält nur den für klug (sapiens), der all das Seine verkauft und die *eine* echte *Perle* kauft (*unam* veram *margaritam* — Matth: αὐτόν).

Das Logion im *Thomasevangelium* ist also der judenchristlichen Quelle entnommen.

---

[1]) J. JEREMIAS, *Die Gleichnisse Jesu*, S. 198-199.

[2]) EPHREM SYRUS, Lamy IV, 701, 20: Tu es vir, ille *sapiens* etc. (cf. L. LELOIR, *L'Évangile d'Éphrem d'après les oeuvres éditées* Louvain 1958 S. 28).

[3]) *Vita Rabbulae*, Overbeck S. 165: Quasi *sapiens* mercator etc. (cf. Tj. BAARDA, *The Gospeltext in the Biography of Rabbula*, V.C., XIV, 1960, S. 112.

[4]) APHRAATES, *Demonstr.* XIV, 16, Parisot S. 610: *Prudens* mercator facultates suas vendat et margaritam sibi comparet.

[5]) ISAAC VON NINEVEH XXIV, Wensinck S. 121: Be alert, my brother, and be like a *prudent merchant*, bearing thy pearl and wandering through the world . . . .

Es zeigt uns einen Grosskaufmann, der einen φορτίον hatte. Φορτίον kann Last und Ladung, sogar Schiffsladung bedeuten. Hier ist doch wohl an Waren gedacht, welche der Kaufmann im Rucksack auf dem Rücken trägt. Das können natürlich sehr kostbare Waren gewesen sein.

Unerwarteterweise trifft er auf seiner Reise im Ausland irgendwo eine Perle an, welche er kaufen kann. Da zeigt sich, dass er ein guter Geschäftsmann ist, welcher ein grosses Risiko zu nehmen wagt um auf einmal, mit einem Schlage reich zu werden. Er verkauft alle Waren, die er bei sich hat, und kann so die eine Perle kaufen.

Hans Jonas hat bemerkt, dass der Sinnzusammenhang des Perlengleichnisses ein ganz anderer ist als der Sinnzusammenhang des Perlenliedes. Das letztere hat seinen Sinn erst in Verbindung mit iranischen, mandäischen und naassenischen Quellen, welche die eigentliche Bedeutung des Perlensymbols erst eröffnen. Das Perlenlied gehört also in einen gnostischen Kontext. Im Gleichnis aber steht die Perle (wie der Schatz im Acker) für den Höchstwert dessen, was der Finder besitzen wird, wenn er klug genug ist, es zu erwerben: einen Platz im kommenden Reiche.

Das Gleichnis ist also ein blasses Echo des Perlenliedes oder auch die Übereinstimmung des Perlensymbolismus ist zufällig, „mere coincidence" [1]).

Darauf ist zu antworten: Für die Frage des Zusammenhanges zwischen dem *Thomasevangelium* und dem Perlenliede hat es gar keine Bedeutung, was der Sinnzusammenhang des Gleichnisses im Munde Jesu, oder bei Matthäus oder gar, was nicht dasselbe ist, in der judenchristlichen Quelle des *Thomasevangeliums* ist. Für uns ist nur relevant, was die Bedeutung des Gleichnisses war für den enkratitischen Autor des *Thomasevangeliums* und für die enkratitische Gemeinde Edessas, der er angehörte. Was war sein enkratitisches Vorverständnis? Wie er das Gleichnis verstand, zeigt er dadurch, dass er es mit einem paränetischen Spruch verband, der für ihn eine sehr spezifische Bedeutung hatte:

„Sucht auch ihr nach dem Schatze, der nicht aufhört zu bestehen, dort, wohin keine Motten dringen um zu fressen und (wo) auch kein Wurm zerstört".

Das ist natürlich eine Parallele zu Matthäus 6,19-21 und Luc. 12, 33-34, ohne davon abhängig zu sein. Wie dieses Logion zu ver-

---

[1]) *The Bible in Modern Scholarship*, New York 1965, S. 279-286.

stehen ist, lehrt Tatian: dieser bezog das Schriftwort, sich keine Schätze auf der Erde zu sammeln, auf die Erzeugung der Kinder (ἐπὶ τεχνοποιίας) [1]).

Da sehen wir, dass die Enkratiten weiter gingen als die Judenchristen und nicht nur auf den Besitz verzichteten, sondern auch auf jede physische, natürliche zeitliche Bindung mit der Welt [2]). So muss denn auch das Perlengleichnis im *Thomasevengelium* enkratitisch verstanden werden.

Nur wer, wie der Kaufmann, alles, was er bei sich hat, verkauft, sowohl auf Besitz wie auf Ehe verzichtet, kann die eine Perle für sich erwerben und in das himmlische Reich Gottes, ins Paradies Eingang finden. Denn der Kaufmann ist ja ein Reisender, der in der Fremde verkehrt.

Dieser enkratitische Sinnzusammenhang bringt die Parabel in die nächste Nähe zum Perlenlied.

Der Prinz lebt im Reiche des Vaters, das im Osten liegt. Das Paradies liegt ja nach der *Genesis* (2, 8) gegen Osten (Sept.: κατὰ ἀνατολάς). Er lebt dort in Reichtum und Wonne (τρυφῇ): denn das Paradies ist ja ein παράδεισος τῆς τρυφῆς (*Gen* 3, 24).

Er war noch ein kleines Kind, ein βρέφος ἄλαλον, wie der griechische Text sagt: denn nach einer weitverbreiteten christlichen Auffassung waren Adam und Eva noch Kinder, als sie im Paradies verweilten [3]). Für die Enkratiten hatte das Symbol des Kindes allerdings noch eine besondere Bedeutung. Denn nach ihnen war das Kind noch unschuldig, weil der Geschlechtstrieb erst viel später, mit dem vierzehnten Jahre, wirksam wurde. Darum sagt das *Thomasevangelium*, dass diejenigen, welche ins Reich eingegangen sind, den kleinen Kindern gleichen, welche gesäugt werden (L. 22): wenn man seine Scham ablegt und seine Kleider unter den Füssen zertritt, wie die kleinen Kinder, wird man ohne Furcht den Sohne des Lebendigen sehen (L. 37). Die Jünger gleichen Kindern, welche ihre Kleider ausziehen, um sich vom Felde, wo sie spielen, zu flüchten, wenn der Besitzer kommt (d.h. sie sollen ihre irdische Gesinnung ablegen und der Welt entfliehen) (L. 21). So muss auch der Greis ein Kind von sieben Tagen fragen nach dem Ort des Lebens, damit er selbst das Ewige erwerben und ein Monachos, ein Geschlechtloser, werden kann (L. 4).

---

[1]) CLEMENS ALEXANDRINUS, *Strom.*, III, 86, 3, Stählin, *o.c.* S. 235-236.
[2]) F. BOLGIANI, *La tradizione eresiologica sull' Encratismo*, II, Turin, 1962, S. 118.
[3]) IRENAEUS, *Epideixis*, c. 14.

Das Kind war ein typisch enkratitisches Symbol der Unschuld, das in Edessa durch das Thomasevangelium bekannt geworden war. Man wusste dort, dass die Seele einmal in kindlicher Unschuld im Paradiese gelebt hatte.

Dann wird der Prinz ausgesandt: L. 3-5 ist die Übersetzung von W. Wright vorzuziehen [1]):

> from the East our home my parents equipped me (and) sent me forth; and of the wealth of our treasury they took abundantly (and) lied up for me a load large and (yet) light,
> which I myself could carry.

Der griechische Text der *Thomasakten* benutzt für „Traglast" das Wort φόρτος, Last· mit Kaufwaren. Der Prinz ist also ein Kaufmann, der in seinem Rucksack köstliche und teuere Schätze mitnimmt. Dass dies als Handelsware gemeint ist, zeigt auch L. 27, wo mit Wright zu lesen ist: „an associate, with whom I shared my merchandise". Nach sicherer Korrektur ist da im griechischen Text: κοινωνὸν τῆς ἐμῆς ἐμπορείας zu lesen. Der Prinz teilt mit seinem Genosse seine Kaufware. Wenn er aber ἐμπορεία in seinem φόρτος hat, ist er ein ἔμπορος, ein Grosskaufmann.

Er ist wie der Handelsmann, der Händler im Gleichnis, der ein φόρτος, eine Last mit Waren hatte.

Der Prinz bekommt schliesslich den Auftrag, in die Ferne zu ziehen, nach Ägypten hinabzusteigen und von dort her „die eine Perle" (τὸν ἕνα μαργαρίτην) zu holen (L. 12). Man erwartet, dass der Prinz „eine Perle" oder „die berühmte Perle" holen muss. Der Ausdruck, „die *eine* Perle" ist befremdlich. Er erklärt sich als Anspielung auf die Version des Gleichnisses im *Thomasevangelium*, wo die Wendung „die eine Perle" als Gegensatz zu den vielen Waren, welche der Händler verkauft, einen Sinn hat. Weil die Variaante „die eine Perle" ganz vereinzelt dasteht und sich meines Wissens nur im *Thomasevangelium* findet, muss der Ausdruck im Perlenlied als eine Anspielung auf das *Thomasevangelium*, das ja dem Autor der *Thomasakten* bekannt war, oder wenigstens auf die Version des Gleichnisses, die im Thomasevangelium vorliegt, aufgefasst werden.

Es besteht also kein Zweifel, dass der Autor des Perlenliedes das Perlengleichnis benutzt hat. Also ist es ein christliches Lied. Von vorchristlicher Herkunft kann keine Rede sein!

---

[1]) Die Übersetzung von Wright ist abgedruckt bei A. F. J. KLIJN, *The Acts of Thomas*, Leiden 1962, S. 65-154.

So zeigt uns denn das Perlenlied, wie in Edessa um 225 nach Christus das Perlengleichnis von den Enkratiten verstanden wurde. Nach ihrer Meinung zeigt es, wie die Seele weit von der paradiesischen Heimat in der fremden Welt auf der Reise ist und nur durch den Erwerb der Perle zurückkehren kann. Gewiss ist das eine Allegorisierung, gewiss ist der ursprüngliche Sinn des Gleichnisses verlorengegangen. Wir wissen aber, dass das von Anfang an mit allen Gleichnissen Jesu der Fall gewesen ist. Wie zu jeder Zeit ist auch hier mit einem bestimmten Vorverständnis zu rechnen.

2) Das syrische Christentum kennt die Vorstellung, dass der Schutzengel das Ebenbild des Menschen ist, zu dem er gehört. Das bezeugt das *Testamentum Domini*, Rahmani S. 97:

„Denn von jeder Seele steht das Ebenbild (צלמא) oder der Typus vor dem Angesicht Gottes vor der Grundlegung der Welt". Das Wort צלמא (Ebenbild) ist dem Hebräischen צֶלֶם verwandt, das *Gen.* 1, 27 benutzt wird in dem bekannten Worte: „nach dem Bilde Gottes erschuf er ihn". Die *Septuaginta* übersetzt an dieser Stelle צֶלֶם mit εἰκών.

Das *Thomasevangelium* zeigt, dass diese Vorstellung in Syrien schon früh bekannt war. Auch da wir der Schutzengel als εἰκών bezeichnet in einigen schwierigen Logien, welche von H.-Ch. Puech erklärt [1]) und schon mit dem Perlenlied in Verbindung gebracht worden sind. Für unsere Zwecke können wir uns auf Logion 84 beschränken.

„Wenn ihr euer Gleichnis seht, freut ihr euch.Wenn ihr aber euere Bilder (εἰκών) seht, die vor euch entstanden sind, (die) weder sterben noch in Erscheinung treten, wie viel werdet ihr ertragen!"

Der Mensch sieht sich selbst gerne im Spiegel. Da sieht er sein Gleichnis, koptisch „eine", Übersetzung des griechischen ὁμοίωμα. Einmal aber wird es auch zu einer Begegnung mit dem Schutzengel kommen, der als Ebenbild des Menschen im Himmel lebt und vor dem Menschen, ja sogar, wie das *Testamentum Domini* sagt, vor der Grundlegung der Welt entstanden ist.

Es ist dies eine Spekulation auf Grund von *Genesis* 1, 26, wo gesagt wird, dass der Mensch nach dem Bilde (κατ᾽ εἰκόνα) und nach dem Gleichnis (κατ᾽ ὁμοίωσιν) Gottes geschaffen worden ist.

Puech verweist nun mit Recht auf Parallelen zu dieser Vorstellung in der mandäischen und der valentinianischen Gnosis. Weil dort

---

[1]) *Annuaire du Collège de France*, 1962-1963, S. 199-210 (L. 83, L. 84, L. 22, L. 50).

aber der Schutzengel nicht als εἰκών bezeichnet wird, kann weder die valentinianische noch die mandäische Gnosis die direkte Quelle für das Logion sein. Sie müssen eine gemeinsame Quelle haben.

Da ist nun zu bemerken, dass der Schutzengel dann und wann in jüdischen Quellen als iqonīn (gr. εἰκόνιον) bezeichnet und als himmlisches Ebenbild des Menschen betrachtet wird[1]). Diese jüdische Vorstellung war auch den palästinensischen Christen bekannt. So antworten die jüdischen Christen, als die Magd Rhode sagt, Petrus stehe vor der Tür — nachdem dieser aus dem Gefängnis entkommen war! —: „Es ist nur sein Schutzengel" (ὁ ἄγγελός ἐστιν αὐτοῦ, *Akta* 12, 15). Dieser Zug wird verständlich, wenn man weiss, dass nach jüdischer Auffassung der Schutzengel des Petrus sein Ebenbild (iqonīn) ist.

Das beweist aber, dass die Auffassung vom Schutzengel als εἰκών eine judenchristliche Vorstellung war und von den Judenchristen aus Palästina nach Edessa gebracht worden ist.

Damit ist der letzte Ursprung dieser Vorstellung nicht ermittelt. Iqonīn ist ja ein griechisches Lehnwort. Das aber weist darauf hin, dass die Juden es von den Griechen übernommen haben. Bei den Pythagoräern bestand die Auffassung, dass das Daimonion, der Dämon, mit dem Eidōlon identisch sei[2]). Das Eidōlon kann aber als εἰκών bezeichnet werden. In den *Dialogi Mortuorum* (16) des Lukian ist das Eidōlon des Herakles sein εἰκών, es gleicht ihm genau (ἐῴκειν ἀκριβῶς), es kann sogar gesagt werden, dass sie *Zwillinge* sind (δίδυμοι ὄντες ὁμομήτριοι). Deshalb kann Plutarch auch sagen, dass der Dämon des gestorbenen dem lebendigen Menschen vollkommen ähnlich ist[3]). Die Vorstellung des Schutzengels als eines Ebenbildes ist also wohl unter griechischem Einfluss in hellenistischer Zeit im Judentum entstanden und von dort her vom Christentum

---

[1]) Gen. R. 68, 12 (68, 18):
Du bist es, dessen Ebenbild im Himmel eingegraben ist.

[2]) PLUTARCHUS, *De Genio Socratis* 583 B, Bernardakis, III, S. 507: ἡμῖν τὸ Λύσιδος δαιμόνιον ἤδη τεθνηκότος ἐναργῶς προὐπέφαινε τὴν τελευτήν... 585 E, Bernardakis, III, S. 514: διαγιγνώσκομεν δὲ σημείῳ τινὶ φαινομένῳ κατὰ τοὺς ὕπνους, εἴτε τεθνηκότος εἴτε ζῶντος εἴδωλόν ἐστιν. Cf. M. DETIENNE, *La notion de Daimon dans le Pythagorisme ancien*, Paris 1963, S. 44 und 91.

[3]) PLUTARCHUS, *Moralia, Consolatio ad Apollonium* 14 (109 C), Paton-Wegehaupt, I, S. 224: ἐσήμηνε νεανίσκον .... ἐμφερῆ τε τῷ υἱῷ καὶ τὰ τοῦ χρόνου τε καὶ τὰ τῆς ἡλικίας ἐγγύς. ἐρέσθαι οὖν ὅστις εἴη· καὶ τὸν φάναι. „δαίμων τοῦ υἱέος σου."

rezipiert worden. Sie ist keineswegs heterodox, wohl aber urchristlich.

Vor allem im ältesten Christentum verkehrten die Menschen in grosser Vertraulichkeit mit ihrem Schutzengel. Das zeigt der *Pastor Hermae*, der stark vom Judenchristentum beeinflusst worden ist. Der Pastor, d.h. der Schutzengel, kommt in das Haus des Hermas und fragt diesen ob er ihn nicht wiedererkenne, wo er doch dem guten Hermas bei der Taufe übergeben worden ist und von nun ab ständig bei ihm wohnen wird.

Und Hermas antwortet, er kenne seinen Schutzengel sehr wohl (Vis. V, 1-3). Und als der Schutzengel dann seine Gestalt ändert, dann, so wird im Texte vorausgesetzt, erkennt Hermas ihn wieder. Mit Recht hat Dibelius ausgeführt, dass diese Stelle voraussetzt, dass der Schutzengel das Ebenbild des Hermas ist, das von ihm wiedererkannt wird, als er seine eigentliche Gestalt annimmt [1]. Ist er doch der „iqonīn" des Hermas. Die ganze Szene zeigt, wie stark Hermas mit dem Judenchristentum verbunden ist.

Und noch in den *Akten des Andreas und Matthias* (c. 17) erzählen die Schüler des Andreas, wie sie im Traume hinaufgeführt wurden bis ins Paradies im Himmel und dort den Herrn Jesus sahen auf seinem Thron der Herrlichkeit, und ebenso die Patriarchen, David und die zwölf Apostel und ausser ihnen zwölf Engel: jeder dieser Engel stand hinter dem Apostel, zu dem er gehörte: und sie waren ihnen gleich an Gestalt (καὶ ἦσαν ὅμοιοι ὑμῶν τῇ ἰδέᾳ) [2].

Wir sehen also, dass es gerade im ältesten Christentum die Vorstellung von der Begegnung mit dem Ebenbild gegeben hat. Nur weil dieses bildhafte Denken den heutigen Konfessionen abhanden gekommen ist, betrachtet man dieses Mythologem vom Ebenbild als dem Christentum fremd und sucht man verzweifelt in den entlegensten Quellen, um die Unchristlichkeit der Auffassung zu beweisen. Das heutige Christentum ist aber kein Maßstab für die Christlichkeit der alten Vorstellungen, sondern umgekehrt ist das Urchristentum der Maßstab, welcher die Unchristlichkeit der heutigen Theologie aufzeigt. Was im Urchristentum Jerusalems, wie auch in Syrien und im *Thomasevengelium*, zu finden ist, kann nicht unchristlich sein.

So ist es auch sehr syrisch und christlich, wenn der Prinz im

---

[1] M. DIBELIUS, *Der Hirt des Hermas*, Tübingen 1923, S. 495: „Hermas erkennt seinen Schutzpatron an der Ähnlichkeit mit der eigenen Gestalt".
[2] LIPSIUS-BONNET, *Acta Apostolorum Apocrypha*, II, Darmstadt 1959, S. 86.

Perlenliede im himmlischen Kleide, das ihm begegnet, sich selbst wieder erkennt. Es ist dies der Schutzengel, das himmlische Ebenbild: sie waren geschieden, und doch wieder eins, weil sie eine Gestalt haben (διὰ μορφῆς μιᾶς).

Allerdings muss zur Interpretation dieser Begegnung auch die syrische Theologie des Kleides herangezogen werden. Das wird später geschehen. Inzwischen stellen wir fest:

1) Das *Thomasevangelium* zeigt, dass das *Lied von der Perle* eine Amplifikation und Interpretation des Perlengleichnisses ist, wie dies im syrischen Christentum bekannt war;

2) Die Begegnung mit dem Ebenbild im Perlenliede hat ihre Parallele in Logion 84 des Thomasevangeliums. Das beweist, dass das Perlenlied ein Produkt des edessenischen Christentums im zweiten nachchristlichen Jahrhundert ist.

Das Vorverständnis aber, dass die Interpretation bestimmt, ist die Vorstellung, dass die Seele in dieser Welt in der Fremde lebt und durch Anamnese sich erinnern muss, was sie oben zurückgelassen hat.

So sagt auch Porphyr, wir seien auf dieser Welt herabgekommen zu einem fremden Volke (ἀλλόφυλον ἔθνος) und hätten die Sitten und Bräuche der Fremde angenommen. Wer zurückkehren will in die Heimat, muss alles Fremde ablegen, das er sich zu eigen gemacht hat (ἀποτίθεσθαι πᾶν εἴ τι προσέλαβεν ἀλλόφυλον) und sich selbst daran erinnern, was er einmal besass und dann vergessen hat (*De Abstinentia* I, 30). Das ist die schönste Parallele zum Perlenliede, welche man sich denken kann. Sie zeigt, dass die Enkratiten in Edessa von hellenistischen Anschauungen, nicht aber von Iran her beeinflusst worden sind.

3) Der Prinz kleidet sich in ägyptische Gewänder; aber dieses schmutzige und unreine Kleid zieht er wieder aus und lässt es hinter sich, als er wieder in seine Heimat zurückkehrt. Dieses Motiv muss von dem des himmlischen Kleides scharf geschieden werden. Es ist das griechische Motiv, schon in Platons *Phaedon* ausführlich dargestellt, dass der Körper nur ein Kleid der Seele ist, das sie wieder ablegt. Σῶμα χιτὼν ψυχῆς, wie eine griechische Inschrift sagt [1].

Das hat dann dazu geführt, dass Philo von Alexandrien die Kleider von Haut (χιτῶνες δερμάτινοι), welche der Herr nach *Genesis* 3, 21 für Adam und Eva nach dem Falle gemacht hatte, als die Leiblichkeit interpretierte.

---

[1] C.I.G., XIV, 2241.

So setzt er, de *Posteritate Caini* 137 den δερμάτινος ὄγκος dem Sack (ἀσκός), d.h. dem Körper, gleich.

Und *Legum Allegoriae* III, 69 sagt er: „er wusste wohl, dass der δερμάτινος ὄγκος, unser Körper, böse ist und arglistig der Seele gegenüber und ein Leichnam und für ewig tot".

Das hat der alexandrinische Enkratit Julius Cassianus von Philon übernommen, wenn er die „Kleider von Haut" als „die Leiber" interpretiert [1]). Deshalb scheint es mir, dass der Enkratismus Verbindungen mit dem Diasporajudentum Alexandriens hatte. Auch das Fragment des Ägypterevangeliums: ὅταν τὸ τῆς αἰσχύνης ἔνδυμα πατήσητε [2]) setzt dieselbe Interpretation von *Genesis* 3, 21 voraus.

Damit ist aber durchaus gegeben, dass der Leib ein Leichnam ist, wie Philo zeigt.

Das sagt auch das *Thomasevangelium*: „Wer die Welt erkannt hat, hat einen *Leichnam* gefunden" (L. 56); die Jünger sollen sich einen Ort zur Ruhe suchen, damit sie nicht zu Leichnamen werden (L. 60).

Die Jünger sollen sogar „das Tote essen", damit sie es lebendig machen (L. 11). Der Mensch soll den Löwen (den Körper) essen (L. 7). Wir können nicht beweisen, dass alle diese Logien dem *Ägypterevangelium* entstammen. Wohl muss hier festgestellt werden, dass sie dem enkratitischen und dem philonischen Seinsverständnis entsprechen, und kein neues Element hinzufügen. Ausserdem findet sich die Symbolik des Kleides, das ausgezogen werden muss, sowohl im *Ägypterevangelium* wie im *Thomasevangelium*:

„Mariham sagte zu Jesus: Wem gleichen deine Jünger. Er sagte: Sie gleichen kleinen Kindern, die sich auf einem Feld niedergelassen haben, das nicht ihnen gehört. Wenn die Herren des Feldes kommen, werden sie sagen: Übergebt uns unser Feld! Sie sind nackt vor ihnen, damit sie es ihnen übergeben und sie ihnen ihr Feld geben. Deswegen sage ich: Wenn der Hausherr erfährt, dass er kommen wird, der Dieb, wird er wachen, bevor er kommt, (und) wird ihn nicht eindringen lassen in das Haus seines Reiches, damit er seine Sachen wegträgt. Ihr aber, wacht vor der Welt, gürtet euch um eure Lenden mit grosser Kraft, damit die Räuber keinen Weg finden, zu euch zu kommen. Denn der Nutzen, den ihr erwartet, wird gefunden werden. Möge unter euch ein verständiger Mensch erstehen. Als die Frucht reif

---

[1]) CLEMENS ALEXANDRINUS, *Strom.* III, 95, 2, Stählin, II. S. 239. χιτῶνας δὲ δερματίνους ἡγεῖται ο Κασσιανὸς τὰ σώματα.

[2]) CLEMENS ALEXANDRINUS, *Strom* , III, 92, 2, Stählin II., S. 238.

wurde, kam er schnell mit seiner Sichel in seiner Hand (und) mähte sie ab. Wer Ohren hat zu hören, der höre" (Log. 21).

Das Kind ist ein Bild der Unschuld, weil es noch nicht den Geschlechtstrieb kennt.

Das Feld aber ist die Welt.

Das zeigt der *Pastor Hermae* (Sim. I, 4): „Er sprach zu mir: 'Ihr wisst, ihr Knechte Gottes, dass ihr in der Fremde wohnt. Denn eure Stadt ist fern von dieser Stadt. Wenn ihr nun eure Stadt kennt' fuhr er fort, 'in der ihr wohnen sollt, warum erwerbt ihr euch hier *Aecker*, kostbare Einrichtungen, Häuser und vergängliche Wohnungen? Wer sich dergleichen in dieser Stadt erwirbt, kann nicht erwarten in seine Stadt heimzukehren. Du Tor, du Zweifler, du unseliger Mensch, bedenkst du nicht, dass dies alles (dir) fremd ist und unter eines anderen Gewalt steht? Denn der Herr dieser Stadt wird sagen: ich will nicht, dass du in meiner Stadt wohnst; vielmehr sollst du diese Stadt verlassen, weil du nicht nach meiner Gesetzen lebst . . . . . . Denn mit Recht kann der Herr dieses Landes zu dir sagen: entweder lebe nach meinen Gesetzen oder *verlasse mein Land*. ".

Die Christen sind ja Fremdlinge in der Welt. Der Herr des Landes, der Besitzer des Feldes, ist der Teufel.

Deshalb sollen die Jünger, wie Kinder, welche auf einem Feld spielen und vom Besitzer überrascht werden, schnell ihre Kleider ausziehen, damit sie flüchten können und die Welt dem Teufel überlassen . . . . . . (ⲥⲉⲕⲁⲕ ⲁⲣⲏⲩ = ἐξεδύσαντο, Crum 101).

Die Kleider aber sind die χιτῶνες δερματίνοι, die Kleider von Haut, die Leiber. Die Seele soll das Fleisch ausziehen. Es ist wohl sehr wahrscheinlich, dass dieses Logion dem *Ägypterevangelium* entstammt. Jedenfalls kennt es das Thema des alexandrinischen Enkratismus. Und das beweist, dass diese hellenistische, von den alexandrinischen Juden rezipierte Auffassung schon um 140 in Edessa bekannt war.

Das ist der Hintergrund des Perlenliedes: das Kleid der Ägypter ist die Leiblichkeit, welche die Seele angezogen hat, als sie das Paradies verliess. Um wieder in das Paradies zurückzukehren, muss die Seele den δερμάτινος χιτών wieder ausziehen.

Übrigens muss betont werden, dass dieses Thema sich schon sehr früh in der christlichen Literatur findet. In den *Oden Salomos* heisst es:

„And I was covered by the covering of thy spirit;
and I removed from me the *raiment of skin*" (24, 8).

Es ist nicht sicher, dass die *Oden Salomos* syrisch und in Edessa geschrieben sind. Sie können auch auf griechisch verfasst worden sein, irgendwo im hellenistischen Westen. Sie sind dann aber sehr früh ins Syrische übersetzt worden und sind charakteristisch für das syrische Christentum. Jedenfalls zeigen sie, wie das Perlenlied an dieser Stelle interpretiert werden m u s s.

Aber auch der syrische Mystiker Makarius muss zur Erklärung des Perlenliedes herangezogen werden. Das hat man noch nicht getan. Und doch liegt es nahe. Denn möglicherweise hat Makarius die *Thomasakten* gekannt. Dann können parallele Auffassungen bei ihm als Interpretation des Perlenliedes betrachtet werden. Allerdings gehen die Übereinstimmungen so weit, dass eher an Verwandtschaft der Theologie gedacht werden muss. Nur die vorgefasste Meinung, dass das Perlenlied vorchristlich ist, muss das leugnen. Aber gerade Makarius zeigt uns, dass eine solche Annahme unnötig ist.

a) Da ist zuerst die trinitarische Theologie des Perlenliedes: „Von deinem Vater, dem König der Könige, und deiner Mutter, der Herrscherin des Ostens, und von deinem Bruder, unserem Zweiten, dir, unserem Sohn in Ägypten, Gruss!" (41-42).

Das ist die bekannte syrische Trinitätsauffassung auf judenchristlicher Grundlage, nach welcher der Heilige Geist eine Mutter ist.

Dasselbe findet sich bei Makarius: nach ihm schaut der Mensch nach seinem Fall ·„nicht mehr den wahren, himmlischen *Vater*, die gute, liebevolle *Mutter*, die Gnade des Geistes, den süssen und ersehnten *Bruder*" (28, 4).

Die Christen sind nämlich Brüder des Christus: „ein neues Geschlecht, Kinder des Heiligen Geistes, leuchtende Brüder Christi (ἀδελφοὶ Χριστοῦ)" (16, 8). Auch Adam war dazu bestimmt, ein Freund und Bruder Christi (ἀδελφὸς Χριστοῦ) zu werden. (III, 20, 1).

So ist es des Menschen endzeitliche Zukunft, mit Christus zu herrschen: „Nicht gering sind ja die Güter, die der Mensch erhofft, der nach dem Himmelreiche trachtet. Mit Christus willst du in endloser Ewigkeit herrschen (συμβασιλεῦσαι Χριστῷ) (5, 6).

Diese Parallelen zeigen, was es bedeutet, wenn im Perlenlied dem Prinzen verheissen wird:

„Wenn du nach Ägypten hinabsteigt und die eine Perle bringst, die im Meere ist, das den schnaubenden Drachen umringt [1]), sollst

---

[1]) Ich ziehe hier wieder Wrights Übersetzung vor. Die Perle ist im Meere ganz unten, und wird dort von dem Drachen bewacht. Die Schlange ist Symbol

du dein Strahlen(kleid) (wieder)anziehen und deine Toga, die darüber liegt, und mit *deinem Bruder*, unserem Zweiten, Erbe in unserm Reiche werden" (12-15).

Nur wenn man annimmt, dass Makarius in seiner trinitarischen Theologie unter iranischem Einfluss steht, kann man meinen, an dieser Stelle im Perlenlied iranischen Einfluss zu finden. Es ist wahr, dass die Verhältnisse im parthischen Reiche als Bild benutzt werden. Das kann nicht wundernehmen, wenn der Dichter ein Edessenischer Christ war. Edessa gehörte ja zu dieser Zeit noch zum parthischen Reich. Aber die theologische Auffassung, die in poetischen Bildern dargestellt wird, ist christlich. So fassten die semitischen Christen, Syrer wie Judenchristen, die Trinität auf.

b) Auch die Psychologie des Makarius ist dieselbe wie die des Perlenliedes. Nach beiden ist ja die Seele präexistent im Paradiese und verkehrt sie auf dieser dunklen Erde in der Fremde und muss danach streben, wieder zum himmlischen Paradies zurückzukehren.

Das ist die Grundrichtung der Theologie des Makarius sowohl wie des Perlenliedes. Man will nicht glauben, dass die Auffassung einer präexistenten Seele im christlichen Bereich möglich sei. Aber dann vergisst man, dass sich schon bei gewissen Rabbinen die Auffassung findet, dass die Seele präexistent in Paradiese lebte und dass es durchaus auf jüdischen Einfluss zurückgeht, wenn Makarius und das Perlenlied die Präexistenz der Seele in dieser Form kennen [1]).

c) Und schliesslich ist noch die Theologie des Kleides zu nennen, welche Makarius und das Perlenlied gemein haben. Nun ist diese nicht auf diese beiden oder auf die Enkratiten beschränkt. Bei vielen Kirchenvätern findet man, dass Adam im Paradiese nicht nackt war, sondern bekleidet mit dem Kleide der Unschuld, der Heiligkeit, der heiligmachenden Gnade [2]). Durch den Fall hat Adam dieses Kleid verloren. Aber bei der Taufe bekommt der Mensch dieses Kleid wieder: das weisse Taufkleid ist ein Symbol dafür!

Diese Vorstellung hängt mit grundlegenden christlichen Dogmen zusammen, z.B. mit der Ansicht, dass Adam, und so jeder Mensch, auch unabhängig von der Sünde, ganz auf die Gnade Gottes angewiesen ist. Sie hängt auch mit der christlichen Abscheu vor der

---

für die Konkupiszens, wie es die enkratitische Deutung der Paradiesesgeschichte deutlich macht.

[1]) Tan. Pekude 3.
L. Ginsberg, *The Legends of the Jews*, V, S. 75.
[2]) Erik Peterson, *Pour une théologie du vêtement*, Lyon 1943, S. 9.

Nacktheit und mit der Vorliebe für die Kleidung zusammen, wie Peterson sehr schön gezeigt hat. Als also das Perlenlied sagt, dass dem Prinzen das Strahlenkleid ausgezogen wird, wenn er das Paradies verlässt, und dass er es bei seiner Rückkehr wieder anzieht, ist man geneigt an diese allgemeinchristliche Vorstellung zu denken, die man nicht nur bei den Syrern, sondern auch bei den Griechen und den Lateinern findet. Die syrische Theologie des Kleides aber, wie sie sich bei Makarius findet, hat einige spezifische Züge, welche eine gesonderte Behandlung verdienen. Für ihn ist nämlich das Lichtkleid zugleich der Geist und die εἰκών, Makarius benutzt den Ausdruck Lichtkleid sehr oft: ἀρρήτου φωτὸς ἔνδυματά (1, 12); ἐνδύματα βασιλείας φωτὸς ἀρρήτου (2, 5); ἐνδύμα τι φωτεινόν (8, 3); ἀμφίον τοῦ φωτὸς τῆς σωτηρίας (III, 16, 8). Dieses ist durchaus mit der δόξα, der himmlischen Herrlichkeit, identisch. An sich ist das schon eine schöne Parallele für das Strahlenkleid, das im Perlenliede erwähnt wird (9, 14, 72, 76, 82).

Dieses Lichtkleid (φωτὸς ἔνδυμα) ist das himmlische Bild Christi (ἐπουράνιος εἰκών), der himmlische Mensch, das leuchtende und göttliche Bild des *Geistes* (III, 19). Der *Geist*, das Bild und das Lichtkleid sind drei Wörter für ein und dieselbe Sache.

In einer solchen Theologie hat natürlich Adam eine besondere Bedeutung. Adam war bekleidet mit der Herrlichkeit Gottes, dem göttlichen Kleid (III, 20, 1).

Dieses Kleid ist das Kleid des Geistes, wie aus *Hom.* 12, 6 hervorgeht:

„Frage: Adam hatte, wie du sagtest, sowohl das eigene Bild als auch das himmlische Bild (εἰκών) verloren; also besass er doch den Heiligen Geist, wenn er des himmlischen Bildes teilhaftig war?" Durch den Geist bekommt Adam die himmlische εἰκών. Durch den Fall verliert er den Geist, das Kleid des Geistes und somit auch die εἰκών. „Die Übertretung des Gebotes brachte Adam einen doppelten Verlust: fürs erste verlor er den reinen schönen Besitz seiner Natur, das Sein nach dem Bilde und dem Gleichnisse Gottes; fürs zweite verlor er auch das Bild (εἰκών), dem zufolge ihm gemäss der Verheissung die ganze himmlische Erbschaft verbürgt war" (12, 1).

Nach seinem Fall hat Adam aber die Finsternis angezogen: „Als Adam fiel und vor Gott starb, weinten über ihn der Schöpfer, und die Engel; alle Mächte, Himmel, Erde und alle Geschöpfe trauerten über seinen Tod und seinen Fall. Denn sie sahen wie der, der ihnen zum König gegeben war, Sklave der feindlichen, bösen Macht geworden

war. Deshalb *bekleidete er* seine Seele mit Finsternis: denn er war
unter die Herrschaft des Fürsten der Finsternis gekommen" (30, 7).

Das ist eine gute Parallele zum Perlenlied: wie der König Adam
sich mit Finsternis bekleidet und sich unter die Herrschaft des Teufels
begibt, so kleidet der Prinz sich mit dem ägyptischen Gewand (29)
und dient dem Pharao (= dem Teufel) (33). Allerdings ist dann Adam
auch wieder in das himmlische Paradies zurückgekehrt (51, 1). Wir
können mit Sicherheit sagen, dass diese Theologie des Kleides
ungriechisch ist. Der Grieche wünscht sich eine nackte Seligkeit [1]).

Vielmehr werden wir auf das Judentum als Ursprung dieser Vorstellung geführt. Schon das äthiopische *Henochbuch* kennt das himmlische „Kleid" des Lebens, das den Gerechten und Auserwählten bestimmt ist (62, 15). Das Judenchristentum kennt die Vorstellung
eines „Kleides des Geistes". Nach den Pseudo-Klementinen ist die
Taufe die Bekleidung mit einem reinen Hochzeitskleid.

„Wenn ihr nun wohlt, dass ihr das Kleid des Göttlichen Geistes
(ἔνδυμα θείου πνεύματος) bekommt, so eifert zuerst euer schmutziges
Gewand (den unreinen Geist) und das besudelte Kleid *auszuziehen*" [2]).
So kann die jüdische Theologie des Kleides durch judenchristliche
Vermittlung nach Syrien gekommen sein.

Auch die Darstellung Adams scheint auf jüdischen Vorlagen zu beruhen. Die ältere Haggadah erzählt, dass Adam und Eva im Paradiese
Lichtkleider trugen. Diese Auffassung entstand aus einer Exegese
von *Genesis* 3, 21, wo man durch ein Wortspiel anstatt „Kleider von
Haut" (עור) „Kleider von Licht" (אור) las [3]). Der Ausdruck ist so
singulär und beruht auf einen so typisch jüdischen Wortspiel, dass
hier wohl der Ursprung des Ausdrucks „Lichtkleid" sogar bei
Makarius zu suchen ist.

Daneben muss nun als zweite Quelle der Theologie des Kleides
Tatian genannt werden. Tatian meint, dass die Seele im Paradies
mit dem Geiste verbunden war. Das geht aus verschiedenen Stellen
hervor.

„Am Anfang lebte der Geist mit der Seele zusammen, aber als die
Seele dem Geiste nicht folgen wollte, hat er sie verlassen" (13, 2).

---

[1]) E. R. DODDS, *Proclus, The Elements of Theology*, 2 Ausgabe, 1963, S. 313 sqq.
[2]) Hom. 8, 22, 4-23, 1, B. REHM, *Die Pseudoklementinen*, I Homilien, Berlin-
Leipzig 1953, S. 130-131.
[3]) BR. 18, 56; 20, 12.
L. GINSBERG, *The Legends of the Jews*, V, S. 97.

„Die Beflügelung der Seele ist der vollkommene Geist, welch die Seele durch die Sünde verloren hat" (20, 1).

Es ist also notwendig, dass wir, was wir besassen und verloren haben, jetzt wieder suchen, unsere Seele mit dem Heiligen Geist verbinden und die gottgemässe Syzygie wieder herstellen" (15, 1).

Also war im Anfang der Geist mit der Seele verbunden: durch die Sünde hat der Geist die Seele verlassen; jetzt ist die Verbindung wieder hergestellt, so dass die Seele unter der Führung des Geistes emporsteigen kann.

Diese Thematik von Geist und Seele ist von grosser Bedeutung für die Theologie des Makarius. Denn erstens macht sie klar, was denn eigentlich mit all diesen Bildern von der Eikon und dem Lichtkleid gemeint ist, nämlich dass die Seele vergeistigt wird.

Und zweitens verstehen wir die Demokratisierung Adams.

Denn nach Makarius hatte nicht nur Adam, sondern jede Seele ein „Lichtkleid" im Paradiese, das sie aber verloren hat, als die „Räuber" (die Teufel) sie *entkleidet* und ihr das Lichtkleid genommen haben (III, 16, 8). Das ist natürlich gegeben mit der Auffassung der Enkratiten, dass jede Seele präexistent im Paradiese lebte, ehe sie geboren ward.

So ist es denn eine geistige, religiöse Erfahrung, wenn der Mensch das Lichtkleid (ἔνδυμα φωτεινόν) schaut, mit dem er bekleidet ist (8, 3).

Denn die Christen haben den Geist (wohl bei der Taufe) angezogen: „so ziehen die Christen den Heiligen Geist an und leben in Wonne" (26, 15).

Die Seele aber ist ein Abbild (εἰκών) des Geistes (30, 3). Diese Ausführungen des Makarius zeigen, was das Perlenlied meint: der Mensch hat im Paradies das Lichtkleid des Geistes zurücklassen müssen; aber wenn die Seele zurückkehrt, wird sie wieder mit dem Geiste bekleidet. Denn Geist und Seele bilden eine Syzygie! Mit Recht hat darum Puech die Lehre Tatians als den eigentlichen Hintergrund des Perlenliedes bezeichnet [1]): „l'épisode, tout l'hymne même, a pour but de signifier, selon une théorie qui se retrouve notamment chez Tatien, le salut de l'âme par l'esprit, la restitution de l'homme en son état primitif et parfait opérée par la συζυγία, la conjonction de la ψυχή avec le πνεῦμα ou le νοῦς qui lui est apparié".

Das bestätigt auch Makarius. So muss dann festgestellt werden,

---

[1]) *Annuaire du Collège de France*, 63, 1962-1963, S. 207.

dass das Perlenlied ein christlicher Hymnus ist, dem die Theologie Tatians und das *Thomasevangelium* zu grunde liegen. Was könnte man anders erwarten? Ist doch die Schrift, welche den Hymnus enthält, um 225 nach Christus in Edessa entstanden, unter dem Einfluss Tatians und des *Thomasevangeliums*.

Unsere Untersuchungen haben also mit neuen Argumenten die Auffassung Klijns bestätigt, dass das Perlenlied durchaus nicht iranisch und gnostisch ist, sondern das Christentum Edessas voraussetzt.

Es ist sogar möglich, aus Makarius einen Kommentar zum Perlenliede zusammenzustellen. Manches ist schon im Vorhergehenden erwähnt worden. Einiges, mehr Spezifisches, sei hier nachgetragen:
4 Der Prinz geht als Kaufmann in die Fremde, die Perle zu holen,
Dazu sagt Makarius:

„Wie sich die Kaufleute (ἔμποροι) *nackt* in die Meerestiefe und in den Wassertod stürzen, um dort *Perlen* zu einer Königskrone und Purpurschnecken zu finden, so gehen auch die einheitlichen Menschen (μονάζοντες) nackt aus der Welt, steigen in die Meerestiefe der Bosheit und in den Abgrund der Finsternis, hohlen und bringen aus der Tiefe *kostbare Edelsteine* herauf für eine Krone Christi, für die himmlische Gemeinde, für eine neue Welt, eine leuchtende Stadt und ein engelhaftes Volk" (15, 51).
12 Der Prinz geht nach Ägypten; dabei muss man bedenken, dass Ägypten für die Christen schon der neutestamentlichen Zeit ein Typus der Welt war. Verstanden sie doch ihren Auszug aus den alten Verhältnissen als eine Parallele zu Exodus des jüdischen Volkes aus Ägypten [1]).

Diese Typologie Ägyptens hat nun Makarius auf den Auszug der Seele aus der Welt angewendet:

„Im Schatten des Gesetzes (= im Alten Testament) wurde Moses ein Erlöser Israels genannt Denn er führte sie (die Israeliten) aus Ägypten. So dringt nun auch der wahre Erlöser Christus in die verborgene Seele ein und führt sie aus *dem finsteren Ägypten*, dem drückendsten Joche und der bittern Knechtschaft heraus" (11, 6).
Ägypten ist also für Makarius ein Symbol für die Welt der Finsternis und der Knechtschaft, auf Grund der biblischen Exodusgeschichte. Dasselbe ist der Fall im Perlenliede.
33 Der Prinz dient dem König von Ägypten. Es ist dies eine Knechtschaft! „Sieh die Knechtschaft, wem du dienst" (44). Jeder Leser

---

[1]) D. Daube, *The Exodus Pattern in the Bible*, London 1963.

des Perlenliedes muss sich fragen, wer mit diesem König gemeint
ist. Und weil wir feststellten, das der parthische König der Könige
im Gedicht ein Symbol für Gott ist, so liegt es nahe zu sagen, dass
der ägyptische Pharao hier ein Symbol für den Teufel ist. Eine sehr
schöne Parallele dazu liefert wiederum Makarius:

„Denn durch seinen Ungehorsam ist der Mensch des schrecklichen
Todes der Seele gestorben . . . . . . Durch Lug und Trug haben die
Feinde seine Herrlichkeit (δόξα) geraubt und ihn mit Schande
(αἰσχύνη) *umkleidet.* Das Licht wurde ihm genommen und die
Finsternis *angezogen.* Sie haben seine Seele ermordet, seine Gedanken
zerstreut und so ward Israel, d.h. der Mensch, ein Sklave des wahren
Pharao".

Man wird bemerkt haben, wie bei Makarius die Paradiesgeschichte
und die Exodusgeschichte ständig verbunden sind und auf den Fall
der Seele in die Welt angewendet werden. Ägypten ist der Gegensatz
zum Paradiese. Das geht auch aus Hom. 25, 3 hervor:

„Willst du nun erfahren, warum *wir,* in Ehre erschaffen und wohn-
haft im Paradiese zuletzt den unvernünftigen Tieren ähnlich und
gleich geworden sind, *herausgefallen* aus der makellosen Herrlichkeit,
so wisse: Durch den Ungehorsam sind wir Sklaven der Leidenschaft
des Fleisches geworden und haben wir uns selbst vom seeligen
Lande der Lebendigen ausgeschlossen, sind in gefangenschaft geraten und sitzen noch an den Flüssen Babylons. Und weil wir noch
in *Ägypten* festgehalten werden, haben wir das Land der Verheissung,
das von Milch und Hönig fliesst, noch nicht als Erbteil empfangen . . . .

Wie soll ich der elenden Knechtschaft *Pharaos* entgehen? Wie soll
ich den schmählichen Aufenthalt in der Fremde verlassen? Wie soll
ich mich der bittern Tyrannei entziehen? Wie soll ich herauskommen
aus dem Lande Ägypten? (25, 6)".

34   Der Prinz vergisst die Perle. Das ist natürlich die platonische
λήθη, welche über die Seele kommt, wenn sie in den Körper eingekerkert wird. Allerdings war dies Motiv auch schon von gewissen
Rabbinen übernommen worden: wenn die Seele in den Körper
eingeht, vergisst sie alles [1]).

Auch Makarius weiss von der λήθη, womit der Teufel jede
Seele erfüllt, welche nicht von oben geboren ist und mit ihren

---

[1]) Nidda 30 b: und Sobald das Kind an das Licht der Welt hinaustritt, kommt
der Engel und schlägt es auf den Mund und lässt es alles vergessen. Cf. R. Meyer,
Hellenistisches in der Rabbinischen Anthropologie, S. 87.

Denken und ihrem Geist in die andere Welt hinübergegangen ist (5, 3).

58 Der Prinz bezaubert die Schlange. Auch Makarius weiss, dass der einheitliche Mensch die Drachen auf seinem Wege bezaubern muss. Da wird dieser Mensch sogar mit einem *Sohn* verglichen, der vom Vater in die Fremde geschickt wird.

„Wenn ein Vater seinen *Sohn* in ein fremdes Land schickt, wo ihm auf seinem Wege wilde Tiere entgegentreten, so gibt er ihm Zaubermittel und Gegengifte mit, damit er den wilden Tieren oder Drachen (δράκοντες), die etwa auf ihn losgehen, das Zaubermittel (φάρμακον) gebe und sie töte.

So sollt auch ihr euch bemühen, ein himmlisches Zaubermittel, das Heil- und Gegenmittel für die Seele, zu bekommen, und damit die Gifttiere der unreinen Geister zu töten" (26, 24).

Der Ausdruck, „warum wir den unvernünftigen Tieren ähnlich und gleich geworden sind" (τίνος ἕνεκεν συνεβλήθημεν τοῖς ἀνοήτοις κτήνεσιν καὶ ὡμοιώθημεν) verdient spezielle Beachtung. Es ist dies eine Anspielung auf Psalm 48, 13: καὶ ἄνθρωπος ἐν τιμῇ ὢν οὐ συνῆκεν, παρασυνεβλήθη τοῖς κτήνεσιν τοῖς ἀνοήτοις καὶ ὡμοιώθη αὐτοῖς.

Das ist ein Lieblingstext der Messalianer.

Auch das *Liber Graduum* beruft sich darauf. Man kann Gott nicht vorwerfen, dass er Adam und Eva, Mann und Weib, also geschlecht-lich differenziert, geschaffen hat. Denn das allein würde nicht schaden, wenn der Mensch nicht gewollt hätte, wie die Tiere zu sein. Aspexit enim homo iumentum et ei similis fieri optavit (15, 6).

Diese Auslegung des Psalmenwortes geht, wie schon Kmosko gesehen hat[1]), auf den ägyptischen Enkratiten Julius Cassianus zurück. Auch dieser berief sich auf das zitierte Psalmwort, um den Fall des Menschen aus der Unschuld in die Geschlechtlichkeit biblisch zu belegen.

Der Mensch sei deshalb dem Tiere ähnlich geworden, weil er sich zur Paarung (συνδυασμός) herabgelassen hat. Und zwar bezieht sich das auf Adam. Die Schlange hat den Brauch der geschlechtlichen Gemeinschaft den unvernünftigen Tieren entnommen und Adam überredet mit Eva dasselbe zu tun, was durchaus nicht natürlich war[2]). Es ist dies die bekannte enkratitische Auffassung, das die

---

[1]) M. KMOSKO, *Liber Graduum*, S. L-II.
[2]) CLEMENS ALEXANDRINUS, *Strom.*, III, 102, 1-4, Stählin S. 243.

Ursünde, das Essen vom Baum der Erkenntnis, die Geschlechts-
gemeinschaft von Adam und Eva war. Sie sind wegen der Konkupiszenz aus dem Paradies vertrieben worden!

Das wiederholt sich aber nach Julius Cassianus in jedem Menschen-
leben. Denn jede Seele kommt ἐπιθυμίᾳ θηλυνθεῖσα herunter in
die Welt von Geburt und Tod [1]). Daraus muss man schliessen, dass
wie Adam jede Seele einmal im Paradiese lebte.

Makarius ist Erbe dieser Tradition, wenn er sagt, dass wir (d.h.
als präexistente Seelen) einmal im Paradiese wohnten und aus dieser
Herrlichkeit herausgefallen (ἀποπεπτωκότες) sind (28, 3). So sehen
wir, dass die Lehre der Präexistenz jeder Seele im Paradiese vom
zweiten Jahrhundert an in der enkratitischen Tradition verbreitet
war. Das Perlenlied steht in der Mitte zwischen dem ägyptischen
Enkratismus und Makarius und setzt die Präexistenz der Seele im
Paradies voraus.

Wir fassen zusammen: Das Perlenlied ist ein christliches Gedicht.
Der König ist Gott, die Mutter der Heilige Geist, der Bruder der
Messias. Der Prinz ist die Seele, welche im Paradies lebte und ausge-
schickt wurde in die Welt, Ägypten. Der Pharao ist der Teufel, die
Schlange die Konkupiszenz.

Nur wer seine Kaufware austeilt, auf den Besitz verzichtet, kann
die Perle, die Reinheit der Seele und so das eigentliche Selbst erwerben
und zurückkehren in das Paradies. Da bekommt der Mensch den
Geist wieder, dessen Abbild er ist.

---

[1]) id., III, 93, 3, Stählin S. 239.

SUR LE GNOSTICISME EN ARMÉNIE:
LES LIVRES D'ADAM

PAR

GIORGIO RAIMONDO CARDONA

Bien que les témoignages historiques relatifs à la diffusion du gnosticisme en Arménie soient presque inexistants, on ne peut cependant nier, je crois, une présence gnostique parmi les Arméniens. La littérature hérésiologique en est une preuve: si on considère le traité d'Eznik, que j'appellerais encore *Ełc ałandoç* comme d'habitude (la dénomination proposée par le p. Mariès n'étant pas à retenir), on voit qu'il est dedié pour une moitié à la réfutation des Valentiniens: pourvu que tous les arguments du traité étaient pressants pour le christianisme arménien (en premier rang la religion perse), ce péril valentinien aussi devait être réel et non pas une question livresque. Du même, les auteurs grecs non chrétiens traduits en arménien sont Platon et Philon: ce n'est pas un hasard. Si Platon a été remis en valeur par Eznik (qui, pourtant en critique âprement la doctrine) [1]), pour Philon il faut songer à une sympathie arménienne pour celui que même les études les plus récentes ont montré comme un précurseur de la Gnose. En arménien, il est vrai, on n'a pas de textes gnostiques de provenance directe, tels que les textes de Naǧ 'Ḥammādī, mais on peut être sûr que des textes semblables ont disparu. En effet, une courte notice de Samuel d'Ani nous renseigne sur la présence de livres tels que la *Vision de Paul*, la *Pénitence d'Adam*, le *Testament d'Adam*, l'*Enfance du Seigneur*, qui avaient circulé en Arménie autour de la 342e Olympiade (588-591 a.C.) [2]). L'un de ces textes, l'*Enfance du Seigneur*, nous fait songer à l'*Evangile de l'Enfance*, qui nous est parvenu en plusieurs langages: de la même façon on peut supposer une tradition d'autres textes gnostiques. En 1896 le père Yovsepeanç publia à Venise un recueil de livres apocryphes de l'Ancien Testament [3]); quatre ans après

---

[1]) ...*Płaton, or vasn Astowcoy ew vasn ogwoç ew vasn araracoç xawsel yawžareçaw* (*PO* XXVIII, p. 514, par. 356, ed. Mariès) '. .Platon qui, lui, de parler de Dieu et des âmes et des créatures, a nettement manifesté l'intention!' (trad. Mariès).

[2]) *PG* 19, 685-686; *JA*, 1853, p. 430.

[3]) *Ankanon girk ktakaranaç* (*Tangaran hin ew nor naxnaeç*, a).

Preuschen publiait un étude d'ensemble sur un groupe de ces livres [1]). En effet, dans le recueil on peut distinguer — et c'est à Preuschen de l'avoir souligné — huit écrits qui se juxtaposent [2]) :

1) *Le Livre d'Adam*
2) *La mort d'Adam*
3) *Histoire de la création et du peché d'Adam*
4) *Histoire de l'expulsion d'Adam du paradis*
5) *Histoire des fils d'Adam, Abel et Caîn*
6) *Evangile de Seth* (*qu'il nous faut écouter*)
7) *Histoire de la pénitence d'Adam et d'Eve*
8) *Mots d'Adam à Seth*

Ces écrits développent les thèmes du péché originel, de la mort des protoparents, de la mort de Abel. Preuschen, s'appuyant sur le rôle joué par Seth (qui est présent dans presque tous les écrits), attribua le recueil aux Séthiens, dont nous parlent les *Philosophoumena* [3]). Cette origine gnostique ne fut pas acceptée par Kabisch [4]) et Liechten-han [5]). On a fait remarquer qu' il n'y avait pas d'éléments décidément gnostiques et que les éléménts narratifs avaient beaucoup de ressem-blance avec ceux d'écrits judaïques tels que le *Combat d'Adam* (le *Gadla Adām* éthiopien) et la *Caverne des Trésors*. Mais les renseigne-ments que nous avons reçu semblent appuyer la thèse de Preuschen : ce fut un archontique (et donc un séthien) qui instruit le moine arménien Petros sur les mythes gnostiques (et Petros les diffusa dans la Grande Arménie) [6]) ; la notice de Samuel nous parle d'une *Pénitence* et d'un *Testament d'Adam* : peut-être s'agit-il des deux derniers titres du recueil. De plus, on a souligné les ressemblances entre les *Livres d'Adam* et la littérature apocryphe d'origine juive. Le tableau en a été dressé par Götze (à peu près une vingtaine de points de contact :

---

[1]) *Die apokryphen gnostischen Adamschriften aus dem armenischen übersetzt und unter-sucht* dans *Festgruss Bernhard Stade*, Giessen 1900.

[2]) On ne saurait attacher trop d'importance aux titres arméniens, ajoutés, peut-être, au cours de la tradition manuscrite. Et cependant le sixième est curieux : il s'explique seulement s'il est adressé à des prosélytes.

[3]) *Phil* V, 19-22.

[4]) R. KABISCH, *Die Entstehungszeit der Apokalypse Mose*, ZfNW (1905), pp. 109-134.

[5]) R. LIECHTENHAN, *Die pseudepigraphen Literatur der Gnostiker*, ZfNW (1902), pp. 222 sq. Voir aussi J. B FREY dans le *Dictionnaire de la Bible*, Suppl. I, Paris 1928, 102-106 et 125-132.

[6]) H. CH. PUECH, art. *Archontiker* dans *Reall. f. A. u. Ch.*, I, 634-643.

les soeurs d'Abel et de Caïn, l'ange mauvais Sadaël, etc.) [1]). C'était la preuve, pour les autres savants, de l'origine juive des livres arméniens, tandis que Götze, tout en reconnaissant la relation entre les deux traditions, en tirait une autre conclusion: „der erste Teil der Schatzhöhle geht auf ein sethianisches Adam-Buch zurück, das in einer späteren Überarbeitung in der armenischen Sammlung zum Teil vorliegt".[2]) L'absence du vocabulaire gnostique pourrait s'expliquer alors en admettant une élaboration du recueil original qui en aurait effacé la couleur gnostique. En effet quelques thèmes gnostiques peuvent encore se reconnaître aisément, par exemple celui de la lumière (arm. *loys*).

Les découvertes de Nağ 'Hammādī ont apporté un nouveau jour, on le sait, sur le problème des Séthiens. Dès lors on n'a pas repris la question des livres arméniens, pour voir si on peut établir des rapprochements et si l'hypothèse de Preuschen peut encore être soutenue. Je soulignerais, pour l'évidence, quelques points de contact entre les écrits arméniens et un texte copte, l'*Apocalypse d'Adam* [3]): a) il s'agit d'une révélation d'Adam à Seth: Adam est désormais vieux, et parmi ses fils seul Seth est resté. La situation est tout à fait pareille dans les *Mots d'Adam à Seth*. b) p. 64, 14: Adam a le même rang que les grands anges; p. 308 Yovs. Adam doit s'élever au rang des grands anges tombés et les remplacer. c) p. 65, 27: les trois hommes inconnus; situation pareille dans la *Mort d'Adam*, p. 25 Yovs. d) p. 67: Adam convoite Eve et il est dépouillé à cause de cela de la connaissance éternelle: le texte est fragmentaire en copte, mais il se rapproche toutefois du troisième texte arménien, p. 309 Yovs. e) narration de Noé: on peut la rapprocher de l'*Evangile de Seth*. Ces exemples peuvent être multipliés: ils démontrent l'identité du tissu des deux recueils. La question se pose, de savoir si ces éléments communs, qui en grand partie sont propres à la tradition apocryphe juive [4]), sont indépendants dans les deux traditions, arménienne et copte, et ont étés maniés séparément, ou bien s'il y avait, à l'origine, un seul dossier gnostique, qui a

---

[1]) A. Götze, *Die Schatzhöhle, Überlieferung und Quellen*, Heidelberg 1922, pp. 41 sq.

[2]) Ibidem, p. 43. L'*Herkunft* séthienne de la *Caverne des Trésors* est acceptée aussi dans l'ouvrage récent de G. Widengren, *Mani und der Manichaismus*, Stuttgart 1961, p. 29.

[3]) Page et ligne selon l'édition de A.Böhlig et P. Labib, *Koptisch-gnostische Apokalypsen aus Codex V von Nag Hammadi*, Halle-Wittenberg 1963.

[4]) A ce propos voir l'esquisse d'une analyse en ce sens dans le compte-rendu du p. Daniélou, qui a paru dans les *Recherches de science religieuse*, 54 (1966), pp. 291 sq.

été modifié ensuite dans deux directions : d'un côté les textes coptes, de tradition ancienne et directe, avec toute sa couleur gnostique, et enrichis des élaborations gnostiques courantes jusqu'à cette époque-là ; de l'autre côté les textes arméniens, que le procès continuel d'adaptation aux exigences orthodoxes avait dépouillés des éléments les plus décidément gnostiques. Les éléments pour ainsi dire anodins, qui toutefois sont ceux qui peuvent permettre maintenant des rapprochements auraient seuls échappé à ce procès.

GNOSTICISMO E BUDDISMO.
PROBLEMI COMPARATIVI

BUDDHISM AND GNOSIS

BY

EDWARD CONZE

The topic of my paper has a fairly long ancestry. Already in 1828 Isaac Jacob Schmidt, a German living in Russia, published a pamphlet entitled „Über die Verwandtschaft der gnostisch-theosophischen Lehren mit den Religionssystemen des Orients, vorzüglich dem Buddhaismus",[1]) which Arthur Schopenhauer in his collected works recommended no fewer than three times. Much has been learned in the intervening 138 years, and to-day a German living in England will try to outline briefly the present state of the question as he sees it.

By "Buddhism" I mean in this context the Mahāyāna form of that religion which developed as a distinctive trend from about 100 B.C. onwards, and had its greatest creative period in the first centuries of the Christian era. Not all the doctrines I shall adduce in this paper are, however, *exclusively* mahāyānistic. Some of them can also be found in the "Hīnayāna", either because they represent an earlier tradition accepted by all Buddhists, or because the "Hīnayānists" had at some time or other absorbed the new doctrines. For the Mahāyāna has in the main four components, (1) ancient Buddhist teachings which had been neglected and now receive greater emphasis; (2) logical deductions which had not previously been made; (3) reactions to

---

[1]) Leipzig, IV + 25 pages, 4to. — I. J. SCHMIDT said "daß die Gnostiker ihre Ideen aus den Religionssystemen des Orients geschöpft haben" (p. iii; also p. 16) and on p. 20 he says that "diese Lehrsätze (of the Gnostics) fast genau so klingen als wären sie wörtlich aus den buddhaistischen Schriften vorgetragen oder abgeschrieben". These were the views of a period which had "die Überzeugung, daß alle Cultur, die sich in Europa zu eigenem Leben zu entfalten Raum fand und deren Früchte wir jetzt geniessen, ihren Ursprung aus Asien hat" (*Über einige Grundlehren des Buddhaismus*, 1829, p. 2). (In 1952 Widengren described Gnosis as "a principally Indo-Iranian movement"). I. J. Schmidt's description of Buddhism, which he had derived from its "geachtetsten Religionsschriften" (p. 13 n. 4) concerns naturally the Mahāyāna in its Lamaist form with which alone, as a resident of Russia, he could at that time be familiar.—Another person who has worked on this subject is A. LLOYD, a missionary in Japan. His book *The Creed of Half Japan* (1911) and his article *Kirchenväter und Mahayanismus* in *Mitteilungen der deutschen Gesellschaft für Natur- und Völkerkunde Ostasiens*, vol. XI, Tokyo 1909, contain many hopeful suggestions, but it is not always easy to separate the wheat from the tares.

non-Indian thinking, and (4) absorption of the customs and thought-forms of popular piety.

This Buddhism I propose to compare with "Gnosis" rather than "the Gnostics," because the connotation of the latter term is still so uncertain that this Congress has been specially convened for the purpose of defining it. The adherents of Gnosis in my view are those who share the eight assumptions which I will outline in my paper and which can be found in varying degrees in most forms of Hellenistic mysticism and its offshoots.[1]) All these traditions are one in spirit, and while the differences between them must seem important to the Near Eastern specialist, for comparative purposes they are of a fairly minor order. Some doctrines are, of course, nearer to Buddhism than others. For instance, a Buddhist who had to take sides on the question whether the world (kosmos) is irremediably evil (kakon), would on principle have to decide against Plotinos [2]) (because to him all conditioned things would be duḥkha, ill). The brevity of this paper forces me to concentrate on essentials.

Now I will describe the eight basic similarities between Gnosis and Mahāyāna Buddhism:

(1) (a) *Salvation* takes place through *gnōsis* or *jñāna*, and nothing else can finally achieve it. Both words are etymologically derived from the same Indo-European root. Their meaning also is quite similar. "Not Baptism alone sets us free, but gnosis,—who we were, what we have become; where we were, whereinto we have been thrown; whither we hasten, whence we are redeemed; what is birth and what rebirth",—so the *Excerpta ex Theodoto*.[3]) Buddhism in its turn claims that the cognition of conditioned co-production, which the Buddha attained shortly before his enlightenment, dispels all misconceptions on precisely the points enumerated in the Valentinian statement.[4]) In both cases the mere insight into the origination and

---

[1]) i.e. the Hermetic tradition, the Christian Gnostics, the more spiritual mystery religions (J 38), the neo-Pythagoreans, neo-Platonists, Mandeans, and Manicheans (P 69-72). For the convenience of my fellow Buddhologues I have documented the principal Gnostic tenets from two easily accessible books, i.e. H. JONAS, *The Gnostic Religion*, 1963 (abbreviated as J) and H.-C. PUECH, *Le Manichéisme*, 1949 (abbreviated as P).

[2]) *Enn.* II 9. Though, of course, some of the views of the Gnōstikoi would be none too palatable either.

[3]) 78:2. For parallels see P n. 279.

[4]) e.g. BUDDHAGHOSA, *Visuddhimagga*, ed. H. C. Warren, 1950, xvii 112-9.—A good collection of Buddhist descriptions of *jñāna* in *Hōbōgirin*, s.v. Chi. — J 34-7,

nature of the world liberates us from it, and effects some kind of re-union with the transcendental One, which is identical with our true Self.

(b) As a negative corollary to this, Buddhism teaches that *ignorance* (*avidyā*) is the root evil and the starting point of the chain of causation. This ignorance is in part blindness to the true facts of existence, and in part a self-deception which, misdirecting our attention towards a manufactured world of our own making, conceals the true reality to which wisdom, the highest form of gnosis, alone can penetrate.[1]) In the Mahāyāna it means that fictitious beings indulge in a multiplicity of vain and baseless imaginings which cover up the ultimate One. Likewise some, though not perhaps all, Gnostic systems explicitly declare ignorance to be the basic fault [2]) which has alienated us from true reality.

(c) This gnostic knowledge is derived solely from revelation,[3]) although each one has to experience it within himself.

(2) We secondly consider the teaching concerning the *levels of spiritual attainment*, and that under three headings:

(a) There is a very sharp division between the aristocracy of the *perfecti* or Elect, and the ordinary run of the *auditores*.[4]) To it corresponds in Buddhism that between the *āryas* ('holy' or 'noble' men) and the "foolish common people" (*bālapṛthagjanā*), who occupy two distinct planes of existence, respectively known as the "wordly" and

284-5. — Also R. BULTMANN's (*Theologie des Neuen Testaments*, 1958, p. 168) definition of *gnōsis* as "das Wissen um die himmlische Herkunft des Selbst" would fit the Mahāyāna quite well.

[1]) For more details see my *Buddhist Meditation*, 1956, p. 153, which is based on the *Visuddhimagga*.

[2]) e.g. Hermetics x:8. The Valentinian *Gospels of Truth* ascribes creation to Error personified (J 76). — The world is bad, — under the control of evil, ignorance or nothingness. The Manicheans: "L'âme s'oublia elle-même; elle oublia sa demeure primitive, son centre véritable, son existence éternelle", quot. P 156. — J 63, 71, 127, 131, 174-5, 183, 194, 197, 201, 254. — See Bultmann (pp. 169-70) about the "Anfang des Dramas, das tragische Ereignis der Urzeit". For the Christian Gnostics see also ibd. p. 180.

[3]) *Buddhism and Culture*. Suzuki Commemorative Volume, ed. S. Yamagucchi, 1960, p. 30. — *Buddhist Thought in India*, 1962, pp. 28-30. — J 45. — For a masterly survey of the modes of revelation see Le R. P. FESTUGIÈRE, *La révélation d'Hermès Trismégiste*, I, 1950, pp. 59-60, 309-354.

[4]) The two classes are "wesenhaft verschieden", REITZENSTEIN quot. in H. JONAS, *Gnosis und spätantiker Geist*, I, 1934, p. 212; cf. ibid. 212-4 for the two, respectively three, classes of men. — P 88-9, n. 374; 91, n. 393; J 232-3, P 86-7 and n. 362 about the Manichean hierarchy.

the "supramundane". Ordinary people are entirely absorbed in the pursuit of sensory objects, or the flight from them, while the saints have undergone a spiritual rebirth, have turned away from this world to the world of the spirit, and have won sufficient detachment from conditioned things to effectively turn to the Path which leads to Nirvāṇa.[1]

(b) There is a *qualitative* difference between the highest ranks of the spiritually awakened and the ordinary run of mankind. They have attained a positively superhuman stature and no common bond of humanity unites them with the rest of us. They have conquered death and become immortal;[2] they have become divine, equal to God,[3] and deserve to be worshipped; the Tathāgatas are absolutely pure, completely omniscient,[4] and omnipresent. The process of salvation is based on the kinship (*syngéneia*) of saviour and saved, because both have a divine origin. The doctrine of the divine spark, which is our true Self,[5] is indeed fundamental in both systems. For the Mahāyāna the intimate essence of man's being is "the celestial nature itself, purest light, *bodhicittaṃ prakṛtiprabhāsvaram*".[6] In salvation the god within has united with the god outside.[7]

(c) The division between the 'saints' and the 'foolish worldlings' is found in all Buddhist sects and must go back for a long time. It is only after about A.D. 200 that some Mahāyānists superimposed

---

[1] For further information see my *Buddhist Wisdom Books*, 1958, pp. 38-9.

[2] e.g. Apuleius in book XI describes a rite of deification which purges man of his mortality, reconstructs him as an immortal being, and fills him with divine power.

[3] Hermetists: In his essential being man is *nous*, which is divine, "wherefore some men (who know their true nature) are divine, and their humanity is nigh unto divinity" (xii:1). "If thou canst not make thyself equal to God, thou canst not know God" (xi:20). *Manichaeus qui se mira superbia adsumptum a gemino suo, hoc est spiritu sancto, esse gloriatur*. P 44. U. BIANCHI 165. J 45, 107, 153, 166, 296-7.

[4] e.g. *Saddharmapuṇḍarīka*, ed. U. Wogihara, 1958, II p. 29.

[5] J 44, 122-3, 263-4, 271; P 71, 85, n. 275.

[6] G. TUCCI, *Tibetan Painted Scrolls*, I, 1949, p. 211. The "self-luminous thought" which is at the centre of our being and has been overlaid by "adventitious defilements" (*āgantukehi upakkilesehi*) becomes in the Mahāyāna "the embryo of the Tathāgata" (for some documentation see E. LAMOTTE, *L'enseignement de Vimalakīrti*, 1962, 52-6). To see through to one's own "Buddha-self" became the chief preoccupation of the Zen sect. The Manicheans likewise speak of "our original luminous nature" (J 123), "those around Basilides are in the habit of calling the passions 'appendages' " (J 159) and "in the *Poimandres* the ascent is described as a series of progressive subtractions which leaves the 'naked' true self" (J 166).

[7] e.g. *Buddhist Texts*, 1954, n. 185. A good explanation in E. OBERMILLER, *Analysis of the Abhisamayālankāra*, 1933, 86-94.

upon it another division which distinguishes three classes (*gotra* or *rāśi*) of people, i.e. those destined for salvation (*samyaktva-niyata*), those destined for perdition (*mithyātva-niyata*) and those whose destiny is not fixed either way (*aniyata*).[1]) This classification, as Tucci has pointed out,[2]) corresponds to the well-known gnostic division into those who possess the divine essence (*spermatikoi*), those who, devoid of the divine Self, can by their very material nature not be saved (*hylikoi*), and those who may or may not be saved according to the circumstances (*psychikoi*). Tucci assumes a Gnostic influence, and I am prepared to agree with him. First of all, those who were excluded from salvation, as being destitute of the Buddha-nature, became sometimes known as *icchantika*. So far no one has found a convincing etymological derivation for this term, and everything said about it is guesswork or belongs to the realm of Volksetymologie.[3]) Secondly, it is hard to see how the determinist and almost Calvinistic postulate that these people are permanently damned, because totally without merit,[4]) could possibly be derived by logical steps within Buddhism itself from its own presuppositions. And, thirdly, within the Mahāyāna it is clearly a foreign body and and in direct conflict with its basic teaching that the Absolute, or the "Buddha-nature", is the same in all conditioned dharmas and therefore also in all beings. In consequence, this concept became the subject of prolonged discussions,[5]) also in China, and numerous attempts were made to abolish it and to find some loophole by which the force of supernatural compassion could somehow redeem these people.

(3) Our third point concerns the crucial role which *Wisdom* plays in both systems. We will consider wisdom under three headings, (a) as a kind of archetype, (b) in her cosmogenic function, and (c) as a feminine deity.

(a) As to the first, I may well be said to be stretching a point by introducing some of the "Wisdom Books" of the Old Testament.

---

[1]) e.g. *Aṣṭādaśasāhasrikā prajñāpāramitā*, ed. E Conze, 1962, pp. 141-2

[2]) *Jñānamuktāvalī. Commemorative volume in honour of J. Nobel*, New Delhi, 1959, p. 226.

[3]) See F. EDGERTON, *Buddhist Hybrid Sanskrit Dictionary*, 1953, s.v. — D. T. SUZUKI, *Studies in the Lankavatara Sutra*, 1957, p. 219 n.

[4]) Lit. "they have lost all merit", *sarvakuśalamūlotsarga. Lankāvatāra Sūtra*, ed. B. Nanjio, 1923, p. 66, l.

[5]) The Manicheans also were divided on this issue. P 85.

But they obviously belong to the same religious complex, and were the work of the immediate predecessors of the Gnostics as well as a source of inspiration to many of them. It seems to me remarkable that during the same period of time,—i.e. from ca 200 B.C. onwards,— two distinct civilizations, one in the Mediterranean, the other in India, should have constructed a closely analogous set of ideas concerning "Wisdom", each one apparently independently, from its own cultural antecedents. Here are some of the similarities between Chochma [1]) and Sophia on the one side and the Prajñāpāramitā on the other: [2]) Both are feminine, and called 'mothers' and 'nurses'. They are equated with the Law (tōrā and *Dharma*), have existed from all times, are the equivalent of God or the Buddha, the consort of Jahve or Vajradhara, [3]) extremely elusive, respectively a gift of God or due to the Buddha's might, dispense the waters of knowledge and the food of life, are extremely pure, related to the sky or ether, connected with trees and compared to light. We are urged to "lean on" them and to accept their chastisement. They are vitally important to kings and will disappear in the chaos of the last days.

(b) The *cosmogenic function* of Sophia is quite pronounced in many Gnostic systems. Until a few years ago every Buddhist scholar would have asserted categorically that *Prajñā* (even in a debased or fallen form, if such a thing were conceivable) could not possibly have anything to do with the creation of the world, being entirely occupied with its removal. Then in 1959 we had the first critical edition of a Buddhist Tantra, and there, in the *Hevajra Tantra*, [4]) we unmistakeably read that "*Prajñā* is called Mother, because she gives birth to the world." Dr. Snellgrove, the editor, stresses the presence in this text of "notions that are not Buddhist, in the sense that they are not properly assimilated, and seem to exist in contradiction with the wider context". [5]) This particular idea about *Prajñā* is so much at variance with what is possible within the orbit of Buddhist thinking

---

[1]) For my information about the Hebrew side I rely on H. Ringgren, *Word and Wisdom*, 1947.

[2]) The references can be found in *Oriental Art*, I, 4, 1948, pp. 196-7.

[3]) Likewise the Valentinians spoke of the marriage of Sophia and Jesus.

[4]) ed. D. L. Snellgrove, 1959, I, v, 16: *Janani bhaṇyate prajñā janayati yasmāj jagat*. For my further comments on this passage see BLSOAS xxiii 3, 1960, p. 604. In Irenaeus, *adv. haer.* I, 23, 2 the Helene of Simon is called *mater omnium*.

[5]) p. 7; cf. pp. 11, 18. — J. 306: The different versions of the *Apocryphon of John* "show the ease with which heterogeneous material was accepted into gnostic compositions of well established literary identity".

that it must have come from the outside, and the Gnostics seem the most likely source. If we bear in mind that there are literally thousands of Tantras which have never yet been critically investigated by Europeans, many more surprises are likely to be in store for us.

(c) Perhaps the most radical innovation of the Mahāyāna was the introduction of *feminine* deities. As usually the dates are none too certain, but by A.D. 400 female deities, among them the *Prajñāpāramitā*, were definite cult objects. Much earlier the *Prajñāpāramitā* had been proclaimed as the Mother of the Buddhas. [1]) To cut it short, if it gives sense to distinguish between 'matriarchal' and 'patriarchal' religions, then surely the Mahāyāna and Gnosticism are more 'matriarchal' [2]) than, say, the "Hīnayāna" and Protestant Christianity. Later on, in the Tantras, the consorts of the Buddhas and Bodhisattvas, and by implication the girls involved in ritual intercourse with the Tantric *siddhas*, were known as *prajñās* and *vidyās*.[3]) It is a noteworthy coincidence that a few centuries before their time Sophia should have been described as suitable for sexual intercourse [4]) and that a bit later the Gnostic Simon should have called his consort Helene, a harlot [5]) he had found in a brothel in Tyre, by the names of 'Sophia' (= *prajñā*) or 'Ennoia' (= *vidyā*).[6])

(4) Both Mahāyāna and Gnostics are indifferent to *historical facts* and tend to replace them by *myths*. This shows itself in at least two ways:

(a) A *docetistic* interpretation of the Founder's life. It would be unsuitable for me to tell this audience about the Docetism of the Gnostics.[7]) In the Mahāyāna it takes the form of asserting that

---

[1]) For the *Ratnaguṇasaṃcayagāthā* see *Suzuki Commemorative Volume*, 1960, pp. 25-6.

[2]) For the Gnostics see e.g. E. O. JAMES, *The cult of the mother goddess*, 1959, pp. 192-4. — In greater detail see *Gnosis und spätantiker Geist*, I, 1934, where H. JONAS distinguishes a "männliche Gruppe" (335-51) and a "weibliche Gruppe" (351-75); p. 352: "daß z.B. die spekulativ zentrale weibliche Gottheit von der Gestalt einer syrisch-phönizisch-ägyptischen Mond-, Mutter- und Geschlechtsgöttin hergeleitet ist, hat Bousset nachgewiesen".

[3]) The term *śakti* is exclusively Hindu and never used by Buddhists.

[4]) RINGGREN, p. 119; cf. p. 106.

[5]) In the Mahāyāna, by contrast, the Bodhisattvas Samantabhadra (D. T. SUZUKI, *Essays in Zen Buddhism*, III, 1934, p. 372) and Avalokiteśvara (F. SIERKSMA, *The gods as we shape them*, 1960, pl. 28) manifest themselves as harlots.

[6]) J. 104, 107.

[7]) J 78, 128, 133, 195.

the Buddha's physical body, his human and earthly life, his birth, enlightenment and death, were not really real, but a mere show conjured up to teach and awaken people. To quote *The Lotus of the Good Law*: "Although the Tathāgata has not actually entered Nirvāṇa, he makes a show of doing so, for the sake of those who have to be educated" [1]. The real Buddha should not be mistaken for the historical Buddha, who is no more than a phantom body displayed by Him.

(b) The scriptural tradition is authenticated by reference to persons and events which have often no clearly defined place within the framework of observable and verifiable human history, and their initial revelation normally takes place neither on earth nor among men,[2] and often at the beginning of time. The *Pistis Sophia* is the teaching of the Risen Christ, another text is ascribed to "Poimandres, the Nous of the Absolute Power",[3] the Manichean *Kephalaia* have been revealed by "the Living Paraclete" [4] and the Hermetic tradition dates back to Hermes Trismegistos who is identified with Thoth. Just so all Mahāyāna scriptures were inspired and compiled by mythological personages, such as Maitreya, Amitābha, Avalokiteśvara, or Mañjuśrī.[5] The lineage of the *Guhyasamāja*, for instance, gives first the Buddha Vajradhara and the Bodhisattva Vajrapāṇi, and only then a number of historical names.[6] The Hermetists were in the habit of unearthing books hidden away by godlike sages in the remote past (*exemásteuse* is the technical term), and likewise the Tibetan Nyingmapas and Kahgyutpas put their faith in the *gter-ma*, or buried texts, which were hidden by Buddhas or Saints (esp.

---

[1] *Buddhist Texts through the Ages*, ed. E. Conze, 1954, no. 135.

[2] E. LAMOTTE, *Sur la formation du Mahāyāna*, in *Asiatica*, Festschrift Friedrich Weller, 1954, pp. 381-6. The Mahāyāna scriptures are said to have been compiled on Vimalasvabhāva, a mythical mountain, by a council composed of Bodhisattvas, presided by Samantabhadra, — Mañjuśrī reciting the Abhidharma, Maitreya the Vinaya and Vajrapāṇi the Sūtras. They were miraculously preserved for five centuries in hidden places, such as the palace of the king of the Gandharvas, or of the king of Nāgas, etc. Some of the scriptures were also due to Mahāyāna saints going up into the Tushita heaven and being there instructed by the Bodhisattva Maitreya. TUCCI p. 210: "Some Tantras were spoken on Sumeru, to an assembly of bodhisattvas, or of divine beings. Others in the Akaniṣṭha paradise, others among the Śuddhāvāsa gods and so on".

[3] J 148.

[4] J 208.

[5] E. LAMOTTE, *Manjuśrī*, in *T'oung Pao*, XLVIII, 1960, pp. 5-8, 40-48. Alternatively Maitreya descends on earth to recite Sūtras, or "one sees the face of Manjuśrī" and learns from him. See note 8).

[6] A. WAYMAN in JAOS 75, 1955, p. 258.

Padmasambhava) and later on recovered by predestined persons, often with the help of the *ḍākinīs*, or 'sky-walkers'.[1])

(5) A tendency towards *antinomianism* is inherent in both systems. This ticklish theme can be discussed on the plane of either theory or practice. As far as *theory* is concerned, there is no difficulty. The exalted spiritual condition generated in the perfect by the power of full understanding must of necessity cause a certain disdain for the puny demands of conventional morality. In consequence some Gnostic sects taught that once a man has gained salvation, he is free to disregard moral obligations.[2]) Likewise some Mahāyānists were so intoxicated by the heights to which the perfection of wisdom had carried them that they regarded the practice of morality as unworthy of their attention, while others went out of their way to demonstrate their spiritual freedom by deliberately breaking all the moral precepts intended only for the lesser breed.[3]) As for the actual *practice*, the case is different. How far did sexual symbolism imply sexual activity? Did these saintly men ever commit any of the abominations which they so freely commended in words? The answer is, I suppose, that while some did and some did not, their opponents would make the most of those who did. The Fathers of the Church were most eloquent about the misdeeds of the Gnostics, but the books recently found in Chenoboskion hardly bear them out. This is all that need be said, and a closer scrutiny of the actual behaviour of these people would only serve to gratify a vulgar and prurient curiosity.

(6) As distinct from the theistic religions, both Mahāyāna and Gnosis differentiate between the still and quiescent *Godhead*, and the active *creator god*, who is placed at a lower level. Of the first, the Hermetists said that "of him no words can tell, no tongue can

---

[1]) Le R. P. Festugière, *La révélation d'Hermès Trismégiste*, I, 1950, pp. 76, 78, 319-24; H. Hoffmann, *Die Religionen Tibets*, 1956, pp. 45, 49, 54, 175; W. Y. Evans-Wentz, *The Tibetan Book of the Dead*, 1957, LIV-LV, 73-7.

[2]) For a very fine account of Gnostic antinomianism see J 266-77; also J 46, 110, 136.

[3]) Śāntideva, *Śikṣāsamuccaya*, ed. C. Bendall, 1902, p. 97 and *Suzuki Commemorative Volume* pp 38-9; D. L. Snellgrove, *The Hevajra Tantra*, I, 1959, pp. 8-9, 18, 42-4, 81; E. Conze, *Buddhism*, 1951, pp. 177-8, 195-7; S. B. Dasgupta, *Introduction to Tāntric Buddhism*, 1950, pp. 113-8, 198-211. For a fairly early statement see *Kāśyapaparivarta*, ed. A. von Stael-Holstein, 1926, par. 103.

speak, silence only can declare Him".[1]) And so the Buddhists on countless occasions about the Absolute which they identified with Nirvāṇa, the Buddha, the Realm of Dharma, Suchness, etc. The demiurge, in his turn, is a secondary divine being who, himself a proud, ambitious and impure spirit, has created this most unsatisfactory world.[2]) His Buddhist counterpart is to some extent the Hindu god Brahmā who in his stupidity boasts about having created this cosmos,[3]) when in fact it is the automatic product of cycles of evolution and involution going on over the ages. But, how ever the world may have come about, at present it is, in any case, the domain of an evil force, of Satan or of Māra the Evil One.[4])

(7) Both systems despise easy popularity, and their writings aim at initiates and exclude the multitude. In consequence there is everywhere a predilection for the mysterious, the secret, the enigmatic, the hidden, the esoteric. In Buddhism it increased as time went on. The first step was, about A.D. 300, the largely Yogācārin concept of *saṃdhābhāṣya*, according to which words had both an obvious and a hidden meaning, and works composed under Yogācārin influence made much of this 'hidden meaning'.[5]) The second step was the wholesale adoption of an esoteric terminology which was unintelligible without the oral explanations of a *guru*, and thus tended to conceal rather than reveal the message conveyed. Many Tantras, and also some Ch'an works,[6]) were composed in this fashion.

---

[1]) I:31. — In both systems immense efforts were made to guard the transcendental character of the ultimate reality. J 251: "The true God. . . is the Unknown, the totally Other, unknowable in terms of any worldly analogies". This might have been said of Nirvāṇa. So also J 42, 288-9. Or J 142: "There is no trace in all nature from which even his (the true God's) existence could be suspected". He is altogether "Beyond" (J 51), and *pāram* is one of the keywords of Buddhism.

[2]) J xiii, 109-10, 134-6, 191 n., 295-8; P 71 and n. 274.

[3]) *Dīgha Nikāya* I 18. In popular belief he is "Victor, Unvanquished, All-seeing, Controller, Lord, Maker, Creator, Chief, Disposer, Master, Father of all that have become and will be".

[4]) T. O. LING, *Buddhism and the Mythology of Evil*, 1962, pp. 58-9, 86. J 211, 224. BULTMANN, p. 173. For the Mandean Ruha see J 72.

[5]) For a definition see ASAṄGA, *Mahāyānasaṃgraha*, in E. LAMOTTE, *La Somme du grand Véhicule*, II 1, 1938, pp. 129-132, with further literature at 23*, and for examples see *Suzuki Commemorative Volume*, 1960, pp. 40-1. An early example is *Dhammapada* 294-5, unless these two verses foreshadow the later antinomianism.— Likewise the Valentinians in "their pneumatic exegesis of Scripture stressed the difference between the manifest meaning open to the 'psychics'.and the hidden one accessible to themselves" (J 206).

[6]) e.g. "The Stories of the founders of the five Ch'an sects". See my review in *The Middle Way*, xxxvi, 1961, pp. 136-7.

(8) Last, but not least, both systems adopted a metaphysics which is *monistic* in the sense that it enjoins an intellectual, emotional and volitional revulsion from multiple things, and advocates, more or less explicitly, a re-union with a One which transcends the multiple world.[1]) Occasionally both systems also adopt a dialectical critique of all thought-constructions which shows them to be untenable and self-contradictory figments of the imagination which have to be paradoxically both discarded and somehow preserved for the vision of the ineffable One to become possible.[2])

These are my eight chief points. There is no room for the discussion of numerous minor analogies. In any case, if these are the similarities, what then are the *differences*? They are, I think, basically threefold: (1) The intellectual categories in which these theories are clothed are indigenous and therefore in one case taken from the Abhidharma, in the other from Greek philosophy; and also the mythological figures vary accordingly. (2) Compared with the Mahāyāna, some Gnostics seem guilty of excessive myth-mongering, thought I feel that some Christian authors, both ancient and modern, have somewhat exaggerated its importance. From this point of view Prof. F. R. Hamm was right when he argued against me that "der Tenor" of gnostic Sophia literature is essentially different from that of the Buddhist wisdom books.[3]) (3) Assuming that man has fallen into this world from a more perfect condition, the Gnostics expended much ingenuity on trying to describe the process which brought about this fall. Classical Buddhism shows no interest in what may have preceded ignorance. All one wanted to know was how salvation can be achieved, and not how it became necessary. But there is the proviso that the later Yogācārins, particularly in China, devoted much attention to the stages by which the world is derived from an originally pure "store-consciousness" (*ālayavijñāna*).

Making allowance for the differences, I still think that the similarities between Gnosticism and Mahāyāna Buddhism are remarkably

---

[1]) For both Buddhists and Gnostics the world of divine freedom is strictly *transcosmical*. Nirvāṇa is defined as the place "where do water, earth and fire,— where does air no footing find", or "where these four great elements cease to exist without leaving any trace of them". *Dīgha Nikāya* I 222, in F. L. WOODWARD, *Some Sayings of the Buddha*, 1925, p. 321. — About Gnostic Monism see J 60-1.

[2]) R. GNOLI in *La Parola del Passato*, LXXVII 1961, pp. 155-8 about Damaskios and Nāgārjuna.

[3]) OLZ 58, 1963, p. 188.

close, and do not concern only fortuitous details, but the essential structure itself.[1])

Here are a few more apparent, and at least possible similarities:

(1) Both systems are fond of Serpents (*nāgas*) as being connected with wisdom (J 93-5, 228);

(2) both hold astrology in high esteem (J 157, 254-65); the principal Buddhist literary source is the late *Kālacakratantra*, but the actual practices are almost universal in Buddhist countries;

(3) both rely on the power of secret formulas, *mantras* or spells;

(4) both place great emphasis on Light (*phōs* and *āloka*);

(5) both show a tendency towards syncretism, borrow from ancient mythologies and revive the most archaic ideas. In this connection I must refer to U. Bianchi's "Le problème des origines du gnosticisme et l'histoire des religions", *Numen* xii, 1965, 161-178, who has well shown not only that Gnosticism as a "complexe idéologique" is foreshadowed already in Orphism, but also that many of its basic ideas are of great antiquity and that some can be traced back to prehistoric times. Bianchi has also seen the affinity with Buddhism in "Initiation, Mystères, Gnose," *Initiation*, ed. C. Bleeker, 1965, pp. 167-9. His views are confirmed by R. Crahay's paper in the Colloquio;

(6) in both the perfect can demonstrate their high degree of spirituality by the display of wonderworking powers; there is indeed a close affinity between some of the later Neoplatonists, such as Proclus (see A. J. Festugière's paper in the Colloquio) and the later Tantric professors at Nālandā University in the 8th century, in that both combine (1) a sober and perfectly rational philosophical dialectic with (2) a yearning for union with the One and (3) a cultivation of magical prowesses of various kinds (for parallels to Festugière from the Mahāyāna see my *A Short History of Buddhism*, 1960, p. 63);

(7) the more philosophical authors and the *Prajñāpāramitā* texts show many verbal coincidences; here Sophia as the *oikía* of the wise, there the P.P. as their *vihāra* (dwelling); the epithet *phōsphóros* corresponds to *ālokakarī* (Light-bringer), *achrántos* to *anupalipta* (im-

---

[1]) See also G. Tucci, p. 210: "The Tantras may in fact be best defined as the expression of Indian gnosis"; p. 211, "Gnosis was born in India a little later than in the West and Iran", but in spite of all contacts Tucci regards it as "a spontaneous germination of India" (p. 212).

maculate), etc. etc. The *Heart Sūtra*, both in structure and content, shows much similarity to Dionysius Areopagita's *Divine Theology* (I 2, II 1, III 1, IV-V), and in general the "negative theology" (J 268) uses the same approach as the *Prajñāpāramitā* Sūtras which employ negations to such an extent that their philosophical exegesis by the Mādhyamikas consists largely in clarifying the logic of negative propositions. Some attempts are made in both systems to somehow mediate between the absolutely transcendental One and the completely incommensurable conditioned world. So in the "Questions of Maitreya" in the *Pañcaviṃśatisāhasrikā prajñāpāramitā* (fol. 580 no. 31) we read: "But if the inexpressible realm were quite other than the entity which is the sign of something conditioned, then even just now that sign could not be apprehended through which there would be a penetration into this inexpressible realm". This statement may, or may not, be connected with what Proclus (*The Elements of Theology*, ed. E. R. Dodds, 1933) says (pp. 109-11, prop. 123), i.e. "All that is divine is itself ineffable and unknowable by any seondary being because of its supra-existential unity, but it may be apprehended and known from the existents which participate in it";

(8) there may be some relation between the "Counterfeit Spirit" (J 92, 205, 226) and the *prativarṇikā prajñāpāramitā* (e.g. *Aṣṭasāhasrikā prajñāpāramitā*,ed. R. Mitra, 1888, v 112-3) or the "Counterfeit Dharma" of Chinese Buddhist tradition;

(9) the figure of Yama, god of death, seems to be inspired by Gnosticism (J 87);

(10) the Gnostics attach importance to "Seals" (J 119-20) and in later Buddhism the term *mudrā* is increasingly used;

(11) some sub-sects give allegiance to persons violently repudiated by the main tradition, e.g. to Cain (J 95) and Devadatta;

(12) the formula "because this is so, therefore this is so" (J 310) looks very much like the famous *evaṃ sati idaṃ hoti*;

(13) both show fondness for sexual imagery;

(14) salvation is likened to an "awakening" (J 80 sq.), and in consequence there is a tendency to regard this world, as it appears, as a dream (J 70), wholly unsubstantial (J 84) and "a Nothing" (J 184 n.); see also R. Crahay's paper on pp. 10-11;

(15) in both systems sexual intercourse (J 72) and coarse food (J 114) played a decisive part in the gradual deterioration of mankind (for the Buddhists see e.g. *Buddhist Texts*, ed. E. Conze, 1954, no. 206); and likewise in both cases the size of people corresponds to their spiritual stature (see Böhlig's paper p. 21);

(16) there is also a striking similarity between some of the similes used as well as the conclusions drawn from them. One may compare: "As gold sunk in filth will not lose its beauty but preserve its own nature, and the filth will be unable to impair the gold, etc." (J 271) with *Ratnagotravibhāga*: "Supposing that gold belonging to a man on his travels had fallen into a place full of stinking dirt. As it is indestructible by nature, it would stay there for many hundreds of years", etc. up to verse 110 (*Buddhist Texts*, 1954, pp. 182-3),—and in both cases this is a simile for the divine spark in man;

(17) Hyppolytos' *Philosophumena* (ca 250) refer to a Bactrian (= Bamian, Serae Parthorum) gnostic doctrine according to which the son of God was not incarnated (born) for the first time in Bethlehem, but was incarnated before and will be incarnated again in the future (A. Lloyd, *Mitteilungen*, p. 396).

A few further points concern the *Manicheans* in particular, e.g.:

(18) there is strong resemblance between the descriptions of a messenger (J 108, 230) and a Mahāyāna Bodhisattva;

(19) The loving contemplation of the repulsiveness of the body (J 227-8) surely owes something to the Buddhist meditations on *aśubha* (see E. Conze, *Buddhist Meditation*, 1956, 95-107);

(20) the emphasis on Peace, self-sacrifice and *ahiṃsā* (J 215-6, 232; *Buddhist Texts*, p. 169) unites them both;

(21) Jonas (232) says of the "Elect" that they "must have led a monastic life of extraordinary asceticism, perhaps modelled on Buddhist monasticism";

(22) the Pentads of the Manicheans (J 217-8) are closely analogous to those of the Vajrayāna (H. Hoffmann, *Die Religionen Tibets*, 1956, pp. 40-2);

(23) the Buddha's triple body corresponds to the triple Jesus of Mani. The three forms of Jesus are: (1) transcendental, corresponding to the *dharmakāya*; (2) historical, who only apparently underwent the Passion, corresponding to the *nirmāṇakāya*; (3) *Jesus patibilis* (P 82-3,

J 228-9), who is not at all dissimilar to the Buddha's intermediary body (*saṃbhogakāya*, etc.) in its more cosmic interpretations: *iti kāritra-vaipulyād buddho vyāpī nirucyate* (*Abhisamayālaṅkāra* VIII 11). "From the abundance of his activity the Buddha is thus described as 'all-pervading' ". It is true that the Buddhists speak of the Buddha's 'activity' and the Manicheans of the 'passion' of Jesus, but on closer consideration this difference will be found to be mainly a verbal one.

These are some of the points which may be worth following up.

How then can we account for the facts? There are, as far as I can see, only three hypotheses, all equally unattractive:

(1) The kinship may be due to *mutual borrowing*. We now have abundant evidence of the close contact between the Buddhist and the Hellenistic world,[1]) and many instances of borrowing by one or the other side have come to light.[2]) Nevertheless, even if there was a large-scale exchange of ideas, the mode of their transmission remains obscure. It is a fact that both the Mahāyāna and the Tantras developed in the border regions of India which were exposed to the impact of Roman-Hellenistic, Iranian and Chinese civilizations,[3]) and we also know that the Buddhists were in contact with the Thomas Christians in South India and the Manicheans in Central Asia. But that is about all. And it is indeed remarkable that Gnostic texts often invoke Jewish, Babylonian, Iranian, Egyptian, etc. authorities, but very rarely Buddhist ones.[4])

Alternatively we may have to deal with either a (2) *joint* or a (3) *parallel* development. (2) In the first case one may assume that both Asia and Europe form one unit in which a parallel rhythm assures a fairly uniform development from age to age. This hypothesis works better for some periods than for others, and somewhat lacks in a

---

[1]) See e.g. H. DE LUBAC, *La rencontre du Bouddhisme et de l'occident*, 1952, pp. 9-32 (période hellénistique). S. RADHAKRISHNAN, *Eastern religions and Western thought*, 1940. E. LAMOTTE, *Les premières relations entre l'Inde et l'Occident*, in *La Nouvelle Clio*, V, 1953, 83-118. M. WHEELER, *Rome beyond the imperial frontiers*, 1955, pp. 141-202.

[2]) See e.g. M. ELIADE, *Yoga*, 1958, pp. 202, 431-2. E. CONZE in BLSOAS xiv, 1952, pp. 252-3.

[3]) E. CONZE in *The Concise Encyclopedia of Living Faiths*, ed. R. C. Zaehner, 1959, pp. 296-7; G. TUCCI pp. 210, 212-6.

[4]) An exception is, of course, Mani. See P 23, 31, 42, 44, 59, 61, 144-5, 147 n. 249, 149. The references to "Nirvāṇa" in the Central Asian documents (P 86, n. 359), as well as the designation of Mani as a "Buddha" (P 28, 45, n. 250) are, however, later accommodations to a largely Buddhist environment.

respectable rational foundation.[1]) (3) In the second case one may assume that Gnosticism is one of the basic types of human religiosity and therefore likely to reproduce itself at any period. Its self-consistent theoretical statements would then spring from a common mentality and from common spiritual experiences, and occur whenever certain men feel not only totally alienated from the world around them [2]) but also in contact with a living spiritual tradition.[3]) In that case one would still have to explain why it reached such prominence just when it did, both in India and the Mediterranean at the same time.

---

[1]) I have discussed it in some detail in *Oriental Art*, I 3, 1948, pp. 148-9.

[2]) J 49-50, 65-8, 237, 251; P pp. 70-1, nn., 273, 278. — The rather startling paper of G. Lanczkowski about the gnostic elements in ancient American religions has led me to think of a *fourth* possibility. Perhaps the basic ideas were thought out in some prehistoric period as a kind of *philosophia perennis*, at a time before Europeans, Asians and Americans dispersed into their respective continents. In the same way we infer from the similarities between the various Indo-European languages that the ancestors of those who now use them once lived together in the same part of the world.

[3]) This is what differentiates the Buddhists and Gnostics from most modern existentialists. H. JONAS in his otherwise very instructive article on *Gnosis und moderner Nihilismus*, in *Kerygma und Dogma*, 1960, pp. 155-171 seems to overlook this vital point, and I cannot agree with his thesis that the Gnostics, and for that matter the Buddhists, are "nihilistic" in the sense in which our post-Nietzschean existentialists are. At one point (p. 167) Jonas concedes that "Ein entscheidender Unterschied allerdings zu den modernen Parallelen ist der: obwohl geworfen in die Zeitlichkeit haben wir der gnostischen Formel gemäß unseren Ursprung in der Ewigkeit. Dies stellt den innerweltlichen Nihilismus in einen metaphysischen Horizont, der dem modernen Gegenstück fehlt". I would suggest that it is more than a matter of "metaphysical horizon", that the *spiritual practices* which correspond to the conviction that "we had an origin in eternity, and so also have an aim in eternity" (so the English version at J 335) make life far from meaningless, that to describe the renunciation of the world by mystics and ascetics as "innerweltlichen Nihilismus" is a misuse of words, and that Jonas (J 239) is wrong in emphasizing the "non-traditional" character of Gnosticism. It is true that without the "Beyond" "we should have nothing but a hopeless worldly pessimism" (J 261). But it is precisely this Beyond which is the lifeblood of both Gnosis and the Mahāyāna. As I put it ten years ago: "What then is the subject matter" of the *Prajñāpāramitā* Sutras? It is just the Unconditioned, nothing but the Absolute, over and over again". "Out of the abundance of the heart the mouth speaketh. The lengthy writings on Perfect Wisdom are one long declamation in praise of the Absolute" (*Selected Sayings form the Perfection of Wisdom*, 1955, pp. 18-9). For a fuller discussion of this important topic see also what I have said in "Philosophy East and West", xiii, 1963, 111-3 and in the Suzuki Commemorative Volume pp. 38-9. My point is, I think, very well borne out by R. Crahay's paper on p. 14. In modern existentialism we find plenty about la séparation, la descente, la chute, l'exil, l'obscurcissement, la captivité, la souillure, la peur. But when ever do we hear about le rappel, la confiance, la purification, la libération, l'illumination, le repatriement, la remontée, l'union?

All I can say is that there is here a definite problem, but as yet no definite solution. And what, of course, still remains to be seen is whether my alleged parallels will stand up to the scrutiny of the experts!

SOME NOTES ON A SOCIOLOGICAL APPROACH TO GNOSTICISM

BY

E. MICHAEL MENDELSON

As I noted when summarizing my paper entitled „Burmese Messianic Buddhism: A Folk Gnosis?", problems tied to Burmese Buddhism have very little intrinsic interest for members of this colloquium and I therefore chose to suggest for its consideration a number of sociological questions. In reducing original contributions to a shorter length, I find the same inhibition and I therefore keep now more closely to my second text than to my first.

The questions I was concerned with in my paper were mainly the following: 1) Gnostic phenomena appear to be linked with non-Gnostic phenomena in the total religious picture of any given area at any given time in history. Can we understand elements of orthodoxy and heterodoxy or heresy apart from each other or must we never take one into consideration without the other? 2) What may be the relation between a given political situation and the balance of orthodoxy and heterodoxy at any given time?

It is a little frightening to realize that, if I kept rigorously to the principles of my major discipline—social anthropology—I should no doubt be led to condemn a very great part of the debates of these last few days. British social anthropology, that of Malinowski and Radcliffe Brown, has reacted very strongly against all forms of conjectural history and I must admit that much of what has passed here is little more than conjectural and must needs remain so. In addition, it should be said that a revolution is in progress among historians which does not always reach the awareness of historians of religion. Professor Barraclough, only the other day, was saying that, in the age of electronic devices, history must pass from the study of speculations to the study of fact, and went on to cite various demographic studies in Latin America which had completely upset received opinion in the matter of Spanish-Amerindian relations. The new quantitative methods are perhaps rather dull (they are a little like dirt archeology compared to the archeology of temples and palaces) but they give results.

To take an example from current everday life—an example which also happens to touch my own field: you have perhaps noticed that reports on the Buddhists of Vietnam are almost completely lacking in descriptive sociology. Who are these Buddhists? What are their names, numbers, groups, organizations, social relations with lay folk etc.? We do not know. These people are faceless and nameless. It has been said for years that the same situation prevails in Burma. There are indeed few historical texts in that country. There is one way to study the Sangha, the Order of Monks in this respect. The Burmese like to talk about their monks, to say where and with whom they happened to be at a certain time. Taking hundreds of these references, from newspaper cuttings, reports of religious meetings and so on, one can build up an enormous jig-saw puzzle and can reconstitute a basic descriptive sociology of the Burmese Sangha, monastery by monastery, group by group, sect by sect, political party by political party. In the historical field, philologists have been looking at the Sasanavamsa for near on 60 years now and all they have found has been a list of Pali texts. By changing spectacles, as it were, by looking for different things, I have been able to discover in that text a whole historical sociology of the Sangha over several centuries. An example of work on more distant times was provided in a recent thesis by a student at London University. By studying the ways in which various types of people addressed the Buddha in various circumstances and the ways in which he addressed them, this student was able to say a great deal about social relations in the Buddha's time, or, let us say the time of the writing down of the Scriptures.

I may be told that there are few things of this kind in Gnostic texts. But one is permitted to ask whether the right kind of things has been searched for. Are there neglected documents: political histories, economic histories, business registers, land records, tribunal records, military annals, baptism registers? One must not always look in the direction of ideological texts.

Even on the ideological level there may be new things to try for. Both facts and the mental structures which are brought into play to define them are limited. One can only symbolize and codify a restricted number of situations. Add to this the similarity of certain historical periods and the social structures prevalent in them and the passion for diffusionism which characterizes the history of religions may eventually be held to be less important. On the other hand the sociology of sectarian conflict may stand to gain in this. See the extent to which we have had inverted images in the polemics of the last few days: good/evil, optimism/pessimism, salvation/damnation: so many pairs of concepts whose polarization would undoubtedly be more clearly understood if one took into account the rhetorics of cultural interaction.

I spoke the other day about rhetorics of assimilation, differentiation and amelioration which could be found at play between ceitain religious groupings in particular places and times and the relation of these rhetorics to varying social structures.[1]) In discussing exegesis, Professors Grant and Jonas reminded me that one had to differentiate between internal and external teaching, between the priest or religious leader in the bosom of his community and the missionary working abroad. To take the first case: it seems evident, at first sight, that an exegesis of a rabbinical type where the „deep" explanation does not contradict the „superficial" explanation is linked with a traditional church structure with a very long past, whereas a gnostic exegesis, where the deep explanation contradicts the superficial explanation, is linked, in turn, with a community in a state of revolt. But in both cases, one must think of the total structure of a given body of teaching. Doctrines are wide or narrow according to the genius of the Founder. The latitude of a given system, the number of alternative definitions that it can accommodate, should be definable. From then on, we are faced with the interplay of the number of alternatives available and the social situation (pressure towards more or less fragmentation into sects and churches). Certain situations will push groups into fragmenting themselves for social, economic or political reasons and not for ideological reasons. It is at this moment that a differentiation rhetoric may intervene most strongly: *after* the separation or fragmentation and not before. The study of this type of phenomenon has been much neglected by historians of religion in favour of the

---

[1]) Very broadly: *assimilation*: "You and we have the same views, let us join forces"; *differentiation*: "Our views differ completely, let us not join together, or, let us separate"; *amelioration*: "our views are deeper or better than yours, join us and rise to our level". There are, of course, other possible rhetorics. I mean by "rhetoric" a comment on a situation which may not be true and which is made primarily in order to manipulate that situation to the advantage of the commentator.

other type: that in which a separation takes place as a result of doctrinal differentiation. I note in passing that the study of monastic orders has been almost totally neglected in Burma. This may be due to two reasons: 1) the Burmese themselves say that doctrinal differences are minimal. 2) the historians of religion are in agreement with the Burmese. Yet I can assure you that the whole history of the old and modern *Sanghas* in Burma rests for a very large part upon sectarian history. We come back to a basic truth of social anthropology: the existence of fragmentation or fission in organized groups is far more important than the existence of doctrines which separate them, or, in other words,. what people really do does not always correspond to the reasons they give for doing it. It can never be said often enough—in view of the historian of religion's almost automatic penchant for taking what people say they believe most seriously of all, that belief may follow upon action exactly to the same extent as it may precede and condition action.

All this is of great importance in the question of syncretism. In the Orient and in the Primitive World, almost everyone is a syncretist and furthermore recognizes at some level that he is so. What does Professor Jonas mean when he says that someone, a Gnostic, has ceased to be a Jew? *Who* is educated, sophisticated and outspoken enough to cease to be what a whole life may have taught him to be? And here we have the question of orthodoxy and heterodoxy again, for if the historian and the philologist think vertically in "isms", the sociologist thinks horizontally according to social stratification. And, very often, it is only in the highest caste or class, and amongst the most educated or cultured people, that the question of exactly what a man is and believes reaches the conscious level and thereafter the level of expression. The humble man wishes to do his best in the complex social situation in which he finds himself. This means compromise. To be a syncretist is to put oneself into a position from which one can communicate. What are contemporary Anglo-Saxon Jews doing, for instance, when they succumb to the present cult of the Christmas card?

One would like, as I have indicated, to ask Professor Ries, for example, what happened during the Easter celebrations—which no doubt took place at about the same period of the year—of Jews, Christians and Manicheans? Or Professor Mc. Wilson to define social relations in an Alexandria situated in Egypt, speaking Greek and nourishing a strong Jewish population.

In the West, Christianity is alive; Gnosticism is more or less dead. We may perhaps not have the same situation in the East. Let us remember without comparing for the moment that the Theravada and the Mahayana continue to co-exist. The Mahayana, along the lines of a rhetoric of amelioration, recognizes the existence of the Theravada school but the Theravadins do not recognize the Mahayana: for them this whole vast development, which Professor Conze takes as *the* Buddhism par excellence, is nothing but heterodoxy, not to say heresy. Let us notice first a curious phenomenon which is not unrelated to our theme. Western Pali scholars, in the 19th century, found in Theravada the original pure voice of the Buddha and, in the course of doing this, confirmed the pride of Theravadins in South East Asia. To this, extent, as I tried to show in my original paper, we have constant "purification" movements within Theravada, movements which negate Mahayana-like tendencies such as I found in Burmese Messianic Buddhism and which can be used for political control purposes: as for instance, when Burmans rule over Animist hill tribes by "virtue" of their pure Buddhism. We also find the remarkable phenomenon of Gnostic-like tendencies in Burma regarding themselves as *inferior* to pure Buddhism when, in the West, gnostic tendencies almost invariably defined themselves as superior to orthodoxy. The fact that one is not sure, in Buddhist studies, that "Mahayana-like" tendencies did not exist from the very early stages of the development of the religion; the fact, too, that the Theravada might well be the product of a hardening of the arteries among relatively small, borrowing cultures both seem to me to be highly suggestive for Western history. The brilliant anthropologist Claude Lévi-Strauss recently showed in a short work called "Le Totémisme aujourd'hui" that the so-called totemic problem was in fact a false problem, born from an inefficient demarcation of reality among western scholars who were too closely, too intimately touched in their personal and cultural worldview by discoveries made about the religion of primitives. A number of scholars here have suggested that the question of orthodoxy and heterodoxy is a very relative question. Christianity, for all we know, may have been a broader river at its sources than it is now. Are we allowed to ask ourselves what would have happened if the Theravada had fought against the Mahayana with success and, if in addition, it had reduced it to nothing? Where would China and Japan and Tibet be today in that case?

Here, I come back to my original contribution to underline the fact that Buddhism was a gnosis from the very beginning and that it always recognized the different potentials inherent in the different levels of sophistication vis a vis the doctrine that monks could come across in their very far flung travels among very different peoples. These peaceful conquests by Buddhism and this religious attitude of great tolerance dispensed with the orthodoxy-heterodoxy problem which looms so large in our own history. The social conditions of Buddhism's eventual coverage are interesting. On the one hand we have small and culturally unified kingdoms in which a Little Vehicle Buddhism, while permitting very little heterodoxy in its own immediate environment, keeps at arms' length but does not destroy a Great Vehicle-like messianic Buddhism (not to mention Animism). On the other hand, in much vaster regions with much more developed and complex social systems, we have a Great Vehicle Buddhism which allows, both within its own sects, and abroad among the folk cults a very full blossoming of the many alternative "ways" built into the original message. In the former case, the "gnosis" tendency defines itself as inferior to orthodoxy and this can only be explained by the fact that Buddhism in its entirety was a gnosis from the beginning. In the latter case, we no longer have to worry about inferiority and superiority but face, rather, a huge proliferation of doctrines and sects in competition with each other and using one or the other of the rhetorics which I have attempted to define a few moments ago.

I hope I have shown some willingness here to discuss ideas and ideologies as much as I have tried to discuss individuals and groups in particular social situations. It seems to me that in envisaging a possible rapport between the sociology and history of religion, one must be very much aware of the differences of approach between these disciplines. I have been worried to hear enthusiastic praise of the possibilities of a sociological approach without any apparent notion of what this approach consisted in. Perhaps I could be permitted an example to end with. Ritual has always been a favorite subject of study with anthropologists because it is much more easily observable than beliefs, and because beliefs can often be derived more safely from a study of ritual than the other way on. If one studies ritual for its ideas, however, one is very quickly brought back to ideology pure and simple and no progress whatsoever has been made. It is when one studies what men make of ritual in their daily lives, the ways in which ritual brings them together in certain patterns of social relations which can be compared and contrasted with other patters: social, economic, political, that one can begin to put faces on religion and tie its study to that of human behaviour in general. Of course, there is a danger here too. The danger is that religion is in this way reduced to a system of social interaction and social control, with a complete loss of everything which makes religion what it is for the individual believer. It is for these reasons that the sociology and history of religious should proceed hand in hand, as one hopes it may proceed in the case of Gnosticism.

BIBLIOGRAPHY
Works by E. M. Mendelson

1960: *Religion & Authority in Modern Burma*, The World Today, vol. 16, no. 3, pp. 110-118, March. Oxford University Press, London.

1961a: *A Messianic Buddhist Association in Upper Burma*, in *Bulletin of the School of Oriental and African Studies*, vol. XXIV, part. 3, pp. 560-580, London.

1961b: *The King of the Weaving Mountain*, in *Royal Central Asian Journal*, vol. XLVIII, parts 3 & 4, pp. 229-237, July-Oct. London.

1963a: *L'Utilization du scepticisme religieux dans la Birmanie d'aujourd'hui*, in *Diogène*, no. 41, pp. 96-121, Janv. Mars. UNESCO-NRF. Paris.

1963b: *Observations on a Tour in the Region of Mt. Popa, Central Burma*, in *France-Asie*, vol. XIX no. 179, pp. 780-807, Mai-Juin. Tokyo.

1965: *Initiation & the Paradox of Power*, in *Initiation*, ed. C. J. Bleeker, pp. 214-221. Brill, Leiden.

for the contemporary politico-religious problem in Burma:

1964: *Buddhism & the Burmese Establishment*, in *Archives de Sociologie des Religions*, 9ème année, no. 17, pp. 85-95, Janv.-Juin, Paris.

DISCUSSION

CLOSS: Für die „volkstümliche" Gnosis, wie sie im Vortrag von Dr. Mendelson ins Auge gefasst wurde, käme ein archaischer oder auch ein primitiver Hintergrund nicht so sehr in Frage. In Birma steht dahinter die Weltreligion des Buddhismus, die ihrerseits die erlösende *buddhi*, und damit die Grundidee der Gnosis in den Mittelpunkt rückt, wie dies bei keiner anderen Verkunderreligion der Fall war, so daß man kaum irre ginge, wenn man angesichts der Einwände gegen die Bezeichnung des Gnostizismus als einer Weltreligion den aus dem Joga entstandenen Buddhismus als die eigentliche gnostische Weltreligion bezeichnen wollte. Auch unter die Anreger des Gn. aus dem Osten, zunächst freilich auf Iran, wo er im Osten zur Zeit Manis verbreitet war und diesen auch anerkanntenmaßen beeinflußt hat, ist er ohne Frage zu zählen. Die beiden Referate über den Buddhismus gehören aber auch sonst in die Zielsetzung dieses Symposions durchaus mit hinein, weil sich nämlich auf diese Weise der Vergleich zwischen der Gnosis des Westens mit der im Osten in förderlichster Weise eröffnet. Zwar ist der Buddhismus (abgesehen vom Taoismus, aus dessen Urgrund trotz allem Entgegenstehenden das Aufkeimen einer Gnosis mehrmals behauptet wurde) die weiter abgelegene Form der östlichen Gnosis. An sich liegt nämlich der Hinduismus geographisch dem Westen und zunächst dem iranischen Hochland näher.

DANIELOU: Une révolte à l'intérieur d'un milieu religieux pourrait-elle être la source d'un système dualiste?

MENDELSON: Il y a aussi la question du syncrétisme, la question de ce qui se passe à l'intérieur d'une personne ordinaire qui serait le receveur d'un message. Il serait aussi utile de fouiller pour cette recherche sociologique les genres de documents les plus divers.

PRÜMM: A coté de cette méthode ,,horizontale", il faut toujours considérer la place de l'individu (p. ex., la genèse individuelle des différents systèmes gnostiques; l'existence d'un magistère dans l'Eglise primitive, le fait que dans les premiers deux siècles ap. J.-C. les frontières nationales étaient surmontées plus qu'elles ne l'étaient dans le 3ème.).

BIANCHI: En histoire des religions, les questions sur les origines ne sauraient être négligées. Il faut en tout cas éviter un ,,structuralisme" anti-historique.

MENDELSON: Quand on revient sur l'individu, on revient sur le concret.

ELEMENTE GNOSTISCHER RELIGIOSITÄT IN ALTAMERIKANISCHEN RELIGIONEN

VON

GÜNTER LANCZKOWSKI

Die Frage, ob Elemente gnostischer Religiosität in altamerikanischen Religionen nachweisbar seien, hat — vom Forschungsgegenstand der Gnosis her — eine ausschliesslich phänomenologische Bedeutung. Sie gilt dem Problem, beziehungsweise — da Formen gnostischer Religiosität auch ausserhalb der hierfür vornehmlich charakteristischen und historisch primären Gnosis der Antike nachweisbar sind — der Erweiterung unserer Kenntnis gnostischer Strömungen als interreligiöser Erscheinungen.

Dieser rein phänomenologische Standpunkt schliesst von vornherein alle Spekulationen darüber aus, ob etwaige gnostische Elemente Altamerikas aus fremden Religionen genetisch deduzierbar seien, Versuche mithin, die aufbauen könnten auf den noch immer durchaus ungesicherten Hypothesen einer kulturellen und religiösen Beeinflussung des vorkolumbischen Amerika von auswärts, sei es aus dem pazifischen Raum [1]) oder, wie neuerdings behauptet wurde, aus dem kretischen Bereich [2]). Vielmehr müssen, wenn wir Elemente gnostischer Religiosität in altamerikanischen Religionen nachweisen können, diese auf Grund zuverlässiger historischer Kenntnisse bislang auf jeden Fall als eigenständige, autochthone Phänomene behandelt werden.

Methodisch bedeutet dies, dass den Ausgangspunkt der Untersuchung nicht voll ausgebildete Systeme der antiken Gnosis darstellen können, in die — gewissermassen wie in bereitgestellte Kästen — das altamerikanische Material mehr oder weniger gezwungen einzuordnen wäre. Sinnvoll und wissenschaftlich legitim kann vielmehr die Frage nach Erscheinungen gnostischer Religio-

---

[1]) Vgl. u.a. Robert HEINE-GELDERN, *Das Problem vorkolumbischer Beziehungen zwischen Alter und Neuer Welt und seine Bedeutung für die allgemeine Kulturgeschichte*, in Anzeiger der phil.-hist. Klasse der Österreichischen Akademie der Wissenschaften, Jg. 1954, Nr. 24, Wien 1955.

[2]) Pierre HONORÉ, *Ich fand den weissen Gott*, Frankfurt am Main 1961.

sität in Altamerika nur gestellt werden, wenn dortige Überlieferungen, von denen in jedem Falle auszugehen ist, diese Frage nahelegen, was zugleich zur Voraussetzung hat, dass bisherige Interpretationsversuche dieser Stoffe zu keinen befriedigenden Resultaten führten, jedoch der Gesichtspunkt einer Erfassung als gnostische Erscheinungen diese Überlieferungsgehalte besser und ungezwungener verstehen lassen würde.

Dabei kann in den umfangreichen, in aztekischer Sprache erhaltenen religiösen Texten, die in erster Linie, wenn auch nicht ausschliesslich heranzuziehen sind, keine Bezeugung gnostischer Religiosität als allgemeiner und durchgängiger Erscheinung Altamerikas erwartet werden. Dem stehen die entscheidenden religiösen Wandlungen entgegen, die sich von der Tolteken- zur Aztekenzeit vollzogen, ferner die Uneinheitlichkeit von Volksreligion und priesterlicher Theologie [1]), ein fortschreitender und bis zur Conquista unabgeschlossener Synkretisierungsprozess [2]) sowie schliesslich deutlich erkennbare religiöse Sonderformen, die als Standesreligion erfassbar sind [3]). Allein innerhalb dieser religiösen Vielfalt können wir Äusserungen erwarten, die im Rahmen und auf dem Boden dieser mexikanischen Religionswelt [4]) unter dem Gesichtspunkt zentraler gnostischer Anliegen zur Diskussion zu stellen und dahingehend zu befragen sind, ob ihre Aussagen ausreichend sind für die Feststellung gnostischer Elemente [5]).

Das Problem, das sich vom aztekischen Material her zentral stellt, betrifft die in einzelnen Gestalten der mexikanischen Religionsgeschichte hervortretende Verbindung von Menschen und Gottheit, eine Verbindung, die vordergründig in der Namensgleichheit der menschlichen und der göttlichen Person zum Ausdruck kommt, die

---

[1]) Miguel LEON-PORTILLA, *Aztec Thought and Culture. A study of the Ancient Nahuatl Mind*, University of Oklahoma Press: Norman 1963, S. 71.

[2]) LEON-PORTILLA, a.a.O., S. 70.

[3]) G. LANCZKOWSKI, *Die religiöse Stellung der aztekischen Grosskaufleute*, in: Saeculum 13, 1962, S. 346-362.

[4]) Vgl. Ugo BIANCHI, *Probleme der Religionsgeschichte*, Göttingen 1964, S. 71 f.: „Im Grunde ist die Gnosis nur dann Religion, wenn sie sich auf bestimmte religiöse Gegebenheiten und Zusammenhänge stützt. So gab es eine jüdische, eine christliche, eine islamische Gnosis: die Existenz einer heidnischen Gnosis als eines vollständigen und selbständigen Religionssystems ist zweifelhaft".

[5]) Da es sich hierbei um eine Bescheidung auf charakteristische Züge der Gnosis handelt und eine Erörterung von Spezialproblemen der antiken Gnosis ausserhalb des Rahmens dieser Untersuchung liegt, erübrigt es sich, die ohnehin allgemein bekannten gnostischen Hauptgedanken jeweils zu dokumentieren.

terner eine äusserst enge Beziehung der mythischen Welt zum
Bereich irdischer Geschichte darstellt und die die Frage aufwirft
nach dem religiösen Verhältnis zwischen der Gottheit und einem
mit ihr namensgleichen und sie in spezifischer Weise bekennenden
Menschen.

Die Gestalt Quetzalcoatls ist nicht das einzige, aber wohl das
bekannteste Beispiel hierfür [1]). Eine Textstelle, die sich in der Überlieferung Sahaguns findet, bezeugt für Quetzalcoatl sehr deutlich das
Ineinandergreifen der göttlichen und menschlichen Sphäre. Es heisst
dort von den Tolteken, dem Volke Quetzalcoatls [2]): „Gar fromm
waren sie; denn nur einem als ihrem Gotte waren sie ergeben, den sie
anriefen, den sie verehrten, namens Quetzalcoatl. Ihr Priester war, ihr
Gotteshüter, ebenfalls nur einer namens Quetzalcoatl. Und dieser
war sehr fromm. Was Quetzalcoatl zu den Priestern sagte, das taten
sie genau. Nicht sündigten sie; denn er sprach zu ihnen, er erklärte
ihnen: es ist nur ein Gott namens Quetzalcoatl... Und im folgenden
sehr, in jeder Weise glaubten sie an ihren Priester Quetzalcoatl. Und
in folgender Weise sehr gehorsam waren sie, in folgender Weise sehr
dem Göttlichen hingegeben und sehr gottesfürchtig waren sie: denn
alle gehorchten ihm, alle glaubten an Quetzalcoatl".

Diese Textaussage ist, wesentlich bedingt durch die Namensgleichheit des priesterlichen mit dem göttlichen Quetzalcoatl, von einer
inhaltlichen Unklarheit der Aussage, die besonders ins Auge fällt
auf dem Hintergrund der sonst so bemerkenswert durchsichtigen und
logischen aztekischen Sprache und Diktion [3]). Zu Beginn des Textes
werden der menschliche und der göttliche Namensträger noch
deutlich unterschieden. Dann aber wird berichtet, dass alle Tolteken
an den Priester, also an den Menschen Quetzalcoatl glaubten, und am
Schluss des Textes wird offenbar überhaupt nicht mehr zwischen dem
Priester und seinem Gott unterschieden, womit keine logisch klare
Aussage darüber gemacht wird, an welchen Quetzalcoatl die Tolteken
nun eigentlich glaubten.

Quetzalcoatl ist nicht die einzige Erscheinung der mexikanischen

---

[1]) Vgl. G. LANCZKOWSKI, *Quetzalcoatl—Mythos und Geschichte*, in: *Numen* 9, 1962,
S. 17-36.

[2]) Eduard SELER, *Einige Kapitel aus dem Geschichtswerk des Fray Bernardino de
Sahagun*, Stuttgart 1927, S. 396.

[3]) Vgl. hierzu Eduard SELER, *Gesammelte Abhandlungen zur Amerikanischen
Sprach- und Altertumskunde*, Bd II. Berlin 1904 (Neudruck Graz 1960), S. 76 f.
Walter KRICKEBERG, *Altmexikanische Kulturen*, Berlin 1956, S. 55.

Religionsgeschichte, bei der menschliche und göttliche Sphäre in einer offenbar äusserst engen Beziehung zueinander stehen. Von Huitzilopochtli, einer anderen Hauptgestalt des mexikanischen Pantheons, dem eigentlichen Stammesgott der Azteken, und von seinem Priester wird durchaus Entsprechendes überliefert innerhalb jener Darstellung, die das aztekische Geschichtswerk des Chimalpahin von den frühen Wanderungen der Azteken bietet. Es heisst dort [1]): „Ihr Führer war der namens Huitzilopochtli, der grosse Hüter des Dämons, der Diener des grossen Dämons, des Schreckensgottes; der sprach ganz leibhaftig mit ihm, dem zeigte sich der (Gott) Huitzilopochtli, so dass er (der Hüter des Gottes) sich später als sein Abbild an dessen Stelle setzte, (an die Stelle des) Schreckensgottes. Darum wurde er (der Hüter des Gottes) einfach Huitzilopochtli genannt".

Der priesterliche Namensträger wird hier als *ixiptlatli*, als „Abbild" des Gottes, bezeichnet [2]), und dieser Aussage liegt ein sehr realistischer und augenfälliger Vollzug der Identifizierung mit dem Gotte zugrunde. Ganz offensichtlich handelt es sich darum, dass sich der Priester mit dem Namen des Gottes auch zugleich dessen Tracht zulegt. Von Quetzalcoatl berichtet ausdrücklich die „Geschichte der Königreiche von Colhuacan und Mexico", dass er als seine Verkleidung Federschmuck und Türkisschlangenmaske anlegte [3]), mithin alte Symbole der himmlischen und lebenspendenden numinosen Macht [4]). Bedenkt man, dass die ursprüngliche Bedeutung von Verkleidung und Maske nicht Verhüllung, sondern Offenbarung und Identifikation des Maskenträgers mit dem Gegenstand dieser seiner Offenbarung ist [5]), so wird deutlich, dass Quetzalcoatl mit seiner Verkleidung seine mystische Simultanexistenz mit dem von ihm bekannten und verkündeten Gott zum Ausdruck bringt.

Die Frage, welche religiösen Vorstellungen derartigen Über-

---

[1]) DOMINGO DE SAN ANTON MUÑON CHIMALPAHIN QUAUHTLEHUANITZIN, Das Memorial breve acerca de la fundación de la ciudad de Colhuacan, aztekischer Text mit deutscher Übersetzung von Walter Lehmann und Gerdt Kutscher (Quellenwerke zur alten Geschichte Amerikas, Bd. VII), Stuttgart 1958, S. 32 f.

[2]) Zum Begriff *ixiptlatli* vgl. Arild HVIDTFELDT, *Teotl and * Ixiptlatli. Some Central Conceptions in Ancient Mexican Religion*, Copenhagen 1958.

[3]) Walter LEHMANN, *Die Geschichte der Königreiche von Colhuacan und Mexico* (Quellenwerke zur alten Geschichte Amerikas, Bd. I), Stuttgart und Berlin 1938, S. 83.

[4]) KRICKEBERG, a.a.O., S. 193.

[5]) C. J. BLEEKER, *Die Maske: Verhüllung oder Offenbarung?*, in: BLEEKER, *The Sacred Bridge. Researches into the Nature and Structure of Religions* = Studies in the History of Religions (Supplements to NUMEN) VII, Leiden 1963, S. 236-249.

lieferungen zugrunde liegen, ist bislang verschieden beantwortet worden. Trotz früher Kritik an der naturmythologischen Schule [1]), hat sich deren Interpretationsmethode relativ lange halten können, und auch der grosse Amerikanist Eduard Seler hing ihr an, wenn er die Geschichte der zentralen Gestalten der mexikanischen Religion astralmythologisch, also als mythischen Niederschlag von Gestirnsbeobachtungen glaubte deuten zu können [2]). Dieses Verständnis konnte jedoch nur so lange aufrecht erhalten werden, als die Historizität des Rahmens, in dem die vergotteten Priester auftreten, umstritten war und im allgemeinen negiert wurde [3]). Seit das Toltekenreich als geschichtliches Faktum erwiesen ist [4]), kann auch die reale Existenz jenes Quetzalcoatl nicht mehr eliminiert werden, der in der zweiten Hälfte des 10. nachchristlichen Jahrhunderts als Priesterkönig in dessen Metropole Tollan herrschte und gegen Ende seiner Regierung sein Reich auf einer Reise nach dem Osten verliess. Entsprechendes gilt für die frühen Wanderungen der Azteken und deren Führung durch Huitzilopochtli. Die ursprüngliche Menschlichkeit dieses späteren Hauptnumens der Azteken wird an anderer Stelle [5]) sogar in direkt krasser Weise ausgedrückt, wenn er als *çan maceualli çan tlacatl*, als „ganz gewöhnlicher Mensch", charakterisiert wird [6]).

Ein zweiter Lösungsversuch ist mit dem Begriff „Heilbringer" verbunden. Der Heilbringer wurde ebenfalls häufig astral symbolisiert [7]), und in diesem Verständnis ist er ungeeignet für die Erfassung geschichtlicher Persönlichkeiten. Auch ist der Begriff viel zu umfassend verwendet worden und lässt, wie viele religionsgeschichtliche Termini, die von der Ethnologie entweder geprägt oder in Beschlag

---

[1]) Diese Kritik wurde erstmals erhoben bei Viktor RYDBERG, *Undersökningar i Germansk Mythologi*, 1886-1889; vgl. Jan de VRIES, *Forschungsgeschichte der Mythologie*, Freiburg-München 1961, S. 250. Zur Kritik seitens der Amerikanistik vgl. August Frhr. von GALL, *Quetzalcōuātl*, in *Nachrichten der Giessener Hochschul-Gesellschaft*, Bd. 7, 1930, S. 27.

[2]) Eduard SELER, *Mythus und Religion der alten Mexikaner*, in *Ges. Abh.* IV, Berlin 1923 (Neudruck Graz 1961), S. 3-167 passim.

[3]) Wie bei SELER, *Zur Toltekenfrage*, in *Ges. Abh.* IV, bes. S. 341.

[4]) Paul KIRCHHOFF, *Das Toltekenreich und sein Untergang*, in *Saeculum* 12, 1961, S. 248-265.

[5]) SAHAGUN-SELER, S. 1.

[6]) Deshalb räumt auch SELER, *Ges. Abh.* IV, S. 167 entgegen seiner astralmythologischen Gesamtschau ein: „Vielleicht war Uitzilopochtli wirklich nur ein Mensch".

[7]) P. EHRENREICH, *Götter und Heilbringer. Eine ethnologische Kritik*, in *Zeitschrift für Ethnologie* 38, 1906, S. 536-610.

genommen worden sind [1]), eine strenge methodische Abgrenzung der in Frage stehenden Phänomene vermissen. Vor allem geht er von der Funktion eines Typus religiöser Autorität aus und nicht von dessen in Frage stehender sakraler Legitimation.

Eine dritte Möglichkeit des religiösen Verständnisses altamerikanischer Identifikationen von Menschen und Göttern besteht im Nagualismus, der individuellen mystischen Verbindung mit einem Schutzgeist und der daraus resultierenden Schicksalsdoppelgängerschaft [2]). Aber die Schwierigkeit, diesen Terminus zur Erfassung der in Frage stehenden Fakten zu verwenden, besteht einmal wiederum darin, dass er vielschichtig ist und kein einheitliches Phänomen deckt [3]). Zum anderen aber ist die nagualistische Alter-Ego-Idee, deren Praxis Geheimbünde sowie die Anwendung von Narkotika umfasst und allgemein verbindliche Initiationen voraussetzt, gerade für das alte Mexiko in dieser Form nicht nachweisbar [4]). Vielmehr erfuhr das aztekische Etymon *naualli* im spanischen Gebrauch eine entscheidende semasiologische Wandlung, die in den Begriff Nagualismus eingegangen ist [5]). Wesentlich ist, dass ursprünglich die Identifikation mit einem numinosen Wesen nur Auserwählten vorbehalten war. Quetzalcoatl und Huitzilopochtli sind die markantesten Beispiele hierfür; wahrscheinlich rechnen auch Tezcatlipoca, Mixcoatl und Tlaloc dazu.

Befragen wir die textlichen Aussagen über die Voraussetzung dieser Erscheinung, so stehen wir der Tatsache gegenüber, dass uns extensive Beschreibungen des religiösen Vorganges fehlen. Die Ursache hierfür wird darin zu suchen sein, dass der in der ersten Hälfte des 15. Jahrhunderts regierende aztekische Herrscher Itzcoatl aus religionspolitischen Gründen einen Teil der überkommenen Bilderhandschriften verbrennen liess [6]), die auch hier die Grundlage unserer literarischen Überlieferung hätten bilden können. Was jedoch

---

[1]) Der Terminus wurde zuerst verwendet in dem Buch des Historikers Kurt BREYSIG, *Die Entstehung des Gottesgedankens und der Heilbringer*, Berlin 1905.

[2]) Daniel G. BRINTON, *Nagualism. A Study in Native American Folk-lore and History*, Philadelphia 1894.

[3]) George FOSTER, *Nagualism in Mexico and Guatemala*, in *Acta Americana* 2, 1944, S. 103.

[4]) Eduard SELER, *Zauberei im alten Mexico*, in *Ges. Abh.* II, S. 86.

[5]) Josef HAEKEL, *Die Vorstellung vom Zweiten Ich in den amerikanischen Hochkulturen*, in *Kultur und Sprache, Wiener Beiträge zur Kulturgeschichte und Linguistik* 9, 1952, S. 172 u.Ö.

[6]) SAHAGUN-SELER, S. 435 f.

in unseren hierüber nur kurz und andeutend referierenden Texten
erhalten ist, das sind charakteristische Termini, deren sprachliche und
inhaltliche Analyse Aufschlüsse verspricht.

Vor allem und in erster Linie ist hier das Wort *naualli* wichtig, mit
dem sowohl Quetzalcoatl [1]) als auch Huitzilopochtli [2]) in hervor-
stechender Weise gekennzeichnet werden. Wenn dieses Wort heute
durchweg mit „Zauberer" wiedergegeben wird, so entspricht dies
zweifellos ebenso dem späteren aztekischen Verständnis [3]) wie es
zugleich dem ursprünglichen Wortsinn nicht gerecht wird. Denn
einerseits werden von Huitzilopochtli und Quetzalcoatl keine Zauber-
handlungen berichtet; es ist im Gegenteil charakteristisch, dass in der
Vita Quetzalcoatls unmittelbar auf dessen Kennzeichnung als *naualli*
die Aussage folgt, dass man ihn für einen Gott gehalten habe [4]), und
der Textzusammenhang zeigt klar, dass dies nicht zauberischer
Macht, sondern seiner Lebensführung und Verkündigung zuzuschreiben war.

Andererseits aber widerspricht einem ursprünglichen Sinn von
„Zauberer" die Etymologie des Wortes *naualli*, das abzuleiten ist von
einer Wurzel *na*, die insofern als mesoamerikanisch bezeichnet
werden kann, als sie nicht allein als Grundlage aztekischer Weiterbildungen anzunehmen ist, sondern sich auch im Maya und im Zapotekischen findet [5]). Dabei tritt eine Grundbedeutung von „wissen"
unschwer hervor. Im Zapotekischen finden wir für *na* und *naa* die
Bedeutungsnuancen von „erfahren, sehen, hören, wahrnehmen",
im Mayathan bezeichnet die Weiterbildung *naat* das „Verständnis",
und *ah-naoh* ist im Quiche, *naom* in Tzeltal der „Weise". Im Aztekischen kommt diesem Bedeutungskreis die Eigenbezeichnung der
aztekischen Sprache als *nauatl* am nächsten; denn *nauatl* ist die „verständliche, klare" Sprache. Auf andere aztekische Weiterbildungen
kann dann die spätere Bedeutung von „Zauberer" zurückgeführt
werden. In Betracht kommen hierfür sowohl der verbale Begriff
nauati, „verständlich sein", aber auch machtvoll „sprechen", als

---

[1]) Z.B. u.a. SAHAGUN-SELER, S. 268.
[2]) Z.B. SAHAGUN-SELER, S. 1.
[3]) Vgl. SAHAGUN-SELER, S. 356 ff.
[4]) SAHAGUN-SELER, S. 268.
[5]) Die Differenz zwischen den Anschauungen von BRINTON, *Nagualism*,
S. 55 ff., und SELER, *Über die Worte Anauac und Nahuatl* (*Ges. Abh.* II, S. 49-77),
und: *Altmexikanische Studien* II, Berlin 1899, S. 52-57, hinsichtlich der ursprünglichen Sprachzugehörigkeit der Wurzel *na* und dementsprechend des Weges ihrer
Entlehnung, ist wohl bislang unentscheidbar.

auch das Präfix *naual*, dass das „heimliche" Wissen und das hieraus resultierende Handeln bezeichnet. Einem ursprünglichen Sinn von „wissen" stehen diese semasiologischen Wandlungen nicht entgegen, und als erster hat daher Brinton für *naual* die Bedeutung „mystische Kenntnis, Gnosis" erschlossen [1]). Allerdings haben weder er noch andere hieraus weiterreichende Schlüsse gezogen.

Nehmen wir an, dass mit *naualli* der „Wissende" bezeichnet sei, so unterstreicht den religiösen Charakter dieses Wissens die gelegentliche Zuordnung von *tetzauitl* zu *naualli*. So heisst es von Huitzilopochtli, dass er *naualli tetzauitl* gewesen sei [2]). Als Übersetzung von *tetzauitl* wird durchweg „böses, schreckhaftes Vorzeichen" angenommen. Aber diese Übersetzung, die eine einseitige Spezialisierung darstellt, resultiert deutlich aus dem 1. Kapitel von Sahaguns 12. Buch, in dem die Vorzeichen berichtet werden, die der Landung der Spanier vorangingen. Dass der Bedeutungskreis von *tetzauitl* umfassender gewesen sein muss, ergibt sich zweifelsfrei aus dem verbalen Etymon *tetzauia*, das den Sinn von „sich heftig erschrecken" hat. Das Substantiv *tetzauitl* ist daher in seinem religiösen Sinne, den es ja auch als „Vorzeichen" behält, zu Wörtern wie *horror* oder dem englischen *awe* im Sinne einer Bezeichnung des numinosen tremendum zu stellen [3]).

Wesentlich ist nun die unmittelbare Zuordnung von *tetzauitl* zu *naualli*. Sie betont den numinosen Charakter des Wissens, sie unterstreicht dessen religiöse Grundlage und trennt damit von einem rein profanen Wissen dieses Schauen und Einswerden mit dem Gegenstand der Erkenntnis, das als eine gnostischen Vorstellungen analoge Weise der Vergottung anzunehmen ist.

Wenn jedoch diese sich vordergründig in der Gleichheit des Namens und im Symbolgehalt des angelegten Gewandes äussernde Identifikation des Menschen mit Gott auf gnostischer Grundlage vollzogen wird, so erhebt sich die Frage, ob damit eine singuläre gnostische Komponente mexikanischer Religiosität erfasst wird oder ob auch andere Vorstellungen gnostische Züge tragen. Einige Beobachtungen scheinen für das letztere zu sprechen.

Sie betreffen zunächst den Gottesbegriff, der innerhalb jener Richtung mexikanischer Religiosität, die in auffälligem und be-

---

[1]) a.a.O., S. 57.
[2]) SAHAGAN-SELER, S. 1.
[3]) Vgl. Rudolf OTTO, *Das Heilige*, 23.-24. Aufl., München 1936, S. 14 ff.

tontem Gegensatz zu den im aztekischen Bereich zentralen blutigen Kulten steht, ausgezeichnet ist durch eine gnostischen Vorstellungen durchaus entsprechende Unendlichkeit und Erhabenheit. In den „Alt-aztekischen Gesängen" kehrt dieser Gedanke äusserst häufig wieder, etwa in der Aussage [1]): „Allüberragend waltet gewisslich im Herz des Himmels der Geist Gottes. Ja, wenn meine Gedanken nicht mit Staub sich bedecken, werden sie wohl das Himmelswunder sehend begreifen, dessen sich die Prachtvögel im Himmel vor dem Angesicht des Gottes rühmen". Diese göttliche Weltenferne kann zu der Annahme führen, der Gott wolle sich vor den Menschen verstecken [2]), und sie kann die Erhebung der Anklage zur Folge haben [3]): „Nur im Himmel ist's, wo Du zu Deinem Worte stehst, wo er, der Gott, ist"

Es ist wesentlich, dass diese Textgruppe und die ihr zugrunde liegende Tradition nicht polytheistisch ist, sondern den Himmelsherrn als *icel teotl*, als alleinigen Gott, auffasst. Trotz der polytheistischen Tendenz der aztekischen Periode war diese Überlieferung so stark, dass die mexikanischen Priester noch in einem Religionsgespräch, das sie mit den ersten franziskanischen Missionaren führten, auf die Verkündigung des christlichen Monotheismus entrüstet entgegneten [4]): „Ihr sagtet, dass wir nicht kennen . . . den Herrn des Himmels und der Erden. Es ist ein neues, unerhörtes Wort, das ihr sprachet; und darüber sind wir bestürzt, daran nehmen wir Ärgernis". Dieser frühe mexikanische Hochgottglaube [5]) liegt nun auch deutlich in der Geschichte Quetzalcoatls vor, wenn der priesterliche Namensträger von dem Gotte, mit dem er sich identifiziert, verkündet [6]): „Es ist nur ein Gott namens Quetzalcoatl".

Es fragt sich, ob diesem Gottesbild ein Menschenverständnis korrespondiert, das in einer gnostischem Denken entsprechenden Weise den Menschen als Fremdling in dieser Welt versteht. In indianischer Ausdrucksweise wird dies in der Tat sehr deutlich hervorgehoben. So lesen wir in den „Alt-aztekischen Gesängen" [7]): „Keinen

---

[1]) Leonhard SCHULTZE JENA, *Alt-aztekische Gesänge* (Quellenwerke zur alten Geschichte Amerikas, Bd. VI), Stuttgart 1957, S. 7.

[2]) a.a.O., S. 125.

[3]) a.a.O., S. 67.

[4]) Walter LEHMANN, *Sterbende Götter und christliche Heilsbotschaft* (Quellenwerke zur alten Geschichte Amerikas, Bd. III), Stuttgart 1949, S. 102.

[5]) Vgl. hierzu Hans DIETSCHY, *Mensch und Gott bei mexikanischen Indianern*, in Anthropos 35-36, 1940-1941, S. 326-340.

[6]) SAHAGUN-SELER, S. 396.

[7]) a.a.O., S. 87.

Augenblick mehr ist der Gott auf seiner Matte. Er ist fortgegangen und hat euch . . . als Waise zurückgelassen". Oder an anderer Stelle [1]): „Wir leben hier auf Erden in Trauer und Tränen". Und ein aztekischer Dichter stellt die rhetorische Frage [2]): „Ist etwa hier auf Erden unser Heim?" Sogar das gnostische Bild der Trunkenheit kehrt wieder [3]): „O ich habe den Rauschpilzwein getrunken, mein Herz weint, ich bin betrübt auf Erden, bin gar elend daran".

Hiermit ist bereits sowohl eine soteriologische Intention als auch ein dualistisches Weltbild bezeugt, wie es der Mexikanist Leon-Portilla als charakteristischen Zug mexikanischen Denkens und Verstehens herausgestellt hat [4]). Es fragt sich jedoch, ob hier ein Dualismus vorliegt, der im gnostischen Sinne verstanden werden kann. Unter dem Gesichtspunkt dieser Frage ist das folgende Material heranzuziehen.

In der Vita des toltekischen Priesterkönigs Quetzalcoatl tritt das Böse als zerstörende Macht des Guten auf. Zum Verlassen seiner Stadt und damit zur Aufgabe seines guten Werkes wird Quetzalcoatl veranlasst durch Mächte, die mit *tlatlacateculo*, „Mencheneulen", bezeichnet werden, einem nach aztekischem Verständnis sehr starken Ausdruck für „böse Zauberer Dämonen" [5]).

Unter den erfolgreichen Mitteln, die diese Dämonen verwenden, um Quetzalcoatl zur Preisgabe der Stadt Tollan zu bewegen, jenen Mitteln, deren Annahme Quetzalcoatl nachher eindeutig als Sünde empfindet, befindet sich ein Spiegel, in den die Dämonen Quetzalcoatl sehen lassen. Das Motiv hierfür ist in der vorherigen Beratung der dämonischen Mächte deutlich ausgesprochen mit den Worten [6]): „Lasst uns ihm seine Fleischlichkeit geben — wie wird er sich dazu äussern?" Der Übersetzung „seine Fleischlichkeit" liegt das aztekische Wort *inacayo* zugrunde, das — unter Abstreichung des Possessiv-Präfixes *i* und mit dem dann hinzutretenden Nominator — *tl* — die affixfreie Nominativform *nacayotl* bildet, die, gekennzeichnet durch die Endung *-yotl*, sich als Abstraktform von *nacatl*, „Fleisch", erweist. Wir können demnach *nacayotl* als „Materie" verstehen; es ist bezeichnend, dass in christlicher Zeit eine uns erhaltene Predigt in

---

[1]) a.a.O., S. 21.
[2]) a.a.O., S. 69.
[3]) a.a.O., S. 217.
[4]) LEON-PORTILLA, *Aztec Thought and Culture*, passim.
[5]) SAHAGUN-SELER, S. 271 u.Ö.
[6]) *Geschichte der Königreiche*, S. 80.

der dem Aztekischen nahe verwandten Pipil-Sprache *inacayo* im Sinne
von *sarx* verwendet [1]). Seine Verstrickung in die Materie ist es also,
die Quetzalcoatl als Sünde empfindet.

Mit derartigen Überlegungen ist sicherlich kein geschlossenes
gnostisches System, wohl aber eine Mehrzahl von Komponenten
dokumentiert, die auf Elemente gnostischer Religiosität innerhalb
einer bestimmten Richtung altamerikanischer Religiosität schliessen
lassen. Es ist abschliessend nach deren Verbreitung und fortwirkender
Tradition im mesoamerikanischen Raum zu fragen.

Bei den Belegen hierfür stehen wir wohl durchweg der Tatsache
gegenüber, dass das ursprüngliche gnostische Erleben verblasst und
einer institutionellen Praxis gewichen ist, die jedoch auf gnostische
Ursprünge verweist. In einigen Fällen ist ausserdem die Bezugnahme
auf Quetzalcoatl ganz deutlich.

Das ist einmal der Fall bei den aztekischen Herrschern, die mittels
ihrer Inthronisationsformel ihre Legitimation auf den grossen
Tolteken zurückführten [2]). Ihre Identifikation mit Göttern kam
darin zum Ausdruck, dass sie im Frieden als Repräsentant des Feuer-
gottes Xiuhtecutli galten und im Kriege als solcher des Gottes
Xipetotec [3]).

Im Gebiet des Neuen Reiches der Maya wurde von den zukünftigen
Herrschern ein Examen abgenommen, das esoterische Kenntnisse
betraf und ein Wissen über religiöse und kosmische Dinge zum
Inhalt hatte [4]). Dieses — als „Sprache von Zuyua" bezeichnete —
Geheimwissen wurde auf toltekische Traditionen zurückgeführt. Es
stellte eine durch Initiation vermittelte und durch ein Sonderwissen
gekennzeichnete Verbindung der Herrschenden mit dem Numinosen
dar.

Schliesslich ist aus der zapotekischen Stadt Mitla, in der der Gott
Quetzalcoatl bevorzugt verehrt wurde, die Gestalt des zapotekischen
Oberpriesters *Uija-tao*, des „grossen Sehers", bemerkenswert, den
Seler „als eine lebendige Inkarnation" Quetzalcoatls angesprochen
hat [5]). Dieser Oberpriester Uija-tao wurde von den Zapoteken als

---

[1]) Walter LEHMANN, *Zentral-Amerika*, Teil I: *Die Sprachen Zentralamerikas*, Bd.
II, Berlin 1920, S. 1074.
[2]) SELER, *Ges. Abh.* IV, S. 104.
[3]) KRICKEBERG, *Altmexikanische Kulturen*, S. 119.
[4]) G. LANCZKOWSKI, *Die Sprache von Zuyua als Initiationsmittel*, in C. J. BLEEKER,
Initiation, Leiden 1965, S. 27-39.
[5]) SELER, *Ges. Abh.* II, S. 345: vgl. von GALL, a.a.O., S. 46.

Bild der Gottheit angesehen und als Verkünder göttlichen Willens respektiert [1]). Die Lebensbedingungen, denen er in Mitla unterworfen war, entsprachen ebenfalls ganz denjenigen Quetzalcoatls in Tollan. Wie der Tolteke von schützenden Mauern und Herolden, die ihn bewachten, umgeben war, so lebte auch der Uija-tao im Innern seines Heiligtums und in völliger Abgeschiedenheit von dieser Welt.

---

[1]) SELER, *Les ruines de Mitla*, in *Ges. Abh.* III, Berlin 1908 (Neudruck Graz 1960) S. 477.

ADDENDA ET POSTSCRIPTA

ADDENDA ET POSTSCRIPTA

I.

BY R. McL. WILSON

If any lingering doubts remained as to the extent and significance of the Jewish contribution to Gnosticism, Professor Böhlig's paper should be sufficient to remove them once and for all. Some elements may derive *ultimately* from other sources, but it seems probable that it was through the medium of Jewish thought that they passed into Gnosticism (cf. Rudolph, Tagung f. allg. Religionsgesch. 1963, Wiss. Zschr. der Friedrich-Schiller Univ. Jena, pp. 89-102). Whatever these ultimate sources, therefore, they may for the present be ignored. It is Judaism, in the broadest sense, which provides the immediate background, and one at least of the focal points for the development of Gnosticism.

The problem is to trace the process of transition. Dr. Böhlig rightly emphasises the *Umdeutung* which has taken place, and notes (p. 112): "von jüdisches Gnosis zu sprechen, kann nur bedeuten, dass das hier verbreitete Material jüdisch ist, aber nicht, dass diese Kreise noch darauf Anspruch machen konnten oder wollten, Juden zu sein." But if they did not claim to be Jews, what were they? Some clarification seems to be required for the rather vague expression *jüdisch gebildete Kreise*. Are we to think of Jews, more or less heterodox? Or Qumran sectarians whose eschatological expectations had been disappointed (cf. R. M. Grant)? Or Jewish Christians (cf. Daniélou)? Or were they Gentiles whose only knowledge of Judaism was largely mediated through LXX? Such groups as the Sabaziastai and Hypsistarii may also come into consideration. In view of Dr. Böhlig's stress on the differences which separate Judaism from Gnosticism, it is perhaps relevant to recall Professor Jonas's paper at the 100th Meeting of the Society of Biblical Literature (*The Bible in Modern Scholarship*, Nashville 1965, pp. 279 ff.), and his comments in *The Gnostic Religion* pp. 33 f. Reference may also be made to "saying" 6 of the Gospel of Philip, with its contrast of "Hebrews" and "Christians". A further point relates to the material cited. Some of it is from the inter-testamental literature, and confirms the view, were confirmation necessary, that many of the ideas later incorporated into

Gnosticism are pre-Christian; but some of it is Rabbinic, and some derives from the Jewish mysticism investigated especially by Scholem. Here questions of dating arise: admittedly some of this material may be early, but how confident can we be in any given case? Moreover, in view of the known affinities between Gnosticism and such a second-century Platonist as Numenius, is it possible that the Rabbinic material points to a common background in the second century, during which period Platonism, Gnosticism and Rabbinism, and "orthodox" Christianity as well, all developed in their several ways, on the basis of earlier ideas but to some extent under the common influence of the contemporary environment? This need not be taken to limit the growth of Gnosticism to the second century only, since there were at least incipient forms earlier, but attempts to draw direct lines of descent without consideration of cross-fertilisation, convergence and mutual interpenetration may be seriously misleading.

A few notes on special points may be added to Dr. Böhlig's documentation: p. 117: Pantocrator occurs often in LXX = Sabaoth (cf. Baur, *Wörterbuch*; Dodd, *The Bible and the Greeks* p. 19).

p. 120: On the separation of Adam and Eve, cf. the Gospel of Philip, "sayings" 71 and 78.

p. 128: The suggestion that the Twelve Tribes as unspiritual remain in sin is perhaps confirmed by the reference to "Hebrews" in the Gospel of Philip already mentioned ("saying" 6). Cf. also "sayings" 17 and 46.

p. 133: The whole question of the Son of Man in Jewish-Christian theology should be re-examined in the light of recent studies by H. E. Tödt (*Der Menschensohn in der synoptischen Überlieferung*), A. J. B. Higgins (*Jesus and the Son of Man*) and R. H. Fuller (*Foundations of New Testament Christology*).

p. 134: With the "zwölf positiven zwölf negativen Grössen" cf. perhaps the angels of Elohim and Eden in the Gnostic Justin (Völker, *Quellen* p. 28).

As BÖHLIG later notes [cp. p. 139], the transition of "das Werk der Weiblichkeit" to that of "diese Männlichkeit" finds a parallel in the final saying of the Gospel of Thomas (log. 114).

p. 135: the idea that it was not the Jews but the archons who were responsible for the crucifixion goes back to 1 Cor. 2:8, although here again, if those scholars are correct who take Paul to refer to *earthly* rulers, there is an element of *Umdeutung* in the Gnostic use of it.

p. 136: when James in the second Apocalypse is described as "the eldest son of the Father" this may, as Dr. Böhlig says, be a transference to James of a tradition originally referring to Jesus; but there are other possibilities. It should be noted, incidentally, that the passage has been restored; in the absence of plates it is impossible to say how certain the restorations are. (1) James appears to have been the eldest of Jesus' brothers, so that on the theory of the Virgin Birth he was actually the eldest son of Joseph. (2) Should we translate "father" (i.e. Joseph) or "Father" (i.e. the heavenly Father)? There may be a further element of Gnostic *Umdeutung* here.

On James as keeper of the keys of heaven (although the actual phrase is not here used in the Apocalypse), we may perhaps recall, in addition to parallels in the Synoptics, logion 39 of the Gospel of Thomas.

One final point: the Jewish contribution is now beyond question. The real danger today is that of neglecting the Greek or, more generally, Hellenistic element, which is also undoubtedly present. Gnosticism is not however simply the result of a convergence of Jewish and Hellenistic thought — otherwise we should expect to find the middle term between Judaism and Hellenism on the one hand and Gnosticism on the other in such a writer as Philo. Philo's work shows the extent to which a Jew could assimilate Hellenism *and still remain a Jew*, but there are "Jewish" elements in Gnosticism which were *not* mediated through his voluminous writings. A satisfactory explanation of the *Umdeutung* of which Dr. Böhlig speaks might take us a good deal further towards the solution of the problems of Gnostic origins.

In my comment on Professor Böhlig's paper I have noted that the real danger today is a neglect of the Greek element in Gnosticism in favour of the Jewish. M. Crahay's paper provides the necessary counterbalance. Rightly, he seeks "à faire apparaître analogies *et différences*" (italics mine). There are, as his paper shows, distinct affinities in imagery and terminology, particularly in Orphism, and he can even speak (preliminary paper) of "une structure mentale de type gnostique". At one point however (p. 332) he notes "on peut soupçonner Porphyre . . . . d'y avoir mis du sien" (cf. also pp. 334 f).

This seems to me a point of some importance. Reading the material in the light of developed Gnosticism, one can readily interpret it as Gnostic—but this might be to impose a second or third century A.D.

interpretation on material several centuries older which originally had no such significance. The Greek element also has been subjected to Gnostic *Umdeutung*.

At certain points we can probably detect the stage at which some new factor entered in. The role of the planets, for example, (p. 328s.) pre-supposes the spread and influence of Babylonian astrology in the Hellenistic world—which should not be read back into all early references to the celestial bodies.

It may be worth noting that Francis Legge fifty years ago, in his *Fore-runners and Rivals of Christianity* (reprinted New York 1964; cf. my review, Scottish Journal of Theology 18 (1965) pp. 496 ff.), identified as pre-Christian Gnostics a) the Orphics, b) the Essenes and c) Simon Magus. In the first two cases we must now ask whether they were actually Gnostics, or simply providers of part of the raw material out of which the Gnostics later built their systems.

I do not think I can agree with Professor FOERSTER (p. 190) that it is "ganz unerklärich" how Simon came to be "the father of all heresy". Admittedly any explanation must be hypothetical, but it is not impossible to devise one. Elymas (Barjesus) is discredited in the presence of his patron, the sons of Sceva even more publicly, and the latter narrative leads up to the bonfire made of the books of sorcery. The assumption is that these men no longer possessed any influence, although to assume their conversion to Christianity would go too far. Simon on the other hand is rebuked by Peter, and craves the inter-cession of the church. His discrediting is left to the Clementine literature (insofar as he is not there simply a substitute for Paul (or Marcion)) and the Acts of Peter. If Simon persisted as the leader of a rival mission (as the polemic against him suggests), and his followers became progressively more and more Gnostic but still traced all the later developments to their founder (e.g. ascribing to him the Megale Apophasis), we should have a perfectly natural course of events. In this case Simon himself would be a Θεῖος ἀνήρ like Apollonius of Tyana or Alexander of Abounoteichus, but not yet fully "Gnostic" in the later sense of the term. Cf. *Recueil Cerfaux* i. 256 (containing the RSR articles cited by Professor FOERSTER): "Dans son fond, la religion de Simon n'avait pas été, à ses debuts, du 'gnosticisme'. C'était une gnose à base de mythes païens et de magie. Un jour arriva cependant où . . . la doctrine s'incorpora un nouvel élément. Les thèmes *gnostiques* apparurent."

That the Simonians were an insignificant minority by the time of Origen does not mean that they were not numerous at an earlier period. Origen's figure thirty is perhaps suspect when one recalls that in the Clementines Simon is one of thirty followers of John the Baptist, a figure there linked with the days of the month (Helena, as a woman, counts in addition as a half!). Cerfaux (i. 234) suggests that this was the number in *each group*.

From what has already been said it will be evident that I am disposed to welcome the papers by Professor GRANT and Mlle PÉTREMENT together with that of Dr. BÖHLIG. Professor GRANT's analogy from the kitchen seems extremely apt, for the presence or absence of a single ingredient, a difference in the proportions used or in the method of mixing or cooking, or finally even a difference of cooks, may all produce very divergent results. I should agree that even if some Gnostics were Jews by origin they abandoned their Judaism when they became Gnostics (p. 147), and that the Gnostic *mélange* is not Jewish although the ideas themselves may be Jewish in origin (p. 150). Three points call for comment:

1. Aristobulus ap. Euseb. PE vii. 14, xiii.12 (cf. my *Gnostic Problem* pp. 38-9) should be added to the documentation on Wisdom (p. 141 ff.).

2. I am by no means certain about the inference (p. 151) that the Cainites did not know Hebrew. How then did they forge the link between *rechem* and *rachum*? As it happens, the Brown, Driver and Briggs Hebrew Lexicon includes both words on the same page (933) under the root *r-ch-m*. Bearing in mind the fact that Gnostic speculations are sometimes based "sur un littéralisme très forcé" (p. 150, a point also made by Doresse), all we have to assume is a case of misapplication of etymology—an error by no means confined to the Gnostics (cf. James Barr, *The Semantics of Biblical Language*).

3. Professor GRANT's reference (p. 154) to the Fall of Jerusalem and the rise of doubts about providence may serve as a *partial* explanation, but it is not the whole story. Professor GRANT himself (p. 147) speaks only of *some* Gnostics being Jews by origin. We have no grounds for assuming that *all* Gnostics were originally Jews, and Mlle PÉTREMENT has offered an interpretation on purely Christian lines. It is not however difficult to reconcile the two theories. The tragedy of the Jewish revolts must certainly be borne in mind; so must the

conflict of Church and Synagogue. It is significant that a separate Demiurge does not seem to appear before Saturninus—and this not so far removed from the time of Marcion.

We should then have a number of different trends and tendencies of a "gnostic" or "gnosticising" type in the first century, particularly on the fringe of Judaism and in Jewish mystical and apocalyptic speculation, as also in the writings of such as Philo. In view of its affinities with later Gnosticism, this may legitimately be described as "Gnosis", or better "pre-gnosis", but the full development only comes in the second century under the pressure of current events and with the inclusion of a strong admixture of Christian elements. It is therefore of extreme importance that we should recognise not only the similarities but the differences, so that we may be able to distinguish mysticism, apocalyptic and other types of speculation from Gnosticism and from each other. It is a real merit of these three papers that in them this has been done. Mlle PÉTREMENT's paper seems to offer the prospect of a real breakthrough to the understanding of the development of Gnosticism proper out of what went before. The only real grounds for hesitation are a) the existence of the "gnosticising" tendencies already mentioned, both earlier and possibly outside of Christianity altogether, and b) the claim which has been made that some Gnostic documents show Christianisation of non-Christian Gnostic texts (cf. my own paper, p. 512, n. 2). Dr. BÖHLIG's claim to have found a non-Christian Gnosis in the Apocalypse of Adam must also be taken into account.

In the light of these three papers it is at first sight startling to find Professor SCHOEPS affirm (p. 529) "dass ich die im 2. nachchristlichen Jahrhundert mächtige Gnosis für eine rein pagane Denkbewegung halte, die lediglich jüdische und christliche Anleihen aufgenommen hat". To say the least, the *Anleihen* have been fairly extensive. On reflection, however, the conflict may not be so complete as would appear. Thirty years ago R. P. Casey (JTS 36 (1935) p. 58) drew a distinction between "systems which as a whole and in their main structure were inconsistent with Christian theology, and those which represent variations from Christian orthodoxy only in points of detail." The Gnostic systems he assigned to the former category. If this distinction is borne in mind, the debate as to whether Gnosticism is "fundamentally Christian" or "essentially pagan" can be seen to rest on a loose and inaccurate use of terminology. The Jewish and Christian elements in Gnosticism are plainly evident, but Professor BÖHLIG,

Professor GRANT and Mlle PÉTREMENT have all drawn attention also to the differences. Gnosticism as such is neither Jewish nor Christian, but a new creation.

A further illustration of the need for clarity and precision of definition is provided by Dr. ARAI's paper:

a) In the second part he distinguishes, reasonably enough, between "gnostisch" and "gnostizistisch" (*anglice*, "gnostic" and "gnosticising"), and identifies the former with the Gnostic religion as defined in Part I, and the latter with the "atmosphere" of the Hellenistic Age. Having attempted the same distinction myself, I cannot complain—but I used the nouns Gnosis and Gnosticism in the *opposite* way, a procedure justified, I think, by the fact that Gnosticism is the historical designation for the Christian heresy and Gnosis the wider and more general term employed particularly by German scholars for the whole phenomenon in all its manifestations.

To attempt an inversion at this stage is unlikely to prove a successful venture, and may only increase the confusion. With regard to Dr. ARAI's three criteria, reference may now be made to the concluding paragraphs of Professor JONAS' paper, already mentioned, in *The Bible in Modern Scholarship*. In short, I agree with Dr. ARAI's distinction, but question his definition of the nouns Gnosis and Gnostizismus.

b) What *exactly* is an *Erlösergestalt*? One German dictionary offers the English equivalents "liberator, deliverer, rescuer" and "(Theol.) redeemer, saviour"; a second gives only the two last, capitalising both. However readily such terms may be interchanged, they are not precisely synonymous. It is important to avoid introducing the theological and religious associations of "saviour" or "redeemer" into contexts where they are not in fact present. (In terms of the Bible, there is a difference surely between such *Erlösergestalten* as the "judges" in ancient Israel and the Christ of the New Testament).

That there were saviours in abundance in the ancient world is well known (Dittenberger OGIS s.v. σωτήρ has simply "passim"), but to what extent are they really comparable to the Christian Jesus? Was there a full-scale redeemer-myth which could be transferred *en bloc*, or was it simply a case of the adoption by Christianity of particular traits for the presentation of its own Gospel? And in the latter case at what stage? When did the cults of Adonis, Attis, Osiris and the rest clearly influence Christian doctrine? They may be significant from the point of view of *Religionsgeschichte* as parallels, but were they also *sources*? If Aesculapius could "save" a man by healing his sickness, or some other god by delivering him from danger or rescuing him from shipwreck, is the σωτηρία to be forthwith equated with the Christian salvation? The mere existence of *Erlösergestalten* is not conclusive; we must consider the nature of the salvation they offered, the means by which it was effected, and their own function in the process.

As to the Gnostic texts, I agree with Dr. ARAI that final decision must await the full publication and analysis of the Nag Hammadi documents, but it seems important to formulate the proper questions. Did the Gnostics introduce a "dehistoricised" Jesus into an existing system, or did they start with Christian theology and eventually eliminate him as no longer necessary except as the Revealer of Gnosis? In this connection reference may be made to Professor FOERSTER's recent study in *Christentum am Nil* (ed. Wessel, 1964, pp. 124 ff.) in which he identifies the essential element in Gnosis as the conception of the "call". But as Windisch remarked (*Die Frömmigkeit Philos* 88 ff.), if Philo has no redeemer he does have the thought of a redemptive *mission* and knows the experience of redemption, which would make Philo a Gnostic. Despite the affinities which are undoubtedly present, however, Philo is not a Gnostic in the full sense. (Moses, it may be remarked, is in Philo hierophant and revealer, but scarcely a redeemer). On the whole question I may refer to my *Gnostic Problem*, esp. p. 72 (Philo) and 218 ff.

In regard to Mr. CONZE's paper I can comment on two points only:

1. As he says (p. 665) we have abundant evidence of contacts between the Buddhist and the Hellenistic world. More specifically, Père Festugière has noted that there were regular commercial relations between Alexandria and India in the first two Christian centuries (*Hermès Trismégiste* I. 225); cf. also Benz, *Indische Einflüsse auf die frühchristliche Theologie* (Akad. Wiss. u. Lit. Mainz, Abh. 1951 No. 3). My problem is to reconcile the fairly close parallels which Mr. CONZE notes with the rather vague and general, and sometimes frankly inaccurate, knowledge of India and things Indian revealed by Greek

sources elsewhere. Philo for examples knows of the "gymnosophists" (de Abr. 182, de Som. ii. 56) and refers to the practice of suttee, but this might reflect only a very general knowledge derived from travellers' tales. How much was actually known by Greeks at any given period?

2. Mahāyāna Buddhism "developed a distinctive trend from about 100 B.C. onwards" (p. 651), but it is only after about A.D. 200 that we find a three-fold classification of people (p. 655), and here Mr. CONZE is prepared to envisage *Gnostic* influence. Again, the introduction of female deities is noted as an innovation in Buddhism (p. 657: date uncertain, but not·later than A.D. 400), while the concept of *samdhā-bhāsya*, the first step in the Buddhist predilection for the mysterious (to a *Neutestamentler* it immediately suggests the allegorical method of Philo and others), is dated about A.D. 300 (p. 660).

Taken together, these two points suggest a certain reserve about Budhhist "influence" on Gnosticism, although the possibility is certainly not to be excluded out of hand. We know from Irenaeus the stage of development reached by the Gnostic systems about A.D. 180. The question therefore is whether we can trace the development of Mahāyāna Buddhism in chronological detail between 100 B.C. and A.D. 180, and detect in that development elements which made their appearance sufficiently early to have influenced Gnosticism before the time when Irenaeus wrote. Some of the traffic was evidently in the opposite direction, but whether it was from Gnosticism or from its precursors is matter for further investigation.

Père FESTUGIÈRE's paper goes beyond the field in which I can make any sort of claim to competence, but seems to underline a question in my own contribution: How much that is commonly labelled "Gnostic" is in fact commonplace second-century Platonism? It would not be difficult to pick out "Gnostic terminology" and "Gnostic concepts" in the extracts quoted, but in the light of Père FESTUGIÈRE's paper as a whole is this really Gnosticism? Any-one with a knowledge of Gnosticism who reads E. R. Dodds' book *Pagan and Christian in an Age of Anxiety* (C.U.P. 1965) will find much that is familiar, and not only in citations of Gnostic sources. We require some more refined method of discrimination between what is specifically Gnostic and what the Gnostics share with their contemporaries. It may be worth noting that in Edgar Wind's *Pagan Mysteries in the*

Renaissance (London 1958) the "mysteries" are not those of Attis, Mithras, Osiris or other oriental gods, but derive from the classical tradition—with a fairly strong element of Platonism. Here is another area in which similar phenomena are to be found.

For Professor BLEEKER, Egypt is one of the oldest centres of Gnosticism, but not the land of its origin (p. 230). There are Egyptian elements, but they do not belong to the basic structure (Bousset, cited p. 231), and there is some doubt as to whether the Gnostics actually had access to genuine Egyptian religious doctrines (p. 234). Mr. KÁKOSY would on the whole, I think, agree—although perhaps with some difference of emphasis. If so, we have a situation similar to that of the Jewish element — Egyptian material built into a non-Egyptian system. The questions then are "When?", "Where?" and "By whom?" Mr. KÁKOSY emphasises (p. 242) the necessity of attention to the chronological order of the texts, to which we should perhaps add "on both sides". Some of his evidence, for example, comes from the Pistis Sophia, which is comparatively late, and this raises the question of the possible secondary incorporation of Egyptian material —the adaptation of Gnosticism to the religion of the country into which it was being introduced. The Codex II version of the Apocryphon Johannis (pl. 63.29 on) contains a long section which is absent from the parallel versions, and which includes numerous names which to a non-Egyptologist have a largely Egyptian appearance. If this is an interpolation, it would show development still in process at the Coptic stage of transmission.

Two points of detail: 1. Professor BLEEKER (p. 229) follows Dr. Till, who in turn was following W. Bauer, in holding that Gnosticism reached Egypt before orthodox Christianity. This thesis has however been somewhat weakened by more recent research (cf. Hornschuh, *Studien zur Epistula Apostolorum*, Berlin 1965, pp. 113 ff.). 2. The section of the Ascension of Isaiah relating the prophet's ascension is dated by Flemming and Duensing to the second century A.D. (Hennecke-Schneemelcher ii. 454, ET p. 643). It is therefore at least open to question whether this should be claimed as Jewish or Christian apocalyptic *simpliciter*—it may itself be subject to Gnostic influence. For that matter, has the Corpus Hermeticum influenced Gnostic thinking (Bleeker p. 235), or was it influenced by it?

An interesting theme for speculation is the place and significance of Alexandria in the whole development—a cosmopolitan city with a

Greek-speaking population, an influential Jewish community, and an Egyptian hinterland. Here several of the pre-requisites for the development of Gnosticism lie ready to hand!

"Die Form Saklas selbst" writes Professor ADAM, "ist gräzisiert, kann also nicht zugrunde gelegt werden. Daher scheidet auch die Möglichkeit aus, in der aramäischen Form saklā ("stultus") das ursprüngliche Wort zu finden". This seems to me a *non sequitur*. The fact that the form is grecised means that it does not necessarily represent the original, but this is not to say that it cannot possibly do so. The derivation from the Aramaic saklā therefore remains a possibility, and indeed I should think it the strongest contender. The Manichean asaqlūn may require to be considered as a possible alternative, but I should be rather less confident about this than Professor ADAM. In particular I have my doubts about appealing to Manicheism for the interpretation of an older Gnostic title, and I am not sure that we can really imagine the whole movement starting with a bunch of civil servants suddenly thrown out of a job!

I am obliged to Dr. HAARDT for doing me the honour of inclusion among the scholars whose opinions he has selected for discussion—but the inevitable compression has here produced misleading results. The phrase quoted on p. 163 (Jewish or (sic!) pagan) does indeed occur in the article cited, but Dr. HAARDT's reference appears to rest on a misunderstanding—the whole article was deliberately designed to leave the two possibilities open. See the whole paragraph, also the final chapter of *The Gnostic Problem*.

In this connection opportunity may perhaps be taken to remove a further misconception. Several scholars have singled out for criticism the sentence (*The Gnostic Problem* p. 261): "In words already quoted, Gnosticism is an atmosphere, not a system; it is the general atmosphere of the period and affects to some extent all the religions and philosophies of the time". If this sentence be taken by itself, out of its context, the criticisms are fully justified; but it was not meant to stand by itself, and the context conveys a very different impression. The very same paragraph continues: "In its widest sense the term covers most contemporary pagan thought, the Hermetica, philosophy, the mysteries . . . . But we must distinguish this from the narrower sense". Further down the page it is said "Philo could in a sense be called a Gnostic, much as Paul or Clement of Alexandria, but *in the*

narrower sense adopted in this study he is not a Gnostic" (italics added).
See further the discussion of terminology on pages 65-69 (especially
the top of p. 68), which I hoped would make my position clear.

To put the matter briefly, I consider that we must cast the net as
widely as possible, and take all possible factors into consideration.
We must also however distinguish 1) simple parallels, 2) more or less
clear influences, and 3) definite and indisputable sources. Attention
must also be paid to chronology—documents of late date should not be
claimed as evidence for influence from one tradition upon another
of which the documents are earlier, although the *possibility* must of
course be borne in mind that the later documents may in fact contain
much older material, and that the late documentation is due simply
to the accidents of history; but we cannot build arguments upon lost
documents. A further question relates to sources: are they immediate
or ultimate, and if the latter what has happened in the course of
transmission? The *ultimate* source of an idea may be Persian, but if it
has passed through Judaism into Gnosticism then *Judaism* is the
immediate source. In such a case we have to take account of the
possibilities of modification at both stages of transmission, and also
of the possibility of convergence, i.e. the assumption that what
appears similar is in fact the same (e.g. dualism, the Jewish Two
Ages, the Platonic visible and intelligible worlds), or the absorption
(possibly with some change of meaning) of something in the older
tradition which the new user finds adaptable to his own purposes.

II.

von ALEXANDER BÖHLIG

Das Wort „Gnosis" ist für viele Theologen und Religionshistoriker
zu einer abgegriffenen Münze geworden, die ihre eigentliche Prägung
verloren hat. Darum wird es vielzusehr nach Gutdünken verwendet.
Umso grösser ist das Verdienst von Prof. BIANCHI, dass er durch
dieses Colloquium die Fachleute und interessierten Kollegen der
Nachbargebiete veranlasst hat, die Grundlagen der Gnosisforschung
neu zu überdenken. Die Fragestellung des Colloquiums „Ursprung
und Definition der Gnosis" hat ein lebhaftes Echo gefunden. In der
Vielfalt der Beiträge und der Mannigfaltigkeit der Meinungen sind
aber gerade die Grenzen unserer gegenwärtigen Kenntnisse deutlich
vor Augen getreten. Vielleicht ist diese ernstzunehmende Feststellung
eines der wichtigsten Ergebnisse des Colloquiums.

Wir müssen uns darüber klar sein, dass unsere Begriffsverwirrung besonders dadurch bedingt ist, dass wir 1. Gnosis als ein religionswissenschaftlich zu definierendes Phänomen ohne zeitliche Bindung betrachten oder 2. die Gnosis als eine geschichtliche Erscheinung zu beschreiben haben. Wir können *das erste nicht tun, ohne das zweite getan zu haben*. Der fragmentarische Zustand der bisherigen Überlieferung hat aber dazu geführt, den Begriff durch Konstruktion herauszuarbeiten und dann auf Gegenstände anzuwenden, die gar nicht gnostisch sind. Das ist das Leid, an dem unser Forschungsgebiet besonders zu tragen hat.

Immer noch scheint sehr starke Unklarheit über die Begriffe Gnosis und gnostisch, Gnostizismus, prägnostisch, prächristlich, jüdisch, judenchristlich, iranisch-gnostisch usw. zu herrschen. Die Trennung von Gnosis und Gnostizismus kann hier tatsächlich helfen. Dann ist Gnostizismus die in Gemeinschaften formierte Gnosis, die eine schulmässige Ausprägung erhalten hat. Dadurch wird natürlich die Klärung dessen, was Gnosis als religiöse Weltanschauung bedeuten soll, noch nicht konkret erfasst. Aber wie man in Sprachen bei ihrem ersten schriftlichen Auftreten schon einen weitentwickelten Sprachbau vorfindet, der zu einer Rekonstruktion der Urform auffordert, so dürfte es auch bei der Religion sein. Wenn man in der christlichen Religion immer aufs neue Linien von Jesus bis zum Frühkatholizismus zieht und sich dabei verschiedenster Mittelglieder bedient, so müssen auch wir versuchen, an Hand der Quellen die Vorgeschichte der uns zugänglichen gnostischen Äusserungen zu rekonstruieren. Wir werden dadurch angetrieben, unsere gnostischen Quellen zu überprüfen, wieweit in ihnen Gemeinsamkeiten vorliegen und wo die Unterschiede zu finden sind. Denn die Interpretation von Texten einzelner Schulen wird auch oft genug Probleme gnostischer Denkweise überhaupt erschliessen und lösen können. Von jetzt ab sollte die Behandlung des traditionellen, durch die Kirchenväter erhaltenen Materials Hand in Hand mit der Erschliessung der neuen Texte von Nag Hammadi gehen. Aber auch das manichäische und mandäische Material sollte darüber nicht vergessen werden.

Umso dringlicher erscheint es mir, die neuen Materialien von Nag Hammadi beschleunigt zu edieren. Dabei sollte religionsgeschichtliche Interpretation der gelehrten Welt endlich einmal die Augen dafür öffnen, dass es sich bei der Bibliothek von Nag Hammadi nicht um einen ägyptologischen Fund handelt, weil sie zufällig in koptischer Sprache erhalten ist. Epiphanius hatte das alles ja noch griechisch gelesen. Ausserdem weiss jeder, der sich eingehend mit dem Mani-

chäismus oder dem Oriens Christianus befasst hat, dass die Sprachen
für die hellenistische Religionsgeschichte keine Grenzen bilden
können. Bei dieser Gelegenheit möchte ich darauf hinweisen, wie sehr
ich es bedauere, dass die Publikation von Nag Hammadi verschiedentlich ins Stocken geraten ist. (Ich bin deshalb auch Gegner jeglicher
Monopolisierungsbestrebungen). Ich für meine Person bin gern
bereit, auch ausser dem in Arbeit befindlichen gnostischen Ägypterevangelium noch weitere Texte zu übernehmen und damit diesen
Forschungen weiter zu dienen, falls man daran interessiert ist.

Aus meiner bisherigen Arbeit an Texten von Nag Hammadi ergab
sich für mich die Themastellung meines Beitrages zum Colloquium.
Ich wollte nicht ein allgemeines Thema Judentum und Gnosis
übernehmen. Ich beschränkte mich auf die Vergleichung von gnostischem Schrifttum aus Nag Hammadi, das mir zugänglich war, mit
jüdischem Überlieferungsgut, das hierzu den Hintergrund bilden
könnte. Um eine sachlich angemessene Ordnung durchzuführen,
hielt ich mich an den Ablauf der Heilsgeschichte und konnte finden,
dass das jüdische ma'asē merkābā, das ma'asē berēschīth und gewisse
Züge der Heilsgeschichte bis zur Eschatologie erstaunliche Parallelen
aufweisen. In seinen Bemerkungen ist Dr. McL. WILSON meinem
Anliegen nicht ganz gerecht geworden. Nicht Judentum und
Gnosis, sondern gnostisches Schrifttum im Lichte judaistischen
Materials zu behandeln, war meine Aufgabe. Dr. McL. WILSON stellt
die Frage, was für jüdisch gebildete Kreise es gewesen seien, die ich
S. 112 erwähnte. Ich möchte ausdrücklich betonen, dass die Suche nach
solchen Gruppen genauso wenig zu meinem Thema gehört wie schon
jetzt die *feste* Zuweisung bestimmter Nag-Hammadi-Texte an bestimmte Gruppen. Hier sind durch das Fehlen des Materials einfach
noch nicht die Möglichkeiten gegeben, Entscheidungen zu fällen.
Ich wollte auch gar nicht darüber Schlüsse ziehen, welcher jüdischen
Sekte diese Menschen angehörten, die als Gnostiker solches Material
verwendeten, sondern meine Aussage wollte zum Ausdruck bringen,
dass solche Männer, denen wir unsere Texte verdanken, *Gnostiker* waren. Ebenso wie die gnostischen Texte Umdeutungen vornehmen, so
sind auch die Menschen dieser Texte „*neue Menschen*", die ein anderes
Existenzverständnis haben als die Anhänger der anderen Religionen.
Nur für die Judenchristen glaubte ich allerdings einen genaueren
Hinweis geben zu können. Eine Schwierigkeit liegt für den Aussen-
stehenden und auch für den Fachmann darin, dass die uns bis jetzt
bekannten gnostischen Texte meist christlich frisiert sind oder aus

christlicher Gnosis stammen. Bisher haben wir als nichtchristliche Texte immerhin die Adamapokalypse und den Eugnostosbrief, und das dürften in Nag Hammadi nicht die einzigen sein. Und hat man denn die Mandäer vergessen? So dürfte eines sicher sein: Die mythologische Gnosis, die vom Christentum durch Einarbeitung eines gnostischen Jesus und dgl. entstanden ist, ist das Mittelglied zwischen einer hellenistisch synkretistischen Gnosis, die unter anderem auch vom Judentum Beiträge erhalten hat, und einer Gnosis, der die neutestamentliche Botschaft am Herzen liegt. Es geht also bei der nichtchristlichen Gnosis nicht ohne weiteres um Gnosis vor Christi Geburt. Bei den Texten und Traditionsstücken muss von Fall zu Fall geurteilt werden. Man könnte aber ein *zeitliches Schema* entwerfen, das als Arbeitshypothese dienen kann. Am Anfang würde eine Frühform gnostischer Religiosität, eine Koinereligion, stehen, die von einem neuen Existenzverständnis aus das aus den Hochreligionen und der Philosophie übernommene Gut kritisch beurteilt und einordnet. Dieser Prozess führt zur Bildung von Häresien, d.h. Schulrichtungen, die voneinander abweichen. Dabei bildet sich Traditionsgut heraus, das auch schriftlich niedergelegt und ausgetauscht wird. Der Einbruch des Christentums stellt eine ganz besondere Aufgabe. Bei den einen handelt es sich um eine Absorbierung des Christentums, bei anderen um die Bildung eines gnostischen Christentums. Ihre Krönung erfährt die Gnosis durch den Manichäismus, der von Gnosis, iranischer Tradition und Christentum ausgeht, sich aber zu einer eigenen Weltreligion emanzipiert. Liegt nicht gerade die verstärkte gnostische Aktivität des 2. Jh.'s an der Anregung, die die Auseinandersetzung mit dem Christentum bot? Allerdings muss man Nag Hammadi genügend berücksichtigen. Es scheint mir, dass Mlle. Pétrement sich noch zu sehr bemüht hat, das alte dogmengeschichtliche Schema der Häresie zu verteidigen und dabei den Umweg über das Christentum für nötig hält, weil sie die neuen Funde gar nicht heranzieht.

So sehr es mich freut, dass Dr. McL. Wilson meiner Herausarbeitung des jüdischen Beitrages grundsätzlich zustimmt, so sehr bedauere ich es, wenn er darin eine Gefahr für die Würdigung des gräko-hellenistischen Beitrages sieht. Gewiss sind bei diesem Colloquium zahlreiche Beiträge geliefert worden, die sich mit der Beziehung der Gnosis zum Judentum beschäftigen. Aber das liegt doch auch stark an dem neuen Stand der Materialerschliessung (Qumran, Nag Hammadi). Aber gerade Nag Hammadi zeigt ebenfalls, dass *neben dem jüdischen Beitrag der hellenistische* steht. Ich habe darauf in meiner Edition der titellosen Schrift des Codex II hingewiesen: Auseinandersetzung mit Hesiod, Amor und Psyche, Astrologie. Das Vorhandensein von Hermetica in der neuen Bibliothek nötigt uns, mindestens für den Gnostizismus die Grenzen nicht mehr so eng abzustecken wie bisher. Eine noch längst nicht voll ausgeschöpfte Aufgabe wird es sein, die hellenistische Philosophie für das Verständnis der Gnosis heranzuziehen und anderseits zu untersuchen, wieweit gnostisches Denken in ihr sichtbar wird. Über den *iranischen* Einfluss dürfte eigentlich kein Zweifel bestehen, wenn so konkrete Beispiele für die Mithrasvorstellungen wie in der Adamapokalypse begegnen. Ist nicht auch die Vorstellung vom „Glanz", der von Adam auf Seth übergegangen ist, abhängig von dem Gedanken, dass Yima sein χ^{v}arnah durch Sünde verlor und es weitergegeben wurde? Die stärkere Beachtung des iranischen Elements lässt nach dem Weg fragen, den es genommen hat. Der Weg nach Syrien-Palästina war durchaus nicht schwer, auch nicht in parthischer Zeit. Dieser Weg mag teils direkt, teils über das Judentum gehen. Die westaramäischen Wortspiele in gewissen Texten bestärken uns noch dazu, in diesem Gebiet die Entstehung dieser Literatur anzunehmen. Die endgültige Zusammenstellung und Redaktion einzelner Schriften von Nag Hammadi dürfte aber erst in Ägypten vorgenommen sein. Dabei ergibt sich auch die Frage, wieweit von einem *ägyptischen* Einfluss die Rede sein kann. Doch muss geschieden werden zwischen redaktionellen Eigenheiten einzelner Schriften und grundsätzlichen Zügen der Gnosis; die redaktionellen Zusätze dürften nicht überbewertet werden. Das sog. gnostische Ägypterevangelium wird nur in einer Nachschrift des Codex III als solches bezeichnet; es hat in seinen Mythologumena mit Ägypten nicht viel zu tun, aber es könnte als eine Auseinandersetzung des jüdischen mit dem ägyptischen Seth betrachtet werden, in der durch Umdeutung an die Stelle des verfemten Seth Ägyptens ein Seth des Lichtes gesetzt werden soll. Auch der ägyptische Abschnitt der Schrift ohne Titel des Codex II dürfte erst bei der Redaktion in die Schrift aufgenommen worden sein. Ich möchte sogar noch weiter gehen. Die Zusammenstellung Phönix, Stiere, Krokodil gibt einen Vorstellungskreis der ägyptischen Religion in hellenistischer Zeit wieder, so dass die Übernahme dieser Vorstellungen auch über hellenistische Tradition erfolgen sein kann. Das würde dazu passen, dass der Phönix in rabbinischer Tradition auch aus dem Hellenismus stammt. Ebenso sind die Anklänge an Isisaretalogien nicht speziell ägyptisches, sondern hellenistisches Gut. Auch die

Vorstellung von der Verwandlung der Maria, die Prof. Rengstorf in seinem Colloquiumsbeitrag bietet, dürfte in den hellenistischen Bereich gehören, wobei nicht in Abrede gestellt werden soll, dass die redaktionelle Hinzufügung des Logions 114 ebenso wie die vielen anderen kompilatorischen Redaktionen in Ägypten vorgenommen sein kann. Dass gnostische Bücher im Codex Askewianus ägyptische Mythologie zeigen, steht zu dieser These nicht in Widerspruch. Es soll nur darauf hinweisen, dass die Gnostiker Ägyptens ihre Literatur selbständig erweiterten, was ja auch zur Existenz eigener gnostischer Schulhäupter in Ägypten passt. Eine andere Frage ist es, ob nicht doch die ägyptische Interpretationsmethode alter religiöser Texte für die Umdeutungsmethode der alexandrinischen Schule und zugleich auch für Judentum, Christentum und Gnosis ein Anhaltspunkt gewesen ist.

Wir sehen aus alledem, wie vielfältige Einflüsse auf die Gnosis in den verschiedenen Stadien ihrer Entwicklung eingewirkt haben. Es macht aber durchaus den Eindruck, als ob diese Beiträge in erster Linie nur Ausdrucksmittel geliefert haben. Gnosis ist nicht dasselbe wie Synkretismus. Aber die gnostische Geisteshaltung konnte in einer synkretistischen Welt den Gnostizismus schaffen. Je mehr wir die verschiedenartigen Einflüsse mindestens für die Ausdrucksweise herausarbeiten, umso mehr können wir aus der Art der Einreihung dieser Theologumena und Mythologumena, besonders aber aus ihrer Umdeutung das herauslesen, was die Gnosis wollte. Solche *Vorarbeiten* (um mit Prof. Bianchi zu sprechen) sind eben notwendig, um an das Wesen der Gnosis und ihre Entstehungsgeschichte heranzukommen. Um nicht missverstanden zu werden, möchte ich noch einmal einige Begriffe definieren. 1. „*Hintergrund*" ist nicht dasselbe wie Ursprung, sondern auf dem Hintergrund hebt sich der Vordergrund ab. Deshalb bildet ein Hintergrund nicht ohne weiteres die Vorstufe, sondern er schafft Beleuchtungsmöglichkeiten. Aus dem Kontrast zwischen Hintergrund und Vordergrund kann man das, was im Vordergrund steht, besser erkennen in dem, worin Vordergrund und Hintergrund übereinstimmen, und in dem, worin sie ihre Eigenarten haben. 2. „*Umdeutung*" ist eine grundsätzliche Form religiöser Ausdrucksweise, die wir bis zum heutigen Tag erleben. Haben nicht hochberühmte Dogmatiker der Gegenwart ihre Systematik erst in die neutestamentliche Lehre hineingedeutet? Bemüht man sich nicht, um für die Gegenwart alte Schriften fruchtbar zu machen, um Entmy-

thologisierung? Religionen sind nun einmal mit Jahrhunderte und
oft Jahrtausende alten Traditionen belastet. Ich wies schon bei der
Erwähnung der ägyptischen Religion darauf hin, wie sie in späterer
Zeit mit dem Alten fertig werden musste. Dasselbe macht die jüdische
Religion auch. Oder ist der Habakuk-Kommentar vom Toten Meer
ein Kommentar, wie ihn ein heutiger Alttestamentler schreiben
könnte? Sind nicht die Bemühungen Philons bei seiner Einordnung
des Hellenismus in den jüdischen Glauben auch ein Zeichen für
solche Methodik? Ist nicht auch die Benutzung des Zervanitischen
Dualismus durch die Qumranleute das gleiche? Hier muss Prof.
BIANCHI widersprochen werden, wenn er Qumran und zervanismus
deshalb trennen will, weil es sich dabei um zwei verschiedengeartete
Gottesvorstellungen handelt. Hätten die Qumranleute diese Vorstellungen nicht umgedeutet, dann wären sie eine zervanitische
Sekte und keine Juden. Hat nicht aber die Alte Kirche, wahrscheinlich
nicht zuletzt beeinflusst durch ihre gnostische Konkurrenz, durch ihre
Interpretationsmethoden am Alten Testament alledem die Krone
aufgesetzt? Als jüdisches und zugleich christliches Beispiel möchte
ich nur auf Paulus hinweisen, wenn er einfach zurückweist, dass der
Satz „Du sollst dem Ochsen, der da drischet, nicht das Maul verbinden" (1 Cor 9, 9) wörtlich zu deuten sei. Man kann also sagen:
Umdeutung ist entweder versteckte Polemik oder Überbietung oder
Spiritualisierung. Die Gnosis hat gegenüber dem Judentum alle
diese Methoden benutzt. Das Vorkommen der jüdischen Terminologie ist aber ein deutliches Zeichen für den „Sitz im Leben" des
Gnostizismus. Damit ist die Gnosis noch keine jüdische Sekte oder
auch nicht die Abart einer jüdischen Sekte, ebensowenig wie man das
Christentum, das dem 1. Bund den 2. Bund gegenüberstellt, als eine
jüdische Sekte bezeichnen kann. Ebensowenig wären wir berechtigt,
den Islam auch beim Vorhandensein christlicher bzw. judenchristlicher Relikte als eine christliche Sekte zu bezeichnen. Religionen
und religiöse Formen besitzen eben jeweils ein neues gedankliches
Zentrum, von dem das übrige religiöse Denken und Handeln beherrscht wird.

Zu einem anderen Punkt Dr. McL. WILSONS: Er meldet Bedenken
an gegen die Verwendung von rabbinischem Material. Dann wäre
erst recht für den Neutestamentler Strack-Billerbecks Kommentar
irreführend! Geht aus der Zeit des jeweiligen Lehrers überhaupt
eindeutig hervor, dass der Inhalt dieser Aussage nicht früher angesetzt werden darf? Die Tatsache, dass das Judentum einen Mann

wie Acher verurteilt, zeigt, dass es im Judentum gnostische Strömungen gab, die ausgeschieden wurden, deren Reste sich aber im
jüdischen Mystizismus gehalten zu haben scheinen (s. Scholem).
Liegt es nicht nahe, dass gerade im 2. Jh. bei der Redaktion des Haupt-
schrifttums der Gnostiker jüdisches Material mitverarbeitet worden
ist? Abgesehen davon stammt eine genügende Masse der Belege aus
Bibel und apokryphem Schrifttum, ist also wesentlich älter. Aus dem,
was ich schon oben über die voraussichtlichen Stadien der Entwicklung der Gnosis sagte, und aus dem Wesen der rabbinischen Literatur
ergeben sich sicher grosse Schwierigkeiten für eine ganz absolute
Erforschung der gegenseitigen Abhängigkeitsbeziehungen, Parallel-
entwicklungen und Überkreuzungen zumindest im Augenblick. Aber
wenn bei der Vergleichung soviel, was zu verbinden ist, auffällt,
sollte das doch nachdenklich stimmen.

Zu einzelnen Noten [1]) von Dr. R. McL. WILSON auf S. 692 f.:

Zu p. 117: Die Anführung von παντοκράτωρ besagt für unseren
Zusammenhang nichts. In Ap Ad ist dagegen παντοκράτωρ als
der jüdische Schöpfungsgott gleich Σακλᾶς, aber nicht Sabaoth.

Zu p. 128: Der Gegensatz von Hebräern und Christen in Ev Phil
Log. 6 könnte in der Tat eine Parallele im Gegensatz von
Weltkindern und Sethkindern haben.

Zu p. 133: Die Wiederkunft Jesu als Menschensohn wird im Martyrium des Jakobus betont, wie es Hegesipp schildert. Hierbei
handelt es sich um einen Menschensohn voll Hoheit. Das wird
auch durch die neuere Literatur nicht geändert.

Zu p. 135: Der Hinweis auf 1 Cor 2, 8 verdient Beachtung. Doch
zunächst ist — zur Bedeutung von Archon — sicher im gnostischen Text nicht von irdischen Herrschern die Rede. Aber
auch bei Paulus darf man hier kaum mit einer Umdeutung
rechnen. Vielmehr ist doch sowohl bei Paulus als auch in Ap Jc I
von Geistermächten die Rede, die im Kosmos walten. Hier liegt
auch bei Paulus ein gnostischer Zug vor.

Zu p. 136: Nach nochmaliger Überprüfung des Photos muss ich
die Ergänzung auch jetzt als gesichert ansehen. Die Doppel-
deutigkeit, die nach McL. WILSON vorliegt und eine gnostische

---

[1]) = Addenda et Postscripta, I.

Umdeutung beinhalten würde, wäre möglich. Das würde aber meine These von der Übertragung des Inhalts von Jesus auf Jakobus nur stärken.

Zum Referat von Dr. R. McL. Wilson:

Herr Dr. McL. Wilson hat S. 524 zu Unrecht die Verführung der Archonten mit ihrer sexuellen Begierde und den sich daraus ergebenden Vergehen gegenüber Eva zusammengeworfen. Das sind zwei verschiedene Traditionsstücke des Mythos, die séduction des Archontes und die fornication des Archontes. Allerdings sind beide typisch für eine Darstellung des sinnlichen Wesens der Archonten. Bezeichnend ist, dass ja in der Schrift ohne Titel des Codex II von Nag Hammadi beides vorkommt; hier findet sich ausdrücklich die séduction des Archontes in derselben Weise wie bei Mani als Wirkung der Lichtgottheit auf die bösen Archonten. (Vgl. meinen Artikel: „*Der Manichäismus in Lichte der neueren Gnosisforschung*", in: *Christentum am Nil*, hrsg. v. K. Wessel [Recklinghausen 1964], S. 114-123).

III

ZUR FRAGE EINES GNOSTISCHEN MITANGEREGTSEINS
DER PAULINISCHEN BILDTHEOLOGIE

VON

KARL PRÜMM

Paulus hat den erhöhten Christus als den Herrn der Doxa (1 Kor 2, 8) in seinem Damaskuserlebnis als geheimnisvoll sich selbst mit der Kirche gleichsetzend erfahren (Apg. 9, 4). Damit war für ihn der Weg frei zu einer engen Verknüpfung der eschatologischen Heilsgüter der Erlösten mit den in Christus gegebenen vorbildlichen Seinswirklichkeiten. Eine der vornehmsten Weisen diesen Zusammenhang sichtbar zu machen ist der Nachweis eines Zusammenhangs zwischen der in Christus bestehenden eikon-Beziehung zum Vater und einer ähnlichen der Erlösten zu Christus, ein Zusammenhang, der sich für sie als Mittel (man könnte sagen als

Durchgangsstufe) zur Feststellung desselben eikon-Verhältnisses gegenüber dem Vater erweist [1]).

Paulus ist der einzige eikon-Theologe des Neuen Testamentes. Diese seine Eigenständigkeit wird von manchen Forschern als Anreiz empfunden, zeitgenössische Sonderanregungen außerbiblischer Herkunft auf ihn in Erwägung zu ziehen. Eine nähere Einzelüberprüfung der Rückverbindung der Texte ergibt jedoch, wie vor langen Jahren schon H. Windisch festgestellt hat, als (an sich ja auch schon viel wahrscheinlichere) Quelle die alttestamentliche Sapientialtheologie, in ihrer christologischen Kraft von Paulus erkannt durch die Tatsache des vom Herrn selbst geoffenbarten metaphysischen Sohnesverhältnisses seiner eigenen Person zum Vater, verstärkt durch die bei Mt 11, 19 und Lc 7, 3 wenigstens implizit bezeugte Selbstgleichsetzung Jesu mit der *sophia*. Die sapientiale Anknüpfung, die dem Herrenwort bei den beiden Synoptikern zugrunde liegt, läßt nur den offenbarenden Zweck des Einstiegs der Weisheit in die Menschheit durchblicken; Linien zur Erlösungsbetätigung sind kaum angedeutet, geschweige denn daß etwas verlautete von dem Fall der Weisheit, der ihren Abstieg in eine Parallele rücken würde zu gnostischen Erlöserabstiegen. Gleichwohl besteht heute eine Neigung zum Ansatz solcher Zusammenhänge, wodurch diese neutestamentliche Textgruppe mit der Frage nach den Anfängen der Gnosis verquickt worden ist.

a) R. Bultmann beobachtete schon in "Die Geschichte der synoptischen Tradition" (120) mit Recht Linien von Jesus als dem Weisheitslehrer des Neuen Bundes zur alttestamentlichen Weisheit, verstand sie aber als Trägerin eines Descensus-Mythus. Zugang zum heutigen Stand: U. Wilckens in ThWbNT VII (1964) 508-609.

Methodisch erfordert ist bes. bei zeitlicher Nachordnung des äth. Henoch 42 (dessen Bildsprache den "descensus" der Weisheit deutlicher malt) nach Sir., um aus Sir 24 eine wirklich mythische Descensus-Schilderung zu gewinnen, die Annahme, daß der Ascensus wegen Identifizierung der Weisheit mit dem Nomos ausgefallen sei (509). Von dieser ungesicherten Exegese ist dann weiter abhängig

---

[1]) Sämtliche eikon-Texte des Apostels sind in der 1968 bei Otto Müller in Salzburg erscheinenden Monographie des Verfassers über 2 Kor 3, 18 als Hintergrund mitbehandelt. In dem gleichen Buch werden die hier nur ganz kurz zusammengefaßten alttestamentlichen Grundlagen der paulinischen eikon-Lehre sowie auch die philonischen Vergleichsstoffe weiter ausgeführt. S. einstweilen *Diakonia Pneumatos* I und II, Rom 1967 und 1962 (Indices, Nachweise unter Bild).

die Deutung der wichtigen Stellen, von denen schon Bultmann ausging: Lk 11, 49 mit der Mt-Par 11,23 u. Lk 13, 34 f mit der Mt-Par 23, 37-39 als Anspielungen auf eine ebenfalls mythische Weisheit im Hintergrund, die mit dem historischen Jesus schon in der synoptischen Tradition identifiziert sei.

b) Einen wesentlich von der Prädikation Christi als *unserer Sapientia* (in 1 Kor 1, 30) ausgehenden Beweis für den Bestand einer *gnostischen sophia-Christologie* in Korinth hat U. Wilckens ausführlich vorgelegt in seinem Buch "Weisheit und Torheit", Tübingen 1959; vgl. dazu die Ausführungen des Verfassers ZkTh 87 (1965) 399-422; 88 (1966) 1-50. Ähnlich, von anderen Texten ausgehend, darunter im besonderen den eikon-Stellen von 2 Kor 3, 18 mit 4, 4, W. Schmithals," Die Gnosis in Korinth", Göttingen 1956. Die ganze Terminologie dieser beiden Stellen ist jedoch vom hier vorliegenden literarischen Genos eines Midrasch zu Ex 34 deutbar, von dem aus sogar die Assoziation zu *eikon* als Christusbezeichnung (unter Auswertung für das Heilsziel der Erlösten) erklärbar wird, so daß die ganze Ausführung in eine klassische Zusammenordnung der Erlösten und des Erlösers unter dem Gesichtspunkt der eikon einmündet in 2 Kor 3, 18.

Die Bestimmtheit, mit der man eine von gnostischem Mythos unbeschwerte alttestamentliche Weisheitsspekulation als einen auf die Sapiential- und eikon-Christologie des Paulus wirksamen Antrieb ansetzen kann, fußt auf der Beobachtung, daß Paulus offenbar von der kosmologischen Stellung der Weisheit und von ihrer ganz umfassenden Heranziehung zur geistigen Bewältigung der intelligiblen Wirklichkeit durch die Weisheitsliteratur, der übrigens ein soteriologisch auswertbarer universalistischer Zug nicht abging, zu seiner christologischen Linienführung veranlaßt worden ist. Es ist nicht zu übersehen, daß nach vollendeter Christusoffenbarung manche Formulierungen der Weisheitstexte, wie gerade die von ihrem Herabsteigen, von ihrer Wohnungnahme und Ähnliches zur Verwerdung für einen Tiefeneinstieg in das vollzogene Menschwerdungs- und Erlösungsgeheimnis psychologisch sich geradezu aufnötigen konnten.

Die Weisheitsbücher zeichneten sich vor den übrigen Büchern des A.T. aus durch ihr unter Verwertung stoischer Anregungen ausgeweitetes Weltbild, das von Schöpfungsgedanken aus in engste Beziehung zur Weisheit trat. Diese Hypostase, die zwar von Gott nie personal deutlich abgelöst, aber durch die eben genannten An-

deutungen ihrer auch geschichtlichen Annäherung an die Menschheit mit messianisch deutbaren Zügen bereichert worden war, verlieh
auch diesen Schilderungen einer Art von messianisch ausdeutbaren
Weisheitsbetätigungen einen gewissen Vorsprung vor den Messias-
vorstellungen der übrigen Bücher, die entweder von dem in Gen
1, 26 entworfene Menschenbild oder von der Königsgestalt aus-
gingen, um einen Rahmen zur Entfaltung der messianischen Betäti-
gungen zu gewinnen. Während Paulus die sapientialen Spitzentexte
über Beziehungen der Sapientia zu Jahwe schon früher zur Herausarbeitung der für sein Christusbekenntnis so wichtigen Tatsache
der Wesensgleichheit des präexistenten Kyrios mit dem Vater ver-
wirtet hat (besonders in 2 Kor 4, 4 mit 3, 18), hat er die Tragweite
des Bildgedankens für die Erarbeitung der universal-kosmischen
Primatstellung Christi erst in den Gefangenschaftsbriefen, vor allem
in Kol 1. 14 ff. entfaltet. Auch für diese Linie seiner eikon-Theologie
reichen die alttestamentlichen sprachlichen und ideologischen
Ansätze vollkommen aus; vielleicht könnte die Begegnung mit dem
Alexandriner Apollos, von dessen Weilen in Ephesus an der Seite des
Apostels man in 1 Kor 16, 12 erfährt, auf die Entfaltung dieser Linien
einen gewissen Einfluß ausgeübt haben. Mit diesem Hinweis eröffnet
sich auch der Blick auf die Möglichkeit einer Anregung von Philo's
eikon-Spekulation auf die des Paulus. Doch unterscheidet sich die
doppelte Reihe der paulinischen eikon-Aussagen, die anthropolo-
gische und christologische, über die im einzelnen an anderer Stelle
ausführlich gehandelt wird,[1] von der bei aller Anlehnung an die
alttestamentliche eikon- und sophia-Theologie stark philosophisch
überformten philonischen Begrifflichkeit so erheblich, daß eine kurze
Vergegenwärtigung einiger Grundtatsachen der philonischen eikon-
Lehre genügen kann, um die Eigenständigkeit des Apostels dem
Philosophen gegenüber zu veranschaulichen. Man beachte besonders,
daß bei Philo das Heilsgeschichtliche und vor allem das Messianische,
das bei Paulus beherrschend ist, entfällt.

Philo greift unmittelbar die alttestamentliche Weisheitsspekulation
auf, wenn die sophia als Subjekt einer eikon-Aussage steht. Das wird
dann noch unterstrichen, wenn sie zugleich auch noch arché benannt
wird (so Leg. II, 176). Von hier aus lag der Einfluß stoischer Gedanken freilich offen.

Da sophia auch ein Begriff der menschlicher Erfahrung ist (so ja

---

[1]) S. die vorausgehende Anm.

vielleicht zum überwiegenden Teil auch schon bei der alttestamentlichen Weisheit), so lag von da her schon ein Anstoß zur Bildung der Antithese himmlische und erdhafte sophia nahe. Die Antithese tritt auf schon an der letztgenannten Stelle.

Die Doppelberichte der Genesis von der Menschenschöpfung, wird für Philo Anlaß zur Lehre von einem doppelten Menschen, der je in besonderer Weise eikon Gottes ist. Sobald Philo logos, in etwa auch wenn er noûs einführt, gerät er leicht auf die Bahn platonischen Schichtendenkens. Die ohnedies von ihm als Zweiheit einer je besondern Menschenschöpfung verstandenen Genesisberichte werden im Sinne der platonischen Ideenlehre gedeutet. Der zweite Bericht, der von Genesis 2, 7, der in der Tat das Erdhafte des Menschengefüges mehr betont, wird auf den empirischen Menschen bezogen. Daraufhin steht für den ersten, den von 1. 26 f, die Benennung himmlischer Mensch offen. Ihn im Sinne der platonischen Idee eines vollkommenen Menschen zu verstehen verrät Philo die stärkste Neigung. Doch stellt sich natürlich die Schwierigkeit ein, daß Plato die ideale Welt als eine ewig seiende, wirklich reale, überempirische Welt versteht, während für ein biblisches Denken eine außergöttliche Präexistenz nicht zulässig ist. Unter starker Vernachlässigung dieser Schwierigkeit, die er wohl wegen der im damaligen Judentum schon anerkannten Präexistenz einer guten Anzahl heiliger Gegebenheiten (wie der Thora, der Stiftshütte u.ä.) weniger fühlte, [1]) entfaltet Philo die Antithese vom himmlischen und irdischen Menschen unter Zuweisung einer je besonderen Art von eikon, einer höheren und einer mehr unvollkommenen an die beiden Inhaber dieser Benennungen. Der sprachlichen Absicht der Wendung κατ' εἰκόνα der Genesis-Berichte zuwider, empfindet er das damit bezeichnete Verhältnis von Nachbild zu Urbild, Mensch zu Gott, als eine Stufe unter dem mit der glatten eikon-Benennung ausgedrückten Verhältnis. Das Recht auf die glatte eikon-Benennung kann Philo freilich, den Aussagen der Schrift entsprechend, auch dem irdischen Menschen nicht absprechen und er erläutert den echten Sinn z.B. Plant 18f: Der Mensch ist eikon Gottes, nicht eikon gewordener

---

[1]) Die neuere Philoforschung macht darauf aufmerksam, daß Philos Verbindung mit Plato stark an den Mittelplatonismus gebunden ist. Dort galten die Ideen schon nicht mehr als göttlich und real präexistent ewig, sondern als geschaffen (vgl. P. GERLITZ, *Außerchristliche Einflüsse auf die Entwicklung des christlichen Trinitätsdogmas*, Leiden 1963, 140 [Hinweis auf Albinus]).

Dinge. Das gilt aber laut Op. Mund 69 nur für die Seele, den Hauch Gottes (den Logos in uns).

Als ernstlich zu erwägender Fall einer Rücksichtnahme des Apostels Paulus auf Philo kommt nur die Entgegensetzung der ersten und zweiten Adam in 1 Kor 15, 45-49 in Frage, und es ist für den heutigen Zug der Forschung wieder bezeichnend, daß eine solche (an sich, im Sinne einer antithetischen Rücksicht) sehr wohl verständliche Beziehung heute vielfach unter Ansatz eines gleichzeitig miteinspielenden gnostischen Einflusses vertreten wird.

Die beiden Gen-Texte 1, 26; 2, 7 sind z.B. in die Frage der Anfänge der Gnosis gerückt durch die Art, wie J. Jeremias im ThWb I 143 für 1 Kor 15, 45-47 das Verhältnis der paulinischen Typologie 'Adam-Christus' zur philonischen Entgegensetzung 'Erster-Zweiter Mensch' bestimmt. Daß der paulinischen Antitypik eine von Paulus unabhängige Tradition wenigstens zur Seite geht, ist von Jeremias anerkannt (141). Für die Bezeichnung des Adam von Gen als des 'ersten' lagen rabbinische Vorprägungen vor. Jeremias glaubt jedoch, die Besonderheiten der Sprache Pauli in ihrer teilweisen Übereinstimmung mit Philos Kennzeichnung des Idealmenschen in OpMund 134 (mit LegAll I 31 ff und ConfLing 146) als dem empirischen Menschen überlegen, nur vom Rekurs auf einen beiden, d.h. Philo und Paulus, vorliegenden orientalischen Erlösermythus aus verstehen zu können. Schwerlich vertretbar ist aber (abgesehen von der starken Parallelisierung des philonischen Urmenschen mit Christus) die Beschlagnahme von 1 Kor 15, 46 für die Leiblichkeit des Christen, der zuerst den physischen Leib trägt. Die eikon-Theologie von 1 Kor 15 bedarf, das zur Zeit von 1 Kor schon erreichte Stadium der paulinischen Theologie vorausgesetzt, dieses Umweges über gnostische Hilfen kaum [1]).

---

[1]) Auf die Ausführungen von E. Brandenburger, *Adam und Christus. Exegetisch-religionsgeschichtliche Untersuchungen zu Röm.* 5, 12-21 (1 *Kor* 15), Neukirchen 1962, und weiterer neuester Literatur zur Sache kann hier nicht eingegangen werden.

PERSPECTIVES DE LA RECHERCHE SUR LES ORIGINES DU GNOSTICISME

PAR

UGO BIANCHI

LE GNOSTICISME ET LE MONDE INDO-IRANIEN

a) *Les Upanishads (et le Bouddhisme)*

La discussion „gnosticisme-Iran" ne se limite pas aux questions relatives à la priorité entre le gnosticisme syro-égyptien et le gnosticisme iranien, que nous avons abordées dans notre relation (ci-dessus, p. 23 ss.). La contribution iranienne peut et doit être considérée pour d'autres questions essentielles concernant l'origine ou les présupposés du gnosticisme: et ceci non seulement au niveau des arguments de l'école *religionsgeschichtlich* (sur lesquels Widengren insiste dans sa conférence) mais sur la base aussi d'autres aspects, soulignés par Closs, Bausani, Gnoli, et par moi-même.

Il faut commencer par la thématique de l'école *religionsgeschichtlich*, dans la version du Professeur Widengren. Ce savant distingue, dans la comparaison Iran-gnosticisme, deux complexes thématiques: le complexe phénoménologique et le complexe historique, alors que l'école *religionsgeschichtlich*, en considérant (au moins dans ses commencements) surtout le premier, avait pu autoriser des critiques tendant à contester le bien fondé historique et chronologique de ses réconstructions.

Nous croyons tout d'abord que la comparaison instituée par Widengren entre le dualisme anticosmique gnostique et le monde des *Upanishads* et leur dualisme anticosmique (insistant sur la mâyâ, l'illusion de ce monde, plutôt que sur le drame, de style plus „occidental", de la tyrannie „démiurgique") [1] est fondamentale et, selon nous, définitive pour ce qui est de la question phénoménologique et — peut-être —

---

[1] Une négation de la réalité des choses d'en bas si trouve cependant dans des textes tels que 34,5 des Odes de Salomon: „... en bas il n'y a rien, mais il ne parait (y avoir quelque chose) qu'à ceux qui ne possèdent aucune connaissance" (cité par PUECH, *Ann. du Collège de France*, 63 (1962-63), p. 209). La question du docétisme se rattache à des présuppositions métaphysiques semblables (cfr. *supra*, p. 13 s.)

historique (cfr. déjà son article de la ZRGG IV (1952), p. 57 s.) [1]). En effet, *c'est justement cet aspect commun de la spéculation upanishadique et gnostique qui justifie l'importance d'une conception historico-religieuse de la question des origines du gnosticisme.* Il est évident que cet aspect commun de la spéculation upanishadique et gnostique élargit de façon significative la problématique et la perspective: ce fut justement l'orphisme, un phénomène mysteriosophique [2]) du VIe siècle, qui insista le premier, en Occident, sur l'anticosmisme et sur ce que nous appelons la formule dualiste-moniste. Ne propose-t-elle pas, cette contemporanéité des deux mouvements, l'orphisme en Occident et le début de la spéculation upanishadique en Orient, un aspect typique de cette époque, le VIe siècle av. J.-Chr., que déjà Jaspers appelait l'une des périodes axiales de l'histoire de l'esprit?

Widengren, il est vrai, ne manque pas de souligner l'aspect assez impersonnel des protagonistes de l'opposition upanishadique (le Brahman, qui est un ,principe', et ce monde d'illusion): mais il ne faut pas considérer seulement le caractère plus ,,personnaliste'' de cette thématique dans la version occidentale, méditerranéenne, grecque et hellénistique, mais bien aussi l'aspect assez impersonnel attribué à la Divinité suprême soit dans la mystériosophie orphique, soit dans le gnosticisme, du Bythos valentinien à l',Inexistant' basilidien; ce dernier n'étant pas sans rappeler, pour certains aspects (que Quispel a bien défini comme ,,narcotiques'', et qui sont aussi, somme toute, *quiétistes*), ce Principe suprême qu'est le Tao, dans une spéculation probablement inspirée aux *Upanishads* [3]).

b) *Le zurvanisme et le gnosticisme*

Mais Widengren ne s'arrête pas aux *Upanishads*. Il considère en général la pensée indo-iranienne. Selon notre avis, cette vue pourrait aussi

---

[1]) Cfr. aussi, dans ce Colloque, les considérations de Conze, pour le bouddhisme (dont l'aspect gnostique et dualiste nous semble à souligner: un dualisme qui paradoxalement ignore un de ses pôles, celui de la vie, mais qui ne cesse de juger ce monde de mort par rapport à la libération dans la non-mort!). Pour la *jñāna* cfr. aussi la contribution du P. Patti, et pour une comparaison Inde-gnosticisme les contributions Closs et Vesci.

[2]) Sur la signification de ce terme, cfr. *supra*, p. 10.

[3]) D'autre part, le taoïsme n'est pas sans attaches avec une spéculation cosmogonique de type asiatique oriental (Yin-Yang). Parmi les docteurs gnostiques, Basilide est celui qui s'approche le plus des thèmes de la mystique dualiste-moniste asiatique: le *karma* (pour sa doctrine de l',,âme ajoutée''), la métempsychose, le quiétisme des perspectives finales, la distinction des éléments, le principe du ,chacun à sa place' (ces trois derniers aspects dans la tradition basilidienne attestée dans le traité cité par Hippolyte): cfr. *Basilide, o del tragico*, in *Studii Pincherle* (sous presse).

s'avérer féconde pour ce qui est de la possibilité d'identifier un penchant „aryen" pour une pensée „spiritualiste" [1]) implicitement dualiste, identifiant de façon ou d'autre l'esprit avec la substance ignée: et nous confions cette possibilité à la discussion de nos collègues.

Pour ce qui est au contraire d'une autre série de considérations de Widengren, concernant le *zurvanisme*, il faudrait selon nous être réservé sur la possibilité d'identifier en elles des traces authentiques d'une pensée „indoiranienne", étant donné l'âge assez récent des témoignages relatifs. Ceci dit, il faut ajouter que des éléments ne manquent pas dans la mythologie zurvanite qui montrent une certaine attitude pessimiste à l'égard de ce monde (et aussi une tendance antiféministe)[2]), bien qu'il soit très vraisemblable que cette attitude pessimiste sur le monde est conditionnée par la combinaison du dualisme zoroastrien avec l'insistance sur la destinée et le temps, qui régit ce monde avec ses rhythmes, qui impliquent la naissance et l'age mûr, mais bien aussi la décadence et la mort (la tétrade zurvanite) [3]): on ne trouve pourtant pas dans ce pessimisme zurvanite l'idée du *pneuma* déchu (à part la question de certaines spéculations pehlevies sur le *mēnōk* et le *gētīk* en fonction anticosmique: vr. pp. 722 (n.), 723, cfr. 26).

Une interprétation trop typiquement gnostique du zurvanisme serait donc dangereuse (et il faut d'ailleurs être réservé pour l'identification d'une théologie, pire encore d'une ‚religion' zurvanite, radicalement autonome par rapport au mazdéisme): tout comme, plus que dangereuse, vraiment impossible est une identification du „zurvanisme" avec la doctrine qumranienne des deux esprits, qui n'est qu'une manière, „dualiste" dans le seul sens anthropologique, de souligner le monothéisme juif [4]). Tout en laissant impréjugée la possibilité (vraisemblable en soi) d'une influence de la mentalité iranienne dualiste sur l'ethos judaïque (qui pourtant garde son monothéisme absolu, et fait usage de formules et de notions étrangères éventuelles pour renforcer ce monothéisme), il faut être clair sur le fait que l'intentionnalité dynamique du Dieu de Qumrân, maître de l'histoire, n'a rien à voir avec le caractère indifférencié et omni-compréhensif

---

[1]) C'est-à-dire, un certain type particulier de spiritualisme.

[2]) Pour le thème de la femme dans l'idéologie gnostique, cfr., dans ce volume, p. 724 ss.

[3]) Cfr. aussi notre *Zamān i Ohrmazd*, Torino 1958, p. 168, où nous proposons de trouver l'origine de ce pessimisme dans une dialectique zurvanite bien-mal qui détruit le principe mazdéen. L'hypothèse du Prof. Adam sur Saklas ne monopolise pas l'intérêt de son étude sur le thème zurvanisme-gnosticisme.

[4]) Cfr. *supra*, p. pp. 384-386 et XXVI, n. 1.

de Zurvan-Temps(-Destinée) [1]). Widengren, qui accepte pourtant l'hypothèse d'une influence zurvanite à Qumran (avec Michaud, Duchesne-Guillemin, Ringgren, Böhlig et d'autres), remarque lui-même que „la prédestination est typique de la littérature qumranienne", mais que „on ne trouve pas là l'idée d'une libération de la tyrannie de la *heimarmenē*, pourtant si dominante dans le gnosticisme", (et dans le zurvanisme!); or, ce fait nous paraît tranchant [2]).

En général, il nous semble que toutes les affirmations ou allusions pessimistes, anticosmiques, antiféministes et anti-génétiques des textes iraniens (qu'il soit question ou non du zurvanisme) méritent d'être considérées avec toute l'attention possible par ceux qui étudient l'origine et la typologie du gnosticisme [3]). La raison dernière de ces rapprochements possibles est à chercher selon nous dans le *caractère dualiste* de ces religions. Il est vrai — et on ne devrait jamais l'oublier — que le dualisme mazdéen n'est pas anticosmique, étant donné que le Mal opère des incursions, *venant de l'extérieur*, sur cette bonne création d'Ohrmazd qu'est le monde visible et matériel; alors que dans le gnosticisme le dualisme est typiquement anti-cosmique. Mais il faut aussi rappeler à ce sujet (comme le P. de Menasce l'a fait très heureusement) [4]) que dans toute forme de dualisme le Mal ne cesse de finaliser l'activité du Bien et l'histoire entière.

c) *L'Homme primordial et le „sauveur sauvé'*

Les autres points de l'argumentation typologique du Prof. Widengren concernent les thèmes classiques de Reitzenstein, surtout l'Homme Primordial. En effet, *le gnosticisme est essentiellement une anthroposophie*, se fondant sur le concept que le ὁ ὄντως ἄνθρωπος, l'homme *essentiel*, l'homme vrai, est aussi bien l'homme divin, la *substance divine* (et *mâle*, au niveau mystique de cet adjectif) de l'homme: cette substance anime le corps et (en même temps) est „punie", ou enfermée, par l'intermédiaire de celui-ci [5]). Cette substance ou étincelle divine n'est que l'émanation (ou la substance en état de chute) de l'homme pneumatique, „adamantin", qui est *dans* le plérôme

---

[1]) Vr. la n. précédente.

[2]) Sur le gnosticisme et Qumrân cfr. *infra*, p.

[3]) Cfr. le texte de Zātspram cap. XXXIV, 36-40 sur la pure spiritualité, étudié par ZAEHNER, *Zurvan*, p. 343 ss. et dans ce Colloque, par Bausani: mais il faut se rappeler qu'il s'agit ici d'une perspective eschatologique.

[4]) *Shikand-gûmânîk vijâr*, Fribourg 1945, p. 84 s.

[5]) Cfr. le texte du traité naassénien „Sur l'homme", discuté ci-dessus, pp. 6, 10 n. 3 et p. 11, et notre „*Péché originel et péché antécédent*", in *Rev. de l'hist. des relig.*, 170 (1966), **117**ss.

(ou qui *est* le plérôme): une interprétation donc spécifiquement dualiste et anticosmique de la correspondance générale macrocosme-microcosme, une interprétation sur laquelle les expressions les plus classiques sont à lire dans le traité naassénien *Sur l'Homme* sus-cité, qui (avec le mythe de l'Anthropos déchu) avait surtout attiré l'attention de Reitzenstein.

Or, il est bien connu que ce savant a eu de la peine pour identifier les sources iraniennes de ce concept de l'Anthropos déchu et finalement ,,rassemblé'', qui se trouve au contraire, dans toute sa plénitude, dans le manichéisme. Nous n'entendons nullement parcourir ici avec Widengren les textes qui persuadent ce savant d'insister sur les vues de Reitzenstein pour ce qui est du ,,Sauveur sauvé''. Nous nous limitons à remarquer que Widengren lui-même n'hésite pas à souligner qu'à ce propos ,,les faits iraniens sont d'une importance capitale, mais malheureusement ils se distribuent sur des séries différentes...''.

Mais, plus encore, il nous semble que Widengren, en insistant sur le caractère de l',,Homme Juste'' en tant qu'ennemi et vainqueur (après avoir été victime) du Mauvais Esprit, rapproche trop le dualisme mazdéen, qui n'est pas anticosmique, et le dualisme gnostique. En d'autres termes, ce n'est pas tellement le pur fait que l',,Homme'' mazdéen ait des vicissitudes par rapport au Mal, qui puisse intéresser directement la question des rapports génétiques Iran-gnosticisme; ce qui intéresse est surtout la qualification, cosmique ou bien extra-cosmique, du Mal. Seulement si l'Homme est prisonnier de *ce* monde, y étant tombé, nous avons alors le dogme du gnosticisme [1]). Dans le cas contraire, on n'aurait pas une doctrine, ou une conception, mais seulement un ,,thème'', ou un motif, éventuellement utilisé par le gnosticisme (et pour lequel la question de la priorité chronologique par rapport aux textes pehlevis sur Gayōmart ne cesserait d'ailleurs de se poser) [2]).

---

[1]) C'est pourquoi nous n'accepterions pas, avec Reitzenstein (et W.), de caractériser l'idée du ,,Sauveur Sauvé'' simpliciter ,,comme le dogme central du gnosticisme''. Il est essentiel de savoir: sauvé de *quoi*? La même remarque nous semble nécessaire pour ce qui concerne le thème de l'ascension de l'âme au ciel. Ascension à partir de quoi, et pour se rattacher à quoi? Si c'est pour ce rattacher à sa partie divine, la ressemblance avec le gnosticisme serait plus spécifique: mais il faudrait que pour cela l'âme soit conçue abandonner un monde démiurgique et négativement conçu. Nous ajoutons que les mêmes réserves devraient se faire pour le *descensus* des *fravashi* dans le mazdéisme. Pour le thème du ,,vêtement'' céleste, cfr. plus bas.

[2]) La connexion zurvanite(?)-manichéenne concernant Narisah serait ici un cas

Pour ce qui est, au contraire, d'un certain aspect „passif" de l'hypostase „Homme" dans le mazdéisme pehlevi et dans le gnosticisme, cfr. *infra*, p. 726.

d) *Le vêtement céleste. La solidarité des lumières*

Bien plus que pour la doctrine relative à l'Homme Primordial, il nous semble que les considérations de Widengren soient tout à fait essentielles, dans notre question, pour ce qui est du *concept du vêtement céleste de l'âme*, que celle-ci revêtit lors de son ascension. Selon Widengren, ce vêtement n'est qu'un symbole „de cette partie de l'âme qui est restée dans le ciel", on plutôt, ajoute W., son *noûs* (son *vahman*, Vohu Manah). Nous n'avons pas le loisir de suivre ici l'argumentation de Widengren, ni de discuter les milieux religieux et doctrinaux différents dans lesquels ces conceptions peuvent trouver un sens spécifique: en particulier, pour ce qui est du *Chant de la Perle*, nous y reviendrons plus tard. Il nous intéresse ici de remarquer qu'un aspect de l'argumentation de Widengren nous semble particulièrement fécond pour la question des accointances iraniennes de la pensée gnostique: l'idée de la substance (ou „racine") lumineuse et divine, et proprement „mentale", ou mieux „noétique", qui relie les êtres divins, tel Vohu Manah, et les hommes, ou mieux l'„aspect" divin de ceux-ci [1]).

---

spécifique concernant cette composante pessimiste-antiféministe du panorama religieux iranien, dont il était question ci-dessus: mais elle ne concernerait pas la totalité du scénario gnostique, pour les raisons ci-dessus indiquées.

[1]) Pour les limites d'une comparaison gāthā-gnosticisme sur le thème de la connaissance (*cisti*) cfr. la contr. du Prof. A. Closs (et son article *Die gnostische Erlösungsidee und Zarathustra*, in *Festschrift* J. Fr. Schütz, 1954, p. 69 ss.): „Was in den Gāthās der Gnosis im allgemeinen verhältnismässig am meisten angenähert erscheint, die gehobene Rolle des Wirkens auf dem Hintergrund einer ekstatischen Praxis der Himmelsreise, bedürfte erst noch einer tiefgreifenden Veränderung der Auffassung von der Stellung des Meschen im Kosmos, die mit der Umstellung des Dualismus auf den radikalen Geist-Leibgegensatz sich traf". Closs remarque aussi à bon droit l'opposition „zwischen den Religionen mit starkem Gotterleben, zu denen der Zarathustrismus gehört, und den Selbsterlösungsreligionen, dem Yājñavalkya-Hinduismus und auch zuletzt dem Gnostizismus". Dans ces dernières les implications magiques, remarque Closs, sont présentes et liées à leur conception de l'*Erlösung*. Finalement, pour ce qui est de la *Himmelsreise* du chamanisme (et du manisme), qui a été parfois citée pour le cas de Zarathustra et pour le gnosticisme, „fehlt das Moment der reinigenden Wirkung dieser Fahrt" (Closs, op. cit., p. 87): ce qui est tout à fait tranchant (cfr. *infra*, aussi pour ce qui est de la contribution de M. Colpe). A. Pagliaro, *L'idealismo zarathustriano*, in *Studi e mater. di st. d. relig.*, 33, 1 (1962), p. 3 ss., souligne l'aspect mental, spiritualiste, voir spéculatif et idéaliste de la pensée zarathustrienne („... l'intuizione...

Cette idée d'une solidarité lumineuse Divinité-hommes [1]), médiati-
sée par les Amesha Spenta (qui pourtant s'étend jusqu'aux éléments
cosmiques et aux autres catégories d'êtres, en premier lieu le Boeuf) [2]),
devrait être étudiée dans les différents moments de l'histoire de la
pensée mazdéenne, depuis les Gāthās jusqu'à l'Avesta récent et aux
traités pehlevis.

De plus, comme le souligne Widengren, dans ces derniers, le

di un legame assai stretto fra il mondo dello spirito, che è il mondo dell'uomo,
e la realtà. Il risultato è una nuova cosmogonia, in cui una creazione sul piano spirituale informa e condiziona la creazione del mondo materiale — op. cit., p. 7).
Mais, à part que Ahura Mazda ne saurait être réduit à une hypostase de l'esprit
,,nella sua creatività universale" (ib. p. 10), étant donné son essence théiste
(cfr. le Y. 44, 2-5 etc.), et à part le fait que le concept de ,,matériel" n'est
pas négatif pour le mazdéisme (sauf les exceptions, plus ou moins clai
res, mais toujours fragmentaires ci-dessus mentionnées), la tradition phl. dit
qu' Ahriman ,,n'a pas de gētēh" (cfr. infra, p. 724 n. 2; il a une spiritualité,
si l'on veut, de signe contraire), et que Ohrmazd a aussi le niveau gētīk (matériel, manifesté), de sorte que ZAEHNER (Dawn and Twilight of Zoroastrianism,
p. 265) peut parler d'Ahriman "imprisoned in the Material World". Selon
le savant italien, on aurait dans les Gāthās une conception de la vicissitude
de l'essence spirituelle des hommes, avec son retour (mais eschatologique, non
pas anticosmique!) à ce qui est divin (p. 17). Il faut souligner qu'un aspect éthique
serait alors implicite dans cette vicissitude, mais en tout cas on ne saurait parler
d'une ,,purification" et d'une séparation du spirituel par rapport au matériel et au
terrestre, qui — au contraire — est essentielle dans le gnosticisme. (Ce spiritua-
lisme-idéalisme gathique serait à ranger, selon PAGLIARO, dans ce mouvement
du VIᵉ siècle qui intéresse l'Inde et la Méditerranée, et dont il était question
ci-dessus, p. 717: ce qui, dans les limites sus-indiquées, nous paraît d'ailleurs très
intéressant). Pour les mêmes raisons nous ne sommes pas d'accord avec GH.
GNOLI — quelle que soit la valeur démonstrative de son analyse des termes
gathiques afférents — pour admettre dans ces textes ,,il concetto di purificazione
come separazione di una sostanza divina dalla materia", surtout si le terme ,,puri-
fication" devait être pris dans le sens fort, qui serait nécessaire pour une comparaison avec le gnosticisme. Le seul argument qui pourrait favoriser cette
comparaison serait le fait que l'adhésion à l'état de ,,pureté", tel qu'il serait
impliqué par les Gāthās et leur maga, implique une libération hors de la destinée,
qui domine l'existence gētīk. Mais justement cette dernière conception ne peut
être démontrée sur la base des Gāthās (auxquelles M. GNOLI déclare vouloir limiter
son argumentation), mais sur la base des textes pehlevis. Sur les implications de
cette ,,anthroposophie" mazdéenne (et gnostique) pour la phénoménologie
religieuse générale, cfr. infra.

[1]) Le Dr. GNOLI souligne justement, à notre avis, la ,,sostanziale identità di
concetti sottostanti alla cosiddetta ,,metafisica" della luce zoroastriana e alla
mitologia della luce manichea", fondée sur ,,la sostanza luminosa che è contenuta
nel seme". Ceci rencontre nos remarques sur le fondement vitaliste du sperme-
pneuma chez les Barbélognostiques, et en général dans le gnosticisme de ce type.

[2]) Zamān i Ohrmazd, cit., p. 118 ss. C'est pourquoi le thème de la lamentation
de l'âme du Boeuf a un intérêt remarquable dans notre question, plus encore
que celui du descensus des Fravashi (v. la relation de Mme. GASPARRO).

scénario tripartite Lumière-Ténèbre-Vide/Vent (ce dernier étant leur intermédiaire) a quelque chose en commun avec le schéma tripartite des Ophites spéculatifs, particulièrement les Séthiens d'Hippolyte ou les gnostiques d'Irénée I, 30, 1-14, avec leur Pneuma intermédiaire et cosmologique [1]): mais il ne faut pas oublier que chez les Ophites cette structure est fortement „unitariste" (et non seulement dualiste: cfr. *supra* pp. 6 et 8), bien que l'aspect dualiste, comme dans tout gnosticisme, reste toujours fondamental et dirimant. Loin de commencer par l'idée d'une ténèbre qui a en elle le pouvoir d'attaquer qui que ce soit, le gnosticisme, ou du moins le gnosticisme syro-égyptien, se fonde sur l'idée que le commencement de tout le drame (et du „mélange") a été causé par la dégradation-„devolution" de l'élément divin, et non — comme dans le gnosticisme iranien et dans le mazdéisme — par l'initiative divine tendant à mettre en branle une machine destinée à éliminer pour toujours la présence implicitement menaçante d'un Mal belliqueux, „coëternel" à elle. Et le fait reste toujours, que le monde matériel n'est pas mauvais ni „démiurgique" chez les mazdéens, en dépit de quelques allusions ou implications contraires (d'ailleurs difficilement datables: influence gnostique classique?); et il faut aussi tenir compte des remarques de Molé [2]) sur le caractère *eschatologique* (et non pas simpliciter anti-cosmique) de certaines positions mazdéennes envisageant l'abstention de la nourriture et de la vie sexuelle, et un retour du cosmos à ses origines „spirituelles" [3]).

Un autre aspect de la pensée mazdéenne qui pourrait intéresser ici est la conception d'une création „descendante", avec des „êtres intermédiaires", émanés de Dieu [4]), et bien aussi ce „doppio processo, di mitizzazione-personificazione „stile gnostico" di concetti astratti, e di angelizzazione [5]), su quel modello, di antiche personalità divine", dont Bausani parle dans ce Colloque [6]). A part la notion impliquée d'une connaturalité lumineuse des êtres bons, déja mentionnée dans ce contexte, il faut pourtant souligner que cette création descen-

---

[1]) WIDENGREN cite aussi la *Paraphrase de Seem*.

[2]) *Revue de l'hist. des relig.*, 155 (1959), p. 145 ss.

[3]) Pour cet aspect, et d'autres, pouvant intéresser le thème gnosticisme-Iran, cfr. nos remarques „Numen" XII, 3 (1965), p. 173 s. et *Zamān i Ohrmazd*, cit., p. 121 s.

[4]) *Zamān i Ohrmazd*. cit., p. 121 s., et *Numen*, l.c.

[5]) Une conception très différente par rapport à celle des anges des religions monothéistes, „meri servi di Dio e da lui creati".

[6]) Cfr. aussi p. 173 s. de l'article de *Numen* cité ci-dessus, n. 3.

dante d'êtres connaturels (lumineux) n'implique nullement, dans le
mazdéisme, une „dévolution" dualiste du divin. Au contraire, le
blasphème suprême pour le mazdéen est que "the increaser and the
destroyer are the same", et que l'Esprit destructeur "created water,
the earth, plants, and other things" [1]), alors que le blasphème du
démiurge du gnosticisme est justement de ne pas se contenter de son
rôle de créateur matériel, et de nier la Divinité supérieure et le monde
pneumatique. De façon parallèle, le *kosmos* est la prison du gnostique,
alors que le type du „mélange" mazdéen est "Ahriman imprisoned
in the Material World" [2]), en tant qu'agresseur extérieur de la création
de Dieu.

II. LE GNOSTICISME ET L'ASIE ANTÉRIEURE

a) *Féminin, vicissitude de la vie et salut. De la Mésopotamie-Syrie aux
„premiers gnostiques"*

Il nous semble qu'à propos des „premiers gnostiques" (Simon et
Ménandre) une évaluation soit nécessaire de l'aspect „féminin"
d'une grande partie du complexe théologique gnostique: un aspect
qui est tellement spécifique, qu'on ne saurait accepter sans réserve la
distinction entre systèmes gnostiques à type féminin et à type masculin.
Certes, il est significatif que justement Satornil, qui est présenté
par la tradition hérésiologique en liaison avec la lignée simonienne,
ignore complètement le personnage de Sophia-Ennoia, et souligne
au contraire l'idée d'un démiurge unique, identifié avec le dieu des
Juifs. On pourrait soupçonner, sur la base de ce fait, que justement
le gnosticisme antibiblique soit secondaire par rapport à un gnosticisme „païen", fondé sur l'idée du dualisme des niveaux et de la
„dévolution" du divin: ce deuxième gnosticisme aurait perpétué
la connexion platonicienne entre le féminin et l'idée de la dégradation
dans la série des êtres [3]). Mais il faut peut-être hésiter à accepter
cette hypothèse chronologique, étant donné le fait que ces deux
personnages ambivalents de la pensée gnostique, appartenant chacun

---

[1]) ZAEHNER, *Dawn and Twilight of Zoroastrianism*, p. 267.

[2]) *Ibid.*, p. 265: le même A. (*Zurvan*, p. 180) cite *Dd.* 18.2, selon lequel Ahriman
„n'a pas de *gētēh*"; *Bd.* A. 14 (*ibid.* pp. 282, 317, restauré) Ohrmazd a, au contraire, les deux niveaux, *mēnōk* et *gētik*.

[3]) Nous nous référons à la théorie du *Timée*, selon laquelle la première incarnation de l'âme serait masculine, et seulement la deuxième, plus enfoncée dans
l'irrationnel, féminine. Cfr. ci-dessus, p. 13.

à un des deux niveaux admis par l'ontologie gnostique, „Sophia" et le Démiurge (ou les démiurges), s'accordent bien dans le même scénario, bien que l'idée d'un démiurge anti-divin ne paraisse pas nécessaire à tout gnosticisme (Vr. *supra*, p. 17 s.).

Dans sa contribution au Colloque, le Professeur Foerster, après avoir cité les connexions *religionsgeschichtlich* de l'Hélène simonienne, ajoute: „aber diese Beschränkung des Bildes Simons auf ungnostische Züge scheint mir unmöglich". En effet, il arrive que justement dans l'analyse *religionsgeschichtlich* de l'Hélène simonienne (et en général de tout personnage ‚dévolutif' du type de Sophia) on peut surprendre, à notre avis, un aspect essentiel de la pensée gnostique. Non pas dans le sens que ces personnages s'„expliquent" par leur *identification* aux ‚grandes déesses', mais dans le sens que dans ces personnages se reflète une vision du monde impliquant une attitude nouvelle, une interprétation nouvelle de cette vicissitude cosmique, de la vie et de la genèse, qui étaient patronnées justement, selon la tradition proche-orientale et méditerranéenne, par les grandes déesses[1]). Cette sorte d'union paradoxale entre la vitalisme et l'anticosmisme, et entre le monisme et le dualisme, dont il était question ci-dessus, p. 5 s., nous semble justifier l'ambivalence et le dédoublement de Sophia, et d'Ennoia-Helena, qui ne doit pas être blasphémée, mais qui en même temps est déchue au niveau le plus bas de l'existence féminine. Les attaches possibles et partielles d'Ennoia et de Sophia gnostiques avec la Sagesse judaïque n'en restent nullement exclues, mais les figures gnostiques résultent en tout cas coordonnées et subordonnées à une mythologie de la „dévolution" du divin, qui a ses sources ailleurs. [Vr. maintenant le nouveau traité Cod. VI, 13,16— *supra*, p. 82 —: „ . . . Ich bin die Dirne und die Ehrbare" (une expression qui ne se trouve pas dans le *Traité s. titre* 162, 7, dans le passage relatif à Eve)].

Si l'on considère, après ces figures emblématiques du féminin dans la mythologie gnostique, le *féminin* lui-même, on ne saurait se méprendre sur le caractère pareillement ambivalent et double qui lui revient souvent dans le gnosticisme. Des textes comme ceux de l'*Hypostase des archontes*, sur la femme *pneumatikē* qui instruit Adam (elle est maître de gnose et en même temps est proclamée par lui „mère des vivants"!) sont formels: „*Du bist es, der mir das Leben gab;*

---

[1]) Cfr. *supra*, p. 9 s., et notre article *Initiation, mystères, gnose*, dans le volume éd. par C. J. BLEEKER, *Initiation*, Leiden 1965, p. 154 ss.

du wirst die Mutter der Lebendigen gennant werden. Sie ist nämlich meine
Mutter, sie ist der Arzt, das Weib und die, die geboren hat" [1]). (C'est, en
général, le thème de Norea). En même temps, le féminin se présente,
p. ex. dans le *Traité sans titre*, comme englobant, avec la genèse, tout
le complexe (le cycle) de la vie humaine terrestre, de la naissance, par
le mariage, jusqu'à la mort: un cycle qui a la couleur sombre du destin:
qu'on se rappelle, dans le contexte de la naissance d'Eros du sang
de Pronoia (la *syzygos* de Jaldabaoth) dans le *Traité sans titre*: „*so wuchs*
auf der Erde die erste Lust empor. Das Weib folgte der Erde. Und die
Hochzeit folgte dem Weibe. Die Geburt folgte der Hochzeit. Die Auflösung
(euphémisme = la mort) [2]) *folgte der Geburt"* [3]).

La conclusion nous semble évidente, que l'ambivalence du féminin,
et de ses emblêmes Ennoia-Helena et Sophia, ne s'explique qu'à
partir d'une révolution anti-cosmique, qui a renversé les valeurs d'une
religion traditionnelle, centrée sur les cultes de fécondité, mais qui
n'a cessé de penser dans des catégories sensiblement analogues,
surtout pour ce qui est du concept du cycle: la vicissitude de la vie
féconde, qui sombre chaque saison dans les enfers, s'étant métamor-
phosée dans la vicissitude, ou dans la ‚dévolution', du divin (de la
„vie"), dans un monde inférieur chaotique sans forme ni *vie* [4]).
On peut se demander pourquoi le sujet de la vicissitude soit dans les
cultes de fécondité le génie mâle, alors que le gnosticisme parle
d'une chute de Sophia. Mais il faut distinguer entre le *sujet* et la
cause de la vicissitude. Le vrai sujet terminal de la vicissitude, la
vraie victime, depuis Tammuz jusqu'à l'Anthropos du gnosticisme,
est toujours l'élément mâle, engagé dans le cycle, p. ex. dans le traité
naassénien: alors que l'élément féminin pourrait se définir plutôt la
cause motrice (*positive* dans les *cultes de fécondité* [5]), *négative* dans le
gnosticisme) *de la vicissitude*, une cause qui en même temps *transcende*
la vicissitude (la Sophia céleste que les archontes ne peuvent saisir;

---

[1]) 137, 14-17, trad. Schenke. On peut rappeler, pour cette fonction institutrice,
la prostituée d'Enkidu, dans le poème de Gilgamesh.
[2]) Böhlig.
[3]) 157, 21-25. Suit l'origine des végétaux. Böhlig rappelle les analogies mythologiques grecques.
[4]) Cfr. notre argumentation *supra*, p. 6s.
[5]) Mais d'une positivité qui n'est pas sans ambiguïté, étant faite pour assurer
le cycle vital de la nature et du pays, mais écrasant l'individu, qui reste subordonné
à ce cycle. Cfr. la phrase citée de Gilgamesh, quand il se réfuse aux noces avec la
grande déesse: „Tu es un palais qui écrase le vaillant" (VI, 35): *Initiation*, cité,
p. 163, cfr. *infra*, p. 735 n 1.

mais déjà l'Ishtar impassible) [1]), *l'incorpore et la symbolise*, bien que de façon emblématique et *une fois pour toutes*, au commencement des temps ou sans retour cyclique (la chute initiale de la Sophia inférieure; mais déjà Ishtar tombée une fois, et seulement une fois, dans les enfers). De ce chef, le féminin est dans le gnosticisme illumination et impassibilité dans son aspect céleste (la femme céleste et Norea de l'*Hypostase des archontes*); tandis que dans son aspect terrestre (Eve du même traité) elle est cause, moyen et „lieu" de la chute et du destin.

D'où il arrive que la libération de l'élément mâle, avec la dévaluation du féminin (déchu) et de la *genesis* (cfr. *Ev. Th.*, 114), peut s'harmoniser avec l'exaltation d'un Etre divin féminin, une Barbélo transcendante et impassible, qui a des traits communs avec cette „mère des dieux" qui, dans l'utilisation naassénienne du mythe d'Attis, châtie justement celui-ci pour ses noces terrestres avec la nymphe, disons avec Physis [2]).

b) *Les ‚premiers gnostiques'; le culte (et la magie) de la ‚vie'*

Il nous semble que ce dédoublement du féminin, avec son ambiguïté, commande le docétisme de Simon, et qu'il atteste, justement avec les implications dynamistes (magiques) et „païennes" de ce personnage (qui a pu être un samaritain, donc un israélite, mais soumis à l'influence païenne forte en Samarie), les connexions historico-religieuses d'un „proto-gnosticisme": l'immortalisme du *hestōs*, qui implique le vitalisme (comme chez Ménandre), se différenciant ainsi de l'attribut divin *hestōs* propre de Dieu dans le judaïsme hellénisant.

Quant à l'„historisation" de la Megalē Dynamis en tant que Simon, et d'Ennoia en tant qu'Hélène, qui cause difficulté à M. Foerster pour l'identification du caractère gnostique de la spéculation simonienne, il faut dire que justement le principe du docétisme, sur lequel le même A. attire ici l'attention dans ce contexte, est fait pour répondre à cette difficulté [3]); et ceci à part le fait que l'incorporation humaine de ces deux entités est différente

Par ailleurs, il faut remarquer que l'anthroposophie gnostique n'implique nullement que les personnages célestes et pléromatiques

---

[1]) Il est évident que nous n'impliquons nullement une réduction pure et simple de la Sophia gnostique à la grande-déesse!

[2]) Cfr. L'Anthropos du *Poimandrès*, qui ce marie avec Physis, et l'„Homme" du *Traité sans titre*, qui ne peut rentrer dans le plérôme, s'étant engagé dans le monde inférieur.

[3]) Cfr. *supra*, p. 13 s. et *infra*, p. 742 n. 1 *in fine*.

ne soient que symboles du gnostique, de sa nature intérieure et divine et de sa vicissitude, et que le moment eschatologique, comme le moment cosmogonique et la transcendance du niveau, ne soient qu'emblématiques et symboliques: l'*anthroposophie du gnosticisme est justement une théosophie*, étant donné que le principe original est la dévolution du divin (dans le sens du mot anglais *devolution* $\pm$ = dégradation): un principe dont on ne saurait donc faire abstraction. Et cette ‚dévolution' ne concerne évidemment pas seulement le niveau actuel et „punktuell" de l'existence et de la réalité [1]).

Un problème à part surgit (et Foerster le remarque) pour l'Ennoia simonienne. Rien ne dit, dans le témoignage d'Irénée, que *les hommes* aient cette étincelle divine, mais seulement que Ennoia *-elle-* est emprisonnée dans *un* corps (mieux, dans un série successive de corps). Ce point mériterait un examen à part, pour situer la position de Simon, du Simon d'Irénée, mais déjà de Justin, dans l'histoire du gnosticisme, de la sotériologie et de l'anthropologie gnostiques: *mais le gnosticisme* — nous semble-t-il — *est déjà là quand il y a la ‚dévolution' du divin.* (Foerster est plus réservé: „der gnostische Mythus ist in einer „vorläufigen" Form da… Es ist noch keine Gnosis im Sinne der Selbsterfassung als im Wesenskern göttlich…". Mais il nous semble trop peu dire que chez Simon „der gnostische Element liegt in der Rolle der Engel, die in dualistischer Weise abgewertet werden"). Par ailleurs, il faut croire que l'autodivinisation de Simon (et en partie de Ménandre) — et la divinisation d'Hélène — ne soient que la contrepartie de cette inaccomplie détermination de l'apparténance aux hommes d'une étincelle divine: car il faut tenir compte du fait *qu'on se meut chez eux non pas dans une tradition surtout monothéiste, mais dans le cadre d'une ‚magie' de la vie.*

III

LE GNOSTICISME ET LE CHRISTIANISME

a) *Remarques méthodologiques*

La question des rapports entre le christianisme et le gnosticisme est assez délicate. Il s'agit de deux courants religieux qui ont vécu pour un temps dans les mêmes lieux, parfois dans les mêmes milieux

---

[1]) Seulement dans ces limites nous serions d'accord avec la relation du Prof. MARROU. Encore moins, le gnosticisme ne saurait être réduit a une expérience „laïque" (cfr. *supra*, p. 290), bien que cela arrive chez certains de ses *avatars* dans la théosophie moderne.

sociologiques, et qui, dans des cas et chez des auteurs particuliers, sont, ou semblent, difficiles à distinguer. Ici une première caution s'avère nécessaire, soulignée particulièrement par Wilson: il ne faut pas "read back" le gnosticisme du IIe siècle dans des textes ou dans des terminologies du Ier. Mais il faut considérer aussi la réciproque, et ajouter, avec Säve-Söderbergh, que "only because a notion is known to be Gnostic in the second century, it should not therefore a priori be assigned to that century, if we cannot otherwise prove such a date of the text in which it occurs".

En particulier, le problème se pose de concilier la possibilité que dans le Ier siècle des conceptions puissent être retrouvées, qui réalisent déjà dans l'essentiel l'idée, ou le complexe articulé d'idées, qui seront propres au gnosticisme classique (celui du IIe), avec la nécessité de maintenir pour toute étude du „gnosticisme" l'usage spécifique de ce terme, analysé et défini typologiquement à partir des sectes et des doctrines gnostiques du IIe siècle, et impliquant l'anticosmisme, l'anthroposophie et la connaissance par connaturalité divine. En d'autres termes, tout usage indéfini et *vague* du terme „prégnose" devrait être ici exclu [1]), tout comme l'on devrait éviter de parler trop „selbstverständlich" — c.à.d. sans démonstration ou analyse approfondie — des textes du Ier siècle, ou de certains d'entre eux, comme d'un territoire „neutre" où des conceptions „prégnostiques" pourraient tout naturellement être présupposées à l'état de naissance. Bien sûr, on ne saurait non plus exclure *a priori* l'existence de ce territoire neutre ou de cette prégnose. Mais il faudrait alors pouvoir l'analyser et la définir scientifiquement, tout difficile qu'il soit d'étudier les faits *in statu nascendi*, ou d'analyser les situations crépusculaires.

D'autres considérations concernent l'usage du terme „orthodoxie" dans la discussion des rapports christianisme-gnosticisme, surtout pour ce qui est du Ier siècle. Il est évident que la recherche historique ne peut considérer une orthodoxie pour ainsi dire „a priori", sur la base des positions doctrinales et des polémiques du IIe s. [2]); mais il est évident aussi que cette orthodoxie du IIe s. (avec son canon d'écritures) ne saurait être considérée hors d'une perspective et d'une connexion historique très étroite avec les faits, les textes et les croyances du Ier, d'autant plus que la littérature canonique exprime déjà des critiques contre des conceptions d'apparence gnostique, critiques qui ont des lieux en commun avec les critiques des Pères

[1]) Ringgren le note aussi, dans ce Colloque.
[2]) Vr. aussi *infra*, p. 740, n. 1.

du IIe s. Il s'agit en effet de percevoir des processus historiques concrets.

De toute façon, il nous semble que cette perception, une fois qu'elle intéresse spécifiquement l'histoire du gnosticisme, ne peut sa passer de faire référence méthodologique, dans son évaluation des faits, au gnosticisme du IIe siècle: non pas dans le sens que ce gnosticisme doive être ,,cherché" dans le Ier, avec une espèce de ,,durcissement" an-historique des critères de la recherche: mais dans le sens qu'il s'agit justement de découvrir son origine, et donc de se demander *avant tout* où est-ce que ses conceptions typiques existent et où est-ce qu'elles n'existent pas; la question de la ,,préparation" ou en général du ,,pré" ne venant qu'après ¹).

Ceci nous paraît d'autant plus vrai, que des questions en partie analogues se posent pour des textes qui sont postérieurs au Ier siècle, comme l'*Evangile de Thomas*, et qui ont commencé ou continué d'exister quand le canon des Ecritures avait été déjà formulé.

Finalement, les questions concernant le thème christianisme-gnosticisme sont compliquées par le fait que le judaïsme des siècles

---

¹) Vr. *infra*. P. ex. il faut poser la question des origines des différents textes de Khenoboskion, question différente de celle si ceux-ci aient formé ou non une bibliothèque unitaire. Le Prof. Säve-Söderbergh, dans ce Colloque, conteste que la bibliothèque de Khenoboskion ait pu appartenir à une seule secte gnostique et affirme que "the library can quite as well have been brought together for haeresiological purposes". Cette affirmation du savant suédois est en fonction de sa question si vraiment l'*Ev. Thomae* est à ranger parmi les textes du gnosticisme, et nous la considérerons plus tard. Mais nous ne pouvons nous dispenser de remarquer que la dogmatique et la littérature gnostiques, même dans le contexte d'une seule secte, n'avaient pas les mêmes caractéristiques que la dogmatique et les écritures dans des églises comme la chrétienne ou la mazdéenne, le propre du gnosticisme étant justement cette multiplication ou plutôt cette variation infinie sur un thème unique: et l'existence de ce thème unique ne saurait être contestée dans des textes tels que *HA*, *Ap. Joh.*, le *Traité s. titre* etc. Le colophon d'un texte hermétique de Khenoboskion, que le savant suédois cite pour appuyer sa thèse que la biblioth. de NH ne révèle pas nécessairement une secte locale gnostique, peut selon nous s'expliquer autrement. Les mots ,,c'est le premier discours que je *vous* (donc pas à un érudit polémisant contre la gnose!) ai copié. Mais il y en a plusieurs autres... j'hésite à vous les copier, en supposant qu'au cas où il vous seraient déjà parvenus, ils vous ennuyeraient" se réfèrent aux discours d'Hermès, qui, bien que ,,palatables" à un public gnostique et constituant une ,,pièce d'appui" excellente, n'en restaient pas moins à la périphérie de cette littérature sectaire, étant donné le fait qu'ils constituaient une genre littéraire à eux, plus ,,philoso-phique", et, il faut l'ajouter, un genre très nombreux. Le copiste le dit: ,,En effet, les discours d'Hermès qui sont venus entre mes mains sont très nombreux". Ce sont donc ces faits qui produisent son hésitation, et pas nécessairement le fait (supposé par M. S.S.) qu'il ne s'adressait pas à une communauté gnostique.

Ier av. — Ier ap. J.-Chr. entre aussi en ligne de compte. Un des mérites du P. Daniélou à ce propos est dans le fait d'avoir souligné la présence d'une théologie judéo-chrétienne (dans le sens qu'il donne à cet adjectif, c.à.d. de chrétienne archaïque), qui continue toute une série de conceptions et de scénarios cosmologiques et anthropologiques du judaïsme contemporain, qui, au surplus, ont été utilisés pour exprimer certains aspects de la sotériologie chrétienne. Il s'agit donc d'évaluer de ce point de vue la portée de conceptions telles que le descensus du Sauveur, l'ascensus de l'âmc, le mauvais gouvernement du monde, le rôle des anges et des puissances, le „nom" de Dieu, etc.

Or, il nous semble que pour mener à bout, voire pour commencer une recherche sur cette thématique, il soit absolument nécessaire d'avoir à l'esprit l'essence anthroposophique et moniste-dualiste du gnosticisme du IIe s. (mais déjà, comme on l'a vu, du mysticisme orphique et pythagoricien, et, médiatement, platonicien) [1]). Autrement dit, les conceptions judéo-chrétiennes, dans le sens que ce mot a chez le P. Daniélou, ne pourront pas être considérées simplement comme le point de départ d'un gnosticisme qui n'aurait fait que transformer dans un sens nouveau, extrême, ‚périphérique' ou hétérodoxe ces conceptions; mieux, le fait que certains de ces thèmes judéo-chrétiens se retrouvent (avec d'autres implications idéologiques) dans les textes du gnosticisme du IIe siècle et du IIIe ne nous exempte pas de considérer les raisons de leur utilisation de la part de ceux-ci.

b) *Les archontes et les puissances*

Il est évident que la tâche d'affronter la question du gnosticisme débutant, par rapport au christianisme du Ier et du IIe siècles, passe à travers deux voies distinctes, bien que faites pour se croiser. D'une part, une évaluation spécifique de la littérature néotestamentaire et protochrétienne, soit pour la polémique de ces textes contre des conceptions qui pourraient être déjà celles du gnosticisme, soit pour s'interroger sur l'existence ou non d'une tendance gnostisante dans cette même littérature. D'autre part, il est nécessaire d'évaluer historiquement les figures traditionnelles les plus anciennes du gnosticisme, celles que E. de Faye appelait trop simplement les „gnostiques de la légende", Simon en premier ligne, avec Kerdon. Une troisième voie est l'étude des textes et personnages dont l'appartenance spécifique au gnosticisme a été parfois mise en question.

---

[1]) Vr. ci-dessus, p. 10 s.

Dans ces voies se sont acheminées quelques-unes des contributions
présentées à ce Colloque. Pour ce qui est des deux dernières nous
nous sommes déjà exprimé. Pour la première, il faut considérer — avec
la communication du P. Lyonnet — la communication de Mlle
Pétrement, l'une des plus circonstanciées et analytiquement engagées
de ce Colloque. La thèse de Mlle Pétrement est que le thème des sept
archontes créateurs peut s'expliquer avec le christianisme, et plus
en général que le gnosticisme est né quand on a poussé à l'extrême
le renversement des valeurs apporté par le christianisme, avec l'antijudaïsme le plus radical.

La première partie de cette formulation de Mlle Pétrement, celle
du christianisme comme renversement des valeurs et critique du
monde, vaincu par le Christ et représenté par les puissances qui le
dominaient (et en partie, il faut ajouter, le dominent), ne saurait,
d'une part, être contestée, sans que la théorie ailleurs soutenue par
Mlle Pétrement en soit pour autant autorisée, d'une affinité foncière
du christianisme avec le gnosticisme et en général avec le dualisme
(qui, lui, s'identifie presque complètement, pour Mlle Pétrement,
avec un vif concept de la transcendance divine en opposition au
,,monde''). Cette théorie nous l'avons critiquée ailleurs [1]), car elle
nous semble équivoquer sur le sens prétendu unitaire des faits
indiqués par les termes *dualisme* et *transcendance*. Mais il faut s'en
tenir ici à une question plus spécifique, à savoir si le terme ,pousser à
l'extrême' saurait ou non rendre compte de la différence entre les
formulations du gnosticisme classique et les formulations chrétiennes
(et aussi, *mutatis mutandis*, les formulations juives). En particulier,
il s'agit de savoir s'il est possible de suivre un processus historique
qui mène au gnosticisme classique en partant de positions chrétiennes,
c.à.d., selon Mlle Pétrement, en partant du renversement des valeurs
et en général de l'attitude anti-juive. De plus, il faut savoir si ces
deux choses, le renversement chrétien des valeurs et toute polémique
anti-judaïque, se ramènent en effet au même phénomène, comme le
prétend Mlle Pétrement, ou bien si ce renversement n'exprime
qu'une possibilité de cette polémique, étant donné que d'autres
types de cette polémique ont pu exister ou peuvent être imaginés:
selon Grant, une polémique de Juifs déçus après 70; selon Jonas,
une polémique de milieux para-judaïques ou influencés (bien que

---

[1]) *Il dualismo religioso*, Roma, p. 203 n. 3, et *Numen*, XIII, 2, p. 175 n. 31.

négativement, au moins en partie) par les aspects les plus évidents et universellement connus du judaïsme.

Nous voudrions nous limiter ici à deux objections à la théorie, d'ailleurs cohérente avec son hypothèse, de Mlle Pétrement. Il faut admettre, nous semble-t-il, que dans un sens „une comparaison de la littérature juive avec celle du N.T. sur ce point (le „prince de ce monde") montre que le dualisme dans le N.T. est dans l'ensemble plus tranché que dans le judaïsme de la même époque" (cité de Volz). Mais il nous semble aussi que l'explication de ce fait ne soit pas à chercher sur la ligne du „dualisme" (moins encore sur celle d'un anticosmisme potentiel), mais bien sur le fait que le chrétien se sent sauvé par le Christ, ce Christ qui a été crucifié: et que ce salut ne concerne pas seulement *tel individu ou tel peuple* mais *toute* l'humanité, toute l'histoire, tout le monde (voire tout le régime qui régit — ou régissait — un univers qui avait besoin d'être sauvé). Ces remarques pourraient réjoindre la thèse de Mlle Pétrement, si ce n'était que ce savant n'est pas disposé à différencier qualitativement cette attitude chrétienne, *qui universalise le „dieu de cet aiōn" et son pouvoir périmé en même temps qu'elle universalise le salut*, de l'attitude dualiste (dans le sens que ce terme a dans l'histoire des religions), qui abandonne ce monde et *sa substance* au dieu inférieur. Il n'en reste pas moins vrai que l'attitude chrétienne, qui connaît la crucifixion du Messie, se différencie, pour ce qui est de ce monde [1]) et de son régime avant le Christ, de la conception plus „terrestre" du salut juif. Ce dernier fait *explique la référence „horizontale" juive aux anges des nations*, entendus comme principe d'expériences désagréables pour le peuple élu, et la *référence „verticale"* chrétienne aux *exousiai* célestes — et terrestres — qui oppriment le monde: un aspect vertical des „puissances" qui — dans le christianisme — n'implique pas toutefois la dichotomie des niveaux, cosmique et supracosmique, affirmée par le gnosticisme [2]).

Pour ce qui est de l'hypothèse de Mlle Pétrement, que la doctrine gnostique des anges créateurs ne soit qu'un renforcement de la conception paulinienne et chrétienne des puissances hostiles, et qu'on y soit parvenu à travers la lutte contre le judaïsme, on ne peut

---

[1]) Mlle PÉTREMENT remarque justement: „Est-il difficile de comprendre que le supplice d'un juste est une accusation contre le monde?".

[2]) On ne saurait dire, avec Mlle PÉTREMENT, que la notion d'étranger, „qui est si caractéristique du gnosticisme, se trouve aussi (...) dans le N.T."; à part le fait terminologique, que nous laissons aux biblistes, le style et le sens de ce terme seraient bien différents dans les deux cas. Le chrétien est plutôt „pèlerin".

s'empêcher de demander pourquoi alors Paul n'aurait-il pas réalisé
ou annoncé lui-même cette critique du Dieu des Juifs, qui est caractéristique de l'attitude du gnosticisme, et qui au contraire *répugne
totalement* à la mentalité religieuse et aux tendances théologiques
de Paul et des Pères. Il nous semble que ce soit justement l'attitude
anticosmique qui a produit le démiurge dualiste [1]). Ceci n'exclut
pas que Mlle Pétrement n'ait raison de penser que le démiurge ne
soit que postérieur dans le pensée gnostique, et qu'on ait commencé
par attribuer aux anges une activité creatrice [2]): mais, à part le fait
que le démiurge n'est pas nécessaire au gnosticisme (vr. *supra*, p. 17 s.),
il n'en reste pas moins vrai que l'inférisation du créateur est absolument incompatibile avec toute tradition néo-testamentaire et patristique, ni elle ne saurait être liée à la rupture entre les chrétiens
et les juifs. Celle-ci a pu se consommer et se radicaliser, et les chrétiens
ont pu continuer à réciter les Psaumes. D'autre part, l'inférisation du
créateur n'est qu'un aspect d'une „philosophie" gnostique qui se
fonde sur la doctrine des deux niveaux, c.à.d. sur la doctrine anthroposophique et cosmosophique dualiste, avec ses implications monistes
et „dévolutionnistes" [3]). Or, cette doctrine est tout à fait étrangère
au N.T. et aux Pères, mais elle est bien présente déjà dans les „premiers
gnostiques" Simon et Ménandre. Par conséquent, le fait que Simon
ait pu ne pas parler du créateur mais seulement des anges démiurges
et agresseurs d'Ennoia ne rapproche nullement Simon de Paul
pour ce qui est de la doctrine sur la création et le cosmos [4]).

---

[1]) Pour celui-ci, vr. ci-dessus, p. 17 ss.

[2]) Quant aux sept archontes, qui, selon Mlle PÉTREMENT, ne seraient que le
renversement polémique d'un schéma juif (les sept jours de la semaine, envisagés
sous le point de vue des jours de la création), il faut remarquer que les „puissances"
se manifestant dans ces jours étaient bonnes et divines, tandis que les „anges"
du judaïsme „intertestamentaire" avaient souvent des qualités négatives qui ont pu
conditionner dès le commencement l'hebdomade gnostique. De plus, il faudrait
pouvoir évaluer la préhistoire des conceptions harraniennes et mandéennes sur
les „sept"; cfr. „Numen", XII, 3, 1965, p. 172 s. Il faut considérer maintenant
aussi la disquisition sur l'hebdomade, les archontes et les cieux dans le *Traité
sans titre* 149, 27-150 16; un traité, il est vrai, du IIe s.

[3]) Le schéma est typique: IREN., *adv. haer.* I, 23, 2: *hanc enim Ennoiam...
degredi ad inferiora et generare angelos et potestates* (donné comme doctrine simonienne):
ce *degredi* (qui aboutit à une prostituée) concerne à la fois les valeurs ontologiques
et éthiques: non pas dans le sens qu' Ennoia soit coupable de son infortune, mais
que celui-ci la souille quand-même: ce qui est typique d'une ontologie gnostique.

[4]) On ne saurait accepter la phrase de Mlle PÉTREMENT, que la critique de la Loi
et la critique du monde allaient dans la même sens: l'A. rappelle elle-même la
distinction paulinienne entre la Loi et Abraham. [Vr. ci- dessus, p. 550].

En conclusion, l'idée de Mlle Pétrement nous semble juste, que „on n'a regardé le Destin comme une puissance inférieure que lorsqu'il est apparu comme vaincu par un autre pouvoir": mais cette dernière conception — assez peu spécifique en soi — avait pu être exprimée aussi, bien que dans un contexte tout à fait différent, par la spéculation mystériosophique, qui avait renversé le pur vitalisme naturiste des anciens rites de fertilité, en faisant „précipiter" dans le dualisme anticosmique cette attitude vaguement pessimiste et méfiante à l'égard de ce monde et de ses dieux et déesses, — une attitude qui, bien que sans possibilité d'évasion, était déjà propre de l'ancien mésopotamien ou de l'homme homérique [1]).

c) *Le gnosticisme et l'encratisme. Problèmes de l'apocalyptique juive*

Il est évident que toute recherche sur les origines du gnosticisme ne saurait se passer des questions relatives à l'encratisme: sans que l'on veuille affirmer a priori, ou de façon générale, le caractère ‚gnosticiste' de toute conception ou pratique encratite. (Tout comme il serait pareillement faux de vouloir identifier le gnosticisme avec toute espèce de culte des anges ou de détestation des anges: les deux attitudes pouvant d'ailleurs coëxister même dans un système dualiste.)

Or, il arrive qu'un thème pourrait relier les deux aspects, culte (ou détestation) des anges et encratisme. Ce thème, qui a été l'objet d'examen de la part de Mlle Janssens, est celui du mariage (ou plutôt de la fornication, *qui pourtant est un mariage*) des anges dans le texte célèbre d'*Hénoch* (et dans d'autres). Ce thème, qui a eu accueillance dans l'exégèse biblique du christianisme primitif, et qui appartient évidemment au tréfonds judéo-chrétien de celui-ci (dans le sens que ce terme a chez le P. Daniélou), n'est pas en soi gnostique, ne fût-il que par le fait (d'ailleurs tranchant) qu'il est représenté (bien avant que d'être employé par les gnostiques: *Apocr. Joh.* Cod. II 29, 16 ss. et parall., Séthiens d'Epiphane, cfr. aussi *Traité sans titre* du Cod. II, 171, 4 ss. et Mani, *de gig.*) dans des textes absolument monothéistes comme *Hénoch*.

Mais les indices ne manquent pas pour montrer que quelque chose se mouvait déjà dans ce sens dans la littérature apocalyptique judaïque. Dans *Hénoch*, les anges qui ont commis la fornication avec les filles des hommes ont révélé à celles-ci une série d'arts et

---

[1]) Cfr. le passage significatif de *Gilgamesh* VI, 44, où ce héros se refuse au mariage avec la déesse: *Initiation*, ed. Bleeker, Leiden 1965, p. 163. Il semble que la Mésopotamie ait pu être le lieu privilégié, avec la Grèce, de cette inférisation des puissances divines régissant le cosmos („Numen", cité ci-dessus, p. 734 n. 2).

d'artifices qui appartiennent tous, il est vrai, à l'idée du maléfice (les incantations, la divination, les herbes, les arts de la vanité et de la séduction; l'écriture même, en fonction de ces artifices): mais les connexions de cette série s'étendent amplement, jusqu'à l'utilisation des métaux (pour en faire des armes, bien sûr, ou des idoles).

Tout un aspect de la culture, ou mieux de la civilisation, est ici en crise, et est attribué à cette connaissance, imparfaite et mauvaise, que ces anges, manquant à leur devoir qui était d'instruire les hommes, ont donné à leurs épouses et, par leur intermédiaire, au genre humain.

Nous avons ici un cadre qui n'est pas dualiste, ni anticosmique, étant donné que Dieu reste le créateur et le maître de la vie et de l'histoire; un cadre qui n'est pas comparable avec l'anti-culturalisme mystique grec (p. ex. Ovide, *Met.* I 89 ss.), qui condamnait l'agriculture, la navigation, les mines, activités qui blessent et violent la terre et les autres éléments sacrés (d'une sacralité qui est la sacralité intacte des *archai*, de type assez orphique) [1]). Mais nous avons quand-même — dans *Hénoch* — une attitude qui concède le plus au pessimisme historique, étant donné que le monde, le monde actuel, même après la punition des anges (les ,,veillants"), *n'en connaît pas moins l'usage, définitif et accepté par tous*, des métaux, de l'écriture, voire (bien que cela soit reprouvé et pratiqué seulement par certains) de la divination, du bistre etc. [2]).

Or, il est intéressant de considérer que le péché des anges dans le *Livre d'Hénoch* consiste dans le fait qu'*ils étaient spirituels et donc étrangers et supérieurs de par leur nature à toute idée de mariage*: celui-ci devient pour eux un fait de pure concupiscence [3]) et la cause de leur chute,

---

[1]) Dans le manichéisme, sur la base de conceptions spécifiques, mais relevant en tout cas d'une doctrine mystique du cosmos, on a que les anges enseignent le travail (qui est considéré impie, et non seulement expression et conséquence d'une chute, ou de la condition humaine terrestre). Il faut ajouter que les perspectives millénaristes d'*Hènoch* sur un séjour béni dans cette terre sont parfaitement judaïques, bien différentes de la perspective ultramondaine du gnosticisme et de la perspective (perdue et orientée seulement en arrière) de l'âge d'or grec: mais elles n'en sont pas moins comparables, d'un certain point de vue, avec cette dernière idée.

[2]) De ce chef, on ne peut rappeler qu'en partie la ἔντεχνος σοφία, la περὶ τὸν βίον σοφία enseignée par Prométhée aux hommes selon le *Protagoras* de Platon (tandis que Hermès enseigne, par volonté de Zeus, la vertu ,,politique", supérieure et divine). Ce Prométhée de Platon n'est pas en fonction d'oppositeur de Zeus, ni ses dons ne sont envisagés négativement: mais il est inséré quand-même dans une vision ,,binaire" des facultés humaines (ses dons en tant que différents de celui de Zeus, et destinés à suppléer à la stupidité d'Epiméthée): cfr. *supra*, p. 22

[3]) 12, 4: ...."who have left the high heaven.... and have done as the children of earth do...."; 15, 4: "....as those [also] do who die"; cp. *ibid* 5 ss.

qui est une claire „*dévolution*"-*dégradation de leur situation céleste.* La même chose ne se dit pas dans *Hénoch* pour les hommes, qui ont besoin du mariage pour ce multiplier sur terre [1]) (un aspect des bénédictions millénaristes consistant justement, pour *Hénoch*, dans l'abondance des enfants, tout comme des moissons et du produit de la vigne). Pour cette raison *Hénoch* est dans la ligne judaïque la plus orthodoxe; mais il faut ajouter que dans le *Livre des Paraboles* (qui est plus récent que la Ière section du livre d'*Hénoch*, dont il fait partie) on dit que les hommes avaient été *créés comme les anges*, dans la perspective qu'ils seraient restés purs[2]) et justes, et la mort qui tout détruit n'avait pas de prise sur eux; mais à cause de cette (leur) science ils sont devenus mortels. Par ailleurs, ce péché des anges, dans *Hénoch*, qui donnent à l'humanité toute une série d'arts dangereux ou mauvais, est une sorte de „péché antécédent", différent du péché originel (vr. p. 7 n. 2): les hommes se voient transmis, par l'intermédiaire des femmes, les dons angéliques d'une façon assez automatique, un peu comme chez Hésiode les hommes et Epiméthée reçoivent respectivement le feu prométhéen ou la femme de façon assez automatique ou imprévoyante, sans que l'auteur insiste sur leur faute. Or, il est significatif que dans le livre des *Paraboles* les *anges* et les *hommes* sont *ensemble* les victimes des démons: ce qui souligne un certain rapprochement anges-hommes que nous avons remarqué dans ce livre [3]).

Tout ce discours aboutit à dire que certains aspects de la littérature apocalyptique (un „péché antécédent" qui fonde certains aspects de la vie actuelle et de la civilisation; la polémique contre ces aspects; l'insistance sur la concupiscence et la séduction qui cause la dévolution des anges — „ils les virent et les désirèrent" [4]) — et la ruine des hommes) tout ceci, *tout en restant typiquement judaïque (nul antisomatisme ni anticosmisme réels),* n'en insiste pas moins sur une attitude assez *pessimiste,* fondée d'ailleurs sur une perspective terrestre et millénariste, bien différente — elle-aussi — de la conception sotériologique

---

[1]) *Hén.,* 15, 5.

[2]) Ce mot n'implique pas l'encratisme. De plus, son contexte se réfère à la simplicité et sainteté originelles, et il faut souligner aussi l'analogie du „*comme les anges*".

[3]) Dans ce même livre, les perspectives millénaristes se juxtaposent à une perspective céleste pour les hommes: tous les justes, à la résurrection, auront des vêtements de gloire et de vie (*Hén.* 62, 15s.). Cette deuxième perspective est plus proche de l'idée évangélique, qui par ailleurs n'angélise pas la nature de l'homme, tout en admettant la sainteté du *in principio* (vr. note précéd.).

[4]) Ce péché est attribué aux Séthides dans le „Conflit d'Adam" p. 146 s. MALAN.

gnostique, tout comme de la perspective eschatologique-sotériolo-
gique chrétienne (qui considère un péché qui est formellement le
péché d'Adam, dans la perspective sotériologique et christologique
du nouvel Adam).

On comprend que ces attitudes de la spéculation judaïque avaient
la possibilité d'être développées dans le sens grec et platonicien,
quand avec Philon (cfr. en partie Origène) [1]) les anges qui s'adonnent
au mariage-fornication seront — parmi les âmes tombées dans les
corps — celles qui s'adonnent aux plaisirs. Par ailleurs, même cette
conception philonienne reste judaïque, dans le sens qu'elle n'admet
pas un créateur *anti-divin* de ce monde et de la matière, ce que d'ailleurs
Platon lui-même n'avait pas accepté. Dans les textes chrétiens, la
chute des anges fondée sur la „dévolution" (plutôt que dans la
superbe) subsistera assez longtemps, mais y fera figure de bloc
erratique, tandis que le péché des hommes aura son type et son
origine temporelle dans le péché de l'homme Adam (le malin n'étant
que le tentateur). Il est vrai que certains textes, qui ont une couleur
judaïsante, ébionite ou pseudo-cléméntine, préféreront d'insister
sur le thème d'un Adam qui n'a pas perdu sa gloire ou dont la faute
n'est pas soulignée. Mais il restent isolés.

Malheureusement, parmi les textes de ce Colloque on n'en trouve
pas qui soient dédiés à l'*encratisme* et à l'étude de ses rapports avec
le gnosticisme. On s'est limité à souligner que l'encratisme en soi
n'est pas encore le gnosticisme, étant donné qu'il n'est pas nécessairement dualiste ni anticosmique [2]). Bien des textes de l'apocalyptique
judaïque pourraient favoriser une interprétation encratite ou une
„préparation" à l'encratisme, quand la nécessité de la procréation
soit unie à l'idée du rapport sexuel considéré sous l'aspect d'une
matérialité qui ne saurait être que trouble [3]). L'idée de certains
Esséniens qui se mariaient pour éviter que le monde ne se vide —
mais qui vraisemblablement maintenaient tout le rigorisme et les
prémisses idéales de leurs confrères — n'a peut-être qu'accentué
cette attitude.

---

[1]) *c. Celsum*, 5, 55. Mais cfr. *Comm. in Joh.* VI, 42. PHILON, *de gig.* II-IV.

[2]) Quispel la souligne bien.

[3]) Dans le mazdéisme cette idée est exprimée de façon extrême par le texte du
Bundahishn cité par ZAEHNER, *Zurvan*, p. 188: Ohrmazd dit: „...Had I found
another vessel from which to make man, never would I have created thee, whose
adversary is the whore species...". Pour les autres textes relatifs (zurvanites?)
cfr. aussi notre *Zamān*, chap. II-III.

Dans le gnosticisme, l'antiféminisme (partiel! vr. p. 725) ne se réduit pas a ceci; bien au contraire; il a la motivation opposée, car il s'agit justement d'empêcher la procréation, qui est l'astuce du démiurge pour entretenir la vie-esprit dans ce monde; les attitudes extrêmes des Barbélognostiques libertins tendaient à cette même fin, de libérer la substance divine spermatique et la soustraire au cycle de la *genesis*. De plus, l'antiféminisme gnostique, bien qu'il partage — *à sa façon* — une idée très ancienne, qui met en connexion l'origine du mal et la femme, jusque dans les peuples ethnologiques [1]), est qualifié spécifiquement par une motivation cosmologique et ontologique propre. Comme nous l'avons remarqué (p. 724 n. 3), c'était déjà l'idée de Platon, que la première incarnation soit masculine, et seulement la deuxième, inférieure, féminine [2]).

Les deux idées gnostiques, du féminin comme lié au sexuel sur le plan de la *genesis*, qui lie l'esprit à la terre, et du féminin comme cosmologiquement-ontologiquement inférieur (le niveau cosmologique inférieur des Ophites spéculatifs et de Justin le gnostique est féminin), se lient parfois de façon inextricable: cfr. l'idée du monde inférieur comme réceptif des formes et de la vie divine (ci-dessus, p. 6) et en particulier l'idée ophite du monde inférieur s'identifiant à une *hystera*. (Ces mêmes idées se juxtaposant pourtant à l'exaltation gnostique du féminin divin, comme nous le remarquions ci-dessus, p. 725 s.).

De tout ce qui précède, il s'ensuit qu'il est difficile d'évaluer l'antiféminisme ou l'encratisme de textes qui sont sur la marge entre le christianisme et le judaïsme d'une part et le gnosticisme de l'autre: mais que les critères ne manquent pas pour faire ou tenter le partage des inspirations et des sources, qui, elles, sont distinctes, malgré l'existence d'un thème général assez peu typique (la femme comme mêlée aux origines du mal et des conditions de cette existence), et malgré l'existence du thème, plus spécifique, de la femme, ou des femmes, liées, de façon ou d'autre, à des êtres surhumains démiurgiques donnant une *techne* „mondaine", qui est mauvaise dans l'apocalyptique (*Hénoch*), inférieure chez Platon (la *entechnos sophia*) [3]), et liée avec des dons d'origine impie et douteuse chez Hésiode.

---

[1]) Ici, parfois, avec une connexion de la femme ou de la vie sexuelle avec un démiurge qui collabore avec le créateur, ou s'oppose à lui: *Il dualismo religioso*, p. 76; *Rev. de l'hist. des relig.*, 159 (1961), p. 13 s., n. 4.

[2]) *Supra*, p. 13. Cfr. Philon, *De gigant*. I, 4. „Une homme injuste n'engendre pas, dans l'âme, des mâles....".

[3]) *Supra*, p. 736 n. 2. Il est vrai que dans ce texte (du *Protagoras*) il s'agit seulement de Prométhée, non pas de la femme.

d) *Encore sur le féminin. Le gnosticisme et le christianisme „syro-palestinien'*

Un exemple typique de la difficulté de l'évaluation de cette différence est donné par l'*Evangile de Thomas*. Mais cette difficulté ne devrait pas faire ignorer la réalité du problème [1]). Le pur fait qu'un texte ne contienne pas de référence aux mythes gnostiques des vicissitudes du plérôme ne saurait être accepté comme preuve qu'il s'agit d'une texte non gnostique, ou gnostique de façon seulement implicite ou initiale. Le cas de l'*Epître à Flora*, écrite par un homme qui connaissait bien le système valentinien et sa théosophie, mais qui n'y fait pas de référence évidente, est toujours significatif. La même chose pourrait être pour l'*Ev. Th.* [2]), bien que la version copte semble en avoir souligné ultérieurement, comme dans la réélaboration du *logion* 77, le caractère gnostique total. Or, le *logion* 114 nous semble indiquer la présence claire de ce même caractère: l'identification *vie-esprit-mâle* est tranchante (cfr. *supra* p. 6). M. Rengstorf souligne avec raison qu'il n'est pas question dans ce logion de la *Überwindung* de la différentiation sexuelle, ni même du caractère *arsenothēlys* propre aux éons divins (et, à leur image, aux archontes): mais ce même *logion* implique également, nous semble-t-il, une *Überwindung* de la vie sexuelle, une *Überwindung* qui se fonde et culmine dans les implications divines et mystiques de l'élément mâle [3]).

---

[1]) La légitimité de cette position du problème ne saurait être contestée, même par les savants qui réclament une caution méthodologique à propos de l'usage du terme „orthodoxie" pour le christianisme du Ier siècle. M. SÄVE-SÖDERBERG, p. ex., parle dans sa communication de la possibilité d'admettre pour un certain nombre de *logia* de l'*Ev. Th.* deux interprétations, "a more general Christian one, and a more typical Gnostic one". L'usage de ces termes implique deux points de référence spécifiques, celui „general Christian" et celui „typical Gnostic", et il ne fait pas de différence, ici, que ces deux points puissent constituer une série ·chronologique ou deux aspects synchroniques. Haenchen écrit, dans ce Colloque, que „das ganze synoptische Spruchgut ist in Th. Ev. „verfremdet" worden: es wird Ausdruck eines völlig anderen Inhalts".

[2]) Pour des considérations analogues relatives à l'*Ev. Ver.* cfr. aussi Jonas, et, dans ce Colloque, Haenchen. Il est vrai que ce texte a une théo-cosmologie assez développée.

[3]) En effet, les deux choses, l'indifférenciation de l'unité originaire, contredite par la dualité (*Ev. Th. ll.* 11, 22), et, d'autre part, l'infériorité du féminin (*Ev. Th.* l. 114) se recoupent dans le concept fondamental de la „dévolution"-dégradation: cfr. le texte, cité à ce propos par Haenchen, de l'*Ev. de Philippe*, l. 71: „quand Eve était encore en Adam, il n'y avait pas de mort. Quand elle se sépara de lui, alors la mort surgit...". Cfr. aussi les *logia* 78 et 79. Selon Haenchen le terme *monachòs*, dans le sens qu'il a dans le *Ev. Th.*, se fonde sur des idées de ce type. Autrement Quispel (= „bachelor"). L'idée de la chambre nuptiale, sur laquelle *Ev. Phil.* insiste, est liée ici à ce mariage céleste qui, au contraire du

Nous ne partageons pas l'idée du Professeur Rengstorf, que le *logion* 114 implique bien un Pierre antiféminin, mais que le *logion* lui-même ne soit pas antiféminin. L'argumentation peut être retournée, une fois que Marie sera sauvée *justement quand son caractère féminin sera éliminé*: ce qui signifie que les femmes peuvent se sauver, mais quand elles seront mâles. Ceci n'exclut pas que la référence de Rengstorf à la doctrine de la résurrection dans 1 *Cor.* 15, 15 ne soit à considérer: mais justement le *logion* 114 — ce nous semble — entraîne-t-il un sens nouveau, le sens gnostique.

---

mariage terrestre, réalise pour ces gnostiques l'idéal de ce type d'identification auquel les *logia* de l'*Ev. Th.* font référence. Il est intéressant de remarquer que le mariage (ou le rapport sexuel) a été vu en fonction opposée par Bardésane (qui connaît aussi l'idée de la chambre nuptiale): Bardésane "thinks it (sexual intercourse) may be a form of purification" qui probablement "dilutes" the amount of darkness in the world, and so it is a form of purification". (H. J. W. Drijvers, *Bardaiṣan of Edessa*, Diss. Groningen 1966, p. 226). Il est intéressant que cette évaluation positive se fonde chez Bard. sur l'exemple du Père et de la Mère de vie, qui donnent la vie à Jésus, tandis que, selon Quispel, "for both Makarios and the author of the Gospel of Thomas Christ is our Father and the Holy Spirit our Mother", ce qui impliquerait l'encratisme. Il est très vraisemblable que la conception bardésanienne se rattache aux idées mazdéennes sur le mariage (surtout le mariage consanguin) comme promotion de la création divine.

Pour ce qui est de l'optimisme cosmologique de Bardésane, que Drijvers oppose au pessimisme manichéen, et dont il conteste l'appartenance gnostique, il faut souligner que cet optimisme „harmoniste" implique quand-même un dualisme, dont le dramatique est surmonté par une attitude finalement quiétiste (le retour de chaque substance à son lieu), très proche de la mentalité de Basilide, qui lui aussi (chose étrange) avait pris l'exemple pour son idée des deux substances (dont chacune devrait rester à son lieu, sans troubler l'autre) justement dans le dualisme iranien, qui, par ailleurs, était fortement „belliciste" (bien que cet aspect ait pu être atténué dans le syncrétisme de l'époque parthe). (Cfr. p. 25 n. 1). C'est bien pour cette raison que — selon nous — on doit ranger la pensée de Bardésane dans le gnosticisme: pour son dualisme, qui n'est pas le dualisme mazdéen (bien que son idée de la destinée soit comparable à celle du *Mēnōk i xrat*). En effet, le dualisme de Bard., avec son caractère „non-démiurgique", compose bien avec ces formules de gnosticisme „cosmogonique" et spéculatif — mais aussi sotériologique (dans le sens dualiste) — dont le traité naassénien et la *Megale Apophasis* sont des exemples. Par ailleurs, il faut dire que chez Bardésane c'est toujours de l'anticosmisme centré sur les problèmes de la destinée et de la liberté, bien qu'exprimé de façon assez élégante, aristocratique, cultivée, éclectique, et, somme toute, passablement mondaine: justement ce qu'on s'attendrait de ce raffiné homme de palais, aristocrate et „philosophe", qui — au confluent de trois mondes, l'iranien, le sémitique et le grec — veut donner une interprétation syncrétique mais originale de la vie; un „philosophe" qui ne dédaigne pas même l'astrolâtrie locale, et qui fait part à lui, ne se laissant regrouper dans une communauté de vie et de doctrine. Un homme bien différent d'un Marcion, et qui n'avait aucune raison pour en partager les polémiques anti-démiurgiques. Ce n'est pas sans raison que le „mélange", qui limite la pureté et la liberté des éléments cosmologiques, arrive chez Bardésane „par chance": c'est typique de ce dualisme

Il est vrai, d'ailleurs, que l'antiféminisme de l'*Ev. Th.* pourrait avoir aussi des sources encratites judéo-chrétiennes, surtout si l'on considère, avec Quispel, que, dans ce texte, "the buried corpse could rise again (*logion* 5, Greek version) and that Jesus manifested himself, quite undocetically, in the flesh (*l.* 28)". [1]. Ce serait alors le fait de participer à la résurrection du Christ qui empêcherait le mariage, lié à un monde de mort (cfr. *infra*): mais l'objection peut être avancée que la connexion encratite „abstention du mariage-résurrection du Christ (et du chrétien)" supposerait que la résurrection du chrétien ait déjà eu lieu (opinion attaquée dans 2 *Tim.*), tandis que le *log.* 5 (grec) de l'*Ev. Th.* parle d'une résurrection à venir (identique à une „révélation" du caché qui pourtant a toute une saveur gnostique).

Comme nous l'avons dit, ces remarques ne concernent pas toute la question de l'encratisme. Mais nous nous permettons de remarquer que si celui-ci se fonde sur l'idée que "now eschatology has been realised. Christ has risen from the dead, the faithful participate in this resurrection, and therefore marriage should be abolished",[2])

---

plus philosophique et dégagé, qui a un précédent dans la συντυχία τις invoquée par Platon pour expliquer dans le *Phèdre* (248 C) l'arrivée des âmes dans le monde. Basilide est un peu plus dramatique quand il parle du „désir".

Quant à l'ordre (provisoire) qui est un remède au mélange actuel des quatre éléments, originairement libres (sur la base d'une exaltation de l'état „pur"= „libre"= différencié), on est sur le plan d'une métaphysique empédocléenne, bien que celle-ci ait préféré insister aussi (et surtout) sur l'unité absolue des quatre. Chez Empédocle, tout comme chez Bardésane, cette cosmologie est aussi une sotériologie. C'est pourquoi on n'a pas, chez les deux, de démiurge inférieur, le principe de l'impureté le substituant dans sa fonction négative, de séparation (et de commixtion irraisonnable!) chez Emp., de mixtion confuse chez Bard. D'autre part, cette interpretation „méchanique" du dualisme cosmologique — avec une évaluation positive des éléments, qui sont „purs" — rattache Mani à Bardésane, malgré les différences psychologiques des deux. Mani y ajoute l'esprit belliciste du dualisme iranien, et l'esprit dramatique de l'antisomatisme radical marcionite.

[1]) *Vigiliae Christianae* 19 (1965), p. 70. On se demande pourquoi Quispel donne-t-il comme évidente l'inexistence, dans le *Ev. Th.*, du concept de la con-substantialité divine du moi du gnostique. Cf. à ce propos l'analyse de M. Puech, *Annuaire Coll. de France*, 1962-63 ss. — Quant au docétisme, qui paraît exclu par le l. 28 (mais, selon notre opinion, le logion 28 peut s'interpréter de façon docé-tique, dans le contexte des idées typiques de l'*Ev. Th.*, ou d'un groupe essentiel de ses *logia*: cfr. notre *Zur Frage nach ... dem Doketismus im Th. Ev.*, pour la Arbeitstagung „Häresien und Schismen", Berlin, DAW, Nov. 1966), il nous semble être implicite dans toute la théologie de l'image dans la forme où elle est acceptée par l'*Ev. Th.* Cfr. les remarques de M. Puech, sur cette théologie, l.c., et *supra*, p. 6. Il faut ajouter à notre analyse du docétisme implicite dans l'Hélène simonienne d'Irénée l'affirmation explicite de Ps. Clem. *Rec.* 2, 12.

[2]) Quispel, op. cit., p. 69.

on peut comprendre qu'il s'agisse d'une option chrétienne extrême, refusée en tout état de cause par 2. *Tim.* 2. 18. Mais si des motivations plus ,,ontologiques" s'y ajoutent (ce qui semble contraster avec l'attitude attribuée par Quispel au christianisme de langue araméenne, de ne pas être "very interested in the ontological interpretation of Christianity"), alors la chose peut changer: or ceci arrive en effet si l'idée encratite était que "birth was considered to be deplorable, because it inevitably led to death". Cette motivation est trop métaphysique pour ne pas appartenir au même stock idéal de l'aversion gnostique à la procréation, bien qu'elle ait aussi une préhistoire possible dans l'apocalyptique juive. De plus, autre chose est d'éviter le mariage pour ne pas se séparer de la résurrection du Christ, autre chose est de dire que ceux qui n'ont pas laissé leurs parents sont à considérer comme des fils de prostituées. Cette dernière idée rappelle dans sa substance, bien plus que le fameux macarisme évangélique sur ceux qui ont laissé leur famille, le Sabaoth-démiurge bon de l'*Hypostase des archontes* et du *Traité sans titre*, qui a honte de son père et de sa mère, le démiurge Jaldabaoth et la matière.

Par ailleurs, il faut considérer que même dans le cas d'une continuité ininterrompue dans le christianisme syriaque (affirmée par Klijn dans ce Colloque), on ne saurait douter du caractère spécifiquement dualiste du messalianisme, dont les doctrines sont comparées par Quispel à celles attribuées au mystique syriaque Macaire (IVe s.), et dans lesquelles il voit "probably a revival of a very old indigenous spirituality, which had existed in Syria for many centuries".[1]

Or, un problème méthodologique se pose ici: est-ce qu'on peut conclure contre l'appartenance gnostique du messalianisme par le fait que "we cannot prove that in his (Makarios') lifetime Messalia-

---

[1] Il nous semble intéressant de noter à ce propos la théorie de la *via* et de la *semita* dans le *Liber graduum* (*Patrol. Syr.* III, p. 475 ss.), qui prévoit deux espèces de vie pour l'homme, *appuyées l'une et l'autre sur des textes scripturaires* (du N.T.) *concurrents*: il ne s'agit pas de la doctrine commune chrétienne des préceptes et des conseils évangéliques, mais bien du fait qu'*on oppose, avec un procédé assez marcionite* (dans son style, non pas dans ses implications théologiques complètes), *l'autorité* (dans le sens plein, ,magistérial') *d'un texte du N.T. à celle d'un autre*. Et ceci arrive non seulement pour ce qui concerne le célibat, mais aussi pour d'autres arguments, tels le *travail* et le *quodcumque ligaveritis in terra* etc.: les personnages qui appliquent ce mot scripturaire ,non peccant, sed a perfectione recedunt' ! Ceci à part l'impression d'une réserve significative sur des arguments qui sont classiques chez les gnostiques de tous les temps (travail, autorité). Cfr. aussi un texte comme celui de l'*Homilie* VI, 5 du Ps. Macaire, (P.G. 34, p. 522), dont le titre oppose les *ktismata* aux *pneumata* (vr. aussi *Dict. Théol. Cathol.*, art. *Macaire*).

nism led a heterodox existence outside the Church"? Si l'on affirme, justement, qu'il n'est pas légitime en pure histoire de poser comme référence à priori une orthodoxie, sur la base de laquelle on puisse expulser du christianisme des premiers âges des doctrines quelconques, il faut aussi admettre la réciproque, que la pure coëxistence de courants idéologiques dans des milieux chrétiens des premiers siècles, ou même le fait que l'un d'entre eux semble avoir eu pour un temps une bonne place dans une région particulière, n'exclut pas la possibilité que ces courants, ou certains d'entre eux, se rattachent à des sources idéologiques particulières, surtout quand il s'agit d'un courant, le messalianisme, qui fut détesté par l'Eglise syriaque, et qui constitue un anneau dans la chaîne des traditions dualistes en Orient (ce qui d'ailleurs ne signifie par vouloir condenser dans le messalianisme tout le courant „gnostisant" de la Syrie).

Nous sommes ainsi ramenés à l'antinomie ci-dessus mentionnée, qui ne peut être surmontée, pour chaque cas particulier, qu'avec l'identification des connexions idéologiques qui accompagnent l'usage des thèmes qui ont été exploités dans des religions différentes. Faute de quoi, le problème du gnosticisme dans les textes „gnostisants" les plus teints de christianisme risque d'aboutir à un faux problème. Ou bien on pourrait arriver à l'absurde de nier par des raisonnements les origines non-chrétiennes, platoniciennes, de la préexistence des âmes chez Origène, qui sont certaines, en dépit du fait que la spéculation juive et chrétienne ait pu parfois *accepter* l'idée (qui circulait en suspension dans l'atmosphère antique) d'une préexistence céleste de l'âme [1]).

e) *A propos de l'Hymne de la Perle*

Le caractère gnostique, ou bien purement judéo-chrétien, du *Chant de la Perle* des *Actes de Thomas*, est vivement discuté dans les études sur les origines du gnosticisme et sur le christianisme syro-égyptien, et quelques études de ce Colloque y reviennent: les deux attitudes extrêmes voient dans ce texte la preuve la plus éclatante des racines iraniennes du gnosticisme, ou bien d'un christianisme syro-palestinien caractérisé par une certaine thématique propre. Nous nous limitons à poser la question suivante, qui tend à souligner la présence du thème gnostique de la „dévolution"-dégradation

---

[1]) Cfr. déjà la notice de Josèphe sur les conceptions esséniennes à propos de la dérivation céleste de l'âme enfermée dans le corps, B.J. II, 154 s.

du divin dans ce texte, mais en même temps à faire ressortir l'insuffisance, en ce cas, de la thématique du „salvator salvatus" et du „salvator salvandus", et — en plus — la distinction entre cette dernière thématique et la christologie gnostique elle-même.

Si, dans le *Chant*, la Perle est l'âme (ou le *pneuma*) perdue dans le monde — ce qui est indubitable —, qu'est alors le Prince? Il est le Sauveur, mais, en même temps, une fois qu'il tombe victime des forces d'en bas et qu'il oublie sa mission (et son être véritable) il doit être sauvé: ce sera la Lettre qui le sauvera, avec ceux qui iront à sa rencontre. Il y a donc toute une série d'êtres qui médiatisent le salut (de la Perle et du Prince) et constituent les êtres d'en haut (en particulier le Vêtement et le Frère du Prince, qui sont sa contrepartie céleste). Il est indubitable que le Prince, qui est sujet à *l'oubli*, ne saurait s'identifier avec le Christ, encore moins avec un Christ qu'un chrétien aurait accepté; et il se différencie aussi du Jésus du psaume naassénien, qui assume les formes des archontes et les trompe (tandis que le Prince est *trompé*) [1]: on peut objecter même à la possibilité que le Prince soit un Jésus psychique et passible, étant donné qu'il est destiné à se présenter dans la Maison royale avec son vêtement pneumatique qui s'identifie à lui. Il s'ensuit de tout ceci que le Prince se rapproche mieux d'un Anthropos sauveur, du type qui sera du manichéisme (avec la différence que l'Anthropos manichéen n'est sauveur que dans l'intention [2]), et dans une perspective qui aboutit au véritable sauveur, tandis que le Prince, une fois réveillé, récupère en effet la Perle): en somme, le Prince est un personnage intermédiaire entre la Perle perdue et le *Sauveur en absolu*, ou, mieux, *le Sauvetage en absolu* qui le réjoint d'en haut, sous la forme de la Lettre.

Or, comme le Prince (et la Perle) sont les protagonistes de l'Hymne en question, il me semble s'en suivre que ce texte, n'ayant pas comme protagoniste le Christ Sauveur absolu, soit *plutôt un Hymne sur l'âme que sur le Christ;* bien qu'il ait pu être utilisé en fonction chrétienne, étant donné son contenu sotériologique et spirituel. On pourrait en trouver une confirmation dans le fait que ‚Macaire' applique cette vicissitude justement à l'âme qui doit être sauvée, comme l'écrit Quispel lui-même: l'homme „receives again the garment of glory

---

[1] Ce sont des choses bien différentes que de tomber victime de l'oubli (et d'une tromperie) ou de tomber victime de la violence (ce dernier incident convient seul au Christ orthodoxe, et au Christ gnostique aussi).

[2] On a vu ci-dessus que l'Anthropos gnostique est essentiellement victime de la chute, protagoniste passif du drame.

that he had lost when the soul fell from its height and became the slave of the Pharaoh". Si, au contraire, l'âme-Perle et le Sauveur-Prince sont foncièrement la même chose, ou si en tout cas le Christ sauve son âme (comme dans l'*Ev. de Philippe* 9), on a *a fortiori* le dogme du gnosticisme pur. Mais nous préférons nuancer, et souligner la compléxité des fonctions et la médiété de la situation du Prince, qui répond bien à la mentalité du gnosticisme, que le Prince soit ou non explicitement consubstantiel aux âmes [1]).

---

[1]) Pour Quispel aussi le concept du Dieu déchu est "the real issue of gnostic theology" (op. cit., p. 74). Les spéculations judaïques et judéo-chrétiennes sur les deux esprits ets. ne sauraient réaliser ce concept, ni le concept du „tragic split within the Deity itself" (*ibid.*, p. 73).

Le traitement, par Scholem, du "Jewish Gnosticism" (dans le livre de 1960) n'entre pas ici en ligne de compte, étant donné le sens non-dualiste que cet A. y donne au terme „gnosticisme", (si ce n'est peut-être pour certains aspects d'une anthroposophie judaïque qui veuille voir dans l'homme un élément divin).

INDEX ANALYTICUS

I. Auctores moderni

II. Auctores antiqui et doctores gnostici

III. Nomina propria (dei, angeli, hypostases, homines)

IV. Termini technici

V. Loci

VI. Religiones. Gnosticorum et philosophorum scholae

VII. Notabiliora varia

Questi Indici sono stati compilati dalla Sig.ra Giulia Sfameni-Gasparro e dalle Sig.ne Liliana Barillaro, Concetta Giuffrè e Maria Luisa Mannella. I numeri si riferiscono alle pagine; n. = nota; d. = discussione.

I. AUCTORES MODERNI

II. AUCTORES ANTIQUI ET DOCTORES GNOSTICI

(loci V.T. et N.T. aliorumque librorum Iudaismi, Christianismi, gnosticorum, aliarum religionum, inveniuntur in Indice III).

III. NOMINA PROPRIA (DEI, ANGELI, HYPOSTASES, HOMINES)

IV. TERMINI TECHNICI

1. T. Graeci

ἀγαθός 530
ἀγάπης (προφάσει) 204
ἄγγελος 631
ἀγέλαι 353n.
ἀγελεία 353n.
ἀγελάρχαι 353n.
ἀγνωσία 7
ἀδελφαί 536
ἀδελφοί 536
ἀδελφοὶ Χριστοῦ 636
ἀδελφὸς Χριστοῦ 636
ἀθάνατος 344n., 346n., 506
αἰσχύνη 642
(τὸ τῆς) αἰσχύνης (ἔνδυμα) 634
αἰών 326, 521, 522n., 550d., 551d., 733
ὁ αἰὼν οὗτος 522
ὁ αἰὼν ὁ μέλλων 522
αἰῶνες 522
ἀπὸ τῶν αἰώνων 522
πρὸ τῶν αἰώνων 522n.
(τὸ) ἄλογον 346n., 347, 347n.
ἄλογος ψυχή 341n.
ἁμαρτήματα 345n.
ἁμαρτίαι 351n.
ὁ ἀμήν 600
ἀμφίον (τοῦ φωτὸς τῆς σωτηρίας) 638
ἀνάγκη 21n., 27, 346n.
ἀναισθησία 498
ἀναίτιος (κακίας) 344n.
ἀναίτιος (τῶν ἁμαρτημάτων) 345n.
ἀνάπαυσις 124, 521
ἀνάστασις νεκρῶν 517
ἀνεννόητος 203
ἀνὴρ (θεῖος) 694
ἄνθρωπος 350n., 351n., 441n.

ἄνθρωπος ᾿Αδάμ 568
ἄνθρωπος ἐν τιμῇ ὤν 643
(ὁ ὄντως) ἄνθρωπος 714
(προὼν) ἄνθρωπος 602
ἀντεξούσιος 530
ἀντίμιμον πνεῦμα 129s., 130n.
ἀποκατάστασις 256, 258, 518
ἀποπεπτωκότες 644
ἀπορία 205
ἀποσπασθῆναι 331
ἀρσενόθηλυς 735
ἀρχαί 129, 450, 460, 520, 522, 736
ἄρχειν 346
ἀρχή 208
ἐν ἀρχῇ 543
ἄρχοντες 24n., 246n., 352n., 354n.
(θεοί) ἄρχοντες 353, 353n.
ὁ ἄρχων (τῆς πορνείας) 294
ἀσκός 634
ἀσπάζεσθαι 87n.
ἀστέρες 352n.
αὐτοκρατεῖς 352
αὐτοκράτορες 364
ἄρρητος 203
ἄρρητος τέχνη 216
ἄρρητος φῶς 638
ἄχραντος 622

βάθος 205
βίος 22n., 344n., 736n.
βιωτικοί 22n.,
βιωτικαὶ μέριμναι καὶ ἐφημεριναί 22n.
βόρβορος 321
βρέφος ἄλαλον 628

γάμος 9, 492

2. T. Latini

3. *T. Hebraici*

4. *T. Aramaici et Syriaci*

5. *T. Arabici*

6. *T. Mandaei*

maṣbuta 591
masiqta 591
naṣuraia 586
nitupṭa 59n.
r(ab)ba 592
rabuta 59

raza 592
rūḥā 297, 590
tarmīda 595
zāḵūṭā 35n.
zidqa 584

7. T. Manichaei (v. 4 et 9)

γwyčk 268
dʾnyšn 265, 267, 267n., 446, 604, 610s., 613
drdg 59n.

parn 285
wrc 609
znʾkh 268
zʾwer u dʾyʾ wer 270n.

8. T. Avestici

ahū 259
aməša spənta 287
Aša 259, 265, 269, 271, 273s., 275, 275n., 276, 276n., 277
Aši 189d., 269, 271
ašta 47, 50
astvant 270n.
avaŋhāna 270
baog 269
*budhi 268
čisti 189d., 265, 269, 271-274, 275, 275n., 276s., 287, 721n.
daēnā 34, 49, 51, 51n., 52, 260, 272, 273, 275, 276n.
darasāṭ 273
dastva 273n.

fravaši 720n., 722n.
gairē 274
gayō martā ašaya 46
kəhrp 270n.
x^uarənah 285, 507d., 706
xšaθra 287
maga 286n., 287. 288, 722n.
ratu 259
sar 275
sārəštā 275n.
saršta 275n.
tanū 270n.
urvan 272
var 277
yasna 287

9. T. Pahlavici

ākāsīk 260
ax^v 287
ax^{v}apēčak 287
ax^{v}īh 287
apēčakīh 287, 290d.
apēčak vēhīh 287
asnōxrat 254, 256
ašōqar 291-293, 296s.
aštak 54
Āz 258s.
āzāt-kām 287

baxt 287, 287n.
baxt u baghō-baxt 257
bōžišn 269 cf., 260
buxtārīh 256
bun 58
bun martôm 261

čihr 258

dānākih i frāč vičītār 256
dānišn 258
dēn v. daēnā (8)
dīv 256
druj 289n.

fraškart 286s.
fraškart-kartārīh 258
frazānakīh 271
frēštag 47s., 51, 51n.

Gannāk Mēnōk 45n.
Garōtmān 44
Gayōmart 45n.
gayō martā ašaya 46
gētīk 26, 30, 43s., 258s., 269, 283, 284, 284n., 287, 287n., 718, 722n., 724n,

10. T. Armenii

11. T. Aegyptii

12. T. Coptici

13. *T. Indici*

ahiṃsā 664
ālayavijñāna 661
āloka 662
ālokaharī 662
angiras 277n.
aniyata 655
anupalipta 662
ārya 653
aśubha 664
ātman 43
avidyā 653

bālapṛthagjana 653
brahman 717
brahman-ātman 275, 280d.
brahmaloka 50
bodhicittaṃ prakṛtiprabhāsvaraṃ 654
buddhi 268, 674d.

ḍākinī 659
dharma 656, 663
dharmakāya 664
duḥkha 652

evaṃ sati idaṃ hoti 663

guru 660

jivan-mukti 268
jñāna XVIII, 267, 276n., 652, 717n.
jñāna-mārga 43
j'hāna 268n.

karma 339d., 717n.

kešin 277n.

icchantika 655

mahātman 43
māyā 716
mithyātva-niyata 655
mudrā 663

nirmāṇakāya 664

pāram 660n.
prajñā 656n., 657
prajñā-pāramitā 268
prativarṇikā prajñāpāramitā 663
ṛṣi 277n.
ṛta 279

śakti 657n.
samādhi 278
sambhogakāya 665
saṃdhābhāṣya 660, 699
samyaktva-niyata 655
siddhas 657
śraddhā 276n.
sūka 272

tapas XVIII
tarka 268

videha-mukti 268
vihāra 662
vijñāna 268

14. *T. Tibetici*

gter-ma 658

15. *T. Linguar. Americae*

ah-naoh 682
icel teotl 684
inacayo 685s.
ixiptlatli 679, 679n.
naat 682
nacatl 685
nacayotl 685

naom 682
naual 683
naualli 267, 277n., 681-683
nauati 682
nauatl 682
tetzauia 683
tetzauitl 683

V. LOCI

1. *Loci V.T.*

3. *Pseudoepigrapha Judaica*

4. *Qumranica*

5. Rabbinica

6. Apocrypha et Pseudoepigrapha Christiana

7. *Libri gnostici apud Nag Hammadi inventi*

CODEX I (CODEX JUNG)

CODEX II

CODEX II (sequitur)

CODEX III

CODEX V

CODEX VI

CODEX VII

Apocalypsis Dosithei (*Stelae Sethi*)
    65, 67n., 70
118,10-127,27 128, 128n.

Apocalypsis Petri 65, 68n.

Lehren des Silvanus 65s., 68n.

Paraphrasis Sethi (et *Par. Seem*) 57,
 57n., 58, 65, 67n., 217, 221, 241,
      723n.

Zweiter Logos des grossen Seth
      65, 67n.
53,30-31   73n.
63,32ss.   73
69,20ss.   73
69,20-24   73n.
69,29-70,10   73n.

CODEX VIII

Abhandlung über die Wahrheit des
 Zostrianus (Rével. de Zostrien et de
 Zoroastre, Nr. 14 Doresse)
  65, 67n., 70, 182n., 265

Brief des Petrus, den er an Philippus
 sandte   65s., 68n.
Offenbarungschrift onhne Titel (= Nr.
 13 Doresse) 67n., 70n., 73

CODEX IX

Drei titellosen Schriften (= Nr. 16, 17,
 18 Doresse)   66, 67n.
Titellose Schrift aus Cod. IX (= Nr. 19
 Doresse)   68n.

Zwei titellosen Schriften aus Cod. IX
      70n.
Erste Schrift aus Cod. IX, 27 70
27,3-10   70n.

CODEX X

Schrift Nr. 43 Doresse 67n.
Eine Schrift in Cod. X 70n.

Die Reste der beiden Traktate in
 Cod. X   66

CODEX XI

Allogenes (Höchster Allogenes) 66,
      67n., 70
Titellose Schrift 66, 74n.

Die Deutung der Gnosis 66, 67n.,
      70n., 74n.
Messos   67n.

CODEX XII

Reste einer Weisheitslehre 66
Der Traktat Nr. 44 Doresse 67n.

Eine Schrift in Cod. XII 70n.

CODEX XIII

Die dreigestaltige Protennoia 66,
  67n., 70, 71n., 507d.
1,7-15   70n.
5,10-18   70n.
6,14-18   70n.
11,5-6   70n.

11,4-5   70n.
14,21-31   70n.
15,21-24   70n.
16,8   70n.
16,9-20   70n.
16,20-29   70n.

8. *Libri gnostici aliunde noti*

9. *Libri Hermetici*

10. *Libri Mandaei*

11. *Libri Manichaei*

12. Libri Mazdaici

13. Libri Indici

14. *Libri Orphici; L. Aegyptii Mortuorum*

VI. RELIGIONES; GNOSTICORUM, PHILOSOPHORUM SCHOLAE

VII. NOTABILIORA VARIA

(v. etiam Indicem VI)

Animismus 673

Anticosmismus 725, 729, 733, 737, 741n.

Anticulturalismus 736

Antifoeminismus 537, 718, 721, 739, 742

Antinomismus 550d., 659, 659n., 660n.

Antisomatismus 737, 742n.

Dualismus XXII, XXV, XXVIII, XXXII, 532s., 536d., 537, 539, 549, 550d., 551d., 602, 619, 623s., 685, 702, 708, 716, 717n., 718-720, 721n., 724s., 732, 732n., 733s., 735, 739n., 741n., 742n.

d. anticosmicus 716, 719, 735

d. anthroposophicus et

d. cosmosophicus 734

d. cosmologicus 742n.

d. gnosticus XXII, XXV, XXVIII, XXXII, 532, 536d., 720

d. mazdaicus XXII, XXV, XXVIII, XXXII, 718-20, 741n., 742n.

Initiatio 662, 674, 681, 686, 686n., 725n., 726n., 735n.

Monismus 532, 725

Monotheismus 684, 718, 723n., 735

Nagualismus 681, 681n., 682n.

Shamanismus 721n.

Syncretismus 535, 539n., 589, 662, 671, 675d., 710, 712

Vitalismus 725, 735